Charles Dickens

David Copperfield

Roman

Aus dem Englischen von
Gustav Meyrink

Fischer Taschenbuch Verlag

Die englische Originalausgabe erschien erstmals als Fortsetzungsroman
in den Jahren 1849/50 unter dem Titel ›The Personal History, Adventures,
Experience & Observation of David Copperfield the Younger of Blunderstone
Rookery (which he never meant to be published on any account)‹.

2. Auflage: Februar 2010

Ungekürzte Ausgabe
Veröffentlicht im Fischer Taschenbuch Verlag,
einem Unternehmen der S. Fischer Verlag GmbH,
Frankfurt am Main, März 2008

Für diese Ausgabe:
© 2008 Fischer Taschenbuch Verlag, in der
S. Fischer Verlag GmbH, Frankfurt am Main
Satz: MedienTeam Berger, Ellwangen
Druck und Bindung: Clausen & Bosse, Leck
Printed in Germany
ISBN 978-3-596-90009-1

Unsere Adressen im Internet:
www.fischerverlage.de
www.fischer-klassik.de

Inhalt

1. Kapitel

Ich komme zur Welt

Ob ich mich in diesem Buche zum Helden meiner eignen Leidensgeschichte entwickeln werde oder ob jemand anders diese Stelle ausfüllen soll, wird sich zeigen.

Um mit dem Beginn meines Lebens anzufangen, bemerke ich, daß ich, wie man mir mitgeteilt hat und wie ich auch glaube, an einem Freitag um Mitternacht zur Welt kam. Es heißt, daß die Uhr zu schlagen begann, gerade als ich zu schreien anfing.

Was den Tag und die Stunde meiner Geburt betrifft, so behaupteten die Kindsfrau und einige weise Frauen in der Nachbarschaft, die schon Monate zuvor, ehe wir noch einander persönlich vorgestellt werden konnten, eine lebhafte Teilnahme für mich gezeigt hatten,

erstens: daß es mir vorausbestimmt sei, nie im Leben Glück zu haben, und

zweitens: daß ich die Gabe besitzen würde, Geister und Gespenster sehen zu können. Wie sie glaubten, hingen diese beiden Eigenschaften unvermeidlich all den unglücklichen Kindern beiderlei Geschlechts an, die in der Mitternachtsstunde eines Freitags geboren sind.

Über den ersten Punkt brauche ich nichts weiter zu sagen, weil ja meine Geschichte am besten zeigen wird, ob er eingetroffen ist oder nicht.

Was den zweiten anbelangt, will ich nur feststellen, daß ich bisher noch nichts bemerkt habe. – Vielleicht habe ich schon als ganz kleines Kind diesen Teil meiner Erbschaft angetreten und aufgebraucht. Ich beklage mich auch durchaus nicht, falls mir diese schöne Gabe vorenthalten bleiben sollte. Und wenn sich irgend jemand anders ihrer vielleicht bemächtigt hat, mag er sie in Gottesnamen behalten.

Ich kam in einem Hautnetz zur Welt, das später um den niedrigen Preis von fünfzehn Guineen in den Zeitungen zum Verkauf ausgeschrieben wurde. Ob damals die Seereisenden gerade knapp bei Kasse waren oder schwach im Glauben und daher Korkjacken vorzogen, weiß ich nicht; ich weiß bloß so viel, daß nur ein einziges Angebot einlief, und zwar von einem Anwalt, der zugleich Wechselagent war und zwei Pfund bar und den Rest in Sherry geben wollte und es entschieden ablehnte, um einen höhern Preis diese Garantie gegen das Ertrinken zu erwerben. Die Annonce wurde zurückgezogen – denn was Sherry anbelangte, so wurde meiner armen lieben Mutter eigner Sherry gerade damals versteigert.

Das Hautnetz wurde zehn Jahre später in unserer Gegend in einer Lotterie unter fünfzig Personen ausgeknobelt; je fünfzig Bewerber zahlten eine halbe Krone per Kopf, und der Gewinner hatte noch fünf Schillinge daraufzulegen. Ich selbst war gegenwärtig und erinnere mich, wie unbehaglich und verlegen mir zu Mute war, als ein Teil meines eignen Selbsts auf diese Weise veräußert wurde. Ich weiß noch, daß eine alte Dame mit einem Handkorb das Netz gewann und die ausgemachten fünf Schillinge in lauter Halfpennystücken zögernd heraushole.

Es fehlten damals noch zwei und ein halber Penny, was man ihr nur mit einem großen Aufwand an Zeit und Arithmetik begreiflich machen konnte. Tatsache ist, daß die alte Dame wirklich nie ertrank, sondern triumphierend im Bette starb; zweiundneunzig Jahre alt.

Ich ließ mir erzählen, daß sie sich bis an ihr Ende außerordentlich damit brüstete, in ihrem ganzen Leben niemals auf dem Wasser gewesen zu sein, höchstens auf einer Brücke, und daß sie bei ihrem Tee, dem sie sehr zugetan war, stets ihre Entrüstung über die Gottlosigkeit der Seeleute aussprach, die sich auf dem Meere »herumtrieben«.

Es war vergebens, ihr vorzustellen, wie viele Annehmlichkeiten wir, den Tee zum Beispiel mit inbegriffen, dieser Unsitte verdanken. Stets erwiderte sie mit noch größerm Nachdruck und mit instinktivem Bewußtsein von der Gewalt ihres Einwandes: »Man hat sich trotzdem nicht herumzutreiben.«

Um mich aber nicht selbst herumzutreiben und abzuschweifen, will ich wieder zu meiner Geburt zurückkehren.

Ich erblickte in Blunderstone in Suffolk oder daherum, wie man in Schottland sagt, das Licht der Welt. Ich bin ein nachgebornes Kind. Meines Vaters Augen schlossen sich sechs Monate früher, als die meinigen sich öffneten.

Es liegt etwas Seltsames für mich in dem Gedanken, daß mein Vater mich niemals gesehen hat, und noch Seltsameres in der schattenhaften Erinnerung aus meiner ersten Kinderzeit an den weißen Grabstein auf dem Kirchhof. Ich empfand unsäglichen Kummer, daß er dort draußen allein liegen mußte in der dunklen Nacht, während unser kleines Wohnzimmer warm und hell war von Feuer und Licht und das Tor unseres Hauses – fast grausam kam es mir manchmal vor – für ihn verriegelt und verschlossen.

Eine Tante meines Vaters, folglich eine Großtante von mir, von der ich bald mehr zu erzählen haben werde, galt als die angesehenste Person in unserer Familie. Miss Trotwood oder Miss Betsey, wie meine arme Mutter sie immer nannte, wenn sie ihre Angst vor dieser schrecklichen Persönlichkeit so weit überwand, sie überhaupt zu erwähnen, war verheiratet gewesen mit einem Manne, der jünger als sie selbst und sehr hübsch war. Allerdings nicht in dem Sinn des Sprichworts, »hübsch ist, wer sich hübsch beträgt«, – denn er stand stark in dem Verdacht, daß er Miss Betsey durchzuprügeln pflegte und einmal sogar wegen einer strittigen Unterstützungsfrage schnelle, aber entschlossene Vorbereitungen getroffen hätte, sie aus einem Fenster im zweiten Stock hinauszuwerfen.

Diese offenkundigen Beweise unverträglicher Gemütsart bewogen schließlich Miss Betsey, ihn mit Geld abzufertigen und eine Scheidung auf gegenseitige Übereinkunft durchzusetzen.

Er ging mit dem Kapital nach Indien und wurde dort nach einer wilden Legende in unserer Familie einmal auf einem Elefanten reiten gesehen in Gesellschaft eines Babu. Es wird wohl ein Pavian gewesen sein – oder eine Begum! Wie dem auch sei, ehe zehn Jahre um waren, kam aus Indien die Kunde von seinem Tod.

Wie meine Tante es aufgenommen hat, weiß niemand. Gleich nach der Scheidung nahm sie ihren Mädchennamen wieder an, kaufte sich ein Häuschen in einem Weiler weit draußen an der Seeküste und lebte dort mit einer einzigen Dienerin in unerbittlicher Zurückgezogenheit.

Mein Vater mußte einst ihr Liebling gewesen sein, aber seine Heirat hatte sie tödlich beleidigt, da meine Mutter nach ihrer Ansicht nur eine »Wachspuppe« war. Sie hatte meine Mutter wohl nie gesehen, wußte aber, daß sie sehr jung war – noch nicht zwanzig.

Mein Vater und Miss Betsey sahen einander nie wieder. Er war doppelt so alt als meine Mutter, als er sie heiratete, und von zarter Gesundheit. Ein Jahr darauf starb er; wie ich schon gesagt habe, sechs Monate, ehe ich zur Welt kam.

So lagen die Dinge an jenem, wie ich wohl sagen darf, ereignisvollen und wichtigen Freitag. Ich weiß natürlich über sie nichts aus eigner Anschauung und stütze meine Erinnerungen auch nicht auf eigne Sinneswahrnehmung.

Meine Mutter saß am Feuer, körperlich schwach und geistig sehr niedergedrückt, schaute, die Augen voll Tränen, in das Feuer und sann trübe nach über das Schicksal des vor der Geburt verwaisten Kindes, dessen Ankunft binnen kurzem erwartet wurde, und über ihre eigene Zukunft.

Es war ein heller, windiger Herbstnachmittag, und sie saß betrübt und niedergeschlagen da und von bangen Zweifeln erfüllt, ob sie wohl glücklich die zu erwartende schwere Stunde überstehen werde, als sie, ihre Augen trocknend, aufblickte und durch das gegenüberliegende Fenster eine fremde Dame in den Garten hereinkommen sah.

Beim zweiten Blick hatte meine Mutter schon die sichere Ahnung, daß es Miss Betsey wäre. Die untergehende Sonne schien über den Gartenzaun auf die fremde Dame, und diese schritt auf die Türe zu mit einer so unbeugsamen Strenge in Gesicht und Haltung, daß es niemand anders sein konnte.

Als sie das Haus erreichte, lieferte sie noch einen andern Beweis ihrer Identität. Mein Vater hatte oft erwähnt, daß sie sich selten wie ein gewöhnlicher Christenmensch benehme; und nun trat sie wirklich, anstatt die Glocke zu ziehen, an das nächste Fenster und drückte ihre Nase mit solcher Energie gegen das Glas, daß diese im Augenblick ganz platt und weiß wurde, wie meine Mutter oft erzählte.

Sie bekam darüber einen solchen Schrecken, daß ich es meiner Überzeugung nach nur Miss Betsey zu danken habe, wenn ich an einem Freitag zur Welt kam.

Meine Mutter war in ihrer Aufregung aufgestanden und hinter den Stuhl in eine Ecke getreten. Miss Betsey sah sich durch die Scheiben langsam und forschend im Zimmer um, wobei sie am andern Ende der Stube anfing, und wendete automatenhaft wie ein Türkenkopf auf einer Schwarzwälderwanduhr das Gesicht, bis ihre Blicke auf meiner Mutter haften blieben. Dann zog sie die Brauen zusammen und winkte wie jemand, der zu befehlen gewohnt ist, daß man ihr die Türe aufmachen solle. Meine Mutter gehorchte.

»Mrs. David Copperfield vermutlich«, sagte Miss Betsey mit einer Emphase, die sich wahrscheinlich auf die Trauerkleider meiner Mutter und auf ihren Zustand bezog.

»Ja«, antwortete meine Mutter schüchtern.

»Haben Sie schon von Miss Trotwood gehört?« fragte die Dame.

Meine Mutter entgegnete, sie habe das Vergnügen gehabt, hatte aber dabei das unangenehme Gefühl, nicht darnach auszusehen, als ob es ein überwältigendes Vergnügen gewesen wäre.

»Jetzt steht sie vor Ihnen«, sagte Miss Betsey. Meine Mutter verbeugte sich und bat die Dame, einzutreten.

Sie gingen in das Wohnzimmer, aus dem meine Mutter gekommen, denn das Besuchzimmer auf der andern Seite des Ganges war nicht geheizt und nicht geheizt gewesen seit meines Vaters Leichenbegängnis. Als sie beide Platz genommen hatten, Miss Betsey aber nichts sprach, fing meine Mutter, nach einem vergeblichen Bemühen sich zu fassen, zu weinen an.

»O still, still, still!« sagte Miss Betsey hastig. »Nur das nicht. Laß das, laß das!«

Meine Mutter aber konnte sich nicht helfen, und ihre Tränen flossen, bis sie sich ausgeweint hatte.

»Nimm deine Haube ab, Kind«, sagte Miss Betsey, »damit ich dich sehen kann.«

Meine Mutter war viel zu sehr eingeschüchtert, um dieses seltsame Verlangen abzuschlagen, selbst wenn sie gewollt hätte. Daher entsprach sie dem Wunsche und tat es mit so zitternden Händen, daß ihr Haar, das sehr reich und schön war, sich löste und auf ihre Schultern herabfiel.

»Gott bewahre!« rief Miss Betsey, »du bist ja noch ein wahres Wickelkind.«

Allerdings sah meine Mutter selbst für ihre Jahre noch sehr jugendlich aus. Sie ließ den Kopf hängen, als ob es ihre Schuld wäre, und sagte schluchzend, daß sie auch fürchte, sie sei ein wahres Kind von einer Witwe und werde auch ein Kind von einer Mutter sein, wenn sie am Leben bliebe.

In der kurzen Pause, die darauf folgte, kam es ihr fast vor, als ob Miss Betsey ihr Haar berührte, und zwar nicht mit unsanfter Hand; aber wie sie schüchtern hoffend aufblickte, hatte sich die Dame mit aufgeschürztem Kleid bereits hingesetzt, die Hände über ein Knie gefaltet, die Füße auf das Kamingitter gestützt, und starrte grimmig ins Feuer.

»Um Gotteswillen?« fragte Miss Betsey plötzlich. »Warum eigentlich Krähenhorst?«

»Sie meinen das Haus, Madame?«

»Warum Krähenhorst?« fragte Miss Betsey. »Hühnerhof wäre passender gewesen, wenn ihr beide einen Begriff vom praktischen Leben gehabt hättet.«

»Mr. Copperfield hat ihm den Namen gegeben«, erwiderte meine Mutter. »Als er das Haus kaufte, meinte er, es müßte hübsch sein, wenn Krähen darin nisten würden.«

Der Abendwind fegte in diesem Augenblick so gewaltig durch die alten hohen Ulmen im Garten, daß sowohl meine Mutter wie

Miss Betsey unwillkürlich hinaussahen. Als sich die Bäume zueinander neigten wie Riesen, die sich Geheimnisse zuflüsterten, und gleich darauf in heftige Bewegung gerieten und mit ihren zackigen Armen wild in der Luft herumfuhren, als ob diese Geheimnisse zu gräßlich für ihre Seelenruhe wären, wurden ein paar alte, vom Sturm zerzauste Krähennester auf den höchsten Zweigen wie Wracks auf stürmischer See hin und hergeworfen.

»Wo sind die Vögel?« verhörte Miss Betsey.

»Was?« Meine Mutter hatte an etwas anderes gedacht.

»Die Krähen – wo sie hingekommen sind?«

»Es waren überhaupt nie welche da, seit wir hier gelebt haben«, sagte meine Mutter. »Wir dachten – Mr. Copperfield dachte, es sei ein großer Krähenhorst, aber die Nester waren alt und von den Vögeln längst verlassen.«

»Echt David Copperfield«, rief Miss Betsey. »David Copperfield, wie er leibt und lebt! Nennt das Haus Krähenhorst, wo gar keine Krähe da ist, und nimmt die Vögel auf guten Glauben, weil er die Nester sieht.«

»Mr. Copperfield ist tot«, gab meine Mutter zur Antwort, »und wenn Sie sich unterstehen, unfreundlich über ihn zu sprechen –«

Ich glaube, meine arme, liebe Mutter hatte einen Augenblick die Absicht, sich an der Tante tätlich zu vergreifen. Diese hätte sie wohl leicht mit einer Hand bezwungen, selbst wenn meine Mutter in einer bessern Verfassung für einen solchen Kampf gewesen wäre als an diesem Abend. Aber es blieb bei einem schüchternen Aufstehen. Dann setzte sich meine Mutter wieder schwach nieder und fiel in Ohnmacht.

Als sie wieder zu sich kam, sah sie Miss Betsey am Fenster stehen. Es war mittlerweile ganz dunkel geworden, und so undeutlich sie einander unterschieden, hätten sie doch auch das nicht ohne den Schein des Feuers können.

»Nun?« fragte Miss Betsey und trat wieder zu dem Stuhl, als hätte sie bloß einen Blick aus dem Fenster geworfen, »und wann erwartest du –?«

»Ich zittere am ganzen Leibe«, stammelte meine Mutter. »Ich weiß nicht, was es ist, ich sterbe sicherlich.«

»Nein, nein, nein«, sagte Miss Betsey; »trink eine Tasse Tee!«

»Ach Gott, ach Gott, meinen Sie, daß mir das guttun wird?« rief meine Mutter in hilflosem Tone.

»Selbstverständlich!« sagte Miss Betsey. »Es ist alles bloß Einbildung. Wie heißt denn das Mädchen?«

»Ich weiß doch nicht, ob es ein Mädchen sein wird, Madame«, sagte meine Mutter unschuldsvoll.

»Gott segne dieses Kind!« rief Miss Betsey aus, unbewußt den Sinnspruch auf dem Nadelkissen in der Schublade des obern Stocks anführend, aber nicht mit Anwendung auf mich, sondern auf meine Mutter. »Das meine ich doch nicht. Ich meine doch das Dienstmädchen.«

»Peggotty«, sagte meine Mutter.

»Peggotty!« wiederholte Miss Betsey entrüstet. »Willst du damit sagen, Kind, daß ein menschliches Geschöpf in eine christliche Kirche gegangen ist und sich hat Peggotty taufen lassen?«

»Es ist ihr Familienname«, sagte meine Mutter schüchtern. »Mr. Copperfield nannte sie so, weil ihr Taufname derselbe ist wie meiner.«

»Heda, Peggotty!« rief Miss Betsey und öffnete die Zimmertür. »Tee! Deine Herrschaft ist ein bißchen unwohl, aber rasch!«

Nachdem sie diesen Befehl so gebieterisch ausgesprochen, als wäre sie von jeher Herrin dieses Hauses, und aus dem Zimmer hinausgespäht hatte, um nach der erstaunten Peggotty zu sehen, die bei dem Klang einer fremden Stimme mit einem Licht den Gang entlangkam, schloß sie die Tür wieder und setzte sich nieder wie zuvor, die Füße am Kamingitter, das Kleid aufgeschürzt und die Hände über ein Knie gefaltet.

»Du meintest, es werde ein Mädchen werden«, sagte Miss Betsey. »Ich zweifle keinen Augenblick daran. Ich habe ein Vorgefühl, daß es ein Mädchen wird. Nun, Kind! Von dem Moment der Geburt dieses Mädchens an – «

»Vielleicht ists ein Knabe«, erlaubte sich meine Mutter, sie zu unterbrechen.

»Ich sagte dir bereits, ich habe das Vorgefühl, daß es ein Mädchen ist«, entgegnete Miss Betsey. »Widersprich mir nicht immer. Also von dem Augenblick der Geburt dieses Mädchens an werde ich seine Freundin sein, Kind. Ich will seine Patin sein, und sie hat Betsey Trotwood-Copperfield zu heißen. Mit dieser Betsey Trotwood-Copperfield soll es im Leben glattgehen. Mit ihren Gefühlen darf nicht gespielt werden. Armes Kleines. Sie muß gut erzogen und in acht genommen werden, daß sie ihr Vertrauen nicht auf törichte Weise jemand schenkt, der es nicht verdient. Das laß meine Sorge sein.«

Bei jedem dieser Sätze zuckte Miss Betsey mit dem Kopf, als ob das erlittene Unrecht vergangener Zeiten in ihr wieder lebendig würde und sie einen deutlicheren Hinweis darauf nur mit Überwindung unterdrückte. So vermutete wenigstens meine Mutter, als sie sie beim schwachen Schimmer des Feuers beobachtete, aber zu sehr von ihrem Wesen erschreckt war und innerlich viel zu unruhig und zu verwirrt, um überhaupt irgend etwas klar beobachten zu können.

»Und war David gut gegen dich, Kind?« fragte Miss Betsey, nachdem sie eine Weile geschwiegen und die Bewegung ihres Kopfs allmählich aufgehört hatte. »Habt ihr euch gut vertragen?«

»Wir waren sehr glücklich«, sagte meine Mutter. »Mr. Copperfield war viel zu gut zu mir.«

»Er hat dich also verzogen?«

»Allein und verlassen zu sein und ohne Stütze in dieser rauhen Welt dazustehen«, schluchzte meine Mutter, »dazu hat er mich wohl nicht erzogen.«

»Gut. Weine nicht«, sagte Miss Betsey. »Ihr paßtet eben nicht zusammen, Kind, – zwei Menschen können überhaupt nicht zusammenpassen – deshalb fragte ich. Du warst eine Waise, nicht wahr?«

»Ja.«

»Und Gouvernante?«

»Ich war Bonne in einer Familie, die Mr. Copperfield häufig besuchte. Mr. Copperfield war sehr freundlich und aufmerksam gegen mich und machte mir zuletzt einen Heiratsantrag. Und ich sagte ja. Und so wurden wir Mann und Frau«, sagte meine Mutter einfach.

»Ha! Armes Kind!« murmelte Miss Betsey und sah immer noch grimmig ins Feuer. »Verstehst du etwas?«

»Ich bitte um Verzeihung, Madame?« stammelte meine Mutter.

»Von der Wirtschaft zum Beispiel«, sagte Miss Betsey.

»Ich fürchte, nicht viel. Nicht so viel, wie ich möchte. Aber Mr. Copperfield unterrichtete mich –«

»Weil er selber so viel davon verstand«, warf Miss Betsey hin.

»– und ich glaube, ich hätte bald Fortschritte gemacht, denn ich war eifrig im Lernen und er ein sehr geduldiger Lehrer, wenn nicht das große Unglück –«, meine Mutter verlor wieder die Fassung und konnte nicht weitersprechen.

»Schon gut, schon gut«, sagte Miss Betsey.

»Ich führte mein Wirtschaftsbuch regelmäßig und schloß es mit Mr. Copperfield pünktlich jeden Abend ab«, rief meine Mutter mit einem neuen Ausbruch des Schmerzes.

»Schon gut, schon gut«, rief Miss Betsey. »Hör endlich auf zu weinen.«

»Und es war nie ein Wort des Streites dabei oder der Uneinigkeit, außer wenn Mr. Copperfield tadelte, daß meine Dreier und Fünfer einander zu ähnlich sähen, oder daß ich meinen Siebnern und Neunern krause Schwänze gäbe«, begann meine Mutter von neuem und wieder von einer Tränenflut unterbrochen.

»Du wirst dich krank machen«, sagte Miss Betsey. »Du weißt doch, daß das weder für dich noch für mein Patenkind gut ist. Komm, du mußt das bleiben lassen.«

Dieses Argument trug einigermaßen dazu bei, meine Mutter zum Schweigen zu bringen, obgleich ihr zunehmendes Übelbefinden die Hauptursache sein mochte. Eine längere Stille trat ein, die nur unterbrochen wurde von einem gelegentlichen »Ha!« Miss Betseys, die immer noch mit den Füßen auf dem Kamin dasaß.

»David hat sich mit seinem Geld eine Leibrente gekauft«, sagte sie endlich, »und wie hat er für dich gesorgt?«

»Mr. Copperfield«, sagte meine Mutter mit Anstrengung, »war so vorsichtig und gut, mir die Anwartschaft auf einen Teil davon zu sichern.«

»Wieviel?« fragte Miss Betsey.

»Hundertundfünf Pfund jährlich.«

»Er hätte es noch schlimmer machen können«, sagte meine Tante. Das Wort paßte gut für den Augenblick. Meiner Mutter ging es soviel schlimmer, daß Peggotty, die eben mit dem Teebrett und Lichtern hereinkam und auf den ersten Blick sah, wie krank sie war – Miss Betsey hätte es schon eher sehen können, wenn es hell genug gewesen wäre –, sie so rasch wie möglich in die obere Stube hinaufbrachte und sofort Ham Peggotty, ihren Neffen, der seit einigen Tagen ohne Wissen meiner Mutter als Bote für unvorhergesehene Fälle im Hause verborgen gehalten wurde, nach der Hebamme und dem Doktor schickte.

Diese verbündeten Mächte, die sich im Verlauf weniger Minuten zusammenfanden, waren sehr erstaunt, eine fremde Dame von strengem Aussehen vor dem Feuer sitzen zu sehen, den Hut am linken Arm hängend, und sich die Ohren mit Juwelierbaumwolle zustopfend.

Da Peggotty nichts über sie wußte und meine Mutter nichts über sie hatte fallenlassen, blieb sie ein ungelöstes Rätsel in der Wohnstube, und der Umstand, daß sie ein Baumwollenmagazin in der Tasche trug und sich die Watte auf besagte Weise in die Ohren stopfte, raubte ihr nichts von ihrem Ansehen.

Nachdem der Doktor oben gewesen und wieder heruntergekommen war und offenbar vermutete, daß er mit der unbekannten Dame einige Stunden würde zusammenbleiben müssen, bemühte er sich, höflich und gesellig zu erscheinen. Er war der sanfteste seines Geschlechts, der mildeste aller kleinen Männer.

Er drückte sich beim Ein- und Ausgehen seitwärts durch die Türen, um möglichst wenig Raum einzunehmen. Er ging so leise wie der Geist des Hamlet, aber noch viel langsamer. Er trug den Kopf auf eine Seite geneigt, teils aus Bescheidenheit, teils aus Entgegenkommen. Es wäre zu wenig gesagt, daß er nicht einmal für einen Hund ein böses Wort gehabt hätte. Er hätte nicht einmal einem tollen Hund ein böses Wort sagen können. Höchstens ein sanftes oder ein halbes oder ein Bruchstück davon, – denn er sprach so langsam, wie er ging, – aber er würde nicht grob gegen ihn gewesen sein. Nicht einmal ein rasches, nicht um alles in der Welt.

Mr. Chillip sah also meine Tante, den Kopf auf die Seite geneigt, sanft an, machte eine kleine Verbeugung und sagte, auf die Watte anspielend, indem er sein linkes Ohr berührte:

»Lokale Reizung, Madame?«

»Was?« fragte meine Tante und zog die Baumwolle wie einen Kork aus einem Ohr.

Mr. Chillip erschrak so sehr über ihr barsches Wesen, wie er später meiner Mutter erzählte, daß es noch ein Glück war, daß er die Fassung nicht verlor. Er wiederholte sanft:

»Lokale Reizung, Madame?«

»Unsinn!« antwortete meine Tante und verstopfte sofort das Ohr wieder.

Mr. Chillip konnte nun weiter nichts tun, als Platz nehmen und sie schüchtern ansehen, wie sie so dasaß und ins Feuer starrte, bis er wieder hinaufgerufen wurde.

Nach viertelstündiger Abwesenheit kehrte er wieder zurück.

»Nun?« fragte meine Tante und nahm die Watte aus dem ihm am nächsten liegenden Ohre.

»Nun, Madame«, antwortete Mr. Chillip, »wir – wir machen langsam Fortschritte.«

»Ba-a-ah«, sagte meine Tante, den verächtlichen Ausruf förmlich hervorstoßend, und verstopfte sich wieder wie vorhin.

In der Tat – in der Tat, Mr. Chillip war geradezu bestürzt, – wie er später meiner Mutter gestand; – natürlich bloß vom ärztlichen Gesichtspunkt aus. Aber trotzdem starrte er Miss Betsey fast zwei Stunden lang an, bis er von neuem gerufen wurde. Nach längerer Abwesenheit kehrte er wiederum zurück.

»Nun?« fragte meine Tante und nahm abermals die Watte aus dem gleichen Ohr.

»Nun, Madame«, antwortete Mr. Chillip, »wir – wir machen langsam Fortschritte, Madame.«

»Ja-a-a«, knurrte meine Tante Mr. Chillip derart an, daß er es fürwahr nicht länger mehr aushalten konnte. Es war fast danach angetan, ihm allen Mut zu nehmen, äußerte er später.

Darum ging er lieber hinaus und setzte sich draußen im Dunkeln auf die zugige Treppe, bis man wieder nach ihm schickte.

Ham Peggotty, der in die Volksschule ging und wie ein Drache über seinem Katechismus zu sitzen pflegte und deshalb sicher als glaubwürdiger Zeuge gelten kann, erzählte am nächsten Tag, er hätte eine Stunde später zur Stubentür hereingeguckt und wäre sogleich von Miss Betsey, die in großer Erregung auf und ab gegangen, erspäht und gepackt worden, ehe er die Flucht habe ergreifen können. Er berichtete ferner, daß man zuweilen das Geräusch von Fußtritten und Stimmen in den obern Zimmern gehört hätte, das wahrscheinlich die Watte nicht ganz abhielt, wie er aus dem Umstande schloß, daß ihn die Dame wie ein Opfer festhielt und an ihm ihre überströmende Aufregung ausließ, wenn die Geräusche am lautesten waren. Sie hätte ihn am Kragen gepackt gehalten und in der Stube auf- und abgeführt (als ob er zuviel Laudanum genossen), hätte ihn geschüttelt, ihm die Wäsche zerzaust und die Ohren verstopft, als ob es ihre eignen gewesen wären, und ihn auf andere Weise mißhandelt. Sein Bericht wurde zum Teil von Peggotty bestätigt, die ihn um halb ein Uhr, kurz nach seiner Befreiung, noch ganz rot gesehen hatte.

Der sanfte Mr. Chillip konnte niemand böse sein und wenn überhaupt je, so am allerwenigsten in solcher Stunde. Er drückte sich deshalb in das Wohnzimmer, sobald er abkommen konnte, und sagte zu meiner Tante in seinen mildesten Tönen:

»Madame, es freut mich, Sie beglückwünschen zu können.«

»Wozu?« fragte Miss Betsey mit Schärfe.

Mr. Chillip, wiederum verwirrt durch die außerordentliche Schroffheit meiner Tante, machte ihr eine kleine Verbeugung und lächelte sie an, um sie zu besänftigen.

»O dieser Mensch, was er nur macht«, rief meine Tante ungeduldig, »kann er denn nicht sprechen!«

»Beruhigen Sie sich, meine teuere Madame«, sagte Mr. Chillip mit seinen weichsten Lauten. »Es ist nicht länger Ursache zur Besorgnis mehr vorhanden, Madame. Beruhigen Sie sich.«

Man hat es später für ein Wunder angesehen, daß meine Tante ihn nicht schüttelte, um das, was er zu sagen hatte, aus ihm herauszuschütteln. Was sie schüttelte, war nur der Kopf, den aber so drohend, daß es den Doktor erzittern machte.

»Nun, Madame«, begann Mr. Chillip von neuem, sobald er wieder Mut gefaßt, »es freut mich, Sie beglückwünschen zu können. Alles ist nun vorbei, Madame, und glücklich vorbei.«

Während der fünf Minuten, die Mr. Chillip zu dieser Rede brauchte, sah ihn meine Tante lauernd und scharf an.

»Wie befindet sie sich?« fragte meine Tante und verschränkte ihre Arme, an deren einem immer noch der Hut hing.

»Nun, Madame, sie wird bald wieder ganz wohl sein, hoffe ich«, antwortete Mr. Chillip, »so wohl, wie wir es von einer jungen Mutter unter so getrübten häuslichen Verhältnissen nur erwarten können. Wenn Sie sie sogleich sehen wollen, steht dem nichts im Wege, Madame. Vielleicht tut es ihr sogar gut.«

»Und sie? Wie geht es ihr?«

Mr. Chillip neigte seinen Kopf noch ein bißchen mehr auf die Seite und sah meine Tante an wie ein liebenswürdiger Vogel.

»Das Baby?« sagte meine Tante, »wie geht es ihr?«

»Madame«, erwiderte Mr. Chillip. »Ich nahm an, Sie wüßten es schon. Es ist ein Knabe.«

Meine Tante sprach kein Wort, nahm ihren Hut an den Bändern wie eine Schleuder, führte einen Streich damit gegen Mr. Chillips Kopf, stülpte ihn aufs Haupt, schritt hinaus und kam niemals wieder.

Sie verschwand, wie eine unzufriedene Fee oder wie eins jener übernatürlichen Wesen, die ich nach dem Volksglauben berechtigt war, sehen zu können; ging hin und ward nicht mehr gesehen.

Ich lag in meiner Wiege und meine Mutter im Bett. Betsey Trotwood-Copperfield aber blieb für immer im Lande der Träume und Schatten, in jener grauenvollen Region, die ich jüngst durchwandert. Und das Licht unseres Zimmers schien hinaus auf das irdische Ziel aller Wanderer aus dieser Region: auf den Hügel über der Asche und dem Staube dessen, der einst hienieden geweilt, und ohne den ich nie geworden wäre.

2. Kapitel

Ich beobachte

Die ersten Gegenstände, die bestimmte Umrisse vor mir annehmen, wenn ich weit zurück in die Leere meiner Kindheit blicke, sind meine Mutter mit ihrem schönen Haar und den jugendlichen Formen und Peggotty mit überhaupt gar keiner Form und mit so dunkeln Augen, daß sie ihre Umgebung im Gesicht dunkel zu machen scheinen, und mit Armen und Backen so rot, daß ich mich stets wunderte, warum die Vögel nicht lieber an ihnen statt an den Äpfeln herumpickten.

Ich glaube, mich noch daran erinnern zu können, wie die beiden Frauen in kleiner Entfernung voneinander auf dem Boden knieten, und ich unsicher von einer zur andern wankte. Ich habe auch noch eine dunkle Erinnerung an Peggottys Zeigefinger, der von der Nadel so rauh war wie ein Taschenmuskatnußreibeisen.

Das mag Einbildung sein, aber ich glaube, daß das Gedächtnis der meisten Menschen weiter in die Kinderzeit zurückreicht, als man gewöhnlich annimmt; ebenso glaube ich, daß die Beobachtungsgabe bei vielen kleinen Kindern an Schärfe und Genauigkeit ganz wunderbar ist. Ich glaube sogar, daß man von den meisten Erwachsenen, die in dieser Hinsicht bemerkenswert sind, viel eher sagen könnte, sie hätten diese Fähigkeit nicht verloren, als, sie hätten sie erst später erworben; um so mehr, als solche Menschen überdies eine gewisse Frische und Sanftmut und eine Fähigkeit, sich über irgend etwas zu freuen, besitzen, lauter Eigenschaften, die sie ebenfalls aus der Kindheit mit herübergenommen haben.

Wenn ich also, wie gesagt, in die Leere meiner frühesten Jugend zurückblicke, sind die ersten Gegenstände, deren ich mich erinnern kann, und die aus dem Wirrwarr der Dinge hervorstechen, meine Mutter und Peggotty. Was weiß ich sonst noch? Wollen mal sehen.

Es scheidet sich aus dem Nebel unser Haus in seiner mir in frühester Erinnerung vertrauten Gestalt. Im Erdgeschoß geht Peggottys Küche auf den Hinterhof hinaus; da sind: in der Mitte ein Taubenschlag auf einer Stange, aber ohne Tauben; eine große Hundehütte in einer Ecke, aber kein Hund darin, und eine Anzahl Hühner, die mir erschrecklich groß vorkommen, wie sie mit drohendem und wildem Wesen herumstolzieren. Ein Hahn fliegt auf einen Pfosten, um zu krähen, und scheint sein Auge ganz besonders auf mich zu richten, wie ich ihn durch das Küchenfenster betrachte; und ich zittere vor Furcht, weil er so bös ist. Von den Gänsen außerhalb der Seitentür, die mir mit langausgestreckten Hälsen nachlaufen, wenn ich vorbeigehe, träume ich die ganze Nacht, wie ein Mann, den wilde Tiere umgeben, von Löwen träumen würde.

Dann ist ein langer Gang da – für mich eine endlose Perspektive –, der von Peggottys Küche zum Haupttor führt. Eine dunkle Vorratskammer mündet auf diesen Gang; – so recht ein Ort, um des Nachts daran scheu vorbeizulaufen –, denn ich weiß nicht, was zwischen diesen Tonnen und Krügen und alten Teekisten stecken mag –, wenn sich nicht gerade jemand mit einem brennenden Licht in der Kammer befindet. Eine dumpfige Luft, mit der sich der Geruch von Seife, Mixed-Pickles, Pfeffer, Kerzen und Kaffee vermischt, strömt heraus. Dann sind die beiden

Wohnzimmer da: Das eine, in dem abends meine Mutter, ich und Peggotty sitzen, – denn Peggotty leistet uns Gesellschaft, wenn wir allein sind, und sie ihre Arbeit gemacht hat, – und das Empfangszimmer, wo wir Sonntags sitzen, prunkvoll, aber nicht so traulich. Für mich hat dieses Zimmer etwas Schwermütiges, denn Peggotty hat mir erzählt – ich weiß zwar nicht mehr, wann, aber es muß lange her sein –, als mein Vater begraben wurde, wären die Trauergäste drin mit schwarzen Mänteln umhergegangen. Dort liest jeden Sonntag abends meine Mutter Peggotty und mir vor, wie Lazarus von den Toten auferweckt wurde. Und ich ängstige mich so sehr darüber, daß sie mich dann aus dem Bette herausnehmen und mir aus dem Schlafzimmerfenster den stillen Kirchhof zeigen müssen, wo die Toten im feierlichen Mondlicht in ihren Gräbern ruhen.

Auf der ganzen Welt, soviel ich weiß, ist nirgends das Gras nur halb so grün wie auf diesem Kirchhof, nirgends sind die Bäume halb so schattig, und nichts ist so still wie die Grabsteine. Die Schafe weiden dort, wenn ich früh morgens in dem kleinen Bett in dem Alkoven hinter meiner Mutter Schlafzimmer knie und hinausschaue, und ich sehe das rötliche Licht auf die Sonnenuhr scheinen und denke bei mir: Freut sich die Sonnenuhr, daß sie die Zeit angeben kann?

Dann ist unser Betstuhl in der Kirche da. Was für ein hochrückiger Stuhl! Daneben ist ein Fenster, von dem aus man unser Haus sehen kann. Und oftmals während des Morgengottesdienstes blickt Peggotty hinaus, um sich zu vergewissern, ob nicht eingebrochen oder etwas in Brand gesteckt wird. Wenn sie selbst auch ihre Augen umherwandern läßt, so wird sie doch böse, wenn ich dasselbe tue, und winkt mir zu, wenn ich auf dem Sitz stehe, daß ich den Geistlichen anblicken solle. Aber ich kann ihn doch nicht immerfort ansehen – ich kenne ihn doch sowieso auch ohne das weiße Ding, das er umhat, und fürchte immer, er könne plötzlich wissen wollen, warum ich ihn so anstaune, und vielleicht gar den Gottesdienst unterbrechen, um mich darüber zu befragen, – und was sollte ich dann tun?

Es ist etwas Schreckliches, zu gähnen. Aber irgend etwas muß ich doch machen. Ich blicke meine Mutter an, aber sie tut, als ob sie mich nicht sähe. Ich schaue einen Jungen im Seitenschiff an; er schneidet mir Gesichter. Ich sehe auf die Sonnenstrahlen, die durch die offne Tür hereinfallen, und da erblicke ich ein verirrtes Schaf, ich meine nicht – einen Sünder, sondern einen Hammel, der Miene macht, in die Kirche zu treten. Ich fühle, daß ich nicht länger hinschauen kann, denn ich könnte in Versuchung kommen, etwas laut zu sagen, und was würde dann aus mir werden. Ich blicke auf die Gedächtnistafeln an der Wand und versuche, an den verstorbenen Mr. Bodgers zu denken, und welcher Art wohl Mrs. Bodgers Gefühle gewesen sein mögen, als ihr Mann so lange krank lag und die Kunst der Ärzte vergebens war. Ich frage mich, ob sie auch Mr. Chillip vergeblich gerufen haben und wenn, ob es ihm recht ist, daran jede Woche einmal erinnert zu werden. Ich schaue von Mr. Chillip in seinem Sonntagshalstuch nach der Kanzel hin und denke, was für ein hübscher Spielplatz das sein müßte, und was das für eine feine Festung abgeben würde, wenn ein anderer Junge die Treppen heraufkäme zum Angriff, und man könnte ihm das Samtkissen mit den Troddeln auf den Kopf schmeißen. Und wenn sich nach und nach meine Augen schließen, und ich anfangs den Geistlichen in der Hitze noch ein schläfriges Lied singen höre, vernehme ich bald gar nichts mehr. Dann falle ich mit einem Krach vom Sitze und werde mehr tot als lebendig von Peggotty hinausgetragen.

Und dann wieder sehe ich die Außenseite unseres Hauses, und die Fensterläden des Schlafzimmers stehen offen, damit die würzige Luft hineinströmen kann, und im Hintergrund des Hauptgartens hängen in den hohen Ulmen die zerzausten Krähennester. Jetzt bin ich in dem Garten hinter dem Hof mit dem leeren Taubenschlag und der Hundehütte – ein wahrer Park für Schmetterlinge – mit seinem hohen Zaun und seiner Türe mit Vorhängschlössern, und das Obst hängt dick an den Bäumen, reifer und reicher als in irgendeinem andern Garten, und meine Mutter pflückt die Früchte in ein Körbchen, während ich dabeistehe und heimlich ein paar abgezwickte Stachelbeeren rasch in den Mund stecke und mich bemühe, unbeteiligt auszusehen.

Ein starker Wind erhebt sich, und im Handumdrehen ist der Sommer weg. Wir spielen im Winterzwielicht und tanzen in der Stube herum. Wenn meine Mutter außer Atem ist und im Lehnstuhl ausruht, sehe ich ihr zu, wie sie ihre glänzenden Locken um die Finger wickelt und sich das Leibchen glatt zieht, und niemand weiß so gut wie ich, daß sie sich freut, so gut auszusehen, und stolz ist, so hübsch zu sein.

Das sind so einige von meinen frühesten Eindrücken. Das und ein Gefühl, daß wir beide ein bißchen Angst hatten vor Peggotty und uns in den meisten Fällen ihren Anordnungen fügten, gehört zu den ersten Schlüssen – wenn ich so sagen darf –, die ich aus dem zog, was ich sah.

Peggotty und ich saßen eines Abends allein in der Wohnstube vor dem Kamin. Ich hatte Peggotty von Krokodilen vorgelesen. Ich muß wohl kaum sehr deutlich gelesen haben, oder die arme Seele muß in tiefen Gedanken gewesen sein, denn ich erinnere mich, als ich fertig war, hatte sie so eine Idee, Krokodile wären eine Art Gemüse. Ich war vom Lesen müde und sehr schläfrig, aber da ich die besondere Erlaubnis bekommen hatte, aufzubleiben, bis meine Mutter von einem Besuch nach Hause käme, wäre ich natürlich lieber auf meinem Posten gestorben als zu Bett gegangen. Ich war bereits auf einem Stadium von Schläfrigkeit angekommen, wo Peggotty mir immer größer und größer zu werden schien. Ich hielt meine Augen mit den beiden Zeigefingern offen und sah sie ununterbrochen an, wie sie auf ihrem Stuhle saß und arbeitete, betrachtete dann das kleine Stückchen Wachslicht, mit dem sie ihren Zwirn wichste – wie alt es aussah mit seinen Runzeln kreuz und quer –, das Hüttchen mit dem Strohdach, worin das Ellenmaß wohnte, das Arbeitskästchen mit dem Schiebedeckel und einer Ansicht darauf von der St.-Pauls-Kirche mit einer purpurroten Kuppel, den messingnen Fingerhut und sie selbst, die mir ungemein schön vorkam. Ich war so müde, daß ich fühlte, ich würde einschlafen, wenn ich nur einen Augenblick meine Augen abwendete.

»Peggotty«, sagte ich dann plötzlich: »Bist du einmal verheiratet gewesen?«

»Herr Gott, Master Davy!« erwiderte Peggotty, »wie kommst du nur aufs Heiraten?«

Sie antwortete so überrascht, daß ich ganz wach wurde. Dann hielt sie inne in ihrer Arbeit und sah mich an, den Faden in seiner ganzen Länge straffgezogen.

»Aber du warst doch einmal verheiratet, Peggotty?« fragte ich. »Du bist doch wunderschön, nicht wahr?« Ich hielt sie allerdings für eine andere Stilart als meine Mutter, aber nach einer andern Schule von Schönheitsbegriff gesehen, kam sie mir als vollkommenes Muster vor. In unserm Empfangszimmer war ein rotsamtenes Fußbänkchen, auf das meine Mutter einen Blumenstrauß gemalt hatte. Dieser Samt und Peggottys Haut schienen mir ganz gleich. Die Fußbank war glatt und weich und Peggotty rauh, aber das machte keinen Unterschied.

»Ich, schön, Davy!« sagte Peggotty. »O Gott, nein, mein liebes Kind. Aber wie kommst du aufs Heiraten?«

»Ich weiß nicht. – Du darfst nicht mehr als einen auf einmal heiraten, nicht wahr, Peggotty?«

»Gewiß nicht«, sagte Peggotty mit größter Entschiedenheit.

»Aber wenn du einen Mann heiratest und er stirbt, dann geht's, nicht wahr, Peggotty?«

»Es geht schon, wenn man will, liebes Kind«, sagte Peggotty. »Das ist dann eben meine Sache.«

»Aber was ist deine Meinung«, fragte ich.

Bei dieser Frage blickte ich sie neugierig an, weil sie mich so seltsam musterte.

»Meine Meinung ist«, sagte Peggotty, als sie nach kurzem Zögern ihre Augen von mir abgewendet und wieder zu arbeiten begonnen hatte, »daß ich selbst niemals verheiratet gewesen bin, Master Davy, und daß ich auch nicht daran denke. Das ist alles, was ich von der Sache weiß.«

»Du bist doch nicht böse, Peggotty?« fragte ich, nachdem ich eine Weile still gewesen.

Ich glaubte es wirklich, so kurz hatte sie mich abgefertigt, mußte aber wohl im Irrtum sein, denn sie legte ihr Strickzeug weg, öffnete ihre Arme, nahm meinen lockigen Kopf und drückte mich fest an sich. Daß sie mich derb an sich preßte, wußte ich, denn da sie sehr beleibt war, so pflegten stets, wenn sie angekleidet war, bei jeder kleinen Anstrengung ein paar Knöpfe hinten an ihrem Kleid abzuspringen. Und ich erinnere mich, daß zwei Stück in die entgegengesetzte Zimmerecke flogen, als sie mich umarmte.

»Nun lies mir noch etwas von den Krorkingdilen vor«, sagte Peggotty, die in diesem Namen noch nicht recht sattelfest war, »ich habe noch lange nicht genug von ihnen gehört.«

Ich konnte nicht begreifen, warum Peggotty so wunderliche Augen machte und durchaus wieder von den Krokodilen hören wollte. Mit großem Eifer meinerseits kehrten wir jedoch wieder zu den Ungeheuern zurück und ließen die Sonne ihre Eier im Sande ausbrüten, rissen vor ihnen aus und entrannen ihnen durch plötzliches Umkehren, was sie ihres ungeschlachten Baues wegen nicht so rasch nachmachen konnten, verfolgten sie als Eingeborene ins Wasser und steckten ihnen scharfgespitzte Holzstücke in den Rachen, kurz, ließen sie förmlich Spießruten laufen. Ich wenigstens tat es, hatte aber betreffs Peggottys so meine Zweifel, denn ich sah, wie sie sich die ganze Zeit über in Gedanken versunken mit der Nadel in verschiedene Teile ihres Gesichts und ihrer Arme stach. Wir hatten endlich die Krokodile erschöpft und begannen eben mit den Alligatoren, als die Gartenglocke läutete. Wir gingen hinaus und fanden da meine Mutter, die mir ungewöhnlich hübsch vorkam, und bei ihr stand ein Herr mit schönem, schwarzem Haar und Backenbart, der schon am letzten Sonntag mit uns aus der Kirche nach Hause gegangen war.

Als meine Mutter mich auf der Schwelle in ihre Arme nahm und mich küßte, sagte der Herr, ich sei glücklicher als ein König

– oder etwas Ähnliches –; ich fühle wohl, daß mir mein späteres Verständnis hier zu Hilfe kommt.

»Was heißt das?« fragte ich ihn über ihre Schulter hinweg.

Er klopfte mich auf den Kopf, aber ich konnte ihn und seine tiefe Stimme nicht leiden und war eifersüchtig, daß seine Hand die meiner Mutter berührte, und ich stieß ihn weg, so gut ich konnte.

»Aber Davy«, ermahnte mich meine Mutter.

»Der liebe Junge«, sagte der Herr. »Ich kann mich über seine Liebe nicht wundern.«

Noch nie hatte ich meiner Mutter Gesicht so schön rot gesehen. Sie schalt mich milde aus wegen meiner Unhöflichkeit und sprach, indem sie mich fest an sich drückte, ihren Dank dem Herrn aus, der so freundlich gewesen, sie nach Hause zu begleiten. Sie reichte ihm ihre Hand hin bei diesen Worten, und als er sie nahm, kam es mir vor, als ob sie mich anblickte.

»Jetzt wollen wir uns gute Nacht wünschen, mein hübscher Junge«, sagte der Herr zu mir, als er sein Gesicht, wie ich wohl bemerkte, auf meiner Mutter kleinen Handschuh neigte.

»Gute Nacht«, sagte ich.

»Wir müssen noch die besten Freunde von der Welt werden«, lachte der Herr, »gib mir die Hand.«

Meine rechte Hand lag in meiner Mutter Linken, und so gab ich ihm die andere.

»Aber das ist ja die falsche, Davy«, sagte er wieder lachend.

Meine Mutter zog meine rechte Hand hervor, aber ich war entschlossen, sie ihm nicht zu geben und tat es auch nicht. So reichte ich ihm die andere und er schüttelte sie und sagte, ich sei ein braver Junge, und ging fort.

Und noch jetzt seh ich ihn, wie er sich im Garten umdrehte und uns einen letzten Blick aus seinen unangenehmen, schwarzen Augen zuwarf, ehe er das Tor schloß.

Peggotty, die kein Wort gesprochen und keinen Finger gerührt hatte, schob sofort den Riegel vor, und wir gingen alle in das Wohnzimmer. Anstatt sich wie gewöhnlich in den Lehnstuhl neben den Kamin zu setzen, blieb meine Mutter am andern Ende des Zimmers und sang vor sich hin.

»– hoffe, Sie haben einen angenehmen Abend verlebt, Ma'am«, sagte Peggotty, die mit einem Leuchter in der Hand steif wie eine Tonne mitten im Zimmer stand.

»Danke schön, Peggotty«, erwiderte meine Mutter sehr aufgeräumt. »Ich habe einen sehr angenehmen Abend verbracht.«

»Eine neue Bekanntschaft ist immer eine angenehme Abwechslung«, bemerkte Peggotty.

»Eine sehr angenehme Abwechslung«, erwiderte meine Mutter.

Peggotty blieb regungslos in der Mitte des Zimmers stehen, meine Mutter fing wieder zu singen an, und ich schlief ein, wenn auch nicht so fest, daß ich nicht noch hätte Stimmen hören können, ohne aber zu verstehen, was sie sagten. Als ich aus diesem unbehaglichen Schlummer halb erwachte, sah ich, daß meine Mutter und Peggotty beide weinten und in großer Aufregung miteinander sprachen.

»So einer wie dieser hätte Mr. Copperfield nicht gefallen«, sagte Peggotty. »Das ist meine Meinung und die beschwör ich.«

»Gott im Himmel!« rief meine Mutter. »Du wirst mich noch wahnsinnig machen. Wurde jemals ein armes Mädchen von seinen Dienstboten so mißhandelt. Warum füge ich mir das Unrecht zu und nenne mich ein Mädchen? War ich vielleicht niemals verheiratet, Peggotty?«

»Gott weiß, daß Sie es waren, Ma'am«, erwiderte Peggotty.

»Wie kannst du es dann wagen«, sagte meine Mutter, »du weißt, ich meine nicht, wie du es wagen kannst, Peggotty, sondern wie du es übers Herz bringen kannst, mich so zu verstimmen und mir so böse Worte zu sagen, wo du doch recht gut weißt, daß ich außer dem Hause nicht einen einzigen guten Freund habe.«

»Um so mehr Grund für mich, Ihnen zu sagen, daß es nicht geht«, entgegnete Peggotty. »Nein, es geht nicht, nein, um keinen Preis. Nein!« Ich dachte schon, Peggotty würde den Leuchter wegwerfen, so energisch schwang sie ihn.

»Wie kannst du es nur so aufbauschen«, sagte meine Mutter und fing von neuem an zu weinen, »und so ungerecht sein. Du tust so, als wenn alles schon abgemacht wäre, Peggotty, und ich sage dir doch immer und immer wieder, du grausames Ding, daß außer den gewöhnlichsten Höflichkeiten nichts vorgefallen ist. Du sprichst von Bewunderung. Was kann ich dafür, wenn die Leute so albern sind, solchen Gefühlen nachzugeben, ist das meine Schuld? Was soll ich denn tun, frage ich dich? Willst du vielleicht, daß ich mir die Haare schneiden oder das Gesicht schwärzen oder mich durch einen Brandfleck oder heißes Wasser oder sonst etwas Ähnliches verunstalten soll? Ich glaube, du wärst es imstande, Peggotty. Ich glaube, du würdest dich sogar drüber freuen.«

Peggotty schien sich diese Zumutung sehr zu Herzen zu nehmen, wie mir vorkam.

»Und mein lieber Junge«, schrie meine Mutter, kam zu mir in den Lehnstuhl und liebkoste mich. »Mein einziger kleiner Davy! Lasse ich es vielleicht an Liebe für mein Herzblatt fehlen? Für den allerbesten kleinen Jungen, den es je gegeben hat?«

»Kein Mensch hat das behauptet«, sagte Peggotty.

»Ja du, Peggotty«, gab meine Mutter zurück, »du weißt es ganz gut. Was soll ich denn anderes aus deinen Worten schließen, du unfreundliches Geschöpf, wo du doch recht gut weißt, daß ich mir bloß seinetwegen keinen neuen Sonnenschirm gekauft habe, obwohl der alte, grüne ganz abgeschoben ist und gar keine Fransen mehr hat. Du weißt es, Peggotty, und kannst es nicht leugnen.« Dann wandte sie sich wieder zärtlich zu mir, legte ihre Wange an meine. »Bin ich dir eine nichtsnutzige Mama, Davy? Bin ich eine hartherzige, grausame, selbstsüchtige, schlechte Mama? Sag ja, mein Kind, und Peggotty wird dich lieben, und Peggottys Liebe ist viel besser als meine, Davy. Ich liebe dich gar nicht, nicht wahr?«

Darüber fingen wir alle an zu weinen. Ich glaube, ich war der lauteste von ihnen, aber ich weiß sicher, wir meinten es alle gleich aufrichtig. Ich war tief unglücklich und habe, fürchte ich, in der ersten Aufwallung verletzter Zärtlichkeit Peggotty ein »Biest« genannt. Ich erinnere mich noch, das ehrliche Geschöpf geriet in die tiefste Betrübnis und muß bei dieser Gelegenheit ganz knopflos geworden sein, denn eine ganze Salve dieser Geschosse flog ab, als sie vor meinem Stuhle niederkniete, um sich mit meiner Mutter und mir zu versöhnen.

Wir gingen sehr niedergeschlagen zu Bett. Mein Weinen hielt mich lange wach, und wenn mich ein besonders heftiges Schluchzen in die Höhe riß, sah ich, daß meine Mutter auf dem Bettrand saß und sich über mich beugte. Dann schlummerte ich in ihren Armen fest ein.

Ob schon am folgenden Sonntag der Herr wieder kam, oder ob ein längerer Zeitraum dazwischen lag, ist mir nicht mehr erinnerlich. In der Zeitrechnung bin ich meiner nicht ganz sicher. Aber er war in der Kirche und begleitete uns dann nach Hause.

Er trat auch zu uns herein, um ein schönes Geranium anzusehen, das im Fenster stand. Es kam mir nicht so vor, als ob er es besonders beachtete, aber ehe er ging, bat er meine Mutter, ihm eine Blüte davon zu geben. Sie bat ihn, sich selbst eine auszusuchen, aber das wollte er nicht – warum, war mir unbegreiflich –, und so pflückte sie ihm denn eine Blüte und gab sie ihm in die Hand. Er sagte, er werde sich niemals im Leben davon trennen, und ich dachte mir, er müsse sehr dumm sein, weil er nicht wisse, daß die Blätter in ein oder zwei Tagen ausfallen würden.

Peggotty fing an, uns abends weniger Gesellschaft zu leisten als früher. Meine Mutter gab ihr in sehr vielen Dingen nach, mehr noch als gewöhnlich, wie mir schien, und wir blieben alle drei die allerbesten Freunde.

Aber doch war es zwischen uns anders geworden, und es war uns nicht mehr so behaglich zu Mute. Manchmal kam es mir so vor, als ob Peggotty nicht recht zufrieden wäre, wenn meine Mutter die schönen Kleider anzog, die sie im Schrank hängen hatte, und so oft die Nachbarn besuchen ging. Aber ich war ganz froh, daß ich mir keine Gedanken darüber zu machen brauchte.

Allmählich gewöhnte ich mich daran, den Herrn mit dem

schwarzen Backenbart zu sehen. Er gefiel mir nicht besser als am Anfang, und ich fühlte immer noch dieselbe unbestimmte Eifersucht. Aber wenn ich später einem instinktiven, kindlichen Widerwillen und dem Gedanken im allgemeinen, daß Peggotty und ich vollkommen ausreichen müßten, meine Mutter ohne weitern Beistand glücklich genug machen zu können, noch einen andern Grund dafür hatte, war es doch gewiß nicht der, den ich im reifern Alter für meine Abneigung herausgefunden hätte. Nichts Derartiges fiel mir ein. Ich konnte wohl stückweise beobachten, aber aus solchen Fäden ein Netz zu machen und darin jemand zu fangen, das ging und geht noch jetzt über mein Können hinaus.

An einem Herbstmorgen stand ich mit meiner Mutter in dem Vorgarten, als Mr. Murdstone, ich kannte jetzt seinen Namen, vorbeigeritten kam. Er hielt sein Pferd an, um meine Mutter zu begrüßen, und sagte, er ritte nach Lowestoft, um einige Freunde zu besuchen, die dort eine Jacht hätten, und machte den lustigen Vorschlag, mich vor sich auf den Sattel zu nehmen, wenn ich reiten wollte.

Das Wetter war so wunderschön, und das Pferd schnaubte und stampfte so munter vor der Gartentür, daß ich große Lust dazu hatte. Meine Mutter schickte mich daher zu Peggotty hinauf zum Anziehen, und mittlerweile stieg Mr. Murdstone ab und schritt, die Zügel über dem Arm, langsam vor der Rosenhecke auf und ab, während meine Mutter an der innern Seite neben ihm herging. Ich erinnere mich noch, wie Peggotty und ich aus dem kleinen Fenster hinabsahen, erinnere mich auch noch, wie eifrig meine Mutter und Mr. Murdstone die Rosenhecke zwischen sich zu betrachten schienen, während sie daran entlangschlenderten, und wie Peggotty, die vorher in wahrer Engelslaune gewesen, plötzlich ganz ärgerlich wurde und mein Haar wütend gegen den Strich bürstete.

Mr. Murdstone und ich waren bald unterwegs und trabten auf dem grünen Rasen neben der Landstraße dahin. Er hielt mich leicht mit einem Arm, und ich glaube nicht, daß ich besonders unruhig war. Aber ich konnte mich nicht enthalten, von Zeit zu Zeit den Kopf zu wenden und ihm ins Gesicht zu sehen.

Er hatte jene Art seichter schwarzer Augen – ich finde keinen bessern Ausdruck dafür –, die, wenn sie nachsinnen, durch irgendeine sonderbare Lichtbrechung zu schielen scheinen. Verschiedene Male, wenn ich ihn ansah, bemerkte ich das mit einer Art Scheu und hätte gern gewußt, worüber er so tief nachdenke. Sein Haar und sein Bart waren in der Nähe noch schwärzer und dichter, als ich geglaubt. Das starke Kinn und die schwarzen Punkte, die von dem sorgfältig rasierten Barte übrig blieben, erinnerten mich an eine Wachsfigur, die vor einem halben Jahr in unserer Gegend gezeigt worden war. Dieses, seine regelmäßigen Augenbrauen und das reiche Weiß, Schwarz und Braun seines Teints – verwünscht sei sein Teint und verwünscht sein Andenken – machten, daß ich ihn trotz meiner Abneigung für einen schönen Mann hielt. Ich zweifle nicht, daß meine arme, liebe Mutter ganz derselben Meinung war.

Wir gingen in ein Gasthaus am Meere, wo zwei Herren in einem Zimmer Zigarren rauchten. Jeder von ihnen lag auf mindestens vier Stühlen und hatte eine weite zottige Jacke an. In einer Ecke lagen auf einem Haufen übereinander Röcke und Bootsmäntel und eine Flagge. Beide Herren richteten sich schwerfällig auf, als wir eintraten, und riefen: »Hallo, Murdstone! Wir dachten schon, du wärest tot.«

»Noch nicht«, sagte Mr. Murdstone.

»Was ist das für ein Gelbschnabel?« fragte einer der Gentlemen und faßte mich am Arm.

»Das ist Davy«, antwortete Mr. Murdstone.

»Was für ein Davy?« fragte der Herr Jones.

»Copperfield«, sagte Mr. Murdstone.

»Was? Der himmlischen Mrs. Copperfield Beigabe? Der reizenden kleinen Witwe?«

»Quinion«, sagte Mr. Murdstone, »nimm dich in acht, man ist schlau.«

»Wer denn?« fragte der Gentleman lachend.

Ich blickte rasch auf, denn ich hätte es auch gern gewußt.

»Bloß Brooks von Sheffield«, sagte Mr. Murdstone.

Ich fühlte mich ordentlich erleichtert, daß es bloß Brooks von Sheffield sei, denn anfangs hatte ich wirklich geglaubt, man meine mich.

Mr. Brooks von Sheffield mußte wohl jemand sehr Komisches sein, denn die beiden Gentlemen lachten herzlich, als sein Name fiel, und Mr. Murdstone war auch sehr belustigt. Nach längerem Lachen sagte der Herr, der Quinion hieß: »Und wie ist Mr. Brooks' von Sheffield Meinung in betreff des geplanten Geschäftes?«

»Hm, ich weiß nicht, ob Brooks vorderhand viel davon versteht«, entgegnete Mr. Murdstone, »aber ich glaube, im allgemeinen ist er ihm nicht besonders günstig.«

Darüber wurde noch viel mehr gelacht, und Mr. Quinion sagte, er wolle nach Sherry klingeln, um auf Brooks Gesundheit zu trinken. Das tat er dann, und als der Wein kam, gab er mir ein wenig davon und ein Biskuit, und bevor ich trank, stand er auf und sagte: »Verwirrung komme über Brooks von Sheffield.«

Der Toast wurde mit großem Beifall und so herzlichem Gelächter aufgenommen, daß ich selbst mitlachen mußte, worüber sie dann noch mehr lachten. Kurz, es war sehr lustig.

Wir gingen hierauf an den Klippen des Strandes spazieren und setzten uns ins Gras und schauten durch ein Fernrohr – ich konnte nichts sehen, als sie es mir vor das Auge hielten, behauptete aber, ich könnte es – und dann gingen wir zurück in das Hotel, um zeitig zu Mittag zu essen.

Während unseres Spazierganges rauchten die beiden Herren unaufhörlich, was sie – nach dem Geruch ihrer zottigen Röcke zu schließen – wohl seit dem ersten Tage an gemacht haben mußten, seit sie sie vom Schneider bekommen hatten. Ich darf nicht vergessen, daß wir auch an Bord der Jacht gingen, wo sie alle drei in die Kajüte hinunterstiegen und sich eifrig mit verschiedenen Papieren beschäftigten. Ich sah sie angestrengt arbeiten, wenn ich durch das offene Lukenfenster hinunterblickte.

Die ganze Zeit über ließen sie mich in Gesellschaft eines sehr netten Mannes mit einem großen Kopf voll roter Haare und einem sehr kleinen lackierten Hut. Er hatte ein buntgestreiftes Hemd an, mit dem Worte »Feldlerche« in großen Buchstaben quer über der Brust. Ich dachte, es sei sein Name und er schreibe ihn auf die Brust, weil er auf dem Schiffe wohnte und kein Haustor hatte, worauf er ihn hätte anschlagen können. Als ich ihn aber Mr. Feldlerche nannte, sagte er, das Schiff hieße so.

Den ganzen Tag über bemerkte ich, daß Mr. Murdstone ernster und verschlossener war als die beiden andern Herren. Diese waren sehr lustig und ungezwungen, scherzten miteinander, aber selten mit ihm. Er kam mir gescheiter und kühler vor als sie, und sie mochten ziemlich meiner Meinung sein. Ich bemerkte nämlich, daß Mr. Quinion ein oder zweimal, wenn er sprach, Mr. Murdstone von der Seite ansah, wie um sich zu überzeugen, ob ihm nicht irgend etwas mißfiele, und daß er einmal, als Mr. Passnidge, der andere Herr, besonders ausgelassen war, diesem auf den Fuß trat und ihm heimlich mit den Augen zuwinkte, auf Mr. Murdstone zu achten, der stumm und verdrossen dasaß. Ich erinnere mich auch nicht, daß Mr. Murdstone den ganzen Tag über einmal gelacht hätte, außer über den Sheffield-Witz, den er ja übrigens selber gemacht hatte.

Wir gingen abends zeitig nach Hause. Es war ein sehr schöner Abend, und meine Mutter und Mr. Murdstone gingen wieder an der Rosenhecke auf und ab, während ich hineingeschickt wurde, um meinen Tee zu trinken.

Als er weggegangen war, fragte mich meine Mutter aus über die Tageserlebnisse. Ich erzählte, was sie über sie geäußert hatten, und sie lachte und sagte, es seien unverschämte Burschen, die Unsinn schwatzten, aber ich merkte ganz gut, daß es ihr gefiel. So genau, wie ich es jetzt weiß. Ich benutzte die Gelegenheit, sie zu fragen, ob sie einen gewissen Brooks aus Sheffield kenne, sie erwiderte, nein, aber es müsse ein Messer- und Gabelfabrikant sein.

Kann ich von ihrem Gesicht, sosehr es sich später veränderte, so verblüht ich es weiß, sagen, es sei nicht mehr, wenn es hier in diesem Augenblick so deutlich mir vor Augen tritt, wie jedes beliebige Gesicht, das auf belebter Straße an mir vorbeigeht? Kann ich von ihrer unschuldsvollen, mädchenhaften Schönheit sagen, sie sei verwelkt und dahin, wenn ihr Atem jetzt meine Wange berührt, wie er es an jenem Abend tat? Kann ich sagen, sie habe sich jemals verändert, wenn meine Erinnerungen sie nur mit diesen Zügen ins Leben zurückrufen?

Ich schildere sie genau so, wie sie war, als ich nach dieser Unterhaltung zu Bett gegangen und sie zu mir kam, um mir gute Nacht zu sagen. Sie kniete neben meinem Bett nieder, legte ihr Kinn auf ihre Hände und fragte lachend:

»Was sagten sie, Davy? Sag es noch einmal. Ich kann's nicht glauben.«

»Der himmlischen –« fing ich an.

Sie legte mir die Hand auf den Mund.

»Himmlisch gewiß nicht«, sagte sie lachend. »Himmlisch kann es nicht gewesen sein, Davy. Jetzt weiß ichs, daß es nicht wahr ist.«

»Doch! Der himmlischen Mrs. Copperfield«, wiederholte ich standhaft, »und der reizenden –«

»Nein, nein, reizend gewiß nicht. Nicht reizend«, unterbrach mich meine Mutter und legte mir wieder die Finger auf die Lippen.

»Ja, es war so. Der reizenden kleinen Witwe.«

»Was für närrische, unverschämte Menschen!« rief meine Mutter lachend und bedeckte ihr Gesicht, »was für alberne Burschen, nicht wahr, mein lieber Davy?«

»Jawohl, Mama.«

»Sag Peggotty nichts. Sie könnte böse drüber werden. Ich bin auch sehr böse drüber, aber es ist besser, Peggotty erfährt nichts davon.«

Ich versprach es natürlich, und wir küßten uns noch viele Male, und bald lag ich in festem Schlaf.

Nach der langen inzwischen vergangenen Zeit kommt es mir jetzt so vor, als ob mir bereits am Tage darauf Peggotty den sonderbaren Vorschlag machte, von dem ich sogleich erzählen will, – aber wahrscheinlich lagen zwei Monate dazwischen.

Wir saßen wieder eines Abends, als meine Mutter auf Besuch war, in Gesellschaft des Strumpfes, des Ellenmaßes, des Wachsstückchens, des Kastens mit der St. Pauls-Kirche und des Krokodilbuchs beisammen, Peggotty und ich, als sie (nachdem sie mich mehrmals angeblickt und den Mund aufgerissen, als wollte sie sprechen – ich hielt es für bloßes Gähnen, sonst hätte es mich beunruhigt) endlich mit einschmeichelnder Stimme sagte: »Master Davy, wie wäre es, wenn du mit mir auf vierzehn Tage meinen Bruder in Yarmouth besuchtest? Wär das nicht fein?«

»Ist dein Bruder ein angenehmer Mann?« fragte ich vorsichtig.

»O was für ein angenehmer Mann!« rief Peggotty und streckte die Hände in die Höhe. »Und dann ist das Meer da und die Boote und die Schiffe und der Strand und Ham zum Spielen.«

Ham war Peggottys Neffe, wie bekannt. Ich war ganz aufgeregt über die in Aussicht gestellten Freuden von Yarmouth und erwiderte, daß es freilich herrlich sein müßte, aber was wohl die Mutter dazu sagen würde.

»Ich möchte eine Guinee wetten, daß sie uns die Erlaubnis dazu gibt. Wenn du willst, frage ich sie, sobald sie nach Hause kommt. Abgemacht.«

»Aber was wird sie anfangen, wenn wir fort sind?« fragte ich und legte meine Ellbogen auf den Tisch, um die Sache gründlich zu besprechen. »Sie kann doch nicht allein bleiben?«

Wenn Peggotty ganz plötzlich jetzt nach einem Loche in der Strumpfferse spähte, muß es wahrhaftig ganz klein und des Stopfens nicht wert gewesen sein.

»Peggotty! Hör doch. Sie kann doch nicht allein bleiben.«

»Ach Gott, richtig«, sagte Peggotty und sah mich endlich wieder an. »Weißt du es noch nicht? Sie geht auf vierzehn Tage auf Besuch zu Mrs. Grayper. Mrs. Grayper bekommt eine Menge Gäste.«

Da die Sache so stand, war ich ganz bereit zur Reise. In größ-

37

ter Ungeduld wartete ich, bis meine Mutter von Mrs. Grayper, unsrer Nachbarin, nach Hause kam, um sie zu fragen, ob sie mit dem großen Plan einverstanden sei. Gar nicht so überrascht, wie ich vermutet hatte, ging meine Mutter bereitwillig darauf ein, und die Sache wurde diesen Abend noch abgemacht und Wohnung und Kost für mich für die vierzehn Tage bezahlt.

Der Tag unserer Abreise kam bald heran. Er war so nahe angesetzt, daß er selbst für mich bald kam, wo ich doch förmlich vor Erwartung fieberte und immer fürchtete, ein Erdbeben oder ein feuerspeiender Berg oder eine andere große Katastrophe könnte alles hinausschieben.

Wir sollten mit einem Fuhrmann reisen, der diesen Morgen nach dem Frühstück aufbrach. Ich würde etwas darum gegeben haben, wenn man mir erlaubt hätte, mich schon über Nacht in den Mantel wickeln und mit Hut und Stiefeln schlafen zu dürfen. Es erschüttert mich jetzt noch, wenn ich es so leichthin erzähle und bedenke, wie ungeduldig ich mich von dem glücklichen Heim wegsehnte, ohne zu ahnen, was ich für immer verließ.

Es steht wie eine frohe Erinnerung vor mir, als der Wagen vor der Türe hielt und meine Mutter mich küßte, und ich freue mich, daß ich vor zärtlicher Liebe zu ihr und dem alten Hause, das ich noch nie verlassen, weinen mußte, freue mich über die Erinnerung, daß auch meine Mutter weinte und ich ihr Herz an meinem schlagen fühlte.

Und als der Wagen davonfuhr, da kam meine Mutter noch einmal zur Gartentür heraus und ließ halten, um mich noch einmal zu küssen. Ich verweile gern in Gedanken bei der Innigkeit und Liebe, mit der sie mir ins Gesicht blickte und mir noch einen letzten Abschiedskuß gab.

Als sie mitten auf der Straße stand und uns nachsah, trat Mr. Murdstone zu ihr und schien ihr Vorstellungen wegen ihrer großen Rührung zu machen. Ich sah um die Wagenplache herum zurück und war mir nicht klar darüber, was ihn denn eigentlich die ganze Sache anginge.

Peggotty, die auf der andern Seite herausschaute, schien nichts weniger als zufrieden zu sein, wie ihr Gesicht verriet, als sie den Kopf wieder zurückzog.

Ich saß eine Zeitlang stumm neben ihr in Träumerei versunken über die Lösung der Frage: ob ich, ähnlich wie der Däumling im Märchen, wohl imstande sein würde, mit Hilfe ihrer Knöpfe wieder heimzufinden.

3. Kapitel

Eine Veränderung

Das Pferd des Fuhrmanns war das faulste Pferd der Welt, kam mir vor. Es trottete mit gesenktem Kopf die Straße entlang, als gefiele es ihm, die Leute, denen es Pakete brachte, möglichst lange warten zu lassen. Ich bildete mir ein, es manchmal deutlich kichern gehört zu haben, aber man sagte mir, es hätte bloß Husten.

Der Fuhrmann ließ ebenfalls den Kopf hängen wie sein Gaul und nickte schläfrig beim Kutschieren, die Arme auf das Knie gestützt. Ich sage »kutschieren«, aber es scheint mir, der Wagen wäre ebensogut ohne ihn nach Yarmouth gekommen, denn das Pferd besorgte es ganz allein. Und was die Unterhaltung betrifft, so konnte er nichts als pfeifen.

Peggotty hatte einen Korb mit Eßwaren auf dem Knie, die reichlich bis London gelangt hätten. Wir aßen viel und schliefen viel.

Peggotty schlief immer mit dem Kinn auf dem Korbhenkel, den sie nie losließ. Ich würde nie geglaubt haben, wenn ich es nicht selbst gehört hätte, daß ein einziges schutzloses Weib soviel zusammenschnarchen könne.

Wir machten Umwege und brachten so lange Zeit damit zu, eine Bettstelle in einem Wirtshaus abzugeben und an verschiedenen Orten vorzusprechen, daß ich ganz müde und sehr froh war, als Yarmouth in Sicht kam.

Es sähe schwammig und vollgesogen aus, meinte ich, als ich meine Augen über die große, langweilige Einöde jenseits des Flusses schweifen ließ; ich konnte mir nicht helfen, aber ich staunte, wie das Geographiebuch behaupten konnte, die Welt sei wirklich so rund, wenn ein Teil derselben so flach war. Dann überlegte ich mir, daß Yarmouth möglicherweise an einem der beiden Pole liegen könnte, und gab mich mit dieser Erklärung zufrieden.

Als wir etwas näher kamen und die ganze Landschaft wie eine gerade niedrige Linie unter dem Himmel liegen sahen, bemerkte ich zu Peggotty, daß ein kleiner Hügel oder dergleichen verschönernd wirken müßte, und daß es hübscher wäre, wenn das Land etwas deutlicher von der See geschieden und die Stadt und die Flut nicht so sehr untereinander gemischt wie Mehl und Wasser sein würden. Aber Peggotty sagte mit größerem Nachdruck als gewöhnlich, daß wir die Dinge eben nehmen müßten, wie wir sie fänden, und daß sie ihrerseits stolz sei, ein »Hering von Yarmouth« zu sein.

Als wir in die Straße einbogen und den Fisch-, Pech-, Werg- und Teergeruch einsogen und die Seeleute umhergehen, und die Karren über die Steine schwanken sahen, fühlte ich, daß ich einem so geschäftigen Orte Unrecht getan hatte. Ich gestand es Peggotty ein, die meine Ausdrücke des Entzückens sehr wohlgefällig aufnahm und mir sagte, es sei allgemein bekannt (wahrscheinlich unter denen, die das große Glück haben, geborene Yarmouth-Heringe zu sein), daß Yarmouth überhaupt die schönste Stadt der Erde sei.

»Da ist mein Ham«, schrie sie plötzlich auf, »in Gelehrsamkeit aufgewachsen.«

Wirklich erwartete Ham uns beim Gasthause und erkundigte sich nach meinem Befinden wie ein alter Bekannter. Anfangs schien es mir nicht, als ob ich ihn so gut kenne, wie er mich, weil er seit der Nacht, als ich geboren wurde, nicht in unser Haus gekommen war.

Begreiflicherweise hatte er in dieser Hinsicht einen Vorsprung vor mir. Aber unsere Vertraulichkeit wuchs sehr, als er mich auf den Rücken nahm und nach Hause trug. Er war jetzt ein großer, starker Bursche von sechs Fuß Höhe, entsprechender Breite und massiven Schultern, aber mit einem Dummenjungengesicht, und krausem hellem Haar, das ihn etwas schafartig aussehen machte. Sein Anzug bestand aus einer Segeltuchjacke und einem Paar so steifer Hosen, daß sie ganz allein hätten aufrecht stehen können. Daß er einen Hut trüge, hätte niemand so recht behaupten dürfen. Es schien eher ein altes Haus mit ein wenig Pech darauf zu sein.

Ham trug mich auf dem Rücken und unsere kleine Schachtel unter dem Arm, während Peggotty einen Handkoffer schleppte. So gingen wir durch schmale Gäßchen, die mit Abfall von Zimmerholz und kleinen Sandhäufchen bedeckt waren, an Gasanstalten, Seilerstätten und Werften, wo Schiffe und Boote gebaut, zerlegt, kalfatert und aufgetakelt wurden, an Schmieden und Kalköfen vorbei, bis wir auf die öde Fläche kamen, die ich schon von weitem gesehen hatte. Da rief Ham: »Dats unser Hus, Masr Davy.«

Ich sah mich nach allen Seiten um und ließ meine Augen über die öde Ebene, über das Meer und den Fluß hinschweifen, aber nirgends konnte ich ein Haus entdecken. Nicht weit von uns auf einer kleinen Anhöhe erblickte ich wohl ein schwarzes Boot, eine Art ausgedienter Barke, aus dem ein Stück eisernes Rohr als Schornstein herausragte und sehr gemütlich rauchte, aber sonst war nichts da, was nach einer Wohnung ausgesehen hätte.

»Es ist doch nicht das dort?« fragte ich. »Das Ding, das wie ein Schiff aussieht?«

»Djewoll, Masr Davy«, antwortete Ham.

Ich glaube, wenn es Aladins Palast gewesen wäre oder das Ei des Vogels Roc, hätte ich nicht entzückter sein können, als über den romantischen Gedanken, hier wohnen zu dürfen.

In die Seitenwand war eine köstliche Tür geschnitten, mit einem Dach darüber, und kleine Fenster sahen heraus; aber der wunderbarste Reiz für mich lag darin, daß es ein wirkliches Boot war, das gewiß hundertemal auf dem Wasser geschwommen und niemals dazu bestimmt gewesen war, auf festem Lande zur Wohnung zu dienen. Das fesselte mich ganz und gar. Wenn es jemals von Anfang an hätte ein Haus sein sollen, würde es mir vielleicht klein oder unbequem oder einsam vorgekommen sein. So aber erschien es mir vollkommen in jeder Art.

Innen war alles außerordentlich reinlich und so hübsch wie möglich.

Ein Tisch und eine Schwarzwälderwanduhr und eine Kommode, und auf der Kommode stand ein Teebrett, darauf war eine Dame mit einem Sonnenschirm gemalt, und neben ihr spazierte ein militärisch aussehendes Kind mit einem Reifen. Das Teebrett wurde durch eine Bibel am Herunterfallen gehindert und hätte, wenn es abgerutscht wäre, eine Menge Tassen und eine Teekanne, die alle um das Buch herumstanden, zerschlagen. An der Wand hingen ein paar roh gemalte Bilder aus der Heiligen Schrift, wie ich sie seitdem nie in Trödelläden sehen kann, ohne daß nicht sofort das ganze Innere jenes Hauses klar vor meinen Augen steht. Ein roter Abraham, im Begriff einen blauen Isaak zu opfern, und ein Daniel in gelb unter grüne Löwen geworfen, stachen am meisten hervor.

Über dem Kaminsims hing ein Bild des Luggers »Sarah Jane«, in Sunderland gebaut, mit einem wirklichen kleinen, hölzernen Schiffshinterteil daran, ein Kunstwerk, das Gemälde und Zimmermannsarbeit vereinigt zeigte und mir als eines der neidenswertesten Besitztümer der Welt erschien. Im Deckbalken staken ein paar Haken, deren Bestimmung mir rätselhaft war, und einige Schiffskisten und Koffer standen umher und dienten als Stühle.

Dies alles übersah ich auf den ersten Blick, wie es nach meiner Ansicht Kinder zu tun pflegen; dann öffnete Peggotty eine kleine Tür und zeigte mir mein Schlafzimmer. Es war das vollkommenste und wünschenswerteste Schlafzimmer, das ich jemals gesehen habe, im Hinterteil des Schiffes mit einem kleinen Fenster – da, wo früher das Steuer durchgegangen –, mit einem kleinen Spiegel, gerade in der rechten Höhe für mich an die Wand genagelt und mit Austernschalen eingerahmt, einem kleinen Bett und gerade genug Platz davor, um hinaussteigen zu können, und einem Strauß von Seegras in einem blauen Krug auf dem Tisch. Die Wände waren so weiß getüncht wie Milch. Die Bettdecke, aus Flecken kunterbunt zusammengesetzt, blendete meine Augen fast durch ihre Farbenpracht.

Ganz besonders gefiel mir in diesem herrlichen Hause der Fischgeruch, der so durchdringend war, daß mein Taschentuch, als ich es einmal herauszog, gerade so roch, als ob ein Hummer darin eingewickelt gewesen wäre. Als ich diese Entdeckung Peggotty anvertraute, belehrte sie mich, daß ihr Bruder mit Hummern, Krabben und Krebsen handelte.

Später fand ich heraus, daß ein Haufen dieser Geschöpfe in wunderbarer Verknäuelung, in der sie nicht wieder losließen, was sie einmal mit ihren Scheren gefaßt hatten, draußen in einem kleinen hölzernen Schuppen, in dem Töpfe und Kessel hingen, aufbewahrt wurden.

Eine sehr höfliche Frau mit weißer Schürze, die ich schon draußen in der Türe hatte knixen sehen, als ich auf Hams Rücken noch eine Viertelmeile vom Hause entfernt war, empfing uns. Desgleichen ein sehr schönes, kleines Mädchen – so kam sie mir wenigstens vor –, mit einem Halsband aus blauen Glasperlen.

Die Kleine ließ sich nicht küssen, als ich sie dazu aufforderte, sondern rannte fort und versteckte sich. Später, als wir ein prächtiges Mittagessen, bestehend aus gekochten Fischen, geschmolzener Butter und Kartoffeln, sowie einer Hammelrippe für mich, zu uns genommen hatten, kam ein stark behaarter Mann mit sehr gutmütigem Gesicht nach Hause. Er nannte Peggotty »Mächen« und gab ihr einen herzhaften Schmatz auf die Wange, woraus ich bei der sonstigen Züchtigkeit ihres Wesens schloß, daß es ihr Bruder sein müßte. Er war es auch und wurde mir als Mr. Peggotty, der Herr des Hauses, vorgestellt.

»Freut mich, Sie zu sehen, Sir«, sagte Mr. Peggotty » – werden uns rauh finden, aber stets bereit.«

Ich dankte ihm und gab zur Antwort, daß ich mich an so einem angenehmen Ort gewiß wohlbefinden würde.

»Wie geits to Hus, Sir?« fragte Mr. Peggotty, plötzlich in seinen Schifferdialekt verfallend. »Haben Sie Ihre Mama frisch und munter verlassen?«

Ich teilte Mr. Peggotty mit, daß sie so munter und frisch sei, wie ich nur wünschen könnte, und daß sie sich ihm empfehlen ließe, was eine kleine, höfliche Lüge meinerseits war.

»Ick bünn Ehr sehr verbunnen«, antwortete Mr. Peggotty. »Wenn Sej et hier fortein Dag utholln könt mit der da«, er nickte seiner Schwester zu, »und Ham und lütt Emly, sünn wi stolz op Ehr Gesellschaft.«

Nachdem Mr. Peggotty in so gastfreundlicher Weise die Honneurs seines Hauses gemacht hatte, ging er mit der Bemerkung, kaltes Wasser richte gegen Dreck nichts aus, hinaus, um sich warm zu waschen.

Er kehrte bald zurück und sah viel besser aus, aber so gerötet, daß ich mich des Gedankens nicht erwehren konnte, sein Gesicht habe mit den Hummern und Krebsen das eine gemein, daß es schwarz in das warme Wasser hinein und rot wieder herauskomme.

Als nach dem Tee die Tür fest zugemacht war – denn die Nächte waren kalt und neblig –, erschien mir das Haus als die prächtigste Unterkunft, die menschliche Einbildungskraft ersinnen kann. Den Wind draußen auf dem Meere brausen zu hören, zu wissen, daß der Nebel sich über die trostlose Ebene ausbreitete, in das Feuer zu sehen und zu denken, daß kein Haus weit und breit außer diesem da sei, und daß dieses eine ein Schiff war, wirkte wie Zauberei.

Emly hatte ihre Scheu überwunden und saß neben mir auf der niedrigsten und kleinsten der Schiffskisten, die, gerade groß genug für uns beide, genau in die Ofenecke paßte.

Mrs. Peggotty in ihrer weißen Schürze strickte auf der andern Seite des Feuers. Peggotty selbst war bei ihrer Arbeit ebenso zu Hause, wie mit der St.-Pauls-Kirche und dem Stückchen Wachslicht, als hätte sie nie eine andere Wohnung gekannt. Ham versuchte mit schmutzigen Karten wahrzusagen und prägte jedem Blatt, das er aufschlug, die fischigen Abdrücke seines Daumens auf. Mr. Peggotty rauchte seine Pfeife.

Ich fühlte die Zeit zu vertraulicher Unterhaltung gekommen:

»Mr. Peggotty!«

»Sir?«

»Haben Sie Ihren Sohn Ham genannt, weil er in einer Art Arche wohnt?«

Mr. Peggotty schien das für einen tiefsinnigen Gedanken zu halten und antwortete:

»Nein, Sir. Ich hew jen nie keenen Namen nich gewen.«

»Wer hat ihm denn diesen Namen gegeben?« forschte ich, Frage Numero 2 aus dem Katechismus Mr. Peggotty vorlegend.

»Nun, Sir, sien Vadder hett em den Namen gewen«, sagte Mr. Peggotty.

»Ich dachte, Sie wären sein Vater?«

»Mien Bruder Joe war sien Vadder.«

»Tot, Mr. Peggotty?« fragte ich nach einer respektvollen Pause.

»Ertrunken«, sagte Mr. Peggotty.

Ich war sehr erstaunt, daß Mr. Peggotty nicht Hams Vater war, und hätte gern Genaues über seine Verwandtschaft zu den andern Anwesenden gekannt. Ich brannte so darauf, daß ich beschloß, es herauszukriegen.

»Die kleine Emly«, sagte ich mit einem Blick auf das Mädchen, »sie ist Ihre Tochter, nicht wahr, Mr. Peggotty?«

»Nein, Sir. Mien Schwager Tom war ihr Vadder.«

Ich konnte mich nicht zurückhalten:

»Tot, Mr. Peggotty?« fragte ich zögernd, wieder nach einer vorsichtigen Pause.

»Ertrunken«, sagte Mr. Peggotty.

Ich fühlte die Schwierigkeit der Sachlage, aber es war noch nicht alles ergründet, und so mußte ich doch weiter forschen.

»Haben Sie keine Kinder, Mr. Peggotty?«

»Nein, Master«, antwortete er mit kurzem Lachen. »Ick bünn een Junggesell.«

»Junggesell?« fragte ich ganz verwundert. »Wer ist denn das, Mr. Peggotty?«, und ich wies auf die Frau mit der weißen Schürze.

»Das is Mrs. Gummidge.«

»Gummidge, Mr. Peggotty?«

Aber hier machte Peggotty – ich meine meine eigene Peggotty – so deutliche Gebärden, ich solle nicht weiter fragen, daß ich nichts mehr tun konnte als die schweigsame Gesellschaft ansehen, bis es Zeit war, zu Bett zu gehen. Dann in der Zurückgezogenheit meiner eigenen kleinen Kabine teilte sie mir mit, daß Ham und Emly beide Waisen seien, die ihr Bruder in frühester Kindheit zu sich genommen hatte, und daß Mrs. Gummidge die Witwe seines ehemaligen Bootteilhabers sei, der sehr arm gestorben war. Peggotty selbst sei nur ein armer Mann, aber echt wie Gold und treu wie Stahl. Das waren meiner Kindsfrau eigne Vergleiche. Das einzige, sagte sie mir, worüber er je heftig werden könnte bis zum Fluchen, wäre, wenn man auf sein gutes Herz anspiele. Wenn man nur davon spräche, schlüge er so furchtbar auf den Tisch – er hätte ihn bei einer solchen Gelegenheit oft schon zerbrochen –, und schwüre einen entsetzlichen Eid, daß er »gormet« sein wollte, wenn er nicht in die weite Welt ginge, sobald noch jemand davon anfinge. Auf meine Nachfragen stellte sich heraus, daß niemand wußte, was unter diesem schrecklichen Wort »gormet« zu verstehen sei; aber alle stimmten darin überein, daß es ein höchst feierlicher Schwur wäre.

Ich war natürlich sehr gerührt von der Gutherzigkeit meines Wirtes und hörte in einer sehr behaglichen Gemütsstimmung, die durch meine Schläfrigkeit noch vermehrt wurde, wie die weibliche Hälfte der Bewohnerschaft in einer zweiten kleinen Kajüte am andern Ende des Schiffes zu Bett ging, und wie er und Ham für sich zwei Hängematten an den früher erwähnten Haken im Deckbalken befestigte.

Während der Schlaf mich allmählich überwältigte, hörte ich draußen auf dem Meer den Wind so heulen und so gewaltig über die Einöde hinbrausen, daß mich halb im Traum die Furcht überkam, das Meer könnte während der Nacht das Land überfluten. Aber ich beruhigte mich damit, daß ich doch in einem Schiff wohnte, und daß Mr. Peggotty keine üble Person an Bord sei, wenn etwas geschehen sollte.

Aber es passierte nichts Schlimmeres, als daß der Morgen kam. Sobald er seine Strahlen auf den Austernschalenrahmen meines Spiegels warf, war ich aus dem Bette und mit der kleinen Emly draußen am Strand und suchte Muscheln.

»Du bist gewiß schon ein vollendeter Seemann«, sagte ich zu Emly. Ich glaubte selbst nicht, was ich sagte, aber ich hielt es für galant, etwas Derartiges zu äußern, und ein schimmerndes Segel dicht neben uns spiegelte sich so hübsch in ihrem hellen Auge, daß mir diese Worte gerade einfielen.

»Nein«, antwortete Emly und schüttelte den Kopf, »ich habe Angst vor dem Meere.«

»Angst?« sagte ich und machte selbst ein kühnes Gesicht und sah mutig auf den mächtigen Ozean hinaus. »Ich nicht!«

»O, es ist sehr grausam«, sagte Emly, »ich habe es sehr grausam gesehen gegen unsere Leute. Ich habe gesehen, wie es ein Schiff, so groß wie unser Haus, in lauter Stücke zerbrach.«

»Das war doch hoffentlich nicht das Schiff, das – «

»– in dem der Vater ertrank?« fragte Emly. »Nein, das nicht. Das hab ich nicht gesehen.«

»Auch ihn nicht?« fragte ich.

Die kleine Emly schüttelte den Kopf. »Kann mich nicht erinnern.«

Hier lag ein Fall vor wie der meine. Ich erging mich sogleich in Erzählungen, daß auch ich meinen Vater niemals gesehen hätte, und wie meine Mutter und ich stets allein in der größten Zufriedenheit gelebt, die man sich denken könnte, und noch so lebten und immer so leben wollten, und daß meines Vaters Grab auf dem Kirchhof nicht weit von unserm Hause läge, beschattet von einem Baum, unter dessen Zweigen ich an manchem schönen Morgen dem Gesang der Vögel gelauscht hätte.

Aber zwischen Emlys Waisenschaft und meiner bestand doch noch ein kleiner Unterschied. Sie hatte ihre Mutter vor dem Vater verloren, und ihres Vaters Grab kannte niemand. Sie wußte nur, daß er irgendwo in den Tiefen des Meeres ruhte.

»Und dann«, sagte Emly, während sie nach Muscheln und Kieseln ausschaute, »war dein Vater ein Gentleman und deine Mutter eine Lady; mein Vater war nur ein Fischer und meine Mutter eine Fischerstochter und mein Onkel Dan ist ein Fischer.«

»Dan ist Mr. Peggotty, nicht wahr?« fragte ich.

»Onkel Dan – dort –« antwortete Emly und nickte nach dem Schiffe hin.

»Ja, den meine ich. Er muß sehr gut sein, nicht?«

»Gut? – Wenn ich einmal eine Lady werden sollte, schenke ich ihm einen himmelblauen Rock mit diamantnen Knöpfen, Nankinghosen, eine rote Samtweste, einen Federhut, eine große goldne Uhr, eine silberne Pfeife und einen Koffer voll Geld.«

Ich sagte, ich sei überzeugt, daß Mr. Peggotty alle diese Schätze wohl verdiene. Ich muß gestehen, daß es mir schwerfiel, mir ihn in ruhigem Behagen in dem Anzuge vorzustellen, den seine dankbare kleine Nichte ihm zudachte, besonders hatte ich so meine Bedenken wegen des Federhutes, aber ich behielt diese Gedanken für mich.

Die kleine Emly hatte in ihrer Beschäftigung innegehalten und zum Himmel aufgeblickt bei der Aufzählung aller dieser Gegenstände, als wären sie eine Vision. Dann fingen wir wieder an Muscheln und Kieseln zu suchen.

»Du möchtest wohl gern eine Lady sein?« fragte ich.

Emly sah mich an, lachte und nickte, »ja.«

»Das möcht ich wohl gern. Wir würden dann alle vornehme Leute sein. Ich und der Onkel und Ham und Mrs. Gummidge; es wäre uns gleich, wenn es stürmte – unsertwegen meine ich, wegen der armen Fischer wärs uns nicht gleich, und wir würden ihnen Geld geben, wenn sie zu Schaden kämen.«

Das erschien mir als ein befriedigendes und daher durchaus nicht unwahrscheinliches Bild. Ich drückte meine Freude darüber aus und das ermutigte Emly zu der schüchternen Frage: »Glaubst du jetzt, daß du Angst vor dem Meere hast?«

Die See war in diesem Augenblick zu ruhig, um mir Besorgnis einzuflößen, aber ich bin überzeugt, wenn nur eine mäßig große Welle dahergebraust gekommen wäre, ich hätte mich bei dem schrecklichen Gedanken an Emlys ertrunkene Verwandten sofort davon gemacht. Für alle Fälle sagte ich nein, und fügte hinzu: »Du scheinst dich auch nicht so sehr davor zu fürchten, wie du sagst.« Sie ging so nahe am Rande eines alten hölzernen Hafendamms, daß ich Angst hatte, sie könnte hinunterfallen.

»So fürchte ich mich nicht«, sagte sie. »Aber ich bleibe wach, wenn es stürmt, und denke mit Zittern und Angst an Onkel Dan und Ham, und immer kommt es mir vor, als ob sie um Hilfe riefen. Deshalb möcht ich gern eine Lady sein. Aber so fürcht ich mich nicht. Nicht ein bißchen. Schau mal her.«

Sie rannte von mir weg und lief einen gekerbten Balken entlang, der ohne Geländer ziemlich hoch über das Meer hinausragte.

So deutlich steht der Vorfall noch vor meinem Gedächtnis, daß ich es malen könnte, wäre ich ein Zeichner, wie die kleine Emly ihrem Untergang – so erschien es mir –, mit einem weit auf das Meer hinausgerichteten Blick, den ich nie vergessen habe, entgegeneilte. Ihre leichte, kühne, flatternde kleine Gestalt kehrte um und gelangte wieder glücklich bis zu mir, und bald lachte ich über meine Angst und den Schrei, den ich – in jedem Falle ganz nutzlos, denn es war niemand in der Nähe, – ausgestoßen hatte.

Oft noch später habe ich darüber nachgesonnen, konnte es nicht vielleicht eine von den uns verborgenen Möglichkeiten gewesen sein, daß der plötzlichen Tollheit des Kindes eine Verlockung zur Gefahr, ein unhörbarer Ruf ihres toten Vaters zugrunde lag, der an jenem Tage barmherzig ihr Leben enden wollte?

Es kam einmal eine Zeit, wo ich mich fragte, ob ich damals einen Finger zu ihrer Rettung hätte rühren sollen, wenn sich mir ihr späteres Leben in einem Blick geoffenbart hätte? Es kam einmal eine Zeit, wo ich mir einen Augenblick die Frage vorgelegt habe, würde es nicht besser für die kleine Emly gewesen sein, wenn das Meer sie an diesem Morgen vor meinen Augen verschlungen hätte? –

Wir schlenderten noch eine Weile spazieren und lasen Dinge auf, die uns merkwürdig vorkamen, und setzten ganz sorgsam ein paar gestrandete Seesterne wieder ins Wasser – ich kenne die Lebensgewohnheiten dieser Tiere zu wenig, um zu wissen, ob wir ihnen damit einen Gefallen taten –, und kehrten dann nach Mr. Peggottys Wohnung zurück.

Unter dem Schatten des Schuppens, wo die Krebse lagen, blieben wir stehen, gaben uns einen unschuldigen Kuß und gingen vor Gesundheit und Freude strahlend hinein zum Frühstück.

»Wie zwei Amseln«, sagte Mr. Peggotty, und ich nahm das als Kompliment auf.

Natürlich war ich in die kleine Emly verliebt. Ich bin überzeugt, ich liebte das Kind so wahrhaftig, so zärtlich, und reiner und selbstloser, als man selbst im besten Falle in späteren Zeiten lieben kann. Ich weiß, daß meine Phantasie dieses blauäugige Kind mit einem Glorienschein umwob, der einen wahren Engel aus ihm machte. Wenn Emly an einem sonnigen Morgen mit einem Paar kleinen Schwingen vor meinen Augen weggeflogen wäre, so glaube ich kaum, daß ich darin etwas Außergewöhnliches gesehen hätte.

Stundenlang gingen wir auf der öden Fläche um Yarmouth in liebender Eintracht spazieren. Die Tage eilten an uns vorüber, als ob die Zeit selbst noch ein Kind wäre und immer mit uns spielte.

Ich sagte Emly, daß ich sie anbetete, und wenn sie nicht gestünde, daß sie mich ebenfalls anbetete, so müßte ich mich mit einem Schwert selber töten. Und sie sagte, sie liebte mich, und ich zweifle nicht, daß es so war.

An Ungleichheit und zu große Jugend oder andere Schwierigkeiten dachten wir nicht, denn über die Zukunft zerbrachen wir uns nicht den Kopf.

Wir waren ein Gegenstand der Bewunderung für Mrs. Gummidge und Peggotty, die sich abends, wenn wir so zärtlich auf der Schiffskiste saßen, zuflüsterten: »O Gott, ist das ein hübsches Paar.« Hinter seiner Pfeife hervor lächelte uns Mr. Peggotty an. Ham grinste den ganzen Abend und tat sonst nichts.

Ich bemerkte bald, daß sich Mrs. Gummidge nicht immer so angenehm machte, als man nach den Verhältnissen, unter denen sie bei Mr. Peggotty wohnte, hätte erwarten dürfen.

Sie war etwas empfindlicher Natur und jammerte oft mehr, als für die andern Mitglieder eines so kleinen Haushaltes angenehm war. Sie tat mir wohl sehr leid, aber es gab Augenblicke, wo ich dachte, daß es wohl besser wäre, wenn sie sich in ihr eigenes Zimmer zurückziehen wollte, um sich ihrem Schmerz zu überlassen.

Mr. Peggotty ging manchmal in ein Wirtshaus, das den Namen »Der gute Vorsatz« führte. Ich merkte es an seiner Abwesenheit bereits am zweiten oder dritten Tag meines Besuchs und daran, daß Mrs. Gummidge zwischen acht und neun Uhr immer nach der Schwarzwälderuhr hinaufsah und sagte, er sei dort, und sie habe es bereits am Morgen vorausgesehen.

Sie war schon den ganzen Tag sehr trüb gestimmt gewesen und in Tränen ausgebrochen, als der Ofen rauchte. »Ich bin ein armes, verlassenes Wesen«, hatte sie dabei gesagt, »und alles geht mir die Quere.«

»Ach, es wird ja bald vorbei sein!« hatte Peggotty – meine nämlich – gesagt, »und außerdem ist es dir auch nicht unangenehmer als uns.«

»Ich fühl es mehr«, hatte Mrs. Gummidge geantwortet.

Es war ein kalter Tag und der Wind wehte scharf und heftig. Mrs. Gummidges Ecke am Ofen schien mir die wärmste und gemütlichste in der Stube zu sein und ihr Stuhl war sicherlich der bequemste, aber sie befand sich heute nicht wohl darin. Sie jammerte beständig über die Kälte, daß es ihr immer in den Rücken bliese, und endlich vergoß sie Tränen und sagte wieder, sie sei ein armes, verlassenes Wesen, und alles ginge ihr der Quere.

»Es ist recht kalt«, bestätigte Peggotty, »das fühlt gewiß jeder.«

»Ich fühl es mehr als andere Leute«, klagte Mrs. Gummidge.

Ebenso war es bei Tisch, wo Mrs. Gummidge immer unmittelbar nach mir dran kam, weil ich als vornehmer Gast den Vorzug hatte. Die Fische waren klein und mager und die Kartoffeln ein wenig angebrannt. Wir gaben alle zu, daß das nicht besonders angenehm sei, aber Mrs. Gummidge sagte, sie fühle es mehr als wir, und weinte wieder und gab ihre frühere Erklärung mit großer Bitterkeit zum besten.

Als Mr. Peggotty gegen neun Uhr nach Hause kam, strickte die unglückliche Mrs. Gummidge in jämmerlicher Stimmung in ihrer Ecke. Peggotty hatte fröhlich ihre Arbeit getan, Ham ein paar weiße Wasserstiefel ausgebessert, und ich hatte ihnen, neben Emly sitzend, vorgelesen. Mrs. Gummidge hatte nur zuweilen geseufzt und seit dem Tee die Augen nicht aufgeschlagen.

»Nun, Stüerlüt«, sagte Mr. Peggotty und setzte sich. »Wie geit dat?«

Wir alle antworteten freundlich mit Wort und Blick, nur Mrs. Gummidge schüttelte den Kopf über ihrem Strickstrumpf.

»Wo fehlts?« fragte Mr. Peggotty, »Kopf hoch, Mutting!«

Mrs. Gummidge aber schien nicht imstande zu sein, sich aufzumuntern. Sie zog ein altes, schwarzseidenes Taschentuch hervor und wischte sich die Augen, anstatt es jedoch wieder in die Tasche zu stecken, behielt sie es in der Hand und wischte sich nochmals die Augen und legte es neben sich, um es immer bereit zu haben.

»Wo fehlts, Alte?« fragte Peggotty.

»Nichts«, entgegnete Mrs. Gummidge. »Du kommst aus dem ›guten Vorsatz‹ – Danl?«

»Nun, ja, ich machte einen Abstecher heute abends in den ›guten Vorsatz‹«, sagte Mr. Peggotty.

»Es tut mir leid, daß ich dich immer dorthin treibe«, sagte Mrs. Gummidge.

»Treiben! Bei mir brauchts kein Treiben«, erwiderte Peggotty lachend. »Ich geh nur zu gern hin.«

»Sehr gern«, sagte Mrs. Gummidge, schüttelte den Kopf und wischte sich die Augen. »Ja, ja, sehr gern. Es tut mir leid, daß ich dran schuld bin.«

Mr. Peggotty sagte weiter nichts, sondern bat bloß Mrs. Gummidge noch einmal, den Kopf hochzuhalten.

»Ich bin nicht, wie ich sein möchte«, sagte Mrs. Gummidge. »Ich fühle mein Unglück und das macht mich unangenehm. Ich wollte, es wäre anders, aber ich fühle nun einmal so. Ich wollte, ich könnt es vergessen, aber es geht nicht. Ich mache das ganze Haus ungemütlich. Ich habe schon den ganzen Tag lang deiner Schwester das Leben sauer gemacht und Master Davy dazu.«

Ich wurde sofort gerührt und rief in großem Seelenschmerz ein lautes »Nein, sicher nicht, Mrs. Gummidge.«

»Es ist gar nicht recht von mir«, fuhr sie fort, »ich sollte lieber ins Armenhaus gehen und sterben. Wenn mir alles die Quere geht und ich allen der Quere bin, so will ich auch der Quere in meine Heimat gehen. Danl, besser ich ginge ins Armenhaus und stürbe; dann seid ihr mich los.«

Mit diesen Worten begab sich Mrs. Gummidge zu Bett. Als sie fort war, sah uns Mr. Peggotty, der bei jedem Wort nur die tiefste Teilnahme gezeigt hatte, der Reihe nach an, nickte mit dem Kopf und flüsterte: »Sej hett an ehrn Olen dacht.«

Ich verstand nicht recht, an was für einen Alten Mrs. Gummidge gedacht haben sollte, bis mir Peggotty, als sie mich zu Bett brachte, erklärte, daß es der selige Mr. Gummidge wäre, und daß ihr Bruder es stets bei solchen Gelegenheiten als ausgemachte Wahrheit annähme und es stets einen rührenden Eindruck auf ihn machte.

Noch in der Hängematte hörte ich ihn zu Ham sagen: Sej hett an ehrn Olen dacht! Und wann immer sich Mrs. Gummidge in ähnlicher Stimmung befand, hatte er für sie immer dieselbe Entschuldigung und immer dasselbe aufrichtige Mitleid.

So gingen die vierzehn Tage rasch dahin ohne andere Veränderung, als den Wechsel von Ebbe und Flut, der auch die Stunden, wo Mr. Peggotty und Ham gingen und kamen, verschob.

Hatte Ham nichts zu tun, begleitete er uns manchmal an den Hafen und zeigte uns die Boote und Schiffe, und ein- oder zweimal ruderte er uns spazieren. Ich weiß nicht, wie es kommt, warum so oft gerade ein unbedeutsames Bild immer an einem Namen am längsten haften bleibt. Nie höre oder lese ich den Namen Yarmouth, ohne an einen gewissen Sonntagmorgen am Strande erinnert zu werden, wo die Glocken in der Kirche läuteten, die kleine Emly sich auf meinen Arm stützte, Ham nachlässig Steine ins Wasser warf, und die Sonne draußen über dem Meer mühselig durch den dicken Nebel drang, und die Schiffe sich uns so undeutlich zeigten, als wären sie ihre eignen Schatten.

Endlich kam der Tag der Heimreise. Die Trennung von Mr. Peggotty und Mrs. Gummidge konnte ich noch verwinden. Aber der Abschied von der kleinen Emly zerriß mir das Herz. Wir gingen Arm in Arm nach dem Wirtshaus, wo der Fuhrmann anspannte, und unterwegs versprach ich ihr zu schreiben. Dieses Versprechen löste ich später mit einem Aufwand von Buchstaben ein, die größer waren als die, mit denen man Mietanzeigen zu schreiben pflegt. Wir fühlten uns ganz vernichtet durch den Abschied, und wenn ich je in meinem Leben in meinem Herzen eine unbeschreibliche Leere empfunden habe, so war es an jenem Tag.

Die ganze Zeit meines Besuchs über war ich undankbar gegen mein mütterliches Haus gewesen und hatte wenig oder nicht daran gedacht. Aber kaum wendete ich meine Schritte ihm wieder zu, so wies auch schon vorwurfsvoll mein jugendliches Gewissen mit standhaftem Finger dorthin, und ich fühlte trotz der Bangigkeit des Abschieds, daß es meine Heimat und Mutter, meine Trösterin und Freundin war. Je näher wir dem Ziele kamen und je vertrauter mir die Umgebung wurde, desto stärker wuchs meine Sehnsucht, in ihre Arme zu eilen. Peggotty, anstatt diesen Drang zu teilen, suchte ihn, wenn auch sanft, in mir eher zu hemmen, und sah verlegen und verstimmt drein.

Trotz der Langsamkeit und Launenhaftigkeit des Pferdes

langten wir doch endlich in Krähenhorst-Blunderstone an. Ich sehe noch den kalten, grauen Nachmittag mit dem dunkeln, regnerischen Himmel vor mir.

Die Tür ging auf und ich erwartete, halb lachend, halb weinend vor Erregtheit meine Mutter zu sehen. Aber nicht sie, sondern eine mir fremde Dienerin trat heraus.

»Ach, Peggotty!« sagte ich traurig. »Ist sie noch nicht wieder zu Hause?«

»Ja, ja, Master Davy«, sagte Peggotty, »wart ein bißchen, Master Davy, und ich werde dir etwas sagen.«

Teils aus Aufregung, teils aus natürlichem Ungeschick machte Peggotty beim Heraussteigen aus dem Wagen die seltsamsten Manöver, aber ich fühlte mich zu entmutigt und betroffen, um ihr etwas darüber zu sagen. Als sie glücklich draußen war, nahm sie mich bei der Hand, führte mich zu meiner Verwunderung in die Küche und schloß die Tür.

»Peggotty«, sagte ich, heftig erschrocken, »was ist denn?«

»Du meine Güte, nichts ist, mein lieber Davy«, antwortete sie und setzte eine möglichst heitere Miene auf.

»Es ist etwas geschehen, ich weiß es, wo ist Mama?«

»Wo Mama ist, Davy?« wiederholte Peggotty.

»Ja. Warum ist sie uns nicht entgegengekommen? Und weshalb sind wir hier hereingegangen? Ach Peggotty!«

Meine Augen standen voll Tränen und mir war zum Umsinken.

»Mein Gott, der gute Junge!« rief Peggotty und hielt mich aufrecht. »Was ist dir? Sprich, mein Herzblatt!«

»Sie ist doch nicht tot? Nicht tot? Peggotty?«

»Nein«, schrie Peggotty mit erstaunlicher Kraft in der Stimme. Dann setzte sie sich nieder, fing an zu keuchen und sagte, ich hätte sie fürchterlich erschreckt.

Um das wiedergutzumachen, fiel ich ihr um den Hals, stellte mich dann vor sie hin und sah sie mit banger Erwartung an.

»Ja, schau, Liebling, ich hätte dirs schon früher sagen sollen, aber ich fand keine Gelegenheit dazu. Ich hätte es längst tun sollen, aber ich konnte mich partuh« – das war immer der Stellvertreter in Peggottys Wörterheer für »durchaus« – »nicht dazu entschließen.«

»Weiter Peggotty«, sagte ich noch mehr erschreckt als vorher.

»Master Davy«, sagte Peggotty und knüpfte ihr Hutband mit zitternden Händen auf – sie war ganz außer Atem –:

»Was meinst du? Du hast einen Papa bekommen.«

Ich fuhr zusammen und wurde blaß. Ein Etwas – ich weiß nicht was –, das mit dem Grab auf dem Kirchhof und der Auferstehung der Toten zusammenhing, schien mich wie ein giftiger Hauch zu streifen.

»Einen neuen«, sagte Peggotty.

»Einen neuen?« wiederholte ich.

Peggotty schluckte, als ob ihr etwas Hartes im Halse stecken geblieben wäre, reichte mir die Hand und sagte:

»Komm, du mußt ihn sehen – «

»Ich will ihn nicht sehen.«

» – und deine Mama.«

Ich widerstand nicht länger, und wir gingen sogleich in das Empfangszimmer, wo sie mich verließ.

An der einen Seite des Kamins saß meine Mutter, an der andern Mr. Murdstone. Meine Mutter ließ ihre Arbeit sinken und stand rasch auf, aber, wie es mir schien, furchtsam.

»Liebe Klara«, sagte Mr. Murdstone, »denke daran! Beherrsche dich, immer beherrsche dich! Davy, mein Junge, wie geht es dir?«

Ich gab ihm die Hand. Nach einem Augenblick der Unentschlossenheit ging ich zu meiner Mutter und küßte sie; sie küßte mich wieder, klopfte mir sanft auf die Schulter und nahm wieder ihre Arbeit zur Hand. Ich konnte ihn nicht ansehen, ich konnte sie nicht ansehen, ich wußte bestimmt, daß er uns beide ansah, und ich ging ans Fenster und blickte hinaus auf ein paar Stauden, die ihre Köpfe in der Kälte hängen ließen.

Sobald ich mich wegdrücken konnte, schlich ich die Treppe hinauf. Mein liebes, altes Schlafzimmer war ganz anders geworden, und ich mußte weit hinten schlafen. Ich ging wieder hinunter, um irgend etwas zu finden, das sich nicht verändert hätte, so fremd schien mir alles, – und trat auf den Hof hinaus. Schnell schreckte ich zurück, denn die leere Hundehütte war jetzt von einem großen Hund bewohnt, der eine tiefe Stimme und schwarze Haare hatte – wie er – und grimmig an seiner Kette riß, um über mich herzufallen.

4. Kapitel

Ich falle in Ungnade

Wäre das Zimmer, wo damals mein Bett stand, ein fühlendes Wesen, möchte ich es heute – wer wohl jetzt darin schlafen mag – zum Zeugen anrufen, wie schwer mir das Herz war, als ich eintrat.

Wie ich die Treppe hinaufging, hörte ich den Hund hinter mir dreinbellen; und drinnen sah ich die Stube mit ebenso fremden Augen an wie sie mich. Ich setzte mich hin, die kleinen Hände gefaltet, und dachte nach.

Ich dachte an die seltsamsten Dinge, an die Form des Zimmers, an die Sprünge in der Decke, an die Tapeten an den Wänden, an die Rippen und Flecken im Fensterglas, hinter denen sich die Gegenstände draußen verzerrten und verschoben, an den Waschtisch, der auf drei Beinen wackelte, etwas Unzufriedenes hatte und mich an Mrs. Gummidge erinnerte.

Ich weinte die ganze Zeit über, dachte aber keinen Augenblick darüber nach, warum ich weinte. Ich empfand nur das Gefühl der Kälte und Niedergeschlagenheit. In meiner Einsamkeit fing ich an, mir auszumalen, wie schrecklich verliebt ich in die kleine Emly sei, und daß man mich von ihr gerissen habe, während sich hier niemand um mich kümmerte. Das machte mich derart unglücklich, daß ich mich in einen Zipfel der Bettdecke wickelte und mich in Schlaf weinte.

Hörte dann jemand sagen, »hier ist er«, und wachte auf mit glühheißem Kopf. Meine Mutter und Peggotty hatten mich aufgesucht, und eine von beiden mußte die Worte gesprochen haben.

»Davy«, sagte meine Mutter, »was fehlt dir?«

Ich fühlte es als etwas sehr Sonderbares, daß sie mich noch fragen konnte, und antwortete: »Nichts.« Ich legte mich aufs Gesicht, damit sie meine zitternden Lippen nicht sähe, die ihr besser Auskunft gegeben hätten.

»Davy«, sagte meine Mutter. »Davy, mein Kind!«

Keine Worte hätten mich mehr rühren können, als daß sie mich ihr Kind nannte. Ich verbarg meine Tränen in den Kissen und drängte meine Mutter weg, als sie meinen Kopf aufheben wollte.

»Das ist dein Werk, Peggotty, du grausames Ding!« schrie meine Mutter. »Ich zweifle gar nicht daran. Wie kannst du es mit deinem Gewissen vereinbaren, meinen eignen Jungen gegen mich oder irgend jemand, den ich lieb habe, aufzuhetzen? Was soll das heißen, Peggotty?«

Die arme Peggotty erhob Hände und Augen zum Himmel und antwortete nur mit einer Art Paraphrase des Tischgebets, das ich nach dem Essen herzusagen pflegte: »Gott vergebe Ihnen, Mrs. Copperfield, was Sie in dieser Minute gesagt haben. Mögen Sie es niemals ernstlich bereuen!«

»Es ist zum Verrücktwerden!« rief meine Mutter, »noch dazu in meinen Flitterwochen, wo man denken sollte, mein erbittertster Feind müßte Erbarmen haben und mir nicht das bißchen Ruhe und Glück neiden. Davy, du nichtsnutziger Junge! Peggotty, du wildes Geschöpf! Ach Gott, ach Gott!« rief sie in ihrer kindischen Art. »Wie ist die Welt doch widerwärtig, grade wenn man so viel Angenehmes von ihr erwartet!«

Ich fühlte die Berührung einer Hand, der ich sogleich anmerkte, daß sie weder meiner Mutter noch Peggotty gehörte, und sprang rasch aus dem Bett. Es war Mr. Murdstones Hand, der meinen Arm faßte. Ich hörte, wie er sagte:

»Was ist das, liebe Klara, hast du vergessen? Festigkeit! meine Liebe!«

»Es tut mir recht leid, Edward«, sagte meine Mutter. »Ich habe mir alle Mühe gegeben, aber mir ist so unbehaglich.«

»Wirklich!« antwortete er. »So bald schon. Das ist ja recht schlimm, Klara.«

»Es ist recht bitter, daß es mich jetzt so treffen muß«, sagte meine Mutter schmollend. »Sehr, sehr bitter, nicht wahr!«

Er zog sie an sich, flüsterte ihr etwas ins Ohr und küßte sie. Als ich sah, wie meine Mutter ihren Kopf an seine Schulter lehnte und ihren Arm um seinen Nacken schlang, da begriff ich damals so gut wie jetzt, daß er ihrem weichen Charakter jede beliebige Gestalt geben konnte:

»Geh hinunter, meine Liebe«, sagte er. »David und ich wollen auch hinunterkommen.«

»Meine Gute«, fuhr er mit einem finstern Gesicht zu Peggotty fort, als er meine Mutter an die Tür begleitet und mit einem Nikken und einem Lächeln verabschiedet hatte. »Sie kennen doch den Namen Ihrer Herrin!«

»Sie war lange genug meine Herrin, Sir«, antwortete Peggotty, »als daß ich ihn nicht kennen sollte.«

»Das ist richtig«, antwortete er, »aber mir schien es, wie ich die Treppe heraufkam, als ob Sie sie mit einem Namen anredeten, der nicht der ihrige ist. Sie wissen doch, daß sie meinen angenommen hat. Vergessen Sie das nicht.«

Mit einigen besorgten Blicken auf mich knickste Peggotty sich aus dem Zimmer heraus, ohne zu antworten. Sie begriff, daß sie gehen sollte, und fand keinen Vorwand, um dazubleiben. Als wir beide allein waren, machte er die Türe zu, setzte sich auf einen Stuhl, stellte mich vor sich hin, während er mich immer noch am Arm festhielt, und sah mir unverwandt in die Augen. Ich fühlte meinen Blick fest an ihn gebannt. Wenn ich mir vorstelle, wie wir uns damals Auge in Auge gegenüberstanden, kommt es mir vor, als hörte ich wieder mein Herz schneller und lauter schlagen.

»David«, sagte er und preßte seine Lippen ganz dünn zusammen, »wenn ich einen eigensinnigen Gaul oder Hund vor mir habe, was glaubst du wohl, tue ich dann mit ihm?«

»Ich weiß nicht.«

»Ich prügle ihn!«

Ich hatte ihm mit einem atemlosen Geflüster geantwortet, aber in meinem Schweigen fühlte ich, daß mein Atem noch kürzer wurde.

»Ich haue ihn, daß er sich windet vor Schmerz. Ich sage mir, ich will den Burschen bezwingen, und wenns ihm alles Blut im Leibe kosten sollte. Was hast du im Gesicht?«

»Schmutz«, sagte ich.

Er wußte so gut wie ich, daß es Tränenspuren waren. Aber wenn er mich zwanzigmal gefragt hätte, jedesmal mit zwanzig Hieben, so glaube ich doch, mein Kinderherz wäre eher gebrochen, ehe ich ihm das eingestanden hätte.

»Du bist recht gescheit für dein Alter«, sagte er mit dem ernsten Lächeln, das ihm eigen war. »Und ich sehe, du hast mich ganz gut verstanden. Wasche dir das Gesicht und komme mit mir herunter.«

Er deutete auf den Waschtisch, der mir wie Mrs. Gummidge vorkam, und machte eine Bewegung mit dem Kopf, ich solle sofort gehorchen. Ich zweifelte damals nicht und jetzt noch viel weniger, daß er mich ohne das geringste Erbarmen zu Boden geschlagen haben würde, wenn ich gezögert hätte.

»Meine liebe Klara«, sagte er, als er mit mir in das Wohnzimmer trat, immer noch meinen Arm festhaltend, »ich hoffe, du wirst jetzt keinen Verdruß mehr haben. Wir werden unsre jugendlichen Launen schon ablegen und uns bessern.«

Gott helfe mir, ich hätte für mein ganzes Leben gebessert werden können, ich wäre ein ganz andrer Mensch geworden durch ein einziges freundliches Wort damals. Ein Wort der Ermutigung und Erklärung und des Mitgefühls für meine kindliche Unwissenheit, des Willkomms in der Heimat, eine Versicherung, daß das alte mütterliche Haus noch ganz dasselbe sei, hätten mich zu einem gehorsamen Sohn gemacht, anstatt daß ich jetzt Gehorsam heuchelte, – hätten mich ihn achten gelehrt anstatt hassen. Mir kam es so vor, als ob es meiner Mutter leid täte, mich so scheu und fremd im Zimmer stehen zu sehen. Und daß sie mir mit sorgenvollen Blicken folgte, als ich nach meinem Stuhle schlich. Das Wort aber wurde nicht gesprochen, und die Zeit dazu war vorüber.

Wir speisten alle drei allein am Tisch. Er schien meine Mutter sehr gern zu haben – ich fürchte fast, er war mir deshalb nicht weniger zuwider –, und sie war sehr zärtlich zu ihm. Aus seinen Reden merkte ich, daß eine ältere Schwester von ihm ankommen sollte und bei uns bleiben. Ich weiß nicht mehr, ob ich schon damals oder erst später erfuhr, daß er einen Geschäftsanteil an einer Weinhandlung in London besaß – schon von Großvaters Zeiten her –, an der seine Schwester in gleicher Weise beteiligt war; jedenfalls kann ich es gleich hier bemerken.

Nach dem Essen, als wir vor dem Feuer saßen und ich darüber nachsann, wie ich zu Peggotty flüchten könnte, dabei aber nicht den Mut hatte, zu entschlüpfen, fuhr ein Wagen an der Gartentür vor, und er ging hinaus, um den Besuch zu empfangen.

Meine Mutter folgte ihm. Ich ging schüchtern hinter ihr drein, da drehte sie sich in der Stubentür um, drückte mich im Dunkeln ans Herz, wie früher, und flüsterte mir zu, ich solle meinen neuen Vater lieben und ihm gehorsam sein.

Sie tat das so hastig und geheimnisvoll, als ob es ein Unrecht wäre, aber mit großer Zärtlichkeit. Dann zog sie mich hinter sich her in den Garten, wo er stand. Dort ließ sie mich wieder los und legte ihren Arm in den seinen.

Miss Murdstone war angekommen, eine finster aussehende Dame, schwarz wie ihr Bruder, dem sie in Gesicht und Stimme sehr glich. Sie hatte starke, buschige Augenbrauen, die über ihrer großen Nase fast zusammenstießen, als wollten sie den Backenbart ersetzen, den ihr Geschlecht ihr versagt hatte.

Sie brachte ein paar unnachgiebige, schwarze Koffer mit, auf deren Deckeln mit harten Messingnägeln ihr Monogramm stand. Um den Kutscher zu bezahlen, holte sie ihr Geld aus einer harten, stählernen Börse. Sie trug die Börse in einem wahren Kerker von Strickbeutel, der ihr an einer schweren Kette am Arm hing und wie ein Gebiß schloß. Ich hatte bis dahin noch nie eine so durch und durch metallische Dame gesehen wie Miss Murdstone.

Sie wurde mit vielen Zeichen des Willkommens in die Stube geführt, und dort erkannte meine Mutter sie in aller Form als neue nahe Verwandte an.

Dann blickte mich Miss Murdstone an und sagte:

»Ist das dein Junge, Schwägerin?«

Meine Mutter bejahte.

»Im allgemeinen«, sagte Miss Murdstone, »kann ich Jungen nicht leiden. Wie gehts dir, Junge?«

Unter diesen ermutigenden Umständen antwortete ich, daß es mir gut ginge und ich dasselbe von ihr hoffte, aber mit so wenig Wärme, daß Miss Murdstone mich mit den zwei Worten abfertigte:

»Keine Manieren.«

Nachdem sie dies mit großer Bestimmtheit ausgesprochen, wünschte sie auf ihr Zimmer geführt zu werden, das von der Zeit an für mich zu einem Ort des Grauens und der Furcht wurde, weil die beiden schwarzen Koffer stets verschlossen dort standen und eine Menge kleiner Stahlfesseln und Kettchen, mit denen sich Miss Murdstone zu verschönern pflegte, in furchtgebietenden Reihen über dem Spiegel hingen.

Soviel ich herausbekommen konnte, war sie in der Absicht gekommen, Gutes zu stiften, und sie trug sich nicht mit dem Gedanken, jemals wieder wegzugehen. Schon am nächsten Morgen fing sie an, meiner Mutter zu »helfen«, und ging den ganzen Tag in der Vorratskammer aus und ein, um alles zurechtzusetzen und die alte Ordnung umzustürzen.

Ihre hervorstechendste Eigenschaft schien mir die zu sein, daß sie beständig argwöhnte, die Dienstmädchen hielten irgendwo im Hause einen Mann verborgen. Von diesem Wahn besessen, tauchte sie zu den ungewöhnlichsten Zeiten in den Kohlenkeller und öffnete fast nie die Tür dunkler Schränke, ohne sie zugleich wieder zuzuschlagen, im Glauben, daß sie »ihn« erwischt hätte.

Obgleich durchaus nichts Lustiges sonst an Miss Murdstone war, glich sie doch in puncto Frühaufstehen einer Lerche. Sie war auf den Beinen, wie ich heute noch glaube, um nach dem Mann zu suchen, ehe sich noch irgend etwas im Hause regte. Peggotty huldigte der Ansicht, daß sie stets nur mit einem Auge schliefe. Ich konnte mich diesem Glauben nicht anschließen, seit ich selbst versucht und herausgefunden hatte, daß so etwas nicht möglich ist.

Schon am ersten Morgen nach ihrer Ankunft stand sie früh auf und klingelte beim ersten Hahnenschrei. Als meine Mutter zum Frühstück herunterkam, gab ihr Miss Murdstone eine Art Schnabelhieb auf die Wange – das war bei ihr die kußähnliche Bewegung – und sagte: »Nun, liebe Klara, du weißt, ich bin hergekommen, um dir alles abzunehmen. Du bist viel zu hübsch und gedankenlos«, – meine Mutter errötete, lachte aber und schien diese Charakterisierung nicht übel zu nehmen – »als daß dir Pflichten auferlegt werden dürfen, die ich erfüllen kann. Wenn du so gut sein willst, mir die Schlüssel zu übergeben, meine Liebe, so will ich alles das in Zukunft selber besorgen.«

Von dieser Zeit an behielt Miss Murdstone die Schlüssel den Tag über in ihrem Beutel und die Nacht über unter ihrem Kopfkissen; meine Mutter hatte nicht mehr damit zu tun als ich selbst.

Meine Mutter ließ sich ihre Herrschaft nicht rauben, ohne vorher einen leisen Versuch von Widerstand zu machen. Eines Abends, als Miss Murdstone ihrem Bruder gewisse Haushaltungspläne entwickelt hatte und er seine Zustimmung gab, fing meine Mutter plötzlich an zu weinen und sagte, man hätte sie doch wohl auch zu Rate ziehen können.

»Klara«, sagte Mr. Murdstone streng, »Klara, ich bin erstaunt über dich!«

»Du hast gut von erstaunt sein sprechen, Edward«, rief meine Mutter, »und von Festigkeit, aber das würdest du dir auch nicht gefallen lassen.«

Festigkeit, muß ich bemerken, war die große Eigenschaft, auf der beide, Mr. und Miss Murdstone, fußten. Ich weiß nicht, welchen Namen ich damals dafür gewählt hätte, aber ich begriff genau, daß es nur eine andre Bezeichnung für Tyrannei war und für eine gewisse finstere, anmaßende, teuflische Laune, die in den beiden steckte. Das Glaubensbekenntnis, würde ich jetzt mich ausdrücken, Mr. Murdstones lautete: Ich bin fest, niemand soll in der Welt so fest sein wie ich, niemand überhaupt fest, und alles soll sich vor meiner Festigkeit beugen. Miss Murdstone war die eine Ausnahme. Sie durfte fest sein, aber nur aus verwandtschaftlichen Rücksichten und in einem untergeordneten und tributpflichtigen Grad. Meine Mutter war die zweite Ausnahme. Sie konnte und durfte fest sein und mußte es, aber nur im Ertragen der Festigkeit der beiden andern.

»Es ist sehr hart«, sagte meine Mutter, »daß ich in meinem eignen Haus –«

»In meinem eignen Hause?!« wiederholte Mr. Murdstone. »Klara!«

»Unserm eignen Hause, meine ich«, stotterte meine Mutter ganz erschrocken, – »ich hoffe, du weißt, was ich meine, Edward, es ist sehr hart, daß ich in deinem eignen Hause nicht ein Wort über häusliche Angelegenheiten sagen darf. Ich habe sicher sehr gut hausgehalten, ehe wir heirateten. Ich habe Beweise«, setzte sie schluchzend hinzu. »Frag nur Peggotty, ob es nicht recht gut ging, als man mir nicht dreinredete.«

»Edward«, sagte Miss Murdstone, »machen wir der Sache ein Ende. Ich reise morgen ab!«

»Jane Murdstone!« donnerte Mr. Murdstone, »wirst du schweigen! Was unterstehst du dich!«

Miss Murdstone zog ihr Taschentuch aus dem Kerker und hielt es vor die Augen.

»Klara«, fuhr er fort, »du setzest mich in Erstaunen! Ja. Ich fand Befriedigung in dem Gedanken, eine unerfahrene und harmlose Person zu heiraten und ihren Charakter zu bilden und ihr etwas von der Festigkeit und Entschiedenheit zu geben, die ihr fehlen. Aber wenn Jane Murdstone so gütig ist, mir darin beizustehen, und meinetwegen eine Stellung gleich der einer Haushälterin übernimmt und dafür so schlechten Dank erntet –«

»O bitte, bitte, Edward!« rief meine Mutter. »Sag nicht, daß ich undankbar bin. Ich bin sicher nicht undankbar, das hat mir noch niemand gesagt. Ich habe viele Fehler, aber nicht diesen. Bitte, sage das nicht, Liebling!«

»Wenn Jane Murdstone, sage ich«, fuhr er fort, nachdem er meine Mutter hatte ausreden lassen, »dafür Undank erntet, so fühle ich meine Gefühle erkalten.«

»Liebling, bitte, sag das nicht«, flehte meine Mutter kläglich. »O bitte, Edward, ich kann das nicht ertragen. Wie ich auch immer sein mag, ich bin nachgiebig und dankbar. Ich weiß, ich bin es, bin nachgiebig und dankbar. Ich würde es nicht sagen, wenn ich es nicht gewiß wüßte. Frag nur Peggotty. Sie wird es gewiß bestätigen.«

»Bloße Schwäche fällt bei mir nicht ins Gewicht, Klara«, entgegnete er. »Du verschwendest nur deine Worte.«

»Komm, laß uns wieder gut sein«, sagte meine Mutter. »Ich könnte nicht leben in Kälte und Unfreundlichkeit um mich herum. Es tut mir so herzlich leid. Ich habe sehr viele Fehler, ich weiß, und es ist sehr gut von dir, Edward, daß du mit deinem starken Charakter dir Mühe gibst, mich zu bessern. Jane, ich will dir nicht mehr widersprechen. Es würde mir das Herz brechen, wenn du nur daran dächtest, uns zu verlassen –« meine Mutter konnte nicht weitersprechen vor lauter Rührung.

»Jane Murdstone«, sagte Mr. Murdstone zu seiner Schwester, »harte Worte sind zwischen uns selten. Es ist nicht meine Schuld, daß heut abend ein so ungewöhnliches Ereignis stattgefunden hat. Ich wurde von jemand anders dazu gebracht. Aber es ist auch nicht deine Schuld, auch dich hat jemand in eine schiefe Lage gebracht. Wir wollen beide trachten, es zu vergessen. Und da dies«, fügte er nach diesen großmütigen Worten hinzu, »kein passendes Bild ist für den Knaben, so geh zu Bett, David.«

Ich konnte kaum die Türe finden, so voll Tränen standen

meine Augen. Ich fühlte meiner Mutter Schmerz so tief mit; ich schlich hinaus und tappte im Dunkeln die Treppe hinauf in mein Zimmer, ohne nur das Herz zu haben, Peggotty gute Nacht zu sagen oder mir eine Kerze von ihr geben zu lassen. Als sie vielleicht eine Stunde später nach mir sah, wachte ich auf, und sie sagte mir, meine Mutter sei sehr betrübt zu Bett gegangen, und Mr. und Miss Murdstone säßen noch unten allein.

Am nächsten Morgen ging ich etwas früher als gewöhnlich hinunter und hörte, wie drinnen meine Mutter Miss Murdstone demütigst um Verzeihung bat. Die Dame verzieh ihr, und es fand eine vollständige Aussöhnung statt. Nie wieder später hörte ich meine Mutter über irgend etwas eine Meinung äußern, ehe sie sich nicht zuvor an Miss Murdstone gewendet oder in sichre Erfahrung gebracht hatte, was ihre Ansicht sei; und nie wieder sah ich Miss Murdstone in übler Laune nach dem Beutel greifen, als ob sie die Schlüssel herausnehmen und sie meiner Mutter zurückgeben wollte, ohne daß diese nicht in die schrecklichste Angst geraten wäre.

Das dunkle Blut, das in den Adern der Murdstones floß, gab auch ihrer Religion etwas Finsteres und Strenges. Ich habe seitdem oft darüber nachgedacht, ob diese Eigenschaft nicht eine notwendige Folge war von Mr. Murdstones Festigkeit, die ihm niemals erlauben wollte, irgend jemand von der strengsten Strafe freizusprechen. Sei dem, wie es wollte, ich kann mich noch recht gut der finstern und ernsten Gesichter erinnern, mit denen wir zum Gottesdienst zu gehen pflegten, und des veränderten Eindrucks, den die Kirche auf mich machte.

Wieder kommt der gefürchtete Sonntag, und ich marschiere zuerst in den alten Betstuhl, wie ein bewachter Sträfling zu einem Gefangenengottesdienst. Dicht hinter mir folgt Miss Murdstone in einem schwarzen Samtkleid, das aus einem Leichentuch gemacht zu sein scheint. Dann kommt meine Mutter, dann ihr Gatte. Peggotty geht nicht mehr mit wie früher. Wieder höre ich Miss Murdstone die Responsorien murmeln und auf alle drohenden Worte mit grausamem Behagen besondern Nachdruck legen. Wieder sehe ich ihre dunklen Augen in der Kirche umher-schweifen, wenn sie sagt »elende Sünder«, als wenn sie die ganze Gemeinde in diesem Namen einschließen wolle. Wieder werfe ich verstohlene Blicke auf meine Mutter, die ihre Lippen schüch-tern flüsternd bewegt, während das Summen der beiden in ihren Ohren brummt wie fernes Donnergrollen. Dann überkommt mich eine plötzliche Furcht, ob nicht vielleicht Mr. und Miss Murdstone recht haben und unser guter Pfarrer unrecht, und daß alle Engel im Himmel Racheengel sein könnten. Wenn ich einen Finger rühre oder ein Muskel meines Gesichts schlaff wird, stößt mich Miss Murdstone mit ihrem Gebetbuch, daß mich die Seite schmerzt.

Und auf dem Heimweg bemerke ich, wie die Nachbarn mich und meine Mutter ansehen und uns nachblicken und miteinan-der flüstern. Und wie die drei Arm in Arm gehen und ich allein hinter ihnen drein, folge ich diesen Blicken und frage mich, ob meiner Mutter Gang wirklich nicht mehr so leicht ist und ob das heitere Glück ihrer Schönheit nicht schon ganz trüb geworden. Ich frage mich, ob die Nachbarn wohl auch daran denken, wie wir beide früher nach Hause gingen, und ich zerbreche mir den Kopf darüber den ganzen langsam sich hinschleppenden trüben Tag.

Von Zeit zu Zeit war davon die Rede gewesen, mich in eine Kostschule zu schicken. Mr. und Miss Murdstone hatten es an-geregt, und meine Mutter hatte natürlich beigestimmt. Nichts-destoweniger kam es vorläufig noch nicht dazu. Vorläufig hatte ich zu Hause Lehrstunden.

Werde ich diesen Unterricht wohl je vergessen? Dem Namen nach stand ihm meine Mutter vor, in Wirklichkeit aber Mr. Murdstone und seine Schwester, die immer zugegen waren und darin eine günstige Gelegenheit sahen, meiner Mutter Lektionen in der Festigkeit zu erteilen, die unser beider Leben vergiftete.

Ich glaube, nur das war der Grund, weshalb ich vorläufig zu Hause behalten wurde. Ich hatte gut und willig gelernt, als meine Mutter und ich noch allein miteinander lebten. Ich kann mich noch undeutlich erinnern, wie ich auf ihrem Schoß das Alphabet lernte. Noch heute, wenn ich auf die fetten, schwarzen Buchstaben in einer Fibel sehe, tritt mir die verwirrende Neuheit ihrer Gestalten und die behäbige Gemütlichkeit des »O, Q und S« ganz so vor die Augen wie damals. Aber sie erinnern mich an kein Gefühl des Widerwillens oder des Ekels. Im Gegenteil, es ist mir, als ob ich auf einem Blumenpfad bis zum Krokodilbuch gewandelt sei, und als ob mich die sanfte Weise und Stimme meiner Mutter auf dem ganzen Wege gestärkt hätten.

Aber der feierliche Unterricht, der später kam, steht vor mir, wie der Tod meines Seelenfriedens, wie eine tägliche, jämmerliche Plage und kummervolles Elend.

Die Lektionen waren sehr lang, sehr zahlreich, sehr schwer – einige vollkommen unverständlich für mich – und verwirrten mich meistens ebenso sehr, wie vermutlich meine Mutter.

Ich will einmal in der Erinnerung so einen Morgen durchgehen:

Ich trete nach dem Frühstück mit meinen Büchern, einem Schreibheft und einer Schiefertafel ein. Meine Mutter sitzt an ihrem Schreibtisch und ist bereit für mich, aber nicht halb so bereit wie Mr. Murdstone in seinem Lehnstuhl am Fenster (wenn er auch vorgibt, ein Buch zu lesen) oder wie Miss Murdstone, die in der Nähe meiner Mutter sitzt und Stahlperlen aufreiht.

Der bloße Anblick der beiden wirkt auf mich, daß ich merke, wie die Worte, die ich mir mit so unendlicher Mühe eingeprägt habe, mir alle entfallen und gehen, ich weiß nicht wohin. Nebenbei gesagt, möchte ich übrigens wirklich gerne wissen, wo sie eigentlich hingehen.

Ich reiche das erste Buch meiner Mutter. Es ist eine Grammatik, vielleicht ein Geschichts- oder Geographiebuch. Ich werfe noch einen letzten Blick auf die Seite, wie ein Ertrinkender, während ich ihr das Buch hinhalte, und fange an im Galopp aufzusagen, um fertig zu werden, solange ich noch alles frisch im Kopfe habe.

Ich stocke bei einem Wort, Mr. Murdstone blickt auf.

Ich werde rot, werfe ein halbes Dutzend Worte verwirrt durcheinander und bleibe stecken. Ich fühle, meine Mutter würde mir das Buch zeigen, wenn sie es wagte, aber sie wagt es nicht und sagt sanft:

»O Davy, Davy!«

»Klara«, sagt Mr. Murdstone, »sei fest mit dem Jungen. Sag nicht Davy, Davy! Das ist kindisch. Entweder kann er seine Lektion oder er kann sie nicht.«

»Er kann sie nicht«, fällt Miss Murdstone mit grauenerregendem Nachdruck ein.

»Ich fürchte wirklich, er kann sie nicht«, sagt meine Mutter.

»Nun dann, Klara«, erwidert Miss Murdstone, »solltest du ihm das Buch zurückgeben und ihm das sagen.«

»Ja, gewiß«, stimmt meine Mutter bei. »Das wollte ich tun, liebe Jane. Also Davy, versuch es noch einmal und mach es gut.«

Ich gehorche dem ersten Teil der Ermahnung und versuche es noch einmal; mit dem zweiten Teil bin ich nicht so glücklich, denn ich mache es sehr schlecht. Ich bleibe stecken, früher noch als vorhin, an einer Stelle, die ich eben noch gut kannte, und halte inne, um nachzudenken. Aber ich kann nicht an die Aufgabe denken, ich muß daran denken, wie viel Ellen Spitzen auf Miss Murdstones Haube sein mögen oder was Mr. Murdstones Schlafrock gekostet oder an andere alberne Dinge, die mich nichts angehen! Mr. Murdstone macht die ungeduldige Bewegung, die ich schon lange erwartet habe. Miss Murdstone tut dasselbe. Meine Mutter blickt unterwürfig nach ihnen hin, klappt das Buch zu und legt es beiseite als einen Rückstand, der nachgeholt werden muß, wenn die andern Aufgaben beendet sind.

Bald liegt ein ganzer Stoß solcher Rückstände da und wächst an wie eine Lawine. Je höher er wird, um so vernagelter werde ich. Der Fall ist so hoffnungslos, daß ich das Gefühl habe, in einem tiefen Sumpf von Unsinn herumzuwaten, und jeden Gedanken wieder herauszubekommen aufgebe und mich meinem Schicksal überlasse. Die verzweifelte Angst, mit der meine Mutter und ich einander ansehen, ist wirklich trübsinnig. Aber der

Hauptschlag kommt, wenn meine Mutter sich unbeobachtet glaubt und mir das Stichwort durch eine Bewegung der Lippen zu verraten sucht. In diesem Augenblick sagt Miss Murdstone, die bloß darauf gewartet hat, mit tiefer warnender Stimme:

»Klara!«

Meine Mutter fährt zusammen, wechselt die Farbe und lächelt schüchtern. Mr. Murdstone steht von seinem Stuhl auf, wirft mir das Buch an den Kopf oder schlägt es mir um die Ohren und schiebt mich bei den Schultern zur Tür hinaus.

Wenn die Stunden aus sind, kommt erst das Schlimmste in Gestalt eines entsetzlichen Rechenexempels. Das ist für mich besonders erfunden und wird mir durch Mr. Murdstone mündlich überliefert. Es fängt an:

»Wenn ich in einen Käseladen gehe und kaufe fünftausend doppelte Gloucesterkäse zu vier und einem halben Penny – augenblicklich zahlbar« – Miss Murdstones Züge werden überglücklich bei dieser Wendung – und so weiter und so weiter. Bis Mittag brüte ich über diesen Käsen ohne Resultat oder Erleuchtung, und wenn ich dann durch Abwischen der mit Schiefer beschmutzten Finger an meinem schweißtriefenden Gesicht einen Mulatten aus mir gemacht habe, bekomme ich ein Stückchen Brot ohne Butter zu meinen Käsen und bin für den Abend in Ungnade gefallen.

Nach so vielen Jahren scheint es mir, als ob meine unglücklichen Studien immer denselben Verlauf genommen hätten. Ich wäre sehr gut vorwärtsgekommen ohne die Murdstones, aber ihr Einfluß auf mich war wie der bannende Blick, den zwei Schlangen auf einen armen kleinen Vogel richten.

Selbst wenn ich ziemlich gut durch die Morgenarbeiten kam, hatte ich nicht viel mehr gewonnen als die freie Zeit des Mittagessens, denn Miss Murdstone konnte mich nie unbeschäftigt sehen; und wenn ich unvorsichtigerweise merken ließ, daß ich gerade nichts zu tun hatte, so lenkte sie ihres Bruders Aufmerksamkeit auf mich, indem sie sagte: »Liebe Klara, es geht nichts über die Arbeit, – gib deinem Jungen etwas auf.« Und das hatte stets zur Folge, daß ich sofort über eine neue Arbeit geduckt wurde. Von Zerstreuungen mit andern Kindern meines Alters war kaum die Rede, denn dem finstern Puritanismus der Murdstones erschienen alle Kinder wie eine Brut kleiner Vipern. Als ob niemals ein Kind in die Mitte der Jünger gestellt worden wäre!

Die natürliche Folge dieser vielleicht sechs Monate oder noch länger fortgesetzten Behandlungsweise war, daß ich ganz stumpf, verstockt und schwer von Begriffen wurde. Nicht wenig trug dazu bei, daß ich mich täglich mehr meiner Mutter entfremdet fühlte. Ich glaube, wenn mir nicht ein glücklicher Umstand geholfen hätte, ich wäre blödsinnig geworden.

Und das war folgender. Mein Vater hatte eine kleine Büchersammlung in einer Dachstube neben meinem Schlafraum, um die sich niemand kümmerte, hinterlassen. Aus diesem gesegneten kleinen Stübchen kamen Roderick Random, Peregrine Pickle, Humphrey Clinker, Tom Jones, der Landprediger von Wakefield, Don Quichote, Gil Blas und Robinson Crusoe – eine glorreiche Schar – zu mir, um mir Gesellschaft zu leisten. Sie erhielten meine Phantasie lebendig – und meine Hoffnung auf etwas über diesen Ort und diese Zeit hinaus; sie und Tausendundeine Nacht und die persischen Märchen brachten mir keinen Schaden, denn was in einigen von ihnen Schädliches sein mochte, war für mich nicht da; ich verstand nichts davon. Es ist mir nur unbegreiflich, woher ich inmitten meines Hockens und Brütens über schwierigere Themen die Zeit nahm, alle diese Bücher zu lesen. Es ist mir jetzt wunderbar, wie es für mich in meinen kleinen und doch so großen Leiden tröstlich sein konnte, daß ich die Rollen meiner Lieblingscharaktere in diesen Geschichten auf mich übertrug und Mr. und Miss Murdstone mit allen schlechten bedachte. Eine ganze Woche lang war ich Tom Jones in Kindergestalt. Die Rolle Roderick Randoms habe ich wohl einen Monat lang gepielt.

Ich fraß förmlich ein paar Bände Reisebeschreibungen, ich weiß nicht mehr, welche, und tagelang bin ich in der obern Region des Hauses heimlich umhergestreift, bewaffnet mit dem

Mittelstück eines alten Stiefelholzes, als Kapitän Soundso von der königlich britischen Flotte, der von Wilden bedroht war und sein Leben so teuer wie möglich verkaufen wollte. Niemals verlor der Kapitän seine Würde, wenn ihm die lateinische Grammatik um die Ohren geschlagen wurde. Ich litt wohl darunter, der Kapitän aber blieb Kapitän und ein Held trotz aller Grammatiken, aller lebenden und toten Sprachen.

Das bildete meinen einzigen und beständigen Trost. Wenn ich daran denke, steht mir ein Sommerabend vor Augen, wo die Kinder draußen auf dem Kirchhof spielten und ich auf dem Bette saß und auf Tod und Leben drauflos las. Jede Scheune in der Nachbarschaft, jeder Stein in der Kirche, jeder Fußbreit des Friedhofs standen in meiner Seele in Verbindung mit diesen Büchern und vertraten die Stelle eines in ihnen berühmt gewordenen Ortes. Ich habe gesehen, wie Tom Pipes den Kirchturm hinaufkletterte, habe Strab mit dem Schnappsack auf dem Rücken beobachtet, wie er an der Gitterpforte am Zaun ausruhte, und ich weiß, daß Commodore Trunnion seine Klubsitzung mit Mr. Pickle in der Gaststube unserer kleinen Dorfschenke abhielt. So war ich damals geartet, als das Ereignis eintrat, von dem ich jetzt berichten will.

Eines Morgens, als ich mit meinen Büchern in das Wohnzimmer trat, bemerkte ich, daß meine Mutter sehr ängstlich aussah und Miss Murdstone sehr fest, während Mr. Murdstone etwas um das untere Ende eines Rohrstockes wickelte. Es war ein geschmeidiges und schächtiges Rohr, das er in der Hand wippte und durch die Luft sausen ließ, als ich hereinkam.

»Ich sage dir doch, Klara«, bemerkte Mr. Murdstone, »ich selbst bin oft durchgehauen worden.«

»Gewiß, selbstverständlich«, sagte Miss Murdstone.

»Gewiß, liebe Jane«, stammelte meine Mutter demütig. »Aber – aber meinst du, daß es Edward gutgetan hat?«

»Glaubst du, daß es Edward geschadet hat, Klara?« fragte Mr. Murdstone ernst.

»Das ist der springende Punkt«, sagte seine Schwester.

»Gewiß, liebe Jane«, weiter sagte meine Mutter nichts mehr. Mich beschlich das Gefühl, daß sich das Zwiegespräch auf mich bezöge. Und ich suchte und begegnete Mr. Murdstones Blick.

»Nun, David?« sagte er und sein Auge blitzte. »Du mußt dich heute viel mehr in acht nehmen als gewöhnlich.« Er hieb weiter mit dem Rohr durch die Luft, und nachdem er diese Vorbereitung beendigt hatte, legte er es mit ausdrucksvollem Blick neben sich hin und nahm ein Buch zur Hand.

Nur für den Beginn war dies eine gute Auffrischung meiner Geistesgegenwart. Dann fühlte ich, wie die Worte mir beim Aufsagen entschwanden, nicht einzeln oder zeilenweise, sondern gleich ganze Seiten lang. Ich versuchte meine Gedanken wieder einzufangen, aber es war, als ob sie Schlittschuhe anhätten und mit unaufhaltsamer Geschwindigkeit wegglitten.

Wir fingen schlecht an und fuhren noch schlechter fort. Ich war hereingekommen mit dem Bewußtsein, daß ich mich heute sogar auszeichnen würde, denn ich glaubte recht gut vorbereitet zu sein, aber es stellte sich als vollständiger Irrtum heraus. Ein Buch nach dem andern vermehrte den Haufen der Rückstände, und Miss Murdstone wandte die ganze Zeit über den Blick nicht von uns. Und als wir endlich zu den fünftausend Käsen kamen – er machte an diesem Tage Rohrstöcke daraus –, fing meine Mutter zu weinen an.

»Klara!« sagte Miss Murdstone mit warnender Stimme.

»Ich fühle mich nicht ganz wohl, meine liebe Jane, glaube ich«, sagte meine Mutter.

Ich sah Mr. Murdstone feierlich seiner Schwester zuwinken, als er aufstand, das Rohr nahm und sagte:

»Nun, Jane, wir können kaum erwarten, daß Klara mit unerschütterlicher Festigkeit den Ärger und die Qual trägt, die David ihr heute verursacht hat. Das würde stoisch sein. Klara hat sich sehr gefestigt und ist viel stärker geworden, aber wir können kaum so viel von ihr erwarten. David, wir wollen jetzt beide hinaufgehen.«

Als er mich aus der Türe zog, rannte meine Mutter auf uns zu. Miss Murdstone sagte: »Klara! Bist du denn ganz närrisch!« und trat dazwischen. Ich sah, wie sich meine Mutter die Ohren zuhielt, und hörte sie weinen.

Er führte mich in mein Zimmer, langsam und feierlich; ich weiß bestimmt, es machte ihm Freude, die Exekution so förmlich zu gestalten – und als wir oben angekommen waren, klemmte er plötzlich meinen Kopf unter seinen Arm.

»Mr. Murdstone! Sir!« schrie ich auf. »O bitte, schlagen Sie mich nicht. Ich habe mir solche Mühe beim Lernen gegeben, Sir, aber ich kann es nicht aufsagen, wenn Sie und Miss Murdstone dabei sind. Ich kann es wirklich nicht!«

»Kannst du wirklich nicht, David?« fragte er. »Wir wollens mal versuchen.«

Er hielt meinen Kopf fest wie in einem Schraubstock. Aber ich entwand mich doch noch, und es gelang mir, ihn einen Augenblick aufzuhalten. Nur einen Augenblick, denn gleich darauf versetzte er mir einen heftigen Schlag. In demselben Augenblick erhaschte ich seine Hand mit meinem Mund und biß sie durch und durch. Es zuckt mir jetzt noch in den Zähnen, wenn ich daran denke.

Er schlug mich dann, als ob er mich totpeitschen wollte. Durch all den Lärm, den wir machten, hörte ich die andern die Treppe herauffrennen und aufschreien – ich hörte meine Mutter aufschreien – und Peggotty. Dann war er fort, und die Tür war von außen verschlossen. Und ich lag fieberheiß und zerrissen und wund auf dem Boden und raste in ohnmächtiger Wut.

Ich weiß mich gut zu erinnern, welch unnatürliche Stille im ganzen Haus herrschte, als ich wieder ruhig wurde. Ich kann mich gut entsinnen, als Schmerz und Leidenschaft sich legten, wie schlecht ich mir vorkam.

Ich saß lange Zeit lauschend da, aber es war kein Laut zu vernehmen. Ich raffte mich vom Boden auf und sah mein Gesicht im Spiegel so verschwollen und entstellt, daß ich mich entsetzte. Die Striemen waren wund und hart, und ich mußte aufschreien, wenn ich mich rührte. Aber sie waren nichts gegen mein Schuldbewußtsein. Es lastete schwer auf meiner Brust, wie wenn ich der schlimmste Verbrecher gewesen wäre.

Es fing an zu dunkeln, und ich machte das Fenster zu, – ich hatte die ganze Zeit über mit dem Kopf auf dem Fensterbrett gelegen und abwechselnd geweint, halb geschlafen oder gedankenlos hinausgesehen, – als sich der Schlüssel herumdrehte und Miss Murdstone mit Brot, Fleisch und Milch hereintrat. Ohne ein Wort zu sprechen, setzte sie es auf den Tisch und starrte mich währenddessen ununterbrochen mit größter Festigkeit an, entfernte sich dann und schloß die Türe hinter sich zu.

Noch lange saß ich im Dunkeln da und grübelte, ob sonst noch jemand kommen werde. Als das für diesen Abend unwahrscheinlich wurde, zog ich mich aus und ging zu Bett und fing an, mich furchtsam zu fragen, was jetzt wohl mit mir geschehen würde. War es ein Verbrechen, das ich begangen hatte? Würde man mich verhaften und ins Gefängnis stecken, mich am Ende gar hängen?!

Ich werde nie das Erwachen am nächsten Morgen vergessen: Im ersten Augenblick froh und heiter, war ich plötzlich durch die erwachende Erinnerung wie niedergeschmettert. Miss Murdstone erschien wieder, ehe ich mich erhob, sagte mir mit kurzen Worten, daß ich eine halbe Stunde, aber nicht länger, spazierengehen dürfte, und verschwand. Sie ließ diesmal die Türe offen, damit ich von der Erlaubnis Gebrauch machen könnte.

Ich tat es und jeden folgenden Morgen meiner Gefangenschaft, die fünf Tage dauerte. Wenn ich meine Mutter allein hätte sehen können, wäre ich vor ihr auf die Knie gefallen und hätte sie um Verzeihung gebeten, aber ich bekam niemand zu Gesicht, außer Miss Murdstone. Eine Ausnahme bildete nur die Zeit des Abendgebetes in der Wohnstube; dorthin führte mich Miss Murdstone, und ich mußte wie ein junger Sträfling an der Tür stehen bleiben, während alle ihre Plätze einnahmen; und ehe sie sich erhoben, führte mich meine Kerkermeisterin mit großer Feierlichkeit wieder ins Gefängnis. Ich bemerkte, daß meine

Mutter, am allerweitesten von mir entfernt, ihr Gesicht von mir abgewandt hielt, und daß Mr. Murdstones Hand mit einem großen leinenen Tuch verbunden war.

Wie entsetzlich lang mir diese fünf Tage wurden, kann ich nicht beschreiben. Sie nehmen in meiner Erinnerung den Raum von Jahren ein. Die Spannung, mit der ich allen Vorkommnissen im Hause lauschte, das Klingeln, das Öffnen und Schließen von Türen, das Murmeln von Stimmen, die Schritte auf den Treppen, das Lachen, Pfeifen und Singen draußen, das mir in meiner Einsamkeit und Verstoßenheit furchtbarer erschien, als alles andere, das ungewisse Schleichen der Stunden, besonders des Nachts, wenn ich in dem Glauben aufwachte, es sei schon Morgen, während die Familie noch nicht zu Bett gegangen war und ich noch die ganze lange Nacht vor mir hatte, – die quälenden Träume mit ihrem Alpdrücken, – die Wiederkehr von Morgen, Mittag, Nachmittag und Abend, wo die Jungen draußen auf dem Kirchhof spielten, und ich sie vom Hintergrund des Zimmers aus beobachtete, weil ich mich schämte, mich wie ein Gefangener am Fenster zu zeigen, – das fremdartige Gefühl, daß ich mich nie sprechen hörte, – die flüchtigen Pausen schnell entschwindender Erleichterung, die mit dem Essen und Trinken kam und wieder ging, der Regen eines Abends mit seinem frischen Duft, wie er immer dichter und dichter wurde zwischen mir und der Kirche, bis er und die hereinbrechende Nacht mich in einer Finsternis von Furcht und Reue zu ersticken drohten, – alles das scheint Jahre statt Tage gedauert zu haben, so lebendig und tief hat es sich mir eingeprägt.

In der letzten Nacht meiner Haft wachte ich auf und hörte meinen Namen flüstern. Ich richtete mich im Bett auf, breitete meine Arme im Dunkeln aus und fragte:

»Bist dus, Peggotty?«

Es kam nicht sogleich eine Antwort. Aber nicht lange darauf hörte ich wieder meinen Namen in einem so geheimnisvollen und schaurigen Ton, daß ich vor Schrecken wahrscheinlich ohnmächtig geworden wäre, hätte ich nicht plötzlich begriffen, daß er durch das Schlüsselloch kommen müsse. Ich tappte mich zur Tür, legte den Mund an das Schlüsselloch und flüsterte:

»Bist dus, liebe Peggotty?«

»Ja, mein einziger lieber Davy. Sei so leise wie eine Maus, sonst hört uns die Katze.«

Ich verstand sogleich, daß Miss Murdstone gemeint war, und fühlte die Notwendigkeit der Vorsicht, denn ihr Zimmer stieß dicht an meines.

»Was macht Mama, liebe Peggotty? Ist sie sehr böse auf mich?«

Ich konnte hören, daß Peggotty leise vor der Tür weinte, – wie ich, – ehe sie antworten konnte:

»Nein, nicht sehr.«

»Was wird mit mir geschehen, liebe Peggotty? Weißt du es?«

»Schule. Bei London«, war Peggottys Antwort. Sie mußte es noch einmal wiederholen, denn sie hatte es das erstemal in meinen Hals hineingesprochen, weil ich vergaß, den Mund vom Schlüsselloch wegzunehmen und das Ohr daranzulegen. Ihre Worte kitzelten mich sehr, aber verstehen konnte ich sie nicht.

»Wann, Peggotty?«

»Morgen.«

»Hat deshalb Miss Murdstone meine Kleider aus der Kommode genommen?«

»Ja«, sagte Peggotty. »Koffer.«

»Werde ich Mama nicht mehr wiedersehen?«

»Ja«, sagte Peggotty. »Morgen früh.« Dann legte sie ihre Lippen dicht an das Schloß und sprach die folgenden Worte so gefühlvoll und innig, wie sie wohl nie durch ein Schlüsselloch mitgeteilt worden sind, und stieß jeden Satz abgebrochen mit einem krampfhaften kleinen Ruck hervor:

»Lieber Davy, – wenn ich jetzt nicht ganz so herzlich – mit dir bin, wie früher, – so ists nicht, weil ich dich nicht – sehr und noch mehr liebe, mein liebes Herzenspüppchen, – sondern bloß weil ich glaube, es ist besser für dich – und für jemand anders. Davy, mein Liebling, hörst du mich? Kannst du hören?«

»Ja-a-a-a, Peggotty«, schluchzte ich.

»Du mein Herzenskind«, flüsterte Peggotty mit unendlichem Mitleid. »Ich will dir nur sagen, du darfst mich niemals vergessen. Auch ich will dich niemals vergessen. Und ich will deine Mama, Davy, so in acht nehmen, wie ich dich in acht genommen habe. Und ich werde sie nie verlassen. Der Tag wird noch kommen, wo sie gern ihren armen Kopf ihrer dummen, mürrischen, alten Peggotty wieder auf den Arm legen wird. Ich werde dir schreiben, mein Liebling. Wenn ich auch kein Gelehrter bin, und ich will – ich will –« Peggotty fing an, das Schlüsselloch zu küssen, da sie mich nicht küssen konnte.

»Ich danke dir, meine liebe Peggotty«, sagte ich. »Ich danke, danke dir. Willst du mir nur eins versprechen, Peggotty? Wirst du Mr. Peggotty und der kleinen Emly und Mrs. Gummidge und Ham sagen, daß ich nicht so schlecht bin, wie sie vielleicht denken, und daß ich sie alle von Herzen grüßen lasse, besonders die kleine Emly? Willst du so gut sein, Peggotty?«

Die gute Seele versprach mirs, und wir küßten beide das Schlüsselloch mit der größten Zärtlichkeit, – ich streichelte es mit der Hand, entsinne ich mich noch, als ob es ihr ehrliches Gesicht gewesen wäre, – und trennten uns. Seit dieser Nacht wuchs in mir ein Gefühl für Peggotty, das ich nicht recht beschreiben kann. Sie ersetzte mir nicht meine Mutter, niemand hätte das können, aber sie füllte eine Leere in meinem Herzen aus, die sich über ihr schloß, und ich fühlte etwas für sie, was ich nie für ein anderes menschliches Wesen empfunden habe. Es mischte sich das Gefühl des Komischen wohl unter meine Zärtlichkeit, und dennoch kann ich mir nicht vorstellen, wie ich den Schmerz ertragen hätte, wenn sie gestorben wäre.

Frühmorgens erschien Miss Murdstone wie gewöhnlich und sagte mir, daß ich in die Schule geschickt würde, was mich durchaus nicht so überraschte, wie sie wohl angenommen hatte. Sie sagte mir auch, daß ich hinunterkommen sollte in die Wohnstube zum Frühstück. Dort fand ich meine Mutter sehr blaß und mit roten Augen. Ich lief ihr in die Arme und bat sie aus tiefbewegter Seele um Verzeihung.

»O Davy!« sagte sie, »daß du jemand weh tun konntest, den ich liebe. Versuche dich zu bessern, bete darum, daß du besser werdest. Ich verzeihe dir, aber ich bin voll Kummer, Davy, daß du ein so böses Herz hast.«

Sie hatten ihr eingeredet, daß ich ein verworfenes Geschöpf wäre, und das schmerzte sie mehr als mein Fortgehen. Auf mich machte es einen tiefen Eindruck.

Ich versuchte mein Abschiedsfrühstück zu essen, aber die Tränen tröpfelten auf mein Butterbrot und in meinen Tee.

Ich sah, wie meine Mutter mich von Zeit zu Zeit anblickte und dann auf Miss Murdstone sah und die Augen niederschlug oder wegschaute. »Ist Master Copperfields Koffer da?« fragte Miss Murdstone, als draußen der Wagen vorfuhr. Ich sah mich nach Peggotty um, aber weder sie noch Mr. Murdstone erschien. Mein alter Bekannter, der Fuhrmann, stand an der Tür, nahm den Koffer und hob ihn auf den Wagen.

»Klara!« sagte Miss Murdstone in warnendem Ton.

»Ich bin bereit, liebe Jane«, sagte meine Mutter. »Leb wohl, Davy, du gehst zu deinem eignen Besten. Leb wohl, mein Kind, du wirst in den Feiertagen nach Hause kommen und ein besserer Junge sein.«

»Klara!« wiederholte Miss Murdstone.

»Gewiß, meine liebe Jane«, antwortete meine Mutter und hielt meine Hand noch immer fest. »Ich verzeihe dir, mein lieber Junge. Gott segne dich!«

»Klara!« wiederholte Miss Murdstone. Sie hatte die Güte, mich zum Wagen zu führen und mir unterwegs zu sagen, sie hoffe, ich würde in mich gehen, ehe es ein schlimmes Ende mit mir nähme, und dann stieg ich in den Wagen und das faule Pferd trottete mit mir davon.

5. Kapitel

Man schickt mich fort

Wir waren kaum eine Viertelstunde gefahren, und mein Taschentuch war ganz durchnäßt, als der Kutscher plötzlich anhielt.

Als ich hinaussah, brach zu meinem Erstaunen Peggotty aus einer Hecke hervor und kletterte in den Wagen. Sie schloß mich in die Arme und preßte mich derartig an ihren Schnürleib, daß mir die Nase wehtat. Nicht ein einziges Wort sprach Peggotty. Sie ließ mich mit dem einen Arm los, griff bis an den Ellbogen in ihren Rock und holte ein paar in Papier gewickelte Kuchen hervor, die sie mir in die Tasche stopfte. Einen Geldbeutel drückte sie mir in die Hand. Sie sprach dabei kein Wort.

Sie preßte mich noch ein letztes Mal an ihren Schnürleib, stieg aus und lief davon, wie ich glaube und stets geglaubt habe, ohne einen einzigen Knopf an ihrem Kleid. Ich hob einen der vielen, die herumrollten, auf und bewahrte ihn lange Zeit als ein teures Andenken.

Der Fuhrmann sah mich fragend an, ob sie zurückkäme. Ich schüttelte den Kopf und sagte, ich dächte nicht. »Also los«, rief er seinem faulen Pferde zu, das sich daraufhin in Bewegung setzte.

Da ich mich ordentlich ausgeweint hatte, fing ich jetzt an zu überlegen, daß Tränen doch nichts nützten, um so mehr, als weder Roderick Random, noch jener Kapitän der englischen Flotte jemals in schwierigen Lagen geweint hätten, soviel ich mich entsinnen konnte. Als der Fuhrmann mich so gefaßt sah, schlug er mir vor, mein Taschentuch zum Trocknen dem Pferd auf den Rücken zu legen. Ich dankte ihm und gab es ihm, und merkwürdig klein sah es aus, als es dort lag.

Ich hatte jetzt Muße, die Börse zu untersuchen. Es war ein steifer Lederbeutel mit einem Schloß und drin befanden sich drei glänzende Schillinge, die Peggotty mit Putzpulver poliert hatte, damit es mich noch mehr freuen sollte. Aber sein kostbarster Inhalt bestand aus zwei halben Kronen in einem Stück Papier, worauf mit meiner Mutter Handschrift stand: »Für Davy. Mit herzlichem Gruß.« Ich war davon so gerührt, daß ich den Fuhrmann bat, mir wieder mein Taschentuch hereinzureichen, aber er meinte, es ginge wohl auch so, und so wischte ich meine Augen mit dem Rockärmel und bezwang mich.

Es gelang mir, wenn mich auch noch hier und da das Schluchzen riß. Nach einer Weile Trottes fragte ich den Fuhrmann, ob er die ganze Reise mache.

»Welche Reise?« fragte er.

»Dahin«, sagte ich.

»Wo, dahin?« fragte der Fuhrmann.

»Nun bei London«, sagte ich.

»Das Pferd«, sagte der Fuhrmann und schlenkerte mit dem Zügel statt hinzudeuten, »wäre toter als Schweinefleisch, ehe wir noch halb hinkämen.«

»Sie fahren also nur bis Yarmouth?« fragte ich.

»Stimmt«, sagte der Fuhrmann. »Dort bringe ich Sie zur Postkutsche und die bringt Sie nach – wos eben ist.«

Da das für den Fuhrmann, der Mr. Barkis hieß, bei seinem phlegmatischen und wenig gesprächigen Temperament eine sehr lange Rede war, bot ich ihm als Zeichen meiner Erkenntlichkeit einen Kuchen an, den er auf einen Bissen verschlang, gerade wie ein Elefant, und der auf sein breites Gesicht nicht mehr Eindruck machte, als er auf das eines Elefanten gemacht hätte.

»Hat sie den gebacken?« fragte Mr. Barkis, der immer vorwärtsgebeugt auf seinem Sitze hockte, auf jedes Knie einen Arm gestützt. »Peggotty, meinen Sie, Sir?«

»Hm«, sagte Mr. Barkis. »Sie.«

»Ja, sie backt alle unsere Kuchen und kocht für uns.«

»Wahrhaftig!«

Er spitzte den Mund, als wollte er pfeifen, aber er pfiff nicht. Er saß da und zielte nach den Ohren des Pferdes, als sähe er dort etwas ganz Besonderes. So saß er eine geraume Zeit. Endlich sagte er: »Keine Schätze?«

»Sagten Sie Plätzchen, Mr. Barkis?« Ich dachte, er wollte noch etwas zu essen haben und hätte auf diese Art Erfrischung angespielt.

»Schätze«, sagte Mr. Barkis. »Schätze! Niemand geht mit ihr?«

»Mit Peggotty?«

»Hm. Mit ihr.«

»O nein, sie hat niemals einen Schatz gehabt.«

»Wahrhaftig!?«

Wieder spitzte er den Mund zum Pfeifen, aber wieder pfiff er nicht, sondern zielte nach den Ohren des Pferdes.

»Sie macht also die Apfeltorten und besorgt die Küche, was?« fragte er nach einer langen Pause des Nachdenkens.

Ich bejahte.

»Gut. Ich will Ihnen was sagen; schreiben Sie ihr 'leicht?«

»Ich schreibe jedenfalls an sie.«

»Hm«, sagte er und wandte mir langsam seine Augen zu. »Gut. Wenn Sie ihr schreiben, sagen Sie ihr, daß Barkis will. Ja?«

»Daß Barkis will?« fragte ich unschuldig. »Ist das alles?«

»Jawoll«, sagte er nachdenklich. »Jawoll. Barkis will.«

»Aber Sie sind doch morgen wieder zurück in Blunderstone, Mr. Barkis«, sagte ich, und meine Stimme bebte ein wenig bei dem Gedanken, daß ich dann so weit fort sein würde, »und könnten Ihre Botschaft doch selber viel besser ausrichten.«

Da er aber diesen Vorschlag mit einem Ruck seines Kopfes zurückwies und seinen ersten Wunsch mit tiefstem Ernst wiederholte: »Barkis will«, übernahm ich bereitwillig den Auftrag. Später nachmittags, während wir im Gasthof in Yarmouth auf die Postkutsche warteten, ließ ich mir einen Bogen Papier und ein Tintenfaß bringen und schrieb folgenden Brief an Peggotty: »Meine liebe Peggotty. Ich bin hier glücklich angekommen. Barkis will. Viele herzliche Grüße an Mama. Dein getreuer Davy. Nachschrift. Es ist mir nochmals aufgetragen worden: Barkis will.«

Als ich Mr. Barkis noch im Wagen mein Versprechen gegeben hatte, verfiel er wieder in sein tiefes Schweigen, und ich, ganz ermattet von den letzten Ereignissen, legte mich auf einen Sack im Wagen und schlief ein. Ich schlief gesund, bis wir in Yarmouth ankamen, das mir von dem Gasthof aus, vor dem wir hielten, so neu und seltsam vorkam, daß ich sogleich die stille Hoffnung aufgab, hier jemand von Mr. Peggottys Familie oder vielleicht gar die kleine Emly selbst zu treffen.

Die Postkutsche stand, über und über glänzend, im Hofe, aber noch waren keine Pferde vorgespannt, und sie sah in diesem Zustande aus, als wäre nichts unwahrscheinlicher, als daß sie je nach London fahren könnte. Ich fragte mich, was wohl aus meinem Koffer werden sollte, den Mr. Barkis auf das Pflaster gesetzt hatte, und aus mir, als eine Frau aus einem Bogenfenster, an dem Geflügel und Fleischstücke aufgehangen waren, heraussah und fragte:

»Ist das der junge Herr aus Blunderstone?«

»Ja, Ma'am«, sagte ich.

»Wie heißen Sie?« fragte die Frau.

»Copperfield, Ma'am«, sagte ich.

»Stimmt nicht. Für Copperfield ist nichts bestellt.«

»Vielleicht für Murdstone«, sagte ich.

»Wenn Sie Master Murdstone sind, warum sagen Sie da zuerst einen andern Namen?«

Ich erklärte ihr den Zusammenhang, worauf sie eine Glocke zog und rief: »William, bring ihn ins Frühstückszimmer.« Aus der Küche am andern Ende des Hofes kam ein Kellner herausgerannt und schien sehr erstaunt, als er bloß mich sah.

Es war ein sehr geräumiges Zimmer mit verschiedenen großen Landkarten an den Wänden. Ich setzte mich scheu mit der Mütze in der Hand auf die Ecke des Stuhles, der der Tür am nächsten stand, und als der Kellner für mich einen Tisch deckte, muß ich ganz rot vor Bescheidenheit geworden sein.

Er brachte mir einige Koteletten mit Gemüse und nahm den Deckel in so heftiger Weise herunter, daß ich glaubte, ich hätte ihn irgendwie beleidigt. Aber ich beruhigte mich wieder, als er mir den Stuhl an den Tisch schob und sehr leutselig sagte: »Nun, Sechsfußhoch, kommen Sie her.«

Ich dankte ihm und setzte mich an den Tisch, fand es aber sehr schwer, mit Messer und Gabel zu hantieren, ohne mich zu bespritzen. Währenddessen stand er mir gegenüber und wandte kein Auge von mir und machte mich immer schrecklich erröten, wenn ich seinem Blick begegnete.

Nachdem er mir bis zum zweiten Kotelett zugesehen, sagte er: »Es ist auch eine halbe Pinte Ale für Sie bestellt. Wollen Sie sie jetzt haben?«

Ich dankte und sagte: »Ja.« Hierauf goß er das Bier aus einem Krug in ein großes Glas und hielt es gegen das Licht.

»Meiner Seel«, sagte er, »s scheint eine ganze, ganze Menge, was?«

»Ja, es scheint eine ganze Menge«, antwortete ich lächelnd, denn ich war ganz entzückt, daß er zu mir so freundlich war. Er war ein Mann mit zwinkernden Augen und sinnigem Gesicht, und das Haar stand ihm zu Berge. Wie er den Arm in die Seite gestemmt hatte und das Glas gegen das Licht hielt, sah er jedoch ganz gemütlich aus.

»Gestern war ein Gentleman hier«, fing er wieder an, »ein großer, starker Gentleman, der hieß Oberniedersäger. Kennen Sie ihn vielleicht?«

»Nein«, sagte ich, »ich glaube nicht.«

»Kurze Hosen und Gamaschen, breitkrempigen Hut, scheckiges Halstuch«, sagte der Kellner.

»Nein«, sagte ich gedrückt. »Ich habe nicht das Vergnügen.«

»Er kehrte hier ein«, sagte der Kellner und sah immer noch durch das Glas, »bestellte auch Ale, trotzdem ich ihm abriet, trank es und war tot auf der Stelle. War zu alt für ihn. Es sollte nicht ausgeschenkt werden. Das ist die Sache.«

Der tragische Vorfall machte mich ganz bestürzt und ich sagte, ich würde ein Glas Wasser vorziehen.

»Ja, sehen Sie«, sagte der Kellner, immer noch mit dem einen Auge durch das Glas spähend, das andere hatte er zugemacht, »unsre Leute sehens nicht gern, wenn etwas bestellt wird und stehen bleibt. Nehmens übel. Aber ich wills trinken, wenn Sie erlauben. Bin dran gewöhnt und Gewohnheit kann alles. Ich glaube nicht, daß es mir schadet, wenn ich den Kopf zurücklege und es rasch hinuntergieße. Was?«

Ich erwiderte, ich wäre ihm sehr verpflichtet, wenn er es tränke und es ihm nicht schaden würde. Sonst aber möge er es ja nicht tun. Als er den Kopf zurücklegte und es rasch hinuntergoß, erfaßte mich eine schreckliche Angst, er könnte das Schicksal des bedauernswerten Mr. Oberniedersäger teilen und tot zu Boden fallen. Aber es tat ihm nichts. Im Gegenteil, es schien ihn nur erfrischt zu haben.

»Was haben wir denn da?« sagte er und fuhr dann mit einer Gabel in meine Schüssel. »Doch nicht Koteletten?«

»Koteletten«, sagte ich.

»Gott bewahre!« rief er aus. »Ich wußte gar nicht, daß es Koteletten sind. Ein Kotelett ist das beste gegen das Bier. Ist das ein Glück, was?«

Damit nahm er ein Kotelett, den Knochen in die eine Hand und eine Kartoffel in die andere, und verschlang beide zu meiner größten Befriedigung mit außerordentlichem Appetit. Dann nahm er noch ein Kotelett und noch eine Kartoffel und noch ein Kotelett und noch eine Kartoffel. Hierauf brachte er mir einen Pudding, setzte ihn auf den Tisch und schien ein paar Augenblicke ganz in Gedanken zu versinken.

»Wie ist die Pastete?« fragte er, wie aus einem Traum erwachend.

»Es ist Pudding«, gab ich zur Antwort.

»Pudding?« rief er aus. »Gott bewahre! Wirklich!« und genauer hinblickend: »Es ist doch nicht etwa Blätterpudding?«

»Ja, es ist Blätterpudding.«

»Was? Blätterpudding?« sagte er und nahm einen Eßlöffel. »Das ist ja mein Lieblingspudding. Ist das nicht ein Glück? Komm, Kleiner, wollen mal sehen, wer das meiste kriegt.«

Er bekam wirklich das meiste. Er bat mich mehr als einmal, ich möchte mich doch dazu halten, aber das Mißverhältnis seines Eßlöffels zu meinem Teelöffel, seiner Fertigkeit zu meiner, seines

Appetits zu meinem Appetit bewirkten, daß ich schon bei den ersten Bissen weit zurückblieb und keine Aussicht mehr hatte, ihn wieder einzuholen. Ich glaube, ich habe niemals jemand einen Pudding mit so viel Genuß essen sehen; und er lachte, als er fertig war, als ob seine Freude noch fortdauerte.

Da er so freundlich und so gefällig war, bat ich ihn um Feder, Tinte und Papier, um an Peggotty zu schreiben.

Er brachte es nicht nur sogleich, sondern war auch so freundlich, mir über die Achsel zu sehen, während ich schrieb. Als ich fertig war, fragte er mich, wo ich zur Schule ginge.

Ich sagte: »Bei London«, denn ich wußte weiter nichts.

»Gott bewahre!« sagte er und schaute sehr traurig drein. »Das tut mir leid.«

»Warum?« fragte ich ihn.

»Ach mein Gott«, sagte er und schüttelte den Kopf, »das ist die Schule, wo sie dem Jungen die Rippen zerbrachen. Zwei Rippen. Es war ein kleiner Junge. Er war etwa – warten Sie mal – wie alt sind Sie ungefähr?«

Ich sagte ihm: »Zwischen acht und neun Jahre.«

»Das ist grade sein Alter. Er war acht Jahre und sechs Monate, als sie ihm die erste Rippe brachen, acht Jahre und acht Monate alt, als sie ihm die zweite Rippe zerbrachen. Und dann war es aus mit ihm.«

Ich konnte weder mir noch dem Kellner verhehlen, daß das ein recht unangenehmer Vorfall sei, und forschte, wodurch es denn geschehen wäre. Seine Antwort klang durchaus nicht ermutigend für mich, denn sie bestand aus zwei schrecklichen Worten: »Durch Strixe.«

Das Blasen des Posthorns auf dem Hof veranlaßte mich, aufzustehen, und mit einem aus Stolz und Ängstlichkeit gemischten Gefühl, im Besitz einer Börse zu sein, fragte ich, ob noch etwas zu bezahlen wäre.

»Ein Bogen Briefpapier«, sagte er. »Haben Sie schon einmal einen Bogen Briefpapier gekauft?«

Ich konnte mich nicht erinnern.

»Ist sehr teuer. Von wegen die Steuer«, sagte er. »Drei Pence. So werden wir hier besteuert! Sonst weiter nichts. Bloß der Kellner noch. Die Tinte kostet nichts, bei der setze ich zu.«

»Was möchten Sie – was soll ich – wieviel hätte ich – was gibt man wohl dem Kellner, bitte?« stammelte ich und wurde rot.

»Wenn ich keine Familie besäße und die Familie nicht die Pocken hätte«, sagte der Kellner, »würde ich nicht sechs Pence nehmen. Wenn ich keinen alten Vattern nicht hätte und eine lübliche Schwester« – hier wurde der Kellner sehr aufgeregt – »möchte ich keinen Pfennig nicht nehmen. Wenn ich eine gute Stelle hätte hier und gut behandelt würde, würde ich selbst Trinkgeld geben anstatt eins zu nehmen, aber ich lebe von Abfall und schlafe auf Kohlen –«, hier brach er in Tränen aus. Mich ergriff seine unglückliche Lage sehr und ich fühlte, daß ein Trinkgeld von weniger als neun Pence eine wahre Brutalität und Herzenshärte wäre. Daher gab ich ihm einen meiner drei blanken Schillinge, den er mit großer Demut und Ehrerbietung entgegennahm und gleich darauf mit dem Daumennagel auf seine Echtheit untersuchte.

Ich geriet einigermaßen in Verlegenheit, als ich beim Einsteigen in die Postkutsche bemerkte, daß ich im Verdacht stand das ganze Mittagessen allein aufgegessen zu haben. Ich hörte nämlich die Frau aus dem Bogenfenster sagen: »Nehmen Sie das Kind in acht, Georg, sonst platzt es.« Und die Dienstmädchen kamen heraus, staunten mich an und bekicherten mich wie ein junges Naturwunder.

Mein unglücklicher Freund, der Kellner, der sich von seiner Betrübnis vollständig erholt hatte, teilte, ohne im geringsten verlegen zu scheinen, die allgemeine Verwunderung. Wenn ich einigermaßen Verdacht gegen ihn faßte, so entstand es wahrscheinlich dadurch. Aber ich glaube, daß ich bei meiner jugendlichen Arglosigkeit und der natürlichen Achtung, die ein Kind vor höherem Alter hat, selbst damals kein ernstes Mißtrauen gegen ihn hegte.

Immerhin ärgerte ich mich ein bißchen, daß ich so, ohne es zu verdienen, zur Zielscheibe des Spottes zwischen dem Postillon und dem Schaffner wurde. Sie sagten, daß die Kutsche hinten zu schwer würde, wenn ich dort säße, und es wäre vorteilhafter, wenn ich in der Gepäckabteilung reiste. Als die Fabel von meinem Appetit unter den Außenpassagieren ruchbar wurde, machten auch sie ihre Späße über mich und fragten mich, ob in der Schule für mich für zwei oder für drei Brüder bezahlt würde, ob ein besonderer Kontrakt abgeschlossen worden sei, oder ob ich wie jeder andere bezahlte, und noch dergleichen vergnügliche Fragen mehr.

Aber das Schlimmste an der Sache war, daß ich wußte, ich würde mich schämen, bei der nächsten Haltestelle etwas zu essen, und daß ich mit dem sehr knappen Mittagessen im Magen die ganze Nacht würde hungern müssen, zumal ich in der Eile meine Kuchen im Gasthaus vergessen hatte.

Meine Befürchtungen trafen ein. Als wir abends an einem neuen Wirtshaus anhielten, konnte ich es nicht über mich bringen, am Nachtessen teilzunehmen, obgleich ich großen Appetit hatte, sondern setzte mich an den Kamin und sagte, ich äße nichts. Aber auch das rettete mich nicht vor Späßen, denn ein heiserer Herr mit einem rohen Gesicht, der unterwegs die ganze Zeit über aus einer Butterbrotschachtel gegessen hatte, außer wenn er gerade aus einer Flasche trank, verglich mich mit einer Riesenschlange, die auf einmal so viel verschlingt, daß es lange Zeit vorhält. Bei diesen Worten machte er einen heftigen Angriff auf das gekochte Rindfleisch.

Wir waren um drei Uhr nachmittags von Yarmouth abgefahren und sollten in London um acht Uhr am nächsten Morgen ankommen. Es war Hochsommerwetter und ein sehr schöner Abend. Als wir durch ein Dorf fuhren, malte ich mir aus, wie die Häuser wohl innen aussähen und was für Leute drin wohnten. Und als die Jungen hinter uns herliefen und sich eine Strecke weit an den Wagen klammerten, hätte ich sie gern gefragt, ob wohl ihre Väter noch lebten und sie zu Hause glücklich wären.

Viel ging mir im Kopf herum und nicht am wenigsten die

Schule, in die ich eintreten sollte. Von Zeit zu Zeit dachte ich auch an die Heimat und an Peggotty und trachtete, mir meine Empfindungen vorzustellen, ehe ich noch Mr. Murdstone gebissen hatte. Ich kam damit nicht zurecht; es schien mir seitdem eine Ewigkeit vergangen zu sein.

Die Nacht war nicht so schön wie der Abend, es wurde kühl. Und da man mich zwischen zwei Herren – den mit dem rohen Gesicht und einen andern – gesetzt hatte, damit ich nicht herunterfiele, so erstickten mich die beiden fast, wenn sie einschliefen und mich ganz zudeckten. Sie quetschten mich manchmal so sehr, daß ich mir nicht mehr helfen konnte und rufen mußte: »Ach, bitte, bitte,« was ihnen gar nicht angenehm war, weil es sie aufweckte. Mir gegenüber saß eine ältliche Dame in einem großen Pelzmantel, die im Finstern wie ein Heuschober aussah. Diese Dame hatte einen Korb bei sich und wußte lange Zeit damit nichts anzufangen, bis sie herausfand, daß er wegen meiner kurzen Beine unter meinen Sitz gehöre. Er belästigte mich so sehr, daß ich ganz unglücklich darüber war, aber wenn ich mich nur ein bißchen rührte, und das Glas, das im Korb lag, klappern machte, stieß sie mich heftig mit dem Fuß und sagte: »So sitz doch still. Deine Knochen sind jung genug, sollte ich meinen.«

Endlich ging die Sonne auf, und jetzt fingen meine Gefährten an ruhiger zu schlafen. Von den Schwierigkeiten, unter denen sie sich die ganze Nacht mit schrecklichem Ächzen und Schnarchen hindurchgekämpft hatten, kann man sich keinen Begriff machen. Als die Sonne höher stieg, wurde ihr Schlaf leiser, und endlich wachte einer nach dem andern auf. Ich mußte mich sehr wundern, daß niemand eingestehen wollte, er hätte geschlafen, sondern mit größter Entrüstung diesen Vorwurf zurückwies. Ich kann es noch heute nicht begreifen, weshalb wir von allen menschlichen Schwächen die am wenigsten zugeben wollen, in einem Wagen eingeschlafen zu sein.

Wie wunderbar kam mir London vor, als ich es in der Entfernung erblickte, mir vorstellte, daß Abenteuer wie die meiner Lieblingshelden dort täglich vorkämen, und mir dunkel ausmalte, daß es reicher an Wundern und Verbrechen sein müßte als jeder andere Ort der Welt. Wir näherten uns der Stadt allmählich und langten zur richtigen Zeit an einem Gasthaus in Whitechapel an, von dem ich nicht mehr weiß, ob es der »Blaue Ochse« oder der »Blaue Eber« war. Irgendein blaues Etwas war es, und sein Abbild war auf die Rückseite der Kutsche gemalt.

Als der Schaffner herunterstieg, fiel sein Blick auf mich, und er fragte zum Fenster des Einschreibebureaus hinein:

»Wartet hier jemand auf einen Knaben namens Murdstone aus Blunderstone in Suffolk?«

Niemand antwortete.

»Bitte, Sir, versuchen Sie es mit Copperfield«, sagte ich und sah ratlos hinab.

»Wartet hier jemand auf einen Knaben namens Murdstone aus Blunderstone in Suffolk, der sich aber zu dem Namen Copperfield bekennt und abgeholt werden soll?« fragte der Schaffner. »Heda! Ist niemand da?«

Nein. Es war niemand da. Ich sah mich ängstlich um, aber auf niemand der Umstehenden machte die Nachfrage den geringsten Eindruck, außer höchstens auf einen einäugigen Mann in Gamaschen, der den Rat gab, mir ein Messinghalsband anzulegen und mich im Stalle anzubinden.

Man brachte eine Leiter, und ich stieg erst nach der Dame hinunter, die einem Heuschober ähnlich sah, da ich mich nicht zu rühren wagte, bis sie ihren Korb weggenommen hatte. Der Wagen war jetzt leer von Reisenden. Die Gepäckstücke waren bald heruntergeholt, die Pferde ausgespannt, und die Kutsche wurde von ein paar Hausknechten zur Seite geschoben.

Noch immer erschien niemand, um den staubbedeckten Knaben aus Blunderstone in Suffolk abzuholen. Noch verlassener als Robinson, dem wenigstens niemand zusah, als er einsam war, begab ich mich in die Schreibstube, verfügte mich auf die Einladung des Kommis hinter den Ladentisch und setzte mich auf die Gepäckwaage. Während ich hier saß und Pakete und Kisten und Bücher musterte und den Stallgeruch einatmete, begann eine

Prozession der beängstigendsten Betrachtungen in meiner Seele. Was, wenn mich niemand abholen würde? Wie lange würden sie mich dann hier behalten? Wie lange würden meine sieben Schillinge reichen? Müßte ich des Nachts mit dem andern Gepäck in einem der hölzernen Fächer schlafen und mich am Morgen unter dem Brunnen im Hofe waschen oder würde man mich jede Nacht hinausjagen und dürfte ich erst am nächsten Morgen bei der Eröffnung des Bureaus wiederkommen, bis man mich abholte? Was, wenn es gar kein Irrtum wäre, und Mr. Murdstone hätte sich bloß den Plan ausgedacht, um mich auf die Art los zu werden? Was sollte ich dann tun? Wenn sie mich auch da ließen, bis meine sieben Schillinge zu Ende sein würden, konnte ich doch nicht hoffen, bleiben zu dürfen, wenn ich anfinge, zu verhungern. Das wäre doch den Kunden unbequem gewesen und hätte dem blauen Soundso Begräbniskosten verursacht; und wenn ich gleich ginge, um zu Fuß nach Hause zurückzukehren, hätte ich den Weg finden können? Vorausgesetzt, daß mich dort überhaupt jemand – außer Peggotty vielleicht – aufgenommen hätte. Wenn ich zu der ersten besten Behörde ging und mich als Soldat und Matrose anböte, würden sie wahrscheinlich einen so kleinen Jungen wie mich nicht nehmen. Solche und hundert andere Gedanken machten, daß mir der Kopf glühte und ich vor Angst und Sorge ganz schwindelig wurde. Als ich auf dem Höhepunkt meines Fiebers angelangt war, trat ein Mann ein und sagte etwas leise zu dem Kommis. Dieser schob mich von der Waage und zu dem Manne hin, als ob ich gewogen, gekauft, abgeliefert und bezahlt wäre.

Als ich Hand in Hand mit dem neuen Bekannten das Bureau verließ, warf ich einen verstohlenen Blick auf ihn. Er war ein hagerer, bleicher junger Mann mit hohlen Wangen und einem Kinn, das fast so schwarz aussah wie Mr. Murdstones Kinn; aber damit hörte die Ähnlichkeit auf, denn sein Backenbart war abrasiert und das Haar fuchsig und trocken, statt glänzend schwarz. Er trug einen schwarzen Anzug, der auch fuchsig und trocken und an Armen und Beinen etwas zu kurz war. Außerdem hatte er ein weißes, nicht besonders reines Tuch um den Hals. Ich nahm nicht an, daß dieses Halstuch die einzige Wäsche ausmachte, die er trug, jedenfalls konnte ich sonst keine bemerken.

»Du bist der neue Junge?«

»Ja, Sir«, gab ich zur Antwort.

»Ich bin einer der Lehrer von Salemhaus«, sagte er.

Ich verbeugte mich und fühlte mich sehr eingeschüchtert. Ich schämte mich so sehr, von etwas so Alltäglichem wie meinem Koffer einem Gelehrten und Lehrer von Salemhaus gegenüber zu sprechen, daß wir schon eine Strecke weit weg waren, als ich ihn daran erinnerte.

Wir kehrten auf meine demütige Vorstellung hin, daß mir der Koffer vielleicht später nützlich sein möchte, um, und er sagte dem Kommis, daß der Fuhrmann alles nachmittags abholen werde.

»Erlauben Sie, Sir«, fragte ich nach einer Weile, »ist es weit?«

»Es ist nicht weit von Blackheath«, sagte er.

»Ist das weit, Sir?«

»Ein hübsches Stück. Wir werden mit der Post fahren. Es sind so sechs Meilen.«

Ich war so müde und matt, daß noch sechs Meilen aushalten zu müssen mir unerträglich schien. Ich faßte mir ein Herz und gestand, daß ich seit gestern mittag nichts gegessen hatte. Ich würde ihm sehr dankbar sein, wenn er mir erlauben wollte, daß ich mir etwas zu essen kaufte.

Er schien sich darüber sehr zu wundern – ich sehe ihn noch still stehen und mich ansehen –, und nachdem er einen Augenblick überlegt hatte, sagte er, er wollte eine alte Frau, die nicht weit weg wohnte, aufsuchen, und das beste werde sein, wenn ich unterwegs Brot oder was ich sonst brauchte kaufte und bei ihr, wo wir Milch bekommen könnten, frühstückte.

Wir traten also in einen Bäckerladen, und nachdem ich nacheinander fast alles, was schwer verdaulich war, hatte kaufen wollen, und er mir abgeraten, entschieden wir uns endlich für einen netten kleinen Laib Schwarzbrot, der drei Pence kostete. Dann kauften wir bei einem Höckler ein Ei und eine Schnitte Schinken; und da mir von meinem zweiten Schilling noch recht viel Kleingeld übrig blieb, kam mir London als ein sehr billiger Ort vor.

Mit unsern Einkäufen fertig, gingen wir durch entsetzlichen Lärm und großes Getöse, das meinen Kopf unbeschreiblich verwirrte, über eine Brücke – ich glaube, er nannte sie Londonbrücke –, und ich war halb eingeschlafen, als wir bei dem Hause der alten Frau anlangten, das zu einem Teil eines Armenasyls gehörte, wie ich aus einer Überschrift auf der Tür entnahm, die besagte, daß es für fünfundzwanzig arme Frauen eingerichtet war. Der Schulmeister von Salemhaus öffnete eine der kleinen schwarzen Türen, die alle ganz gleich aussahen und neben denen sich ein paar kleine Fenster aus geripptem Glas befanden, und wir traten in das Häuschen einer dieser armen Personen, die gerade ein Feuer anblies, um einen kleinen Napf zum Kochen zu bringen. Als die Alte den Schullehrer eintreten sah, ließ sie den Blasebalg sinken und sagte etwas, das wie »Mein Charley« klang. Als sie dann auch mich bemerkte, rieb sie sich die Hände und knixte verlegen ein wenig.

»Kannst du diesem jungen Herrn vielleicht sein Frühstück kochen?« fragte der Schulmeister von Salemhaus.

»Ob ich kann? Natürlich kann ich.«

»Wie gehts Mrs. Fibbitson?« fragte der Schullehrer und sah eine andere alte Frau an, die in einem großen Stuhl beim Ofen saß und in so viel Kleidern versteckt war, daß ich bis heute noch froh bin, mich nicht irrtümlich auf sie gesetzt zu haben.«

»Ach jämmerlich«, sagte die erste alte Frau. »Sie hat heute ihren ganz schlechten Tag. Wenn das Feuer zufällig ausginge, glaube ich wirklich, sie würde auch ausgehen und nicht mehr zu sich kommen.«

Als sie Mrs. Fibbitson ansahen, folgte ich ihrem Beispiel. Obgleich es ein warmer Tag war, schien diese Frau doch an nichts als an das Feuer zu denken. Ich glaube, sie gönnte selbst dem Napf sein Plätzchen nicht, und vermute, sie nahm es mir sehr übel, daß die Pfanne durch das Kochen meines Frühstücks noch länger in

Anspruch genommen werden sollte. Ich sah nämlich mit meinen eignen müden Augen, wie sie mir während des Kochens mit der Faust drohte, als einmal niemand acht gab. Der Sonnenschein strömte zu dem kleinen Fenster herein, aber sie saß mit Stuhl und Rücken dagegen und schützte das Feuer, als wolle sie es eifersüchtig warm halten, anstatt daß es sie warm hielt, und bewachte es aufs argwöhnischste. Als die Vorbereitungen für mein Frühstück beendet waren und das Feuer frei wurde, freute sie sich so außerordentlich, daß sie laut auflachte; wie ich gestehen muß, sehr unmelodisch.

Ich setzte mich nieder zu meinem Schwarzbrot, dem Ei und dem Schinken und einem Napf mit Milch und hatte ein köstliches Mahl. Während ich noch in vollem Genusse schwelgte, sagte die erste Alte zu dem Schullehrer: »Hast du deine Flöte bei dir?«

»Ja«, antwortete er.

»Mach einen Blaser drauf«, sagte die alte Frau schmeichelnd, »bitte.«

Draufhin faßte der Lehrer mit seiner Hand unter seine Rockschöße und brachte eine Flöte in drei Stücken hervor, die er zusammenschraubte, worauf er zu blasen begann.

Nach langen Jahren der Überlegung muß ich doch immer noch bei der Meinung beharren, daß es niemals einen Menschen auf der Welt gegeben haben kann, der schlechter blies. Er bracht die gräßlichsten Töne hervor, die ich jemals auf natürliche oder künstliche Weise hatte erzeugen hören. Ich weiß nicht, was es für Melodien waren – wenn es überhaupt Melodien waren, was ich sehr bezweifle –, aber auf mich übten sie die Wirkung aus, daß mir plötzlich alle meine Sorgen wieder einfielen und ich kaum meine Tränen zurückhalten konnte. Dann raubten sie mir den Appetit, und schließlich machten sie mich so schläfrig, daß ich meine Augen nicht mehr offenhalten konnte. Ich habe jetzt noch einen Drang zu nicken, wenn ich daran denke, und wieder steigt das kleine Stübchen vor mir auf mit dem offnen Wandschrank in der Ecke, den Stühlen mit den hohen Lehnen, der kleinen

Winkeltreppe, die in die obere Stube führte, und den drei Pfauenfedern über dem Kaminsims. Gleich, als ich eingetreten war, hätte ich gerne gewußt, was sich wohl der Pfau gedacht haben würde, wenn er geahnt hätte, was aus seinem Federschmuck noch einmal werden sollte.

Das Bild verschwimmt langsam in Nebel, und ich nicke und schlafe. Die Flöte wird unhörbar, und ich höre statt dessen die Räder der Postkutsche und bin wieder auf Reisen. Der Wagen stößt, ich wache mit einem Ruck auf, und die Flöte ist wieder da, und der Schulmeister von Salemhaus sitzt mit verschlungnen Beinen da und bläst kläglich, während die alte Frau verzückt vor sich hinschaut. Sie zergeht wieder in Nebel und er zergeht und alles zergeht, es ist keine Flöte mehr da, kein Salemhaus, kein David Copperfield, sondern nichts als tiefer, fester Schlaf.

Ich träumte, kam mir vor, daß die alte Frau in ihrer Verzückung immer näher und näher zu ihm gekommen sei, dicht hinter seinen Stuhl, und den Arm zärtlich um seinen Hals schlänge, was dem Flöteblasen für einen Augenblick ein Ende machte. In dieser Pause hörte ich in einem Zustand von Halbschlaf die alte Frau Mrs. Fibbitson fragen, ob es nicht köstlich sei, worauf Mrs. Fibbitson antwortete, »Eijei ja« und dem Feuer zunickte, dem sie wahrscheinlich die Entstehung der Musik zuschrieb. Ich muß ziemlich lange geschlafen haben. Der Schulmeister von Salemhaus schraubte schließlich seine Flöte wieder in drei Stücke auseinander, steckte sie wieder ein und führte mich fort. Der Omnibus stand nicht weit, und wir stiegen auf das Dach. Ich war fest eingeschlafen, als wir unterwegs einmal anhielten und man mich innen sitzen hieß, weil keine Passagiere mehr drin waren. Endlich fuhr der Wagen unter einem grünen Laubdach im Schritt einen steilen Hügel hinan. Dann hielt er und wir befanden uns am Ziel.

Wenige Schritte brachten den Schulmeister und mich an das Salemhaus, das, von einer hohen Ziegelmauer umgeben, sehr öde aussah. Über der Tür hing ein Brett mit der Inschrift »Salemhaus«, und durch ein Gitterfenster in der Tür musterte uns, nachdem wir geklingelt hatten, ein mürrisches Gesicht, das, wie ich nach dem Öffnen der Türe sah, einem dicken Mann mit einem Stiernacken, einem hölzernen Bein, hervorstehenden Schläfen und gleichmäßig um den ganzen Kopf verschnittenen Haaren gehörte.

»Der neue Junge«, sagte der Lehrer.

Der Mann mit dem Holzbein musterte mich von oben bis unten, wozu er sehr lange brauchte, schloß die Türe hinter uns und zog den Schlüssel ab. Wir gingen unter ein paar großen Bäumen auf das Haus zu, als er den Schulmeister zurückrief:

»Hallo.«

Wir sahen uns um, und der Mann stand in der Tür des Pförtnerhauses und hielt ein paar Stiefel in der Hand: »He! Der Schuhflicker war da und sagte, er könne sie nicht mehr flicken. Er sagte, es wäre kein Stück mehr ganz, – er möchte gerne wissen, was Sie eigentlich wollten.«

Mit diesen Worten warf er die Stiefel Mr. Mell – so hieß der Lehrer – vor die Füße, und dieser hob sie auf und betrachtete sie mit betrübtem Blick, als wir weitergingen. Ich bemerkte jetzt zum ersten Mal, daß seine Schuhe sich in einem sehr schlechten Zustand befanden, und daß an einer Stelle der Strumpf hervorlugte wie eine Knospe.

Salemhaus, ein viereckiges Gebäude aus roten Ziegeln mit einem Flügel auf jeder Seite, sah öde und leer aus. Überall war es so totenstill, daß ich zu Mr. Mell sagte, die Schüler seien wohl ausgegangen. Er schien sich zu wundern, daß ich nicht wußte, daß jetzt in den Ferien alle Schüler nach Haus gereist wären. Mr. Creakle, der Eigentümer, sowie Mrs. und Miss Creakle befänden sich im Seebad, und man habe mich zur Strafe für meine Missetat während der Ferien hierhergeschickt.

Die Schulstube erschien mir als der ungemütlichste und traurigste Ort, der mir jemals vorgekommen. Ein langes Zimmer mit drei langen Reihen Pulten und sechs Reihen Bänken und rundherum Haken zum Aufhängen der Hüte und Schiefertafeln. Ausgerissene Blätter aus alten Schreib- und Lehrbüchern lagen auf dem schmutzigen Boden verstreut. Einige Käferhäuschen aus demselben Material lagen auf den Pulten, zwei elende, kleine, weiße Mäuse mit roten Augen, von ihren Besitzern zurückgelassen, liefen in ihren kleinen Käfigen hin und her und schnupperten in den Ecken nach Nahrung herum. Ein Vogel in einem Bauer hüpfte traurig auf und nieder, sang und zwitscherte aber nicht. Das ganze Zimmer durchdrang ein merkwürdiger, dumpfer Geruch, wie von schimmligem Tuch, faulen Äpfeln und modrigen Büchern. Wenn das Haus von Anfang an dachlos gewesen wäre, und der Himmel hätte das ganze Jahr hindurch Tinte geregnet, gehagelt, geschneit und gestürmt, hätte die Stube nicht verspritzter sein können. Mr. Mell hatte mich allein gelassen, während er seine unflickbaren Stiefel hinauftrug, und ich ging unterdessen leise an das andere Ende des Zimmers. Als ich an den Tisch des Lehrers kam, fand ich einen Pappendeckel mit der schön geschriebnen Inschrift: »Acht geben. Er beißt.«

Ich kletterte unverzüglich auf das Pult hinauf, denn ich fürchtete, es sei unten ein großer Hund versteckt. So vorsichtig ich mich auch umsah, konnte ich doch nichts entdecken. Ich blickte immer noch mit ängstlichen Augen umher, als Mr. Mell zurückkam und mich fragte, was ich da oben mache.

»Ich bitte um Verzeihung, Sir. Ich suche den Hund.«

»Hund?« fragte er. »Welchen Hund?«

»Es ist kein Hund da, Sir?«

»Was für ein Hund denn?«

»Vor dem man sich in acht nehmen soll, weil er beißt.«

»Nein, Copperfield«, sagte der Lehrer ernst, »das ist kein Hund, das ist ein Knabe. Ich habe den Befehl, Copperfield, diesen Zettel auf deinem Rücken zu befestigen. Es tut mir leid, daß ich so mit dir anfangen muß, aber ich muß es tun.«

Damit zog er mich vom Pulte herunter und band mir das zu diesem Zweck sinnreich vorbereitete Plakat wie einen Tornister auf den Rücken, und von nun an hatte ich den Trost, es, wo ich ging, mit mir herumtragen zu müssen.

Was ich unter diesem Plakat zu leiden hatte; kann sich niemand vorstellen. Ob mich jemand sehen konnte oder nicht, immer bildete ich mir ein, jeder müßte es lesen. Es war mir keine Erleichterung, wenn ich mich umdrehte und niemand da war; ich konnte den Gedanken nie los werden, immer jemand hinter meinem Rücken stehen zu wissen. Der grausame Mensch mit dem Holzbein vermehrte noch meine Leiden. Er hatte zu befehlen, und wenn er sah, daß ich mich an einen Baum oder an eine Wand oder an das Haus lehnte, brüllte er mir aus seinem Häuschen zu: »Heda, Copperfield! Laß nur das Ehrenzeichen sehen oder ich zeig dich an.«

Der Spielplatz war ein kahler, mit Sand bestreuter Hof vor den Fenstern der Küche und Gesindestube, und ich wußte, daß die Dienerschaft, der Fleischer und der Bäcker den Zettel lasen. Mit einem Wort, wer früh, wenn ich auf dem Spielplatz sein mußte, im Hause kam oder ging, mußte lesen, daß man sich vor mir in acht zu nehmen hätte, weil ich bisse. Ich fing mich vor mir selbst zu fürchten an, wie vor einem wilden Jungen, der wirklich beißt. Auf dem Spielplatz war eine alte Tür, bedeckt von Namen, die die Schulknaben dort eingeschnitten hatten. In meiner Furcht vor dem Ende der Ferien und der Rückkunft der Schüler konnte ich keinen Namen lesen, ohne mich zu fragen, in welchem Tone wird der oder jener sagen: »Acht geben! Er beißt.« Da war besonders einer, J. Steerforth, der seinen Namen sehr oft und sehr tief eingeschnitten hatte, und der, wie ich mir vorstellte, das Plakat mit sehr lauter Stimme vorlesen und mich immer an den Haaren zupfen würde. Dann ein anderer, Tommy Traddles, von dem ich fürchtete, er werde Späße treiben und sich stellen, als ob er sich entsetzlich vor mir fürchtete. Von einem dritten, George Demple, glaubte ich, er werde die Inschrift singen.

Ich, das kleine, eingeschüchterte Geschöpf, hatte so oft die Tür angesehen, bis die Träger aller dieser Namen – wie mir Mr. Mell sagte, waren fünfundvierzig Schüler da – mich auf allgemeinen Beschluß in Verruf zu tun schienen, wobei jeder in seiner eignen Weise ausrief: »Acht geben! Er beißt.« Ebenso verhielt es sich mit den Plätzen vor dem Pulte und den Bänken. Ebenso mit den Reihen verlassner Bettstellen, wenn ich aus meinem Lager heraus einen Blick auf sie warf. Ich erinnere mich, daß ich eine Nacht nach der andern träumte, ich sei wieder bei meiner Mutter, wie früher, oder auf Besuch bei Mr. Peggotty oder reise als Außenpassagier mit der Postkutsche oder speise wieder mit meinem unglücklichen Freunde, dem Kellner, und überall wunderten sich die Leute, wenn sie bemerkten, daß ich nichts anhatte als mein kleines Nachthemd und das Plakat auf dem Rücken.

In der Einförmigkeit meines Lebens und in beständiger Furcht vor dem Schulbeginn bereitete es mir unerträgliche Leiden. Ich hatte jeden Tag lange Lektionen bei Mr. Mell, da aber Mr. und Miss Murdstone nicht anwesend waren, kam ich gut weg. Vor- und nachher mußte ich spazierengehen, überwacht von dem Mann mit dem Holzbein. Wie lebhaft ich mich an die Feuchtigkeit rings ums Haus erinnere, an die grünen, zersprungnen Steine im Hof, das alte lecke Wasserfaß und die verwaschnen Stämme der düstern Bäume, die mehr als andere Gewächse im Regen getröpfelt und weniger in der Sonne geblüht zu haben schienen. Um ein Uhr aßen wir zu Mittag, Mr. Mell und ich, an dem obern Ende eines langen kahlen Eßzimmers, das voll war von hölzernen Tischen und stark nach Fett roch. Dann arbeiteten wir wieder bis zum Tee, den Mr. Mell aus einer blauen Tasse und ich aus einem Zinntopf tranken. Den ganzen Tag lang bis abends sieben oder acht war Mr. Mell angestrengt an seinem besondern Pult im Schulzimmer mit Feder, Tinte, Lineal, Büchern und Schreibpapier beschäftigt. Er zog die Rechnungen aus für das vergangene halbe Jahr. Wenn er seine Sachen für die Nacht aufgeräumt hatte, zog er seine Flöte hervor und blies, bis ich glaubte, er müßte allmählich sein ganzes Ich am obern Ende hineingeblasen und sich durch die Klappen verflüchtigt haben.

Ich stelle mir mein eignes kleines Ich vor, wie ich in dem schwach erhellten Zimmer, den Kopf in die Hand gestützt, sitze und der kläglichen Musik Mr. Mells zuhöre und die Aufgaben für den nächsten Tag lerne. Ich sehe mich, wie ich die Bücher weggelegt habe und immer noch den kläglichen Melodien Mr.

Mells lausche, und ich höre darin, was mir früher das mütterliche Haus war, höre den Wind wehen über die Dünen von Yarmouth und fühle mich bedrückt und einsam. Ich sehe, wie ich zu Bette gehe in dem ungastlichen Zimmer und mich auf das Bett setze und mich mit Tränen nach einem tröstenden Wort von Peggotty sehne. Ich sehe mich, wie ich früh die Treppe herunterkomme und durch ein Gangfenster auf dem Dache eines Häuschens draußen die große Schulglocke betrachte mit einer Wetterfahne darüber, und wie ich mich vor der Zeit fürchte, wo sie J. Steerforth und die übrigen zur Arbeit rufen wird, was an Schrecklichkeit nur von dem Zeitpunkt übertroffen wird, wo der Mann mit dem Holzbein das rostige Tor aufschließen und den furchtbaren Mr. Creakle einlassen wird. Ich glaube nicht, daß ich in meiner Phantasie mir gefährlich vorkam, aber ich trug doch die Warnung auf dem Rücken!

Mr. Mell sprach niemals viel mit mir, aber er war niemals rauh gegen mich. Ich glaube, wir leisteten einander gute Gesellschaft, auch ohne miteinander zu sprechen. Manchmal redete er mit sich selbst, lachte vor sich hin, ballte die Faust, knirschte mit den Zähnen und raufte sich die Haare in gar nicht zu schildernder Weise. Er hatte nun einmal diese Eigentümlichkeiten. Erst flößten sie mir Furcht ein, aber bald gewöhnte ich mich daran.

6. KAPITEL

Ich erweitere den Kreis meiner Bekanntschaft

So hatte ich ungefähr einen Monat gelebt, als der Mann mit dem hölzernen Bein mit dem Besen und dem Wassereimer herumzuhumpeln begann, woraus ich schloß, daß man sich auf den Empfang Mr. Creakles und der Schüler vorbereitete. Ich hatte mich nicht geirrt. Es dauerte nicht lange, so kam der Besen in die Schulstube und verdrängte Mr. Mell und mich. Ein paar Tage lang mußten wir uns im ganzen Hause herumdrücken und waren beständig zwei oder drei Mädchen, die ich vorher nie gesehen hatte, im Wege und fortwährend so in Staub gehüllt, daß ich immerfort niesen mußte, als ob Salemhaus eine einzige große Schnupftabaksdose gewesen wäre.

Eines Tages sagte mir Mr. Mell, daß Mr. Creakle abends ankommen werde. Nach dem Tee hörte ich, daß er da war. Vor dem Schlafengehen holte mich der Mann mit dem hölzernen Bein zu ihm. Mr. Creakles Teil des Hauses sah viel angenehmer aus als der unsere, hatte einen kleinen Garten, der sich sehr hübsch ausnahm verglichen mit dem staubigen Spielplatz, der so sehr eine Wüste in Miniatur war, daß sich bloß ein Kamel oder ein Dromedar darin hätte wohl fühlen können. Ich getraute mich kaum, alles das anzublicken, als ich zitternd durchging. Ich war so verschüchtert, daß ich kaum Mrs. Creakle oder Miss Creakle bemerkte oder überhaupt etwas anderes sah als Mr. Creakle, einen dicken Herrn mit einer mächtigen Uhrkette und Berloques daran, der in einem Lehnstuhl saß und Glas und Flasche neben sich stehen hätte.

»So«, sagte Mr. Creakle, »das ist also der junge Herr, dem die Zähne abgefeilt werden müssen! Dreh ihn um.«

Der Mann mit dem hölzernen Bein drehte mich um und zeigte das Plakat. Dann, als Mr. Creakle es gelesen, drehte er ihm wieder mein Gesicht zu und stellte mich neben ihn. Mr. Creakles Gesicht glühte förmlich, und seine kleinen Augen lagen tief im Kopf. Er hatte dicke Adern auf der Stirn, eine kleine Nase, ein großes Kinn, eine Glatze und spärliches, feucht aussehendes Haar, das anfing, grau zu werden, und so von den Schläfen nach oben gebürstet war, daß sich die Enden auf dem Scheitel begegneten. Was mir am meisten auffiel, war, daß er mit flüsternder Stimme sprach. Die Anstrengung, die ihn das kostete, oder das Bewußtsein, nicht lauter reden zu können, machten sein zorniges Gesicht noch zorniger, und die dicken Adern noch dicker beim Sprechen, so daß ich mich nicht wundere, wenn dieser Zug seines Äußern am lebendigsten in meiner Erinnerung fortlebt.

»Was ist von dem Knaben zu melden?« fragte er.

»Es liegt noch nichts gegen ihn vor«, erwiderte der Mann mit dem Stelzfuß. »Es hat sich noch keine Gelegenheit ergeben.«

Mr. Creakle schien enttäuscht zu sein. Mrs. und Miss Creakle hingegen, die ich jetzt zum erstenmal ansah, und die beide hager und dünn waren, durchaus nicht.

»Komm her«, sagte Mr. Creakle und winkte mir.

»Komm her«, sagte der Mann mit dem Stelzfuß und wiederholte die Gebärde.

»Ich habe das Glück, deinen Stiefvater zu kennen«, flüsterte Mr. Creakle und nahm mich beim Ohr. »Er ist ein würdiger Mann und ein Mann von starkem Charakter. Er kennt mich und ich kenne ihn. Kennst du mich auch? He?« und er zwickte mich mit grausamer Scherzhaftigkeit ins Ohr.

»Noch nicht, Sir«, sagte ich, vor Schmerz zurückweichend.

»Noch nicht? He?« wiederholte Mr. Creakle. »Aber du wirst es bald. He?«

»Wirst bald!« wiederholte der Mann mit dem Stelzfuß.

Ich fand später heraus, daß er mit seiner starken Stimme als Mr. Creakles Sprachrohr den Knaben gegenüber auftrat.

Ich war ganz verschüchtert und sagte, ich hoffte es, wenn er erlaubte.

Mir war die ganze Zeit über, als ob mein Ohr in Flammen stünde, so fest hatte er mich gekniffen.

»Ich will dir sagen, was ich bin«, flüsterte Mr. Creakle und kniff mich noch einmal zum Abschied, daß mir das Wasser in die Augen trat. »Ich bin ein Eisenschädel.«

»Ein Eisenschädel«, sagte der Mann mit dem hölzernen Bein.

»Wenn ich sage, ich will etwas tun, so tue ich es, und wenn ich sage, es soll etwas geschehen, so muß es geschehen.«

»Soll etwas geschehen, so muß es geschehen«, wiederholte der Mann mit dem Stelzfuß.

»Ich bin ein unbeugsamer Charakter. Das bin ich. Ich tue meine Pflicht. Die tue ich immer. Mein eignes Fleisch und Blut – er sah bei diesen Worten Mrs. Creakle an – ist nicht mehr mein Fleisch und Blut, wenn es sich mir widersetzt. Ich verstoße es. Ist der Kerl wieder dagewesen?« fragte er dann den Mann mit dem hölzernen Bein.

»Nein«, war die Antwort.

»Nein«, sagte Mr. Creakle. »Er weiß, warum. Er kennt mich. Er soll sich vor mir hüten. Ich sage, er soll sich vor mir hüten.« Und Mr. Creakle schlug mit der Faust auf den Tisch und sah Mrs. Creakle an. »Denn er kennt mich. Jetzt hast du angefangen, mich auch kennenzulernen, junger Freund. Du kannst gehen. Führ ihn fort.«

Ich war sehr froh, gehen zu dürfen, denn Mrs. und Miss Creakle wischten sich beide die Augen und ich fühlte mich ihretwegen noch unbehaglicher als meinethalben, aber ich hatte eine Bitte auf dem Herzen, die mich so drückte, daß sie heraus mußte, obgleich ich mich selbst über meinen Mut wunderte.

»Verzeihen Sie, Sir.«

Mr. Creakle flüsterte: »Ha, was ist das!« und bohrte seine Augen in meine, als ob er mich verbrennen wollte.

»Verzeihen Sie, Sir«, stotterte ich, »wenn Sie mir erlauben wollten, Sir – ich bereue doch so sehr, was ich getan habe –, den Zettel mit der Schrift abzulegen, ehe die Knaben zurückkommen –«

Ob Mr. Creakle Ernst machte oder nur so tat, um mich zu erschrecken, weiß ich nicht. Aber er sprang mit solcher Heftigkeit von seinem Stuhle auf, daß ich eilig retirierte, ohne die Begleitung des Mannes mit dem Stelzfuß abzuwarten, und erst wieder in meinem Schlafzimmer Halt machte. Als ich mich nicht verfolgt sah, ging ich zu Bett und lag zitternd und bebend ein paar Stunden da.

Am nächsten Morgen kehrte Mr. Sharp zurück. Mr. Sharp war erster Lehrer und stand über Mr. Mell. Mr. Mell aß mit den Schülern, er hingegen an Mr. Creakles Tisch. Er war ein schmächtiger, zart aussehender Mann mit einer großen Nase und einer Art, den Kopf auf der Seite zu tragen, als ob er ihm ein wenig zu schwer wäre. Sein Haar war sehr weich und gelockt. Der erste Schüler, der zurückkam, sagte, es wäre eine Perücke – eine »abgelegte«, wie er es nannte, und Mr. Sharp ginge jeden Samstagnachmittag aus, um sie sich brennen zu lassen.

Es war niemand anders als Tommy Traddles, der mir dies verriet. Er war der erste Knabe, der zurückkehrte. Er stellte sich mir mit den Worten vor, sein Name stünde in der rechten Ecke des Tors auf dem obersten Querbalken.

»Traddles?« fragte ich, worauf Tommy erwiderte: »Derselbige.« Und dann forderte er von mir volle Auskunft über mich und meine Familie ab.

Ein Glück für mich, daß Traddles zuerst zurückgekommen war. Ihm machte das Plakat so viel Spaß, daß er mich aus einer großen Verlegenheit rettete, indem er mich jedem einzelnen Jungen mit den Worten vorstellte: »Schau her, das ist ein Jux.« Ein weiteres Glück war, daß der größte Teil der Schüler sehr niedergeschlagen zurückkehrte, und sich auf meine Kosten nicht so viel Späße erlaubte, als ich gefürchtet hatte. Einige tanzten allerdings um mich herum, wie wilde Indianer; die meisten konnten der Versuchung nicht widerstehen, zu tun, als ob ich ein Hund wäre, und mich zu streicheln und zu besänftigen, damit ich nicht bisse, und zu sagen: »Schön legen« und mich Schnapsel zu nennen. Das war natürlich unter so viel Fremden unangenehm und kostete mich manche Träne, aber im ganzen großen lief es viel besser ab, als ich mir vorgestellt hatte.

In aller Form in die Schule aufgenommen galt ich jedoch nicht eher, als bis J. Steerforth ankam. Vor diesen Knaben, der für ungemein gelehrt galt und sehr hübsch aussah und mindestens ein halbes Dutzend Jahre älter war als ich, führte man mich wie vor einen Richter. Unter einem Schutzdach auf dem Spielplatz befragte er mich über die Einzelheiten meiner Strafe und geruhte seine Meinung dahin auszusprechen, daß das eine Affenschande sei und ein Riesenjux, wofür ich ihm für alle Zeit dankbar blieb.

»Wie viel Geld hast du mit, Copperfield?« fragte er, als er nachher mit mir beiseiteging und die Angelegenheit mit besagten Ausdrücken erledigt hatte.

Ich sagte ihm, ich hätte sieben Schillinge.

»Es ist besser, du gibst sie mir zum Aufheben. Übrigens kannst du das tun, wenn du willst. Du brauchst es auch nicht zu tun, wenn du nicht willst.«

Ich beeilte mich, seinem freundlichen Wink zu folgen, öffnete Peggottys Börse und schüttete sie in seine Hand aus.

»Willst du jetzt etwas davon ausgeben?« fragte er mich.

»Nein, ich danke«, entgegnete ich.

»Du kannst, wenn du Lust hast. Du brauchst es nur zu sagen.«

»Nein, ich danke«, wiederholte ich.

»Vielleicht möchtest du ein paar Schillinge an eine Flasche Johannisbeerwein wenden«, meinte Steerforth. »Du gehörst doch zu meinem Schlafraum, nicht?«

Es war mir vorher nichts dergleichen eingefallen, aber ich sagte: »Ja, das möchte ich.«

»Sehr gut«, sagte Steerforth. »Und einen Schilling vielleicht in Mandelkuchen.«

»Ja, auch das.«

»Und einen Schilling für Biskuits und einen für Obst, nicht wahr?« sagte Steerforth. »Copperfield, du machst dich.«

Ich lächelte, weil er lachte. Aber innerlich fühlte ich mich doch ein wenig beunruhigt.

»Gut«, sagte Steerforth, »wir müssen sehen, daß es recht lang reicht, nur darauf kommts an. Ich will alles tun, was in meiner Macht steht. Übrigens kann ich ausgehen, wann ich will, und werde den Plunder schon hereinschmuggeln.«

Mit diesen Worten steckte er das Geld in die Tasche und sagte mir gütig, ich solle mich nicht grämen, er werde schon alles in die Hand nehmen.

Er hielt Wort; innerlich kam es mir wie ein Unrecht vor, daß ich meiner Mutter beide halbe Kronen so unnütz verschwendete. Das Stück Papier aber, in dem das Geld eingewickelt gewesen, bewahrte ich auf wie einen kostbaren Schatz. Als wir zu Bette gingen, wickelte er aus, was er für die ganzen sieben Schillinge gekauft hatte, und legte es im Mondschein auf das Bett und sagte:

»So, kleiner Copperfield, ein königliches Mahl hast du bekommen.« So lang er anwesend war, konnte ich bei meinem Alter nicht daran denken, die Honneurs des Festes zu machen. Bei dem bloßen Gedanken daran zitterte mir die Hand. Ich bat ihn, den Vorsitz zu übernehmen, und da die andern Schüler im Schlafzimmer meinen Wunsch unterstützten, gab er nach und nahm auf meinem Kopfkissen Platz. Er teilte die Lebensmittel aus; ich muß sagen, vollkommen unparteiisch, und ließ den Johannisbeerwein in einem kleinen Glase ohne Fuß, das ihm gehörte, herumgehen. Ich saß zu seiner Linken, und die übrigen hatten sich auf die nächsten Betten und auf dem Fußboden um uns herum gruppiert.

Wir saßen da zusammen und sprachen flüsternd miteinander. Oder besser gesagt, die andern sprachen, und ich hörte ehrerbietig zu. Das Mondlicht fiel ins Zimmer und malte ein bleiches Fenster auf den Fußboden; die meisten von uns saßen im Dunkeln, nur Steerforth tauchte zuweilen ein Zündhölzchen in die Phosphorbüchse, wenn er etwas auf dem Tische suchen wollte, was jedesmal einen blauen Schein über uns ergoß, der gleich wieder erlosch. Ein Gefühl des Geheimnisvollen, hervorgerufen durch die Dunkelheit, die Heimlichkeit des Gelages und den flüsternden Ton, in dem sich alle unterhielten, beschleicht mich wieder, und ich höre allen zu mit einem dunklen Gefühl der Ehrfurcht und des Grauens, das mich froh sein läßt, daß sie alle so nahe sind. Und wenn ich auch tue, als lache ich, so klopft mir doch das Herz, wenn Traddles ein Gespenst in der Ecke zu sehen behauptet. Ich höre allerlei Geschichten über die Schule und was mit ihr zusammenhängt, höre, daß Mr. Creakle nicht ohne Grund ein Eisenschädel zu sein behauptet, daß er der strengste aller Lehrer sei und jeden Tag schonungslos und unbarmherzig über die Knaben herfalle und um sich schlüge; – daß er weiter nichts könne als die Kunst des Prügelns und, wie J. Steerforth sagte, unwissender sei als der letzte in der Schule und vor vielen, vielen Jahren ein kleiner Hopfenhändler in einem Marktflecken gewesen sei und das Schullehrergeschäft erst angefangen habe, als er in Hopfen Bankrott gemacht und Mrs. Creakles Vermögen verbraucht habe. Ich erfuhr noch vielerlei der Art und staunte, daß sie so viel wußten.

Ich hörte, daß der Mann mit dem Stelzfuß, der Tongay hieß, ein hartherziger Barbar, früher auch im Hopfengeschäft gewesen und mit Mr. Creakle zum Schulfach übergegangen sei, weil er das Bein in Mr. Creakles Dienst gebrochen und mancherlei schmutzige Geschäfte für ihn verrichtet hatte und um alle seine Geheimnisse wüßte, hörte, daß Tongay mit Ausnahme Mr. Creakles die ganze Anstalt, Schullehrer und Knaben, als seine natürlichen Feinde betrachte, und daß es die einzige Freude seines Lebens sei, mürrisch und boshaft zu sein. Ich hörte, daß Mrs. Creakle einen Sohn habe, den Tongay nicht hatte ausstehen können, und der einmal als Unterlehrer in der Schule seinem Vater Vorstellungen über die zu grausame Züchtigung eines Knaben gemacht und gegen die Art, wie Creakle seine Gattin behandelte, protestiert hätte. Ich hörte, daß Mr. Creakle ihn deswegen verstoßen hätte, und daß Mrs. und Miss Creakle darüber sehr bekümmert seien.

Das Wunderbarste aber war, daß ein Knabe in der Schule sei, an den Mr. Creakle niemals wagte, die Hand anzulegen, nämlich J. Steerforth. Steerforth selbst bestätigte das und sagte, er möchte es gern einmal sehen, wenn Creakle so was probieren wollte. Als ein kleiner schüchterner Junge fragte, was er in so einem Fall denn tun würde, brannte er ein Zündholz an, wie um einen hellen Schein über seine Antwort zu verbreiten, und sagte, er würde ihn zuerst einmal mit der schweren Tintenflasche, die immer auf dem Kamin stand, zu Boden schlagen. Eine Zeitlang saßen wir dann atemlos im Dunkeln da.

Ich vernahm, daß Mr. Sharp und Mr. Mell vermutlich beide sehr schlecht bezahlt würden, und daß, wenn warmes und kaltes Fleisch auf Mr. Creakles Tafel stünde, man beim Mittagessen von Mr. Sharp stets erwarte, er werde kaltes vorziehen, was wiederum von Steerforth, der allein an der Tafel des Vorstehers aß, bestätigt wurde. Ich vernahm, daß Mr. Sharp seine Perücke nicht genau passe, und daß er damit gar nicht so groß zu tun – aufzudrehen, wie es einer nannte – brauchte, da man ganz deutlich sehen könnte, wie sein rotes Haar darunter hervorschaue. Ich hörte ferner, daß ein Schüler, der Sohn eines Kohlenhändlers, da wäre in Gegenrechnung für bezogene Kohlen, und daß man ihn deshalb Wechsel- oder Tauschgeschäft, welche Bezeichnung aus dem Arithmetikbuch stammte, benannte. Ich hörte, daß das Tischbier eine an den Eltern verübte Räuberei und der Pudding eine Unverschämtheit wäre. Ich hörte, daß man in der Schule allgemein annehme, Miss Creakle sei verliebt in Steerforth, und wenn ich im Dunkeln saß und an seine gewinnende Stimme, sein feines Gesicht, die ungezwungenen Manieren und sein lockiges Haar dachte, hielt ich es für sehr wahrscheinlich.

Ich erfuhr, daß Mr. Mell kein übler Mensch wäre, aber keinen Sixpence besäße, um sich etwas leisten zu können, und daß die alte Mrs. Mell, seine Mutter, so arm sei wie Hiob. Ich mußte an mein damaliges Frühstück denken und an das, das wie »Mein Charley« geklungen hatte, aber ich schwieg darüber mäuschenstill.

Die Erzählung dieser und vieler anderer Sachen dauerte viel länger als das Festmahl. Der größere Teil der Gäste ging schlafen, als das Essen und Trinken vorbei war, und wir, die wir halb entkleidet in flüsterndem Gespräch noch aufgeblieben, verfügten uns endlich auch ins Bett …

»Gute Nacht, kleiner Copperfield«, sagte Steerforth. »Ich werde dich unter meinen Schutz nehmen.«

»Sie sind sehr freundlich«, erwiderte ich dankbar. »Ich bin Ihnen außerordentlich verpflichtet.«

»Du hast wohl keine Schwester?« fragte dann Steerforth gähnend.

»Nein«, antwortete ich.

»Das ist schade«, meinte Steerforth. »Wenn du eine hättest, müßte es ein kleines, schüchternes, hübsches Mädchen mit hellen Augen sein, glaube ich. Ich müßte sie kennenlernen. Gute Nacht, kleiner Copperfield.«

»Gute Nacht, Sir«, antwortete ich.

Ich mußte sehr viel an ihn denken, als ich dann im Bette lag, und richtete mich manchmal auf, um ihn anzusehen, wie er im Mondschein dalag, das schöne Gesicht aufwärts gewendet und den Kopf auf dem Arme ruhend. Meine Gedanken beschäftigten sich so viel mit ihm, weil er in meinen Augen eine Person von großer Macht bedeutete. Keine ungewisse Zukunft umschimmerte ihn trüb im Mondlicht und keine dunkle Spur hinterließen seine Tritte in dem Garten, in dem zu wandeln ich die ganze Nacht träumte.

7. KAPITEL

Mein erstes Semester in Salemhaus

Die Schule fing am nächsten Morgen allen Ernstes an. Es machte einen tiefen Eindruck auf mich, wie der laute Lärm in der Klasse plötzlich zur Totenstille wurde, als Mr. Creakle nach dem Frühstück eintrat, in der Türe stehen blieb und sich umsah, wie der Riese im Märchenbuch, wenn er seine Gefangenen betrachtet.

Tongay stand dicht neben Mr. Creakle. Ich dachte mir, er hat doch gar keine Ursache, so grimmig »Ruhe« zu rufen. Alle Schüler saßen sowieso stumm und regungslos da.

Jetzt sah man Mr. Creakle sprechen, und Tongay wiederholte laut seine Worte.

»Also, ihr Jungen, es ist ein neues Semester angegangen. Nehmt euch in acht in diesem neuen Semester. Seid bei der Hand bei euern Aufgaben, rat ich euch, denn ich werde rasch bei der Hand mit den Strafen sein. Ich werde nicht nachgeben. Es wird euch nichts nützen, wenn ihr euch reibt. Ihr werdet die Striemen nicht wegreiben, die ich euch versetzen werde. Jetzt macht euch an die Arbeit, jeder einzelne.«

Als diese schreckliche Eingangsrede vorüber und Tongay wieder hinausgehumpelt war, kam Mr. Creakle an meine Bank und sagte mir, daß, wenn ich auch gut beißen könnte, er darin noch viel berühmter sei. Er zeigte mir dabei das spanische Rohr und fragte mich, was das wohl für ein Zahn wäre. »Ist es ein scharfer Zahn, he? Ist es ein Doppelzahn, he? Hat er eine gute Schneide, he? Beißt er, he? Beißt er wirklich?« Bei jeder dieser Fragen versetzte er mir einen Hieb, daß ich mich wand und bald in Salemhaus mündig gesprochen war, wie Steerforth es nannte, und auch sehr bald in Tränen schwamm.

Nicht etwa, daß diese Behandlung eine besondere Auszeichnung bedeutet hätte. Im Gegenteil. Bei der großen Mehrzahl der Knaben, besonders bei den Kleinen, machte sich Mr. Creakle auf dieselbe Art bemerkbar, wenn er die Runde im Zimmer machte.

Die halbe Klasse weinte und krümmte sich vor Schmerzen, ehe das Tagewerk begann. Wieviel Unglückliche noch dazu kamen, bevor die Stunde zu Ende ging, getraue ich mich gar nicht anzugeben, um nicht der Übertreibung beschuldigt zu werden.

Ich glaube, es kann nie einen Menschen gegeben haben, den sein Beruf mehr freute, als Mr. Creakle. Seine Wonne, die Jungen schlagen zu können, kam der Befriedigung nagenden Hungers gleich. Ich bin fest überzeugt, da er sich pausbäckigen Jungen gegenüber nicht halten konnte, daß darin für ihn etwas von starker Anziehungskraft lag und ihm keine Ruhe ließ, bis er nicht den Betreffenden für den Tag gezeichnet hatte. Ich war selbst pausbäckig und muß es wissen. Wenn ich jetzt an diesen Menschen denke, wallt mein Blut, und alles empört mich um so mehr, weil ich jetzt weiß, daß er noch dazu ein unfähiger Schuft war und kein größeres Recht auf den Vertrauensposten, den er bekleidete, hatte, als auf den Posten eines ersten Admirals oder eines Feldmarschalls. Nur hätte er dort wahrscheinlich weniger Unheil angerichtet.

Wie demütig wir elenden kleinen Hasenfüße gegen ihn, diesen erbarmungslosen Götzen, waren! In welchem Licht erscheint mir jetzt dieser Stapellauf ins Leben angesichts solcher Demut und Untertänigkeit vor einem Mann von solchem Unwert!

Hier sitze ich wieder auf der Bank und beobachte sein Auge; – voll Unterwürfigkeit beobachte ich ihn, wie er ein Rechenbuch für ein anderes Opfer liniert, das mit dem Lineal eben eins auf die

Hand bekommen hat und die Schwiele mit dem Taschentuch reibt. Ich hätte vollauf zu tun. Ich beobachte sein Auge jedoch nicht, weil ich müßig bin, sondern weil es mich unnatürlich anzieht, – mich mit dem schrecklichen Wunsch erfüllt, zu erraten, was er in der nächsten Minute tun wird. Ob er wohl über mich herfallen wird oder über einen andern?

Eine Reihe kleiner Jungen hinter mir beobachtet ihn mit demselben Interesse. Ich glaube, er weiß es und verstellt sich nur. Er schneidet furchtbare Grimassen, während er das Rechenbuch liniert. Und jetzt wirft er einen Seitenblick auf uns, und wir alle lassen den Blick auf die Bücher sinken und fangen an zu zittern. Einen Augenblick später starren wir ihn schon wieder an. Ein Unglücklicher, der seine Aufgabe schlecht gemacht hat, wird herausgerufen. Er stammelt Entschuldigungen und verspricht, es morgen besser zu machen. Mr. Creakle reißt einen Witz, ehe er ihn prügelt, und wir lachen darüber. Wir elenden, kleinen Hunde lachen darüber, mit aschfahlen Gesichtern und Herzen, die uns in die Hosen gefallen sind.

Hier sitze ich wieder in der Bank an einem schläfrigen Sommernachmittag. Ein Surren und Summen rings um mich her, als seien die Jungen lauter große Fliegen. Ein dumpfer Druck lastet nach dem lauen, fetten Mittagessen auf mir, und mein Kopf ist so schwer wie Blei. Ich würde eine Welt darum geben, wenn ich schlafen dürfte. Mein Auge ist auf Mr. Creakle gerichtet, und ich blinzle ihn an wie eine junge Eule; der Schlaf überwältigt mich eine Minute, er verschwimmt vor meinen Augen, wie er die Rechenhefte liniert –; leise schleicht er sich hinter mich, und ich erwache mit einem roten Striemen auf dem Rücken wieder zu klarer Wahrnehmung.

Dann bin ich auf dem Spielplatz, wo mein Auge immer noch von ihm gebannt ist, obgleich ich ihn nicht sehen kann. Das Fenster nicht weit von dem Orte, wo er zu Mittag ißt, vertritt ihn, und ich beobachte es immer an seiner Statt. Wenn sein Gesicht dahinter erscheint, nimmt das meine einen flehentlichen und unterwürfigen Ausdruck an. Wenn er durch die Scheiben heruntersieht, bricht auch der Verwegenste – nur Steerforth ausgenommen – mitten in einem Ruf oder Schrei ab und wird nachdenklich. Einmal wirft Traddles, der größte Pechvogel von der Welt, zufällig das Fenster mit einem Ball ein. Noch jetzt überläuft es mich eiskalt, wie ich es geschehen sehe, und begreife, daß der Ball Mr. Creakles geheiligtes Haupt getroffen hat.

Armer Traddles! In seinem engen, himmelblauen Anzug, der seine Arme und Beine wie Würste oder Teigrollen erscheinen ließ, war er der lustigste und zugleich unglücklichste unter den Schülern. Er wurde immer mit dem spanischen Rohr gehauen, ich glaube, jeden Tag im ganzen Semester, mit Ausnahme eines Montags, wo er nur mit dem Lineal eines über beide Hände bekam. Und immer stand er im Begriff, deshalb an seinen Onkel zu schreiben, und immer unterließ er es wieder. Wenn er den Kopf eine Weile auf das Pult gelegt hatte, wurde er wieder lustig, fing an zu lachen und zeichnete auf seine Schiefertafel Gerippe, ehe noch seine Augen ganz trocken waren. Ich konnte mir lange Zeit nicht erklären, welchen Trost Traddles im Zeichnen dieser Gerippe finden mochte, und sah in ihm eine Art Einsiedler, der sich durch solche Symbole der Sterblichkeit vor Augen halten will, daß auch Prügel nicht ewig dauern können. Aber jetzt glaube ich, er zeichnete sie nur, weil sie so leicht waren und er ihnen keine Gesichter zu machen brauchte.

Traddles war sehr ehrenhaft und betrachtete es als eine heilige Pflicht der Schüler, einander beizustehen. Er hatte oft darunter zu leiden und besonders einmal, als Steerforth während des Gottesdienstes gelacht hatte, und der Kirchendiener glaubte, es wäre Traddles gewesen, und diesen hinausführte. Ich sehe ihn jetzt noch vor mir, wie er von dem Diener gepackt hinausging, verabscheut von der ganzen Gemeinde. Er verriet nie den eigentlichen Täter, obgleich er den ganzen nächsten Tag dafür büßen mußte und so lange eingesperrt war, daß er einen ganzen Kirchhof voll Gerippen in seinem lateinischen Wörterbuch mit herausbrachte.

Dann bekam er aber auch seinen Lohn. Steerforth nämlich sagte, in Traddles sei auch keine Spur von einem Mucker, und wir alle fühlten, daß das das höchste Lob bedeutete, das es geben konnte. Ich für meinen Teil hätte viel erdulden mögen, um solchen Lohn zu verdienen, obgleich ich lange nicht so tapfer war wie Traddles und nicht annähernd so alt.

Steerforth Arm in Arm mit Miss Creakle in die Kirche gehen zu sehen, war für mich ein überwältigender Anblick. Ich konnte Miss Creakle der kleinen Emly hinsichtlich Schönheit nicht an die Seite stellen – ich liebte sie nicht – ich wagte es nicht –, aber sie erschien mir als eine junge Dame von ungewöhnlichen Reizen und von unübertrefflicher Eleganz. Wenn Steerforth in weißen Hosen ihr den Sonnenschirm trug, war ich stolz, ihn zu kennen, und glaubte, daß sie nicht anders konnte, als ihn von ganzem Herzen anzubeten. Mr. Sharp und Mr. Mell waren wohl in meinen Augen alle beide sehr beachtenswerte Persönlichkeiten, aber gegen Steerforth verbleichten sie wie Sterne gegenüber der Sonne.

Steerforth blieb mein Beschützer und erwies sich mir als ein sehr nützlicher Freund, da niemand einem Knaben, der in seiner Gunst stand, etwas zu tun wagte. Er konnte mich gegen Mr. Creakle nicht schützen, oder wenigstens tat er es nicht, aber wenn mich Mr. Creakle noch härter als gewöhnlich gestraft hatte, sagte er mir stets, es fehlte mir ein wenig von seinem Mute, und daß er an meiner Stelle es sich nicht hätte gefallen lassen. Damit wollte er mich trösten, und ich fand das sehr freundlich von ihm.

Einen einzigen Vorteil nur hatte Mr. Creakles Strenge: Das Plakat auf meinem Rücken war ihm im Wege, wenn er mir im Vorbeigehen eins versetzen wollte. Aus diesem Grunde wurde es entfernt, und ich sah es nie wieder.

Ein Zufall befestigte das vertrauliche Verhältnis zwischen Steerforth und mir in einer Weise, die mich mit Befriedigung und Stolz erfüllte, wenn es auch mancherlei Beschwerlichkeit mit sich brachte. Als er mir nämlich einmal die Ehre erwies, auf dem Spielplatz mit mir zu sprechen, geschah es, daß ich die Bemerkung wagte, irgend jemand oder etwas passe auf »Peregrine Pickle«. Er sagte nichts; aber als wir zu Bett gingen, fragte er mich, ob ich das Buch besäße. Ich sagte nein und erzählte ihm, wieso ich es gelesen, und erwähnte auch die andern Bücher.

»Und erinnerst du dich noch auf alles?« fragte Steerforth.

»O ja«, gab ich zur Antwort. Ich hätte ein gutes Gedächtnis und glaubte, noch alles fast auswendig zu wissen.

»Ich will dir etwas sagen, kleiner Copperfield«, meinte Steerforth daraufhin, »du kannst sie mir erzählen. Ich mag abends sowieso nicht so bald zu Bett gehen und wache gewöhnlich zu früh auf. Wir wollen sie alle nacheinander durchgehen. Wir werden regelmäßige arabische Nächte einführen.«

Ich fühlte mich außerordentlich geschmeichelt, und wir fingen noch am selben Abend an. Welche Sünden ich im Verlauf meiner Erzählungen an meinen Lieblingsdichtern beging, weiß ich nicht mehr, aber ich hatte einen unerschütterlichen Glauben an sie und eine einfache Art, zu erzählen, und damit kamen wir recht weit. Die Kehrseite der Medaille war nur, daß ich mich abends oft schläfrig oder verstimmt oder nicht aufgelegt fühlte, die Geschichte fortzusetzen, und dann kostete es ein schweres Stück Arbeit. Aber es mußte geschehen.

Steerforths Erwartung zu täuschen oder ihm die Freude zu verderben, ging natürlich nicht an. Auch früh, wenn ich gern noch eine Stunde geschlummert hätte, war es recht fad, wie die Sultanin Scheherazade aufgeweckt und zum Erzählen einer langen Geschichte gezwungen zu werden, ehe die große Schulglocke läutete. Aber Steerforth bestand darauf, und da er mir dafür bei meinen Rechenaufgaben und Aufsätzen half, wenn sie zu schwer waren, verlor ich nichts bei dem Geschäft. Ich muß gerecht sein, es bewegte mich kein selbstsüchtiges Motiv und auch nicht Furcht vor ihm. Ich bewunderte und liebte ihn; sein Beifall war mir genug.

Steerforth konnte auch fürsorglich für mich sein und bewies das bei einer Gelegenheit auf so halsstarrige Art, daß er dem armen Traddles und den übrigen damit Tantalusqualen bereitete. Peggottys versprochener kostbarer Brief kam an, ehe noch einige Wochen des Semesters verstrichen waren und mit ihm ein Kuchen in einem wahren Nest von Orangen und zwei Flaschen Obstwein dabei. Diese Schätze legte ich pflichtgemäß Steerforth zu Füßen und bat ihn, sie zu verteilen.

»Ich will dir was sagen, kleiner Copperfield«, meinte er. »Der Wein wird aufgehoben, um dir die Zunge anzufeuchten, wenn du Geschichten erzählst.«

Ich wurde rot und bat ihn bescheiden, doch nicht daran zu denken. Aber er meinte, ich würde manchmal etwas heiser und jeder Tropfen müsse für mich bleiben. Also schloß er den Wein in seinen Koffer und labte mich mit ihm vermittelst einer im Kork angebrachten Federspule, wenn ich seiner Meinung nach einer Erfrischung bedurfte. Zuweilen war er so gütig und preßte Pomeranzensaft hinein, um den Saft zu verbessern, rührte Ingwer hinein, oder löste ein Pfefferminzzeltchen darin auf. Obwohl ich nicht behaupten kann, daß das Getränk dadurch wesentlich besser wurde oder abends vor dem Einschlafen und früh nüchtern genossen besonders magenstärkend gewesen wäre, trank ich es doch dankbar und war gerührt von Steerforths Aufmerksamkeit.

Wir hatten wohl wochenlang mit Peregrine Pickle und mehrere Monate mit den andern Geschichten zugebracht. Mangel an Stoff trat nie ein, und der Wein hielt fast so lange an wie der Stoff. Der arme Traddles, ich kann nie an diesen Jungen denken, ohne Tränen in den Augen und zugleich eine komische Neigung zu lachen, wirkte gewöhnlich verstärkend wie ein Chor und tat bei den lustigen Stellen, als ob er sich vor Heiterkeit nicht lassen könnte und bei den beunruhigenden, als ob er ganz vor Angst verginge. Das brachte mich manchmal ganz aus der Fassung. Es machte ihm einen Hauptspaß, mit den Zähnen zu klappern, sobald in den Abenteuern des Gil Blas von Alguazil die Rede war, und ich erinnere mich, daß der Arme, als Gil Blas dem Räuberhauptmann in Madrid begegnete, die Rolle des tödlich Entsetzten so lebhaft spielte, daß ihn Mr. Creakle, der auf den Gängen herumlauerte, hörte und wegen Störung im Schlafzimmer am andern Morgen ordentlich durchwichste. Was an Neigung zum Romantischen und Träumerischen in mir lag, wurde durch dieses

Erzählen im Dunkeln sehr gestärkt, und in dieser Hinsicht mag es nicht besonders von Vorteil für mich gewesen sein. Aber das Gefühl, daß ich im Schlafsaal wie eine Art Spielzeug behandelt wurde, und das Bewußtsein, auch bei den andern Knaben meiner Fähigkeiten wegen ein gewisses Ansehen zu genießen, trotzdem ich der Jüngste war, munterte mich sehr auf.

In einer Schule, die von bloßer Grausamkeit beherrscht wird, wird nie viel gelernt, ob ihr jetzt ein Dummkopf vorsteht oder nicht. Ich glaube, unsere Schüler waren so unwissend wie nur möglich. Sie wurden viel zu sehr gepeinigt und herumgestoßen, um etwas lernen zu können. Es hatte für sie keinen Zweck, sich zu bemühen in einem Leben voll beständiger Qual und Mühsal. Aber mein bißchen Eitelkeit und Steerforths Hilfe trieben mich an und machten mich, wenn es mir auch keine Strafen ersparte, zu einer Ausnahme unter den übrigen, indem ich wenigstens einige Brosamen Kenntnisse auflas.

Mr. Mell, an den ich mit Dankbarkeit zurückdenke, legte stets eine gewisse Teilnahme für mich an den Tag und half mir darin sehr. Es schmerzte mich immer, daß Steerforth ihn mit Geringschätzung behandelte und selten eine Gelegenheit versäumte, ihn zu verletzen. Dies beunruhigte mich eine Zeitlang um so mehr, als ich Steerforth, dem ich ein Geheimnis ebensowenig vorenthalten konnte wie einen Kuchen oder sonst etwas Greifbares, von den beiden alten Frauen erzählt hatte, zu denen mich Mr. Mell mitgenommen. Immer fürchtete ich, Steerforth würde es verraten und ihn damit verhöhnen. Als ich an jenem Morgen mein Frühstück in dem Asyl gegessen und im Schatten der Pfauenfedern und bei dem Ton der Flöte eingeschlafen war, hätte wohl keiner der damals Anwesenden geahnt, welche Folgen der Besuch einer so unbedeutenden Person wie ich noch einmal haben würde.

Leider hatte er ganz unvorhergesehene Folgen, und zwar in ihrer Art recht ernste. Eines Tages nämlich, als Mr. Creakle wegen Unpäßlichkeit das Zimmer hütete, was natürlich die lebhafteste Freude über die ganze Schule verbreitete, herrschte in der Morgenstunde viel Lärm. Alle benahmen sich so übermütig, daß kaum mit ihnen auszukommen war. Selbst als der gefürchtete Tongay mit seinem Holzbein zwei- oder dreimal hereingestelzt kam und die Namen der ärgsten Übeltäter aufschrieb, machte es keinen Eindruck. Alle wußten, sie würden morgen sowieso gestraft, mochten sie tun oder lassen, was sie wollten, und hielten es deshalb für das gescheiteste, sich wenigstens der Gegenwart möglichst zu freuen. Es war eigentlich ein halber Feiertag, nämlich Samstag, aber da der Lärm auf dem Spielplatz Mr. Creakle möglicherweise hätte stören können und das Wetter zum Ausgehen nicht günstig schien, mußten wir nachmittags bei einigen leichteren Aufgaben in der Klasse bleiben. Es war der Tag der Woche, an dem Mr. Sharp sich die Perücke kräuseln ließ, und daher fiel auf Mr. Mell das Amt, Schule zu halten. Wenn ich die Vorstellung von einem Stier oder einem Bären mit einer so sanften Person wie Mr. Mell überhaupt in Verbindung bringen könnte, so an diesem Nachmittag, als das Lärmen seine höchste Spitze erreichte, nur unter dem Bilde eines dieser Tiere, wenn es von tausend Hunden angefallen wird. Ich sehe ihn noch vor mir, wie er den Kopf auf seine knochige Hand stützt und, über das Buch auf seinem Pult geneigt, sich vergeblich bemüht, mitten unter einem Lärm, der den Sprecher des Unterhauses schwindlig gemacht haben würde, seine anstrengende Arbeit fortzusetzen. Die Jungen haschten sich zwischen den Bänken, sie lachten, sangen, tanzten, heulten, scharrten mit den Füßen, andre sprangen um Mr. Mell herum, grunzten, schnitten Gesichter, äfften ihn nach – hinter dem Rücken und vor seinen Augen –, verspotteten seine Armut, seine Stiefel, seinen Rock, seine Mutter, kurz alles, was ihm gehörte und was sie hätten achten sollen.

»Ruhe!« schrie Mr. Mell, plötzlich aufspringend und mit dem Buch auf das Pult schlagend. »Was soll das heißen. Es ist nicht auszuhalten. Es ist zum Verrücktwerden. Wie könnt ihr mir das tun, Jungen!«

Er schlug mit meinem Buch auf das Pult, und wie ich so neben ihm stehend seinem Auge, das im Zimmer herumschweifte, folgte, sah ich, wie sie alle schwiegen; einige aus plötzlicher Überraschung, manche halb aus Angst, manche vielleicht aus Reue.

Steerforths Platz war am untern Ende der Schulstube. Er hatte sich mit dem Rücken an die Wand gelehnt, die Hände in den Taschen, und sah Mr. Mell an, die Lippen zum Pfeifen gespitzt.

»Ruhe, Mr. Steerforth«, sagte Mr. Mell.

»Selbst Ruhe«, sagte Steerforth und wurde rot. »Mit wem sprechen Sie eigentlich?«

»Setzen Sie sich«, sagte Mr. Mell.

»Setzen Sie sich selber«, sagte Steerforth, »und kümmern Sie sich um Ihre Sachen.«

Man hörte ein Kichern und einige Beifallsrufe. Aber Mr. Mell war so bleich, daß es fast augenblicklich wieder still wurde, und ein Junge, der hinter ihn gesprungen war, um wieder Mr. Mells Mutter nachzuäffen, besann sich anders und gab vor, er möchte eine Feder geschnitten haben.

»Wenn Sie vielleicht glauben, Steerforth«, sagte Mell, »es wäre mir nicht bekannt, welche Macht Sie hier über jedes Gemüt ausüben können« – er legte seine Hand, vielleicht ohne zu wissen, was er tat, auf meinen Kopf – »oder ich hätte nicht bemerkt, wie Sie vor wenigen Minuten Ihre jüngern Mitschüler in jeder Weise aufreizten, mich zu beschimpfen, so irren Sie sich.«

»Ich gebe mir überhaupt nicht Mühe, an Sie zu denken«, sagte Steerforth kaltblütig, »also irre ich mich zufällig gar nicht.«

»Und wenn Sie Ihre Stellung als Günstling hier mißbrauchen, Sir«, fuhr Mr. Mell mit bebenden Lippen fort, »um einen anständigen Menschen zu beleidigen.«

»Einen was? – Wo ist er?« fragte Steerforth.

Hier rief jemand: »Pfui, Steerforth, das ist gemein.«

Es war Traddles, den Mr. Mell augenblicklich zurechtwies, indem er ihm befahl, den Mund zu halten.

»– Jemand zu beleidigen, der nicht glücklich im Leben ist und Ihnen nie das geringste getan hat, und zugleich die vielen Gründe kennen, die Sie veranlassen sollten, es nicht zu tun, Gründe, die zu kennen Sie alt und klug genug sind«, sagte Mr. Mell, und seine

Lippen zitterten immer mehr, »so begehen Sie damit eine niedrige und gemeine Handlung. Sie können sich jetzt setzen oder stehen bleiben, wie Sie wollen. Weiter, Copperfield.«

»Kleiner Copperfield«, sagte Steerforth und kam ans Pult, »warte einen Augenblick. Ich will Ihnen was sagen, Mr. Mell, ein für allemal. Wenn Sie sich die Freiheit nehmen, mich niedrig oder gemein zu nennen oder einen ähnlichen Ausdruck zu gebrauchen, so sind Sie ein unverschämter Bettler. Sie sind überhaupt ein Bettler, das wissen Sie ja. Aber wenn Sie das tun, so sind Sie ein unverschämter Bettler.«

Ich war mir nicht klar, ob er nach Mr. Mell oder Mr. Mell nach ihm schlagen wollte, oder ob auf einer der beiden Seiten überhaupt eine solche Absicht vorhanden war. Ich sah die ganze Klasse wie versteinert dasitzen und Mr. Creakle plötzlich in unserer Mitte erscheinen und Tongay neben ihm und an der Tür Mrs. und Miss Creakle mit scheuen und erschrocknen Gesichtern. Mr. Mell, die Ellbogen auf das Pult und das Gesicht in die Hände gelegt, saß einige Augenblicke regungslos da.

»Mr. Mell!« sagte Mr. Creakle, den Schullehrer am Arme fassend und schüttelnd, und sein Flüstern war diesmal so laut, daß Tongay die Worte nicht zu wiederholen brauchte. »Sie haben sich doch nicht etwa vergessen?«

»Nein, Sir, nein«, erwiderte der Lehrer, wieder sein Gesicht zeigend und sich die Hände reibend. Er schüttelte in großer Aufregung den Kopf. »Nein, Sir, nein. Ich habe mich nicht vergessen. Ich – nein, Mr. Creakle, ich habe mich nicht vergessen. Ich – ich – ich – wünschte, Sie hätten etwas früher an mich gedacht, Mr. Creakle. Es – es – wäre gütiger gewesen und gerechter, Sir. Es hätte mir etwas erspart, Sir.«

Mr. Creakle sah streng auf Mr. Mell, legte seine Hand auf Tongays Schulter, stieg auf eine Bank und setzte sich auf das Pult. Nachdem er von diesem Throne noch eine Weile Mr. Mell, der noch immer in größter Aufregung den Kopf schüttelte und sich die Hände rieb, streng angesehen hatte, wandte er sich zu Steerforth und sagte:

»Nun, Sir, da er sich nicht herabläßt, es mir zu sagen, was ist also?«

Steerforth wich der Frage eine Weile aus; er sah seinen Gegner mit zornigem und wildem Gesicht an und blieb stumm. Selbst damals konnte ich mich des Gedankens nicht erwehren, wie nobel sein Aussehen war und wie gewöhnlich und dürftig sich Mr. Mell gegen ihn ausnahm.

»Was hat er eigentlich gemeint, als er von Günstlingen sprach?« sagte Steerforth endlich.

»Günstlinge?« wiederholte Mr. Creakle, und die Adern auf seiner Stirne schwollen plötzlich an. »Wer hat von Günstlingen gesprochen?«

»Er«, sagte Steerforth.

»Bitte, was haben Sie damit gemeint, Sir?« fragte Mr. Creakle und wandte sich voll Zorn an seinen Unterlehrer.

»Ich meinte, was ich sagte, Mr. Creakle«, erwiderte der Gefragte ruhig. »Daß kein Schüler das Recht hat, seine Günstlingsstellung zu benützen, um mich zu erniedrigen.«

»Sie zu erniedrigen? Ausgezeichnet. Aber Sie werden mir gestatten, zu fragen, Mr. Dingsda«, und Mr. Creakle verschränkte seine Arme mit dem Rohrstock auf der Brust und zog seine Brauen so zusammen, daß seine Augen fast verschwanden, »ob Sie, als Sie von Günstlingen sprachen, mir damit die gehörige Achtung bezeigt haben. Mir, Sir«, fragte Mr. Creakle und schnellte plötzlich mit dem Kopf gegen Mr. Mell vor und zog ihn wieder zurück. »Mir, dem Prinzipal dieser Anstalt und Ihrem Brotherrn!?«

»Ich gebe gern zu, daß es unüberlegt war«, sagte Mr. Mell, »ich würde es nicht getan haben, wenn ich bei kaltem Blute gewesen wäre.«

Hier fiel Steerforth ein:

»Und dann sagte er, ich wäre niedrig und gemein, und dann habe ich ihn einen Bettler genannt. Wenn ich bei kaltem Blute gewesen wäre, hätte ich ihn vielleicht keinen Bettler genannt. Aber ich tat es und nehme die Folgen auf mich.«

Ohne wahrscheinlich zu überlegen, ob ihn überhaupt Folgen treffen könnten, erglühte ich förmlich bei dieser mutigen Rede. Sie machte auch auf die Jungen Eindruck, und es entstand eine leise Unruhe unter ihnen, wenn auch keiner ein Wort sprach.

»Ich bin erstaunt, Steerforth, obgleich Ihre Aufrichtigkeit Ihnen Ehre macht«, sagte Mr. Creakle. »Ja, gewiß, Ihnen Ehre macht, – ich bin erstaunt, Steerforth, muß ich schon sagen, daß Sie solch eine Bezeichnung für eine Person brauchten, die in Salemhaus angestellt ist und bezahlt wird, Sir.«

Steerforth lachte kurz auf.

»Das ist keine Antwort, Sir«, sagte Mr. Creakle, »auf meine Bemerkung. Ich erwarte mehr von Ihnen, Steerforth.«

Wenn Mr. Mell in meinen Augen gegenüber dem hübschen Knaben schon abstach, wäre es ganz unmöglich gewesen, zu sagen, was Mr. Creakle für einen Eindruck machte.

»Er soll es ableugnen«, sagte Steerforth.

»Ableugnen, daß er ein Bettler ist, Steerforth? Aber wo bettelt er denn?«

»Wenn er nicht selbst ein Bettler ist, so ist es seine nächste Verwandte«, sagte Steerforth. »Das kommt doch auf dasselbe heraus.«

Er sah mich an, und Mr. Mells Hand klopfte mir sanft auf die Schulter. Ich blickte auf, Schamröte im Gesicht und Reue im Herzen. Aber Mr. Mells Augen ruhten auf Steerforth. Er fuhr fort, mich freundlich auf die Schulter zu klopfen, aber er blickte Steerforth an.

»Da Sie eine Rechtfertigung von mir verlangen, Mr. Creakle«, sagte Steerforth »und ich sagen soll, was ich meine, so sage ich, daß seine Mutter von Almosen in einem Armenhaus lebt.«

Immer noch sah ihn Mr. Mell an und klopfte mir immer noch freundlich auf die Schulter. Leise sagte er dann vor sich hin: »Ja, das habe ich mir gedacht.«

Mr. Creakle wandte sich an den Unterlehrer mit strengem Stirnrunzeln und erkünstelter Höflichkeit.

»Nun, Sie hören, was dieser Herr sagt, Mr. Mell. Haben Sie die

Güte, seine Aussage vor der ganzen Schule gefälligst zu berichtigen.«

»Er hat vollständig recht, Sir«, antwortete Mr. Mell inmitten der tiefsten Stille. »Was er gesagt hat, ist wahr.«

»Wollen Sie dann so gut sein und öffentlich erklären«, sagte Mr. Creakle, legte den Kopf auf die Seite und rollte mit den Augen, »ob ich bis zu diesem Augenblick etwas davon in Erfahrung gebracht habe.«

»Ich glaube nicht direkt«, erwiderte Mr. Mell.

»Sie wissen, daß es nicht der Fall war«, sagte Mr. Creakle. »Oder wissen Sie es nicht, Mensch?«

»Ich nehme an, daß Sie wohl niemals meine Verhältnisse für sehr gut gehalten haben«, antwortete der Unterlehrer. »Sie wissen doch, wie meine Lage hier ist und immer war.«

»Ich nehme an«, sagte Mr. Creakle und seine Adern wurden noch dicker, »daß Sie wohl überhaupt in einer falschen Stellung hier gewesen sind und diese Anstalt vermutlich für eine Armenschule gehalten haben. Mr. Mell, wir werden uns trennen und je eher, desto besser.«

»Es ist keine Zeit besser als die gegenwärtige«, erwiderte Mr. Mell und stand auf.

»Für Sie, ja«, sagte Mr. Creakle.

»Ich nehme Abschied von Ihnen, Mr. Creakle, und von euch allen«, sagte Mr. Mell, sah sich im Zimmer um und klopfte mir wieder sanft auf die Schulter.

»James Steerforth, der beste Wunsch, den ich Ihnen hinterlassen kann, ist, daß Sie sich eines Tages schämen mögen über das, was Sie heute getan haben. Heute möchte ich in Ihnen lieber alles andere sehen als einen Freund oder sonst jemand, für den ich ein Interesse fühle.«

Noch einmal legte er die Hand auf meine Schulter, dann nahm er seine Flöte und ein paar Bücher aus dem Pult, ließ den Schlüssel stecken für seinen Nachfolger und verließ die Klasse, seinen ganzen Besitz unter dem Arm.

Mr. Creakle hielt dann noch unter Tongays Assistenz eine

Rede, in der er Steerforth dankte, daß er, wenn auch vielleicht ein wenig zu warm, das Ansehen von Salemhaus und seine Unabhängigkeit verteidigt hatte … Er wand sich durch bis zu dem Punkte, wo er Steerforth die Hand schüttelte, während wir dreimal Hoch riefen, ich weiß nicht mehr für wen, aber ich glaube für Steerforth. Wenigstens rief ich mit, obwohl ich sehr niedergeschlagen war. Dann wichste Mr. Creakle den kleinen Tommy Traddles durch, weil er über Mr. Mells Fortgehen geweint hatte, statt in das Hoch einzustimmen, und kehrte wieder zu seinem Sofa oder seinem Bett, oder wo er sonst hergekommen, zurück.

Wir waren uns jetzt selbst überlassen und sahen einander ratlos an. Ich empfand so viel Gewissensbisse und Reue über das Geschehene, daß nur die Furcht, Steerforth, der mich oft ansah, möchte es für unfreundschaftlich oder, besser gesagt, für pflichtwidrig halten, wenn ich weinte, meine Tränen zurückhielt. Er war sehr böse auf Traddles und sagte, es freue ihn, daß er es gekriegt habe.

Der arme Traddles, der schon wieder über das Stadium hinaus war, wo er den Kopf auf das Pult zu legen pflegte und seinem Verdruß wieder mit einem Haufen Gerippe Luft machte, sagte, es sei ihm ganz wurst, aber Mr. Mell sei Unrecht geschehen.

»Wer hat ihm Unrecht getan, du Mädchen?« fragte Steerforth.

»Wer denn sonst als du.«

»Was hab ich denn getan?« fragte Steerforth.

»Was du getan hast«, gab Traddles zur Antwort. »Du hast seine Gefühle verletzt und ihn um seine Stelle gebracht.«

»Seine Gefühle«, wiederholte Steerforth verächtlich. »Seine Gefühle werden sich schon wieder erholen, drauf will ich wetten. Seine Gefühle sind nicht wie deine, Fräulein Traddles. Und was seine Stelle betrifft, – die so glänzend war, was? – so werde ich doch natürlich nach Hause schreiben und dafür sorgen, daß er Geld bekommt, Polly.«

Uns kam dieser Vorsatz Steerforths, dessen Mutter, eine reiche Witwe, ihm in allem nachgab, sehr hochherzig vor. Wir freuten uns alle, daß Traddles beschämt war, und hoben Steerforth in den

Himmel, besonders, als er uns gnädigst erklärte, daß er alles nur unsertwegen getan und uns durch sein selbstloses Benehmen einen Riesendienst erwiesen hätte.

Aber ich muß gestehen, als ich abends im Dunkeln eine Geschichte erzählte, schien mir Mr. Mells Flöte mehr als einmal traurig in den Ohren zu klingen, und als endlich Steerforth schlief und ich in meinem Bette lag, machte mich der Gedanke, die Flöte werde jetzt woanders gespielt, ganz elend.

Ich vergaß Mr. Mell bald über der Bewunderung Steerforths, der in leichter Dilettantenart und ohne Buch, denn er schien alles auswendig zu wissen, einige der Lehrstunden übernahm, bis der neue Lehrer erschien. Dieser kam aus einer Lateinschule und speiste, bevor er sein Amt antrat, bei dem Direktor, um Steerforth vorgestellt zu werden.

Steerforth fand großen Gefallen an ihm und nannte ihn eine Leuchte. Wenn ich auch nicht begriff, was für ein Gelehrtentitel das wäre, brachte ich ihm doch große Ehrfurcht entgegen und zweifelte nicht im geringsten an seinen großartigen Kenntnissen, obwohl er sich nie solche Mühe mit mir gab, wie Mr. Mell; aber ich war ja auch gar nicht zu rechnen.

Noch ein ungewöhnliches Ereignis in diesem Semester machte einen tiefen Eindruck auf mich, der noch immer fortlebt, – aus verschiedenen Gründen fortlebt.

Eines Nachmittags, als wir alle in einem Zustand ärgster Verwirrung und Angst waren, weil Mr. Creakle so fürchterlich um sich schlug, kam Tongay herein und rief laut:

»Besuch für Copperfield.«

Mr. Creakle wechselte mit ihm ein paar Worte über den Rang des Besuchs und das Zimmer, in das man die Gäste weisen sollte, und sagte dann zu mir, – ich war wie üblich aufgestanden und ganz verblüfft vor Erstaunen – ich sollte die Hintertreppe hinaufgehen und einen reinen Kragen anziehen, ehe ich ins Speisezimmer ginge. Ich gehorchte in einer Aufregung, wie ich sie noch gar nicht gekannt hatte, und als ich an die Tür des Besuchszimmers kam und der Gedanke in mir aufblitzte, es könnte vielleicht meine Mutter sein – bis dahin hatte ich nur an Mr. und Miss Murdstone gedacht –, ließ ich die Klinke wieder los und blieb stehen und holte tief Atem, bevor ich eintrat.

Zuerst sah ich niemand. Aber da ich ein Hindernis an der Tür fühlte, blickte ich dahinter und erkannte zu meinem Erstaunen Mr. Peggotty und Ham, die mit ihren Hüten in der Hand vor mir knixten und einander an die Wand drückten. Ich mußte lachen, aber mehr aus Freude, sie zu sehen, als über ihren Anblick. Wir schüttelten uns herzlich die Hände, und ich lachte und lachte, bis ich mein Taschentuch herausziehen und mir die Augen wischen mußte.

Mr. Peggotty, der während des ganzen Besuchs kein einziges Mal den Mund zumachte, legte große Teilnahme an den Tag, als er das sah, und gab Ham einen Rippenstoß, damit der etwas sagen sollte.

»All wedder lussig, Masr Davy?« fragte Ham mit seinem gewohnten Grinsen. »Wat sünn Sej grot woren.«

»Bin ich gewachsen«, fragte ich und trocknete mir die Augen. Ich weinte über nichts Besonderes, nur das Wiedersehen mit den alten Freunden entlockte mir Tränen.

»Grot woren? Masr Davy! Ob hej grot woren is!« sagte Ham. »Ob hej grot woren is«, wiederholte Mr. Peggotty.

Sie lachten einander an, bis ich mitlachen mußte, und dann lachten wir alle drei, bis mir wieder die Tränen kamen.

»Wissen Sie, wie es Mama geht, Mr. Peggotty«, fragte ich, »und meiner lieben, lieben, alten Peggotty?«

»Ungemein«, sagte Mr. Peggotty.

»Und der kleinen Emly und Mrs. Gummidge?«

»Un-gemein«, sagte Mr. Peggotty.

Es trat eine große Pause ein. Um sie zu beenden, holte Mr. Peggotty zwei ungeheure Hummern, eine riesige Krabbe und einen großen Segelleinwandbeutel voll Crevetten aus seinen Taschen und häufte sie auf Hams Armen auf.

»Weil Sie das gerne haben, wissen Sie«, sagte er, »haben wir uns die Freiheit genommen! Und die Alte hat se gekocht. Mrs.

Gummidge hat se gekocht. Jawoll«, fügte er langsam hinzu, wie mir schien, weil er von nichts anders zu reden wußte. »Wahrhaftig, Mrs. Gummidge hat se gekocht.«

Ich drückte ihm meinen Dank aus, und Mr. Peggotty fuhr fort, Ham hilfesuchend anblickend, der die Krebse angrinste, ohne einen Versuch zu machen, ihn zu unterstützen:

»Wi kamen mit Flut und günstigen Wind in een von üns Yarmouthbooten nach Gravesend. Mien Schwester hett mich den Namen von dem Ort hier schrewen und schrewt, wenn ick nach Gravesend komme, soll ick heröwer kommen und nach Masr Davy fragen, un jem een schoin Gruß von ehr bringen un Gutes wünschen un seggen, daß sej ungemein gut geit. Lütt Emly soll an mien Schwester schriewen, wenn ick wedder to hus bün, dat ick Sej sehen heww un dat Sej woll sünn; un so war et en ganz lussigen Rundgang.«

Ich mußte erst ein wenig nachdenken, was Mr. Peggotty sagen wollte, dann dankte ich ihm herzlich und sagte, rot werdend – wie ich fühlte –, die kleine Emly werde sich wohl auch verändert haben, seitdem wir zusammen Muscheln und Kiesel am Strande gesucht hatten.

»Is een grot Deeren woren; sej is«, sagte Mr. Peggotty. »Fragen Sie ihn.« Er meinte Ham, der wonnestrahlend über seinem Crevettenbeutel nickte und seine freudige Zustimmung ausdrückte.

»Ehr soit Gesicht!« sagte Mr. Peggotty und sein eignes glänzte wie ein Licht.

»Die Gelehrsamkeit«, sagte Ham.

»Ehr Handschrift«, sagte Mr. Peggotty. »Schwarz wie Kohle. Un so grot. Von witem to sehen.«

Es war wirklich eine Lust, welche Begeisterung über Mr. Peggotty kam, wenn er an seinen kleinen Liebling dachte. Er steht wieder vor mir mit seinem wetterharten haarigen Gesicht, strahlend vor freudiger Liebe und Stolz, daß es sich gar nicht beschreiben läßt. Seine ehrlichen Augen leuchteten auf und glänzten, als ob etwas Schimmerndes ihre Tiefen aufrührte. Seine breite Brust hob sich vor Entzücken. Seine großen starken

126

Hände ballten sich unwillkürlich bei seinem Ernst zusammen, und er gab dem, was er sprach, Nachdruck durch Bewegungen seines Arms, der mir, dem Knirps, wie ein Schmiedehammer vorkam.

Ham meinte es ebenso ernsthaft. Ich glaube, sie würden noch mehr von ihr erzählt haben, wenn sie nicht durch das unvermutete Erscheinen Steerforths in Verlegenheit geraten wären. Als mich dieser in einer Ecke mit zwei Fremden sprechen sah, brach er das Lied ab, das er eben laut sang, und sagte: »Ich wußte nicht, daß du hier bist, kleiner Copperfield.« Es war nicht das gewöhnliche Besuchszimmer und er wollte vorbeigehen.

Ich weiß nicht, ob es der Stolz war, einen Freund wie Steerforth zu besitzen, oder der Wunsch, ihm zu erklären, wie ich zu solchen Bekannten, wie Mr. Peggotty käme, was mich veranlaßte, ihn herbeizurufen.

»Bitte, Steerforth«, sagte ich, »hier sind zwei Schiffer aus Yarmouth, so gute, liebe Leute, Verwandte meiner alten Kindsfrau, die von Gravesend gekommen sind, um mich zu besuchen.«

»O! O!« sagte Steerforth und drehte sich um. »Freut mich, Sie zu sehen. Wie geht es Ihnen?«

Es lag etwas Ungezwungenes in seinem Wesen, – etwas Frisches, Munteres, aber gar nichts Anmaßendes, das immer bestrickend auf alle wirkte. Immer noch kommt es mir vor, als ob seine Haltung, seine Lebhaftigkeit, seine gewinnende Stimme, sein hübsches Gesicht und eine gewisse ihm innewohnende Anziehungskraft einen Zauber ausübten, dem nur wenige widerstehen konnten. Es entging mir nicht, wie sehr er ihnen gefiel und wie sich ihm im Augenblick ihre Herzen erschlossen.

»Sie müssen auch zu Hause sagen, Mr. Peggotty, daß Mr. Steerforth sehr freundlich zu mir ist, und daß ich ohne ihn gar nicht wüßte, was anfangen.«

»Unsinn«, lachte Steerforth. »So etwas dürfen Sie ihnen dort nicht sagen.«

»Und wenn Mr. Steerforth einmal nach Norfolk oder Suffolk kommt, Mr. Peggotty«, sagte ich, »und ich bin auch dort, so bringe ich ihn ganz gewiß mit nach Yarmouth, um ihm Ihr Haus zu zeigen. Du hast noch nie so ein Haus gesehen, Steerforth. Es ist aus einem Schiff gemacht.«

»Aus einem Schiff, wahrhaftig?« sagte Steerforth. »Das ist das richtige Haus für so einen tüchtigen Schiffer.«

»Jawoll, Sir, is es auch«, sagte Ham grinsend. »Haben recht, junger Genlmn. Masr Davy, der Genlmn hat recht. N fixer Schipper. Jawoll. Dat is hej.«

Mr. Peggotty fühlte sich nicht weniger geschmeichelt als sein Neffe, wenn ihm auch seine Bescheidenheit verbot, ein persönliches Kompliment so laut auf sich zu beziehen.

»Woll, Sir«, sagte er mit einem Katzenbuckel und in sich hineinlachend und die Zipfel seines Taschentuchs verlegen in die Weste stopfend: »Schoin Dank, Sir, schoin Dank. Ick dau mien Schuldigkeit an Bord.«

»Auch der Beste kann nicht mehr, Mr. Peggotty«, sagte Steerforth, der sofort den Namen aufgefaßt hatte.

»Wette, Sej doons auch«, sagte Peggotty und schüttelte Steerforth die Hand, »und doons gehörich. – Ganz gehörich! Schoin Dank, Sir. Dank Ihnen, Sir, dat Sej mich so fründlich aufgenommen hewwen. Ick bün schlecht und recht, Sir, heißt, hoffe, bün recht, verstehen Sej? An mien Hus is nöch vell to sehn, Sir, aber Sej sün willkomm, wenn Sej eenmal mit Masr Davy kommn, ick bün wie een Pagütz, dat bün ick«, sagte Peggotty. Er meinte damit wahrscheinlich eine Schnecke und spielte auf seine Langsamkeit im Fortgehen an, denn er hatte nach jedem Satz versucht, fortzugehen, war aber immer wieder umgekehrt. »Äwer ick segg Sej beid Adjüs und wünsch Sej veel Glüch.«

Ham wiederholte diesen Gefühlsausbruch, und wir schieden von beiden auf das herzlichste. Ich fühlte mich an diesem Abend so versucht, Steerforth von der hübschen kleinen Emly zu erzählen, aber ich fürchtete von ihm ausgelacht zu werden.

Ich erinnere mich, daß ich viel und unruhig über Mr. Peggottys Wort nachdachte, daß sie ein großes Mädchen geworden sei, verwarf aber diesen Gedanken später als Unsinn.

Wir schleppten die Krebse, »dat Tüch«, wie Peggotty es bescheiden benannt hatte, unbemerkt in unser Zimmer und hielten an diesem Abend ein großes Festessen. Traddles kam dabei nicht gut weg. Er war ein zu großer Pechvogel, als daß er sich eines Essens, das jedem andern Menschen bekam, lange hätte erfreuen können. Es wurde ihm in der Nacht schlecht – ganz miserabel schlecht – nach der Krabbe, und nachdem er schwarze Tropfen und blaue Pillen in einer Menge geschluckt hatte, daß Demple, dessen Vater Arzt war, meinte, es wäre genug, um eines Pferdes Gesundheit zu untergraben, wurde er durchgehauen und bekam sechs Kapitel aus dem griechischen Testament auf, weil er sich zu beichten weigerte.

Den Rest des Semesters füllt ein Schwall von Erinnerungen aus an die ewigen Plagen und Mühseligkeiten unseres täglichen Lebens, an den schwindenden Sommer und den Wechsel der Jahreszeiten, an die kühlen Morgen, wenn man uns aus den Betten läutete und den kalten, kalten Geruch der dunklen Nächte, wenn wir wieder ins Bett mußten, – an die schlecht beleuchtete und schlecht geheizte Abendschulstube und die Morgenklasse, die weiter nichts war als eine große Fröstelmaschine, – an die Abwechslung zwischen gekochtem Rindfleisch und Rinderbraten, gekochtem Hammelfleisch und Hammelbraten, an Butterbrote, Schulbücher mit Eselsohren, zerbrochene Schiefertafeln, Schreibhefte mit Tränenflecken, an spanische Rohr- und Linealhiebe, Ohrenbeutel, regnerische Sonntage, Talgpuddings und die schmutzige Tintenatmosphäre, die alles umgibt.

Ich erinnere mich noch so recht an die ferne Hoffnung auf die Feiertage, die in all der langen Zeit wie der einzig feste Punkt erschien. Ein Punkt, der sich uns immer mehr näherte und beständig größer wurde, wie wir zuerst Monate, dann Wochen und dann nur mehr Tage zählten, wie ich dann anfing, zu fürchten, daß ich nicht würde nach Hause reisen dürfen – indessen, wie Steerforth herausbrachte, schon zu Hause angemeldet war –, und dann von dunklen Ahnungen gequält wurde, ich könnte inzwischen das Bein brechen. Wie endlich der Tag der Abreise näher kam, von der zweitnächsten Woche auf die nächste, dann auf die gegenwärtige, auf übermorgen, morgen, heute, heute abend, – wo ich in der Postkutsche in Yarmouth sitze und nach Hause fahre.

Ich schlummere meilenweise in der Kutsche und habe einen zusammenhängenden Traum von allen diesen Dingen. Aber wenn ich manchmal aufwache, ist die Gegend draußen vor dem Fenster nicht der Spielplatz von Salemhaus, und was in meine Ohren ruft, ist nicht Mr. Creakle, der eben Traddles prügelt, sondern der Kutscher, der die Pferde antreibt.

8. Kapitel

Meine Ferien – Ein glücklicher Nachmittag

Als wir vor Tagesanbruch vor dem Gasthof hielten, aber nicht vor dem, wo mein Freund, der Kellner diente, wies man mir ein kleines, hübsches Schlafzimmer zu, über dessen Türe »Delphin« stand. Ich fror sehr trotz des heißen Tees, den sie mir unten vor einem großen Feuer eingeschenkt hatten, und legte mich gern in das Bett des »Delphins«, wickelte mich in die Bettdecke des »Delphins« und schlief ein.

Mr. Barkis, der Fuhrmann, sollte mich morgen früh um neun Uhr abholen. Ich stand um acht Uhr auf, ein wenig verschlafen nach dem kurzen Schlummer, und wartete auf ihn noch lange vor der Zeit. Er nahm mich auf, als ob seit unserm letzten Zusammensein nicht fünf Minuten verstrichen wären und ich bloß in den Gasthof gegangen sei, um Kleingeld einzuwechseln.

Sobald ich und mein Koffer im Wagen waren und er seinen Platz eingenommen hatte, setzte sich das faule Pferd in seinen gewohnten Trott.

»Sie sehen sehr gut aus, Mr. Barkis«, fing ich an.

Mr. Barkis rieb sich seine Backen mit dem Ärmel und sah dann hin, als ob er darauf die Blüte seines Gesichts abgefärbt zu sehen

130

erwartete. Weiter gab er kein Zeichen der Anerkennung meines Kompliments von sich.

»Ich habe Ihren Auftrag ausgerichtet, Mr. Barkis«, sagte ich, »und an Peggotty geschrieben.«

»Hm«, meinte Mr. Barkis.

Er schien verdrießlich zu sein und antwortete sehr kurz.

»Wars nicht richtig, Mr. Barkis?« fragte ich nach einigem Zögern.

»Nun, nein«, sagte Barkis.

»Falsch ausgerichtet?«

»Ausgerichtet wars schon gut«, sagte Mr. Barkis, »aber dann wars aus.«

Da ich nicht verstand, was er meinte, wiederholte ich fragend:

»Dann wars aus, Mr. Barkis?«

»Wurde nichts draus«, erklärte er und blickte mich von der Seite an. »Keine Antwort.«

»Sie erwarteten also eine Antwort, Mr. Barkis?« sagte ich und riß die Augen auf, denn das kam mir ganz überraschend.

»Wenn ein Mensch sagt, er will«, sagte Mr. Barkis und wendete seine Augen langsam wieder auf mich, »heißts doch soviel wie, man wartet auf Antwort.«

»Wirklich, Mr. Barkis?«

»Wirklich«, sagte Mr. Barkis und zielte mit den Augen nach den Pferdeohren. »Der Mensch wartet immer noch auf die Antwort.«

»Haben Sie ihr das gesagt, Mr. Barkis?«

»Hm«, brummte Mr. Barkis und dachte darüber nach. »Hab mich noch nicht entschlossen. Sprach noch keine sechs Worte mit ihr. Kanns ihr nicht sagen.«

»Soll ichs ihr vielleicht sagen, Mr. Barkis?« fragte ich schüchtern.

»Könnten s schon, wenn Sie wollten«, sagte Mr. Barkis wieder mit einem langsamen Blick zu mir. »Daß Barkis auf Antwort wartet. Hm, wie ist doch der Name?«

»Ihr Name?«

»Hm«, sagte Mr. Barkis mit einem Kopfnicken.

»Peggotty.«

»Taufname, Vorname?« fragte Mr. Barkis.

»Nein, das ist nicht ihr Taufname. Ihr Vorname ist Klara.«

»So«, sagte Mr. Barkis.

Meine Antwort schien ihn außerordentlich stark zum Nachdenken anzuregen, denn er saß lange grübelnd da und pfiff innerlich.

»Hm«, fing er endlich wieder an, »sagen Sie Peggotty: Barkis wartet; und sagt sie, worauf? sagen Sie: auf Antwort. Sagt sie: worauf? sagen Sie: Barkis will.«

Diese außerordentlich knappe Erklärung begleitete Mr. Barkis mit einem freundschaftlichen Rippenstoß, daß mir die Seite weh tat. Darauf hockte er wieder wie gewöhnlich ruhig auf seinem Platz und blieb in dieser Stellung, bis er eine halbe Stunde später ein Stück Kreide aus der Tasche holte und innen an die Wagendecke schrieb: Klara Peggotty. Offenbar als Privatnotiz.

Was für ein seltsames Gefühl, sich der Heimat zu nähern, die einem fremd geworden ist! Jeder Gegenstand, den man erblickt, erinnert einen an das alte, liebe Vaterhaus. Es kam mir alles wie ein Traum vor, den ich nie mehr wieder träumen könnte. Die Tage, wo meine Mutter, ich und Peggotty einander alles waren und noch niemand sich zwischen uns gedrängt hatte, erstanden unterwegs vor meinen Augen mit so traurigen Erinnerungen, daß ich am liebsten umgekehrt wäre und in Steerforths Gesellschaft vergessen hätte. Aber ich war jetzt angekommen und stand bald vor unserm Hause, wo die kahlen, alten Ulmen ihre vielen Hände in die kalte Winterluft hinausstreckten und Fetzen von den alten Krähennestern vom Winde fortgeweht wurden.

Der Fuhrmann lud meinen Koffer an der Gartentür ab und verließ mich. Ich ging den Fußsteig nach dem Hause zu, sah nach den Fenstern und fürchtete jeden Augenblick, Mr. oder Miss Murdstone zu erblicken. Es zeigte sich jedoch kein Gesicht, und ich trat leise und schüchtern ein.

Gott weiß, aus wie früher Kindheit die Erinnerung stammen

mußte, die beim Klang der Stimme meiner Mutter wieder wach wurde, als ich den Fuß in den Flur setzte. Sie sang leise. Ich glaube, ich muß in ihren Armen gelegen und sie so singen hören haben, als ich noch ein Säugling war. Das Lied kam mir neu und doch so alt vor, daß es mein Herz zum Überströmen erfüllte. Es war mir wie ein alter Freund, der nach langer Abwesenheit zurückkehrt.

Aus der Weise, wie meine Mutter das Lied sang, schloß ich, daß sie allein sei, und ich trat leise ins Zimmer. Sie saß beim Feuer und säugte ein Kind, dessen winzige Händchen an ihrem Halse ruhten. Ihre Augen hingen an seinem Gesicht und sie sang ihm etwas vor. Ich sah sofort, daß sie allein war.

Ich sprach sie an. Sie fuhr auf und stieß einen Schrei aus. Aber als sie mich erkannte, nannte sie mich ihren lieben Davy, ihr geliebtes Kind, kam mir entgegen, kniete vor mir nieder und küßte mich und legte meinen Kopf an ihre Brust neben das kleine Wesen, das sich an sie anklammerte, und legte seine Händchen an meine Lippen.

Ich wollte, ich wäre gestorben mit diesem Gefühl im Herzen. Ich hätte besser für den Himmel gepaßt, als jemals später.

»Es ist dein Brüderchen«, sagte meine Mutter und liebkoste mich. »Davy, mein hübscher Junge, mein armes Kind.« Dann küßte sie mich immer mehr und mehr und umschlang meinen Nacken. Dann kam Peggotty hereingelaufen, warf sich auf dem Boden neben uns hin und war eine Viertelstunde lang halb von Sinnen. Man hatte mich nicht so zeitig erwartet, und der Fuhrmann war früher angekommen als gewöhnlich. Mr. und Miss Murdstone befanden sich in der Nachbarschaft auf Besuch und würden, erfuhr ich, nicht vor Abend zurückkommen. Das hatte ich nicht zu hoffen gewagt. Ich hätte es nie für möglich gehalten, daß wir drei würden wieder einmal ungestört beisammen sein können, und für dies eine Mal waren für mich die alten vergangenen Zeiten zurückgekehrt.

Wir speisten zusammen beim Kamin. Peggotty wollte uns bedienen, aber meine Mutter litt es nicht, und sie mußte sich mit zu

Tisch setzen. Ich hatte meinen alten Teller wieder mit einem braunen Kriegsschiff unter vollen Segeln darauf, den Peggotty sorgfältig aufgehoben und für hundert Pfund nicht zerbrochen hätte, wie sie sagte. Ich hatte meinen alten Trinkbecher mit dem Namen »David« drauf und mein altes Besteck, das noch immer stumpf war.

Als wir bei Tische saßen, hielt ich es für den geeignetsten Moment, Mr. Barkis' Auftrag auszurichten. Ehe ich damit zu Ende kam, fing Peggotty an zu lachen und hielt die Schürze vors Gesicht.

»Peggotty«, sagte meine Mutter. »Was gibts denn?«

Peggotty lachte nur noch mehr und hielt ihre Schürze noch fester vors Gesicht, als meine Mutter sie wegziehen wollte. Sie saß da wie mit dem Kopf in einem Sack.

»Was hast du denn, du dummes Ding?« fragte meine Mutter lachend.

»Ach, der alberne Mensch«, rief Peggotty. »Er will mich heiraten.«

»Wäre das nicht eine ganz gute Partie für dich?« fragte meine Mutter.

»Ach, ich weiß nicht«, sagte Peggotty. »Fragen Sie mich nicht. Ich möcht ihn nicht haben, und wenn er von Gold wäre. Ich will überhaupt niemand haben.«

»Also warum sagst dus ihm nicht, du kindisches Ding?«

»Ihm sagen«, meinte Peggotty und sah unter ihrer Schürze hervor.

»Er hat noch nie ein Wort davon erwähnt, er weiß ganz gut, warum. Wenn er sichs unterstehen würde, würd ich ihm eine Ohrfeige geben.«

Ihr Gesicht war röter, als ich es je gesehen hatte. Sie deckte es gleich wieder zu und brach in ein heftiges Lachen aus; und nachdem sich dieser Anfall zwei- oder dreimal wiederholt hatte, aß sie ruhig weiter. Ich bemerkte, daß meine Mutter wohl lächelte, wenn Peggotty sie ansah, aber immer ernster und nachdenklicher wurde. Mir war gleich aufgefallen, wie sehr sie sich verändert hatte. Ihr Gesicht war immer noch sehr hübsch, aber es schien allzu zart und sehr vergrämt. Ihre Hand war so weiß und dünn, daß sie mir fast durchsichtig vorkam. Aber jetzt trat noch eine andere Veränderung dazu, wie mir auffiel. Sie schien nämlich sehr beklommen und aufgeregt. Endlich legte sie ihre Hand liebevoll auf die ihrer alten Dienerin und sagte: »Liebe Peggotty, du verheiratest dich jetzt nicht?«

»Ich, Ma'am«, erwiderte Peggotty und sah sie mit großen Augen an, »Gott bewahre, nein.«

»Jetzt noch nicht«, bat meine Mutter zärtlich.

»Nie«, rief Peggotty aus.

Meine Mutter ergriff ihre Hand und sagte:

»Verlaß mich nicht, Peggotty; bleibe bei mir. Es wird vielleicht nicht mehr lang nötig sein. Was sollte ich ohne dich anfangen!«

»Ich dich verlassen, Herzblatt«, rief Peggotty. »Nicht um den ganzen Erdball und seine Frau. Wer hat das nur in das kleine törichte Köpfchen gesetzt?« Peggotty war aus alter Zeit her gewohnt, mit meiner Mutter manchmal wie mit einem Kinde zu sprechen.

Meine Mutter gab ihr keine Antwort außer einem einfachen »Dank dir.«

»Ich Sie verlassen? Das möcht ich sehen. Peggotty von Ihnen fortgehen, da möchte ich sie mir beim Kragen nehmen. Nein, nein«, und Peggotty schüttelte den Kopf und verschränkte die Arme. »Peggotty nicht, mein Schatz. Freilich sind ein paar Katzen da, die sich drüber freuen würden, aber sie sollen sich nicht freuen. Sie sollen sich nur ärgern. Ich bleibe bei Ihnen, bis ich ein altes buckliges Weib bin. Und wenn ich zu taub und zu lahm und zu blind bin und eine Mummelgreisin ohne Zähne, so geh ich zu meinem Davy und bitte ihn, mich aufzunehmen.«

»Und ich, Peggotty«, sagte ich, »ich werde froh sein, wenn du kommst, und werde dich empfangen wie eine Königin.«

»Gott segne das gute Herz!« rief Peggotty. »Ich weiß es ja.« Und sie küßte mich schon im voraus in dankbarer Erkenntlichkeit für meine künftige Gastfreundschaft. Dann deckte sie sich wieder das Gesicht mit der Schürze zu und lachte noch einmal über Mr. Barkis; nahm dann das Baby aus der Wiege und schaukelte es, räumte den Mittagstisch ab und kam in einer andern Haube herein mit ihrem Arbeitskästchen, dem Ellenmaß und dem Stückchen Wachslicht. Ganz wie ehemals.

Wir saßen beim Kamin und unterhielten uns köstlich. Ich erzählte ihnen von Mr. Creakles Strenge, und sie bedauerten mich sehr. Ich erzählte ihnen, was für ein famoser Bursche Steerforth sei und wie er mich in Schutz nehme, und Peggotty sagte, sie würde zwanzig Meilen weit gehen, um ihn zu sehen. Ich nahm den Säugling, als er wieder aufwachte, auf meine Arme und wiegte ihn zärtlich. Als er wieder schlief, setzte ich mich dicht neben meine Mutter, wie ehemals, und schlang die Arme um ihren Leib, legte meine kleine rote Wange auf ihre Schulter und fühlte wieder ihr schönes Haar mich umwehen wie ein Engelsfittich und war sehr glücklich. Während ich so dasaß und ins Feuer blickte und allerhand Bilder in den glühenden Kohlen sah, kam es mir fast vor, als wäre ich niemals von zu Hause weg gewesen, und Mr. und Miss Murdstone erschienen mir wie Gestalten, die verschwinden müßten, wenn das Feuer ausginge, und von allen meinen Erinnerungen sei nichts wahr und wirklich, außer meiner Mutter, Peggotty und mir selbst.

Peggotty stopfte, solange sie noch sehen konnte, und saß dann da, den Strumpf wie einen Handschuh über die linke Hand gezogen und die Nadel in der andern, bereit, sofort wieder anzufangen, sobald Licht kommen würde. Ich kann mir nicht erklären, wessen Strümpfe Peggotty eigentlich immer flickte, und woher diese Unmassen von notleidenden Strümpfen nur kamen.

»Ich möchte gerne wissen«, sagte Peggotty, über die manchmal ein Anfall seltsamen Wissensdurstes, ganz unerwartete Dinge betreffend, kam, »was aus Davys Großtante geworden ist.«

»Gott, Peggotty«, bemerkte meine Mutter und erwachte wie aus einem Traum, »was du für dummes Zeug redest.«

»Nun ja, aber ich möcht es doch gern wissen, Ma'am«, sagte Peggotty.

»Wie kann dir nur so jemand in den Kopf kommen? Kannst du dir niemand anders aussuchen?«

»Ich weiß nicht, wies kommt«, meinte Peggotty, »es liegt wahrscheinlich an meiner Einfältigkeit. Aber mein Kopf kann sich die Leute nicht aussuchen. Sie kommen und gehen und sie kommen nicht oder bleiben, gerade, wies ihnen gefällt. Ich möchte wirklich gerne wissen, was aus ihr geworden ist.«

»Wie albern du nur bist, Peggotty. Man sollte wirklich meinen, du wünschtest wieder einen Besuch von ihr.«

»Gott sei vor«, rief Peggotty.

»Also sprich nicht von solchen lästigen Dingen«, sagte meine Mutter. »Miss Betsey sitzt gewiß in ihrem Häuschen am Meer und geht gar nicht aus. Jedenfalls wird sie uns schwerlich noch einmal heimsuchen.«

»Nein«, gab Peggotty nachdenklich zu, »nein, das ist nicht wahrscheinlich. Ich möchte nur wissen, ob sie Davy etwas vermacht, wenn sie stirbt.«

»Ach Gott im Himmel, Peggotty!« rief meine Mutter. »Was du für ein einfältiges Frauenzimmer bist. Du weißt doch selbst, wie übel sie es nahm, daß das liebe Kind geboren wurde.«

»Aber vielleicht würde sie es ihm jetzt verzeihen«, bemerkte Peggotty.

»Warum sollte sie es ihm gerade jetzt verzeihen?« fragte meine Mutter ein wenig gereizt.

»Nun, weil er jetzt einen Bruder bekommen hat«, meinte Peggotty.

Meine Mutter fing sofort an zu weinen und jammerte, daß Peggotty so etwas sagen könnte.

»Als ob das kleine Wesen in der Wiege dir oder sonst jemand etwas zuleide getan hätte, du eifersüchtiges Ding. Geh, heirate doch Mr. Barkis, den Fuhrmann. Warum tust du es denn nicht?«

»Ich würde Miss Murdstone glücklich machen, wenn ichs täte.«

»Was für einen schlechten Charakter du hast, Peggotty«, antwortete meine Mutter. »Du bist auf Miss Murdstone so eifersüchtig, wie es ein so albernes Ding nur sein kann. Du willst wohl selbst die Schlüssel haben und alles herausgeben, nicht wahr? Es würde mich nicht wundern, wenn es so wäre. Du weißt doch, daß sie es nur aus Güte und mit der besten Absicht tut. Das weißt du, Peggotty, – weißt es recht gut.«

Peggotty brummte etwas vor sich hin, das so klang wie: »Zum Teufel mit den besten Absichten.«

»Ich weiß schon, was du meinst, du verrücktes Frauenzimmer. Ich durchschaue dich vollkommen, Peggotty. Du weißt, daß ich es tue, und wundere mich nur, daß du nicht feuerrot dabei wirst. Aber nehmen wir eins nach dem andern vor. Zuerst Miss Murdstone. Diesmal sollst du mir nicht entschlüpfen. Hast du nicht oft genug von ihr gehört, daß sie denkt, ich sei zu gedankenlos und zu – zu –«

»– hübsch«, ergänzte Peggotty.

»Nun meinetwegen«, gab meine Mutter lächelnd zu. »Und wenn sie töricht genug ist, das zu sagen, kann man sie doch deswegen nicht tadeln.«

»Das tut doch niemand«, knurrte Peggotty.

»Nun, das will ich auch meinen«, entgegnete meine Mutter. »Hast du nicht immer und immer von ihr gehört, daß sie mir deshalb viele Arbeit ersparen will, für die sie mich für ungeeignet hält, und ich mich auch, du weißt, wie sie früh und spät auf den Beinen ist und beständig auf und ab läuft. Und macht sie nicht jede Arbeit – kriecht in allen Winkeln, in Kohlenkellern und Speisekammern umher, was doch nicht angenehm ist! Und willst du durch die Blume zu verstehen geben, daß darin etwas anderes als Aufopferung läge?«

»Ich gebe überhaupt nichts durch die Blume zu verstehen«, sagte Peggotty.

»Du tust es doch, Peggotty«, entgegnete meine Mutter. »Du tust nie etwas anderes. Außer deine Arbeit. Du sprichst immer durch die Blume. Du schwelgst darin. Und wenn du von Mr. Murdstones guten Absichten sprichst –«

»Von denen hab ich noch nie gesprochen«, unterbrach Peggotty.

»Nein, Peggotty«, erwiderte meine Mutter. »Aber du spielst auf sie an. Das ist doch, was ich sage. Das ist das Allerschlimmste an dir. Du *willst* durch die Blume sprechen. Ich habe dir eben gesagt, daß ich dich durchschaue, und du siehst, es ist so. Wenn du von Mr. Murdstones guten Absichten sprichst und sie zu unterschätzen vorgibst, – das kann übrigens nicht dein Ernst sein, Peggotty, – so mußt du doch ebenso wie ich einsehen, wie förderlich sie sind. Wenn er manchmal barsch gegen irgend jemand ist, Peggotty, – du weißt natürlich und ich hoffe, auch Davy weiß es, daß ich nicht von Anwesenden spreche, – so geschieht es nur, weil er überzeugt ist, daß es zum Besten des Betreffenden ist. Er liebt natürlich den Betreffenden meinetwegen und handelt lediglich zu seinem Besten. Er kann das eben besser beurteilen als ich, denn ich weiß recht gut, daß ich ein schwaches, leichtsinniges, kindisches Geschöpf bin, während er ein fester, ernster Mann ist. Und er hat sehr viel mit mir auszustehen«, fuhr meine Mutter fort, und die Tränen, die ihrem liebebedürftigen Herzen entsprangen, rannen ihr die Wangen herab; »ich muß ihm sehr dankbar und selbst in meinen Gedanken sehr unterwürfig sein. Und wenn ich es nicht bin, Peggotty, so quält mich das, und ich verurteile mich selbst und mache mir Vorwürfe über mein schlechtes Herz und weiß nicht, was ich anfangen soll.«

Peggotty saß da, das Kinn auf die mit dem Strumpf überzogene Faust gestützt und blickte stumm ins Feuer.

»Also, liebe Peggotty«, sagte meine Mutter mit plötzlich ganz verändertem Ton, »seien wir wieder gut, denn ich könnte es nicht aushalten.«

»Ich weiß ja, du bist meine treueste Freundin, wenn ich auf der Welt überhaupt noch eine andere habe. Wenn ich dich ein einfältiges oder albernes Ding nannte, Peggotty, wollte ich damit nur sagen, daß du meine treueste Freundin bist und warst, schon von jenem Abend an, als Mr. Copperfield mich zuerst hierherbrachte und du mir an der Gartentüre entgegenkamst.«

Peggotty ließ mit der Antwort nicht auf sich warten und besiegelte den Vertrag, indem sie mich mit einer ihrer kräftigsten Umarmungen beglückte.

Ich glaube, ich hatte damals schon eine leise Ahnung von dem wahren Sinn dieser Unterhaltung. Heute weiß ich ganz genau, daß die gute Person das Gespräch nur veranlaßte, um meiner Mutter durch kleine Widersprüche eine gewisse Erleichterung zu verschaffen. Die Wirkung war sichtlich, denn wie ich mich noch erinnere, schien meine Mutter den ganzen übrigen Tag viel heiterer und Peggotty brauchte sie nicht mehr so sorgenvoll anzusehen.

Nachdem wir Tee getrunken, das Feuer geschürt und die Kerzen geputzt hatten, las ich Peggotty zur Erinnerung an alte Zeiten ein Kapitel aus dem Krokodilbuch vor, – sie hatte es aus der Tasche gezogen. Ob sie es immer darin getragen hatte? – Und dann sprachen wir von Salemhaus, was mich wieder auf Steerforth brachte, mein Lieblingsthema. Wir fühlten uns alle sehr glücklich, und dieser Abend, der letzte in seiner Art und bestimmt, diesen Band meines Lebens für immer zu schließen, wird nie aus meinem Gedächtnis entschwinden.

Es war fast zehn Uhr, als wir draußen einen Wagen halten hörten. Wir standen alle auf und meine Mutter sagte hastig, Mr. und Miss Murdstone sähen es gerne, wenn junge Leute früh zu Bett gingen, und es sei schon spät. Ich küßte sie und ging sogleich mit meiner Kerze hinauf. Mir war, als ob mit den beiden ein erkaltender Lufthauch in das Haus käme und das alte, heimische, traute Gefühl wie eine Feder davonbliese.

Ich fühlte mich sehr unbehaglich am nächsten Morgen, als ich zum Frühstück hinuntergehen mußte. Hatte ich doch Mr. Murdstone seit jenem Tag, als ich das große Verbrechen an ihm begangen, nicht weiter gesehen. Aber einmal mußte es geschehen, und ich erreichte die Stubentür, nachdem ich zwei- bis dreimal auf den Fußspitzen wieder umgekehrt war. Endlich trat ich ins Zimmer.

Er stand mit dem Rücken zum Kamin, während Miss Murdstone den Tee bereitete. Er sah mich durchdringend an, als ich eintrat, gab aber kein Erkennungszeichen von sich. Nach einigen Augenblicken der Verwirrung ging ich auf ihn zu und sagte: »Ich bitte Sie um Verzeihung, Sir. Was ich getan habe, tut mir außerordentlich leid, und ich hoffe, daß Sie es mir vergeben.«

»Es freut mich, daß es dir leid tut, David«, antwortete er.

Die Hand, die er mir reichte, war die, die ich gebissen hatte.

Ich konnte mir nicht helfen, ich mußte die rote Narbe eine Zeitlang ansehen. Aber sie war nicht so rot wie ich, als ich seinem falschen Blick begegnete.

»Wie befinden Sie sich, Ma'am«, sagte ich zu Miss Murdstone.

»Ach mein Gott!« seufzte Miss Murdstone und reichte mir den Teelöffel statt ihres Fingers. »Wie lang dauern die Ferien?«

»Einen Monat, Ma'am.«

»Von wann an?«

»Von heute an, Ma'am.«

»Na«, sagte Miss Murdstone. »Das wäre ja schon ein Tag weniger.« Sie führte in dieser Art einen Ferienkalender und strich an jedem Morgen einen Tag. Anfangs schnitt sie ein betrübtes Gesicht, solange sie noch nicht beim zehnten war, aber ihre Mienen hellten sich auf, als die zweistelligen Zahlen erreicht waren, und wurden um so heiterer, je näher das Ende heranrückte.

Schon am ersten Tag hatte ich das Unglück, sie in einen Zustand größter Aufregung zu versetzen, trotzdem sie solchen Schwächen sonst nicht unterworfen war. Ich kam nämlich in das Zimmer, wo sie und meine Mutter saßen, und da der Säugling, der erst ein paar Wochen alt, auf meiner Mutter Schoß lag, nahm ich ihn höchst sorgsam in meine Arme.

Plötzlich stieß Miss Murdstone einen solchen Schrei aus, daß ich ihn fast hätte fallen lassen.

»Liebe Jane!« fuhr meine Mutter auf.

»Gott im Himmel, Klara! Siehst du nicht?« rief Miss Murdstone aus.

»Was denn, liebe Jane«, fragte meine Mutter. »Wo denn?«

»Er hat es!« rief Miss Murdstone. »Der Junge hat das Baby.«

Sie brach fast zusammen vor Entsetzen, richtete sich aber wieder auf, um auf mich loszustürzen und mir das Kind zu entreißen. Dann wurde ihr so schlecht, daß man ihr Kirschbranntwein geben mußte. Als sie sich wieder erholt hatte, untersagte sie mir auf das feierlichste, mein Brüderchen jemals wieder, unter welchem Vorwand immer, anzurühren, und meine Mutter bestätigte demütig das Verbot, trotzdem sie mir anderer Meinung schien, und sagte: »Du hast gewiß recht, liebe Jane.«

Wiederum bei einer Gelegenheit, als wir beisammen saßen, war das Baby – ich hatte es lieb meiner Mutter wegen – wieder die unschuldige Ursache, die Miss Murdstone in heftigste Erregung versetzte. Meine Mutter sagte nämlich, nachdem sie die Augen des Säuglings in ihrem Schoße lange betrachtet hatte: »Davy, komm einmal her und laß mich deine Augen sehen.«

Ich bemerkte, wie Miss Murdstone ihre Stahlperlen hinlegte.

»Also ich erkläre«, sagte meine Mutter sanft, »daß sie vollkommen gleich sind. Ich glaube, es sind meine Augen. Sie haben dieselbe Farbe wie meine. Sie sind einander wunderbar gleich.«

»Wovon sprichst du, Klara?« fragte Miss Murdstone.

»Liebe Jane«, stammelte meine Mutter bestürzt durch den herben Ton dieser Frage, »ich finde, daß das Baby und Davy ganz dieselben Augen haben.«

»Klara«, sagte Miss Murdstone und stand zornig auf. »Manchmal bist du ganz verrückt.«

»Aber liebe Jane«, remonstrierte meine Mutter.

»Vollständig verrückt«, sagte Miss Murdstone. »Wie könntest du sonst meines Bruders Kind mit deinem Jungen vergleichen. Sie sind einander gar nicht ähnlich. Sie sind einander vollständig unähnlich. Unähnlich in jeder Hinsicht. Ich hoffe, sie werden es immer bleiben. Ich kann solche Vergleiche nicht ruhig mit anhören.« Damit stolzierte sie hinaus und pfefferte die Tür hinter sich zu.

Mit einem Wort, ich stand mit Miss Murdstone nicht auf gutem Fuß. Überhaupt mit niemand, nicht einmal mit mir selbst. Die mich lieb hatten, durften es nicht zeigen, und die mich nicht leiden konnten, zeigten es so deutlich, daß ich mich von dem immerwährenden Bewußtsein, duckmäuserisch, ungeschickt und mürrisch zu erscheinen, nicht befreien konnte.

Ich fühlte, daß ich ihnen so zur Last fiel, wie sie mir. Wenn ich in das Zimmer kam, wo sie gerade saßen und miteinander sprachen, und meine Mutter schien heiter zu sein, umwölkte sich sofort ihr Gesicht. War Mr. Murdstone in seiner besten Laune, so kam ich als Störenfried. Und Miss Murdstones schlechteste steigerte ich noch. Ich bemerkte ganz gut, daß meine Mutter immer das Opfer war. Sie fürchtete sich, mit mir zu sprechen oder freundlich mit mir zu sein, um sich dadurch nicht einen Verweis zuzuziehen. Hauptsächlich aber nicht ihretwegen, sondern um mich bangte sie. Und ängstlich bewachte sie die Blicke der Murdstones, wenn ich mich nur rührte. Deshalb beschloß ich, allen möglichst aus dem Wege zu gehen, und saß manche kalte Winterstunde in meinem einsamen Schlafzimmer und brütete, in meinen kleinen Überrock gehüllt, über einem Buch.

Des Abends leistete ich zuweilen Peggotty in der Küche Gesellschaft. Dort fühlte ich mich wohl und brauchte mich nicht zu genieren. Aber das fand im Wohnzimmer keine Billigung. Die dort herrschende Quälerlaune machte all dem bald ein Ende. Man hielt mich immer noch für ein unentbehrliches Hilfsmittel zur Erziehung meiner armen Mutter und konnte meine Anwesenheit nicht missen.

»David«, sagte Mr. Murdstone eines Tags nach dem Abendessen, als ich mich wieder drücken wollte, »ich bemerke zu meinem Leidwesen, daß du mürrischer Gemütsart bist.«

»Mürrisch wie ein Bär«, sagte Miss Murdstone.

Ich blieb stehen und ließ den Kopf hängen. »Ein mürrischer und verstockter Charakter, David«, sagte Mr. Murdstone, »ist das Allerschlimmste.«

»Und der Junge ist das Verstockteste, was ich jemals gesehen habe«, bemerkte seine Schwester. »Ich glaube, selbst du, liebe Klara, mußt es bemerken.«

»Ich bitte um Entschuldigung, liebe Jane«, sagte meine Mutter, »aber bist du auch wirklich sicher – du wirst es gewiß entschuldigen, liebe Jane –, bist du sicher, daß du Davy verstehst?«

»Ich müßte mich wirklich schämen, Klara, wenn ich den oder

jeden andern Knaben nicht verstünde«, antwortete Miss Murdstone. »Ich behaupte gewiß nicht, sehr tief zu sein, aber auf gesunden Menschenverstand kann ich doch Anspruch machen.«

»Gewiß, liebe Jane«, antwortete meine Mutter, »bist du von sehr starkem Verstande.«

»O Gott, nein, bitte, sag das nicht, Klara«, unterbrach Miss Murdstone ägerlich.

»Aber ich weiß, daß es der Fall ist«, fing meine Mutter wieder an, »und jeder weiß es. Ich selbst habe so mancherlei großen Nutzen davon – oder sollte es wenigstens haben –, daß niemand mehr davon überzeugt sein kann als ich, und deshalb äußere ich meine Meinung auch nur sehr schüchtern, meine liebe Jane, ich versichere es dir.«

»Also gut, ich verstehe den Jungen nicht, Klara«, sagte Miss Murdstone und ordnete die kleinen Fesseln an ihren Handgelenken. »Gut, wenn du willst, ich verstehe ihn also gar nicht. Er ist viel zu tief für mich. Aber vielleicht ist der Scharfblick meines Bruders durchdringend genug, Einsicht in diesen Charakter zu gewinnen. Und ich glaube, mein Bruder sprach gerade über dieses Thema, als wir ihn unschicklicherweise unterbrachen.«

»Ich glaube, Klara«, fiel Mr. Murdstone mit ernster Baßstimme ein, »es gibt bessere und unbefangenere Richter in dieser Frage als du bist.«

»Edward«, antwortete meine Mutter unterwürfig, »du bist natürlich in allen Fragen ein besserer Richter als ich und auch als Jane. Ich sagte nur – «

»Du sagtest nur etwas Schwaches und Unüberlegtes«, antwortete er. »Tue es nicht wieder, liebe Klara, und halte dich besser im Zaum.«

Die Lippen meiner Mutter bewegten sich, als ob sie antworteten: »Ja, lieber Edward.«

»Ich habe zu meinem Leidwesen bemerkt, David«, nahm Mr. Murdstone seine Rede wieder auf, »daß du von verstockter Gemütsart bist. Ich werde nicht ruhig zusehen, ohne nicht den Versuch zu machen, dich zu bessern. Du mußt dich anstrengen, anders zu werden, David. Wir müssen uns bemühen, dich anders zu machen.«

»Ich bitte um Entschuldigung, Sir«, stotterte ich, »ich glaube nicht, verstockt gewesen zu sein seit meiner Rückkehr.«

»Nimm deine Zuflucht nicht zur Lüge«, herrschte er mich so wild an, daß meine Mutter unwillkürlich ihre zitternde Hand ausstreckte, um mich zu schützen. »Du ziehst dich in deiner Verstocktheit auf dein eignes Zimmer zurück, du bleibst in deinem Zimmer, wenn du hier sein solltest. Ich sage es dir jetzt ein für allemal, daß ich dich hier und nicht dort zu sehen wünsche. Ferner, daß ich Gehorsam von dir verlange. Du kennst mich, David, ich will es.«

Miss Murdstone lachte spitzig auf.

»Ich will ein achtungsvolles, gehorsames und bereitwilliges Benehmen gegen mich, gegen Jane Murdstone und gegen deine Mutter sehen. Ich will nicht haben, daß ein Kind nach seinem Belieben dieses Zimmer scheut, als sei es verpestet. Setz dich.«

Er befahl mir wie einem Hund, und ich gehorchte wie ein Hund.

»Noch eins«, sagte er. »Ich bemerke, daß du einen Hang zu niedriger und gemeiner Gesellschaft zeigst. Du hast nicht mit Dienstboten umzugehen. In der Küche wirst du von den vielen Dingen, die dir noch fehlen, nichts lernen. Von dem Weib, das dir Vorschub leistet, schweige ich, da du selbst, Klara« – er wandte sich etwas leiser zu meiner Mutter – »aus alter Erinnerung und langer Gewohnheit in bezug auf sie eine Schwäche an den Tag legst, die noch nicht überwunden ist.«

»Eine ganz unerklärliche Verblendung!« rief Miss Murdstone.

»Ich sage also«, fuhr er wieder zu mir gewendet fort, »daß ich es mißbillige, wenn du eine Gesellschaft wie Frau Peggotty vorziehst, und daß du sie daher aufzugeben hast. Jetzt verstehst du mich, David, und kennst die Folgen, die dir blühen, wenn du mir nicht wortwörtlich gehorchst.«

Ich zog mich also nicht mehr auf mein Zimmer zurück, suchte nicht mehr meine Zuflucht bei Peggotty und saß traurig Tag für

Tag in der Wohnstube und sehnte mich nach der Nacht und dem Schlafengehen.

Unter welch peinlichem Zwang hatte ich zu leiden, wenn ich in derselben Stellung stundenlang dasitzen mußte und aus Angst nicht Arm oder Fuß rührte, damit nicht Miss Murdstone immerwährend über mein unruhiges Wesen klagte; ich sah vor mich hin, um nicht einem Blick der Abneigung oder des Forschens zu begegnen und neuen Stoff zur Beschwerde zu geben. Welch unerträgliche Langeweile, dem Ticken der Uhr zuzuhören, zu sehen, wie Miss Murdstone die kleinen, glänzenden Stahlperlen aufreihte, sich den Kopf zu zerbrechen, ob sie wohl jemals heiraten würde, und wenn, was für einen Unglücklichen wohl, die Furchen im Kamin zu zählen und dann mit den Augen durch die labyrinthischen Verschlingungen der Tapete hinauf zur Decke zu schweifen.

Wie einsam waren meine Spaziergänge durch die schmutzigen Gassen bei dem schlechten Winterwetter. Ich schleppte das Bild des Wohnzimmers mit Mr. und Miss Murdstone darin in meinem Innern überall hin und mit mir herum: eine ungeheure Last, die ich da trug, ein Alpdruck bei Tage, den ich nicht zu verscheuchen vermochte, ein Gewicht auf meinem Geist, das mich stumpf machte. Wie vielmal saß ich am Speisetisch stumm und verlegen da, immer mit dem Gefühl, daß ein Besteck zu viel da sei, und zwar das meine, ein Magen zu viel, nämlich der meine, ein Teller und ein Stuhl zu viel, und zwar der meine, und eine Person zu viel, nämlich ich.

Was waren das für Abende, wenn die Kerzen kamen, und ich mich beschäftigen mußte, und weil ich nicht wagte, ein unterhaltendes Buch zu lesen, mich über einen hartköpfigen und noch hartherzigeren arithmetischen Leitfaden hermachte. Maß- und Gewichtstabellen paßten sich Melodien an, wie »Rule Britannia« und »Weg mit den Grillen und Sorgen«, und gingen mir durch ein Ohr herein und aus dem andern wieder hinaus.

Oft konnte ich das Gähnen nicht mehr verbeißen und nickte trotz aller Vorsicht ein. Wie erschreckt fuhr ich dann aus dem heimlichen Schlummer wieder auf. Nur selten versuchte ich schüchterne Bemerkungen und erhielt niemals eine Antwort. Wie sehr kam ich mir wie eine Null vor, die niemand beachtete und die doch jedem im Weg stand, und immer war es mir eine Art Trost, wenn mir Miss Murdstone beim ersten Schlag Neunuhr befahl, zu Bett zu gehen.

So schleppten sich die Ferien hin bis zu dem Morgen, wo Miss Murdstone sagte: »Heute ist der letzte Tag um«, und mir für die Ferien die letzte Tasse Tee gab.

Der Abschied fiel mir nicht schwer. Ich war in einen Zustand von Stumpfheit verfallen, aus dem mir nur die Hoffnung auf Steerforth ein wenig heraushalf, wenn auch Mr. Creakle hinter ihm dräute. Wieder erschien Mr. Barkis an der Gartentür und wieder sprach Miss Murdstones warnende Stimme: »Klara!« als sich meine Mutter über mich beugte, um mir Lebewohl zu sagen.

Ich küßte meine Mutter und mein kleines Brüderchen und war sehr traurig. Nicht so sehr die Umarmung, die inbrünstiger war als sie sein durfte, lebt in meiner Erinnerung fort als das, was jetzt folgte.

Ich saß schon im Wagen, als meine Mutter mich noch einmal rief. Ich sah hinaus, und sie stand in der Gartentür allein und hielt den Säugling empor, um ihn mir zu zeigen. Die Luft war kalt und still und kein Haar auf ihrem Haupte, keine Falte ihres Kleides regte sich, als sie mich beredt ansah und ihr Kind in die Höhe hielt.

So verlor ich sie. So sah ich sie später in meinen Träumen in der Schule – eine stumme Gestalt vor meinem Bett, immer mit demselben beredten Gesicht und dem Säugling in den Armen.

9. Kapitel

Ein denkwürdiger Geburtstag

Ich übergehe alles, was sich in der Schule abspielte bis zu meinem Geburtstag im März. Außer daß Steerforth noch bewunderungswürdiger war als je, ist mir nichts im Gedächtnis geblieben. Er sollte am Ende des Semesters austreten und kam mir lebhafter und selbstständiger vor als je, und daher noch gewinnender. Sonst weiß ich nichts mehr. Das große Ereignis, das diese Zeit für mich auszeichnet, scheint alle kleinen Erinnerungen verschlungen zu haben und allein übriggeblieben zu sein. Wie klar ich mich an den Tag erinnere! Ich rieche den Nebel, der das Haus umdunkelt, sehe die Gegenstände draußen wie gespenstige Schatten hindurchschimmern, ich fühle mein bereiftes Haar sich kalt und feucht an meine Wange kleben, ich blicke in die dämmerhafte Perspektive der Schulstube hinab, wo hie und da ein flackerndes Licht das trübe Zwielicht erleuchtet und der Atem der Schüler sich dampfend in die kalte Luft erhebt, wenn sie sich auf die Finger blasen, mit den Füßen auf dem Flur stampfend.

Wir waren nach dem Frühstück eben vom Spielplatz hereingekommen, als Mr. Sharp eintrat und sagte:

»David Copperfield soll zum Direktor kommen.«

Ich erwartete ein Geburtstagsgeschenk von Peggotty, und mein Gesicht heiterte sich auf.

Einige Jungen um mich herum mahnten mich, ihrer bei der Verteilung der guten Dinge nicht zu vergessen, als ich sehr vergnügt von meinem Platze aufsprang.

»Eil dich nicht, David«, sagte Mr. Sharp. »Du hast Zeit genug, mein Kind. Eil dich nicht.«

Der warme Ton, mit dem er sprach, hätte mir auffallen müssen, aber ich achtete nicht darauf.

Ich eilte in das Wohnzimmer und sah dort Mr. Creakle beim Frühstück sitzen, Rohrstock und eine Zeitung neben sich. Er hielt einen offnen Brief in der Hand. Ein Geburtstagskorb war nicht da.

»David Copperfield«, sagte Mrs. Creakle und führte mich zum Sofa und setzte sich neben mich. »Ich habe etwas Besonderes mit dir zu reden. Ich habe dir etwas mitzuteilen, mein Kind.«

Mr. Creakle, zu dem ich natürlich hinschielte, schüttelte nur den Kopf, ohne mich anzusehen, und verschluckte einen Seufzer mit einem großen Stück Butterbrot.

»Du bist noch zu jung, um zu wissen, wie die Welt sich mit jedem Tag verändert«, sagte Mrs. Creakle, »und wie die Menschen dahingehen, aber wir alle müssen daran glauben, David, manche von uns in der Jugend, manche im Alter. Manche haben es das ganze Leben vor Augen.«

Ich sah sie mit Spannung an.

»Befanden sich alle wohl, als du nach den Ferien von zu Hause wegreistest?« fragte Mrs. Creakle nach einer Pause. »War deine Mama wohl?«

Ich zitterte, ohne recht zu wissen warum, sah sie immer noch mit großem Ernst an, konnte aber nicht antworten. Sie fuhr fort:

»Weil ich dir zu meinem größten Kummer sagen muß, daß deine Mutter sehr krank ist, wie ich heute morgen erfuhr.«

Ein Nebel bildete sich zwischen Mrs. Creakle und mir, und ihre Gestalt schien einen Augenblick zu schwanken. Dann stürzten mir die brennenden Tränen aus den Augen und ich sah sie wieder deutlich neben mir sitzen.

»Sie ist sehr gefährlich krank.«

Jetzt wußte ich alles.

»Sie ist gestorben.«

Sie hätte es nicht auszusprechen brauchen. Ich hatte bereits einen verzweifelten Schmerzensschrei ausgestoßen und begriff, daß ich eine Waise war in der weiten Welt.

Mrs. Creakle benahm sich sehr gütig zu mir.

Sie behielt mich den ganzen Tag bei sich im Zimmer und ließ mich nur manchmal allein. Und ich weinte, bis ich vor Erschöpfung einschlief, und wachte auf und jammerte wieder. Als ich nicht mehr weinen konnte, fing ich an zu grübeln. Da wurde mir die Brust noch enger und mein Gram schwoll zu einem dumpfen Schmerz an, für den es keine Linderung gab.

Und doch flatterten meine Gedanken herum und blieben nicht fest an dem Unglück haften, das mich niederdrückte. Ich dachte an unser Haus, wie es nun verschlossen und öde wäre. Ich dachte an das kleine Kindchen, das, wie Mrs. Creakle sagte, seit einiger Zeit hinsieche und, wie man fürchte, wohl auch sterben würde. Ich dachte an meines Vaters Grab auf dem Kirchhof neben unserm Hause, und daß meine Mutter jetzt auch bald unter dem mir so bekannten Baume ruhen werde. Ich stellte mich auf den Stuhl, als man mich allein gelassen, und blickte in den Spiegel, um zu sehen, wie rot meine Augen und bekümmert meine Züge seien. Ich fragte mich nach einigen Stunden, ob meine Tränen wirklich versiegt wären, wie es der Fall zu sein schien. Das schmerzte mich außer meinem Verlust am meisten, wenn ich an das Nachhausegehen dachte; – sollte ich doch dem Leichenbegräbnis beiwohnen.

Dann hatte ich die Empfindung, als ob mich etwas vor den übrigen Knaben auszeichne, und daß ich in meiner Betrübnis eine wichtige Person sei.

Wenn jemals ein Kind einen aufrichtigen Schmerz fühlte, so war ich es, aber ich erinnere mich, daß diese Wichtigkeit mir eine Art Trost gewährte, als ich nachmittags während der Schulstunden allein auf dem Spielplatz herumging. Wenn die Schüler aus dem Fenster nach mir herunterblickten, fühlte ich mich ausgezeichnet und sah noch gramvoller drein und ging langsamer. Als die Schule aus war und sie herauskamen und mich anredeten, rechnete ich es mir wie Güte an, daß ich mich nicht stolz gegen sie benahm und sie alle ebenso sehr beachtete wie früher.

Ich sollte am nächsten Abend nach Hause fahren, aber nicht mit der Nachtpost, sondern mit der gewöhnlichen Postkutsche, die man den Landwagen nannte, weil sie meist von Bauern benutzt wurde, die nur kurze Strecken reisten. Das Geschichtenerzählen unterblieb für diesen Abend, und Traddles bestand darauf, mir sein Kissen zu leihen. Ich begriff nicht, was es mir helfen sollte. Aber der arme Kerl hatte sonst nichts herzugeben, außer einen Bogen Papier voll Gerippen, den er mir zum Abschied als Tröster für meinen Schmerz und zum Wiederherstellen meines Seelenfriedens schenkte.

Ich verließ Salemhaus nachmittags und ahnte nicht, daß ich nicht wieder zurückkehren sollte. Wir fuhren die ganze Nacht hindurch sehr langsam und erreichten Yarmouth erst um zehn Uhr morgens. Ich schaute nach Mr. Barkis aus, aber er war nicht da, und an seiner Stelle erschien am Kutschenfenster ein dicker, kurzatmiger, fröhlich aussehender kleiner alter Mann in schwarzem Anzug, mit fadenscheinigen schwarzen Schleifen an den Kniehosen und einem breitkrempigen Hut und sagte:

»Master Copperfield?«

»Ja, Sir.«

»Wenn Sie mit mir kommen wollen, junger Herr«, und er öffnete die Tür, »so werde ich das Vergnügen haben, Sie heimzubringen.«

Ich gab ihm meine Hand und hätte gern gewußt, wer er wäre. Dann gingen wir in einen Laden in einer engen Gasse, über dem geschrieben stand: Omer, Tuchhändler, Schneider, Hutmacher, Leichenbesorger usw. Es war ein kleiner, dumpfer Laden, voll von fertigen und halbfertigen Kleidern aller Art; am Fenster hingen Filzhüte und Mützen. Wir traten in ein kleines Stübchen hinten, wo drei junge Mädchen eine große Menge schwarzen Stoffes verarbeiteten, der über den ganzen Tisch ausgebreitet war, während kleine Schnitzel davon auf dem ganzen Fußboden verstreut lagen. Es brannte ein starkes Feuer im Ofen und ein erstickender Geruch von warmem schwarzem Krepp erfüllte die Luft.

Die drei Mädchen, die sehr munter und fleißig zu sein schienen, hoben einen Augenblick ihre Köpfe und nähten dann weiter. Gleichzeitig tönte aus einem Arbeitsschuppen auf einem kleinen Hof vor dem Fenster ein taktmäßiges Hämmern herein: rat-tat-tat, rat-tat-tat, rat-tat-tat – ohne Unterbrechung.

»Nun«, sagte mein Führer zu einem der drei Mädchen. »Wie weit bist du, Minnie?«

»Wir werden schon rechtzeitig zum Anprobieren fertig sein«, antwortete die Gefragte munter, ohne aufzublicken. »Hab keine Angst, Vater.«

Mr. Omer nahm den breitkrempigen Hut ab, setzte sich nieder und keuchte. Er war so dick, daß er einige Zeit brauchte, ehe er sagen konnte: »Da bin ich froh.«

»Vater«, sagte Minnie lustig, »du wirst dick wie eine Robbe.«

»Ich weiß auch nicht, wies kommt, aber es ist so.«

»Du bist zu bequem, da siehst dus. Du nimmst die Dinge zu leicht.«

»Es hat keinen Zweck, sie anders zu nehmen, mein Herz«, meinte Mr. Omer.

»Nein, wahrhaftig nicht«, gab seine Tochter zur Antwort. »Wir sind alle fröhlich hier, Gott sei Dank, nicht wahr, Vater?«

»Hoffentlich, mein Kind. Da ich jetzt wieder Luft gekriegt habe, will ich diesem jungen Gelehrten Maß nehmen. Wollen Sie so gut sein und mit mir in den Laden kommen, Master Copperfield?«

Ich ging vor Mr. Omer her; nachdem er mir ein Stück Tuch gezeigt hatte, das, wie er sagte, extra superfein sei und für alles andere als für Trauer um Eltern zu fein wäre, nahm er mir Maß und schrieb es in ein Buch.

Während er die Zahlen notierte, wies er auf sein Warenlager und auf gewisse Moden, die eben »aufgekommen« und andere, die wieder »abgekommen« waren.

»Und dabei verlieren wir oft viel Geld«, sagte er. »Die Moden sind wie die Menschen, sie kommen und gehen und niemand weiß, wann, warum und wieso. Meiner Meinung nach ist alles wie das Leben, wenn man es von diesem Gesichtspunkt aus betrachtet.«

Mir war viel zu kummervoll zumute, als daß ich mich auf das Gespräch, das wohl auch unter andern Umständen über mein Begriffsvermögen gegangen wäre, hätte einlassen können. Mr. Omer führte mich wieder keuchend zurück in die Stube. Dann rief er eine kleine Treppe hinab: »Bringt den Tee herauf und Butterbrot«, was nach einiger Zeit, währenddessen ich mich umgeschaut und nachgegrübelt, dem Nähen in der Stube zugesehen und dem Hämmern im Hof draußen zugehört hatte, auf einem Präsentierbrett erschien und für mich bestimmt war.

»Ich kenne Sie schon lange, mein junger Freund«, sagte Mr. Omer, während er mir beim Frühstück zusah, von dem ich nur wenig genießen konnte, weil mir die schwarze Umgebung jeden Appetit benahm.

»Wirklich, Sir?«

»Seit Sie auf der Welt sind, fast noch länger. Ich kannte doch Ihren Vater. Er war fünf Fuß neuneinhalb Zoll hoch und liegt fünfundzwanzig Fuß tief in der Erde.«

»Rat-tat-tat, rat-tat-tat, rat-tat-tat«, klang es draußen im Hofe.

»Er liegt fünfundzwanzig Fuß in der Erde«, sagte Mr. Omer aufgeräumt. »Entweder auf sein oder auf ihr Verlangen, ich weiß es nicht mehr genau.«

»Wissen Sie, was mein kleiner Bruder macht, Sir?« fragte ich.

Mr. Omer schüttelte den Kopf.

Rat-tat-tat, rat-tat-tat, rat-tat-tat.

»Er liegt in seiner Mutter Armen«, sagte er endlich.

»Ach armer, kleiner Junge, ist er tot?«

»Grämen Sie sich nicht mehr, als Sie müssen«, sagte Mr. Omer. »Das Kind ist tot.«

Meine Wunde brach von neuem auf. Ich schob das kaum berührte Frühstück zurück, stand auf und legte den Kopf auf den andern Tisch in einer Ecke des kleinen Zimmers. Minnie räumte hastig auf, damit ich die Trauersachen nicht mit meinen Tränen benetze. Sie schien ein hübsches, gutherziges Mädchen zu sein und strich mir mit sanfter freundlicher Hand das Haar aus dem Gesicht, aber sehr heiter, weil sie fast mit ihrer Arbeit fertig war, und so ganz anders als ich.

Jetzt hörte das Hämmern auf, und ein junger, hübscher Bursche kam über den Hof ins Zimmer. Er hatte einen Hammer in der Hand und den Mund voll kleiner Nägel, die er herausnehmen mußte, ehe er reden konnte.

»Nun, Joram«, sagte Mr. Omer, »bist du auch fertig?«

»Allright«, sagte Joram, »fertig, Sir.«

Minnie wurde ein wenig rot, und die andern beiden Mädchen lächelten.

»Du hast also gestern bei Licht gearbeitet, was? Als ich im Klub war, nicht wahr?« fragte Mr. Omer und kniff ein Auge zu.

»Ja«, nickte Joram. »Da Sie sagten, wir wollten einen kleinen Ausflug machen und zusammen hinüberfahren, wenn wir fertig würden, Minnie und ich und Sie –«

»So! Ich dachte schon, du wolltest mich ganz weglassen«, sagte Mr. Omer und lachte, bis er husten mußte.

» – da Sie so gut waren, das zu fragen«, fuhr der junge Mann fort, »hab ich mich eben ordentlich dazu gehalten. Wollen Sie sichs einmal ansehen?«

»Ja«, sagte Mr. Omer und stand auf. »Master«, und er wandte sich an mich. »Wollen Sie vielleicht Ihrer –«

»Nein, Vater«, unterbrach ihn Minnie.

»Ich dachte, es wäre ihm angenehm«, sagte Mr. Omer, »aber du hast ganz recht, mein Schatz.«

Ich weiß nicht, wieso ich erriet, daß er sich meiner lieben Mutter Sarg ansehen wollte. Ich hatte noch nie einen zimmern hören, aber ich begriff langsam, was das Hämmern von vorhin bedeutete; und als der junge Mann wieder eintrat, wußte ich ganz bestimmt, woran er gearbeitet hatte.

Da die Arbeit jetzt fertig war, bürsteten die beiden andern Mädchen die Schnitzel und Fäden von ihren Kleidern und gingen in den Laden hinaus, um aufzuräumen und auf Kunden zu warten.

Minnie blieb zurück, um die fertig gewordene Arbeit zusammenzufalten und in zwei Körbe zu packen. Sie kniete dabei und summte ein munteres Lied. Joram, in dem ich ohne Mühe ihren Geliebten erkannte, kam herein und raubte ihr einen Kuß und sagte, ihr Vater sei nach dem Wagen gegangen und er müsse sich auch reisefertig machen. Dann ging er wieder hinaus, und sie steckte einen Fingerhut und eine Schere in die Tasche und eine

Nadel mit schwarzem Zwirn in ihren Brustlatz und machte sich dann schön vor einem kleinen Spiegel hinter der Tür, in dem ich ein fröhliches Gesicht sehen konnte.

Alles dies bemerkte ich, während ich an dem Tisch in einer Ecke saß, den Kopf in die Hand gestützt, im Geiste ganz anderswo. Der Wagen fuhr bald vor, und nachdem man zuerst die Körbe und dann mich hineingehoben, stiegen die drei andern ein. Ich erinnere mich, es war halb ein Korb- halb ein Möbelwagen, dunkel angestrichen und von einem Rappen mit langem Schweif gezogen.

Ich glaube, ich habe niemals eine so seltsame Empfindung gehabt, wie auf dieser Fahrt, wenn ich mir vor Augen hielt, woran sie gearbeitet hatten und wie sie sich jetzt über die Reise freuten. Ich hegte keinen Groll gegen sie, scheute mich vor ihnen wie vor Wesen, die keine Gemeinschaft mit mir hatten. Sie waren alle bester Laune. Der Alte saß auf dem Kutschbock, und die beiden jungen Leute saßen hinter ihm, und wenn er etwas sagte, beugten sie sich links und rechts von seinem pausbäckigen Gesicht vor und kümmerten sich sehr um ihn. Sie würden wohl auch mit mir gesprochen haben, wenn ich mich nicht scheu in eine Ecke zurückgezogen hätte, ganz entsetzt über ihre Liebelei und ihre Fröhlichkeit, die zwar nicht lärmend war, mich aber doch in eine Art Staunen versetzte, daß der Himmel keine Strafe für ihre Herzenshärte herabsandte. Wenn sie anhielten, um das Pferd zu füttern, und selbst aßen und tranken und sich vergnügten, konnte ich nichts anrühren und blieb nüchtern.

Als wir unser Haus erreichten, schlüpfte ich so schnell wie möglich hinten aus dem Wagen, um nicht in ihrer Gesellschaft vor diese geweihten Fenster treten zu müssen, die mich anblickten wie geschlossene Augen, die einst hell geglänzt. Ach, wie wenig Ursache hatte ich zu sorgen, daß ich keine Tränen mehr haben würde, als ich die Fenster meiner Mutter sah und hinter ihnen das Zimmer, das in bessern Zeiten auch das meine gewesen war!

Ich lag in Peggottys Armen, ehe ich noch zur Tür kam, und sie brachte mich in das Haus. Ihr Schmerz brach heftig aus, als sie mich erblickte, aber bald bezwang sie sich und sprach flüsternd und ging auf den Zehen, wie um die Tote nicht zu stören.

Sie war seit langem nicht ins Bett gekommen. Sie wachte jetzt noch jede Nacht. Solange ihr armer, süßer Liebling über der Erde weilte, sagte sie, wollte sie ihn nicht verlassen.

Mr. Murdstone nahm keine Notiz von mir, als ich in die Wohnstube trat. Er saß in seinem Lehnstuhl neben dem Kamin und weinte still vor sich hin. Miss Murdstone, die emsig an dem mit Briefen und Papieren bedeckten Tische schrieb, reichte mir ihre eisigen Fingernägel und fragte mich mit kaltem Flüstern, ob mir die Trauerkleider angemessen worden wären.

Ich sagte: »Ja.«

»Und hast du deine Wäsche mitgebracht?«

»Ja, Ma'am. Ich habe alle meine Kleider mitgenommen.«

Das war der ganze Trost, den sie mir in ihrer Festigkeit spendete. Ich glaube, daß sie ein besonderes Vergnügen daran fand, ihre sogenannte Selbstbeherrschung, Festigkeit und Charakterstärke und das ganze übrige höllische Repertoir ihrer unliebenswürdigen Eigenschaften bei dieser Gelegenheit zu offenbaren. Besonders stolz schien sie auf ihre Geschäftskenntnis zu sein und bewies sie, indem sie alles zu Papier brachte und sich von nichts rühren ließ. Den ganzen Tag und noch den nächsten Morgen bis zum Abend saß sie an diesem Schreibtische, kratzte unbeirrt mit einer harten Feder, sprach zu jedermann mit dem gleichen teilnahmslosen Geflüster, und kein Muskel ihres Gesichts und kein Ton ihrer Stimme milderte sich einen Augenblick.

Ihr Bruder nahm manchmal ein Buch vor, aber las nicht darin. Eine ganze Stunde lang wendete er kein Blatt um, legte es dann wieder hin und ging im Zimmer auf und ab. Ich saß meist da mit gefalteten Händen, beobachtete ihn stundenlang und zählte seine Schritte. Er sprach sehr selten mit seiner Schwester und nie mit mir. Er schien außer den Uhren das einzig ruhelose Wesen in dem ganzen totenstillen Haus zu sein.

In diesen Tagen vor dem Begräbnis bekam ich Peggotty nur selten zu Gesicht. Bloß wenn ich die Treppe hinauf- und hinunterging, fand ich sie immer in unmittelbarer Nähe des Zimmers, wo meine Mutter und ihr Kind lagen. Und jeden Abend kam sie an mein Bett und blieb bei mir, bis ich einschlief. Ein oder zwei Tage vor dem Leichenbegräbnis nahm sie mich mit in das Zimmer. Ich erinnere mich nur noch, daß unter einem weißen Laken auf dem Bett, das wundervoll rein und frisch aussah, die Verkörperung der feierlichen Stille, die im Hause herrschte, zu liegen schien, und daß ich, als sie das Tuch sanft wegziehen wollte, schrie: »nein, nein«, und ihre Hand zurückhielt.

Wenn das Begräbnis gestern gewesen wäre, könnte ich mich seiner nicht besser erinnern. Das Aussehen des Besuchszimmers, als ich hineintrat, der helle Schein des Feuers, der glänzende Wein in den Karaffen, die Muster der Gläser und Teller, der schwache, süße Duft der Kuchen, der Geruch von Miss Murdstones Kleid und unsern Trauerkleidern, alles steht wieder vor mir.

Mr. Chillip ist anwesend und spricht mich an.

»Und wie geht's denn Master David?« fragt er freundlich.

Ich kann ihm doch nicht sagen, gut! Ich gebe ihm meine Hand und er hält sie fest.

»Mein Gott«, und er lächelt schüchtern, und etwas glänzt in seinen Augen, »unsere kleinen Freunde wachsen in die Höhe um uns her. Wir verlieren sie fast aus den Augen, Ma'am.« Das sagt er zu Miss Murdstone, bekommt aber keine Antwort. »Wir haben große Fortschritte gemacht, Ma'am!«

Miss Murdstone antwortet mit einem Stirnrunzeln und einem steifen Knix. Mr. Chillip geht verschüchtert in eine Ecke und zieht mich zu sich und tut den Mund nicht mehr auf.

Ich bemerke das, weil ich alles bemerke, was geschieht. Nicht weil ich meinetwegen acht gebe, oder es seit meiner Ankunft getan hätte. Und jetzt fängt die Totenglocke zu läuten an und Mr. Omer und ein anderer Mann kommen und ordnen uns. Wie mir Peggotty vor langer Zeit erzählt hat, haben sich die Leidtragenden, die schon meinem Vater zum Grabe folgten, in demselben Zimmer geordnet.

Der Leichenzug besteht aus Mr. Murdstone, Mr. Grayper, Mr.

Chillip und mir. Wie wir zur Tür heraustreten, sind die Träger mit ihrer Bürde schon im Garten und schreiten vor uns her den Steig entlang an den Ulmen vorbei und durch das Gartentor zum Friedhof, wo ich so manchen Sommermorgen die Vögel habe singen hören.

Wir stehen um das Grab herum. Der Tag scheint mir anders als jeder andre Tag und das Licht hat seine Farbe verloren. Dann herrscht die feierliche Stille, die wir herausgetragen haben mit dem, was jetzt in der Erde ruht. Wir stehen entblößten Hauptes da, und ich höre die Stimme des Geistlichen hier im Freien, so fern und doch so deutlich klingen: »Ich bin die Auferstehung und das Leben, spricht der Herr.« Dann höre ich schluchzen; ich stehe gesondert von den übrigen und sehe die gute und treue Dienerin, die ich von allen Menschen auf Erden am meisten liebe, und zu der, wie mein kindliches Herz fest überzeugt ist, der Herr eines Tages sagen wird: »Du hast wohlgetan.«

Es sind viele bekannte Gesichter da in der kleinen Menge, die ich von der Kirche her kenne, Gesichter, die meine Mutter noch kannten, als sie in ihrer Jugendblüte in das Dorf gekommen war. Ich kümmere mich nicht um sie, ich kümmere mich nur um meinen Schmerz und doch sehe ich sie und kenne sie alle und sehe selbst weit im Hintergrund Minnie zuschauen und auf ihren Schatz blicken, der in meiner Nähe steht.

Es ist vorbei, und das Grab ist zugeschüttet, und wir wenden uns wieder heimwärts. Vor uns steht unser Haus, so schmuck und unverändert, so fest verknüpft in meiner Seele mit dem Jugendbild derer, die nicht mehr ist. All mein Schmerz ist nichts gegen den, den ich jetzt fühle. Aber sie führen mich fort, und Mr. Chillip redet mir zu, und wie wir daheim sind, benetzt er meine Lippen mit Wasser, und als ich ihn um Erlaubnis bitte, auf mein Zimmer gehen zu dürfen, entläßt er mich mit der Zärtlichkeit einer Frau. Alles das kommt mir vor, als wäre es gestern geschehen. Ereignisse einer spätern Zeit sind fortgeweht an jene Küste, wo alles Vergessene dereinst wiederkommt. Doch dieses ragt vor mir wie ein hoher Fels im weiten Meer.

Ich wußte, daß Peggotty in mein Zimmer kommen würde. Die Sabbatstille tat uns beiden wohl. Sie setzte sich neben mich auf mein kleines Bett, nahm meine Hand, drückte sie von Zeit zu Zeit an ihre Lippen und streichelte sie, wie sie wohl mein kleines Brüderchen gestreichelt haben mochte, und erzählte mir in ihrer schlichten Art, wie alles gekommen war.

»Sie fühlte sich seit langer Zeit gar nicht mehr recht wohl«, sagte Peggotty. »Sie fühlte sich nicht glücklich. Als das Kleine zur Welt kam, dachte ich, es würde mit ihr besser werden. Aber sie war angegriffener als je und schwand dahin mit jedem Tage. Vor der Geburt des Kindes pflegte sie viel allein zu sitzen und dann weinte sie; aber später sang sie ihm vor, so leise, daß ich manchmal dachte, es sei wie eine Stimme in der Luft, die langsam verklingt.

Ich glaube, sie wurde in der letzten Zeit immer verschüchterter und furchtsamer, und ein hartes Wort war für sie ein Schlag, aber gegen mich blieb sie immer die gleiche. Sie wurde nie anders gegen ihre einfältige Peggotty, mein süßes Mädel.«

Hier hielt Peggotty inne und klopfte mir ein Weilchen sanft die Hand.

»Das letzte Mal, wo sie ganz wieder schien wie früher, war an jenem Abend, wo du nach Hause kamst, mein Liebling. Und am Tag, als du fortgingst, sagte sie zu mir: ›Ich werde meinen Herzensliebling nie mehr wiedersehen. Eine Stimme sagt es mir und ich weiß, daß sie die Wahrheit spricht.‹ Sie versuchte dann heiter zu erscheinen, und manchmal, wenn sie zu hören bekam, sie wäre gedankenlos und leichtsinnig, tat sie so, als ob sies wäre, aber es war schon alles vorbei. Sie sagte ihrem Manne nichts. Bis eines Abends, kaum eine Woche, ehe sie starb, da sagte sie zu ihm, ›ich glaube, ich sterbe bald.‹

›Jetzt hab ichs vom Herzen herunter, Peggotty‹, sagte sie dann zu mir, als ich sie an diesem Abend zu Bett brachte. ›Es wird ihm in den wenigen Tagen, die ich noch zu leben habe, deutlicher und deutlicher werden, dem Armen. Und dann ists vorbei. Ich bin sehr müde. Wenn es nur Schlaf ist, so bleibe bei mir sitzen und verlaß mich nicht. Gott segne meine beiden Kinder. Gott beschütze und behüte meinen vaterlosen Jungen.‹

Seitdem hab ich sie nicht mehr verlassen«, sagte Peggotty. »Sie sprach oft mit den beiden da unten, denn sie liebte sie. Sie konnte nicht anders, sie mußte jeden lieben, der in ihrer Nähe war. Aber wenn sie von ihrem Bette weggegangen waren, da mußte ich kommen, als ob nur Ruhe sein könnte, wo Peggotty war, und nie konnte sie anders einschlafen.

Am letzten Abend küßte sie mich und sagte, ›wenn das Baby mit mir sterben sollte, Peggotty, so sollen sie es mir in die Arme legen und uns zusammen begraben. Und mein lieber Sohn soll zu meinem Grabe gehen‹, sagte sie, ›erzähle ihm, daß ich ihn, als ich hier lag, nicht einmal, sondern tausendmal gesegnet habe.‹«

Wieder folgte eine Pause des Schweigens, und Peggotty klopfte mir wieder sanft die Hand.

»Es war schon spät in der Nacht, da verlangte sie zu trinken, und als sie getrunken hatte, da lächelte sie mich so geduldig und lieb und schön an.

Der Tag brach an und die Sonne ging eben auf, als sie mir erzählte, wie gütig und rücksichtsvoll Mr. Copperfield immer gegen sie gewesen war, wie er mit ihr Geduld gehabt und ihr immer, wenn sie an sich selbst zweifelte, versichert hatte, daß ein Herz voll Liebe besser und stärker sei als alle Weisheit, und daß ihn ihre Liebe glücklich mache. ›Liebe Peggotty‹, sagte sie dann, ›lege mich näher an dich heran‹ – so schwach war sie schon – ›lege deinen lieben Arm unter meinen Kopf und wende mein Gesicht dir zu, denn deine Züge gehen immer weiter von mir weg und ich will dir so nahe sein.‹ Ich tat, wie sie verlangte, und ach, Davy, die Zeit war gekommen, wo das wahr wurde, was ich dir einmal gesagt habe, sie war froh, ihren armen Kopf auf den Arm ihrer einfältigen, mürrischen, alten Peggotty legen zu können. Sie starb wie ein Kind, das einschläft.«

So endigte Peggottys Erzählung. Von dem Augenblick an, wo ich den Tod meiner Mutter erfuhr, war das Bild, das ich mir zuletzt von ihr machte, verschwunden. Von dem Augenblick an erinnerte ich mich ihrer bloß als der jungen Mutter meiner frühesten Kindheit, die ihre glänzenden Locken um ihre Finger zu wickeln und im Zwielicht mit mir im Zimmer herumzutanzen pflegte. Mit ihrem Tode schwebte ihr Bild zurück in ihre ruhige, ungestörte Jugendzeit, und alles übrige war ausgelöscht.

Die Mutter, die im Grabe ruht, ist die Mutter meiner Kindheit, das kleine Wesen in ihren Armen ist, wie ich einst gewesen war, und liegt an ihrem Busen eingelullt auf ewig.

10. Kapitel

Ich werde vernachlässigt, und man –
bringt mich unter

Das erste, was Miss Murdstone am Tag nach dem Begräbnisse tat, war, daß sie Peggotty für den kommenden Monat kündigte. So sehr Peggotty eine solche Stelle mißfallen mußte, so hätte sie sie doch um meinetwillen jeder andern auf der Welt vorgezogen.

Was mich betraf und meine Zukunft, fiel kein Wort, und es geschah auch nichts. Sie wären wahrscheinlich froh gewesen, wenn sie mir auch hätten monatlich kündigen können. Ich faßte mir einmal ein Herz und fragte Miss Murdstone, wann ich wieder in die Schule gehen werde, und sie antwortete: »Wahrscheinlich überhaupt nicht mehr.« Weiter erfuhr ich nichts. Ich hätte nur zu gerne gewußt, was man mit mir vorhabe, aber weder Peggotty noch ich konnten das geringste herausbekommen. Meine Lage hatte sich, was die Gegenwart betrifft, zwar viel angenehmer gestaltet, würde mir aber, wenn ich die Folgen hätte gehörig ermessen können, für die Zukunft viel Sorgen gemacht haben. Der mir früher auferlegte Zwang hatte ganz aufgehört. Miss Murdstone zwang mich nicht mehr wie früher, meinen langweiligen Posten in der Wohnstube beizubehalten, und wies mich mehr als einmal mit finsterm Blick aus dem Zimmer. Ich durfte ruhig mit Peggotty verkehren, wenn ich nur nicht Mr. Murdstone vor die

Augen kam. Anfangs fürchtete ich, er oder seine Schwester würden mich wieder zu unterrichten anfangen, aber ich fand bald, daß meine Besorgnis unbegründet war und ich weiter nichts als Vernachlässigung zu gewärtigen hatte.

Diese Entdeckung verursachte mir damals nicht viel Schmerz. Noch immer ganz betäubt von dem Tod meiner Mutter war mir alles andere recht gleichgültig. Wohl dachte ich mir zuweilen, ob ich nicht zu einem schäbigen mürrischen Mann, der im Dorfe sein Leben in Nichtstun verlungern würde, heranwachsen müßte, wenn ich so gar keinen Unterricht mehr empfinge. Ich weiß noch, ich habe einmal überlegt, ob ich nicht wie der Held eines Romans davonlaufen sollte, um mein Glück zu machen, aber alles das waren Träume am hellichten Tag, die an der Wand meines Zimmers vorüberschwebten und nur die leere Wand zurückließen.

»Peggotty«, sagte ich, gedankenvoll flüsternd, eines Abends, als ich meine Hände am Herdfeuer wärmte, »Mr. Murdstone hat mich noch weniger gern als früher. Er hat mich nie gern gehabt, Peggotty. Aber jetzt möchte er mich am liebsten gar nicht mehr sehen.«

»Vielleicht hat er Kummer«, sagte Peggotty und strich mir die Haare glatt.

»Ich bin gewiß auch voll Trauer, Peggotty«, erwiderte ich, »wenn es nur sein Gram wäre, würde ich weiter gar nicht darüber nachdenken. Aber das ists nicht, o nein, das ists nicht.«

»Woher weißt du denn das?« fragte Peggotty nach einer Pause.

»O, Kummer ist es nicht; jetzt wo er mit seiner Schwester am Kamin sitzt, hat er wohl Kummer. Aber wenn ich hineinginge, Peggotty, würde er sogleich anders werden.«

»Wie denn?« fragte Peggotty.

»Zornig«, antwortete ich und machte unwillkürlich sein Stirnrunzeln nach. »Wenn es nur Gram wäre, würde er mich doch nicht so ansehen. Ich gräme mich auch, aber das macht mich nur freundlicher gegen andere.«

Peggotty sagte nichts mehr darauf, und ich wärmte meine Hände stumm wie sie.

»Davy«, sagte sie endlich.

»Ja, Peggotty.«

»Ich habe alles mögliche versucht, mein liebes Kind, hier in Blunderstone einen passenden Dienst zu bekommen, aber ich konnte keinen finden.«

»Und was gedenkst du zu tun, Peggotty?« und ich sah sie forschend an, »willst du fortgehen und dein Glück anderwärts versuchen?«

»Ich werde wohl nach Yarmouth gehen müssen«, sagte Peggotty.

»Du hättest noch weiter fortgehen und so gut wie verloren für mich sein können«, sagte ich ein wenig erleichtert. »So kann ich dich manchmal besuchen, meine gute, alte Peggotty! Du bist doch dort nicht am Ende der Welt, nicht wahr?«

»Ganz im Gegenteil, so Gott will«, rief Peggotty mit großer Lebhaftigkeit. »Solang du hier bist, mein Herzblatt, komme ich dich jede Woche besuchen. Jede Woche einmal, solange ich lebe.«

Dies Versprechen nahm mir einen Stein vom Herzen. Aber Peggotty fuhr fort. »Schau mal, Davy, ich gehe zuvorderst einmal auf vierzehn Tage zu meinem Bruder auf Besuch, um mich ein bißchen umzusehen und wieder einen klaren Kopf zu bekommen; da hab ich mir gedacht, da sie dich hier sowieso nicht brauchen können, lassen sie dich vielleicht mit mir gehen?«

Jedenfalls war dieser Plan das einzige, was mich in meiner damaligen Gemütsstimmung irgendwie aufhellen konnte. Der Gedanke, wieder auf diesen ehrlichen Gesichtern einen Willkommensgruß lesen zu können, wieder den Frieden des stillen Sonntagmorgens zu genießen, wenn die Glocken läuten, die Schiffe Schatten gleich aus dem Nebel brechen, wieder Steine ins Wasser werfen zu können, mit der kleinen Emly herumzustreifen, ihr meine Leiden zu erzählen und ein Zaubermittel dagegen in den Muscheln und Kieseln am Strande zu finden, erfüllte mein Herz mit besänftigender Ruhe. Freilich wurde sie schon im nächsten Augenblick von dem Gedanken zerstört, daß Miss Murdstone schwerlich einwilligen werde. Aber noch während wir sprachen, kam Miss Murdstone plötzlich heraus, um etwas aus der Vorratskammer zu holen, und Peggotty brachte die Angelegenheit mit einer Kühnheit, die mich in Erstaunen versetzte, sogleich zur Sprache.

»Der Junge wird dort herumlungern«, sagte Miss Murdstone und spähte in einen Krug mit Essiggurken, »und Nichtstun ist die Wurzel alles Bösen. Aber freilich hier wird er auch nichts tun – und anderwärts auch nicht.«

Peggotty hatte eine heftige Antwort auf der Zunge; aber sie schluckte sie herunter um meinetwillen und schwieg.

»Hm«, meinte Miss Murdstone dann und spähte immer noch in den Essigkrug. »Es ist wichtiger als alles andere – es ist sogar von außerordentlicher Wichtigkeit –, daß mein Bruder nicht gestört und belästigt wird. Es ist wohl am besten, ich willige ein.«

Ich bedankte mich bei ihr, ohne meine Freude zu verraten, damit sie nicht etwa ihre Erlaubnis zurückzöge, und mir kam das sehr klug vor, als sie mich jetzt wieder mit einem so sauern Gesicht ansah, als hätte sie mit ihren schwarzen Augen den ganzen Inhalt des Essigkrugs ausgesogen. Die Erlaubnis war gegeben und wurde auch nicht zurückgezogen. Und als der Monat um war, standen Peggotty und ich zur Abfahrt bereit.

Mr. Barkis kam ins Haus, um Peggottys Koffer abzuholen. Soviel ich weiß, hatte er noch nie die Schwelle der Gartentür überschritten, aber bei dieser Gelegenheit kam er bis ins Haus. Und als er den größten Koffer auf seine Schultern lud und hinausging, warf er mir einen so vielsagenden Blick zu, wie es sein Gesicht überhaupt vermochte.

Peggotty war natürlich sehr betrübt über ihren Abschied von dem Orte, wo sie so lange Jahre mit meiner Mutter und mir zugebracht hatte. Sie war schon in aller Frühe auf dem Kirchhof gewesen, und als sie im Wagen saß, hielt sie sich das Taschentuch vor die Augen.

Solange sie so blieb, gab Mr. Barkis kein Lebenszeichen von

sich. Er saß auf seinem gewohnten Platz und in seiner bekannten Haltung wie eine große, ausgestopfte Puppe. Aber als sie das Taschentuch einsteckte und mit mir zu sprechen anfing, nickte er mehrere Male und grinste. Ich hatte nicht den leisesten Begriff, was er damit sagen wollte.

»'s ist ein schöner Tag, Mr. Barkis«, begann ich aus purer Höflichkeit.

»Nicht schlecht«, meinte Mr. Barkis, der gewöhnlich seine Worte sehr abwog und seine Meinung nie offen heraussagte.

»Peggotty hat sich schon wieder ganz erholt, Mr. Barkis«, bemerkte ich.

»So. Hm«, sagte Mr. Barkis.

Nachdem er mit schlauer Miene nachgedacht hatte, sah er Peggotty an und sagte:

»Ists Ihnen schon hübsch behaglich?«

Peggotty lachte bejahend.

»Aber wirklich und wahrhaftig? Verstehen Sie? Wirklich?« brummte Mr. Barkis und rutschte auf der Bank näher an sie heran und gab ihr einen Stoß mit dem Ellbogen. »Wirklich? Wirklich und wahrhaftig, ganz behaglich? Wirklich? He?« Bei jeder dieser Fragen rutschte Mr. Barkis näher zu ihr und gab ihr jedesmal einen Stoß mit dem Ellbogen, bis wir zuletzt alle in der linken Ecke des Wagens eingeklemmt saßen und ich kaum mehr atmen konnte.

Peggotty machte ihn darauf aufmerksam, worauf er sogleich etwas Platz machte und nach und nach wieder zurückkehrte. Ich sah ihm an, daß er zu glauben schien, er sei auf ein prächtiges Mittel verfallen, sich ohne viel Worte angenehm, fein und deutlich auszudrücken. Eine Zeitlang lachte er vor sich hin. Dann wandte er sich wieder langsam nach Peggotty um und wiederholte: »Also wirklich behaglich?« und fing das alte Manöver wieder an, bis ich abermals keinen Atem bekam. Nicht lange darauf wiederholte sich dasselbe noch einmal mit denselben Folgen. Dann stand ich immer auf, wenn ich ihn anrücken sah, und tat, als ob ich mir die Gegend ansähe, und kam viel besser dabei weg.

Er war so höflich, nur unsertwegen an einem Wirtshaus anzuhalten und uns mit Hammelbraten und Bier zu bewirten. Aber selbst einmal, als Peggotty gerade trank, bekam er einen seiner alten Anfälle und brachte sie fast zum Ersticken. Je mehr wir uns unserm Reiseziel näherten, desto mehr mußte er aufpassen und desto weniger Zeit fand er für Galanterien. Und als wir erst auf dem Pflaster von Yarmouth durcheinandergeschüttelt wurden, bot sich gar keine Gelegenheit mehr.

Mr. Peggotty und Ham erwarteten uns auf dem alten Platze. Sie empfingen mich und Peggotty in herzlicher Weise und schüttelten Mr. Barkis die Hand, der mit weit zurückgeschobenem Hut, ein verschämtes Lächeln auf den Zügen und weit ausgespreizten Beinen einen möglichst dummen Eindruck zu erwecken bemüht war. Jeder von den beiden Fischern nahm einen von Peggottys Koffern, und wir wollten eben fortgehen, als mir Mr. Barkis feierlich mit dem Zeigefinger winkte, mit ihm unter einen Torweg zu treten.

»Also«, brummte er dann, »alles in Ordnung.«

Ich sah ihn an und antwortete mit einem Versuch, ein möglichst gescheites Gesicht zu machen: »O! o!«

»Damals wars noch nicht abgemacht«, fuhr er mit vertraulichem Nicken fort. »Alles in Ordnung.«

Wieder antwortete ich: »O!«

»Sie wissen, wer wollte! Er! Barkis! Aber nur Barkis!«

Ich nickte zustimmend.

»Alles in Ordnung«, sagte Mr. Barkis wieder und schüttelte mir die Hand. »Wir sind Freunde. Sie habens in Ordnung gebracht. Alles in Ordnung.«

In seinem Bestreben besonders klar zu sein, wurde mir Mr. Barkis immer rätselhafter. Ich hätte ihm eine Stunde ins Gesicht sehen können, ohne von ihm mehr zu erfahren als von dem Zifferblatt einer Uhr, die stillsteht. Endlich rief mich Peggotty weg. Unterwegs fragte sie mich, was er gesagt habe, und ich wiederholte seine Worte: »Alles in Ordnung.«

»Ist das eine Unverschämtheit«, sagte sie, »aber es macht

nichts. Lieber Davy, was meinst du wohl, wenn ich mich verheiratete?«

»Nun, du würdest mich doch ebenso lieb haben wie jetzt, Peggotty?« erwiderte ich nach einigem Nachdenken.

Zum größten Erstaunen der Vorübergehenden und der beiden Peggottys vor uns blieb die gute Seele stehen und umarmte mich unter vielen Beteuerungen ihrer unwandelbaren Liebe.

»Sag mir also, was du meinst, Liebling?« fragte sie, als sie damit fertig war und wir unsern Weg fortsetzten.

»Wenn du dich mit Mr. Barkis verheiratest, Peggotty?«

»Ja.«

»Ich glaube, es wäre sehr gut, dann hättest du immer das Pferd und den Wagen umsonst und könntest mich immer besuchen kommen.«

»Was das Kind gescheit ist!« rief Peggotty. »Das hab ich doch auch immer den ganzen Monat lang gedacht. Ja, mein Goldkind, ich wäre viel unabhängiger, siehst du. Und es würde sich mir in meinem eignen Haus viel leichter arbeiten als sonstwo. Ich weiß gar nicht, ob ich mich zum Dienstmädchen bei Fremden jetzt noch eigne, und ich wäre immer in der Nähe der Ruhestätte meines schönen Lieblings«, fügte sie nachdenklich hinzu. »Ich könnte sie sehen, wann ich wollte, und wenn ich mich einmal zur Ruhe lege, wärs nicht weit von meinem lieben Mädel.«

Wir schwiegen beide eine Weile.

»Aber ich würde nicht ein einziges Mal wieder dran denken«, sagte Peggotty fröhlich, »wenn mein Davy irgend etwas dagegen hätte, und wenn ich auch dreißigmal dreimal in der Kirche gefragt würde und den Ring mein Lebtag in der Tasche herumtragen müßte.«

»Schau mich an, Peggotty«, erwiderte ich, »und sieh selbst, ob ich mich nicht wirklich von ganzer Seele darüber freue!«

»Liebes Herz«, sagte Peggotty und drückte mich an sich, »ich habe Tag und Nacht darüber nachgedacht und in jeder Weise und ich glaube in der rechten, aber ich will es mir noch einmal überlegen und mit meinem Bruder darüber sprechen und unterdessen wollen wir die Sache für uns behalten, Davy. Barkis ist ein einfacher guter Kerl, und wenn ich meine Pflicht an seiner Seite tue, glaube ich, wäre es meine Schuld, wenn ich nicht – wenn ich mich nicht behaglich befände«, sagte Peggotty und lachte herzlich.

Über diesen Ausspruch von Mr. Barkis mußten wir immer wieder lachen, und wir waren sehr heiterer Laune, als Mr. Peggottys Häuschen in Sicht kam.

Es sah genau so aus wie früher, nur schien es in meinen Augen jetzt ein wenig kleiner zu sein. Mrs. Gummidge wartete in der Tür, als ob sie seit damals immer noch dort stünde. Innen war alles unverändert bis zum Seegras hinab in dem blauen Krug in meinem Schlafzimmer. Ich ging in den Seitenschuppen, um mich ein wenig umzusehen und wieder war ein verworrener Haufen von Hummern, Krabben und Krebsen da, alle von demselben Verlangen, die ganze Welt zu zwicken, beseelt.

Aber keine kleine Emly war zu sehen, und so fragte ich Mr. Peggotty nach ihr.

»Is in der Schule, Sir«, sagte Mr. Peggotty und wischte sich den Schweiß von der Stirne. Dann sah er nach der Wanduhr, »kommt all in zwanzig oder dreißig Minuten. Wir vermissen sie alle, ach Gott.«

Mrs. Gummidge seufzte.

»Kopf hoch, Mächen«, mahnte Mr. Peggotty.

»Ach«, sagte Mrs. Gummidge, »ich bin n einsam verlassenes Geschöpf und sie war die einzige, die mich nicht die Quere ging.«

Sie schüttelte tränenden Auges den Kopf und blies das Feuer an. Mr. Peggotty sah uns an, während sie so beschäftigt war, und flüsterte leise hinter seiner Hand hervor: »De Olsch.«

Daraus schloß ich ganz richtig, daß seit meinem letzten Besuch in Mrs. Gummidges Gemütszustand keine wesentliche Veränderung eingetreten sein konnte. Alles war so reizvoll wie früher, aber dennoch machte es einen ganz andern Eindruck auf mich. Ich fühlte mich fast ein wenig enttäuscht. Vielleicht trug die Abwesenheit der kleinen Emly die Schuld. Da ich wußte, welchen Weg sie kommen mußte, ging ich ihr entgegen.

Es dauerte auch nicht lange, da tauchte in der Ferne eine Gestalt auf, und ich erkannte bald Emly, die immer noch ein kleines Geschöpfchen war, trotzdem sie gewachsen schien. Aber als sie näher kam und ich sah, wie ihre blauen Augen noch blauer und ihr Gesicht mit den Grübchen noch heiterer, hübscher und schelmischer geworden, überkam mich ein ganz seltsames Gefühl und ich tat, als ob ich sie nicht kennte, und ging vorbei, als ob ich weit draußen in der Ferne etwas erblickte. Ich habe dergleichen, mir scheint, auch später noch im Leben getan!

Die kleine Emly kümmerte sich gar nicht um mich. Sie sah mich recht gut, anstatt sich aber umzudrehen und mich zu rufen, lief sie lachend fort. Das zwang mich, ihr nachzurennen. Aber sie lief so schnell, daß ich sie erst knapp vor dem Häuschen einholen konnte.

»Ach so, du bists?«

»Aber du wußtest doch, wers ist, Emly«, sagte ich.

»Und du vielleicht nicht?«

Ich wollte sie küssen, aber sie hielt sich die Hand auf ihre Kirschenlippen und sagte, sie sei kein kleines Kind mehr, lief ins Haus und lachte noch viel mehr.

Es schien ihr Spaß zu machen, mich zu necken – eine Veränderung, über die ich mich sehr wunderte. Der Teetisch war gedeckt, und unser kleiner Koffer stand auf dem alten Fleck. Aber anstatt sich neben mich zu setzen, leistete sie der alten brummigen Mrs. Gummidge Gesellschaft, und als Mr. Peggotty nach dem Grund fragte, bedeckte sie sich das Gesicht mit den Haaren und wollte nicht aufhören zu lachen.

»Eine kleine Spielkatze«, sagte Mr. Peggotty und tätschelte sie mit seiner großen Hand.

»Dat is se. Dat is se«, rief Ham, »Masr Davy, woll, dat is se« und er saß da und lachte sie lange an mit einem brennroten Gesicht, auf dem sich Bewunderung und Entzücken spiegelten.

Die kleine Emly wurde in jeder Hinsicht verzogen und von niemand mehr als von Mr. Peggotty, dem sie alles abschmeicheln konnte, wenn sie nur zu ihm ging und ihre Wangen an seinen struppigen Seemannsbart legte. So schien es mir wenigstens, als ich es sah, und ich gab Mr. Peggotty vollkommen recht. Sie war so zärtlich und herzig und dabei so neckisch und schüchtern zugleich, daß sie mich mehr gefangen nahm als je.

Sie war auch sehr weichherzig, denn als wir nach dem Tee um den Ofen saßen und Mr. Peggotty eine Andeutung über den Verlust, den ich erlitten hatte, fallen ließ, traten ihr die Tränen in die Augen, und sie sah mich über den Tisch hinüber so freundlich an, daß ich ihr sehr dankbar war.

»Ja«, sagte Mr. Peggotty, indem er ihre Locken wie Wasser durch seine Finger laufen ließ. »Hier ist auch eine Waise, Sir, und hier«, und er klopfte Ham mit dem Handrücken auf die Brust, »hier s noch einer, wenn mans ihm auch nöch anmerkt.«

»Wenn ich Sie zum Vormund hätte, Mr. Peggotty«, sagte ich, »würd ichs wohl auch nicht sehr fühlen.«

»Schoin seggt, Masr Davy, woll«, schrie Ham entzückt, »hurra. Schoin seggt, Masr Davy, woll, hört, hört.« Er gab den Schlag mit dem Handrücken zurück und die kleine Emly stand auf und küßte Mr. Peggotty.

»Und was macht Ihr Freund, Sir?« fragte mich Mr. Peggotty.

»Steerforth?«

»Woll, woll«, rief Mr. Peggotty und wandte sich zu Ham. »Ich wußte, sien Nam hett mit unserm Beruf zu tun.«

»Du hest Rudderford seggt«, bemerkte Ham lachend.

»Jawoll«, antwortete Mr. Peggotty, »un du ›stürst‹ mit en Rudder, nöch? Dat s nöch veel anners. Wie gehts ihm, Sir?«

»Als ich fortging, sehr gut, Mr. Peggotty.«

»Dat s n Freund«, sagte Mr. Peggotty und reckte seinen Arm mit der Pfeife in die Höhe. »Dat s n Freund, wenn Sie von Freunden sprechen! Gott soll mich nicht leben lassen, wenns nicht ne Freude ist, den anzusehen.«

»Er ist sehr hübsch, nicht wahr?« sagte ich und mein Herz schlug höher bei dem Lobe.

»Hübsch!« rief Mr. Peggotty. »Er steht vor einem, wie – wie ein – na, wie soll ich nur sagen, wie er vor einem steht? Er ist so keck.«

»Ja, so ist auch sein ganzer Charakter«, sagte ich, »er ist mutig wie ein Löwe, und Sie können sich gar nicht vorstellen, Mr. Peggotty, wie freimütig er ist.«

»Und ich vermute«, sagte Mr. Peggotty und sah mich durch den Rauch seiner Pfeife hindurch an, »daß er in der Buchgelehrsamkeit höher im Wind liegt als alle andern.«

»Ja«, sagte ich freudig, »er weiß alles. Er ist erstaunlich gescheit.«

»Dat s n Freund«, murmelte Mr. Peggotty mit ernstem Wiegen des Kopfes.

»Alles geht ihm spielend von der Hand«, sagte ich. »Er kann seine Aufgabe, wenn er nur auch nur einen Blick drauf wirft. Er ist der beste Kricketter den ich kenne. Beim Damenbrett gibt er Ihnen so viel Steine vor, wie Sie wollen, und schlägt Sie mühelos.«

Mr. Peggotty nickte wieder mit dem Kopf, als wollte er sagen: »Selbstverständlich!«

»Und ein Redner ist er«, fuhr ich fort, »daß er jeden überzeugen kann, Sir. Und gar erst ihn singen zu hören!«

Mr. Peggotty nickte wieder mit dem Kopf, als wollte er sagen: »Ich zweifle keinen Augenblick daran.«

»Und dann ist er ein so prächtiger, feiner, nobler Bursche«, sagte ich, ganz hingerissen von meinem Lieblingsthema, »daß es kaum möglich ist, ihn so zu loben, wie er es verdient. Ich kann ihm nie genug dankbar sein für die Hochherzigkeit, mit der er mich, der ich viel jünger bin und in der Schule weit unter ihm saß, beschützte.«

Mitten in meinem Eifer fielen meine Augen auf die kleine Emly, die mit angehaltenem Atem über den Tisch gebeugt dasaß und mit größter Aufmerksamkeit zuhörte. Ihre blauen Augen glänzten wie Edelsteine und das Blut stieg ihr in die Wangen. Sie sah so wunderbar ernst und hübsch aus, daß ich erstaunt abbrach, und alle schauten sie daraufhin an und lachten.

»Emly gehts wie mir«, sagte Peggotty. »Sie möchte ihn sehen.«

Emly war ganz verlegen geworden, weil wir sie alle ansahen,

errötete noch mehr und schlug die Augen nieder. Als sie wieder aufsah und bemerkte, daß wir noch immer keinen Blick von ihr wenden konnten, wurde sie ganz verwirrt, lief fort und blieb weg, bis es fast Schlafenszeit war.

Ich legte mich in das alte kleine Bett im Hintersteven des Bootes, und der Wind strich klagend über die Dünen wie einstmals. Ich konnte mir nicht helfen, es schien mir, als klage er um die, die dahingegangen. Ich mußte an die Wellen des Schicksals denken, die, seitdem ich dieses Heulen zuletzt vernommen, mein glückliches Heim weggespült hatten. Kein Gedanke kam mir mehr wie damals, daß der Ozean draußen über seine Ufer treten könnte und unser Boot fortschwemmen. Ich erinnere mich noch, wie Wind und Wogen allmählich schwächer in meinen Ohren klangen, als ich meinem Abendgebet den Satz hinzufügte: Gott möchte mich groß werden lassen, damit ich die kleine Emly heiraten könne. Dann sank ich verliebt in Schlummer.

Die Tage vergingen so schnell wie früher, doch nur selten mehr konnte ich mit der kleinen Emly am Strande spazieren gehen. Sie mußte Aufgaben lernen und nähen und konnte einen großen Teil des Tages nicht zu Hause sein. Aber auch ohnedies wären diese alten Wanderungen nicht mehr so wie früher gewesen. So wild und voll kindischer Launen Emly war, so war sie doch schon viel mehr Jungfrau, als ich glaubte. Sie schien in mehr als einem Jahr viel älter als ich geworden zu sein. Sie hatte mich gern, aber lachte mich aus und quälte mich, nahm einen andern Weg, wenn ich sie abholen ging, und empfing mich lachend an der Tür, wenn ich dann verstimmt heimkam. Meine besten Zeiten waren, wenn sie vor der Tür stillsitzen mußte und arbeitete, während ich ihr auf der Schwelle vorlas.

Es kommt mir jetzt so vor, als ob ich niemals wieder soviel Sonnenschein erlebt hätte, wie an jenen schönen Aprilnachmittagen, niemals mehr eine so sonnige kleine Gestalt gesehen, als damals an der Tür des alten Schiffes, niemals mehr einen solchen Himmel, solches Wasser, und so herrliche Schiffe in die goldig flimmernde Luft hinaussegeln.

Schon am ersten Abend nach unserer Ankunft erschien Mr. Barkis mit einem sehr einfältigen Gesicht und sehr linkischer Haltung und mit einer Anzahl Orangen in einem Schnupftuch. Da er nichts über dieses Bündel fallen gelassen, glaubten wir, er habe es wahrscheinlich vergessen, als er wegging, bis Ham, der ihm nacheilte, mit der Nachricht zurückkam, es sei für Peggotty bestimmt. Von jenem Tag an erschien Barkis pünktlich um dieselbe Stunde jeden Abend und immer mit einem kleinen Bündel, von dem er nie sprach, und das er regelmäßig hinter die Tür stellte und dort liegen ließ.

Diese Liebesgaben waren der verschiedensten und exzentrischsten Art. Einmal ein paar Schweinsfüße, dann ein ungeheures Nadelkissen, ein halber Eimer Äpfel, ein Paar Jetohrringe, ein Bündel spanische Zwiebeln, ein Dominospiel, ein Kanarienvogel samt Käfig oder eine gepökelte Schweinskeule.

Auch seine Liebeswerbung war ganz eigentümlicher Art. Er sprach selten ein Wort und konnte stundenlang in derselben Stellung wie im Wagen beim Feuer sitzen und Peggotty anglotzen.

Eines Abends machte er, wahrscheinlich von Liebe begeistert, einen Vorstoß auf das Wachslicht, mit dem sie immer ihren Faden wichste, steckte es in die Westentasche und nahm es mit. Von da an bereitete es ihm ein Hauptvergnügen, den Stumpf, wenn er gebraucht wurde, aus der Tasche zu holen, was nicht ganz leicht war, da er, unterdessen halb geschmolzen, regelmäßig am Taschenfutter festklebte.

Er schien sich bei uns sehr wohl zu fühlen, aber durchaus nicht veranlaßt zu sehen, irgend etwas zu sprechen. Selbst wenn er Peggotty auf der Ebene spazierenführte, machte er sich keine Sorgen darüber. Er fragte sie nur zuweilen, ob sie sich »behaglich fühle«, und Peggotty hielt sich dann, wenn er fortgegangen, die Schürze vors Gesicht und konnte halbe Stunden lang lachen. Auch wir freuten uns alle mehr oder weniger, ausgenommen höchstens die unglückliche Mrs. Gummidge, deren Brautstand von ganz ähnlicher Art gewesen sein mußte, da sie sich immer an den »Alten« erinnerte.

Als meine Besuchszeit ihrem Ende entgegenging, hieß es eines Tages, daß Peggotty und Mr. Barkis einen Festausflug machen wollten und Emly und ich sie begleiten sollten. In Erwartung des großen Vergnügens, Emly einen ganzen Tag für mich zu haben, konnte ich die Nacht vorher schon kaum schlafen. In aller Frühe waren wir auf den Beinen, und während wir noch beim Frühstück saßen, wurde Mr. Barkis in der Ferne sichtbar, eine Kutsche auf den Gegenstand seiner Neigung zulenkend.

Peggotty trug wie gewöhnlich ihre sauber stille Trauerkleidung, aber Mr. Barkis strahlte in einem neuen blauen Rock, den der Schneider so reichlich angemessen, daß die Ärmel im kältesten Winter Handschuhe überflüssig gemacht hätten, während der Kragen so hoch war, daß Barkis Haare auf dem Hinterkopf wegstanden. Die blanken Knöpfe waren von der größten Gattung. Ausgestattet mit hellen Beinkleidern und einer gelben Weste schien mir Mr. Barkis ein Wunder von Vornehmheit zu sein.

Als wir alle reisefertig vor der Tür standen, bemerkte ich, daß Mr. Peggotty mit einem alten Schuh bewaffnet war, der als Glückszeichen hinter uns hergeworfen werden sollte, und daß Mr. Peggotty ihn Mrs. Gummidge zu diesem Zweck hinhielt.

»Nein, lieber soll es jemand anders tun, Daniel«, wehrte Mrs. Gummidge ab. »Ich bin ein einsames, verlassenes Geschöpf, und alles, was mich ans Gegenteil erinnert, geht mich der Quere.«

»Komm, Alte«, rief Mr. Peggotty, »nimms nur und wirf ihn.«

»Nein, Daniel«, wehrte Mrs. Gummidge ab und schüttelte tränenden Auges das Haupt. »Wenn ich weniger fühlte, könnte ich mehr tun. Du fühlst nicht wie ich, Daniel. Die Sachen gehen dich nicht der Quere und du ihnen nicht, s ist besser, du tusts selber.«

Aber hier rief Peggotty, die in großer Eilfertigkeit von einem zum andern gegangen war und alle geküßt hatte, aus dem Wagen heraus, daß Mrs. Gummidge es unbedingt tun müßte. So tat es denn Mrs. Gummidge und warf auch leider zugleich einen traurigen Schatten auf den festlichen Charakter unseres Ausflugs, indem sie in Tränen ausbrach und ganz gebrochen Ham mit den Worten in die Arme sank, daß sie aller Welt eine Last sei und am besten auf der Stelle ins Armenhaus ginge. Schade nur, daß Ham es nicht zur Ausführung brachte.

Nun ging es weiter auf unserm Festpfad und das erste, was wir taten, war, daß wir vor einer Kirche anhielten, wo Mr. Barkis das Pferd an ein Gitter band und mit Peggotty hineinging, während Emly und ich allein zurückblieben. Ich benutzte diese Gelegenheit, meinen Arm um Emlys Taille zu legen und ihr vorzuschlagen, da ich ja bald fort müsse, wollten wir uns recht gut sein und uns den ganzen Tag so glücklich wie möglich gestalten. Da die kleine Emly zustimmte und mir erlaubte, sie zu küssen, kam ich ganz aus der Fassung. Ich sagte ihr, ich könnte nie eine andere lieben und wäre bereit, jeden umzubringen, der sich um sie zu bewerben wagte.

Wie sich die kleine lustige Emly darüber lustig machte! Mit einer Miene, als sei sie unendlich viel gescheiter und älter als ich! Sie sagte, die kleine Hexe, ich sei ein kindischer Junge, und lachte dann so entzückend, daß ich den Schmerz über die demütigende Benennung über der bloßen Freude, sie ansehen zu dürfen, vergaß.

Mr. Barkis und Peggotty blieben ziemlich lang in der Kirche, kamen aber endlich wieder heraus. Dann fuhren wir hinaus aufs Land. Unterwegs wendete sich Mr. Barkis nach mir um und sagte, indem er listig ein Auge zukniff:

»Was fürn Namen hab ich in den Wagen geschrieben?«

»Klara Peggotty«, antwortete ich.

»Was fürn Namen müßt ich jetzt anschreiben, wenn ein Dach da wäre?«

»Nicht wieder Klara Peggotty?« fragte ich.

»Klara Peggotty-Barkis!« erwiderte er und brach in ein Gelächter aus, daß die ganze Chaise wackelte.

Kurz, sie waren verheiratet und waren zu keinem andern Zweck in die Kirche gegangen. Peggotty hatte gewünscht, daß es in aller Stille geschähe, und hatte keine Zeugen zu der Feierlichkeit eingeladen. Sie wurde etwas verlegen, als Mr. Barkis mit dieser Mitteilung herausplatzte, und konnte mich nicht genug umarmen, um mir ihre unveränderte Liebe zu zeigen. Bald beruhigte sie sich wieder und sagte, sie sei froh, daß alles vorbei wäre.

Wir hielten dann an einem kleinen Wirtshaus, wo wir erwartet wurden und ein sehr gutes Mittagessen einnahmen und den Tag sehr angenehm zubrachten. Wenn Peggotty täglich einmal in den letzten zehn Jahren geheiratet haben würde, hätte sie nicht unbefangener sein können. Sie war ganz wie sonst und machte mit der kleinen Emly und mir vor dem Tee einen kleinen Spaziergang, während Mr. Barkis philosophisch seine Pfeife rauchte, offenbar damit beschäftigt, sich sein künftiges Glück auszumalen. Das schien seinen Appetit anzuregen, denn ich erinnere mich genau, daß er zum Tee noch eine ziemliche Menge kalten Schinken zu sich nahm, trotzdem er schon zu Mittag ziemlich viel Schweinebraten und Gemüse gegessen und dann mit ein oder zwei jungen Hühnern noch nachgeholfen hatte.

Ich habe seitdem oft daran denken müssen, was für eine seltsame unschuldige und ungebräuchliche Hochzeit das damals war.

Bald nach Dunkelwerden stiegen wir wieder in den Wagen und fuhren gemütlich zurück und betrachteten die Sterne und sprachen über sie. Ich führte hauptsächlich die Konversation und klärte Mr. Barkis' Geist in ganz erstaunlicher Weise auf. Er hätte wahrscheinlich alles geglaubt, was ihm zu erzählen mir eingefallen wäre, denn er empfand die größte Hochachtung vor meiner Gescheitheit und sagte seiner Frau, ich sei der reinste »Roeshus«. Damit meinte er ein Wunderkind.

Als wir das Thema Sterne erschöpft hatten, oder besser gesagt, als ich die geistigen Fähigkeiten Mr. Barkis' erschöpft hatte, nahmen die kleine Emly und ich ein altes Umschlagtuch als gemeinsamen Mantel um und blieben so während der ganzen Rückfahrt sitzen. Ach, wie sehr ich sie liebte! Welche Seligkeit, dachte ich, wenn wir verheiratet wären und hinaus in die weite Welt gehen könnten, um unter den Bäumen und in den Feldern zu leben, –

wenn wir niemals älter und klüger zu werden brauchten, immer Kinder Hand in Hand im Sonnenschein über blumige Wiesen wandeln und abends im Schlummer der Unschuld und des Friedens das Haupt aufs weiche Moos legen dürften; welche Seligkeit, dereinst von den Vögeln des Himmels begraben zu werden, wenn wir stürben. Solche Traumbilder, lichtstrahlend wie unsere Unschuld, unerreichbar wie die Sterne über unsern Häuptern, gaukelte mir mein Geist vor den ganzen Weg. Es freut mich, daß zwei so unschuldvolle Herzen wie Emly und ich Peggottys Hochzeit verschönten.

Wir kamen noch beizeiten zu dem alten Boot; dort nahmen Mr. und Mrs. Barkis Abschied von uns und fuhren gemächlich nach Hause in ihr eignes Heim. Da fühlte ich das erstemal, daß ich Peggotty verloren hatte. Unter jedem andern Dache als hier, wo ich die kleine Emly bei mir wußte, wäre ich mit blutendem Herzen zu Bett gegangen.

Mr. Peggotty und Ham sahen mir an, worunter ich litt, hielten ein Abendessen bereit und setzten ihre gastlichsten Gesichter auf, um mir meine traurigen Gedanken zu vertreiben. Die kleine Emly saß neben mir auf dem Koffer – das erste Mal, seit ich hier weilte, und es war ein wundervoller Schluß für einen herrlichen Tag.

Diese Nacht war Flut. Und bald, nachdem wir uns schlafen gelegt, fuhren Mr. Peggotty und Ham zum Fischen aus. Ich fühlte mich sehr geschmeichelt, in dem einsamen Haus als Beschützer Emlys und Mrs. Gummidges zurückgelassen zu sein, und wünschte mir nur, daß ein Löwe oder eine Schlange oder ein anderes bösartiges Ungeheuer uns überfallen möchte, damit ich es vernichten und mich mit Ruhm bedecken könnte. Aber da nichts dieser Art auf den Dünen von Yarmouth herumstreifte, ließ ich mir, um diesem Mangel abzuhelfen, bis zum Morgen von Drachen träumen.

Am Morgen kam Peggotty und rief mich wie gewöhnlich ans Fenster, als ob Mr. Barkis, der Fuhrmann, von Anbeginn an nur ein Traum gewesen wäre. Nach dem Frühstück nahm sie mich mit sich nach Hause. Sie bewohnten ein wunderschönes kleines Heim. Von allen Möbeln darin machte mir ein alter Schreibtisch aus dunklem Holz im Empfangszimmer, dessen Deckel aufgeschlagen ein Pult bildete, worauf eine große Quartausgabe von Fox' »Buch der Märtyrer« lag, den tiefsten Eindruck. Als Wohnstube diente eine mit Ziegelsteinen gepflasterte Küche. Das kostbare Buch, von dem ich keine Silbe mehr weiß, entdeckte und studierte ich sogleich; nie wieder später besuchte ich das Haus, ohne auf das Pult zu klettern und es zu verschlingen. Am meisten erbauten mich die vielen Bilder, die alle Arten von Martern darstellten; die Märtyrer und Peggottys Haus sind seitdem in meiner Seele unzertrennlich miteinander verknüpft.

Ich nahm an diesem Tage von Mr. Peggotty und Ham und der kleinen Emly Abschied und schlief in der Nacht bei Peggotty in einem Dachstübchen – das Krokodilbuch lag in einem Fach zuhaupten des Bettes –, das immer mein Zimmer sein und immer für mich hergerichtet bleiben sollte.

»Solange ich lebe, lieber Davy, und unter diesem Dache wohne«, sagte Peggotty, »sollst du dieses Zimmer vorfinden, als ob ich dich jede Minute erwartete. Ich will es jeden Tag bereit halten, wie dein früheres altes kleines Zimmer, und wenn du selbst nach China gingst, soll es die ganze Zeit, wo du abwesend bist, auf dich warten.«

Ich fühlte von ganzem Herzen die Wahrheit aus diesen Worten meiner lieben alten Kindsfrau heraus und dankte ihr, so gut ich vermochte. Es fiel nicht sehr überschwenglich aus, denn sie gab mir ihre Versicherung, die Hände um meinen Hals gelegt, erst an dem Morgen, als ich mit ihr und Mr. Barkis nach Hause fuhr. Sie verließ mich am Gartentor in Blunderstone.

Es war ein bedrückender Anblick für mich, den Wagen mit Peggotty fortfahren zu sehen, während ich unter den alten Ulmen vor dem Hause stand, in dem kein Blick von Liebe oder Zuneigung mehr auf mir ruhen sollte.

Von diesem Zeitpunkt an verfiel ich in einen Zustand des Verlassenseins, auf den ich ohne Ergriffenheit nicht zurückblicken kann. Gänzlich vernachlässigt, ohne Gesellschaft von Knaben meines Alters, war ich ohne jede Aufgabe, allein gelassen mit meinen eignen trüben Gedanken, die selbst jetzt noch, wo ich dies schreibe, ihren Schatten auf das Papier zu werfen scheinen.

Was würde ich darum gegeben haben, wenn man mich wieder in eine Schule geschickt hätte – und wäre sie noch so streng gewesen –, mich auch nur das Geringste gelehrt hätte. Keine Hoffnung lag vor mir. Man konnte mich nicht leiden, sah hartnäckig und mürrisch an mir vorbei. Ich glaube, Mr. Murdstone besaß damals wenig Mittel, aber das tut wenig zur Sache. Er konnte mich nicht ausstehen, und ich glaube, er wollte meine Ansprüche an ihn vergessen, indem er mich vernachlässigte.

Ich wurde nicht tätlich mißhandelt. Man schlug mich nicht und tadelte mich nicht. Aber das Unrecht, das ich litt, war ohne Unterbrechung und wurde mir in systematischer leidenschaftsloser Weise zugefügt. Tag um Tag, Woche um Woche, Monat um Monat wurde ich kalt vernachlässigt. Was sie wohl mit mir angefangen hätten, wenn ich krank geworden wäre? Ob mich jemand gepflegt hätte oder ob sie mich in meinem einsamen Zimmer einfach hätten verschmachten lassen!?

Wenn Mr. und Miss Murdstone zu Hause waren, nahm ich meine Mahlzeit mit ihnen ein. In ihrer Abwesenheit aß und trank ich allein. Zu allen Zeiten trieb ich mich unbeachtet im Hause und in der Nähe herum. Sie gaben nur eifersüchtig acht, daß ich mit niemand Freundschaft schlösse, wahrscheinlich, damit ich mich nicht beklagen könnte.

Wohl aus demselben Grunde war es mir fast nie erlaubt, mit Mr. Chillip einen Nachmittag zu verleben, trotzdem er mich sehr oft einlud. Nur selten durfte ich ihn besuchen. Ebenso selten die ihnen so verhaßte Peggotty. Ihrem Versprechen getreu kam die gute Seele einmal in der Woche zu mir, oder wir trafen uns in der Nähe, und nie kam sie mit leeren Händen. Aber wie viele, viele Male täuschte ich mich bitter in der Hoffnung, Erlaubnis zu bekommen, sie in ihrer Wohnung besuchen zu dürfen. Hie und da wurde es mir gestattet, und bei einer solchen Gelegenheit brachte ich heraus, daß Mr. Barkis eigentlich ein Geizhals, oder wie sie es nannte, ein bißchen knickerig war, und viel Geld in einem Koffer unter seinem Bette versteckt hielt, der angeblich voll Kleider und Hosen sein sollte. Mit solcher Zähigkeit verbarg Barkis seine Schätze, daß auch die kleinste Summe nur durch List aus ihm herausgelockt werden konnte. Peggotty mußte jedesmal eine wahre Pulververschwörung anzetteln, um samstags ihr Haushaltungsgeld zu bekommen.

Während dieser langen Zeit fühlte ich allmählich jede Hoffnung schwinden und empfand die vollständige Vernachlässigung so tief, daß ich ohne meine alten Bücher ganz und gar elend gewesen wäre. Sie bildeten meinen einzigen Trost, und ich war ihnen so treu, wie sie mir, und ich las sie, ich weiß nicht mehr, wie viele Male durch.

Ich komme jetzt zu einem Zeitabschnitt meines Lebens, den ich nie vergessen kann und dessen Erinnerung mir oft ungerufen wie ein Gespenst erschienen ist und glückliche Zeiten getrübt hat.

Ich schlenderte wie gewöhnlich eines Tags zwecklos und träumerisch wie immer umher, da stieß ich, um eine Ecke biegend, unvermutet auf Mr. Murdstone, der sich in Begleitung eines Herrn befand. Ich wollte mich verlegen vorbeidrücken, als der Herr rief: »Hallo, Brooks.«

»Nein, Sir, David Copperfield«, sagte ich.

»Sei still, du bist Brooks von Sheffield«, sagte der Herr, »das ist dein Name.«

Bei diesen Worten sah ich mir den Gentleman genauer an und erkannte in ihm Mr. Quinion, der damals bei meinem und Mr. Murdstones Besuch in Lowestoft so gelacht hatte.

»Und was machst du und wo gehst du in die Schule, Brooks?« fragte Mr. Quinion. Er legte mir die Hand auf die Schulter und zog mich mit. Ich wußte nicht, was ich antworten sollte, und blickte fragend auf Mr. Murdstone.

»Er ist jetzt zu Hause«, sagte Mr. Murdstone. »Er geht überhaupt nicht in die Schule. Ich weiß nicht, was ich mit ihm anfangen soll. Es ist ein schwieriger Fall.«

Sein alter falscher Blick ruhte eine Weile auf mir, dann runzelte er die Brauen und wandte sich mit Widerwillen von mir ab.

»Hum«, sagte Mr. Quinion und sah uns beide an. »Schönes Wetter.«

Eine Pause trat ein, und ich überlegte, wie ich mich am besten von ihm losmachen könnte und meines Weges gehen, als er sagte:

»Ich glaube, du bist doch ein ziemlich flinker Bursche, was, Brooks?«

»Ja, er ist flink genug«, sagte Mr. Murdstone ungeduldig. »Laß ihn doch gehen, er wird dirs nicht Dank wissen, daß du ihn festhältst.« Auf seinen Wink ließ mich Mr. Quinion los, und ich beeilte mich, wegzukommen. Als ich mich im Garten umdrehte, sah ich, daß Mr. Murdstone, am Kirchhof stehengeblieben, mit Mr. Quinion unterhandelte. Sie sahen mir beide nach, und ich merkte, daß sie von mir sprachen.

Mr. Quinion blieb die Nacht über bei uns. Nach dem Frühstück am nächsten Morgen wollte ich eben das Zimmer verlassen, als mich Mr. Murdstone zurückrief. Er ging dann feierlich an den Schreibtisch seiner Schwester; Mr. Quinion schaute, die Hände in den Taschen, zum Fenster hinaus, und ich stand da und sah von einem zum andern.

»David«, begann Mr. Murdstone, »für die Jugend ist dies eine Welt der Tat, aber keine zum Brüten und Faulenzen.«

»Wie du es machst«, fügte seine Schwester hinzu.

»Jane Murdstone, überlasse das gefälligst mir! – Also ich sage dir, David, für die Jugend ist dies eine Welt der Tat und nicht ein Feld zum Brüten und Faulenzen, ganz besonders nicht für einen Jungen von deinem Charakter, der der Zucht bedarf und dem man den größten Dienst leistet, wenn man ihn zwingt, die Wege der arbeitenden Welt zu betreten, um ihn zu ducken und zu brechen.«

»Mit Trotz ist hier nichts auszurichten«, warf seine Schwester dazwischen, »dein Trotz muß gebrochen werden. Er soll und muß gebrochen werden.« Mr. Murdstone warf ihr einen halb abweisenden, halb billigenden Blick zu und fuhr fort:

»Ich glaube, du weißt, David, daß ich nicht reich bin. Jedenfalls weißt dus jetzt. Du hast eine beachtenswerte Erziehung genossen. Erziehung kostet Geld. Aber selbst, wenn das nicht der Fall wäre, würde ich es doch für vorteilhaft halten, dich nicht mehr in die Schule zu schicken. Was vor dir liegt, ist der Kampf mit der Welt, und je eher du damit anfängst, um so besser!«

Ich glaube, daß ich ihn in meiner eignen armseligen Art wohl schon lange begonnen hatte.

»Du hast wohl schon von dem Comptoir gehört?« fuhr Mr. Murdstone fort.

»Vom Comptoir, Sir?«

»Von Murdstone & Grinbys Weinhandlung.«

Ich muß vermutlich ein verwirrtes Gesicht gemacht haben, denn er sagte ungeduldig: »Das Comptoir, das Geschäft, der Keller, das Lager, kurz und gut.«

»Ich glaube, ich habe davon gehört, Sir, aber ich weiß nicht mehr wann.«

»Das ist schließlich gleichgültig«, antwortete er. »Mr. Quinion führt das Geschäft.«

Ich blickte den Gentleman, der immer noch aus dem Fenster schaute, ehrerbietig an.

»Mr. Quinion meint, daß er noch ein paar Jungen beschäftigen kann und keinen Grund sieht, warum er dich nicht auch unter denselben Bedingungen anstellen sollte.«

»Wenn Brooks schon sonst keine andern Aussichten hat, Murdstone«, ließ Mr. Quinion halblaut fallen und sah sich nach uns um.

Ohne zu beachten, was er sagte, fuhr Mr. Murdstone ungeduldig, fast ärgerlich fort:

»Die Bedingungen sind, daß du so viel verdienst, daß du Essen, Trinken und Taschengeld hast. Deine Wohnung, die ich dir aussuchen werde, bezahle ich, ebenso deine Wäsche.«

»Die ich aussuchen werde«, sagte Miss Murdstone.

»Für deine Kleider wird auch gesorgt werden, da du für die erste Zeit sie dir nicht selbst wirst beschaffen können. Du gehst also jetzt mit Mr. Quinion nach London, David, um ein Leben auf eigne Rechnung zu beginnen.«

»Kurz, du bist versorgt«, bemerkte Miss Murdstone »und wirst gefälligst deine Pflicht tun.«

Ich verstand ganz gut, daß man mich nur loswerden wollte, weiß aber nicht mehr recht, ob ich mich darüber freute oder traurig war. Ich glaube, ich fühlte mich so verwirrt, daß ich zwischen beiden Empfindungen hin und her schwankte. Es blieb auch nicht viel Zeit, mir darüber klarzuwerden, da Mr. Quinion am nächsten Morgen abreisen sollte.

Ich sehe mich an jenem Morgen in einem alten abgetragnen weißen Hut mit einem schwarzen Trauerflor, in einer schwarzen Jacke und ein paar harten steifen Manchesterhosen, die Miss Murdstone vermutlich als die beste Rüstung im Kampfe mit der Welt, den ich jetzt beginnen sollte, ausgesucht hatte. In diesem Aufzug, alle meine Habseligkeiten in einem kleinen Koffer, ganz allein, »einsam und verlassen«, wie Mrs. Gummidge gesagt hätte, saß ich auf dem Wagen, der Mr. Quinion zur Londoner Post nach Yarmouth brachte.

Kleiner und kleiner wurden das Haus und die Kirche in der Ferne, das Grab unter dem Baum verschwand hinter den Häusern. Dann sehe ich den Kirchturm nicht über meinem alten Spielplatz mehr ragen, und der Himmel ist öde und leer.

11. Kapitel

Ich beginne ein Leben auf eigne Faust und finde keinen Gefallen daran

Ich kenne die Welt jetzt gut genug, um mich fast über nichts mehr zu wundern, aber dennoch muß ich selbst heute noch staunen, wie man mich damals in einem solchen Alter derartig leichtfertig hinausstoßen konnte. Daß sich niemand eines Kindes von so vortrefflichen Fähigkeiten und mit so großer Beobachtungsgabe, so schnell von Begriffen, lernbegierig, körperlich und geistig so leicht verletzbar wie ich, annahm, klingt fast wunderbar. Aber niemand tat es, und so wurde ich in meinem zehnten Jahr ein kleiner Laufbursche bei Murdstone & Grinby.

Murdstone & Grinbys Magazin lag am Wasser unten in Blackfriars. Neubauten haben die Gegend verändert, aber damals war es das letzte Haus in einer engen Straße, die sich zum Fluß hinschlängelte; am Ende mit ein paar Stufen, wo ein Boot anlegte. Es war ein baufälliges altes Haus mit einem eignen Ladeplatz, der während der Flut im Wasser und während der Ebbe im Schlamm stand und von Ratten wimmelte. Die getäfelten Zimmer, schwarz von Schmutz und Rauch von hundert Jahren wohl, die verfaulten Fußböden und Stiegen, das Quieken und Pfeifen der alten Ratten im Keller, der Schmutz und die Fäulnis des Ortes, alles das steht jetzt noch so deutlich vor meinen Augen, wie beim erstenmal, als ich an Mr. Quinions Hand zitternd eintrat.

Murdstone & Grinby hatten mit allen möglichen Bevölkerungsschichten zu tun. Das Hauptgeschäft bestand darin, gewisse Lastschiffe mit Wein und Branntwein zu versorgen. Ich weiß nicht mehr, was es für Lastschiffe waren, aber einige derselben fuhren nach Ost- und Westindien. Eine große Menge leerer Flaschen bildete eine Begleiterscheinung dieser Geschäftstätigkeit, und eine Anzahl Männer und Knaben mußten diese Flaschen gegen das Licht halten, die beschädigten weglegen und die übrigen ausspülen. Wenn die leeren Flaschen zu Ende gingen, mußten die gefüllten mit Zetteln beklebt, zugekorkt, versiegelt und in Kisten gepackt werden. Das war auch meine Beschäftigung.

Wir waren unser drei oder vier Knaben. Mein Platz befand sich in einer Ecke des Lagerhauses, wo Mr. Quinion mich sehen konnte, wenn er sich auf das unterste Querholz seines Stuhls im Comptoir aufstellte und über das Pult hinweg zum Fenster hinausblickte.

Am ersten Morgen meiner so aussichtsvoll anhebenden Lebensbahn wurde der älteste der angestellten Knaben herbeigerufen, um mir meine Arbeit zu zeigen. Er hieß Mick Walker und trug eine zerrissene Schürze und eine Mütze aus Papier. Sein Vater war, wie er mir sagte, Schutenführer und ging mit schwarzem Samtbarett im jährlichen Festzuge des Lord-Mayor. Unser Vorarbeiter, ebenfalls ein Knabe, wurde mir unter dem sonderbaren Namen Mehlkartoffel vorgestellt. Wie ich später herausfand, war der Jüngling nicht auf diesen Namen getauft, sondern hatte ihn wegen seiner blassen mehligen Gesichtsfarbe bekommen. Er hieß auch kurz Mehlig, und sein Vater war Themseschiffer und außerdem Feuerwehrmann in einem großen Theater, wo Mehligs kleine Schwester Kobolde in Pantomimen spielte.

Worte können meine geheime Seelenqual nicht beschreiben, als ich zu dieser Gesellschaft herabsank, diese jetzt tägliche Umgebung mit meiner glücklichen Kindheit verglich – nicht zu reden von dem Umgang mit Steerforth, Traddles und den andern Knaben –, und alle meine Hoffnungen, zu einem angesehenen gebildeten Menschen heranzuwachsen, vernichtet fand. Unbeschreiblich war meine Hoffnungslosigkeit, die Scham über meine Lage, das Elend in meinem jungen Herzen, von Tag zu Tag mehr und mehr vergessen zu müssen, was ich gelernt, gedacht und mir ausgemalt hatte. Sooft Mick Walker an diesem Vormittag fortging, mischten sich meine Tränen mit dem Wasser, in dem ich die Flaschen spülte, und ich schluchzte, als ob mir das Herz brechen wollte.

Die Comptoirglocke zeigte halb eins, und alles machte sich zum Mittagessen bereit, als Mr. Quinion ans Fenster klopfte und mich hereinrief. Ich gehorchte und fand drinnen einen starken Mann von mittlern Jahren in einem braunen Überzieher, mit schwarzen Hosen und Schuhen, mit einem Kahlkopf, der so glatt war wie ein Ei, und einem vollen breiten Gesicht. Seine Kleider waren schäbig, dafür hatte er einen ungeheuren Hemdkragen. Er trug einen ehemals glänzend gewesenen Stock mit ein paar großen, abgegriffnen, schwarzen Quasten und an der Brust eine

Lorgnette. Diese, wie ich später herausfand, bloß als Schmuck, denn er sah selten hindurch und konnte nichts erkennen, wenn er sie vors Auge hielt.

»Das ist er«, sagte Mr. Quinion und deutete auf mich.

»Also das ist Master Copperfield«, sagte der Fremde mit einer gewissen affektierten Herablassung in Stimme und Benehmen und einer Vornehmtuerei, die mir außerordentlich imponierte.

»Sie befinden sich doch wohl, Sir?«

Ich sagte: »Außerordentlich«, und hoffte das gleiche von ihm. Mir war entsetzlich zumute, weiß der Himmel, aber es lag nicht in meiner Natur zu klagen.

»Dem Himmel sei Dank«, sagte der Fremde, »mir geht es recht gut. Ich habe einen Brief von Mr. Murdstone empfangen, in dem ich ersucht werde, in einem Zimmer im Hintertrakte meines Hauses, das augenblicklich leer steht und – und –« platzte er plötzlich in einem Anfall von Vertraulichkeit lächelnd heraus – »als Schlafstube vermietet werden soll, den jungen Anfänger aufzunehmen, den ich jetzt das Vergnügen habe zu –« er schwenkte die Hand und steckte das Kinn in den Hemdkragen.

»Das ist Mr. Micawber«, sagte Mr. Quinion zu mir.

»Ahem«, sagte der Fremde, »das ist mein Name.«

»Mr. Micawber«, sagte Mr. Quinion, »ist Mr. Murdstone bekannt. Er sammelt Aufträge für uns, das heißt, wenn er welche bekommen kann. Er erhielt von Mr. Murdstone wegen deiner Wohnung einen Brief und wird dich zu sich nehmen.«

»Meine Adresse ist Windsor Terrace, City Road – kurz«, sagte Mr. Micawber in derselben vornehmen Miene wie bei Beginn und dann plötzlich in vertraulichen Ton umschlagend, »kurz, ich wohne dort.«

»Ich stehe unter dem Eindruck«, fuhr er fort, »daß Ihre Wanderungen in dieser Metropole bisher wohl noch nicht so ausgedehnt gewesen sein können, daß es Ihnen nicht einigermaßen Schwierigkeiten bereiten dürfte, in die Verborgenheiten des modernen Babylon bis in die Richtung der City Road vorzudringen, – kurz –«, er verfiel wieder in plötzliche Vertraulichkeit,

»daß Sie sich verlaufen könnten. Ich werde so frei sein, Sie diesen Abend abzuholen und in die Kenntnis des kürzesten Weges einzuweihen.«

Ich dankte von ganzem Herzen, denn es war freundlich von Mr. Micawber, daß er sich erbot, so viel Mühe auf sich zu nehmen.

»Zu welcher Stunde soll ich?« fragte Mr. Micawber.

»Gegen acht«, sagte Mr. Quinion.

»Gegen acht«, wiederholte Mr. Micawber. »Ich erlaube mir, Ihnen einen guten Tag zu wünschen, Mr. Quinion, ich will nicht länger stören.«

Damit setzte er seinen Hut auf und ging hinaus, den Stock unter dem Arm, kerzengerade, und begann ein Liedchen zu pfeifen, als er das Comptoir hinter sich hatte.

Mr. Quinion engagierte mich sodann in aller Form für das Lagerhaus von Murdstone & Grinby als »Bursche für alles« mit einem Salär von, ich weiß nicht mehr, sechs oder sieben Schillingen wöchentlich. Er bezahlte mir eine Woche voraus – aus seiner Tasche, glaube ich, und ich gab davon Mehlig sechs Pence, damit er abends meinen Koffer nach der Windsor Terrace bringe, der, wenn auch noch so klein, dennoch für meine Kraft zu schwer war. Weitere sechs Pence zahlte ich für mein Mittagessen, das aus einer Fleischpastete und einem Schluck Brunnenwasser bestand, und verbrachte die freie Mittagsstunde auf der Straße herumschlendernd.

Abends zur festgesetzten Zeit erschien Mr. Micawber wieder. Ich wusch mir seinetwegen Hände und Gesicht, und wir gingen nach unsrer Wohnung. Mr. Micawber machte mich auf die Straßennamen und die Merkmale der Eckhäuser aufmerksam, damit ich am andern Morgen den Weg wieder zurückfinden könnte.

In seinem Hause in der Windsor Terrace, das auch so auf äußern Schein hielt und dabei ebenso schäbig war wie er selbst, stellte er mich Mrs. Micawber vor, einer magern verwelkten Dame, die, nicht mehr jung, mit einem Kind an der Brust in der Wohnung im Parterre saß. Der erste Stock war überhaupt nicht möbliert und die Rouleaux waren herabgelassen, um die Nachbarn zu täuschen. Der Säugling gehörte zu einem Zwillingspaar und während meiner ganzen Bekanntschaft mit der Familie sah ich niemals die Mutter ohne einen der beiden an der Brust. Einer von beiden hatte immer Hunger.

Noch zwei andere Kinder waren da. Master Micawber, ungefähr vier Jahre, und Miss Micawber, etwa drei alt. Dazu kam noch ein junges, dunkelhäutiges Dienstmädchen, das beständig schnaufte und, wie sie es nannte, ein »Waisling«, aus dem benachbarten St.-Lukas-Armenhause stammte. Mein Zimmer sah unter dem Dache nach dem Hof hinaus, war klein, mit einem weißblauen Semmelmuster bemalt und sehr dürftig möbliert.

»Ich hätte nie gedacht«, sagte Mrs. Micawber, als sie mit den beiden Zwillingen hinaufging, um mir das Zimmer zu zeigen, und sich niedersetzte, um Atem zu schöpfen, »ich hätte nie geglaubt, ehe ich heiratete und noch bei Papa und Mama lebte, daß ich noch einmal an fremde Leute würde vermieten müssen. Aber da Mr. Micawber momentan in Verlegenheiten ist, müssen alle selbstsüchtigen Bedenken fallen.«

Ich sagte: »Jawohl, Madame.«

»Mr. Micawbers Bedrängnisse sind augenblicklich fast erdrückender Art«, fuhr Mrs. Micawber fort, »und ob es möglich sein wird, ihn hindurchzubringen, weiß ich nicht. Als ich noch zu Hause bei Papa und Mama lebte, hätte ich Papas Lieblingsausdruck Experientia docet kaum so verstanden, wie ich es jetzt tue.«

Ich weiß nicht recht, ob sie mir sagte, daß Mr. Micawber Marinebeamter gewesen war, oder ob ich es mir bloß einbildete. Augenblicklich war er eine Art Platzreisender für verschiedene Häuser, machte aber wenig oder gar keine Geschäfte.

»Wenn Mr. Micawbers Gläubiger nicht warten wollen«, sagte Mr. Micawber, »müssen sie selbst die Folgen tragen. Je eher sies zu einem Ende bringen, desto besser. Blut läßt sich aus keinem Stein pressen, und noch weniger kann Mr. Micawber jetzt etwas auf Abschlag zahlen – die Gerichtskosten gar nicht zu erwähnen.«

Ich weiß nicht, ob sie meine frühreife Selbständigkeit über mein Alter irre machte oder ob die Angelegenheit sie derart erfüllte, daß sie sie sogar den beiden Zwillingen erzählt haben würde, wenn niemand anders dagewesen wäre. Jedenfalls schlug sie diese Tonart an und redete darin weiter, solange ich sie kannte.

Die arme Mrs. Micawber! Sie habe sich keine Mühe verdrießen lassen, sagte sie; und daran zweifle ich nicht. Die Haustüre war halb verdeckt von einer großen Messingplatte mit der Aufschrift: »Mrs. Micawbers Erziehungsheim für junge Damen.« Aber ich erfuhr nie, daß eine junge Dame Unterricht genommen hätte oder angemeldet worden wäre. Die einzigen Besucher, die ich sah, waren Gläubiger. Sie pflegten den ganzen Tag zu kommen und einige von ihnen benahmen sich furchtbar wild. Ein Mann mit einem schmutzigen Gesichte, ich glaube, er war Schuster, klemmte sich jeden Morgen schon um sieben Uhr früh zur Haustüre herein und rief die Treppe hinauf Mr. Micawber zu: »No, Sie sind noch nicht fort, weiß schon. Werden Sie endlich zahlen? Verstecken Sie sich nicht. Das ist gemein! Ich möchte nicht so gemein sein, wenn ich Sie wäre. Zahlen Sie endlich, ja? Werden Sie nicht endlich zahlen, was! No?« Da er nie eine Antwort bekam, pflegte er sich in seiner Wut zu Worten wie Schwindler und Räuber zu versteigen, und als auch das nie half, lief er zuweilen sogar auf die Straße hinaus und brüllte zu den Fenstern des zweiten Stocks hinauf, wo sich Mr. Micawber aufhielt, wie er wußte.

Bei solcher Gelegenheit pflegte Mr. Micawber vor Ärger außer sich zu geraten und Todesgedanken zu bekommen, und es kam manchmal so weit, daß er, wie mir das Schreien seiner Frau stets verriet, mit dem Rasiermesser eine Bewegung nach seinem Halse machte. Eine halbe Stunde später putzte er sich jedoch immer wieder mit großer Sorgfalt die Schuhe und ging pfeifend mit vornehmerer Miene als je aus.

Mrs. Micawber war ähnlich elastischer Natur. Ich habe sie bei Präsentierung der königlichen Steuertaxe um drei Uhr in Ohnmacht fallen sehen, und schon um vier Uhr verzehrte sie Lammkoteletten und Warmbier, was von dem Erlös der im Leihhaus versetzten zwei Teelöffel angeschafft worden war. Einmal, als eben eine Exekution vollstreckt wurde und ich zufällig um sechs Uhr nach Hause kam, lag sie mit zersaustem Haar, selbstverständlich mit einem Zwilling, ohnmächtig neben dem Kamin. Aber nie habe ich sie lustiger gesehen als noch am selben Abend bei einem Kotelett am Herdfeuer, wo sie mir Geschichten von Papa und Mama und ihren Gesellschaften erzählte.

In diesem Hause und in dieser Familie verbrachte ich meine freie Zeit. Mein Frühstück, aus einem Pennybrot und einem Schluck Milch bestehend, verschaffte ich mir selbst. Ein zweites Brot und ein Käserest waren für mich in einem besondern Fach eines Schrankes aufgehoben, wenn ich abends nach Hause kam. Das machte ein Loch in die sechs oder sieben Schillinge, und ich war den ganzen Tag über im Magazin und mußte mich eine volle Woche von dem Gelde erhalten. Von Montag früh bis Samstag abend hatte ich weder Rat, Ermutigung, Trost, Beistand oder Unterstützung von irgend jemand, so wahr mir Gott helfe.

Ich war so jung und so kindisch und so wenig geeignet – wie hätte es auch anders sein können –, die ganze Sorge für meine Existenz zu tragen, daß ich oft früh, wenn ich zu Murdstone & Grinby ging, der Versuchung nicht widerstehen konnte und mir die zum halben Preis im Fenster des Bäckers ausgestellten altbackenen Pasteten kaufte und dafür das Geld ausgab, das für mein Mittagessen bestimmt war.

Wenn ich einmal regelrecht zu Mittag speiste, kaufte ich mir eine Roulade und ein Pennybrot oder eine Portion rotes Rindfleisch für vier Pence oder eine Portion Käse und Brot und ein Glas Bier in einem elenden Wirtshaus, unserm Geschäft gegenüber, das »der Löwe« hieß.

Einmal, ich erinnere mich noch, trug ich mein Brot, das ich von zu Hause mitgenommen hatte, in Papier gewickelt wie ein Buch, unter dem Arm und ging in eines der bekannteren Speisehäuser hinter Drury Lane und bestellte mir eine kleine Portion Rindsbraten. Was sich der Kellner beim Anblick der seltsamen kleinen Erscheinung, die ganz allein hereintrat, dachte, weiß ich nicht, aber er starrte mich an während des ganzen Essens und rief auch den andern Kellner herbei. Ich gab einen halben Penny Trinkgeld und wünschte, er hätte ihn nicht genommen.

Wir hatten eine halbe Stunde zur Pause frei. Wenn ich Geld besaß, kaufte ich mir eine halbe Pinte zusammengegossenen Kaffee und ein Stück Butterbrot. Wenn ich keins hatte, betrachtete ich mir eine Wildbrethandlung in Fleet Street oder lief bis Covent Garden Market und starrte die Ananasse an. Mein Lieblingsspaziergang erstreckte sich bis in die Nähe des Adelphi-Theaters, weil es mit seinen dunkeln Bogen ein so geheimnisvoller Ort war. Ich sehe mich noch, wie ich eines Abends aus einem dieser Bogen hervorkam und vor mir dicht am Fluß ein kleines Wirtshaus erblickte mit einem freien Platz davor, wo ein paar Kohlenträger tanzten. Ich setzte mich auf eine Bank und sah ihnen zu. Ich möchte wissen, was sie wohl von mir gedacht haben.

Ich war noch so sehr Kind und so klein, daß, wenn ich in ein fremdes Wirtshaus trat und ein Glas Ale oder Porter verlangte, man es mir kaum zu geben wagte. Ich weiß noch, wie ich an einem warmen Abende an den Ausschank eines Bierhauses trat und zu dem Wirte sagte: »Was kostet ein Glas vom besten, aber vom allerbesten Ale?« Es war eine besonders festliche Gelegenheit. Vielleicht mein Geburtstag.

»Zweieinhalben Penny«, sagte der Wirt, »kostet das echte StunningAle.«

»Also«, sagte ich und legte das Geld hin, »geben Sie mir ein Glas mit recht viel Schaum.«

Der Wirt sah mich über den Schenktisch vom Kopf bis zu den Füßen mit erstauntem Lächeln an, anstatt aber das Bier einzuschenken, beugte er sich hinter den Verschlag und sagte etwas zu seiner Frau. Diese trat mit einer Arbeit in der Hand hervor und gesellte sich zu ihm, um mich ebenfalls zu betrachten. Ich sehe uns drei noch, der Wirt in Hemdärmeln lehnt am Fensterrahmen, seine Frau blickt über die kleine Halbtür, und ich schaue außerhalb der Scheidewand verwirrt zu ihnen auf. Sie fragen mich allerlei aus, wie ich hieße, wie alt ich wäre, wo ich wohnte, was ich für eine Beschäftigung hätte und wie ich dazu gekommen. Auf alles erfand ich mir, um niemand zu kompromittieren, passende Antworten. Sie gaben mir das Ale – wie ich vermute, war es nicht das echte –, und die Frau des Wirtes öffnete den Schenkverschlag, gab mir mein Geld zurück und küßte mich, halb bewundernd, halb mitleidig, aber jedenfalls recht mütterlich.

Ich weiß, ich übertreibe nicht, auch nicht unabsichtlich, die Dürftigkeit meiner Mittel oder die Bedrängnisse meines Lebens. Ich weiß, daß, wenn Mr. Quinion mir einmal einen Schilling schenkte, ich ihn immer nur für Tee oder ein Mittagessen ausgab. Ich weiß, daß ich als ärmliches Kind mit gewöhnlichen Männern und Knaben von früh bis spät mich abarbeitete. Schlecht und ungenügend genährt, schlenderte ich in meinen freien Stunden durch die Straßen. Wie leicht hätte aus mir ein kleiner Dieb oder Vagabund werden können.

Immerhin nahm ich bei Murdstone & Grinby eine gewisse Stellung ein. Mr. Quinion tat, was ein so vielbeschäftigter und im großen ganzen so gedankenloser Mann, der überdies mit einem so außergewöhnlichen Auftrag betraut war, tun konnte, um mich anders als die übrigen zu behandeln. Überdies verschwieg ich meinen Gefährten, wie ich an diesen Ort gekommen war, und äußerte nie das mindeste, daß ich mich darüber bekümmert fühlte. Daß ich im geheimen litt und auf das tiefste, das wußte nur ich. Und wie sehr ich litt, kann ich gar nicht beschreiben. Aber ich behielt meinen Schmerz für mich und verrichtete meine Arbeit.

Ich fühlte gleich am Anfang, daß ich mich vor Geringschätzung nicht würde schützen können, wenn ich meine Arbeit nicht so gut machte wie die übrigen. Ich wurde bald so geschickt und flink wie die beiden andern Jungen. Obgleich auf bestem Fuß mit ihnen, unterschieden sich doch mein Benehmen und meine ganze Art und Weise von ihresgleichen, und es blieb immer eine Kluft zwischen uns bestehen. Sie und die erwachsenen Arbeiter nannten mich meist den »kleinen Gentleman« oder den »jungen Suffolker.«

Der Vormeister unter den Packern, namens Gregory, und ein andrer, der Kärrner namens Tipp, der eine rote Jacke anhatte, nannten mich zuweilen David, aber es geschah nur, wenn gerade eine sehr vertrauliche Stimmung herrschte und ich mich bemüht hatte, sie während der Arbeit mit einigen Überresten aus meiner Lesezeit, die immer mehr aus meinem Gedächtnis schwanden, zu unterhalten. Mehlkartoffel lehnte sich einmal dagegen auf, daß ich so ausgezeichnet wurde, aber Mick Walker brachte ihn sofort zum Schweigen.

Die Hoffnung auf eine Erlösung aus diesem Dasein hatte ich ganz entschieden aufgegeben. Ich fand mich nie in meiner Stellung zurecht und fühlte mich höchst unglücklich, aber ich ertrug es, und selbst Peggotty entdeckte ich teils aus Liebe, teils aus Scham in keinem Brief, obgleich ich ihr viele schrieb, die Wahrheit.

Mr. Micawbers Bedrängnisse vermehrten noch die Last, die ich innerlich zu tragen hatte. In meiner Verlassenheit war ich der Familie sehr anhänglich geworden und ging immer herum, beschäftigt mit Mr. Micawbers Sorgen und beschwert von der Last seiner Schulden.

Jeden Samstagabend, der immer ein Fest für mich bedeutete, teils, weil es etwas Großes war, mit sechs oder sieben Schillingen nach Hause zu gehen, in die Läden zu blicken und zu denken, was man sich da alles kaufen könnte, teils, weil das Geschäft zeitlicher geschlossen wurde, machte mir Mrs. Micawber die herzzerreißendsten Mitteilungen. Auch Sonntag früh, wo ich die Portion Tee oder Kaffee, die ich mir am Abend zuvor gekauft hatte, in einem kleinen Rasiertopf wärmte und lange beim Frühstück schwelgte.

Durchaus nicht ungewöhnlich war es, daß Mr. Micawber bei Beginn unserer Samstagsabend-Unterhaltung noch heftig schluchzte und gegen Ende ein lustiges Matrosenlied sang. Ich habe ihn zum Abendessen nach Hause kommen sehen mit einer

Flut von Tränen und der Erklärung, es bliebe nichts mehr übrig als das Schuldgefängnis, und dann schlafen gehen mit einer Berechnung beschäftigt, was es kosten würde, das Haus mit Bogenfenstern zu versehen, im Falle »eine glückliche Wendung eintreten« sollte, wie sein Lieblingsausdruck lautete. Und Mrs. Micawber war genauso.

Ich genoß eine merkwürdige freundschaftliche Gleichstellung, die, wie ich vermute, eine Folge unserer in gewisser Beziehung ähnlichen Verhältnisse war, bei diesen Leuten, trotz unseres lächerlichen Altersunterschiedes, ließ mich aber nie bewegen, eine der vielen Einladungen, mit ihnen zu essen und zu trinken, anzunehmen, denn ich wußte recht gut, wie schlecht sie mit Bäkker und Fleischer standen, und daß sie oft nicht genug für sich selbst hatten, bis Mrs. Micawber mich eines Tags ganz ins Vertrauen zog. Das tat sie in folgender Weise.

»Master Copperfield«, sagte sie, »ich betrachte Sie nicht wie einen Fremden und zögere daher nicht, Ihnen zu gestehen, daß Mr. Micawbers Bedrängnisse sich zu einer Krisis zuspitzen.«

Das betrübte mich sehr, und ich sah Mrs. Micawbers verweinte Augen mit größter Teilnahme an.

»Mit Ausnahme der Kruste von einem Holländer Käse, die den Bedrängnissen einer jungen Familie nicht angemessen ist«, sagte Mrs. Micawber, »ist auch nicht ein Bissen mehr in der Speisekammer. Als ich noch bei Papa und Mama war, hatte ich noch die Gewohnheit, von einer Speisekammer zu sprechen. Jetzt gebrauche ich das Wort eigentlich ganz gedankenlos. Was ich sagen will, ist, daß wir nichts mehr zu essen im Hause haben.«

»O Gott!« rief ich sehr beunruhigt.

Ich besaß noch zwei oder drei Schillinge von meinem Wochenlohn, es muß also wohl Mittwoch gewesen sein, und ich zog sie eilfertig aus der Tasche und bat Mrs. Micawber mit aufrichtiger Rührung, sie als ein Darlehen anzunehmen. Aber sie küßte mich nur und sagte, daß daran gar nicht zu denken sei.

»Nein, lieber Master Copperfield! Das sei ferne von mir! Aber Sie sind sehr diskret für Ihre Jahre und können mir einen andern

Dienst erweisen, wenn Sie wollen, den ich mit Dank annehmen würde.«

Ich bat Mrs. Micawber, ihn mir zu nennen.

»Das Silberzeug habe ich selbst fortgeschafft«, sagte sie, »sechs Tee-, zwei Salz- und ein paar Zuckerlöffel habe ich nach und nach insgeheim selber versetzt, aber die Zwillinge sind ein großes Hindernis, überdies sind für mich mit meinen Erinnerungen an Papa und Mama derlei Transaktionen sehr schmerzlich. Ich habe noch ein paar Kleinigkeiten da, die wir entbehren können. Mr. Micawber würden seine Gefühle niemals erlauben, so etwas selber zu besorgen, und Clickett – das war das Mädchen aus dem Armenhaus – ist eine ordinäre Person und würde sich Frechheiten herausnehmen, wenn man sie einweihte. Master Copperfield! wenn ich Sie daher bitten dürfte –«

Ich verstand jetzt Mrs. Micawber und bat sie, ganz über mich zu verfügen. Schon am Abend fing ich an, die am leichtesten tragbaren Gegenstände fortzubringen, und machte fast jeden Morgen, bevor ich zu Murdstone & Grinby ging, ähnliche Expeditionen.

Mr. Micawber hatte ein paar Bücher auf seiner kleinen Kommode stehen, die er die Bibliothek nannte; diese kamen zuerst an die Reihe. Ich trug eins nach dem andern zu einem Antiquar in der City Road, die damals zumeist aus Buchläden und Vogelhandlungen bestand, und verkaufte sie um jeden Preis. Der Antiquar, der in einem kleinen Hause unweit seines Standes wohnte, pflegte sich jeden Abend zu betrinken und wurde dann am Morgen von seiner Frau heftig ausgezankt. Mehr als einmal, wenn ich zeitig früh hinging, traf ich ihn noch im Bett mit einer Wunde an der Stirn oder einem blauen Auge – Erinnerungen an seine nächtlichen Ausschweifungen –, und er suchte dann mit zitternder Hand die nötigen Schillinge in den verschiedenen Taschen seiner Kleider, die auf dem Boden herumlagen, während sein Weib in niedergetretenen Schuhen, ein Kind auf dem Arm, ununterbrochen weiterkeifte. Manchmal schien er sein Geld verloren zu haben, und dann hieß er mich wiederkommen. Aber seine

Frau besaß immer ein paar Schillinge – wahrscheinlich hatte sie sie ihm während der Trunkenheit aus der Tasche genommen – und schloß den Handel heimlich auf der Treppe ab, wenn wir zusammen hinuntergingen.

Beim Pfandleiher wurde ich bald sehr bekannt. Der Hauptschreiber, der hinter dem Ladentisch amtierte, schenkte mir viel Beachtung und ließ mich oft, während sich meine Geschäfte abwickelten, ein lateinisches Substantiv oder Adjektiv deklinieren oder ein Verbum konjugieren. War ein solches Leihgeschäft besorgt, gab Mrs. Micawber meistens ein bescheidenes Abendessen, und solche Feste hatten für mich immer einen ganz besonderen Reiz.

Endlich kam es in Mr. Micawbers Verhältnissen zu einer Krisis, und er wurde eines Morgens von der bevorstehenden Verhaftung verständigt und sollte sich in dem Kings-Bench-Gefängnis im Borrough einfinden. Als er fortging, sagte er zu mir, daß der Gott des Tages jetzt für ihn versunken sei. Ich dachte wirklich, ihm (und auch mir) sei jetzt das Herz gebrochen. Später hörte ich, daß er vor Mittag noch ganz fidel eine Partie Kegel geschoben hatte.

Am ersten Sonntag nach seiner Verhaftung sollte ich ihn besuchen und bei ihm essen. Ich sollte den Weg nach dem und dem Platze erfragen. Von dem Platze aus würde ich einen andern Platz sehen und dicht hinter diesem einen Hof und über diesen sollte ich geradeaus gehen, bis ich einen Schließer sähe. Alles das befolgte ich, und als ich den Schließer zu Gesicht bekam, armer kleiner Junge, der ich war, und dabei an den Mann dachte, der – als Roderick Random im Roman im Schuldgefängnis saß – nichts als eine alte Decke anhatte, verschwamm seine Gestalt undeutlich vor meinen nassen Augen und es klopfte mir das Herz.

Mr. Micawber erwartete mich an der Tür, und wir gingen hinauf in sein Zimmer im vorletzten Stock unter dem Dach und weinten sehr. Er beschwor mich feierlich, mir an seinem Schicksal ein Beispiel zu nehmen und nie zu vergessen, daß ein Mann mit zwanzig Pfund Jahreseinkommen glücklich ist, wenn er neunzehn Pfund, neunzehn Schilling und sechs Pence ausgibt, aber elend wird, wenn er einen Schilling mehr verzehrt. Dann borgte er sich einen Schilling von mir für Bier aus, gab mir eine geschriebene Anweisung an Mrs. Micawber über diesen Betrag, steckte sein Taschentuch ein und war wieder heiter.

Wir setzten uns vor ein kleines Feuer, das der Ersparnis wegen durch zwei Ziegelsteine abgetrennt auf einem alten Rost brannte, und warteten, bis ein anderer Schuldgefangener, Mr. Micawbers Stubengenosse, mit einer gebratenen Schöpsenkeule, die unsere Mahlzeit auf gemeinsame Kosten bilden sollte, aus dem Bratladen kam. Dann wurde ich hinaufgeschickt in das Zimmer gerade über uns zu »Kapitän Hopkins« mit Empfehlungen von Mr. Micawber, ich sei sein junger Freund und er ließe »Kapitän Hopkins« bitten, mir Messer und Gabel zu leihen.

»Kapitän Hopkins« lieh mir Messer und Gabel mit vielen Empfehlungen an Mr. Micawber. In seinem kleinen Zimmer befanden sich noch eine sehr schmutzige Frau und zwei blasse Mädchen mit furchtbar wirren Frisuren – seine Töchter. Ich dachte bei mir, es sei besser, »Kapitän Hopkins'« Gabel und Messer auszuleihen als seinen Kamm.

Der Kapitän selbst war auf der letzten Stufe von Schäbigkeit angelangt, trug lange Koteletten und einen uralten braunen Überzieher ohne jedes Unterkleid. Sein Bett lag in einer Ecke zusammengerollt, und auf einem Brett stand, was er an Geschirr besaß. Ich erriet, Gott weiß wie, daß die beiden Mädchen mit den zerzausten Haaren wohl »Kapitän Hopkins'« Töchter waren, die schmutzige Frau aber nicht seine Gattin. Ich stand nicht länger auf der Schwelle als höchstens ein paar Minuten, hatte aber alles sofort durchschaut und wußte alles so sicher, wie daß ich Messer und Gabel in der Hand hielt.

Das Mittagessen hatte etwas angenehm Zigeunerhaftes.

Ich brachte »Kapitän Hopkins« Messer und Gabel nachmittags wieder zurück und ging nach Hause, um Mrs. Micawber mit einem Bericht zu beruhigen. Sie wurde ohnmächtig, als sie mich zurückkommen sah, und bereitete dann einen kleinen Eierpunsch zu unserer Tröstung.

Ich weiß nicht, wie und von wem später die Möbel verkauft wurden. Von mir nicht, das ist sicher. Verkauft wurden sie, und mit Ausnahme des Bettes, einiger Stühle und des Küchentisches führte man sie in einem Wagen weg. Mit diesen Besitztümern kampierten wir so gut es ging in zwei Zimmern des ausgeräumten Hauses auf der Windsor-Terrace; Mrs. Micawber, die Kinder, der »Waisling« und ich wohnten darin Tag und Nacht. Ich habe keine Ahnung, wie lange es dauerte, aber es scheint eine ziemliche Zeit gewesen zu sein.

Endlich beschloß Mrs. Micawber, auch in das Gefängnis zu ziehen, wo Mr. Micawber sich ein eignes Zimmer durchgesetzt hatte. Ich trug die Schlüssel des Hauses zu ihrem Besitzer, der sehr froh war, als er sie bekam, und die Betten wurden nach Kings-Bench geschickt; meines, für das wir ein kleines Stübchen in der Nähe des Gefängnisses mieteten, ausgenommen. Mit dieser Anordnung war ich sehr zufrieden, denn die Micawbers und ich hatten uns aneinander zu sehr gewöhnt, um uns trennen zu können. Der Waisling wurde ebenfalls mit einer billigen Wohnung in unsrer Nähe bedacht. Ich bekam eine stille Dachstube hinten hinaus mit der angenehmen Aussicht auf einen Bauhof, und als ich einzog mit dem Gedanken, daß Mr. Micawbers Sorgen nun endlich zu einer Krisis gekommen seien, erschien es mir wie ein wahres Paradies.

Die ganze Zeit über arbeitete ich bei Murdstone & Grinby in der gewohnten Weise mit denselben Gefährten und dem unveränderten Gefühl einer unverdienten Erniedrigung, wie anfangs. Aber – gewiß zu meinem Glück – machte ich niemals eine Bekanntschaft und sprach nie mit einem der vielen Knaben, die ich auf dem täglichen Weg ins Lagerhaus oder bei meinem Herumlungern auf der Straße von Zeit zu Zeit zu Gesicht bekam. Ich führte immer das gleiche innerlich unglückliche Leben in immer derselben einsamen selbstgenügsamen Weise. Die einzigen Veränderungen, deren ich mir bewußt wurde, waren erstens, daß ich mir noch mehr herabgekommen zu sein schien, und zweitens, daß die Sorgen Mr. und Mrs. Micawbers weniger auf mir lasteten; einige Verwandte oder Freunde unterstützten sie, und sie lebten jetzt besser im Gefängnis als in der letzten Zeit außerhalb.

Infolge irgendeines Arrangements durfte ich bei ihnen frühstücken. Wann die Tore des Gefängnisses früh geöffnet wurden, weiß ich nicht mehr, ich erinnere mich nur, daß ich immer darauf wartete – am liebsten auf der alten London-Brücke – und mich immer auf die Steinbänke setzte und die vorübergehenden Leute beobachtete, oder über die Balustrade auf das in der Sonne glitzernde Wasser schaute. Hier traf ich öfter den Waisling und erzählte ihm einige erstaunliche Geschichten von den Werften und vom Tower, von denen ich weiter nichts sagen kann, als daß ich hoffe, ich habe sie selbst geglaubt. Abends besuchte ich meistens wieder das Gefängnis, ging mit Mr. Micawber auf dem Hofe auf und ab, spielte mit Mrs. Micawber Casino und hörte ihren Reminiszenzen an Papa und Mama zu. Ob Mr. Murdstone wußte, wo ich mich befand, kann ich nicht sagen. Ich erzählte nie etwas bei Murdstone & Grinby.

Obgleich Mr. Micawbers Angelegenheiten jetzt über die Krise hinaus waren, so schienen sie doch noch sehr verwickelt zu sein wegen eines gewissen Kontraktes, von dem ich immer sehr viel hörte, und der wahrscheinlich eine frühere Vereinbarung mit den Gläubigern gewesen sein mag. Vielleicht war es auch eines jener gewissen Teufelspakte auf Pergament, die einmal vor Zeiten in Deutschland so verbreitet gewesen sein sollen. Endlich schien dieses Dokument irgendwie aus dem Wege geräumt worden zu sein, wenigstens hörte es auf, den Stein des Anstoßes zu bilden, und Mrs. Micawber teilte mir mit, daß »ihre Familie« beschlossen habe, Mr. Micawber müsse sich unter den Schutz des Bankrottgesetzes stellen, was seine Befreiung in etwa sechs Wochen in Aussicht rücken würde.

»Und dann«, sagte Mr. Micawber, »werde ich mit Gottes Hilfe in der Welt wieder vorwärtskommen und ein ganz neues Leben beginnen, wenn – die große Veränderung eintritt.«

Ich darf nicht zu berichten versäumen, daß Mr. Micawber

auch eine Petition an das Unterhaus einreichte, und darin um eine Abänderung der Schuldhaftgesetze bat.

Es gab einen Klub im Gefängnis, in dem er als Gentleman in großem Ansehen stand. Er hatte die Grundidee zu seiner Petition dem Klub bekanntgegeben, und dieser hatte sie gebilligt. Darauf machte sich Mr. Micawber, der außerordentlich gutherzig war und in allen Angelegenheiten, nur in seinen eignen nicht, ungemein tätig war und sich glücklich fühlte, wenn er etwas tun konnte, was ihm nicht den geringsten Nutzen einbrachte, über die Petition her, faßte sie ab, schrieb sie auf einen ungeheuren Bogen Papier, breitete sie auf dem Tisch aus und setzte die Zeit fest, wo der ganze Klub und alle Gefangenen, die dazu Lust hätten, heraufkommen und sie unterzeichnen sollten.

Als ich von der bevorstehenden Feierlichkeit hörte, fühlte ich ein so lebhaftes Interesse, jeden einzelnen heraufkommen zu sehen, daß ich mir bei Murdstone & Grinby eine Stunde Urlaub erwirkte und in einer Ecke des Zimmers Posten faßte.

Die Oberhäupter des Klubs standen in dem kleinen Zimmer herum und »Kapitän Hopkins«, der sich zu Ehren des Festes gewaschen hatte, stand neben Mr. Micawber bereit, die Petition vorzulesen. Dann wurde die Tür geöffnet und in langen Reihen kamen die übrigen Bewohner des Gefängnisses herein. Mehrere warteten draußen, während immer einer vortrat, unterschrieb und wieder hinausging. Jeden einzelnen fragte »Kapitän Hopkins«: »Haben Sie es gelesen? – Nein! – Soll ich es Ihnen vorlesen?« Wenn der Betreffende widerstandslos genug war, auch nur den Schein einer Neigung, es zu hören, an den Tag zu legen, las »Kapitän Hopkins« mit lauter sonorer Stimme Wort für Wort vor.

Wenn es zwanzigtausend Leute hätten hören wollen, einer nach dem andern, der Kapitän würde es zwanzigtausendmal vorgelesen haben. Ich weiß noch, mit welchem Wohlbehagen er gewisse Phrasen, wie: »Die im Parlament versammelten Vertreter des Volks«, oder »die Bittsteller nahen sich demütigst Ihrem hochansehnlichen Hause«, »Eurer huldreichen Majestät unglückliche Untertanen«, zerkaute, als ob diese Worte in seinem Munde zu etwas Realem von köstlichem Geschmacke würden, während Mr. Micawber mit ein bißchen Autoreneitelkeit und nicht allzu strengem Blick die eisernen Spitzen des gegenüberliegenden Gefängnisgitters betrachtete.

12. Kapitel

Da mir das Leben auf eigne Faust nicht gefällt, fasse ich einen großen Entschluß

Mr. Micawbers erste Bittschrift wurde günstig erledigt, und das Gericht ordnete zu meiner großen Freude seine Freilassung an. Seine Gläubiger zeigten sich nicht unversöhnlich, und Mrs. Micawber erzählte mir, daß selbst der rachedürstende Schuster vor Gericht erklärt habe, er hege weiter keinen Groll, wünsche aber bezahlt zu sein, wenn man ihm Geld schulde. Er habe gesagt, er glaube, das sei menschlich.

Mr. Micawber kehrte nach Kings-Bench zurück, als sein Fall erledigt war, denn es mußten noch einige Kosten bezahlt und einige Formalitäten erfüllt werden, ehe er freigelassen wurde. Der Klub empfing ihn mit Begeisterung und veranstaltete an diesem Abend ihm zu Ehren eine musikalische Feier, während Mrs. Micawber und ich uns privatim an einem Lammsbraten erfreuten, umgeben von der schlafenden Familie.

»Bei dieser Gelegenheit will ich mit Ihnen, Master Copperfield«, sagte Mrs. Micawber, »mit einem frischen Glas Flip – wir hatten schon einige getrunken – auf das Wohl von Papa und Mama trinken.«

»Sind sie tot, Madame?« fragte ich, nachdem ich mit meinem Weinglas angestoßen hatte.

»Mama schied aus dem Leben, bevor Mr. Micawbers Drangsale begannen oder wenigstens noch nicht so schlimm waren. Papa lebte noch, um mehrere Male für Mr. Micawber Bürgschaft zu leisten, und hauchte dann seinen Geist aus, beweint von einem zahlreichen Kreis.«

Mrs. Micawber schüttelte den Kopf und ließ eine Träne auf den Zwilling, der gerade bei der Hand war, fallen.

Da ich schwerlich eine günstigere Gelegenheit zu der Frage, die mir sehr am Herzen lag, finden konnte, sagte ich zu Mrs. Micawber:

»Darf ich fragen, Ma'am, was Sie und Mr. Micawber zu tun gedenken, wenn Ihr Herr Gemahl aus seinen Verlegenheiten heraus und wieder in Freiheit ist? Haben Sie schon einen Entschluß gefaßt?«

»Meine Familie«, sagte Mrs. Micawber, die diese Worte immer mit einer großen Geste aussprach, obgleich ich nie herausbekommen konnte, wer eigentlich darunter zu verstehen sei, »meine Familie ist der Meinung, daß Mr. Micawber London den Rücken kehren und seine Talente in der Provinz verwerten solle. Mr. Micawber ist ein Mann von großem Talent, Master Copperfield!«

Ich sagte, daß ich daran nicht zweifle.

»Von großem Talent«, wiederholte Mrs. Micawber. »Meine Familie ist der Meinung, daß mit ein wenig Fürsprache für einen Mann von seinen Fähigkeiten etwas beim Zollamt getan werden könnte. Da der Einfluß meiner Familie nur lokaler Art ist, ist es ihr Wunsch, daß Mr. Micawber nach Plymouth hinunterkommen solle. Sie halten es für unerläßlich, daß er sich an Ort und Stelle begibt.«

»Um bereit zu sein?« fragte ich.

»Ganz richtig«, wiederholte Mrs. Micawber. »Um bereit zu sein – falls eine glückliche Wendung eintritt.«

»Und Sie gehen auch mit, Ma'am?«

Die Ereignisse des Tages, die Mitwirkung der Zwillinge und vielleicht auch der Flip hatten Mrs. Micawber sehr hysterisch gestimmt, und sie vergoß Tränen, als sie antwortete:

»Ich werde Mr. Micawber nie verlassen! Mr. Micawber hat mir vielleicht zu Anfang seine Bedrängnisse verheimlicht, aber sein sanguinisches Temperament mag ihn zu der Ansicht verleitet haben, er werde sie bald überwinden können. Das Perlenhalsband und die Armbänder, die ich von Mama geerbt habe, sind um den halben Wert verschleudert worden. Und der Korallenschmuck, den mir Papa zur Hochzeit schenkte, fast für nichts. Aber ich werde Mr. Micawber nie verlassen! Nein!« rief Mrs. Micawber mit noch größerer Rührung als vorher, »ich werde das nie tun. Ich lasse mich nicht überreden!«

Ich fühlte mich sehr unbehaglich, da Mrs. Micawber zu glauben schien, ich hätte sie zu einem solchen Schritt verleiten wollen, und sah sie sehr beunruhigt an.

»Mr. Micawber hat seine Fehler, ich leugne nicht, daß er unbedacht ist. Auch nicht, daß er mit Geld nicht umzugehen weiß und mich über seine Mittel und seine Schulden in Unkenntnis gelassen hat«, fuhr sie, den Blick an die Wand gerichtet, fort, »aber ich werde niemals Mr. Micawber verlassen!«

Da sich ihre Stimme jetzt zu lautem Kreischen gesteigert hatte, war ich so erschreckt, daß ich ins Klubzimmer davonlief und Mr. Micawber, der an einem langen Tisch präsidierte, in dem Chorgesang:

»Hühü, Dobbin,

Hüho, Dobbin,

Hühü, Dobbin,

Hühü und hüho-o-«

den er eben leitete, mit der Nachricht störte, daß sich Mrs. Micawber in einem sehr beängstigenden Zustand befände, worauf er sofort in Tränen ausbrach und mit mir forteilte, die Westentasche voll Krevetten, mit denen er sich gerade beschäftigt hatte.

»Emma, mein Engel«, rief er, als er ins Zimmer stürzte, »was ist geschehen?«

»Ich werde dich niemals verlassen, Micawber!« rief sie aus.

»Mein Leben«, sagte Mr. Micawber und schloß sie in die Arme. »Davon bin ich vollständig überzeugt.«

»Er ist der Vater meiner Kinder, der Erzeuger meiner Zwillinge, er ist der Gatte meines liebenden Herzens«, rief Mrs.

Micawber schluchzend, »ich werde Mr. Micawber nie-mals ver-las-sen.«

Mr. Micawber war so tief gerührt durch diesen Beweis von Anhänglichkeit – ich zerfloß selbstverständlich in Tränen –, daß er sich leidenschaftlich über seine Gattin beugte und sie anflehte, aufzusehen und sich zu beruhigen. Je mehr er sie aber anflehte, aufzublicken, um so mehr starrten ihre Augen ins Leere, und je mehr er sie anflehte, sich zu fassen, desto weniger tat sie es. Schließlich war Mr. Micawber selbst so erschüttert, daß er seine Tränen mit ihren und meinen mischte und mich bat, mir einen Stuhl auf die Treppe hinauszunehmen, während er sie zu Bett brächte. Ich wollte mich für den Abend verabschieden, aber er mochte davon nichts hören, ehe nicht die Fremdenglocke geläutet habe. So saß ich denn an einem Treppenfenster, bis er mit dem zweiten Stuhl nachkam und mir Gesellschaft leistete.

»Wie befindet sich jetzt Mrs. Micawber, Sir?« fragte ich.

»Sehr geschwächt«, sagte Mr. Micawber und schüttelte den Kopf. »Reaktion! O, was war das für ein schrecklicher Tag! Wir stehen jetzt allein, alles ist von uns gegangen.«

Er drückte mir die Hand, stöhnte und vergoß Tränen. Ich war sehr ergriffen und auch enttäuscht, denn ich hatte erwartet, daß wir bei dieser glücklichen langersehnten Gelegenheit recht heiter sein würden. Mr. und Mrs. Micawber hatten sich an ihre alten Bedrängnisse so gewöhnt, glaube ich, daß sie sich ganz schiffbrüchig vorkamen, als sie jetzt von ihnen erlöst waren. Die ganze Elastizität war von ihnen genommen, und ich hatte sie nie auch nur halb so elend wie an jenem Abend gesehen. Als die Glocke läutete und Mr. Micawber mich bis zum Türschließer begleitete und dort mit einem Segensspruch von mir Abschied nahm, bangte mir fast, ihn allein zu lassen, so unglücklich sah er aus.

Aber trotz all der Verwirrung und Bedrücktheit, die sich unserer Gemüter so unerwartet bemächtigt hatte, fühlte ich deutlich, daß mir ein Abschied von den Micawbers bevorstand. Auf meinem Nachhauseweg in jener Nacht und den schlaflosen

Stunden, die darauf folgten, kam mir zuerst der Gedanke, der später zu einem festen Entschluß werden sollte.

Ich hatte mich so an die Micawbers gewöhnt und war mit ihren Bedrängnissen so vertraut geworden und stand so ohne jeden Freund da, wenn sie mir fehlten, daß mir die Aussicht, abermals unter fremde Leute gehen zu müssen, unerträglich schien. Der Gedanke an all die Scham und das Elend, das in meiner Brust lebte, wurde mir bei dem Gedanken daran noch peinigender, und ich sah keine Hoffnung an Entrinnen, wenn ich nicht aus eignem Entschluß einen Versuch wagte.

Ich hatte selten von Miss Murdstone gehört und niemals mehr von ihrem Bruder, außer, daß hie und da ein Paket neuer oder ausgebesserter Kleider für mich an Mr. Quinion gekommen war, immer mit einem Zettel dabei, auf dem J. M. hoffte, daß D. C. in seinem neuen Beruf fleißig und gehorsam sei. Nie die geringste Andeutung, daß ich auf eine Änderung in meinem Schicksal hoffen dürfte und je etwas anderes als ein gewöhnlicher Tagelöhner werden würde, zu welcher Stufe ich immer mehr herabsank.

Schon der nächste Tag zeigte mir, daß Mrs. Micawber nicht ohne guten Grund von ihrem Weggehen gesprochen hatte. Die Familie mietete sich in dem Hause, wo ich wohnte, für eine Woche ein, um sich nach Ablauf dieser Zeit nach Plymouth zu begeben. Mr. Micawber kam nachmittags aufs Kontor, um Mr. Quinion zu sagen, daß er mich vom Tage seiner Abreise an verlassen müsse, und zollte mir ein hohes Lob, das ich gewiß auch verdiente. Mr. Quinion rief Tipp, den Kärrner, der verheiratet war und ein Zimmer zu vermieten hatte, herein und quartierte mich im voraus bei ihm ein. Aber mein Entschluß stand fest.

Ich verlebte meine Abende mit Mr. und Mrs. Micawber, solange wir noch unter einem Dache wohnten, und wir gewannen einander noch lieber, je mehr die Zeit verging.

Am letzten Sonntag luden sie mich zum Mittagessen ein und wir bekamen Schweinsbraten, Apfelmus und Pudding. Ich hatte den Abend vorher ein geschecktes Holzpferd als Abschiedsgeschenk für den kleinen Wilkins Micawber und eine kleine Puppe für die kleine Emma gekauft.

Ich schenkte auch einen Schilling dem Waisling, der jetzt entlassen werden sollte.

Wir verlebten einen recht vergnügten Tag, wenn wir auch wegen unserer nahe bevorstehenden Trennung sehr weich gestimmt waren.

»Ich werde nie an die Zeit von Mr. Micawbers Bedrängnis zurückdenken, Master Copperfield«, sagte Mrs. Micawber, »ohne mich Ihrer zu erinnern. Ihr Benehmen war immer von der zartfühlendsten und verbindlichsten Art. Sie sind uns nie ein Mieter gewesen, sondern immer ein Freund.«

»Meine Liebe«, sagte Mr. Micawber, »Copperfield« – so nannte er mich in der letzten Zeit – »hat ein Herz für die Leiden seiner Mitmenschen, das mitfühlt, wenn die Wolken des Unheils über ihnen hängen, einen Kopf, der fühlt – eine Hand, die – kurz, er versteht es, alles verfügbare Eigentum, wenn es nötig ist, zu Geld zu machen.«

Ich drückte meine Erkenntlichkeit für dieses Lob aus und sagte, wie leid es mir täte, daß wir uns trennen müßten.

»Mein lieber junger Freund, ich bin ein Mann von gewisser Lebenskenntnis und – kurz und gut, ich bin in der Not erfahren. Gegenwärtig und bis die glückliche Wendung eintritt, die ich jetzt stündlich erwarte, kann ich Ihnen leider nichts als einen guten Rat geben. Doch ist er insofern wert, befolgt zu werden, als – kurz, ich habe ihn selbst nie befolgt und bin der elende Wicht, den Sie vor sich sehen.« Mr. Micawber, der bis zu den letzten Worten mit strahlendem Gesicht dagesessen hatte, machte eine Pause und nahm eine sehr düstere Miene an.

»Lieber Micawber«, flehte seine Gattin.

»Ich sage also«, fuhr Mr. Micawber fort, vergaß sich ganz und lächelte wieder, »der elende Wicht, den Sie vor sich sehen. Mein Rat ist: Verschieben Sie nie auf morgen, was Sie heute tun können. Aufschub ist der Dieb der Zeit. Fassen Sie ihn beim Kragen.«

»Meines armen Papas Grundsatz«, bemerkte Mrs. Micawber.

»Mein Herz«, sagte Mr. Micawber, »dein Papa war vortrefflich in seiner Art, und Gott sei vor, daß ich ihn je herabsetzen sollte. Aber nehmen wir ihn alles in allem – kurz, wohl niemand hatte in seinem Alter so stattliche Waden für Gamaschen und konnte ohne Brille die kleinste Schrift lesen wie er. Leider wandte er seinen Grundsatz auch auf unsere Hochzeit an, meine Liebe, und wir schlossen sie demzufolge so vorzeitig und schnell, daß ich mich bis heute noch nicht von den Unkosten erholt habe.«

Er sah seine Gattin von der Seite an und fügte hinzu: »Nicht daß es mich etwa gereute! Ganz im Gegenteil, meine Liebe!«

Hierauf beobachtete er ein paar Minuten tiefstes Stillschweigen.

»Meinen zweiten Rat«, fuhr er fort, »kennen Sie bereits, Copperfield. Jährliches Einkommen: zwanzig Pfund. Jährliche Ausgaben: neunzehn Pfund, neunzehn Schilling sechs Pence. Resultat: Wohlergehen. Jährliches Einkommen: zwanzig Pfund, jährliche Ausgaben: zwanzig Pfund sechs Pence. Resultat: Elend. Die Blüte ist dahin, das Laub verwelkt, der Gott des Tages geht unter über einem traurigen Schauspiel und – kurz, Sie sind im Saft. Wie ich.«

Um das Bild noch eindrucksvoller zu machen, trank Mr. Micawber mit einer Miene großer Befriedigung ein Glas Punsch aus und pfiff den »lustigen Kupferschmied«.

Ich unterließ nicht, ihm mit Worten zu versichern, daß ich mir seine Vorschriften sehr zu Herzen nehmen wollte – unnötigerweise –, denn ich war sichtlich gerührt.

Am nächsten Morgen traf ich die ganze Familie in der Landkutsche und sah sie mit trostlosem Herzen ihre Plätze einnehmen.

»Master Copperfield«, sagte Mrs. Micawber, »Gott segne Sie! Ich kann es nie vergessen, glauben Sie mir, und möchte es nicht, selbst wenn ich könnte.«

»Copperfield«, sagte Mr. Micawber, »leben Sie wohl! Glück

und Wohlergehen! Wenn ich mich im Lauf der dahinrollenden Jahre überzeugen könnte, daß mein verlornes Leben eine Warnung für Sie gewesen ist, würde ich fühlen, daß ich nicht vergebens meinen Platz auf Erden ausgefüllt habe. Falls eine glückliche Wendung eintritt, wovon ich fest überzeugt bin, werde ich mich außerordentlich glücklich schätzen, wenn es in meiner Macht steht, Ihre Aussichten zu verbessern.«

Ich glaube, wie Mrs. Micawber mit den Kindern hinten auf dem Wagen saß und ich so klein auf der Straße stand und sehnsüchtig zu ihnen aufsah, da fiel der Schleier von ihren Augen und sie sah, was für ein winziges Geschöpf ich in Wirklichkeit war. Ich glaube es, weil sie mich plötzlich mit einem ganz veränderten Gesicht und mit mütterlichem Ausdruck in den Zügen heraufsteigen hieß und mich umarmte und mich küßte, wie ihr eignes Kind. Ich hatte kaum Zeit, wieder herunterzukommen, da fuhr die Kutsche fort. Ich konnte die Familie vor lauter Taschentücherschwenken kaum mehr sehen. In einer Minute waren sie verschwunden. Der Waisling und ich standen auf der Mitte der Straße und sahen einander mit leeren Blicken an, dann schüttelten wir uns die Hand und nahmen Abschied voneinander; sie ging ins St.-Lukas-Armenhaus zurück, wahrscheinlich, und ich an mein trauriges Tagewerk bei Murdstone & Grinby.

Aber ich hatte die Absicht, nicht mehr lange dort auszuhalten. Nein. Ich hatte mir vorgenommen, wegzulaufen – so oder so –, um auf irgendeine Weise die einzige Verwandte, die ich noch auf der Welt besaß, meine Tante, Miß Betsey, aufzusuchen und ihr mein Leid zu klagen.

Ich habe schon erzählt, daß ich nicht weiß, wie mir dieser verzweifelte Gedanke eingefallen war. Aber einmal entstanden, blieb er und setzte sich in mir fest, wie kaum jemals im Leben später irgendein anderer. Ich war durchaus nicht überzeugt, daß ich große Hoffnungen hegen durfte. Aber ich war fest entschlossen, meinen Plan auszuführen.

Immer und immer wieder seit jener schlaflosen Nacht, wo mir der Gedanke durch den Kopf gefahren, hielt ich mir die alte Geschichte bei meiner Geburt vor Augen, die ich schon in den schönen, alten Zeiten meine Mutter hatte so gern erzählen hören und fast auswendig wußte. Meine Tante kam in diese Geschichte hineingeschritten und schritt wieder hinaus, wie eine Furcht und Grauen einflößende Gestalt; aber an einen ganz kleinen Zug ihres Benehmens erinnerte ich mich so gern, und er gab mir einen winzigen Schatten von Ermutigung. Ich konnte nicht vergessen, daß meine Mutter geglaubt, sie hätte gefühlt, wie die Tante ihr schönes Haar nicht mit unsanfter Hand berührte. Und wenn es vielleicht eine bloße Einbildung meiner Mutter gewesen sein mochte, so machte ich mir doch daraus ein kleines Bild von meiner schrecklichen Tante, auf dem sie milder gestimmt von dem mädchenhaften Eindruck meiner Mutter, die doch so gut und lieblich gewesen, dreinsah. Wohl möglich, daß mir all das lange im Kopf herumgespukt und dazu beigetragen hatte, nach und nach meinen Entschluß zu befestigen.

Da ich nicht einmal wußte, wo Miss Betsey lebte, schrieb ich einen langen Brief an Peggotty und fragte sie so nebenbei, ob sie sich nicht erinnern könnte. Ich gab vor, ich hätte von einer Dame dieses Namens in einer Stadt, die ich aufs Geratewohl nannte, gehört und möchte gerne wissen, ob es meine Tante wäre. In demselben Brief sagte ich Peggotty, daß ich eine halbe Guinee zu einem Zweck, den ich ihr später mitteilen würde, brauchte und bat sie recht sehr, mir diese Summe zu leihen.

Peggottys Antwort ließ nicht lange auf sich warten und war wie gewöhnlich voll Zärtlichkeit. Sie legte die halbe Guinee bei, ich fürchte, sie mußte unendliche Schwierigkeiten gehabt haben, sie aus Mr. Barkis' Koffer herauszubekommen – und teilte mir mit, daß Miss Betsey in der Nähe von Dover wohne, ob aber in Dover selbst, Hythe, Sandgate oder Folkstone könne sie nicht sagen. Einer unserer Leute bei Murdstone & Grinby klärte mich darüber auf, und ich erfuhr, daß alle diese Orte dicht beieinander lägen. Daher beschloß ich, mich gegen Ende der Woche auf den Weg zu machen.

Da ich ein sehr ehrlicher kleiner Kerl war und bei Murdstone

& Grinby nicht gern ein schlechtes Andenken zurücklassen wollte, blieb ich bis Samstagabend, da mir der Wochenlohn immer vorausbezahlt worden war. Die halbe Guinee hatte ich mir ausgeborgt, um ein wenig Reisegeld zu haben.

Als der Samstagabend kam, schüttelte ich Mick Walker die Hand und bat ihn, wenn die Reihe an ihn käme bei Auszahlung der Löhnung, Mr. Quinion zu sagen, daß ich fortgegangen sei, um meinen Koffer zu Tipp zu bringen.

Mein Koffer stand in meiner alten Wohnung, und ich hatte auf die Rückseite einer der Adreßkarten, die wir auf die Fässer nagelten, geschrieben: Master David Copperfield, Landpostbureau Dover. Diesen Zettel trug ich in der Tasche, um ihn auf dem Koffer zu befestigen. Dann sah ich mich nach jemand um, der mir das Gepäck ins Einschreibebureau bringen könnte.

Nicht weit von dem Obelisken in Blackfriars Road fiel mein Blick auf einen langbeinigen Burschen vor einem niedrigen, mit einem Esel bespannten Karren. Als wir einander ansahen, nannte er mich »schuftiges Kleingeld« und fragte mich, ob ich mir vielleicht sein Gesicht für einige Jahre einprägen wollte – wahrscheinlich, weil ich ihn so anstarrte. Ich versicherte ihm, daß ich ihn nicht beleidigen wollte und nur gern gewußt hätte, ob er mir nicht eine kleine Besorgung machen möchte.

»Wat for ne Besorjung?« fragte der langbeinige Bursche.

»Einen Koffer fortzuschaffen«, antwortete ich.

»Wat for nen Koffer?«

Ich sagte ihm: meinen Koffer, der in der nächsten Straße abzuholen sei, und den er mir für sechs Pence nach dem Bureau der Dover Landkutsche bringen möchte.

»Abjemacht, for n Sixpence«, sagte der langbeinige Bursche, sprang auf seinen Karren, der nichts als eine große Holzmulde auf Rädern war, und rasselte dann in solchem Trab davon, daß ich laufen mußte, was ich konnte, um mit dem Esel Schritt zu halten.

Der Bursche hatte etwas Abstoßendes in seinem Wesen, besonders in der Art, wie er an Stroh kaute, während er mit mir sprach, was mir nicht gefiel. Da aber der Handel abgeschlossen war, trugen wir den Koffer zusammen herunter und legten ihn auf den Karren. Um nicht bei meinen Wirtsleuten aufzufallen, wollte ich die Adresse hier nicht befestigen und sagte deshalb dem Burschen, er solle einen Augenblick an der Gefängnismauer von Kings-Bench halten. Kaum waren diese Worte über meine Lippen gekommen, rasselte er davon, als ob er, der Karren, der Esel – alle miteinander – verrückt geworden seien. Ich war ganz außer Atem vom Rufen und Hinterherrennen, als ich ihn an dem bezeichneten Ort einholte.

In meiner Aufregung riß ich die halbe Guinee mit aus der Tasche, als ich die Karte hervorholte. Ich nahm sie der Sicherheit wegen zwischen die Zähne, und obgleich meine Hände sehr zitterten, hatte ich die Karte eben zu meiner Zufriedenheit befestigt, als der langbeinige Bursche mich heftig unter das Kinn stieß und ich meine halbe Guinee in seine Hand fliegen sah.

»Wat«, sagte der junge Mann, mich mit einem entsetzlichen Grinsen am Kragen packend, »dat jehört for de Polizei. Wolltest ausrücken, was? Komm uff de Polizei, du Jewürm. Komm mit nach de Polizei.«

»Bitte, geben Sie mir mein Geld zurück«, sagte ich erschreckt, »und lassen Sie mich los.«

»Komm nach de Polizei«, sagte der Bursche. »Mußt et vor die Polizei beweisen.«

»Geben Sie mir doch meinen Koffer und mein Geld!« rief ich und brach in Tränen aus.

Der Bursche rief immer noch: »Uff de Polizei!« und zerrte mich zu dem Esel hin, als ob das der Polizeirichter wäre, dann besann er sich plötzlich, sprang auf den Karren und raste mit den Worten »Ick fahre nach de Polizei« auf und davon. Ich rannte ihm nach, so schnell ich konnte, hatte aber keinen Atem mehr, ihm nachzurufen, und würde es wohl auch kaum gewagt haben. Wohl zwanzig Mal in einer Viertelstunde entging ich knapp dem Überfahrenwerden. Jetzt verlor ich ihn aus den Augen, dann sah ich ihn wieder, verlor ihn nochmals, dann versetzte mir jemand einen Peitschenhieb, ein anderer schrie mir nach; jetzt lag ich unten in der Gosse, war wieder aufgestanden, stürzte jemand in die Arme und rannte schließlich gegen einen Pfahl. Endlich gab ich, ganz außer mir vor Aufregung und Furcht, halb London könnte schon zu meiner Verfolgung auf den Beinen sein, meinen Koffer und mein Geld auf und machte mich keuchend und weinend, aber nicht einen Augenblick stillstehend, auf den Weg nach Greenwich, der ersten Station nach Dover, wie ich gehört hatte. Ich nahm wenig mehr aus der Welt mit, als ich meine Tante aufsuchen ging, als ich an jenem Abend, wo ihr meine Ankunft so viel Ärger bereitet, in die Welt mitgebracht hatte.

13. Kapitel

Die Folgen meines Entschlusses

Als ich die Verfolgung des Burschen aufgab, mochte ich wohl die Absicht gehabt haben, den ganzen Weg nach Dover zu laufen. Sehr bald aber machte ich Halt in Kent-Road vor einem kleinen Hause mit einem winzigen Tisch davor, in dessen Mitte eine große geschmacklose Bildsäule, die auf einer Muschel blies, stand. Hier setzte ich mich auf eine Türstufe, ganz erschöpft und so atemlos, daß ich nicht einmal über den Verlust meines Koffers und meiner halben Guinee weinen konnte.

Es war bereits dunkel, und ich hörte die Uhren zehn Uhr schlagen. Zum Glück war eine Sommernacht und schönes Wetter. Als ich wieder zu Atem gekommen, das erstickende Gefühl in meiner Kehle heruntergewürgt hatte, ging ich wieder weiter. Ich dachte nicht einen Augenblick daran, umzukehren.

Es beunruhigte mich sehr, daß ich nur dreieinhalb Pence besaß, wunderbar genug, daß ich an einem Samstagabend überhaupt noch so viel in der Tasche hatte. Ich sah mich schon in der Zeitung unter einer Hecke tot aufgefunden und schleppte mich elend, doch so schnell wie möglich fort, bis ich an einem kleinen Laden vorbeikam, wo, aus der Überschrift zu schließen, Damen-

und Herrengarderobe gekauft und der höchste Preis für Lumpen, Knochen und Küchenabfall gezahlt wurde. Der Inhaber des Ladens saß in Hemdsärmeln vor der Tür und rauchte. Viele Röcke und Hosen hingen von der niederen Decke herab, und nur zwei trübe Kerzen erhellten das Innere des Ladens. Der Mann sah aus wie ein Rachegeist, der alle seine Feinde aufgehenkt hat und sich nun in Gemütsruhe ihres Anblicks freut.

Die bei Mr. und Mrs. Micawber erworbne Erfahrung sagte mir, daß sich mir hier ein Mittel bieten könnte, um den Hungertod noch ein wenig hinauszuschieben. Ich ging in das nächste Seitengäßchen, zog meine Weste aus, nahm sie sauber zusammengerollt unter den Arm und kehrte wieder zu der Ladentür zurück.

»Sir«, sagte ich, »ich soll dies um einen anständigen Preis verkaufen.«

Mr. Dolloby – diesen Namen führte das Firmaschild – nahm die Weste, lehnte die Pfeife an den Türpfosten, trat vor mir in den Laden, schneuzte die beiden Lichter mit den Fingern, breitete die Weste auf dem Ladentisch aus und betrachtete sie, hielt sie gegen das Licht und sagte endlich:

»Was nennen Sie denn einen Preis für das kleine Westchen?«

»O, das wissen Sie wohl am besten«, erwiderte ich bescheiden.

»Ich kann nicht Käufer und Verkäufer zugleich sein«, sagte Mr. Dolloby. »Nennen Sie einen Preis.«

»Würden achtzehn Pence –?« sagte ich nach einigem Zögern.

Mr. Dolloby rollte die Weste wieder zusammen und gab sie mir zurück. »Ich würde meine Familie berauben«, sagte er, »wenn ich neun Pence dafür böte.«

Das war eine unangenehme Art zu handeln, weil sie mich – einen ganz Fremden – in die unangenehme Lage versetzte, von Mr. Dolloby zu verlangen, daß er meinetwegen seine Familie berauben sollte.

Da meine Not so groß war, sagte ich, ich wollte neun Pence nehmen.

Nicht ohne Gebrumm gab Mr. Dolloby die neun Pence. Ich

wünschte ihm gute Nacht und verließ den Laden reicher um diese Summe und ärmer um eine Weste; aber wenn ich die Jacke zuknöpfte, fühlte ich es nicht sehr.

Ich sah mit ziemlicher Bestimmtheit kommen, daß meine Jacke demnächst würde denselben Weg gehen müssen, und daß ich wohl gezwungen sein würde, den größten Teil meines Wegs nach Dover in Hemd und Hosen zurückzulegen, und mich noch glücklich schätzen dürfte, wenn es mir gelänge, noch in solchem Aufzug hinzukommen. Trotzdem machte ich mir nicht allzuviel daraus.

Es war mir ein Plan eingefallen, wie ich die Nacht verbringen konnte, und ich machte mich daran, ihn zur Ausführung zu bringen. Ich wollte mich hinter die Rückmauer meiner alten Schule in eine Ecke, wo früher ein Heuschober stand, legen. Ich bildete mir ein, es wäre eine Art Gesellschaft, wenn ich die Schüler und das Schlafzimmer, in dem ich immer so viel Geschichten erzählt, in der Nähe wüßte, wenn auch niemand drin etwas von meiner Anwesenheit ahnte.

Ich hatte einen langen Marsch hinter mir und war ganz abgehetzt, als ich endlich auf die Ebene von Blackheath hinauskam. Ich fand nach langer Mühe Salemhaus, fand auch den Heuschober in der Ecke und legte mich nieder, nachdem ich vorher um die Mauer herumgegangen, nach den Fenstern gesehen und alles finster und still gefunden hatte. Nie werde ich das Gefühl von Verlassenheit vergessen, das ich empfand, als ich mich das erstemal ohne ein Dach über meinem Haupt, nur den Himmel über mir, niederlegte.

Aber der Schlaf kam zu mir, wie er zu den Verstoßenen kommt, denen die Haustüren verschlossen sind, und die von den Hunden angebellt werden. Ich träumte, ich läge in meinem alten Schulbett und fand mich einmal aufrecht sitzend mit Steerforths Namen auf der Zunge und wild nach den Sternen starrend, die über mir schimmerten. Als mir dann klargeworden, wo ich mich zu dieser ungewöhnlichen Stunde befand, überlief mich ein merkwürdiges Gefühl, das mich bewog, aufzustehen und herumzugehen. Der mattere Schimmer der Sterne und das Dämmern im Osten beruhigten mich. Da ich noch sehr schläfrig war, legte ich mich wieder hin und schlummerte ein und fühlte im Schlaf, wie kalt es war, bis mich die warmen Strahlen der Sonne und die Frühglocke von Salemhaus weckten. Ich wußte, daß Steerforth fort sein mußte, sonst hätte ich vielleicht auf ihn gewartet. Möglicherweise war Traddles noch da, doch ich hatte nicht genug Vertrauen auf seine Verschwiegenheit, um ihm meine Lage anvertrauen zu können, so sehr ich mich auf sein gutes Herz hätte verlassen dürfen. So schlich ich mich fort von der Mauer, als Mr. Creakles Jungen aufstanden, und schlug die staubige Straße nach Dover ein.

Wie verschieden war dieser Sonntagmorgen von jenem damals in Yarmouth. Ich hörte die Kirchenglocken läuten, als ich mich langsam hinschleppte, begegnete den sonntäglich gekleideten Leuten, kam an eine oder zwei Kirchen vorbei, in denen der Gottesdienst abgehalten wurde, während der Büttel im kühlen Schatten des Eingangs saß oder unter dem Eibenbaum stand und mir mißtrauisch nachsah. Friede und Ruhe des Sonntagmorgens überall, nur nicht in mir. Ich kam mir so verkommen vor in meinem Schmutz, so bestaubt und mit wirrem Haar. Ohne das stille Bild meiner Mutter in Jugend und Schönheit, wie sie weinend beim Feuer sitzt und meine Tante weich wird ihr gegenüber, im Herzen, hätte ich kaum den Mut gehabt, noch bis zum nächsten Tag auszuhalten. Aber es schwebte immer vor mir her, und ich ging hinter ihm drein.

Ich legte an diesem Sonntag dreiundzwanzig englische Meilen auf der Landstraße zurück und es fiel mir nicht leicht, denn ich war das Wandern nicht gewöhnt. Ich sehe mich bei hereinbrechendem Abend über die Brücke von Rochester gehen, müde, mit wunden Füßen und das Brot verzehrend, das ich mir zum Abendessen gekauft. Ein oder zwei kleine Häuser mit der Aufschrift »Nachtquartier für Reisende« hatten mich wohl gelockt, doch ich fürchtete, die paar Pence, die ich noch besaß, auszugeben, und empfand noch mehr Angst vor den verdächtigen

Blicken der Strolche, denen ich unterwegs begegnet. Ich suchte mir daher kein anderes Dach als den Himmel, und als ich Chatham erreichte, das bei Nacht aussieht wie ein Traum voll Mauern, Zugbrücken und mastlosen Schiffen mit Verdecken, wie Archen, kroch ich auf eine alte grasbewachsene Schanze, vor der eine Schildwache auf und ab ging. Hier legte ich mich neben eine Kanone und schlief gesund bis zum Morgen, glücklich, von weitem die Schritte der Schildwachen zu hören.

Am nächsten Morgen war ich ganz steif, und das Trommelwirbeln und der Schritt der marschierenden Truppen, die mich ringsum einzuschließen schienen, als ich nach der langen schmalen Straße hinabging, betäubten mich förmlich. Ich fühlte, daß ich diesen Tag nur eine kurze Strecke würde zurücklegen können, wenn ich mir noch etwas Kraft für den letzten Teil meiner Reise aufsparen wollte. Ich beschloß daher vor allem den Verkauf meiner Jacke ins Auge zu fassen. Ich zog also meine Jacke aus, um mich daran zu gewöhnen, ohne sie auszukommen, nahm sie unter den Arm und sah mich nach Trödlerläden um.

Es war ein sehr geeigneter Ort für den Verkauf einer Jacke, denn die »Händler in alten Kleidern« waren sehr zahlreich und schauten in ihren Ladentüren nach Kunden aus. Aber da bei den meisten ein oder zwei Offiziersuniformen mit Epauletten im Ladenfenster hingen, schreckte mich der vornehme Charakter dieser Geschäfte ab, und ich lief lange Zeit herum, ohne jemand meine Ware anzubieten.

Meine Aufmerksamkeit lenkte sich vornehmlich auf die Seemannsläden und solche wie Mr. Dollobys, und endlich fand ich einen, der mir vielversprechend aussah, an der Ecke eines schmutzigen Gäßchens, das an einen eingezäunten grünen Fleck voller Brennesseln stieß. An dem Zaune hingen ein paar alte Matrosenanzüge, einige Hängematten, rostige Flinten und Südwester, und vor dem Laden standen mehrere Mulden mit so viel verrosteten Schlüsseln in allen Größen, daß man sämtliche Türen der Welt hätte damit aufsperren können.

In diesen Laden, der niedrig und klein und eher verdunkelt als erhellt durch ein mit Kleidern verhangenes Fensterchen war, stieg ich mit klopfendem Herzen einige Stufen hinab. Meine Bangigkeit wuchs noch, als ein grauenhafter alter Mann, dessen untere Gesichtshälfte ganz von einem struppigen grauen Bart bedeckt war, aus einer schmutzigen Höhle im Hintergrund hervorstürzte und mich bei den Haaren packte. Es war ein schrecklich anzusehender Mann in einer schmutzigen Flanellweste. Er roch entsetzlich nach Rum. Seine Bettstelle, mit einer zerknüllten und zerlumpten Flickendecke zugedeckt, stand in der Höhle, aus der er herausgekommen war. Durch ein zweites kleines Fenster konnte man noch ein Brennesselfeld und einen lahmen Esel sehen.

»O was brauchst du?« greinte der alte Mann mit einem wilden eintönigen Gewinsel, »Gott über meine Augen ünd Glieder, was brauchst du? O über meine Lunge ünd Leber, was brauchst du? O goru, o goru!«

So sehr brachten mich diese Worte und besonders die Wiederholung des letzten mir ganz unbekannten Lautes, der wie ein tiefes Röcheln in seiner Kehle klang, aus der Fassung, daß ich gar nicht antworten konnte. Immer noch hielt mich der alte Mann bei den Haaren und wiederholte:

»O was brauchst du, Gott über meine Augen ünd Glieder, was brauchst du? O über meine Lunge ünd Leber, was brauchst du. O goru!« Er röchelte die Worte mit solcher Energie aus sich heraus, daß ihm die Augen aus den Höhlen traten.

»Ich wollte fragen«, sagte ich zitternd, »ob Sie eine Jacke kaufen möchten?«

»O laß die Jacke sehen«, schrie der alte Mann, »o mei Herz brennt wie Feuer. Laß sehen die Jacke. Gott über meine Augen ünd Glieder, zeig her die Jacke.«

Damit ließen seine zitternden Hände, die den Klauen eines großen Vogels glichen, meine Haare los, und er setzte eine Brille auf, die seine entzündeten Augen durchaus nicht verschönte.

»O wieviel für die Jacke?« schrie er, nachdem er sie genau betrachtet hatte. »O goru, wieviel für die Jacke?«

»Eine halbe Krone«, sagte ich und faßte wieder langsam Mut.

»O über meine Lunge ünd Leber«, schrie der alte Mann. »Nix! O über meine Augen. Nix! Gott über meine Glieder Nix! Achtzehn Pence! Goru!« Jedesmal wenn er diesen Ausruf hören ließ, quollen seine Augen aus ihren Höhlen, und jeder Satz, den er sprach, hatte eine Art Melodie, immer dieselbe. Sie glich einer Art Windesgeheul, das leise anfängt, ansteigt und abnimmt. Ich kann es mit nichts anderem auf der Welt vergleichen.

»Gut«, sagte ich, froh, den Handel abgeschlossen zu haben, »ich will achtzehn Pence nehmen.«

»Gott über meine Leber!« schrie der alte Mann und warf die Jacke in ein Fach, »raus aus dem Laden. Ach Gott über meine Lunge. Raus aus dem Laden. Ach meine Augen ünd Glieder! Goru! Kein Geld. Mach mer en Tausch.«

Nie in meinem Leben bin ich so erschrocken gewesen, aber ich sagte schüchtern, daß ich Geld brauchte, und daß mir nichts anderes nützen könnte. Daß ich jedoch seinem Wunsch gemäß draußen darauf warten wollte und keine Eile hätte. Ich ging also hinaus und setzte mich in eine Ecke in den Schatten. Und ich saß dort so viele Stunden, daß der Schatten Sonnenschein und der Sonnenschein wieder Schatten wurde, – und immer noch auf mein Geld warte.

Ich glaube, so einen betrunkenen Verrückten gibt es in diesem Geschäftszweig nicht wieder. Daß er in der Nachbarschaft wohl bekannt war und in dem Ruf stand, sich dem Teufel verkauft zu haben, erfuhr ich bald durch die Gassenjungen, die fortwährend um den Laden herumsprangen, ihm das zubrüllten und ihn aufforderten, sein Gold zu zeigen.

»Du bist gar nicht arm, Charley, wie du dich stellst! Zeig dein Gold her. Zeig das Gold her, für das du dich dem Teufel verkauft hast. Komm doch, s ist in der Matratze eingenäht, Charley! Schneid sie auf und zeig uns das Gold!« Dies und viele Anerbietungen, ihm ein Messer zu leihen, brachten den Trödler dermaßen auf, daß der ganze Tag eine Reihenfolge von Ausfällen seinerseits war, auf die die Jungen stets die Flucht ergriffen.

Manchmal hielt er mich in seiner Wut für einen der Jungen und stürzte schäumend auf mich los, als wollte er mich in Stücke reißen. Rechtzeitig besann er sich aber immer wieder und zog sich schleunigst in den Laden zurück und warf sich auf sein Bett, wie ich aus dem Klang seiner Stimme schloß, wenn er in seiner dem Windesgeheul ähnlichen Melodie wie irrsinnig das Lied von Nelsons Tod brüllte, mit einem »O« vor jeder Strophe und unzähligen Gorus dazwischen.

Als wäre das noch nicht schlimm genug für mich, brachten mich die Jungen wegen meiner Geduld und Ausdauer in irgendeine Verbindung mit dem Etablissement, zumal ich nur halb angezogen war, bewarfen mich mit Steinen und mißhandelten mich den ganzen Tag über.

Der alte Mann machte viele Versuche, mich zu bewegen, in einen Tausch einzuwilligen. Einmal kam er mit einer Angelrute heraus, dann mit einer Fiedel, mit einem Schlapphut und endlich mit einer Flöte. Aber ich widerstand allen seinen Angeboten und blieb in Verzweiflung sitzen. Jedesmal flehte ich ihn mit den Tränen in den Augen um mein Geld oder meine Jacke an. Endlich fing er an, mich halbpennyweise zu bezahlen und brauchte so zwei volle Stunden zu einem Schilling.

»O meine Augen und Glieder!« schrie er dann nach einer langen Pause in grauenhafter Art aus dem Laden herausschielend. »Willst du für zwei Pence mehr gehen?«

»Ich kann nicht«, sagte ich, »ich muß verhungern.«

»O meine Lunge ünd Leber. Willst du für drei Pence gehen?«

»Ich würde umsonst gehen«, sagte ich, »wenn ich könnte. Aber ich brauche das Geld jämmerlich nötig.«

»O go-ru!« Es war ganz unbeschreiblich, wie er dieses letzte Röcheln hervorstieß, als er jetzt hinter der Türpfoste hervorlugte, daß man nur den alten schlauen Kopf sehen konnte. »Willst du für vier Pence gehen?«

Ich war so hungrig und müde, daß ich einwilligte und das Geld nicht ohne Zittern aus seiner Klaue nahm. Dann ging ich kurz vor Sonnenuntergang hungriger und durstiger als ich je gewesen meines Weges. Für drei Pence stärkte ich mich bald vollkommen und hinkte, jetzt besserer Laune, sieben Meilen weiter.

Mein Bett in dieser Nacht war wieder ein Heuschober, ich wusch mir die Füße in einem Bach und verband sie, so gut es ging, mit ein paar kühlenden Blättern. Den nächsten Morgen führte mich der Weg durch Hopfenfelder und Obstanlagen. Die Jahreszeit war schon so weit vorgerückt, daß überall reife Äpfel hingen, und an einigen Orten standen die Pflücker schon bei der Arbeit. Ich fand alles wunderschön und beschloß, die Nacht in dem Hopfengarten zu schlafen. Die langen Reihen von Stangen mit den anmutig sich windenden Blättern kamen mir wie eine gemütliche Gesellschaft vor.

Die Landstreicher schienen an diesem Tage gefährlicher als je und flößten mir einen Schrecken ein, daß ich heute noch daran denken muß. Einige von ihnen, wild aussehende Raufbolde, die mich beim Vorbeigehen anstarrten, blieben manchmal stehen und riefen mir zu, umzukehren, und warfen mir, wenn ich ausriß, Steine nach. Ich erinnere mich noch an einen jungen Burschen, nach seinem Felleisen und Kohlenbecken zu schließen, ein Kesselflicker, der ein Frauenzimmer bei sich hatte. Er stierte mich an und rief mir dann mit so fürchterlicher Stimme nach, zurückzukommen, daß ich stehenblieb und mich umsah.

»Komm her, wenn man dich ruft«, sagte der Kesselflicker, »oder ich schlitze dir deinen jungen Bauch auf.«

Ich hielt es für das beste, umzukehren. Als ich näher kam und den Kesselflicker durch freundliche Blicke zu besänftigen suchte, bemerkte ich, daß das Weib ein blaugeschlagenes Auge hatte.

»Wo gehst du hin«, fragte der Kesselflicker und packte mich mit seiner geschwärzten Hand an der Brust.

»Ich gehe nach Dover.«

»Wo kommst du her?« fragte er weiter und packte mich noch fester.

»Ich komme von London.«

»Was hast du für ein Handwerk? Bist du ein Dieb?«

»N-ein«, sagte ich.

»Nicht? Bei G–? Wenn du mit Ehrlichkeit bei mir prahlen willst«, sagte der Kesselflicker, »haue ich dir das Dach ein!«

Mit seiner freien Hand machte er eine Bewegung, als wollte er mich niederschlagen, und musterte mich dann vom Kopf bis zu den Füßen.

»Hast du Geld für eine Kanne Bier bei dir? Wenn dus hast, heraus damit, bevor ich mirs hole.«

Ich würde es gewiß herausgeholt haben, hätte ich nicht den Blick der Frau bemerkt, die hinter ihm kaum merklich den Kopf schüttelte und ihre Lippen zu einem »Nein« verzog.

»Ich bin sehr arm«, sagte ich mit einem Versuch zu lächeln, »und habe kein Geld.«

»Was soll das heißen?« sagte der Kesselflicker und sah mich so scharf an, daß ich schon fürchtete, er sähe das Geld in meiner Tasche.

»Herr!« stammelte ich.

»Was soll das heißen«, sagte der Kesselflicker, »daß du meines Bruders Seidenhalstuch trägst! Her damit!« und schon hatte er es mir vom Halse gerissen und es der Frau zugeworfen.

Das Weib brach in ein Gelächter aus, als ob sie das für einen Spaß hielte und warf es mir wieder hin und nickte wieder und verzog ihre Lippen zu dem Worte: »Fort.«

Ehe ich noch gehorchen konnte, riß mir der Kesselflicker das Tuch mit solcher Gewalt aus der Hand, daß ich zur Seite flog wie eine Feder. Dann wandte er sich mit einem Fluch zu der Frau und schlug sie zu Boden. Ich sehe sie jetzt noch vor mir, wie sie rücklings auf die Steine hinstürzt und dort liegt, den Hut vom Kopf gerissen und das Haar ganz weiß vom Staub. Wie ich mich aus der Ferne umschaue, sitzt sie am Straßenrand und wischt mit dem Zipfel ihres Schals das Blut aus dem Gesicht, während der Kesselflicker unbekümmert weitergeht.

Dieses Abenteuer entsetzte mich so, daß ich später mich immer versteckte, wenn ich Leute solchen Schlages kommen sah und oft ein Stück zurücklaufen mußte, was meine Reise sehr verlängerte. Aber in diesen und andern Bedrängnissen auf meiner Wanderung hielt mich das Phantasiebild von meiner Tante und meiner Mutter aufrecht. Nie wich es von mir. Ich sah es zwischen den Hopfenstangen, als ich mich niederlegte; es stand bei mir früh am Morgen und blieb bei mir den ganzen Tag.

Es hat sich seitdem für immer mit der sonnig hellen Straße von Canterbury und seinen alten Häusern und Toren und seiner alten grauen Kathedrale in meiner Seele verbunden.

Als ich endlich auf die öden weiten Dünen bei Dover kam, vergoldete es mir den einsamen Anblick der Gegend mit einem Hoffnungsstrahl, und erst, als ich das große Ziel meiner Reise erreicht und am sechsten Tag nach meiner Flucht wirklich den Fuß in die Stadt setzte, wich es von mir. Dann – seltsam genug –, als ich mit zerrissenen Schuhen, staubig, sonnverbrannt und nur halb bekleidet in der so langersehnten Stadt stand, schien es wie ein Traumgesicht zu verschwinden und ließ mich hilflos und entmutigt allein.

Ich erkundigte mich nach meiner Tante zuerst bei den Schiffern und erhielt die verschiedensten Auskünfte. Der eine sagte, sie wohne auf dem südlichen Leuchtturm und hätte sich dort den Backenbart verbrannt, ein anderer, sie sei an der großen Boje draußen vor dem Hafen angebunden, und man könne sie nur bei Stauwasser besuchen. Ein dritter, daß sie wegen Kinderdiebstahl im Maidstonekerker eingesperrt sei. Ein vierter, sie sei während des letzten Sturms auf einem Besen nach Calais geritten. Die Droschkenkutscher, bei denen ich mich dann erkundigte, waren ebenso spaßig und wenig respektvoll, und die Ladeninhaber, denen mein Aussehen nicht gefiel, antworteten meistens, ohne überhaupt meine Frage anzuhören, sie hätten nichts für mich.

Ich fühlte mich unglücklicher und entmutigter als jemals, seit ich fortgelaufen. Mein Geld war zu Ende, ich hatte nichts mehr zu verkaufen, war hungrig, durstig und erschöpft und schien meinem Ziel ferner zu sein als in London.

Der Morgen war über meinen Nachfragen vergangen, und ich saß auf den Stufen vor einem leeren Laden an einer Straßenecke und ging mit mir zu Rate, ob ich nach den andern Orten, die mir Peggotty geschrieben hatte, wandern sollte, als ein Droschkenkutscher vorbeifuhr und seine Pferdedecke verlor. Ich reichte sie ihm auf den Bock, und etwas Gutmütiges in dem Gesicht des Mannes ermutigte mich, ihn zu fragen, ob er nicht wisse, wo Miss Trotwood wohne. Ich hatte die Frage schon so oft gestellt, daß sie mir fast auf den Lippen erstarb.

»Trotwood?« sagte er. »Laß mal sehen. Ich kenne doch den Namen! Alte Dame?«

»Ja«, sagte ich, »ziemlich.«

»Ziemlich steif im Rücken«, sagte er und setzte sich sehr gerade.

»Ja«, sagte ich, »ich glaube wohl.«

»Trägt einen Strickbeutel? Strickbeutel mit viel Platz drin. Ist mürrisch und fährt einen scharf an?«

Ich ließ den Mut sinken ob dieser Schilderung, die unzweifelhaft auf meine Tante paßte.

»Also hör mal«, sagte er, »wenn du dort hinaufgehst«, er wies mit seiner Peitsche nach dem Hügel, »und rechts hinaufgehst bis zu ein paar Häusern am Meer, kannst du Genaueres über sie erfahren. Ich glaube nicht, daß sie etwas gibt. Da ist ein Penny für dich.«

Ich nahm die Gabe dankbar an und kaufte mir Brot dafür. Ich aß es unterwegs und ging in der Richtung, bis ich an die Häuser kam. Ich trat in einen kleinen Laden und bat, ob man nicht so gut sein wollte, mir zu sagen, wo Miss Trotwood wohne. Ich wendete mich an einen Mann hinter dem Ladentisch, der eine Tüte Reis für ein Mädchen abwog, da drehte sich dieses um.

»Meine Herrschaft? Was willst du bei ihr?«

»Ich möchte mit ihr sprechen, bitte.«

»Das heißt, du willst sie anbetteln«, entgegnete das Mädchen.

»Nein«, sagte ich, »wahrhaftig nicht.« Dann fiel mir plötzlich ein, daß ich doch eigentlich zu keinem andern Zweck kam, schwieg verwirrt und fühlte, wie ich rot wurde.

Die Zofe meiner Tante, denn das mußte sie wohl sein, legte

den Reis in ein kleines Körbchen und verließ den Laden, mit der Weisung, ich solle ihr folgen, wenn ich wissen wolle, wo Miss Trotwood wohne. Ich war so aufgeregt, daß mir die Kniee schlotterten.

Ich folgte dem jungen Mädchen, und wir kamen sehr bald zu einem sehr hübschen Häuschen mit entzückenden Bogenfenstern. Davor lag ein kleiner Garten voll Blumen, sorgfältig gepflegt und herrlich duftend.

»Hier wohnt Miss Trotwood«, sagte das Mädchen. »Jetzt weißt dus. Weiter kann ich dir nichts sagen.«

Mit diesen Worten eilte sie ins Haus, wie um die Verantwortlichkeit für mein Erscheinen abzuschütteln, und ließ mich am Gartentor stehen. Ich sah trostlos auf das Wohnzimmerfenster hin, wo ein halb zurückgezogner Musselinvorhang, ein großer runder grüner Schirm oder Fächer auf dem Fensterbrett, ein kleiner Tisch und ein Armstuhl mich ahnen ließen, daß meine Tante in diesem Augenblick in großer Strenge dort saß.

Meine Schuhe befanden sich in einem kläglichen Zustand. Die Sohlen waren stückweise losgelöst, und das Oberleder, bald hier, bald dort geplatzt, hatte die Form eines Schuhes verloren. Mein Hut, der mir auch als Nachtmütze gedient, war so zerdrückt und verbogen, daß es jede alte stiellose Pfanne auf einem Misthaufen erfolgreich mit ihm aufgenommen hätte. Mein Hemd und meine Hosen, schmutzig und fleckig von Hitze, Tau, Gras und dem kentischen Kalkboden, auf dem ich geschlafen, und außerdem zerrissen, wären imstande gewesen, eine Vogelscheuche in meiner Tante Garten abzugeben.

So stand ich in der Türe. Mein Haar hatte, seit ich London verlassen, weder Kamm noch Bürste gesehen. In Gesicht, an Hals und Händen hatten mich Luft und Sonne dunkelbraun gebrannt. Von Kopf bis zu den Füßen mit Kalk und Staub weiß gepudert, sah ich aus, als ob ich aus einem Kalkofen käme. In diesem Aufzug, und meines Aussehens mir sehr wohl bewußt, sollte ich mich also meiner gestrengen Tante vorstellen.

Die andauernde Ruhe hinter dem Wohnstubenfenster ließ

mich schließen, daß sie nicht drinnen sei. Ich wendete meine Augen zu den Fenstern im ersten Stock und sah einen freundlich aussehenden Herrn mit blühendem Gesicht und grauem Haar, der auf komische Weise ein Auge zukniff, mir mehrere Male mit dem Kopf zunickte, mich anlachte und wieder verschwand.

Ich war schon sowieso außer Fassung genug, aber dieses Benehmen raubte mir den letzten Rest von Mut. Ich stand eben im Begriff, mich wieder fortzuschleichen und mir zu überlegen, was am besten zu tun sei, als eine Dame, über ihre Mütze ein Taschentuch gebunden, mit Gartenhandschuhen, einer Gartenschürze und in der Hand ein großes Messer aus dem Hause trat. Ich erkannte in ihr sofort Miss Betsey nach der Art, wie sie aus dem Hause stelzte. Genau so war sie nach der Erzählung meiner Mutter auch in unserm Garten herumstolziert.

»Fort!« sagte Miss Betsey und schüttelte den Kopf und fuhr mit dem Messer durch die Luft, als ob sie ein Kotelett herausschneiden wollte.

»Fort! Keine Jungen hier!«

Ich sah ihr zu, das Herz auf der Zunge, wie sie in eine Ecke des Gartens ging und sich bückte, um etwas auszugraben. Dann, ohne einen Funken Mut in mir, aber mit desto mehr Verzweiflung, trat ich leise ein, stellte mich neben sie und berührte sie mit dem Finger.

»Wenn Sie gestatten würden, Ma'am«, fing ich an.

Sie fuhr zusammen und blickte auf.

»Wenn Sie gestatten würden, Tante!«

»Eh«, rief Miss Betsey mit einem Ton des Erstaunens aus, wie ich nie einen ähnlichen gehört hatte.

»Wenn Sie gestatten würden, Tante, ich bin Ihr Neffe!«

»O Gott!« sagte meine Tante und setzte sich mitten im Gartenweg hin.

»Ich bin David Copperfield aus Blunderstone in Suffolk, wo Sie an dem Abend, als ich geboren wurde, meine liebe Mutter besuchten. Ich bin seit ihrem Tode sehr unglücklich gewesen. Man hat mich vernachlässigt und nichts gelehrt, ich war auf mich selbst angewisen und wurde zu einer Arbeit verwendet, die gar nicht für mich paßte. Deswegen bin ich fortgelaufen zu Ihnen. Gleich am Anfang wurde ich beraubt und mußte den ganzen Weg zu Fuß gehen und habe in keinem Bett geschlafen, seit ich auf der Reise bin.«

Hier war es mit meiner Fassung zu Ende und mit einer Handbewegung, mit der ich ihre Aufmerksamkeit auf meinen zerlumpten Zustand lenken wollte, als Beweis, was ich gelitten, brach ich in ein bitterliches Weinen aus.

Meine Tante, aus deren Gesicht jeder andere Ausdruck als Verwunderung gewichen war, saß, mich groß anstarrend, auf dem Kiesweg, bis ich zu weinen anfing. Dann stand sie in großer Hast auf, packte mich beim Kragen und schleppte mich in das Wohnzimmer. Ihr erstes war hier, einen hohen Schrank aufzuschließen, verschiedene Flaschen herauszunehmen und mir aus jeder etwas in den Mund zu gießen. Sie muß blind drauflos gegriffen haben, denn ich weiß gewiß, daß ich Aniswasser, Anchovissauce und Salatessig geschmeckt habe. Als ich selbst nach dem Genuß dieser Stärkungsmittel noch immer ganz außer Fassung war und von Schluchzen geschüttelt wurde, legte sie mich auf das Sofa, steckte mir einen Schal unter den Kopf, das Taschentuch von ihrem Kopf unter meine Füße, damit ich nicht den Überzug beschmutzen konnte, und setzte sich hinter den bereits erwähnten grünen Schirm. Ihr Gesicht konnte ich nicht sehen, ich hörte nur, wie sie von Zeit zu Zeit einige »Gott sei uns gnädig!« wie Flintenschüsse hervorstieß.

Nach einer Weile klingelte sie.

»Janet«, sagte sie, als das Mädchen hereinkam. »Geh hinauf, empfiehl mich Mr. Dick und sage ihm, ich möchte ihn gerne sprechen.«

Janet machte erstaunte Augen, als sie mich ganz steif auf dem Sofa liegen sah, denn ich getraute mich nicht, eine Bewegung zu machen, um nicht meine Tante zu erzürnen – und ging dann hinaus, um ihren Auftrag auszuführen. Meine Tante marschierte, die Hände auf dem Rücken, im Zimmer auf und ab, bis der Herr, der

mich aus dem obern Fenster angezwinkert hatte, lachend hereintrat.

»Mr. Dick«, sagte meine Tante, »seien Sie jetzt kein Narr. Niemand kann gescheiter sein als Sie, wenn Sie wollen. Also bitte,
nur so vernünftig wie möglich!«

Der Gentleman machte sogleich ein ernstes Gesicht und sah
mich an, als wollte er mich bitten, nur ja nichts von der Szene
vorhin am Fenster zu verraten.

»Mr. Dick«, fuhr meine Tante fort, »Sie haben mich einmal
David Copperfield erwähnen hören. Tun Sie jetzt nicht, als ob
Sie kein Gedächtnis hätten, denn Sie und ich wissen das besser.«

»David Copperfield«, sagte Mr. Dick, der sich meiner trotzdem nicht zu erinnern schien, »*David* Copperfield? Ach ja, richtig. David. Stimmt.«

»Also«, sagte meine Tante, »dies ist sein Sohn. Er wäre seinem
Vater so ähnlich wie möglich, wenn er nicht seiner Mutter so
gliche.«

»Sein Sohn«, sagte Mr. Dick, »Davids Sohn? Wirklich?«

»Ja«, fuhr meine Tante fort, »er hat hübsche Sachen angestellt.
Er ist davongelaufen. Ach, seine Schwester, Betsey Trotwood,
wäre nie davongelaufen.«

Meine Tante schüttelte mit Entschiedenheit den Kopf voll
Vertrauen auf den Charakter und das Betragen des Mädchens,
das nie geboren worden war.

»O Sie glauben, sie wäre nie davongelaufen?« sagte Mr. Dick.

»Ach Gott, der Mann!« rief meine Tante ärgerlich. »Was er
wieder redet. Ich weiß doch, daß sie es nie getan haben würde, sie
würde mit ihrer Patin beisammen gewesen sein, und wir hätten
einander sehr lieb gehabt. Von wo, zum Kuckuck, hätte seine
Schwester, Betsey Trotwood, fortlaufen sollen und wohin
denn?«

»Nirgends«, sagte Mr. Dick.

»No also«, erwiderte meine Tante, durch die Antwort besänftigt.

»Wie können Sie so zerstreut sein, Dick, wo Ihr Verstand so

scharf ist wie die Lanzette eines Chirurgen. Jetzt sehen Sie hier den jungen David Copperfield, und die Frage, die ich Ihnen vorlege, ist, was soll ich mit ihm anfangen?«

»Was Sie mit ihm anfangen sollen«, fragte Mr. Dick verlegen und kratzte sich hinter den Ohren. »Anfangen sollen?«

»Ja«, sagte meine Tante mit einem ernsten Blick und den Zeigefinger in die Höhe haltend. »Ich brauche einen vernünftigen Rat.«

»Hm, wie wäre es«, sagte Mr. Dick nachdenklich und mich mit leerem Blick ansehend, »ich würde – « mein Anblick schien ihm plötzlich einen Gedanken einzuflößen – und er ergänzte rasch: »ich würde ihn waschen.«

»Janet«, sagte meine Tante und drehte sich mit einem stillen Triumph, den ich damals noch nicht verstand, um: »Mr. Dick hat immer recht. Heize das Bad.«

Obgleich ich das größte Interesse an dem Gespräch hatte, konnte ich mich doch nicht enthalten, während desselben meine Tante, Mr. Dick und Janet genau zu beobachten und mich im Zimmer umzusehen.

Meine Tante war eine große Dame mit strengen Zügen, aber durchaus nicht bös aussehend. Es lag eine Unbeugsamkeit in ihrem Gesicht, in ihrer Stimme, ihrem Anzug und in ihrer Haltung, daß ich mir den Eindruck erklären konnte, den sie auf ein so sanftes Geschöpf, wie meine Mutter gewesen, gemacht hatte. Aber ihre Züge schienen eher hübsch als häßlich, wenn auch hart und streng; besonders fiel mir ihr lebhaftes blitzendes Auge auf. Ihr Haar, schon ziemlich ergraut, war unter einer unter dem Kinn zugebundnen Art Nachtmütze in zwei gleiche Teile geteilt. Ihr Kleid, lavendelfarbig und äußerst sauber, war knapp geschnitten, als wünschte sie so wenig wie möglich von ihm behindert zu sein. Es schien mir eigentlich ein Reitkleid zu sein, von dem man die Schleppe abgeschnitten hatte. Sie trug an der Seite eine goldne Herrenuhr, nach Form und Größe zu schließen und der Kette und den Siegeln daran, um den Hals einen Leinenstreifen wie einen Hemdkragen und an den Handgelenken Dinger wie Manschetten.

Mr. Dick hatte graues Haar und ein blühendes Gesicht, wie bereits erwähnt. Den Kopf trug er sonderbar gebeugt, aber nicht wegen des Alters, und seine großen Augen standen weit hervor und hatten einen eigentümlichen wässerigen Glanz, was mich zusammen mit seinem zerstreuten Wesen, seiner Unterwürfigkeit gegen meine Tante und seiner kindischen Freude, wenn sie ihn lobte, auf den Gedanken brachte, er müsse ein wenig verrückt sein, obgleich ich mir dann nicht erklären konnte, wie er hierher kam. Er war wie ein schlichter Gentleman mit weitem grauem Morgenrock, Weste und weißen Hosen bekleidet, trug seine Uhr und sein Geld lose in der Tasche und klimperte damit, als ob er sehr stolz darauf wäre.

Janet, ein hübsches frisches Mädchen, etwa neunzehn oder zwanzig Jahre alt, schien ein wahres Muster von Nettigkeit zu sein. Später erfuhr ich, daß sie eine aus der Reihe der weiblichen Schützlinge war, die meine Tante nach und nach mit der Absicht in Dienst genommen, Männerfeindinnen aus ihnen zu machen, die aber am Schluß gewöhnlich Bäcker geheiratet hatten.

Das Zimmer sah ebenso sauber aus wie Janet und meine Tante. Wenn ich nur einen Augenblick daran denke, rieche ich wieder die Seeluft, vermischt mit dem Dufte der Blumen, sehe die altmodischen und glänzend polierten Möbel meiner Tante, ihren geweihten Tisch und Stuhl, den großen runden Schirm im Bogenfenster stehen, den mit Läufern bedeckten Teppich, die Katze, den Kesselständer, die zwei Kanarienvögel, die Punschbowle, gefüllt mit trocknen Rosenblättern, den hohen Schrank mit seinen Flaschen und Töpfen und wundervoll gegen alles abstechend mein staubiges Ich auf dem Sofa.

Janet war fortgegangen, um das Bad zu heizen, als zu meinem größten Schrecken meine Tante plötzlich ganz starr vor Entrüstung wurde und nach Luft schnappend aufschrie:

»Janet! Esel!«

Sofort kam Janet die Treppe heraufgesprungen, als ob das Haus in Flammen stünde, stürzte auf einen kleinen Rasenfleck vor dem Haus hinaus und verscheuchte zwei von Damen gerittene Esel, die gewagt hatten, ihre Hufe auf den Rasen zu setzen, während meine Tante ihr auf dem Fuß folgte, den Zaum eines dritten Esels, auf dem ein Kind saß, ergriff, das Tier umdrehte, es zur Seite zog und dem unglücklichen Jungen, der den Esel geführt und die heilige Stelle zu entweihen sich unterstanden hatte, eins hinter die Ohren gab. Bis heute weiß ich nicht, ob meine Tante ein Recht auf diesen Rasenflecken besaß, aber jedenfalls hatte sie es sich in den Kopf gesetzt, und das genügte ihr. Es war in ihren Augen eine große Untat, die nach beständiger Ahndung verlangte, wenn ein Esel diesen jungfräulichen Fleck betrat. Mochte sie in welcher Beschäftigung immer begriffen und die Unterhaltung noch so interessant sein, der Anblick eines Esels gab dem Gang ihrer Gedanken sofort eine andere Richtung und unverzüglich stürzte sie auf ihn los. Krüge voll Wasser und Töpfe standen an geheimen Plätzen bereit, um die Führer der Esel zu begießen, Stöcke lauerten hinter den Türen, Ausfälle wurden zu allen Stunden gemacht und ununterbrochen wütete der Krieg. Vielleicht war alles das eine angenehme Unterhaltung für die Jungen, und wahrscheinlich machte es den Klügern unter den Eseln, die die Sache durchschauten, in der ihnen eignen Hartnäckigkeit eine besondere Freude, gerade deshalb diesen Weg zu betreten.

Dreimal, ehe das Bad fertig war, wurde Lärm geschlagen und beim letzten und verzweifeltsten geriet meine Tante in ein Gefecht mit einem fünfzehnjährigen Burschen mit sandgelbem Haar, den sie mit dem Kopf an die Gartentür stoßen mußte, ehe er zu begreifen schien, worum es sich handelte. Diese Unterbrechungen kamen mir um so lächerlicher vor, als sie mir gerade Fleischbrühe einflößte – sie hatte sich offenbar eingeredet, ich stünde dicht vor dem Hungertode und dürfte anfangs nur in kleinen Quantitäten Nahrung zu mir nehmen. In Erwartung des Löffels hielt ich noch den Mund offen, da legte sie das Besteck auf den Teller, rief: »Janet! Esel!« und eilte hinaus zum Kampfe.

Das Bad war eine wahre Erquickung für mich. Das Schlafen im Freien hatte mir Gliederschmerzen gemacht, und ich fühlte mich so matt, daß ich kaum fünf Minuten hintereinander wach bleiben konnte. Als ich mich gebadet, zog ich, das heißt, sie zogen mir – nämlich meine Tante und Janet – ein Hemd und ein Paar Hosen Mr. Dicks an und wickelten mich in zwei oder drei große Schals. Ich sah wie ein Paket aus und es war mir schrecklich heiß. Da mich überdies ein Gefühl von Mattigkeit und Schläfrigkeit überwältigte, schlummerte ich bald auf dem Sofa ein. Vielleicht träumte ich wieder von dem Bilde; ich erwachte mit der Vorstellung, daß meine Tante sich über mich gebeugt, mir das Haar aus dem Gesicht gestrichen, meinen Kopf bequemer gelegt und mich dann lange betrachtet hätte. Die Worte »hübscher Junge« oder »armer Junge« schienen mir auch noch in den Ohren zu klingen, aber sonst war bei meinem Erwachen nichts da, das mich hätte glauben machen können, meine Tante hätte gesprochen, denn sie saß unbeweglich am Bogenfenster und blickte hinter dem grünen Schirm hervor aufs Meer hinaus. Wir aßen, bald nachdem ich erwacht war, zu Mittag. Ein gebratenes Huhn und ein Pudding kamen auf den Tisch; ich selbst sah auch aus wie ein tranchierter Vogel und konnte meine Arme nur mit großer Schwierigkeit bewegen. Aber da meine Tante mich selbst eingewickelt hatte, durfte ich mich doch nicht beklagen! Die ganze Zeit über lag es mir sehr am Herzen, zu erfahren, was sie mit mir anzufangen gedenke. Aber sie nahm ihre Mahlzeit in tiefstem Schweigen ein, nur manchmal sah sie mich an und rief aus »Gott erbarme sich unser!« Und das war gar nicht geeignet, meine Besorgnisse zu verscheuchen.

Nachdem das Tischtuch entfernt war, kam Sherry, und ich erhielt auch ein Glas. Meine Tante schickte wieder nach Mr. Dick, der uns dann Gesellschaft leistete und so klug dreinsah, wie er nur konnte, als sie ihn aufforderte, meiner Geschichte zuzuhören, die sie durch eine Reihe von Fragen aus mir herauslockte. Während meiner Erzählung wandte sie kein Auge von Mr. Dick, der, wie ich glaube, sonst eingeschlafen wäre. Wenn er sich verleiten ließ, zu lächeln, wies ihn ein Stirnrunzeln meiner Tante in seine Schranken zurück.

»Was nur dem armen unglücklichen Baby eingefallen sein muß, daß sie noch einmal heiratete«, sagte meine Tante, als ich fertig war. »Ich kann es nicht begreifen.«

»Vielleicht hat sie sich in ihren zweiten Mann verliebt«, meinte Mr. Dick.

»Verliebt?« wiederholte meine Tante. »Was reden Sie da? Zu welchem Zweck?«

»Vielleicht«, simpelte Mr. Dick, nachdem er ein wenig nachgedacht, »vielleicht tat sie es zu ihrem Vergnügen.«

»Zu ihrem Vergnügen! Natürlich! Ein Mordsvergnügen für das arme Baby, ihr schlichtes Herz einem Schweinehund zu schenken, der sie in jeder Art enttäuschte. Was hat sie sich eigentlich dabei gedacht, möchte ich gern wissen? Sie hatte doch schon einen Mann gehabt, hatte David Copperfield begraben, der von Kindheit an Wachspuppen nachlief, besaß ein Kind – was brauchte sie mehr?«

Mr. Dick schüttelte geheimnisvoll den Kopf, als könne er sich über diesen Punkt nicht klarwerden.

»Sie brachte es nicht einmal fertig, ein Kind zu kriegen wie andere Leute«, sagte meine Tante. »Wo ist dieses Kindes Schwester Betsey Trotwood geblieben? Kam einfach nicht! Reden Sie nichts!«

Mr. Dick schien ganz erschrocken zu sein.

»Der kleine Doktor mit dem seitwärts geneigten Kopf, Jellips oder wie er sonst hieß, wozu war er denn da? Er konnte nichts, als wie ein Rotkehlchen, das er übrigens ist, sagen: 's ist ein Knabe. Ein Knabe! Ha, über die Dummheit dieses ganzen Geschlechts!«

Über die Heftigkeit dieses Ausrufs erschrak Mr. Dick außerordentlich und, wenn ich die Wahrheit sagen soll, ich ebenfalls.

»Und dann, noch nicht genug damit, und als ob sie dieses Kindes Schwester Betsey Trotwood noch nicht genügend im Licht gestanden hätte«, sagte meine Tante, »heiratet sie zum zweiten Mal, geht hin und heiratet einen Mörder – oder so etwas dergleichen – und steht diesem Kind auch noch im Licht. Die natürliche

Folge ist, was jeder, bloß ein Baby nicht, hätte voraussehen können, daß der Junge herumvagabundiert. Er ist, noch bevor er aufwächst, einem Kain so ähnlich wie möglich.«

Mr. Dick sah mich hart an.

»Und dann ist das Frauenzimmer mit dem heidnischen Namen da«, sagte meine Tante, »die muß natürlich auch heiraten. Weil sie noch nicht genug von dem Unglück gesehen hat, das bei so etwas herauskommen muß. Sie heiratet auch, wie das Kind erzählt. Ich hoffe bloß, – meine Tante schüttelte den Kopf, – daß ihr Gatte einer von der Prügelsorte ist, von denen man immer in der Zeitung liest, und sie ordentlich verhaut.«

Das konnte ich von meiner alten Kindsfrau nicht mit anhören und versicherte meiner Tante, daß sie sich bestimmt irre, Peggotty sei die beste, treueste, hingebendste und aufopferndste Freundin und Dienerin von der Welt. Ich sagte, daß sie immer mich und meine Mutter von Herzen geliebt, meiner Mutter sterbendes Haupt gestützt habe, und daß meine Mutter ihren letzten dankbaren Kuß auf ihr Gesicht drückte. Und da mich die Erinnerung an die beiden so sehr erschütterte, konnte ich nicht ausreden und erzählen, wie Peggottys Haus auch mein Haus sei, daß alles, was sie besäße, mein sei, und daß ich nur mit Rücksicht auf ihre bescheidene Stellung und aus Furcht, ihr Ungelegenheiten zu machen, nicht bei ihr Schutz gesucht habe. Tränen erstickten meine Stimme, und ich legte mein Gesicht auf den Tisch.

»Schon gut, schon gut«, sagte meine Tante, »das Kind hat ganz recht, wenn es zu denen hält, die ihm beigestanden haben. – Janet! Esel!«

Ich bin überzeugt, ohne das Dazwischentreten dieser unglückseligen Esel wären wir jetzt zu einer Aussprache gekommen, denn meine Tante hatte mir die Hand auf die Schultern gelegt, und ich war eben im Begriffe, dadurch ermutigt, sie zu umarmen und ihren Schutz anzuflehen. Aber die Unterbrechung und die Aufregung, in die sie durch den Kampf draußen geriet, machten vorderhand allen sanfteren Gefühlen ein Ende und veranlaßten meine Tante, sich in höchster Entrüstung gegen Mr. Dick über ihren

Entschluß auszulassen, bei den Landesgesetzen Hilfe zu suchen und sämtliche Eselseigentümer von Dover zu verklagen.

Nach dem Tee setzten wir uns ans Fenster – wie ich aus dem gespannten Gesicht meiner Tante schloß –, um auf neue Eindringlinge zu lauern. Dann als es dämmrig wurde, brachte Janet Lichter und ein Pochbrett und ließ die Vorhänge herunter.

»Jetzt, Mr. Dick«, sagte meine Tante mit ernstem Blick und emporgehobenem Zeigefinger, »will ich Ihnen eine andere Frage vorlegen. Sehen Sie das Kind an.«

»Davids Sohn?« fragte Mr. Dick mit aufmerksamem und bestürztem Gesicht.

»Ganz richtig«, entgegnete meine Tante, »Davids Sohn. Was würden Sie jetzt mit ihm machen?«

»Mit Davids Sohn machen?« fragte Mr. Dick.

»Ja«, erwiderte meine Tante, »mit Davids Sohn.«

»O«, sagte Mr. Dick. »Ja. Mit ihm machen – ich würde ihn zu Bett bringen.«

»Janet!« rief meine Tante mit derselben triumphierenden Miene, die ich schon einmal an ihr entdeckt hatte. »Mr. Dick rät uns immer das beste. Wenn das Bett fertig ist, wollen wir David hinaufbringen.« Auf Janets Äußerung, daß alles bereit sei, wurde ich hinaufgeführt, freundlich, aber wie eine Art Gefangener. Meine Tante ging voraus, und Janet beschloß den Zug.

Der einzige Umstand, der mir Hoffnung einflößte, war, daß Janet auf die Frage meiner Tante, woher plötzlich so ein brandiger Geruch komme, antwortete, sie habe unten in der Küche aus meinem Hemd Zunder gebrannt. Überdies lagen in meinem Zimmer sonst keine Kleider außer den verrückten Sachen, in die man mich eingewickelt hatte. Als man mich mit einer kleinen Kerze, die, wie mir meine Tante sagte, genau fünf Minuten brennen würde und nicht länger, allein gelassen, hörte ich, wie sie draußen die Türe zuschlossen. Ich dachte darüber nach und kam zu dem Schluß, daß meine Tante mich wahrscheinlich im Verdacht hatte, es sei eine üble Gewohnheit von mir, davonzulaufen, und dagegen Vorkehrungen traf.

Das Zimmer, außerordentlich freundlich, lag oben im Hause mit der Aussicht auf das Meer hinaus, auf das der Mond jetzt glänzend schien. Ich sagte mein Nachtgebet her und blieb, als die Kerze ausgebrannt war, noch sitzen und blickte auf das mondbeschienene Wasser hin, als könnte ich darin mein Schicksal lesen oder meine Mutter mit ihrem Kind auf den Lichtstrahlen vom Himmel herabsteigen und mich mit ihrem lieblichen Antlitz, wie einst, anblicken sehen.

Das feierliche Gefühl wich allmählich einer Empfindung der Dankbarkeit und der Ruhe, die mir der Anblick des weißverhangenen Bettes und vielmehr noch die Rast in dem weißen Pfühl mit den schneeweißen Leinen einflößte. Ich erinnere mich, daß ich an alle die einsamen Orte dachte, wo ich unter dem Nachthimmel geschlafen, und betete, Gott möge mich nie wieder obdachlos werden und nie der Obdachlosen vergessen lassen. Ich erinnere mich, wie ich dann auf dem silbernen Dämmerschimmer des Mondlichtes in die Welt der Träume hinüberglitt.

14. Kapitel

Meine Tante kommt zu einem Entschluß über mich

Als ich früh herunterkam, saß meine Tante in so tiefem Sinnen am Frühstückstisch, die Ellbogen auf das Teebrett gestützt, daß sie gar nicht bemerkte, daß der Teekessel übergelaufen war und das ganze Tischtuch unter Wasser gesetzt hatte. Bei meinem Erscheinen kam sie wieder zu sich. Überzeugt, daß sie meinetwegen nachgedacht habe, wünschte ich nichts sehnlicher, als zu wissen, was sie mit mir vorhatte. Doch ich wagte nicht zu fragen, aus Angst, sie zu beleidigen.

Meine Augen jedoch, die ich nicht so im Zaume halten konnte wie meine Zunge, fühlten sich während des Frühstücks sehr oft zu meiner Tante hingezogen. Ich konnte sie kaum ein paar Augenblicke hintereinander ansehen, ohne daß sie mich nicht ebenfalls anblickte, und zwar in einer seltsamen nachdenklichen Art, als ob ich in unendlich weiter Ferne säße und nicht an der andern Seite des kleinen runden Tisches.

Als sie mit dem Frühstück fertig war, lehnte sie sich sehr gedankenvoll in ihren Stuhl zurück, zog die Brauen zusammen, verschränkte die Arme und betrachtete mich mit so unablässiger Aufmerksamkeit, daß ich vor Verlegenheit mir gar nicht mehr zu helfen wußte. Ich war mit meinem Frühstück noch nicht zu Ende und versuchte, durch Essen meine Verlegenheit zu verbergen. Aber mein Messer stolperte über die Gabel, die Gabel warf das Messer um, ich schnellte ein Stückchen Schinken in überraschende Höhe in die Luft empor, anstatt es zurechtzuschneiden, und der Tee kam mir so oft in die unrechte Kehle, daß ich es zuletzt ganz aufgab und errötend still saß und mich mustern ließ.

»Hallo!« sagte meine Tante nach einer langen Zeit.

Ich blickte auf und begegnete mit ehrerbietiger Miene ihren scharfen glänzenden Augen.

»Ich habe an ihn geschrieben«, sagte meine Tante.

»An –?«

»An deinen Stiefvater«, sagte meine Tante. »Ich habe ihm einen Brief geschrieben, er möge hierherkommen, oder er bekäme es mit mir zu tun.«

»Weiß er, wo ich bin, Tante?« fragte ich sehr beunruhigt.

»Ich habe es ihm geschrieben«, nickte meine Tante.

»Wird er – soll er – nimmt er mich wieder mit?« stotterte ich.

»Ich weiß nicht, was er tun wird«, sagte meine Tante. »Wir werden sehen.«

»Ach, ich darf gar nicht daran denken!« rief ich aus. »Ich weiß nicht, was ich anfangen soll, wenn ich wieder zu Mr. Murdstone zurückkehren muß.«

»Ich auch nicht«, sagte meine Tante und schüttelte den Kopf. »Ich weiß es auch nicht. Wir werden sehen.«

All mein Mut verließ mich bei diesen Worten, und ich wurde ganz niedergeschlagen und schweren Herzens. Ohne anscheinend darauf zu achten, band sich meine Tante ein große Schürze vor, die sie aus dem Schrank nahm, wusch die Teetassen eigenhändig aus, stellte sie dann auf das Teebrett, faltete das Tischtuch zusammen und klingelte Janet. Dann zog sie ein paar Handschuhe an, kehrte mit einem kleinen Besen die letzten Krumen weg, bis auch kein mikroskopisches Fleckchen mehr auf dem Tisch zu sehen war, staubte ab und ordnete das Zimmer auf das sorgfältigste. Als alles zu ihrer Zufriedenheit erledigt schien, legte sie Handschuhe und Schürze wieder ab, faltete sie zusammen, legte sie an ihren Platz im Schranke, stellte ihr Arbeitskörbchen auf den Tisch am offnen Fenster und setzte sich nieder, den grünen Schirm zwischen sich und das Licht gerückt.

»Du könntest hinaufgehen«, sagte sie, als sie dann ihre Nadel einfädelte, »mich Mr. Dick empfehlen und ihn fragen, wie er mit seiner Denkschrift vorwärtskommt.«

Ich sprang auf, um den Auftrag auszuführen.

»Ich vermute«, sagte meine Tante und sah mich so scharf an wie vorhin die Nadel beim Einfädeln, »du denkst dir, Mr. Dick ist ein sehr kurzer Name.«

»Er kam mir gestern abends ein wenig kurz vor«, gestand ich.

»Du brauchst nicht zu glauben, daß er keinen längern zur Verfügung hätte, wenn er wollte«, sagte meine Tante, mit einer großartigen Geste. »Babley – Mr. Richard Babley – ist dieses Gentlemans wirklicher Name.«

Ich wollte im Bewußtsein meiner Jugend, und um die Respektlosigkeit, deren ich mich schuldig gemacht zu haben glaubte, wieder gut zu machen, eben bescheiden bemerken, daß ich Mr. Dick von jetzt an seinen vollen Namen wolle zukommen lassen, als meine Tante fortfuhr:

»Aber nenne ihn bei Leibe nicht so! Er kann den Namen nicht ausstehen. Das ist eine seiner Eigenheiten. Es ist bei Licht betrachtet vielleicht nichts Sonderbares dabei! Verwandte, die denselben Namen tragen, haben ihn schlecht behandelt, so daß sein tödlicher Widerwille wohl gerechtfertigt erscheint. Also nimm dich in acht, Kind, daß du ihn nicht anders als Mr. Dick nennst.«

Ich versprach es und ging mit meiner Botschaft hinauf. Unterwegs dachte ich, Mr. Dick müßte wohl mit seiner Denkschrift gut vorwärtskommen, wenn er immer so eifrig an ihr arbeitete, wie ich es heute früh beim Vorbeigehen durch die offne Tür gesehen.

Bei meinem Eintritt schrieb er immer noch höchst eifrig, und sein Kopf lag fast auf dem Papier. Er war so in seine Arbeit vertieft, daß ich Zeit genug hatte, mir einen großen Papierdrachen in einer Ecke, eine Menge beschriebenes Papier in Bündeln und vor allem die in Dutzenden herumstehenden dicken Tintenkrüge anzusehen, ehe er meiner gewahr wurde.

»Ha! Phöbus!« sagte er dann, die Feder weglegend. »Wie gehts in der Welt?«

»Ich will dir was sagen«, setzte er leiser hinzu, »aber du mußt es für dich behalten«, – er winkte mir und legte seine Lippen dicht an mein Ohr – »es ist eine verrückte Welt, verrückt wie ein Irrenhaus, mein Sohn!« Dann nahm er eine Prise aus einer großen runden Tabaksdose, die auf dem Tische stand, und lachte herzlich.

Ohne mir eine Meinungsäußerung zu erlauben, richtete ich meinen Auftrag aus.

»Gut«, antwortete Mr. Dick. »Bitte, ebenfalls meine Empfehlungen, und ich – ich hätte einen tüchtigen Ansatz gemacht!« Er fuhr mit der Hand durch sein graues Haar und warf einen keineswegs zuversichtlichen Blick auf sein Manuskript.

»Hast du die Schule besucht?«

»Ja, Sir«, erwiderte ich, »kurze Zeit.«

»Kannst du dich an das Datum erinnern«, fragte Mr. Dick, sah mich ernst an und nahm eine Feder, um meine Antwort aufzuschreiben, »wann König Karl I. enthauptet wurde?«

Ich sagte, ich glaubte, es sei das Jahr 1649 gewesen.

»Hm«, entgegnete Mr. Dick, indem er sich mit der Feder hinter dem Ohre kratzte und mich voll Zweifel ansah. »Das sagen die Bücher, aber ich sehe nicht ein, wie das stimmen kann. Wenn das so lange her ist, warum haben da die Leute das Versehen begangen, ein paar Sorgen aus seinem Kopf, nachdem sie ihm ihn abgeschnitten, in meinen zu stecken?«

Ich war sehr verblüfft durch diese Frage, konnte aber keine Antwort finden.

»Es ist sehr sehr seltsam«, meinte Mr. Dick mit einem verzagten Blick auf seine Papiere und sich wieder mit der Hand durch die Haare fahrend, »daß ich nie damit ins reine kommen kann! – Aber schadet nichts, schadet nichts«, sagte er vergnügt und wieder Mut fassend. »Ich habe ja Zeit genug. Meine Empfehlungen an Miss Trotwood und ich käme recht gut vorwärts.«

Ich wollte hinausgehen, als er meine Aufmerksamkeit auf den Drachen lenkte.

»Was sagst du zu diesem Drachen?« fragte er.

Ich antwortete, er sei sehr schön. Man sollte meinen, er müßte sieben Fuß hoch sein.

»Ich habe ihn selbst gemacht, wir wollen ihn mal zusammen steigen lassen. Schau einmal her.«

Er zeigte mir, daß der Drache über und über beschrieben war, und zwar so deutlich – wenn auch in kleinster Schrift –, daß ich beim Überfliegen der Zeilen an ein paar Stellen Anspielungen auf König Karls des Ersten Kopfs zu lesen glaubte.

»Die Schnur ist sehr lang«, sagte Mr. Dick, »und wenn er hoch fliegt, nimmt er die Tatsachen weit fort. Das ist so meine Art, sie zu verbreiten. Ich weiß nicht, wo sie niederfallen – das hängt von den Umständen und vom Winde ab –, aber ich treffe meine Vorkehrungen darnach.«

Sein gesundes und frisches Gesicht war so sanft und freundlich und hatte etwas so Ehrwürdiges an sich, daß ich vermutete, er treibe einen fröhlichen Scherz mit mir. Daher lachte ich, und er lachte auch, und wir schieden als die besten Freunde.

»Nun, Kind«, fragte meine Tante, als ich die Treppen herunterkam, »was ists mit Mr. Dick heute morgen?«

Ich richtete ihr aus, daß er sich empfehlen lasse und recht gute Fortschritte mache.

»Was hältst du von ihm?« forschte meine Tante.

Ich wollte der Frage dadurch ausweichen, daß ich sagte, er sei ein sehr gewinnender Gentleman. Aber meine Tante ließ sich nicht so leicht abfertigen; sie legte ihre Arbeit in den Schoß, verschränkte die Arme und sagte:

»Schau! Deine Schwester Betsey Trotwood würde mir ohne Ausflüchte gesagt haben, was sie denkt. Sei doch deiner Schwester ähnlich und sprich ganz offen!«

»Ist er – ist Mr. Dick – ich frage, weil ich es nicht wissen kann, Tante, – ist er nicht recht bei Sinnen?« stotterte ich, denn ich fühlte, daß ich mich auf einem gefährlichen Gebiet bewegte.

»O durchaus nicht«, sagte meine Tante.

»O wirklich«, bemerkte ich schüchtern.

»Wenn es irgend jemand in der Welt nicht ist«, sagte meine Tante mit großer Entschiedenheit, »so ist es Mr. Dick.«

Ich wußte nichts Besseres zu erwidern als abermals ein schüchternes »O wirklich.«

»Man hat wohl behauptet, er sei verrückt«, sagte meine Tante. »Mir macht es ein besonderes Vergnügen, daß das geschehen ist, denn ich hätte sonst nicht die Freude seiner Gesellschaft und seines Rates genossen seit den letzten zehn Jahren, oder so. Kurz, seit deine Schwester Betsey Trotwood mich im Stiche gelassen hat.«

»So lange schon«, sagte ich.

»Und nette Leute waren es, die die Frechheit besessen haben, ihn für verrückt zu erklären«, fuhr meine Tante fort. »Mr. Dick ist eine Art entfernter Verwandter von mir; es ist gleichgültig, in welchem Grade. Wäre ich nicht dazwischengetreten, so hätte ihn sein eigner Bruder zeitlebens eingesperrt. So steht die Sache.«

Ich fürchte, es war heuchlerisch von mir, daß ich ein teilnehmendes Gesicht machte, aber ich tat es, weil meiner Tante die Sache offenbar sehr zu Herzen ging.

»Ein hochmütiger Narr dieser Bruder! Weil Mr. Dick ein bißchen eigentümlich ist – noch lange nicht so eigentümlich wie viele andere Leute –, mag er ihn nicht um sich sehen und schickt ihn in ein Privat-Irrenhaus, trotzdem er ihm von seinem Vater, der ihn auch für närrisch hielt, auf dem Totenbett ausdrücklich zur Pflege auf die Seele gebunden worden war. Muß auch ein weiser Mann gewesen sein, der Vater! Offenbar selber verrückt.«

Da meine Tante sehr überzeugt dreinschaute, bemühte ich mich, ein gleiches Gesicht zu machen.

»Darum mischte ich mich hinein«, fuhr meine Tante fort, »und machte ihm ein Anerbieten. Ich sagte, Ihr Bruder ist vernünftig, hoffentlich viel vernünftiger als Sie sind oder jemals sein werden. Geben Sie ihm sein kleines Einkommen, dann mag er zu mir ziehen. Ich schäme mich seiner nicht, ich bin nicht hochmütig und nehme ihn gern unter meine Obhut. Ich werde ihn auch nicht mißhandeln, wie es gewisse Leute getan haben. Nach einer langen Balgerei bekam ich ihn, und seitdem ist er hier. Er ist das freundlichste und gefügigste Wesen, das es gibt. Und was für ein Ratgeber! Aber niemand außer mir kennt seine Befähigung.«

»Er hatte eine Lieblingsschwester«, fuhr sie fort, »ein sanftes Geschöpf, die sehr gut zu ihm war. Aber sie tat, was sie eben alle tun –, sie nahm einen Mann. Und ihr Mann tat, was sie alle tun: er machte sie unglücklich. Das brachte auf Mr. Dick einen derartigen Eindruck hervor, daß er – die Furcht vor seinem Bruder und das Gefühl, immer unfreundlich behandelt zu werden, kam noch dazu –, in ein heftiges Fieber verfiel. Das geschah, bevor er hierher zog. Aber die Erinnerung daran bedrückt ihn immer noch. – Sagte er dir etwas über König Karl den Ersten, Kind?«

»Ja, Tante.«

»Ach«, sagte meine Tante und rieb sich ein wenig verlegen die Nase, »das ist nur so eine allegorische Art von ihm sich auszudrücken. Seine Krankheit erinnert ihn natürlich an große Aufregungen und Wirrsale, und darum wählt er dieses Bild oder Gleichnis. Warum sollte er auch nicht, wenn er es für gut findet!?«

»Gewiß, Tante.«

»Es ist keine allgemein übliche Ausdrucksweise«, fuhr meine Tante fort, »ich weiß das recht wohl, und deshalb bestehe ich auch darauf, daß kein Wort davon in seine Denkschrift kommen darf.«

»Handelt seine Denkschrift von seiner eignen Lebensgeschichte, Tante?«

»Ja, mein Kind!« Meine Tante rieb sich weiter die Nase. »Er verfaßt eine Bittschrift an den Lordkanzler oder den Lord Dingskirchen, jedenfalls an einen der Männer, die bezahlt werden, um Denkschriften entgegenzunehmen. Ich glaube, er wird nächstens damit fertig sein. Bis jetzt hat er immer wieder sein Gleichnis hineingebracht. Aber das schadet nichts. Er hat wenigstens eine Beschäftigung.«

Tatsächlich fand ich später heraus, daß Mr. Dick sich schon länger als zehn Jahre bemüht hatte, König Karl den Ersten aus der Denkschrift fernzuhalten, aber diese fixe Idee war beständig wieder hineingeraten und befand sich auch jetzt wieder darin.

»Ich sage nochmals, niemand außer mir kennt dieses Mannes Begabung, und er ist das umgänglichste und freundlichste Geschöpf von der Welt. Wenn er manchmal einen Drachen steigen läßt, was tut das? Franklin ließ auch Drachen steigen. Und der war Quäker oder so etwas Ähnliches, wenn ich nicht irre. Und wenn ein Quäker einen Drachen steigen läßt, ist das noch viel lächerlicher, als wenn es ein anderer Mensch tut.«

Wenn ich hätte annehmen können, daß meine Tante mir diese Einzelheiten als einen Beweis ihres Vertrauens erzählte, würde ich mich sehr ausgezeichnet gefühlt und auf meine Zukunft sehr günstig geschlossen haben. Aber leider entging es mir nicht, daß sie nur so viel sprach, um sich selbst zu beruhigen.

Ihr Großmut gegenüber dem armen harmlosen Mr. Dick jedoch erfüllte mein junges Herz nicht nur mit Hoffnung, sondern zog es auch zu ihr hin. Ich begann zu begreifen, daß meine Tante bei allen ihren Wunderlichkeiten und Launen Eigenschaften besaß, die man sehr hoch anschlagen mußte. Sie war heute gerade so schroff wie gestern, machte wieder Ausfälle auf die Esel und geriet in fürchterliche Entrüstung, als ein junger Bursche im Vorbeigehen Janet ansah, eines der ernstesten Vergehen, deren man sich in den Augen meiner Tante schuldig machen konnte, aber sie schien mir mehr Ehrfurcht und weniger Angst einzuflößen.

Meine Furcht in der Zwischenzeit, die bis zum Eintreffen einer Antwort von Mr. Murdstone verlaufen mußte, war außerordentlich, aber ich versuchte, mich zu beherrschen und mich auf stille Art meiner Tante und Mr. Dick so angenehm wie nur möglich zu machen. Er und ich hätten gern den großen Drachen steigen lassen, aber ich besaß keine andern Kleider als diejenigen, in die man mich am ersten Tage meines Hierseins eingehüllt hatte, und die mich beständig an das Haus fesselten, außer eine Stunde nach Dunkelwerden, wo meine Tante mit mir aus Gesundheitsrücksichten auf der Klippe draußen spazierenging.

Endlich traf die Antwort Mr. Murdstones ein, und meine Tante teilte mir zu meinem größten Schrecken mit, daß er morgen selbst kommen werde.

Am nächsten Tag saß ich, immer noch in meine sonderbare Bekleidung gehüllt, herum und zählte die Minuten aufgeregt, in sinkender Hoffnung und immer mehr steigender Angst, und jede Sekunde gewärtig, von dem Anblick des finstern Gesichtes meines Stiefvaters erschreckt zu werden.

Meine Tante sah noch gebieterischer und strenger drein als gewöhnlich, sonst aber konnte ich nicht bemerken, daß sie sich auf den Empfang des von mir so gefürchteten Besuches irgendwie vorbereitete. Bis ziemlich spät am Nachmittag saß sie im Fenster und arbeitete und ich neben ihr, mir in Gedanken alle möglichen und unmöglichen Resultate von Mr. Murdstones Besuch ausmalend.

Unser Mittagessen war auf unbestimmte Zeit hinausgeschoben worden; aber es wurde so spät, daß eben gedeckt werden sollte, als meine Tante den plötzlichen Alarmruf Esel! ausstieß, und ich zu meiner Bestürzung Miss Murdstone kaltblütig über den heiligen Rasenfleck reiten und vor dem Hause halten sah.

»Marsch fort!« schrie meine Tante und drohte mit der Faust am Fenster. »Sie haben da nichts zu suchen! Wie können Sie sich unterstehen, meinen Rasenfleck zu betreten! Marsch fort! Sie Ding da mit dem frechen Gesicht!«

Meine Tante war so erbost über die Kaltblütigkeit, mit der

Miss Murdstone um sich schaute, daß sie nicht imstande war, ein Glied zu rühren und nach ihrer Gewohnheit hinauszustürzen. Ich benutzte die Gelegenheit, um ihr zu sagen, wer es sei, und daß der Herr, der jetzt nachkam, Mr. Murdstone selbst wäre.

»Kümmert mich wenig, wers ist«, rief meine Tante und schüttelte immer noch den Kopf und schnitt nichts weniger als freundliche Gesichter hinter dem Bogenfenster. »Es wird hier nicht herumgeritten. Ich erlaube es nicht. Marsch, fort! Janet dreh ihn herum! Führ ihn fort!«

Ich lugte hinter meiner Tante hervor und gewahrte eine wahre Schlachtszene. Der Esel, die vier Füße fest in den Boden gestemmt, widerstand hartnäckig jedermanns Bemühungen. Janet versuchte ihn mit dem Zaum aus der Richtung zu bringen, Mr. Murdstone ihn anzutreiben, Miss Murdstone schlug mit dem Sonnenschirm auf Janet los, und mehrere Jungen, die als Zuschauer herbeigeeilt waren, jauchzten vor Lust. Als meine Tante unter ihnen plötzlich den jungen Verbrecher erspähte, unter dessen Obhut der Esel stand, und der einer ihrer hartnäckigsten Feinde war, stürzte sie hinaus, fiel über ihn her, fing ihn ein und schleppte ihn in den Garten, daß er, die Jacke über den Kopf gezogen, mit seinen Absätzen Furchen in den Erdboden pflügte. Dort hielt sie ihn fest und befahl Janet, die Polizei und die Richter zu holen, damit er auf der Stelle verhört und abgeurteilt werde. Ihre Freude dauerte jedoch nicht lange. Der junge Bösewicht, in allerlei Listen und Ränken erfahren, von denen meine Tante kein Ahnung hatte, riß sich geschickt los und suchte johlend das Weite, in den Blumenbeeten tiefe Spuren seiner benagelten Schuhe zurücklassend und den Esel im Triumph mit sich nehmend.

Miss Murdstone war gegen Ende des Kampfes abgestiegen und wartete jetzt mit ihrem Bruder vor der Haustür, bis es meiner Tante gefällig wäre, sie zu empfangen. Meine Tante, durch die Schlacht ein wenig aufgeregt, ging mit großer Würde an ihnen vorbei ins Haus und nahm von beiden keine Notiz, bis sie von Janet angemeldet wurden.

»Soll ich hinausgehen, Tante?« fragte ich zitternd.

»Nein, mein Kind, gewiß nicht.« Und damit schob sie mich in eine Ecke neben sich und stellte einen Stuhl vor, daß es aussah wie eine Gerichtsschranke. In dieser Ecke blieb ich während der ganzen Unterredung, und von hier aus sah ich jetzt Mr. und Miss Murdstone in das Zimmer treten.

»O«, nahm meine Tante das Wort. »Ich wußte anfangs nicht, gegen wen ich das Vergnügen hatte, einzuschreiten. Aber ich erlaube niemand, über diesen Rasenfleck zu reiten. Ich mache keine Ausnahme. Ich gestatte es niemand.«

»Ihre Maßnahme ist etwas beschwerlich für Fremde«, entgegnete Miss Murdstone.

»Wirklich?« bemerkte meine Tante.

Mr. Murdstone schien eine Erneuerung der Feindseligkeiten zu befürchten und sagte vermittelnd: »Miss Trotwood.«

»Ich bitte um Verzeihung«, bemerkte meine Tante mit einem schneidenden Blick. »Sie sind der Mr. Murdstone, der die Witwe meines seligen Neffen, David Copperfield, von Blunderstone-Krähenhorst geheiratet hat? Warum eigentlich Krähenhorst, weiß ich nicht.«

»Der bin ich«, sagte Mr. Murdstone.

»Sie werden mir die Bemerkung nicht übelnehmen, Sir«, fuhr meine Tante fort, »aber ich glaube, es hätte sich besser und glücklicher gefügt, wenn Sie das arme Kind in Ruhe gelassen hätten.«

»Ich stimme insofern mit Miss Trotwood überein«, fiel Miss Murdstone gereizt ein, »daß unsere viel beklagte Klara in allen wesentlichen Punkten wirklich das reinste Kind war.«

»Es ist ein Trost für uns beide, Ma'am«, sagte meine Tante, »die wir in die Jahre kommen und schwerlich unserer persönlichen Reize wegen unglücklich gemacht werden können, daß niemand dasselbe von uns sagen kann.«

»Allerdings«, erwiderte Miss Murdstone, wie mir schien, nicht sehr freudig beistimmend. »Sie haben ganz recht, es wäre besser und glücklicher für meinen Bruder ausgefallen, wenn er diese Ehe nie geschlossen hätte. Ich war immer dieser Meinung.«

»Sie gewiß, das glaube ich«, sagte meine Tante. Dann klingelte sie. »Janet, richte meine Empfehlungen an Mr. Dick aus, ich lasse ihn bitten, herunterzukommen.«

Bis er kam, saß meine Tante so kerzengerade da und sah mit gerunzelter Stirn die Wand an. Als er eintrat, stellte sie ihn vor.

»Mr. Dick. Ein alter und vertrauter Freund, auf dessen Urteil«, sie sah Mr. Dick, der an seinem Zeigefinger kaute und ziemlich blöde dreinschaute, mit einem ermahnenden Blick an, »ich mich verlasse.«

Mr. Dick nahm auf diesen Wink den Finger aus dem Mund und stand mit ernstem und aufmerksamem Gesicht unter der Gruppe. Meine Tante verneigte sich gegen Mr. Murdstone, der daraufhin fortfuhr:

»Miss Trotwood, beim Empfang Ihres Briefes hielt ich es, teils um meinen Standpunkt besser vertreten zu können, teils aus Rücksicht für Sie, für besser –«

»Danke«, warf meine Tante hin, Mr. Murdstone unablässig fixierend, »ich beanspruche keine.«

»– trotz der Unannehmlichkeit einer Reise lieber persönlich als brieflich zu antworten. Dieser unglückselige Junge, der von seinen Freunden und seiner Beschäftigung fortgelaufen ist –«

»– und dessen äußere Erscheinung«, unterbrach Miss Murdstone, auf meinen unbeschreiblichen Anzug hindeutend, »eine Schmach und ein wahrer Skandal ist –«

»Jane Murdstone, sei so gut und unterbrich mich nicht! Dieser unglückselige Junge also, Miss Trotwood, hat uns viel häusliches Ungemach und Leidwesen verursacht. Während der Lebzeiten meines verstorbenen geliebten Weibes und nachher. Er hat einen mürrischen, trotzigen Charakter, ein gewalttätiges Temperament und ein verstocktes störrisches Wesen. Meine Schwester wie ich haben uns bemüht, seine Laster ihm abzugewöhnen, aber vergeblich. Darum hielt ich es für das beste, oder vielmehr, wir beide hielten es für das beste – meine Schwester besitzt mein vollständiges Vertrauen –, Sie dieses ernste und unparteiische Urteil aus unserem eigenen Munde hören zu lassen.«

»Ich habe wohl nicht nötig, was aus meines Bruders Mund

246

kommt, noch zu bestätigen«, sagte Miss Murdstone. »Aber ich bitte zu bemerken, daß ich meinerseits ihn von allen Jungen auf der Welt für den allerschlechtesten halte.«

»Stark!« sagte meine Tante kurz.

»Durchaus nicht zu stark den Tatsachen gegenüber«, erwiderte Miss Murdstone.

»Ach was!« sagte meine Tante. »Weiter, Sir!«

»Ich habe meine eignen Ansichten über die beste Art, ihn zu erziehen«, fuhr Mr. Murdstone fort, dessen Gesicht immer finsterer wurde, je mehr meine Tante und er sich gegenseitig fixierten, was mit großer Gewissenhaftigkeit geschah – »sie gründen sich zum Teil auf meine Kenntnis seines Wesens, teils richten sie sich nach Maßgabe meiner eignen Mittel und Hilfsquellen. Ich bin mir darüber selbst verantwortlich, handle danach und sage deshalb nichts weiter darüber. Es genügt, daß ich diesen Knaben unter die Obhut eines meiner Freunde in ein achtbares Geschäft brachte. Ihm hingegen gefällt das nicht. Er läuft fort, treibt sich als Vagabund herum, bis er endlich in Lumpen zu Ihnen kommt, Miss Trotwood, um sich an Sie zu wenden. Ich möchte Sie ganz offen auf die Folgen, soweit ich diese überblicken kann, aufmerksam machen, die auf Sie fallen, falls Sie seinen Bitten Gehör schenken.«

»Reden wir erst einmal von dem gewissen achtbaren Geschäft«, sagte meine Tante. »Sie hätten wohl Ihren eignen Sohn auch dorthin gebracht?!«

»Meines Bruders eigner Sohn würde einen andern Charakter gehabt haben«, fiel Miss Murdstone ein.

»Wenn seine Mutter, das arme Kind, noch am Leben wäre, hätten Sie ihn dann auch in dieses achtbare Geschäft gegeben?« fragte meine Tante.

»Ich glaube«, sagte Mr. Murdstone und neigte den Kopf ein wenig, »daß Klara keine Maßnahme bestritten hätte, die ich und meine Schwester Jane Murdstone für die beste würden gehalten haben.«

Miss Murdstone bestätigte es mit einem vernehmbaren Murmeln.

»Hm«, sagte meine Tante, »unglückseliges Geschöpf!«

Mr. Dick, der die ganze Zeit über mit seinem Gelde geklimpert hatte, klimperte jetzt so laut damit, daß meine Tante ihm einen ermahnenden Blick zuwerfen mußte, bevor sie fortfuhr:

»Des armen Kindes Leibrente hörte mit ihrem Tode auf?«

»Hörte mit ihrem Tode auf«, bestätigte Mr. Murdstone.

»Und es fand sich keine testamentarische Bestimmung vor, in der der kleine Besitz, das Haus und der Garten – der Krähenhorst ohne Krähen – dem Knaben zufallen sollte?«

»Ihr erster Gatte hatte ihr das Grundstück ohne alle Einschränkung hinterlassen«, wollte Mr. Murdstone seine Rede beginnen, als meine Tante ihn mit größter Heftigkeit und Ungeduld unterbrach.

»Herrgott, Mensch, das brauchen Sie mir nicht erst zu sagen. Ohne Einschränkungen hinterlassen! Ich kann mir David Copperfield vorstellen, wie er an Einschränkungen irgendeiner Art denkt, trotzdem sie ihm vor der Nase lagen. Natürlich war das Grundstück ohne Einschränkungen vererbt worden. Aber als sie sich wieder verheiratete – den höchst unglücklichen Schritt tat, sich mit Ihnen zu verheiraten«, sagte meine Tante, »kurz und gut, hat damals niemand ein Wort für den Knaben eingelegt?«

»Meine selige Gattin liebte ihren zweiten Mann, Ma'am«, sagte Mr. Murdstone, »und verließ sich unbedingt auf ihn.«

»Ihre selige Gattin, Sir, war ein höchst unpraktisches, höchst gutmütiges, höchst unglückliches Kind«, entgegnete meine Tante und schüttelte drohend den Kopf. »Das war sie. Und was haben Sie noch weiter vorzubringen?«

»Nur noch eines, Miss Trotwood. Ich bin hier, um David mit mir zu nehmen. Ihn ohne Bedingung mit mir zu nehmen und über ihn zu verfügen, wie ich es für gut finde. Ich bin nicht hier, um irgend jemand ein Versprechen zu geben oder irgendwelche Verpflichtung zu übernehmen. Sie haben möglicherweise die Absicht, Miss Trotwood, ihm wegen seines Fortlaufens oder in irgendwelchen Beschwerden gegen mich die Stange zu halten. Ihr Benehmen, das, ich muß es gestehen, mir nicht versöhnlich erscheint, veranlaßt mich, das zu glauben. Ich muß Sie aber darauf aufmerksam machen, daß, wenn Sie ihm einmal die Stange halten, Sie es damit für immer tun. Wenn Sie sich zwischen ihn und mich stellen, Miss Trotwood, so müssen Sie das für alle Zeiten tun. Ich kann nicht paktieren und habe keine Lust dazu. Ich bin einmal hergekommen, um ihn mitzunehmen, und tue es ein zweites Mal nicht mehr. Ist er bereit, mitzugehen? Wenn ers nicht ist, und nach Ihren Angaben ist ers nicht, aus welchem Grunde ist mir gleichgültig, so bleibt ihm meine Tür für alle Zeit verschlossen. Ihre, nehme ich an, wahrscheinlich geöffnet.«

Dieser Rede hatte meine Tante mit gespannter Aufmerksamkeit zugehört. Sie saß kerzengerade da, die Hände über ein Knie gefaltet, und sah den Sprecher grimmig an. Als er fertig war, wandte sie ihre Augen mit einem befehlenden Blick auf Miss Murdstone, ohne ihre Stellung zu verändern.

»Nun, Ma'am? Haben Sie noch etwas zu bemerken?«

»Alles, Miss Trotwood, was ich sagen könnte, hat mein Bruder bereits so gut gesagt, und alles, was ich weiß, so klar dargelegt, daß ich weiter nichts hinzuzufügen habe als – meinen Dank für Ihre Höflichkeit. Für Ihre so außerordentliche Höflichkeit«, sagte Miss Murdstone mit einem Hohn, der meine Tante reizen sollte, sie jedoch so ruhig ließ, wie mich damals die Kanone, neben der ich in Chatham geschlafen hatte.

»Und was sagt der Junge dazu?« wandte sich meine Tante an mich. »Willst du mitgehen, David?«

Ich antwortete: »Nein!« und bat flehentlich, mich nicht fortzuschicken. Ich sagte, daß weder Mr. noch Mrs. Murdstone mich je geliebt hätten oder freundlich zu mir gewesen wären. Daß sie meine Mutter, die mich immer von Herzen lieb gehabt, meinetwegen unglücklich gemacht hätten, wie ich ganz gut wüßte und Peggotty auch. Ich sagte, daß es mir elender ergangen, als man sich angesichts meiner Jugend vorstellen könnte. Und ich bat und flehte meine Tante an, mich um meines Vaters willen zu beschützen und sich meiner anzunehmen.

»Mr. Dick?« fragte meine Tante, »was soll ich mit diesem Kind anfangen.«

Mr. Dick überlegte, schwankte und sagte dann strahlend:

»Lassen Sie ihm sogleich einen Anzug anmessen.«

»Mr. Dick«, sagte meine Tante triumphierend, »geben Sie mir die Hand. Ihr gesunder Menschenverstand ist unschätzbar.« Nachdem sie ihm herzlich die Hand gedrückt, zog sie mich zu sich und sprach zu Mr. Murdstone:

»Sie können jetzt gehen, wenn Sie Lust haben, ich will es mit dem Knaben versuchen. Wenn er wirklich derart ist, wie Sie ihn schildern, kann ich immer noch soviel für ihn tun, wie Sie getan haben. Übrigens glaube ich Ihnen natürlich kein Wort.«

»Miss Trotwood«, entgegnete Mr. Murdstone, stand auf und zuckte die Achseln, »wenn Sie ein Mann wären –«

»Bah! Dummes albernes Geschwätz!« sagte meine Tante. »Kommen Sie mir nicht mit so was.«

»Unendlich höflich!« rief Miss Murdstone aus und stand ebenfalls auf. »Überwältigend. In der Tat!«

»Glauben Sie vielleicht«, sagte meine Tante zu Mr. Murdstone, ohne seine Schwester zu berücksichtigen, »ich weiß nicht, was für ein Leben das arme unglückliche verblendete Kind mit Ihnen geführt hat! Glauben Sie vielleicht, ich weiß nicht, was für ein Unglückstag es für das sanfte Wesen war, als Sie ihr das erstemal begegneten und sie anfixten und unschuldige Augen machten, als ob Sie zu einer Gans nicht papp sagen könnten!«

»Ich habe noch nie eine so feine Sprache gehört, wahrhaftig«, rief Miss Murdstone.

»Glauben Sie, ich durchschaue Sie nicht?« fuhr meine Tante fort. »Ich sehe und höre Sie, als ob ich dabeigewesen wäre. Ich spreche mit Ihnen ganz frei von der Leber weg, wenn es mir auch kein Vergnügen ist. Gott steh uns bei, wer war so glatt und seidenweich wie Mr. Murdstone zuerst! So einen Mann hat die arme, weichherzige Unschuld noch niemals gesehen. Er bestand nur aus Süßigkeit und betete sie an. Er schwärmte für ihren Knaben, ach, wie zärtlich! Er wollte ihm ein zweiter Vater sein, und sie würden alle zusammen in einem Rosengarten leben! Nicht wahr? Pfui Teufel, gehen Sie mir.«

»So eine Person habe ich noch in meinem ganzen Leben nicht gesehen!« rief Miss Murdstone.

»Und als Sie das arme kleine Närrchen ganz sicher gemacht hatten«, fuhr meine Tante wieder fort, »Gott verzeih mir, daß ich sie so nennen muß, nachdem sie dahingegangen ist, wohin Sie gewiß nicht besonders schnell kommen werden – mußten Sie sie, weil Sie ihr und den ihrigen noch nicht genug Unheil zugefügt hatten, noch ganz brechen, sie abrichten wie einen armen eingesperrten Vogel und sie ihr armes enttäuschtes Leben hinsiechen lassen, damit sie noch zu allem Ihr Lob singen lerne.«

»Sie sind entweder verrückt oder betrunken«, schrie Miss Murdstone in wahrer Verzweiflung, daß sie den Strom der Beredsamkeit meiner Tante nicht auf sich ablenken oder ihn hemmen konnte, »sie muß betrunken sein.«

Ohne die Unterbrechung im mindesten zu beachten, fuhr Miss Betsey fort, bloß zu Mr. Murdstone zu sprechen.

»Mr. Murdstone«, sie deutete mit dem Finger auf ihn, »Sie waren ein Tyrann gegen das unschuldige Kind und – haben ihr das Herz gebrochen. Sie hatte ein liebebedürftiges Herz, das weiß ich und wußte es viele Jahre, bevor Sie sie noch gesehen hatten. Und wegen des besten Teils ihrer Schwächen gaben Sie ihr die Wunden, an denen sie starb. Das ist die Wahrheit zu Ihrer Erbauung. Mag es Ihnen gefallen oder nicht. Und Sie und Ihr Werkzeug können sich getroffen fühlen.«

»Erlauben Sie mir die Frage«, unterbrach Miss Murdstone, »wen Sie in einer Sprache, an die ich nicht gewöhnt bin, mit dem Werkzeug meinen?«

Stocktaub ihr gegenüber und vollständig unbeirrbar setzte Miss Betsey ihre Rede fort. »Es war mir lange klar, schon Jahre, bevor Sie sie sahen, daß das arme, weichherzige, kleine Geschöpf zu irgendeiner Zeit jemand heiraten würde. Warum gerade ihre Wahl so schlecht ausfiel, warum sie Ihnen nach dem unerforschlichen Willen der Vorsehung begegnen mußte, das zu begreifen ist dem Menschen unmöglich. Ich wußte es um die Zeit, wo sie diesen Knaben gebar, das arme Kind. Dieser arme Junge mußte Ihnen später dazu dienen, die unglückliche Mutter zu quälen. Darin liegt eben für Sie die peinliche Erinnerung und das macht Ihnen den Anblick des Knaben verhaßt. – Ja, ja, zucken Sie nur, ich weiß auch ohnedies, daß es wahr ist.«

Mr. Murdstone hatte die ganze Zeit über in der Tür gestanden und mit verzerrtem Gesicht gelächelt. Jetzt sah ich, wie das Lächeln und zugleich die Farbe einen Augenblick aus seinem Gesicht wichen und er nach Atem rang.

»Guten Tag, Sir, und recht glückliche Reise! Auch Ihnen empfehle ich mich, Ma'am«, – wandte sich meine Tante plötzlich an Miss Murdstone – »und wenn ich Sie noch einmal auf einem Esel über meinen Rasenfleck reiten sehe, haue ich Ihnen den Hut vom Kopf und zertrete ihn, so wahr Sie da stehen.«

Nur ein geschickter Maler hätte das Gesicht meiner Tante bei diesem unerwarteten Ausfall und das Miss Murdstones malen können. Der Ton meiner Tante und ihr Benehmen waren so heftig, daß Miss Murdstone, ohne ein Wort zu sagen, den Arm ihres Bruders nahm und mit hochmütiger Miene das Haus verließ. Meine Tante blieb beim Fenster stehen und schaute ihnen nach, ohne Zweifel bereit, ihre Drohung sofort auszuführen, falls der Esel sich wieder zeigen sollte.

Da jedoch jede Herausforderung unterblieb, verschwand allmählich der strenge Ausdruck ihres Gesichtes und wurde so freundlich, daß ich mir ein Herz faßte, sie küßte und mich bei ihr bedankte. Ich tat es mit größter Herzlichkeit und schlang beide Arme um ihren Hals. Dann schüttelten Mr. Dick und ich uns die Hand und er hörte gar nicht wieder auf und begrüßte die glückliche Beendigung der Angelegenheit mit fröhlichem Gelächter.

»Sie haben sich jetzt mit mir zusammen als Vormund dieses Kindes zu betrachten, Mr. Dick«, sagte meine Tante.

»Es soll mich freuen«, sagte Mr. Dick, »der Vormund von Davids Sohn zu sein.«

»Also, das wäre abgemacht. Wissen Sie, Mr. Dick, daß ich auf den Gedanken gekommen bin, ihn Trotwood zu nennen?«

»Sehr gut, sehr gut. Nennen Sie ihn Trotwood«, stimmte Mr. Dick bei, »Davids Sohn Trotwood.«

»Trotwood-Copperfield, glauben Sie?«

»Ja. Allerdings. Ja, Trotwood-Copperfield«, gab Mr. Dick etwas beschämt zu.

Meine Tante griff diesen Gedanken mit solcher Lebhaftigkeit auf, daß einige noch an diesem Nachmittag für mich fertig gekaufte Kleidungsstücke von ihr mit eigner Hand und mit unverlöschlicher Tinte sofort Trotwood-Copperfield gezeichnet wurden und man den Beschluß faßte, die andern Kleider, die für mich gemacht werden sollten – an diesem Nachmittag wurde eine ganze Aussteuer für mich bestellt –, in gleicher Weise zu zeichnen.

So begann ich ein neues Leben mit einem neuen Namen, und alles war neu rings um mich her. Jetzt, wo jeder Zweifel vorbei, kam ich mir Tage hindurch wie ein Träumender vor. Ich konnte gar nicht mehr ordentlich klar denken. Nur zweierlei stand mir als Gewißheit vor der Seele – daß das alte Leben in Blunderstone weit in die Ferne gerückt schien, und daß für immer ein Vorhang über meine Stellung bei Murdstone & Grinby gefallen war.

Niemand hat seitdem diesen Vorhang wieder gehoben. Ich selbst tat es in dieser Erzählung nur mit widerstrebender Hand, um ihn gern wieder fallen zu lassen.

Die Erinnerung an dieses Leben ist für mich mit solchem Schmerz verknüpft, mit so viel Seelenleid und Hoffnungslosigkeit, daß ich nie den Mut gehabt habe, genau nachzurechnen, wie lange diese Zeit gedauert hat. Ob ein Jahr, ob länger oder kürzer, ich weiß es nicht. Ich weiß nur, daß es einst gewesen ist und aufgehört hat zu sein. Das habe ich geschrieben und lasse es stehen.

15. Kapitel

Ich fange wieder von vorn an

Mr. Dick und ich wurden bald die besten Freunde und gingen, wenn sein Tagewerk vollendet war, zusammen hinaus und ließen den großen Drachen steigen. Tag für Tag beschäftigte Mr. Dick sich mit seiner Denkschrift, die trotzdem nicht den geringsten Fortschritt machte. Immer geriet König Karl I. hinein, manchmal später, manchmal früher. Dann wurde die Arbeit beiseite geworfen und eine neue angefangen. Die Geduld und Hoffnung, mit der der alte Herr das wiederholte Mißlingen ertrug, ließ ahnen, daß in seinem Kopf etwas nicht ganz richtig sein müsse, die schwachen Versuche, König Karl I. auszuschalten, und die Sicherheit, mit der er sich immer wieder einstellte und die Denkschrift verdarb, machten einen tiefen Eindruck auf mich.

Wozu die Denkschrift überhaupt dienen, und an wen sie abgeschickt werden sollte, wußte Mr. Dick wohl ebensowenig wie sonst irgend jemand. Es hatte für ihn auch gar keinen Zweck, sich mit solchen Fragen zu quälen, denn wenn irgend etwas sicher war unter der Sonne, so war es das, daß diese Denkschrift nie fertig werden würde.

Es war ein rührender Anblick, ihn zu sehen, wenn der Drachen hoch in der Luft schwebte. Was er mir in seinem Zimmer erzählt hatte, über seinen Glauben an die Verbreitung der darauf geklebten Tatsachen, die nichts als alte Blätter mißgeborner Denkschriften waren, mochte wohl manchmal zu Hause in seiner Einbildung spuken, niemals aber draußen, wenn er zu dem Drachen in den Wolken aufsah und ihn an seiner Hand ziehen und reißen fühlte. Zu keiner andern Zeit sah er so heiterselig aus. Ich bildete mir immer ein, wenn ich abends auf dem grünen Rasen neben ihm saß und ihn den Drachen oben in der stillen Luft beobachten sah, daß dieser seinen Geist aus aller Verwirrung emporzöge, – ihn in den Himmel hinauftrüge, wie ich mir in meiner kindlichen Vorstellung dachte. Wenn dann die Schnur aufgewunden wurde und der Drachen tiefer und tiefer aus dem schönen Licht herabsank, dann am Boden hinflatterte und zuletzt wie ein toter Gegenstand dalag, da pflegte Mr. Dick allmählich wie aus einem Traum zu erwachen, wenn er ihn aufhob, und sich so verwirrt umzublicken, als ob er mit ihm zusammen herabgefallen wäre, daß ich ihn von ganzem Herzen bedauern mußte.

Während ich täglich mit Mr. Dick befreundeter und vertrauter wurde, machte ich auch in der Gunst meiner Tante keine Rückschritte. Sie gewann mich so lieb, daß sie nach Verlauf von wenigen Wochen meinen Adoptivnamen Trotwood in Trot abkürzte und mich sogar hoffen ließ, daß ich, wenn ich so fortfahre, in ihrem Herzen bald auf gleicher Stelle mit meiner Schwester Betsey Trotwood stehen würde.

»Trot«, sagte sie eines Abends, als Janet wie gewöhnlich das Pochbrett für sie und Mr. Dick hinsetzte. »Wir dürfen deine Erziehung nicht vergessen.«

Das war noch die einzige Sorge, die mir auf dem Herzen lag, und ich war sehr erfreut, daß sie darauf zu sprechen kam.

»Möchtest du in die Schule von Canterbury gehen?« fragte sie.

Ich antwortete, daß ich es sehr gerne möchte, da ich dann in ihrer Nähe bliebe.

»Gut. Willst du morgen gehen?«

Ich wußte, wie schnell entschlossen meine Tante sein konnte, und darum war ich nicht weiter überrascht und sagte ja.

»Gut. Janet! Bestelle für morgen um zehn Uhr das graue Pony und den Wagen und packe sofort Master Trotwoods Sachen ein!«

Ich war sehr erfreut über diese Anordnungen, fühlte jedoch einen Stich im Herzen wegen meiner Selbstsucht, als ich den Eindruck auf Mr. Dick bemerkte. Er war so niedergeschlagen und spielte infolgedessen so schlecht, daß meine Tante, nachdem sie ihm verschiedne ermahnende Klapse mit dem Würfelbecher auf die Finger gegeben, das Brett zumachte und nicht weiterspielen zu wollen erklärte. Er lebte erst wieder auf, als er von meiner Tante vernahm, daß ich samstags zuweilen herüberkommen und er mich manchmal mittwochs besuchen dürfte, und gelobte, zur Feier dieser Tage einen neuen Drachen, weit größer als den jetzigen, anzufertigen.

Am andern Morgen war er sehr niedergeschlagen und wollte sich damit trösten, daß er mir all sein Geld und Silber schenkte, aber meine Tante hielt ihn ab und schränkte das Geschenk auf fünf Schillinge ein, die später auf seine ernstesten Vorstellungen auf zehn vermehrt wurden.

Wir schieden am Gartentor voneinander in der herzlichsten Weise, und Mr. Dick kehrte erst in das Haus zurück, als wir seinen Blicken entschwunden waren.

Meine Tante, der öffentlichen Meinung gegenüber vollständig gleichgültig, kutschierte das graue Pony in meisterhafter Weise durch Dover; sie saß kerzengerade und steif da wie ein Herrschaftskutscher, ließ das Pferd nicht einen Augenblick aus den Augen und schien ihren Ehrgeiz darin zu suchen, ihm nie freien Willen zu lassen.

Als wir auf die Landstraße kamen, ließ sie die Zügel ein wenig lockerer und sah auf mich herab, der ich in einem Tal von Kissen versunken neben ihr saß, und fragte mich, ob ich mich glücklich fühle.

»Sehr glücklich, ich danke dir so sehr, Tante«, gab ich zur Antwort.

Das freute sie ungemein, und da sie beide Hände voll hatte, klopfte sie mir mit der Peitsche auf den Kopf.

»Ist es eine große Schule, Tante?« fragte ich.

»Ich weiß es noch nicht«, sagte meine Tante, »wir gehen zuerst zu Mr. Wickfield.«

»Hat er eine Schule?« fragte ich.

»Nein, Trot. Er hat eine Kanzlei.«

Ich fragte nicht weiter nach Mr. Wickfield, da sie nichts weiter erwähnte, und wir sprachen über andere Sachen, bis wir nach Canterbury kamen. Es war gerade Markttag, und so bot sich meiner Tante viel Gelegenheit, das graue Pony zwischen Körben, Karren, Gemüsen und Höcklerwaren sicher hindurchzulenken.

Die knappen Wendungen, die wir machten, zogen uns eine Menge nicht immer schmeichelhafter Bemerkungen zu, aber meine Tante fuhr höchst unbekümmert herum, und ich glaube, sie wäre ebenso gleichgültig durch ein feindliches Lager kutschiert.

Endlich hielten wir vor einem sehr alten Hause, das in die Straße vorsprang und lange, schmale, vergitterte Fenster hatte und Balken mit geschnitzten Köpfen, die ebenfalls vorragten, so daß es aussah, als beugte sich das ganze Gebäude vor, um zu sehen, was unten auf dem schmalen Pflaster vorgehe.

Es war sehr rein und vollkommen fleckenlos. Der altmodische messingne Klopfer an der niedrigen, mit ausgeschnitzen Blumen- und Fruchtgirlanden verzierten Bogentür funkelte wie ein Stern. Die zwei steinernen Stufen beim Eingang waren so weiß, wie mit Leinwand bedeckt, und alle Winkel und Ecken, die Schnitzereien und Verzierungen und die kleinen sonderbaren Glasscheiben und die noch wunderlicheren alten Fenster sahen trotz ihres hohen Alters so rein wie frischgefallner Schnee aus.

Als der Ponywagen vor der Türe hielt und ich das Haus musterte, sah ich hinter einem kleinen Fenster im Erdgeschoß in einem kleinen runden Turm, der die eine Seite des Hauses bildete, ein leichenhaftes Gesicht erscheinen und rasch wieder verschwinden. Dann öffnete sich die niedrige Bogentür und das Gesicht kam heraus. Es sah genauso leichenhaft aus, wie hinter dem Fenster und hatte den leisen rötlichen Schein, der dem Teint rothaariger Leute eigen ist. Es gehörte einem rotköpfigen Menschen, einem Jüngling von ungefähr fünfzehn Jahren, der aber viel älter aussah. Das Haar war kurz geschoren, die Augenbrauen fehlten ganz, und die wimperlosen Lider ließen die rötlichbraunen Augäpfel so unbeschützt und unbeschattet, daß ich mir gar nicht vorstellen konnte, wie der junge Mann einzuschlafen imstande wäre. Er war hochschultrig und hager, ganz in Schwarz gekleidet, bis oben zugeknöpft, trug eine schmale, weiße Halsbinde und hatte lange, schmale, hagere Hände, die mir besonders auffielen, als er bei dem Pony stand und, sich das Kinn reibend, zu uns auf den Wagen hinaufsah.

»Ist Mr. Wickfield zu Hause, Uriah Heep?« fragte meine Tante.

»Mr. Wickfield ist zu Hause, Ma'am«, antwortete Uriah Heep. »Wollen Sie gefälligst hier eintreten«, und er wies mit seiner Skeletthand ins Haus.

Wir stiegen aus und traten in ein langes, niedriges Zimmer von dem aus ich die Straße sehen konnte und Uriah Heep erblickte, wie er dem Pony in die Nüstern blies und sie dann mit der Hand zudeckte, als ob er einen Zauber über das Tier verhängen wollte.

Dem hohen alten Kamin gegenüber hingen zwei Porträts. Das eine stellte einen Herrn dar mit grauem Haar und schwarzen Augenbrauen, über eng mit rotem Band zusammengebundene Papiere gebeugt, das andere eine Dame mit einem sehr stillen, lieblichen Gesicht. Ich sah mich unwillkürlich um, ob nicht auch ein Bild von Uriah Heep dahinge, als sich eine Tür am andern Ende des Zimmers öffnete und ein Herr erschien, bei dessen Eintritt ich unwillkürlich nach dem ersten Porträt blickte, um mich zu versichern, ob es nicht aus dem Rahmen herausgetreten sei. Aber es hing noch dort, und als der Herr näher kam, sah ich, daß er einige Jahre älter schien, als zu der Zeit, wo er gemalt worden war.

»Miss Betsey Trotwood«, sagte der Gentleman, »bitte, treten Sie ein. Ich bitte um Entschuldigung, aber ich war für den Augenblick beschäftigt. Sie kennen mein Lebensziel. Ich habe nur eines, Sie wissen.«

Miss Betsey dankte ihm, und wir traten in sein Zimmer, das als Kanzlei eingerichtet, mit Büchern, Papieren, Zinnbüchsen usw. ausgestattet war. Die Fenster gingen auf den Garten hinaus und ein eiserner Geldkasten stak eingemauert in der Wand, so knapp über dem Kaminsims, daß ich verwundert darüber nachdenken mußte, wie die Schornsteinfeger wohl darum herumkämen, wenn sie den Rauchfang kehrten.

»Nun, Miss Trotwood?« sagte Mr. Wickfield, der Rechtsanwalt war und die Güter eines reichen Grundbesitzers in der Grafschaft verwaltete, »was führt Sie zu mir? Nichts Unangenehmes hoffentlich?«

»Nein«, antwortete meine Tante, »ich komme nicht in Prozeßsachen.«

»Das ist recht, Ma'am«, sagte Mr. Wickfield. »Es ist besser, wenn es etwas anderes ist.«

Seine Haare waren bereits ganz weiß, seine Augenbrauen jedoch immer noch schwarz. Er hatte ein sehr angenehmes Gesicht und erschien mir schön. Es lag eine gewisse Üppigkeit in seinem Aussehen, die ich nach Peggottys Belehrung in früheren Jahren mit Portwein in Verbindung brachte. Auch aus dem Klang seiner Stimme und seiner beginnenden Korpulenz schloß ich auf dieselbe Ursache. Außerordentlich sorgfältig gekleidet, trug er einen blauen Frack, eine gestreifte Weste und Nankinghosen. Sein fein gefälteltes Hemd und Batisthalstuch sahen so ungewöhnlich weich und weiß aus, daß ich an das Gefieder einer Schwanenbrust denken mußte.

»Das ist mein Neffe«, stellte mich meine Tante vor.

»Wußte nicht, daß Sie einen hatten, Miss Trotwood«, entgegnete Mr. Wickfield.

»Eigentlich mein Großneffe.«

»Wußte nicht, daß Sie einen Großneffen hatten. Mein Ehrenwort«, sagte Mr. Wickfield.

»Ich habe ihn adoptiert«, sagte meine Tante mit einer Handbewegung, die andeuten sollte, daß sein Wissen oder Nichtwissen ihr vollkommen gleichgültig sei, »und habe ihn mitgebracht, um ihn in eine Schule zu tun, wo er sehr guten Unterricht und gute Behandlung findet. Sagen Sie mir, wo eine solche Schule sich befindet, wie sie beschaffen ist und was sonst damit zusammenhängt.«

»Bevor ich Ihnen einen geeigneten Rat geben kann«, sagte Mr. Wickfield, »muß ich die alte Frage stellen. Was ist Ihr Beweggrund?«

»Gott, dieser Mensch!« rief meine Tante aus. »Immer schnüffelt er nach Beweggründen, während sie doch auf der Hand liegen. Nun, ich will das Kind glücklich machen und zu etwas Nützlichem erziehen.«

»Es muß ein gemischter Beweggrund sein«, meinte Mr. Wickfield, schüttelte den Kopf und lächelte ungläubig.

»Ein gemischter Pappenstiel«, entgegnete meine Tante. »Sie selbst geben bei allem, was Sie tun, an, nur einen einfachen Beweggrund zu haben. Sie sind doch wohl nicht der einzige auf der Welt.«

»Ja, aber ich habe überhaupt nur *einen* Lebenszweck, Miss Trotwood. Andere haben sie dutzend- und hundertweise. Ich habe nur *einen*. Das ist der Unterschied. Doch das gehört nicht hierher. Die beste Schule? Ohne Rücksicht auf den Beweggrund? Sie wollen wirklich die beste wissen?«

»Ja!«

»In unserer besten«, sagte Mr. Wickfield nachdenklich, »könnte Ihr Neffe jetzt nicht Wohnung und Kost bekommen.«

»Aber ich könnte ihn doch woanders wohnen lassen!?«

Mr. Wickfield meinte, das ginge wohl. Nach einem kurzen Gespräch schlug er meiner Tante vor, sie nach der Schule zu bringen, damit sie selbst urteilen könnte, und ihr auch einige Häuser, wo ich wohnen könnte, zu zeigen. Meine Tante nahm den Vorschlag an, und wir wollten schon alle drei zusammen ausgehen, als er stehenblieb und sagte:

»Unser junger Freund könnte vielleicht einen Beweggrund haben, gegen unsere Entschlüsse Einwendung zu erheben. Ich glaube, es ist besser, wir lassen ihn hier.«

Meine Tante schien nicht abgeneigt zu widersprechen; um die Sache aber zu erleichtern, sagte ich, ich würde gerne zurückbleiben, wenn sie es wünschten, kehrte in Mr. Wickfields Kanzlei zurück und nahm meinen alten Platz wieder ein.

Dieser Stuhl stand zufällig einem schmalen Gange gegenüber, an dessen Ende das kleine runde Zimmer lag, wo ich Uriah Heeps bleiches Gesicht vorhin am Fenster bemerkt hatte. Uriah, der mittlerweile das Pony in einen Stall geführt, arbeitete jetzt wieder in diesem Zimmer an einem Pult, an dem ein Messingstab, um Papiere daraufzuhängen, entlanglief.

Da sein Gesicht, obwohl mir zugekehrt, sich hinter dem Schreibtisch befand, glaubte ich, er könnte mich nicht sehen, aber als ich aufmerksam hinblickte, machte es einen beängstigenden Eindruck auf mich, daß hie und da seine schlummerlosen Augen wie zwei rote Sonnen hinter dem Tisch hervorlugten und mich minutenlang verstohlen anstarrten, ohne daß seine Feder deshalb stillgestanden wäre. Ich machte mehrere Versuche, den Blicken auszuweichen. Einmal stieg ich auf einen Stuhl, um mir eine Karte an der Wand anzusehen, dann vertiefte ich mich in die langen Spalten einer kentischen Zeitung, aber immer wieder zog es mich auf meinen alten Platz zurück. Und wenn ich meine Augen den beiden roten Sonnen zuwandte, so waren sie sicherlich entweder im Aufgehen oder im Untergehen begriffen.

Endlich kehrten, sehr zu meiner Erleichterung, nach ziemlich langer Abwesenheit meine Tante und Mr. Wickfield zurück. Ihr Gang war nicht so erfolgreich gewesen, wie ich gehofft, denn, obgleich die Vorzüge der Schule unleugbar wären, hatte sich doch kein passendes Kosthaus gefunden.

»Es ist recht unangenehm«, sagte meine Tante. »Ich weiß nicht, was ich tun soll, Trot.«

»Es ist in der Tat unangenehm«, meinte Mr. Wickfield, »aber ich wüßte, was Sie tun könnten, Miss Trotwood.«

»Was denn?« forschte meine Tante.

»Lassen Sie Ihren Neffen vorderhand hier. Er scheint ein stiller Junge zu sein und wird mich nicht im geringsten stören. Das Haus eignet sich trefflich zum Studieren. Es ist so still wie ein Kloster und fast so geräumig. Lassen Sie ihn doch hier!«

Meiner Tante gefiel das Anerbieten offenbar sehr, aber das Zartgefühl verbot ihr, es anzunehmen. Ebenso ging es mir.

»Schlagen Sie ein, Miss Trotwood!« redete ihr Mr. Wickfield zu. »Damit kommen wir aus aller Schwierigkeit heraus. Es ist ja nur für kurze Zeit. Wenn es einer der beiden Parteien nicht paßt, kann Ihr Neffe ja ohne Umstände wieder ausziehen. Mittlerweile wird sich schon ein besserer Platz für ihn finden. Es ist das gescheiteste, Sie lassen ihn vorderhand hier.«

»Ich bin Ihnen sehr verbunden«, sagte meine Tante, »und wie ich sehe, würde es auch ihm passen, aber –«

»Ich weiß schon, was Sie sagen wollen. Ich will Ihnen keine Gefälligkeit aufdrängen, Miss Trotwood. Sie können ja für ihn bezahlen, wenn Sie durchaus wollen. Über die Bedingungen werden wir schon einig werden.«

»Unter dieser Voraussetzung«, sagte meine Tante, »wenn das auch meine Verpflichtung durchaus nicht vermindert, würde ich ihn recht gern hier lassen.«

»Nun, so kommen Sie zu meiner kleinen Haushälterin«, sagte Mr. Wickfield.

Wir stiegen eine wundervolle alte Treppe hinauf, mit einem Geländer so breit, daß man fast ebenso leicht auf ihm hätte hinaufgehen können, und traten in ein schattiges altes Besuchszimmer, erhellt von drei oder vier der seltsamen Fenster, die ich schon von der Straße aus bemerkt hatte. In den Nischen standen alte Eichensitze, wie es schien, von denselben Bäumen stammend wie der glänzende Eichenflur und die großen Balken an der Decke. In dem hübsch ausgestatteten Zimmer bemerkte ich ein Piano und rot und grün überzogne Möbel und einige Blumen. Es schien ganz voll alter Winkel und Ecken zu sein, und in jeder Ecke und in jedem Winkel stand ein seltsames Tischchen, ein Schrank, ein Büchergestell, ein Sessel oder irgend etwas anderes.

Alles wies denselben Anstrich von Zurückgezogenheit und Reinlichkeit auf wie die Außenseite des Hauses.

Mr. Wickfield klopfte an eine Tür in der getäfelten Wand, und sogleich trat ein Mädchen, etwa in meinem Alter, heraus und küßte ihn. Auf ihrem Gesicht erkannte ich sofort den stillen lieblichen Ausdruck des Bildes, das ich unten gesehen. Es kam mir vor, als wäre das Bild zum Weibe herangewachsen und das Original ein Kind geblieben. Das Gesicht blickte freundlich und glücklich, und dennoch lag in ihm und der ganzen Gestalt eine stille friedliche Gelassenheit.

Das war Mr. Wickfields kleine Haushälterin, seine Tochter Agnes. Aus der Art, wie er ihre Hand festhielt, erriet ich, was das eine Ziel seines Lebens war.

Sie trug ein kleines Schlüsselkörbchen an der Seite und sah so gesetzt und ernsthaft aus, wie es das alte Haus von einer so niedlichen Haushälterin nur verlangen konnte. Als ihr Vater von mir sprach, hörte sie mit vergnügter Miene zu und schlug dann meiner Tante vor, ihr mein Zimmer zu zeigen. Wir gingen alle hinauf; sie vor uns her!

Es war ein herrliches altes Zimmer mit noch mehr Eichengebälk und glitzernden Scheiben. Das breite Treppengeländer führte bis hinauf.

Ich kann mich nicht erinnern, wo und wann ich in meiner Kindheit ein gemaltes Kirchenfenster gesehen hatte, und doch erinnerte ich mich an ein solches, als sie sich oben in dem feierlichen Dämmerlicht der alten Treppe umdrehte, um auf uns zu warten. Seit jener Zeit brachte ich es mit seinem ruhigen Glanz stets in Verbindung mit Agnes Wickfield.

Meine Tante war über das getroffene Arrangement ebenso glücklich wie ich, und wir gingen sehr befriedigt wieder in das Besuchszimmer hinunter. Da sie aus Furcht, zu spät nach Hause zu kommen, nicht zum Essen bleiben wollte, und Mr. Wickfield sie wahrscheinlich zu gut kannte, um ihr lange zuzureden, so wurde ihr ein Lunch serviert, und Agnes kehrte zu ihrer Gouvernante und Mr. Wickfield in seine Kanzlei zurück. So konnten wir, ohne gestört zu sein, voneinander Abschied nehmen.

Meine Tante sagte mir, daß Mr. Wickfield alles für mich besorgen würde, und daß es mir an nichts fehlen sollte, redete mir freundlich zu und gab mir die besten Ratschläge.

»Trot«, sagte sie am Schluß, »mache dir, mir und Mr. Dick Ehre, und der Himmel sei mit dir!«

Ich war sehr ergriffen und konnte ihr nur immer und immer wieder danken und sandte Mr. Dick die herzlichsten Grüße.

»Sei niemals und bei keiner Gelegenheit niedrig, unwahr oder grausam«, sagte meine Tante. »Meide diese drei Sünden, Trot, und ich kann immer Hoffnung auf dich setzen.«

Ich versprach von ganzem Herzen, daß ich ihre Güte nie mißbrauchen und ihre Ermahnungen nie vergessen würde.

»Das Pony wartet, und ich muß fort. Bleib!«

Mit diesen Worten umarmte mich meine Tante hastig, verließ das Zimmer und machte die Tür hinter sich zu. Einen Augenblick war ich über diese schnelle Trennung betroffen und fürchtete fast, sie verletzt zu haben, aber als ich durch das Fenster blickte und sie niedergeschlagen in den Wagen steigen und, ohne den Kopf zu heben, wegfahren sah, da verstand ich sie besser.

Um fünf Uhr, Mr. Wickfields Speisestunde, hatte ich wieder frischen Mut gefaßt. Der Tisch war nur für uns beide gedeckt, aber Agnes wartete in dem Besuchszimmer, ging mit ihrem Vater hinunter und setzte sich ihm gegenüber. Ich glaube nicht, daß er ohne sie hätte essen können. Später blieben wir nicht im Speisezimmer, sondern gingen wieder in den Salon hinauf. In einer traulichen Ecke stellte Agnes für ihren Vater Gläser und eine Karaffe Portwein hin. Ich glaube, es hätte dem Wein die Blume gefehlt, wenn andere Hände ihn hingestellt haben würden.

Dann blieb Mr. Wickfield zwei Stunden lang sitzen und trank seinen Wein und zwar ziemlich viel, während Agnes Klavier spielte, arbeitete oder zuweilen mit uns plauderte. Er war meistens gesprächig und heiter. Nur zuweilen ruhten seine Augen mit nachdenklichem Blick auf Agnes, und dann verstummte er. Das Mädchen bemerkte das immer sehr rasch, wie mir vorkam, und erweckte ihn aus seinem Brüten stets mit einer Frage oder einer Liebkosung. Dann riß er sich von seinem Gedanken los und trank noch mehr Wein.

Agnes bereitete den Tee und machte die Wirtin. Die Stunden nachher wurden verbracht wie nach dem Essen, bis sie zu Bett ging. Dann umarmte und küßte sie ihr Vater und ließ sich Kerzen ins Bureau kommen. Ich ging ebenfalls zu Bett.

Im Lauf des Abends trat ich noch ein wenig auf die Straße hinaus, um die alten Häuser und die graue Kathedrale anzusehen und darüber nachzudenken, wie ich auf meiner Wanderung durch die alte Stadt an demselben Haus, in dem ich jetzt wohnte, vorüberging. Als ich zurückkehrte, schloß Uriah Heep die Kanzlei zu, und da ich mich gegen jedermann freundlich gestimmt fühlte, trat ich zu ihm und sprach mit ihm und gab ihm zum Abschied die Hand.

Was war das für eine kalte und feuchte Hand! Ihre Berührung so gespenstisch wie sein Anblick! Ich rieb meine Finger noch lange, um sie zu erwärmen und das Gefühl wegzureiben.

So widerlich war mir seine Hand, daß die Erinnerung an ihre feuchte Kälte noch nicht von mir weichen wollte, als ich in mein Zimmer hinaufstieg. Wie ich mich zum Fenster hinausbog und einen der Köpfe an den Balkenenden mich von der Seite anblicken sah, bildete ich mir ein, es müßte Uriah Heeps Gesicht sein und machte rasch das Fenster zu.

16. Kapitel

In mehr als einer Hinsicht bin ich ein Neuling in der Schule

Am nächsten Morgen nach dem Frühstück begann das Schulleben für mich. Begleitet von Mr. Wickfield ging ich nach dem Schauplatz meiner künftigen Studien, einem ernsten, von einem Hof umgebenen Gebäude von gelehrtem Aussehen, zu dem sehr gut die Krähen und Dohlen paßten, die von den Türmen des Doms herabgeflogen kamen, um mit magisterhafter Haltung auf dem Rasenfleck herumzustolzieren. Sodann wurde ich meinem Lehrer Dr. Strong vorgestellt.

Dr. Strong sah in meinen Augen fast so rostig aus wie die hohen Eisengitter und Pforten vor dem Hause und fast so steif und gewichtig wie die großen Urnen, die neben dem Eingangstor und ringsherum auf der Ziegelsteinmauer wie steingewordne Kegel zum Spielen für den Geist der Zeit standen.

Dr. Strong befand sich in seiner Bibliothek, die Kleider nicht besonders gut gebürstet, das Haar nicht besonders glatt gekämmt, die Hosen an den Knien nicht zugebunden, die langen, schwarzen Gamaschen aufgeknöpft und die Füße ohne Schuhe, die statt dessen auf dem Kaminteppich lagen und wie zwei Höhlen gähnten.

Er blickte mich mit glanzlosen Augen, die mich an ein längst vergessenes blindes altes Pferd auf dem Kirchhof von Blunderstone erinnerten, an und sagte, er freue sich, mich kennenzulernen. Dann gab er mir seine Hand, mit der ich nichts anzufangen wußte, da sie selbst nichts mit sich anfing.

Nicht weit von Dr. Strong saß eine sehr hübsche junge Dame, die er Ännie nannte, und die ich für seine Tochter hielt. Sie kniete jetzt nieder, um ihm die Schuhe anzuziehen und die Gamaschen zuzuknöpfen, was sie sehr fröhlich und flink verrichtete. Als sie fertig war und wir in die Schulstube gehen wollten, überraschte es mich sehr, als Mr. Wickfield sie als Mrs. Strong ansprach, und ich grübelte nach, ob sie wohl Mr. Strongs oder vielleicht dessen Sohns Gattin sei. Ein Gespräch Dr. Strongs klärte mich darüber auf.

»Übrigens, Wickfield«, sagte er nämlich, in einem Gange stehenbleibend, die Hand auf meine Schulter gelegt, »haben Sie noch keine passende Versorgung für den Vetter meiner Frau gefunden?«

»Nein«, sagte Mr. Wickfield. »Nein. Noch nicht.«

»Ich wäre froh, wenn es möglichst bald geschehen könnte, denn Jack Maldon ist bedürftig und arbeitet nicht gern, und so etwas endet oft schlimm. Doktor Watts sagt schon«, fuhr er fort, indem er mich ansah und den Kopf nach dem Rhythmus des Verses bewegte: »Mit Unbeschäftigten stets weiß Satan Unheil zu schaffen.«

»Na, Doktor«, entgegnete Mr. Wickfield, »wenn Dr. Watts ein Menschenkenner wäre, hätte er geradeso gut sagen können: Mit Geschäftigen stets weiß Satan Unheil zu schaffen. Die geschäftigen Leute richten ihren Teil Unheil in der Welt schon an, darauf können Sie sich verlassen. Was haben die angestiftet seit ein paar Jahrhunderten, immer mit Jagd nach Reichtum oder Macht beschäftigt. Vielleicht kein Unheil?«

»Jack Maldon wird in keiner dieser beiden Richtungen besonders tätig sein«, sagte der Doktor, sein Kinn gedankenvoll reibend.

»Vielleicht nicht«, meinte Mr. Wickfield. »Übrigens kommen wir wieder zur Sache! Also, ich habe noch nichts für Mr. Jack Maldon tun können. Ich glaube«, setzte er nach einigem Zögern hinzu, »ich durchschaue Ihren Beweggrund, und das erschwert die Sache.«

»Mein Beweggrund ist der Wunsch, für einen Vetter und Jugendgespielen Ännies eine passende Versorgung zu finden.«

»Ja, ich weiß schon«, sagte Mr. Wickfield, »hier oder im Ausland.«

»Jawohl«, entgegnete der Doktor, anscheinend überrascht durch den Nachdruck, den Mr. Wickfield auf seine Worte legte. »Im Inland oder im Ausland.«

»Ganz wie Sie sagen«, wiederholte Mr. Wickfield. »Oder im Ausland.«

»Ja, ja«, gab der Doktor zur Antwort, »gewiß ja. Eins oder das andere.«

»Eins oder das andere? Geben Sie keinem von beiden den Vorzug, Doktor Strong?«

»Nein.«

»Nein?« fragte Mr. Wickfield nicht ohne Verwunderung.

»Nicht im geringsten.«

»Keinen Beweggrund, Doktor Strong, das Ausland dem Inland vorzuziehen?«

»Nein.«

»Ich muß Ihnen natürlich glauben«, sagte Mr. Wickfield, »und tue es auch. Die Sache wäre aber viel einfacher gewesen, wenn ich das früher gewußt hätte. Ich gestehe, ich hatte andere Vermutungen.«

Dr. Strong betrachtete ihn mit einem bestürzten und fragenden Blick, der fast unmittelbar darauf in ein Lächeln überging, das mich sehr angenehm berührte. Es war voller Liebenswürdigkeit und Güte, und es lag eine Schlichtheit darin, wie überhaupt im ganzen Wesen des Doktors, wenn die gelehrte, frostige Hülle durchbrochen war, die außerordentlich gewinnend und für einen so jungen Schüler wie mich sehr vielversprechend war.

Immer »nein« und »nicht im mindesten« und ähnliche Äußerungen wiederholend, ging Dr. Strong in einem seltsam ungleichen Schritt vor uns her, und wir folgten, Mr. Wickfield mit ernstem Blick und den Kopf schüttelnd.

Die Klasse war ein ziemlich großer Saal auf der stillsten Seite des Hauses. Gegenüber sahen stolz etwa ein halbes Dutzend der großen Urnen auf ein Eckchen des alten stillen Gartens, der dem Doktor gehörte, und wo Pfirsiche an der Sonnenseite reiften, herab. Zwei große Aloes in Kübeln auf dem Rasen vor dem Fenster, die breiten, harten Blätter wie aus lackiertem Blech, erschienen mir später immer wie Symbole des Schweigens und der Zurückhaltung.

Ungefähr fünfundzwanzig Knaben waren eifrig mit ihren Büchern beschäftigt, als wir eintraten. Sie standen auf, um dem Doktor Guten Morgen zu wünschen, und blieben stehen, als sie Mr. Wickfield und mich erblickten.

»Ein neuer Schüler, ihr jungen Herrn«, sagte der Doktor. »Trotwood-Copperfield.«

Ein gewisser Adams, der der Erste in der Klasse war, verließ seinen Platz und begrüßte mich. Er sah in seiner weißen Halsbinde wie ein junger Geistlicher aus, war aber sehr liebenswürdig und freundlich. Er wies mir meinen Platz an und stellte mich den Lehrern vor, alles in einer so noblen Weise, daß es eigentlich jeden Druck hätte von mir nehmen sollen.

Ich war so lange nicht unter Knaben meines Alters mit Ausnahme Mick Walkers und Mehlkartoffels gewesen, daß ich mich höchst verlegen fühlte. Ich hatte so viel Lebensszenen durchgemacht, die meinen jetzigen Kameraden fremd waren, und Erfahrungen gemacht, die so gar nicht für mein Alter, mein Äußeres und meine gegenwärtige Lage paßten, daß es mir fast wie Betrug vorkam, mich als einfacher Schulknabe hier einzudrängen. Bei Murdstone & Grinby jeglicher Spiele entwöhnt, fühlte ich, ich würde in allem, was meinen Kameraden hier selbstverständlich scheinen mußte, linkisch und unerfahren sein. Was ich früher gelernt hatte, war mir unter den drückenden Sorgen des Lebens vollständig verlorengegangen, so daß ich jetzt bei der Prüfung nichts mehr wußte und in die unterste Bank kam.

So peinlich mir das Gefühl meiner Ungeschicklichkeit im Spiel und meine Unwissenheit waren, so quälte mich doch der Gedanke noch vielmehr, daß ich gerade durch das, was ich wußte, meinen Kameraden noch ferner gerückt war als durch das, was ich nicht wußte.

Was würden sie sich wohl denken, wenn sie von meinen guten Bekannten im Kings-Bench-Gefängnis wüßten? Ob sie mir wohl etwas anmerkten von meinem Verkehr mit der Familie Micawber, von dem Versetzen, dem Zugeldmachen und den Abendessen hinterher!? Gesetzt, einer oder der andere hätte mich müde und zerlumpt durch Canterbury gehen sehen! Was würden sie, die mit dem Geldausgeben so bei der Hand waren, sagen, wenn sie wüßten, wie ich meine Halfpence hatte zusammenhalten müssen, um mir ein ärmliches Mittagessen kaufen zu können! Wie würde es sie, die so wenig vom Londoner Straßenleben wußten, berühren, wenn sie erführen, wie gut ich leider die tiefsten Seiten dieses Lebens kannte?

Alles das ging mir am ersten Tage so sehr im Kopf herum, daß ich jeden meiner Blicke und alle meine Gebärden mißtrauisch bewachte und mich scheu in mich selbst zurückzog, wenn einer meiner neuen Schulkameraden sich mir näherte. Unmittelbar nach Schluß der Lehrstunde eilte ich davon, aus Furcht, mich durch eine Antwort auf eine freundliche Annäherung zu verraten.

Aber Mr. Wickfields altes Haus machte auf mich einen so beruhigenden Eindruck, als ich die Schulbücher unter dem Arm an die Türe klopfte, daß ich alle Beklemmung in mir schwinden fühlte. Beim Hinaufgehen in mein luftiges altes Zimmer schien der ernste Schatten der Treppe auch auf meine Sorgen und Zweifel zu fallen und die Vergangenheit zu verwischen. Ich studierte emsig bis zum Abendbrot – die Schule war um drei Uhr aus –

und ging hinunter, Hoffnung im Herzen, mit der Zeit noch einmal ein ganz leidlicher Schüler werden zu können.

Agnes wartete im Besuchszimmer auf ihren Vater, der in der Kanzlei von jemandem aufgehalten wurde. Sie kam mir mit freundlichem Lächeln entgegen und fragte mich, wie es mir in der Schule gefallen habe. Ich sagte ihr, sehr gut, nur käme ich mir noch etwas fremd vor.

»Du bist nie in der Schule gewesen?« fragte ich.

»O ja. Täglich.«

»Ja, aber du meinst hier im Hause?«

»Papa konnte mich doch nicht weglassen«, antwortete sie und schüttelte lächelnd den Kopf. »Seine Haushälterin muß natürlich daheim bleiben.«

»Er hat dich gewiß recht lieb?« fragte ich.

Sie nickte, ja, und ging nach der Türe, um zu sehen, ob ihr Vater noch nicht komme, und ihm entgegenzugehen. Aber er kam noch nicht, und sie kehrte wieder zurück.

»Mama ist schon seit meiner Geburt tot«, erzählte sie mir in ihrer ruhigen Weise. »Ich kenne nur ihr Bild unten. Ich bemerkte, wie du es gestern betrachtetest. Errietest du, wer es ist?«

Ich sagte ja – weil es ihr so ähnlich sähe.

»Papa sagt das auch«, bestätigte Agnes, der die Antwort offenbar gefiel. »Horch. Jetzt kommt Papa.«

Ihr Gesicht strahlte vor Freude, als sie Mr. Wickfield entgegenging und mit ihm Hand in Hand hereintrat.

Er begrüßte mich herzlich und sagte mir, ich würde mich bei Dr. Strong, der einer der sanftesten Menschen sei, sicherlich sehr wohl fühlen.

»Es gibt Leute, die seine Güte mißbrauchen«, sagte er. »Tue du das niemals, Trotwood! Er ist das argloseste aller Menschenkinder, und ob das jetzt ein Vorzug oder ein Fehler ist, jedenfalls muß man darauf Rücksicht nehmen, wenn man mit ihm verkehrt.«

Er sagte das, wie mir vorkam, mit einem Ausdruck der Verstimmtheit, aber ich dachte nicht weiter darüber nach.

Es wurde gemeldet, daß aufgetragen sei, und wir gingen hinunter in das Speisezimmer.

Kaum hatten wir uns gesetzt, als Uriahs roter Kopf und seine magere Hand an der Tür erschienen.

»Mr. Maldon möchte ein Wort mit Ihnen sprechen, Sir.«

»Ich bin Mr. Maldon doch eben erst losgeworden«, sagte Mr. Wickfield.

»Ja, Sir«, antwortete Heep, »aber Mr. Maldon ist umgekehrt und wünscht noch ein Wort mit Ihnen zu reden.«

Als Uriah die Tür mit der Hand offenhielt, beobachtete er mich, Agnes und den gedeckten Tisch und jeden einzelnen Gegenstand im Zimmer – wenigstens kam es mir so vor –, und doch schien er nicht hinzublicken; er tat, als ob er die ganze Zeit seine roten Augen respektvoll auf seinen Herrn richte.

»Ich bitte um Entschuldigung«, bemerkte eine Stimme hinter Uriah, dessen Kopf sofort verschwand und einem andern Platz machte. »Ich wollte nur noch bemerken – bitte, entschuldigen Sie, wenn ich störe –, da mir sonst keine Wahl bleibt, ist es wohl am besten, ich gehe ins Ausland, sobald wie möglich. Meine Kusine Ännie sagte zwar, als wir darüber sprachen, daß sie ihre Freunde lieber in der Nähe hätte, als sie in der Verbannung zu wissen, und der alte Doktor –«

»Doktor Strong meinen Sie«, unterbrach Mr. Wickfield ernst.

»Natürlich Doktor Strong. Ich nenne ihn den alten Doktor. Das ist doch dasselbe –«

»Das finde ich nicht«, bemerkte Mr. Wickfield.

»Nun also meinetwegen, Doktor Strong«, sagte der andere. »Doktor Strong war derselben Meinung, glaube ich, aber seitdem Sie mit ihm gesprochen haben, scheint er andern Sinnes geworden zu sein, deshalb reise ich wohl am besten sobald wie möglich ab. Ich bin umgekehrt, um es Ihnen zu sagen. Wenn man ins Wasser springen muß, hat es keinen Zweck, erst lange am Ufer zu warten.«

»Sie sollten es so wenig wie möglich hinausschieben, Mr. Maldon«, sagte Mr. Wickfield.

»Dank schön. Sehr verbunden. Man soll einem geschenkten Gaul nicht ins Maul sehen! Es schickt sich nicht, sonst möchte ich sagen, meine Kusine Ännie hätte es leicht anders arrangieren können. Ich glaube, Ännie hätte bloß zu dem alten Doktor sagen brauchen –«

»Sie meinen wohl, Mrs. Strong hätte nur zu ihrem Gatten sagen brauchen – verstehe ich recht?« sagte Mr. Wickfield.

»Sehr recht. Hätte nur zu sagen brauchen, daß sie das so und so zu haben wünsche, und es wäre selbstverständlich so und so ausgefallen.«

»Und warum selbstverständlich, Mr. Maldon?« fragte Mr. Wickfield, ruhig weiter essend.

»Nun, weil Ännie ein entzückendes junges Mädchen ist, und der alte Doktor – Dr. Strong meine ich – kein entzückender junger Mann«, antwortete Mr. Jack Maldon lachend. »Ich will niemand beleidigen, Mr. Wickfield. Ich meine nur, daß bei einer derartigen Ehe ein gewisser Ausgleich recht und billig ist.«

»Ein Ausgleich zugunsten der Dame, Sir?« fragte Mr. Wickfield ernst.

»Zugunsten der Dame, Sir«, erwiderte Mr. Jack Maldon und lachte. Als er bemerkte, daß Mr. Wickfield mit derselben unbeweglichen Miene zu essen fortfuhr und keine Hoffnung vorhanden war, er würde auch nur einen Muskel seines Gesichts verziehen, setzte er hinzu:

»Ich habe also gesagt, was ich sagen wollte, und bitte wegen der verursachten Störung um Entschuldigung. Ich werde natürlich die Angelegenheit als lediglich zwischen Ihnen und mir abgemacht betrachten, da sie vor dem Doktor nicht zur Sprache kommen soll.«

»Haben Sie schon gespeist?« fragte Mr. Wickfield mit einer Handbewegung nach dem Tisch.

»Dank schön. Ich esse bei meiner Kusine Ännie. Adieu.«

Mr. Wickfield blickte ihm, ohne aufzustehen, gedankenvoll nach. Mir kam Mr. Maldon wie ein ziemlich oberflächlicher Mann mit hübschem Gesicht, schneller Redeweise und dreister zuversichtlicher Miene vor.

Nach dem Mittagessen gingen wir wieder hinauf, und alles verlief genau so wie am Tag vorher. Agnes setzte die Gläser und Karaffen in dieselbe Ecke, und Mr. Wickfield setzte sich hin und trank ziemlich viel. Agnes spielte ihm auf dem Klavier vor, setzte sich neben ihn, arbeitete und plauderte und spielte dann einige Partien Domino mit mir. Später bereitete sie den Tee, und als sie uns dann verlassen hatte, gab ich Mr. Wickfield die Hand, um ebenfalls zu gehen. Er hielt mich aber fest und fragte: »Möchtest du bei uns bleiben, Trotwood, oder woanders wohnen?«

»Hier bleiben«, erwiderte ich rasch.

»Weißt du das sicher?«

»Ja! Wenn ich bleiben darf.«

»Ich fürchte nur, wir führen hier ein zu eintöniges Leben für dich, mein Junge.«

»Es ist nicht eintöniger für mich als für Agnes, Sir. Es ist durchaus nicht eintönig.«

»Als für Agnes«, wiederholte er, ging langsam nach dem Kamin und lehnte sich an das Sims. Er hatte diesen Abend so viel getrunken, daß seine Augen ganz gerötet aussahen. Ich konnte sie jetzt nicht beobachten, denn sie waren zu Boden gesenkt und er hielt sich die Hand davor, aber ich hatte es kurz vorher bemerkt.

»Ich möchte gerne wissen«, murmelte er, »ob meine Agnes meiner müde ist. Wann würde ich ihrer je müde sein! Aber das ist etwas anderes. Etwas ganz anderes.«

Er sprach dies nachdenklich vor sich hin, deshalb schwieg ich. »Ein ödes altes Haus«, fuhr er fort mit sich zu reden, »und ein eintöniges Leben! Aber ich muß sie in meiner Nähe haben. Ich muß sie um mich haben. Wenn der Gedanke, daß ich sterben könnte und meinen Liebling verlassen müßte, oder daß mein Liebling sterben und mich verlassen könnte, wie ein Gespenst kommt und mir die glücklichste Stunde trübt, und nur zu ertränken ist in –«

Er vollendete nicht, ging langsam an den Tisch, griff mechanisch nach der leeren Karaffe und wollte einschenken, dann schritt er wieder auf seinen Platz zurück.

»Wenn man es schon kaum ertragen kann, während sie hier ist, wie würde es erst werden, – nein, nein, nein, ich kann das nicht versuchen!«

Er lehnte sich wieder an den Kamin und brütete so lange, daß ich mich nicht entschließen konnte, wegzugehen, weil ich fürchtete, ihn zu stören. Endlich raffte er sich auf und sah sich im Zimmer um, bis er meinen Augen begegnete.

»Also bei uns bleiben, Trotwood«, sagte er in seiner gewohnten Art, und als ob er auf das, was ich eben gesagt, antworte. »Das freut mich. Da haben wir beide ein wenig Gesellschaft. Es ist gut für uns, wenn wir dich hier haben. Gut für mich, gut für Agnes, gut vielleicht für uns alle.«

»Für mich ist es gewiß gut, Sir«, sagte ich. »Ich bin so gern hier.«

»Ein braver Junge«, sagte Mr. Wickfield, »solange es dir hier gefällt, kannst du hier bleiben.« Er schüttelte mir die Hand, klopfte mir auf die Schulter und sagte, wenn ich abends etwas zu tun hätte oder etwas zur Unterhaltung zu lesen wünschte, sollte ich nur in sein Zimmer kommen, wenn er dort sei und ich Lust fühlte, und ihm Gesellschaft leisten. Ich dankte ihm für die Erlaubnis. Da er später hinunterging und ich nicht müde war, ging ich ebenfalls hinunter, nahm ein Buch zur Hand, um für eine halbe Stunde von seiner Erlaubnis Gebrauch zu machen.

Da ich aber in der kleinen runden Stube Licht sah und mich zu Uriah Heep, der fast eine Art Zauber auf mich ausübte, gezogen fühlte, trat ich dort hinein.

Uriah las in einem dicken Buch mit solch offenkundiger Aufmerksamkeit, daß sein magerer Zeigefinger Zeile um Zeile verfolgte, feuchte Spuren wie eine Schnecke auf dem weißen Papier zurücklassend. So kam es mir wenigstens vor.

»Sie arbeiten heute abend lange, Uriah«, sagte ich.

»Ja, Master Copperfield.«

Als ich mich auf den Stuhl gegenüber setzte, um besser mit Uriah Heep reden zu können, fiel es mir auf, daß er nie lächeln konnte, sondern statt dessen nur den Mund öffnete und zwei tiefe schmale Falten auf den beiden Backen sehen ließ.

»Ich mache keine Bureauarbeit, Master Copperfield«, sagte er.

»Was denn?«

»Ich vermehre meine juristischen Kenntnisse, Master Copperfield. Ich studiere Tidds Praktik. O wie herrlich Mr. Tidd schreibt, Master Copperfield.«

Mein Stuhl war wie ein Beobachtungsturm, und wie ich sah, las Heep nach diesem begeisterten Ausruf weiter und folgte den Zeilen mit seinem Zeigefinger. Seine Nasenlöcher, scharf und schmal geschnitten, hatten eine sonderbare häßliche Art, sich auszudehnen und zusammenzuziehen. Sie schienen zu zwinkern anstatt seiner Augenlider, die sich nie bewegten.

»Sie sind wohl ein sehr großer Jurist«, sagte ich, nachdem ich ihm eine Zeitlang zugesehen hatte.

»Ich, Master Copperfield?« sagte Uriah, »ach nein; ich bin sehr eine niedrige Person.« Er drückte häufig die Flächen seiner Hände aneinander, als wollte er sie trocknen und wärmen, und oft wischte er sie verstohlen an seinem Taschentuch ab. Ich hatte mir also doch nichts eingebildet.

»Ich bin mir wohl bewußt, daß ich die geringste Person auf der Welt bin«, sagte Uriah Heep bescheiden. »Mögen andere Leute sein, was sie wollen. Meine Mutter is auch sehr eine niedrige Person. Mir leben in einer ganz schlechten Wohnung, Master Copperfield, aber mir haben dafür dankbar zu sein. Meines Vaters Gewerbe früher war sehr gering. Er war Totengräber.«

»Was ist er jetzt?« fragte ich.

»Er ist jetzt Anteilhaber am himmlischen Ruhm, Master Copperfield«, sagte Uriah Heep, »und mir haben alle Ursache, dafür dankbar zu sein. Wie sehr muß ich dankbar sein, daß ich bei Mr. Wickfield bin.«

Ich fragte Uriah, ob er schon lange bei Mr. Wickfield sei.

»S geht jetzt ins vierte Jahr, Master Copperfield«, sagte Uriah und machte das Buch zu, nachdem er sich vorher sorgfältig angezeichnet, wo er stehengeblieben war. »Seit einem Jahr nach meines Vaters Tod. Wie sehr muß ich dankbar sein für Mr. Wickfields gütige Absicht, mir die Unterrichtskosten zu schenken, die meiner Mutter und meine eignen bescheidnen Mittel nie nicht erschwingen könnten.«

»Wenn Ihre Lehrzeit vorüber ist, werden Sie wohl ein richtiger Advokat sein, nicht wahr?« fragte ich.

»Mit dem Segen der Vorsehung, Master Copperfield!« entgegnete Uriah.

»Vielleicht werden Sie einmal Teilhaber in Mr. Wickfields Kanzlei?« sagte ich, um Uriah etwas Angenehmes zu sagen. »Das würde dann heißen Wickfield & Heep, oder Heep vorm. Wickfield.«

»O Gott, nein, Master Copperfield«, entgegnete Uriah und schüttelte den Kopf. »Ich bin viel zu gering für so was.«

Er sah wahrhaftig dem geschnitzten Gesicht an dem Balkenkopf vor meinem Fenster außerordentlich ähnlich, als er so dasaß in seiner Unterwürfigkeit und mich von der Seite anschielte, den Mund offen und die Falten in den Backen.

»Mr. Wickfield ist ein außerordentlich hervorragender Mann, Master Copperfield«, sprach Uriah weiter. »Da Sie ihn schon so lange kennen, wissen Sie es selbst viel besser, als ich es Ihnen sagen könnte.«

Ich erwiderte, daß ich davon überzeugt sei, aber Mr. Wickfield noch nicht lange kenne und daß er ein Freund meiner Tante sei.

»Wirklich, Master Copperfield?« forschte Uriah. »O Ihre Tante ist eine entzückende Dame, Master Copperfield!«

Er hatte eine scheußliche Art, sich zu winden, wenn er Begeisterung ausdrücken wollte, und ich beachtete das Kompliment, das er meiner Tante machte, nicht, weil ich durch die schlangenhaften Bewegungen seiner Kehle und seines Körpers ganz abgelenkt war.

»O eine entzückende Dame, Master Copperfield! Sie hegt eine große Bewunderung für Miss Agnes, Master Copperfield, nicht wahr?«

Ich sagte keck, ja, obgleich ich keine Ahnung davon hatte.

»Ich hoffe, Sie auch, Master Copperfield, gewiß Sie auch.«

»Wohl jedermann«, entgegnete ich.

»O ich danke Ihnen, Master Copperfield, für dieses Wort«, sagte Uriah Heep. »Es ist so wahr! Eine niedrige Person wie ich bin, weiß ich doch, es ist so wahr. O tausend Dank, Master Copperfield.«

Er wand sich förmlich in seiner Verzückung vom Stuhle herunter und traf dann Anstalten, nach Hause zu gehen.

»Mutter wird auf mich warten«, sagte er, warf einen Blick auf seine abgegriffne, unansehnliche Taschenuhr und wurde unruhig. »Wenn mir auch sehr niedrige Leute sind, Master Copperfield, so hängen mir doch sehr aneinander. Wenn Sie uns einmal nachmittags in unserer armseligen Wohnung besuchen und eine Tasse Tee bei uns trinken wollten, so würde Mutter ebenso stolz auf Ihren Besuch sein wie ich.«

Ich sagte, ich würde gerne kommen.

»Tausend Dank, Master Copperfield!« erwiderte Uriah und legte das Buch in ein Fach. »Ich vermute, Sie bleiben einige Zeit hier, Master Copperfield?«

Ich sagte, ich würde hier wohnen bleiben, solange ich die Schule besuchte.

»Ach wirklich!« rief Uriah aus. »Ich glaubte, Sie würden mit der Zeit ins Geschäft eintreten, Master Copperfield?«

Ich beteuerte, daß weder ich noch sonst irgend jemand an dergleichen dächte, aber auf alle meine Versicherungen antwortete Uriah sanft: »O doch, Master Copperfield, ich glaube bestimmt. Sie werden es noch tun.« Immer und immer wieder.

Als er endlich zum Fortgehen bereit war, fragte er mich, ob es mir passen würde, daß er das Licht ausbliese, und als ich bejahte, tat er es auf der Stelle. Dann gab er mir die Hand. Sie fühlte sich im Dunkeln an wie ein Fisch. Er öffnete das Tor ganz wenig, schlüpfte hinaus und schloß es sofort wieder, so daß ich mich im Finstern aus dem Zimmer tappen mußte und dabei über einen Stuhl fiel.

Das war wohl die Ursache, daß ich dann fast die ganze Nacht von Uriah träumte. Unter anderm, daß er Mr. Peggottys Haus mit einer schwarzen Flagge und der Inschrift »Tidds Praktik« an der Mastspitze flottgemacht und einen Piratenzug angetreten habe und mich und die kleine Emly ins Meer hinausschleppte, um uns zu ertränken.

Am nächsten Tag kam ich schon etwas weniger gedrückt in die Schule, und es wurde immer besser, so daß ich mich in kaum zwei Wochen unter meinen neuen Schulkameraden bereits ganz wohl fühlte.

Ich war bei den allgemeinen Spielen linkisch genug und im Lernen sehr zurück, aber ich hoffte, daß Übung und Fleiß beides bald bessern würde. So ging ich ordentlich an die Arbeit und erntete großes Lob. In sehr kurzer Zeit trat das Leben bei Murdstone & Grinby für mich so in weite Ferne und mein gegenwärtiges wurde mir so vertraut, daß ich den Zeitabschnitt in London zuweilen kaum mehr als Wirklichkeit empfand.

Die Schule Dr. Strongs war vortrefflich, und so verschieden von Mr. Creakles, wie Gut und Böse. Überall herrschte ernste und zielbewußte Ordnung und ein gesundes System. In allen Dingen appellierte man an das Ehrgefühl und den guten Willen der Knaben und rechnete so lange mit dem Vorhandensein solcher Eigenschaften, als sich nicht direkt das Gegenteil herausstellte. Und das wirkte Wunder. Wir fühlten alle, daß wir ein Interesse daran hatten, den Ruf der Schule und ihr Ansehen aufrechtzuerhalten, und hingen mit warmer Liebe an ihr. Von mir wenigstens kann ich es sagen, und ich lernte während der ganzen Zeit nicht einen einzigen Knaben kennen, von dem man das Gegenteil hätte behaupten können.

Nach den Lehrstunden hatten wir schöne Spiele und viel Freizeit und standen dennoch im besten Ruf in der Stadt und machten selten durch unser Benehmen oder Aussehen Dr. Strong und seiner Schule Unehre.

Einige der ältern Schüler waren in des Doktors Haus in Pension, und durch sie erfuhr ich gewisse Einzelheiten über Mr. Strongs Geschichte. Zum Beispiel, daß er noch nicht ein Jahr mit der schönen jungen Dame, die ich im Studierzimmer gesehen, verheiratet sei, und sie aus Liebe genommen habe, denn sie besäße keinen Sixpence. Statt dessen sei aber ein Haufen armer Verwandten da, die ihn am liebsten von Haus und Hof verdrängen möchten. Ferner, daß an des Doktors nachdenklichem Wesen hauptsächlich seine Forschungen nach griechischen Wurzeln Schuld wären. Ich hielt das in meiner Unschuld und Unwissenheit für eine botanische Manie des Doktors, um so mehr, als er beim Spazierengehen immer auf den Boden sah, bis ich dahinterkam, daß sie Wurzeln von Wörtern meinten und daß er sich mit der Idee, ein neues Wörterbuch herauszugeben, trug.

Adams, der Erste in der Klasse, der eine Vorliebe für Mathematik besaß, hatte einmal ausgerechnet, daß, wenn der Doktor mit seiner gegenwärtigen Schnelligkeit fortarbeite, er bis zur Vollendung des Wörterbuchs, von seinem zweiundsechzigsten Geburtstage an gerechnet, 1649 Jahre brauchen müßte.

Der Doktor selbst war der Abgott der ganzen Schule, wie auch nicht anders möglich bei seiner unendlichen Herzensgüte und einer Gemütseinfalt, die selbst die steinernen Herzen der Urnen auf der Mauer hätte rühren müssen.

Wenn er auf dem Teil des Hofs, der an der andern Seite des Hauses lag, auf und ab ging, während die Krähen und Dohlen ihm mit schlau seitwärts gelegten Köpfen nachsahen, als ob sie recht gut wüßten, wieviel gescheiter sie in irdischen Dingen seien als er, war jeder Vagabund, der ihm nahe genug kommen konnte, um auch nur einen Satz seiner Leidensgeschichte vorzubringen, für die nächsten zwei Tage ein gemachter Mann. Das war in der Schule so bekannt, daß die Unterlehrer und ältesten Schüler immer Sorge trugen, unverschämte Bettler, noch ehe sie sich dem Doktor bemerklich machen konnten, zu vertreiben; und das geschah oft in seiner unmittelbarsten Nähe, und ohne daß er, vertieft auf- und abschreitend, das Geringste davon merkte.

Außerhalb der Schule und unbewacht war er ein verlorner Mann. Er hätte die Gamaschen von den Beinen weg verschenkt. Tatsächlich soll er sie einmal vor einigen Jahren an einem kalten Wintertag einer Bettlerin geschenkt haben, die in der Nachbarschaft später damit Ärgernis erregte, indem sie ein hübsches

Kind in diese Gamaschen gewickelt von Haus zu Haus trug. Jedermann in der ganzen Umgebung erkannte natürlich die Gamaschen als die des Doktors, bloß er selbst erkannte sie nicht, als sie später an der Tür eines Trödelladens, der nicht in besonders gutem Rufe stand, und wo derlei Sachen gegen Branntwein eingetauscht wurden, hingen. Er soll sie wohl mit beifälligen Blicken betrachtet und an ihnen eine merkwürdige Neuheit des Musters bewundert und sie für viel besser als seine eignen gehalten haben, – aber er erkannte sie nicht.

Ein Vergnügen war es, den Doktor mit seiner jungen, hübschen Frau gehen zu sehen. Er hatte eine väterliche wohlwollende Art, seine Liebe zu ihr an den Tag zu legen, die an und für sich schon den guten Menschen verriet. Ich sah sie oft im Garten bei den Pfirsichen nebeneinander wandeln. Sie schien mir sehr fürsorglich zu dem Doktor zu sein und ihn sehr gern zu haben, wenn sie sich auch nicht sehr lebhaft für das Wörterbuch zu interessieren schien, von dem er immer sehr umfangreiche Fragmente in den Taschen und im Hutfutter trug und sie ihr bei den Spaziergängen erklärte.

Ich sah Mrs. Strong ziemlich häufig, teils weil sie von meinem ersten Besuch an Gefallen an mir gefunden hatte und immer freundlich gegen mich war, teils weil sie Agnes sehr liebte und uns alle Augenblicke besuchte. Zwischen ihr und Mr. Wickfield, vor dem sie sich zu fürchten schien, bestand etwas Gezwungenes, das nie verschwand. Wenn sie abends zu uns kam, lehnte sie stets seine Heimbegleitung ab und lief lieber mit mir fort. Manchmal, wenn wir lustig über den Domhof sprangen, stießen wir ganz unerwartet auf Mr. Maldon, der jedesmal sehr überrascht war, uns zu sehen.

Mrs. Strongs Mutter war eine Dame, mit der ich sehr viel Spaß hatte. Sie hieß Mrs. Markleham, aber unsere Jungen nannten sie den »General«, wegen ihres Feldherrntalents und der Geschicklichkeit, mit der sie große Heere von Verwandten gegen den Doktor zu führen verstand. Sie war eine kleine Frau mit lebhaften Augen und trug, wenn sie sich in großem Staat befand, immer denselben mit künstlichen Blumen und ein paar künstlichen schwebenden Schmetterlingen verzierten Hut. Es ging die Sage, der Hut sei aus Frankreich und könne nur aus den Werkstätten dieser erfinderischen Nation stammen. Gewiß ist, daß er abends immer erschien, wo sich Mrs. Markleham im großen Staate zeigte, daß sie ihn zu geselligen Zusammenkünften immer in einem Bastkörbchen trug, und daß die Schmetterlinge die Gabe hatten, rastlos zu zittern.

Ich beobachtete den »General« besonders genau an einem Abend, der mir noch durch einen andern Vorfall erinnernswert geworden ist.

Es war während einer kleinen Gesellschaft beim Doktor anläßlich der Abreise Jack Maldons nach Ostindien. Mr. Wickfield hatte nämlich die Angelegenheit endlich in Ordnung gebracht. Zugleich war auch des Doktors Geburtstag. Wir hatten frei bekommen, ihm Geschenke am Morgen gebracht und bei der Ehrenrede des ersten Schülers so lange Hoch gerufen, bis wir heiser waren – und Dr. Strong weinte. Jetzt abends waren Mr. Wickfield, Agnes und ich zum Tee geladen.

Mr. Jack Maldon war schon da. Mrs. Strong in weißem Kleid mit kirschroten Bändern saß am Klavier, als wir eintraten, und er hatte sich über sie gebeugt, um die Blätter umzuwenden.

Die blühende Farbe ihres Gesichts war nicht so lebhaft wie gewöhnlich. So schien es mir wenigstens, als sie sich umdrehte. Aber sie sah sehr hübsch aus, wunderbar hübsch.

»Ich habe vergessen, Doktor«, sagte Mrs. Strongs Mama, als wir uns gesetzt hatten, »Ihnen meine Komplimente anläßlich des heutigen Tages abzustatten. Obgleich sie, wie Sie mir gewiß glauben werden, von meiner Seite nicht bloße Komplimente bedeuten. Erlauben Sie mir, Ihnen also recht häufige Wiederkehr des heutigen Tages zu wünschen.«

»Ich danke Ihnen, Ma'am«, erwiderte der Doktor.

»Recht, recht, recht häufige Wiederkehr«, sagte der »General«. »Nicht nur Ihretwegen, sondern auch wegen Ännie und Jack Maldon und mancher anderer. Es ist mir noch wie gestern,

Jack, als du noch ein kleiner Knabe warst, einen Kopf kleiner noch als Master Copperfield, und Ännie hinter den Stachelbeerbüschen deine Liebe gestandest.«

»Liebe Mama«, sagte Mrs. Strong. »Laß das doch sein.«

»Ännie, sei nicht einfältig! Wenn du jetzt erröten willst als alte verheiratete Frau, wann willst du dann bei so etwas nicht mehr erröten!«

»Alt?« rief Mr. Jack Maldon aus. »Ännie, hörst du?«

»Ja, Jack«, antwortete der »General«. »Wirklich eine alte verheiratete Frau, wenn auch nicht den Jahren nach alt. Wann hätte ich je ein Frauenzimmer von zwanzig Jahren den Jahren nach alt genannt! Aber deine Kusine ist doch die Frau des Doktors und als solche eine alte Frau. Und wie gut ist es für dich, Jack, daß deine Kusine die Frau des Doktors ist! Du hast in ihm einen einflußreichen und gütigen Freund gefunden, der gewiß noch mehr für dich tun wird, wenn du dich dessen würdig zeigst. Ich habe keinen falschen Stolz und gestehe offen zu, daß in unserer Familie manche Mitglieder sind, die einen Freund sehr nötig haben. Du selbst warst eins davon, ehe der Einfluß deiner Kusine dir einen solchen verschaffte.«

Der Doktor winkte in seiner Herzensgüte abwehrend mit der Hand, um Mr. Jack Maldon mit einer weiteren Erwähnung dieser Sache zu verschonen. Aber Mrs. Markleham verließ ihren Stuhl, setzte sich neben ihn, legte ihren Fächer auf seinen Arm und sagte: »Nein, wirklich, lieber Doktor, Sie müssen es mir schon zugute halten, wenn ich immer wieder darauf zurückkomme, denn ich fühle es so tief innerlich. Es ist geradezu meine Monomanie, dieses mein Lieblingsthema. Sie sind ein wahrer Segen für uns! Ein Geschenk des Himmels!«

»Dummes Zeug, dummes Zeug«, sagte der Doktor.

»Nein, nein, ich bitte um Verzeihung«, gab der »General« zur Antwort. »Da niemand zugegen ist, außer unserm lieben vertrauten Freund, Mr. Wickfield, kann ich mich nicht so abspeisen lassen. Wenn Sie so weitermachen, werde ich mein Privilegium als Schwiegermutter geltend machen und Sie ausschelten. Ich bin eine offene Natur und spreche immer geradeheraus. Was ich sagen will, ist, was ich immer schon sagte, als Sie mich damals in so großes Erstaunen versetzten, – Sie wissen, wie überrascht ich war, – und um Ännie anhielten. Nicht, daß etwas Erstaunliches dabei gewesen wäre, wenn jemand um Ännie anhielt – so etwas zu sagen, wäre lächerlich –, sondern weil Sie es waren. Sie haben doch schon ihren seligen Vater und sie selbst in einem Alter von sechs Monaten gekannt. Wie konnte ich da in Ihnen einen Bewerber erwarten!«

»Ja, ja«, erwiderte der Doktor gutmütig, »denken Sie nicht mehr daran.«

»Aber ich denke doch daran«, sagte der »General« und legte ihm den Fächer auf die Lippen. »Ich erinnere an diese Sachen nur, damit man mir widersprechen kann, wenn ich unrecht habe. Gut. Ich sprach also mit Ännie und erzählte ihr den Vorfall. Liebes Kind, sagte ich, Dr. Strong ist dagewesen und hat um deine Hand angehalten. Habe ich ihr im geringsten zugeredet? Nein! Ännie, sag mir die Wahrheit, sagte ich, ist dein Herz frei? Mama, sagte sie weinend, ich bin noch so jung, – und das war doch wahr – ich weiß es nicht. Dann kannst du dich darauf verlassen, sagte ich, daß es frei ist. Jedenfalls, liebes Kind, muß Dr. Strong eine Antwort erhalten, da er sich in einem erregten Gemütszustand befindet. Man darf ihn in einer solchen Spannung nicht lassen. Mama, sagte dann Ännie, noch immer weinend, wäre er ohne mich unglücklich? Wenn es der Fall ist, so achte und ehre ich ihn zu sehr, als daß ich nicht ja sagen sollte. So war die Sache abgemacht. Und dann und nicht früher sagte ich zu Ännie: Ännie, sagte ich, Dr. Strong wird nicht nur dein Gatte sein, sondern er wird auch deinen seligen Vater vertreten, wird das Haupt unserer Familie sein, die Weisheit, Position, ich möchte sagen, das Vermögen unserer Familie repräsentieren, kurz, mit einem Wort, er wird ein Segen für uns sein.

Ich brauchte damals die Worte und brauche sie heute wieder. Wenn ich ein Verdienst habe, so liegt es nur in meiner Beharrlichkeit!«

Die Tochter hatte während dieser Rede ganz stumm und die Augen zu Boden gesenkt dagesessen. Ihr Vetter stand neben ihr und schlug ebenfalls die Augen nieder. Sie sagte dann sehr leise mit bebender stimme:

»Mama, ich hoffe du bist jetzt endlich fertig.«

»Nein, meine teure Ännie«, gab der »General« zur Antwort, »ich bin noch nicht ganz zu Ende. Da du mich fragst, so erwidere ich: Nein. Ich beklage mich, daß du ein wenig rücksichtslos gegen deine Familie bist. Und da das Klagen bei dir nichts hilft, werde ich mich bei deinem Gatten beschweren.«

»Sehen Sie einmal, lieber Doktor, Ihre kleine kindische Frau an!«

Als der Doktor sein freundliches Gesicht mit harmlosem und gütigem Lächeln Ännie zuwandte, da ließ sie den Kopf noch mehr sinken.

Ich bemerkte, daß Mr. Wickfield Mrs. Strong scharf beobachtete. »Als ich dem nichtsnutzigen Ding am nächsten Tag sagte«, fuhr die Mutter fort und drohte ihrer Tochter scherzhaft mit dem Fächer, »daß sie Ihnen in einer gewissen Familienangelegenheit einen Wink geben könnte, meiner Meinung nach sogar zu geben verpflichtet sei, – da sagte sie, einen solchen Wink geben, hieße eine Gunst verlangen, und sie weigerte sich, eben weil Sie zu großherzig wären, ihr irgendeinen Wunsch abzuschlagen.«

»Ännie, mein Herz!« sagte der Doktor. »Das war unrecht. Du hast mich einer Freude beraubt.«

»Das sind doch fast dieselben Worte, die ich brauchte!« rief die Mutter triumphierend aus. »Aber wirklich, wenn ich wieder etwas weiß, was sie Ihnen sagen könnte, aber doch nicht tut, habe ich große Lust, lieber Doktor, es Ihnen selbst vorzutragen.«

»Das soll mich sehr freuen«, sagte der Doktor.

»Darf ich wirklich?«

»Gewiß.«

»Nun. Dann will ichs tun«, sagte der »General«, »Abgemacht!« Da sie vermutlich ihren Zweck erreicht hatte, tippte sie mehrere Male mit ihrem Fächer, den sie zuerst geküßt hatte, auf die Hand des Doktors und kehrte siegesbewußt auf ihren Platz zurück.

Da jetzt mehr Gäste kamen, unter ihnen die zwei Lehrer und Adams, wurde die Unterhaltung allgemein und drehte sich naturgemäß um Mr. Jack Maldon und seine Fahrt, sein Reiseziel, seine verschiedenen Pläne und Aussichten. Er wollte noch am Abend nach dem Essen mit der Post nach Gravesend zum Schiff und sollte eine ziemliche Anzahl Jahre fortbleiben, falls er als Kadett keinen Urlaub erhielte. Ich erinnere mich noch, daß es hieß, Indien sei ganz fälschlicherweise übel beleumundet; außer ein paar Tigern und ein bißchen Hitze zu Mittag habe es keinerlei Mängel. Ich für meinen Teil sah in Mr. Jack Maldon einen modernen Sindbad und stellte mir ihn bereits als Busenfreund aller Radschas des Orients, unter Baldachinen, ungeheure Pfeifen rauchend, vor.

Mrs. Strong konnte sehr hübsch singen, wie ich genau wußte, denn sie sang oft, wenn sie allein war. Ob sie aber vor Leuten nicht gerne sang oder diesen Abend nicht bei Stimme war, jedenfalls konnte sie es heute gar nicht. Sie versuchte einmal mit ihrem Vetter Maldon ein Duett, brachte es aber nicht über den Anfang hinaus. Und als sie es später allein versuchte, fing sie zwar herrlich an, brach aber plötzlich verwirrt ab und blieb, den Kopf traurig gesenkt, am Piano sitzen. Der gute Doktor sagte, sie sei nervös, und schlug, um sie aufzuheitern, ein allgemeines Kartenspiel vor, von dem er soviel verstand wie von der Kunst des Posaunenblasens.

Ich bemerkte, daß der »General« ihn sofort unter seine Obhut nahm und sich als ersten Schritt in der neuen Lehre von ihm alles Silbergeld, das er in der Tasche hatte, geben ließ.

Das Spiel gestaltete sich sehr lustig, besonders infolge der Fehler des Doktors, deren er unzählige beging, trotz der Wachsamkeit der Schmetterlinge und zum großen Ärger ihrer Besitzerin.

Mrs. Strong spielte nicht mit, weil sie sich nicht ganz wohl fühlte, und Mr. Maldon entschuldigte sich auch, weil er zu packen hatte.

Als er damit fertig war, kam er wieder, und sie sprachen miteinander. Von Zeit zu Zeit trat sie an den Spieltisch und sah dem Doktor in das Blatt und riet ihm, was er spielen sollte. Sie sah sehr blaß aus, und wenn sie auf die Karten wies, kam es mir vor, als ob ihre Finger zitterten. Aber der Doktor war ganz glücklich über ihre Aufmerksamkeit und bemerkte es nicht.

Beim Essen waren wir schon nicht mehr so heiter. Jeder fühlte, daß ein Abschied eine unangenehme Sache ist, die immer unangenehmer wird, je mehr die Zeit vorrückt.

Mr. Jack Maldon bemühte sich, möglichst gesprächig zu sein, aber es gelang ihm nicht, und er machte die Sache nur noch schlimmer. Auch der »General« verbesserte sie dadurch nicht, daß er Geschichten aus Mr. Jack Maldons Jugend aufwärmte.

Nur der Doktor merkte nichts, war frohen Mutes und lebte in der Meinung daß alle in der heitersten Stimmung wären.

»Liebe Ännie«, sagte er endlich, sah nach der Uhr und füllte sein Glas. »Es ist jetzt Zeit für deinen Vetter Jack, und wir dürfen ihn nicht länger aufhalten, da die Zeit und die Flut – mit beiden muß er rechnen – auf niemand warten. Mr. Jack Maldon, Sie haben eine lange Reise und ein fremdes Land vor sich. Aber vielen Menschen ist es schon so gegangen und vielen wird es noch so gehen. Der Wind, dem Sie sich anvertrauen wollen, hat viele Tausende schon dem Glück entgegengetragen und Tausende schon glücklich zurückgebracht.«

»Es ist rührend«, bemerkte Mrs. Markleham, »wie man es auch immer betrachtet, s ist rührend, wenn ein hübscher junger Mann, den man schon von Kindheit an gekannt hat, ans andere Ende der Welt geht, alle zurückläßt und nicht weiß, was ihm die Zukunft bringt. Ein junger Mann, der solcher Opfer fähig ist«, setzte sie mit einem Blick auf den Doktor hinzu, »verdient Unterstützung und ständige Hilfe.«

»Die Zeit wird Ihnen schnell vergehen, Mr. Jack Maldon«, fuhr der Doktor fort, »und uns auch. Mancher von uns wird, wie es in der Natur der Dinge liegt, Ihre Rückkehr kaum erwarten können. Das Beste, was wir tun können, ist beständig darauf zu hoffen, und das tue auch ich. Ich will Sie nicht mit guten Rat-schlägen langweilen. Sie haben so lange in Ihrer Kusine Ännie ein so gutes Beispiel vor Augen gehabt. Ahmen Sie ihrem Vorbild nach, so sehr wie Sie können.«

Mrs. Markleham fächelte sich und nickte mit dem Kopf.

»Leben Sie wohl, Mr. Jack«, sagte der Doktor und stand auf, und wir folgten seinem Beispiel. »Eine glückliche Reise, ein er-folgreiches Wirken da drüben und glückliche Wiederkehr!«

Wir alle tranken den Toast und schüttelten Mr. Jack Maldon die Hand, worauf dieser hastig von den anwesenden Damen Ab-schied nahm und zur Türe eilte. Als er in den Wagen stieg, wurde er von den Schülern, die sich vor dem Hause versammelt hatten, mit einem donnernden Hoch empfangen. Ich eilte unter sie und stand nahe beim Wagen, als er fortfuhr.

Inmitten des Lärms und des Staubes kam es mir vor, als sähe ich Mr. Jack Maldon mit sehr aufgeregtem Gesicht und etwas Kirschrotem in der Hand wegfahren.

Nach einem zweiten Hoch für den Doktor und einem für seine Frau zerstreuten wir uns, und ich ging in das Haus zurück, wo die Gäste den Doktor umstanden und über die Abreise Mr. Jack Maldons sprachen. Mitten in der Unterhaltung rief Mrs. Markleham: »Wo ist Ännie?«

Ännie war nicht da, und niemand antwortete, als man nach ihr rief. Als sich alle erregt zur Türe hinausdrängten, um sie zu su-chen, fand man sie bewußtlos in der Vorhalle liegen. Anfangs herrschte große Bestürzung, bis man sah, daß sie nur ohnmäch-tig war und sich nach den gewöhnlichen Mitteln bald erholte. Der Doktor hatte ihren Kopf auf seinen Schoß gelegt, strich ihr die Locken aus dem Gesicht und sagte:

»Die arme Ännie. Sie ist so weichherzig und anhänglich! Der Abschied von ihrem alten Gespielen und Freund – ihrem Lieblingsvetter – ist schuld daran. Ach, sie tut mir so sehr leid.«

Als Mrs. Strong die Augen wieder aufschlug und sah, daß wir alle um sie herumstanden, erhob sie sich mit Hilfe der andern und legte den Kopf an des Doktors Brust. Ich weiß nicht, ob sie es nicht tat, um ihr Gesicht zu verbergen. Wir begaben uns in das Gesellschaftszimmer, um sie mit ihrem Gatten und ihrer Mutter allein zu lassen, aber sie sagte, es sei ihr schon viel besser, und sie wolle lieber bei uns bleiben. So brachten sie sie denn herein – wie mir schien, sehr blaß und angegriffen –, und setzten sie auf ein Sofa.

»Liebe Ännie«, sagte ihre Mutter und machte sich an ihrem Kleide etwas zu schaffen. »Schau nur, du hast eine Schleife verloren. Möchte nicht jemand so gut sein und nach dem Band suchen? Es ist ein kirschrotes Band.«

Es war das, was sie vorher an der Brust getragen hatte. Wir suchten alle danach – ich selbst habe genau überall nachgesehen – aber finden konnte es niemand.

»Erinnerst du dich, wo du es zuletzt gehabt hast, Ännie?« fragte die Mutter.

Es kam mir so vor, als ob Mrs. Strong rot und blaß würde, als sie sagte, sie habe es vor einer Weile noch gehabt, aber es sei nicht der Mühe wert, danach zu suchen.

Dennoch wurde es gesucht, aber nicht gefunden. Sie bat, man möge sich doch nicht weiter bemühen. Aber trotzdem sah man sich zuweilen danach um, bis sie sich ganz erholt hatte und die Gäste sich verabschiedeten.

Mr. Wickfield, Agnes und ich gingen sehr langsam nach Hause. Agnes und ich bewunderten den Mondschein, nur Mr. Wickfield sah kaum vom Boden auf.

Als wir an unsere Haustür kamen, bemerkte Agnes, daß sie ihre Tasche vergessen hatte. Erfreut, gefällig sein zu können, lief ich zurück, um sie zu holen.

Ich trat zuerst in das Speisezimmer. Es war finster und leer. Eine Tür, die in das Studierzimmer des Doktors führte, stand jedoch offen, und ich bemerkte dort Licht. Ich ging hinein, um zu sagen, was ich suche, und um eine Kerze zu holen.

Der Doktor saß in seinem Lehnstuhl am Kamin und seine junge Frau auf einem kleinen Sessel zu seinen Füßen. Mit vergnügter Miene las ihr der Doktor aus einem Manuskript einen

Abschnitt aus dem Wörterbuch vor, und sie sah zu ihm hinauf. Aber mit einem Gesicht, wie ich es noch nie gesehen habe. Es war so schön in seinen Linien, so aschfahl und ganz geistesabwesend und voll von einem wilden traumverlorenen Entsetzen, daß ich gar nicht wußte, was ich mir dabei denken sollte. Ihre Augen standen weit offen, und ihr braunes Haar fiel in zwei dichten Wellen auf ihre Schultern und ihr weißes Kleid herab, das durch den Verlust der Schleife in Unordnung gebracht war.

Ich sehe noch deutlich ihren Blick vor mir und kann doch nicht sagen, was er eigentlich ausdrückte. Reue, Ergebenheit, Scham, Stolz, Liebe und Vertrauen und unter all dem jenes gewisse unbestimmte Entsetzen.

Mein Eintreten weckte sie auf. Ich störte auch den Doktor, und als ich zurückkehrte, um das Licht wieder auf seinen alten Platz zu stellen, streichelte er ihr gerade in seiner väterlichen Weise das Haar und sagte, es sei unbarmherzig von ihm, sich so von ihr zum Weiterlesen verleiten zu lassen, und sie möchte doch zu Bett gehen.

Aber sie bat ihn in hastiger, dringlicher Weise, sie dazulassen. Er möge ihr immer wieder sagen, daß er ihr vertraue. Als ich das Zimmer verließ, sah ich, daß sie ihre Hände auf seinen Knien gefaltet hatte, und mit demselben, nur etwas ruhiger gewordnen Ausdruck im Gesicht zu ihm aufblickte, wie er wieder zu lesen anfing.

Es machte einen tiefen Eindruck auf mich und fiel mir wieder ein bei einer Gelegenheit, von der ich später einmal erzählen werde.

17. Kapitel

Ein Mann taucht auf

Gleich nach meiner Aufnahme in Dover hatte ich natürlich Peggotty einen Brief geschrieben und dann später noch einen zweiten und ganz ausführlichen, als mich meine Tante endgültig unter ihren Schutz genommen hatte. Als ich zu Dr. Strong in die Schule kam, schrieb ich ihr nochmals und setzte ihr meine glückliche Lage und meine guten Aussichten auseinander.

Nichts hätte mir mehr Freude machen können, als daß ich durch das Geldgeschenk Mr. Dicks in den Stand gesetzt war, die halbe Guinee mit der Post an Peggotty zurückschicken zu können. Bei dieser Gelegenheit erzählte ich ihr auch die Geschichte von dem Burschen mit dem Eselskarren.

Auf alle diese Briefe antwortete Peggotty so rasch, wenn auch nicht so umständlich wie ein Kaufmann.

Sie hatte alle ihre Fähigkeiten, ihren Gefühlen mit Tinte Ausdruck zu geben, bei dem Versuch angewandt, mir ihren Seelenzustand beim Lesen meines Reiseberichts zu schildern. Vier Seiten unzusammenhängender und mit Ausrufen beginnender Satzanfänge, die stets mit Klecksen endeten, hatten ihr noch keine Erleichterung gebracht. Aber die Kleckse sprachen für mich deutlicher, als der beste Satzbau hätte können; bewiesen sie mir doch, daß Peggotty den ganzen langen Brief hindurch geweint hatte.

Ich fand ohne Schwierigkeiten heraus, daß sie noch immer nicht recht mit meiner Tante ausgesöhnt war.

»Wir kennen uns nie in einem Menschen ganz aus«, schrieb sie, »aber zu denken, daß Miss Betsey so ganz anders ist, als man sich vorgestellt hat, das ist eine ›Moral‹.« Das waren ihre eignen Worte.

Sie fürchtete sich offenbar immer noch vor Miss Betsey, denn sie ließ sich ihr schüchtern als ihre gehorsame und dankbare Dienerin empfehlen und schien immer noch ein wenig ängstlich zu sein, ich könnte doch vielleicht noch einmal ausreißen. Ich merkte es daran, daß sie mir wiederholt versicherte, ich könne jederzeit das Fahrgeld nach Yarmouth von ihr bekommen, falls ich es einmal brauchte.

Was mich sehr schmerzlich berührte, war die Nachricht, daß die Möbel in unserm alten Haus verkauft worden seien. Mr. und Miss Murdstone waren fortgezogen und das Haus sollte vermietet oder verkauft werden. Ich hatte, weiß Gott, keinen Anteil daran haben dürfen, solange sie dort waren, aber es tat mir weh, mir das liebe alte Haus ganz verlassen, den Garten mit Unkraut und die Wege mit welkem, feuchtem Laub bedeckt vorstellen zu müssen. Ich malte mir aus, wie die Winterstürme es umheulten, wie der kalte Regen an das Fenster schlagen und der Wind Gespenster an die Wände der leeren Zimmer malen würde.

Ich mußte wieder an das Grab unter dem Baume denken und mir war, als ob das Haus jetzt ebenfalls gestorben und alles, was mich an Vater und Mutter erinnerte, entschwunden sei.

Sonst brachten mir Peggottys Briefe nichts Neues. Sie schrieb, Mr. Barkis sei ein vortrefflicher Ehemann, wenn auch immer noch ein bißchen knickerig; doch wir hätten alle unsere Fehler und sie besonders eine ganze Menge (ich kann mich auf keinen besinnen) und er lasse mich grüßen und mir sagen, mein kleines Schlafzimmer stünde immer für mich bereit. Mr. Peggotty befinde sich wohl und Ham desgleichen und Mrs. Gummidge soso, und die kleine Emly wolle mich nicht grüßen lassen, aber Peggotty dürfte es für sie tun.

Alle diese Nachrichten teilte ich gewissenhaft meiner Tante mit und unterließ nur, die kleine Emly zu erwähnen, zu der sie sich, wie ich instinktiv fühlte, nicht sehr zärtlich hingezogen fühlen würde.

Anfangs, als ich mich in Dr. Strongs Schule noch unbehaglich und fremd fühlte, kam meine Tante mehrere Male nach Canterbury mich besuchen und zwar stets zu ungewöhnlicher Stunde, wahrscheinlich, um mich zu überraschen.

Da sie mich aber stets beschäftigt fand und Gutes über mich

hörte und von allen Seiten erfuhr, daß ich in der Schule Fortschritte machte, stellte sie bald diese Besuche ein. Ich ging alle drei oder vier Wochen samstags zu ihr nach Dover, während ich Mr. Dick jeden zweiten Mittwoch sah, wo er mittags mit der Landkutsche ankam und bis zum nächsten Morgen blieb.

Bei solchen Gelegenheiten reiste Mr. Dick nie ohne eine Schreibmappe mit Papier und die Denkschrift, die er jetzt besonders dringlich hielt und mit deren Vollendung er eifriger als je beschäftigt schien.

Mr. Dick war dem Laster des Pfefferkuchengenusses außerordentlich ergeben. Um ihm seine Besuche bei mir angenehmer zu gestalten, hatte mich meine Tante beauftragt, ihm bei einem Konditor eine laufende Rechnung zu eröffnen, mit der Einschränkung, daß nie mehr als für einen Schilling für den Tag gekauft werden dürfte. Dies und der Umstand, daß alle seine kleinen Rechnungen in dem Wirtshaus, wo er übernachtete, meiner Tante eingeschickt werden mußten, bevor sie bezahlt wurden, erweckten in mir den Verdacht, daß er mit seinem Gelde bloß klimpern, es aber nicht ausgeben dürfte.

Meine Vermutung bestätigte sich insofern, als wirklich zwischen ihm und meiner Tante die Vereinbarung bestand, daß er ihr über alle seine Ausgaben Rechenschaft ablegen mußte. Da er nicht im entferntesten daran dachte, sie zu hintergehen, und immer danach trachtete, ihr Wohlgefallen zu erregen, so wurde er dadurch sehr vorsichtig in seinen Ausgaben. Hinsichtlich dieses Punktes, sowie auch aller andern möglichen Punkte war Mr. Dick überzeugt, daß Miss Trotwood die weiseste und wunderbarste aller Frauen sei, wie er mir oft ganz geheimnisvoll und stets im Flüsterton verriet.

»Trotwood«, fragte er mich eines Mittwochs, als er mir das eben wieder anvertraut hatte, mit geheimnisvoller Miene, »wer ist der Mann, der sich immer in der Nähe unseres Hauses versteckt hält und sie erschreckt?«

»Meine Tante erschreckt?«

Mr. Dick nickte. »Ich dachte, nichts könnte sie erschrecken, denn sie ist, sag es nicht weiter« – er fing an zu flüstern – »die weiseste und wunderbarste aller Frauen.« Nachdem er dies gesagt hatte, trat er zurück, um die Wirkung dieser Worte auf mich zu beobachten.

»Das erste Mal kam er – warte einmal – im Jahre 1649 wurde Karl I. hingerichtet –, du sagtest doch 1649?«

»Ja, Sir.«

»Ich weiß gar nicht, wie das sein kann«, sagte Mr. Dick ganz verdutzt und schüttelte den Kopf. »Ich kann doch nicht so alt sein!«

»Ist der Mann in diesem Jahr erschienen, Sir?« fragte ich.

»Ich weiß nicht, wieso es in diesem Jahr gewesen sein könnte, Trotwood! Du weißt doch die Jahreszahl aus der Geschichte?«

»Ja, Sir.«

»Die Geschichte lügt niemals, nicht wahr?« fragte Mr. Dick mit einem Strahl von Hoffnung im Gesicht.

»Ganz gewiß nicht, Sir«, antwortete ich ganz entschieden. Ich war vertrauensvoll und jung und glaubte es wirklich.

»Ich kann nicht daraus klug werden«, meinte Mr. Dick, den Kopf schüttelnd. »Etwas ist da nicht in Ordnung. Jedenfalls war es aber nicht lange nach der Zeit, wo sie aus Versehen einen Teil der Sorgen aus König Karls I. Kopf in meinen steckten, als der Mann das erste Mal kam. Ich ging nach Dunkelwerden mit Miss Trotwood spazieren, und da trafen wir ihn dicht bei unserm Hause.«

»Er ging dort herum?« fragte ich.

»Ob er herumging?« wiederholte Mr. Dick. »Laß mich einmal nachdenken. N-ein, nein. Er ging nicht spazieren.«

So fragte ich denn, um am schnellsten zum Ziel zu kommen, was er denn eigentlich getan habe.

»Er war eigentlich vorher gar nicht da«, sagte Mr. Dick, »aber plötzlich stand er hinter ihr und flüsterte ihr etwas zu. Da drehte sie sich um und wurde fast ohnmächtig. Und ich stand still und sah ihn an, und er ging fort. Daß er sich aber seit der Zeit immer versteckt gehalten hat, unter der Erde oder sonstwo, ist das allermerkwürdigste.«

»Hat er sich wirklich immer versteckt gehalten seitdem?«

»Ganz gewiß«, entgegnete Mr. Dick und nickte ernst mit dem Kopf. »Kam nie heraus, bis in der letzten Nacht. Wir gingen abends miteinander spazieren, da stand er plötzlich wieder hinter ihr, und ich erkannte ihn sofort.«

»Und erschreckte er wieder meine Tante?«

»Bis zum Entsetzen«, sagte Mr. Dick, »so!« und er machte mit den Zähnen klappernd meine Tante nach. »Sie hielt sich am Geländer und schrie – Trotwood komm einmal her.« Er zog mich dicht an sich heran, um ganz leise flüstern zu können. »Warum gab sie ihm dann beim Mondschein Geld?«

»Er war vielleicht ein Bettler.«

Mr. Dick schüttelte den Kopf, als wolle er diese Vermutung entschieden zurückweisen, und nachdem er mit größter Zuversicht und sehr oft hintereinander »kein Bettler, kein Bettler, kein Bettler, Sir«, wiederholt hatte, fuhr er fort zu berichten, daß er von seinem Fenster aus gesehen habe, wie meine Tante spät nachts beim Mondschein draußen vor der Gartentür dem Unbekannten Geld gab. Der Mann sei sodann verschwunden, wahrscheinlich wieder in die Erde, während meine Tante rasch und verstohlen wieder in das Haus gegangen und zu Mr. Dicks größter Sorge noch am andern Tag sehr aufgeregt gewesen sei.

Ich zweifelte anfangs nicht im mindesten, daß jener Unbekannte nur in Mr. Dicks Einbildung lebe und vielleicht ein Nachkomme jenes unglücklichen Regenten sei, der seiner Phantasie so viel zu schaffen machte. Aber nach einigem Nachdenken kam ich zur Erwägung, ob nicht vielleicht ein Versuch oder die Androhung eines solchen, den armen Mr. Dick wieder dem Schutze meiner Tante zu entziehen, stattgefunden, und ob sie sich nicht – kannte ich doch ihre große Zuneigung zu ihrem Schützling – veranlaßt gesehen haben könnte, seine Sicherheit mit Geld zu erkaufen.

Da ich schon damals sehr an Mr. Dick hing und mir sein Schicksal sehr am Herzen lag, so bekümmerten mich meine Befürchtungen seinetwegen sehr und lange konnte ich den Mittwoch kaum erwarten. Aber stets erschien er auf seinem gewohnten Platz auf dem Kutschbock, grauköpfig, lachend und glücklich, und nie wieder wußte er etwas von dem Mann zu berichten.

Diese Mittwochstage waren die glücklichsten in Mr. Dicks Leben, und auch ich freute mich immer sehr auf sie. Er wurde bald mit den Knaben der Schule bekannt, und obgleich er niemals an einem Spiel außer am Drachensteigen tätigen Anteil nahm, zeigte er doch an allem ein ebenso großes Interesse wie wir selbst. Wie oft habe ich ihn atemlos vor Spannung zuschauen sehen, wenn wir eine Partie Murmeln oder Kreisel spielten. Wie oft während des Jagdspiels habe ich ihn auf einem kleinen Erdhügel stehen, uns zujauchzen und in gänzlichem Vergessen König Karls und seiner Hinrichtung den Hut über dem grauen Kopf schwenken sehen. Wie manche Sommerstunde verging ihm wie eine glückliche Minute auf dem Cricketplatz. Wie manchen Wintertag stand er bei Schnee und Ostwind mit blauer Nase da und sah die Jungen die lange Bahn hinabrodeln und klatschte entzückt Beifall mit seinen wollenen Handschuhen.

Er war der allgemeine Liebling. Seine Erfindungsgabe in Kleinigkeiten grenzte ans Wunderbare. Er konnte Orangen in Figuren schneiden, die keiner von uns herausgebracht hätte, er konnte aus allem ein Boot machen, sogar aus Spagat. Aus Hühnerbrustknochen schnitzte er Schachfiguren, aus Spielkarten baute er römische Triumphwagen, aus Spulen Speichenräder und Vogelkäfige aus altem Draht. Am größten war er aber in der Herstellung von Gegenständen aus Bindfaden und Stroh und konnte alles machen, wie wir fest glaubten, was Menschenhände überhaupt herzustellen imstande waren.

Sein Ruhm blieb nicht lange auf unsern Kreis beschränkt. Nach einigen Wochen erkundigte sich Dr. Strong bei mir nach ihm, und ich erzählte alles, was ich über ihn wußte. Das nahm den Doktor so sehr für Mr. Dick ein, daß er mich bat, ihm ihn beim nächsten Besuche vorzustellen. Es geschah, und der Doktor forderte ihn auf, immer in die Schule zu kommen und dort zu warten, bis die Stunden zu Ende wären, anstatt immer auf der Post meiner zu harren.

Dies wurde Mr. Dick später zur Gewohnheit, und er pflegte immer auf dem Schulhof mittwochs auf mich zu warten. Bei einer solchen Gelegenheit machte er die Bekanntschaft der schönen, jungen Frau des Doktors, die uns jetzt seltner zu Gesicht kam, bleicher war als früher, nicht mehr so heiter, aber deswegen nicht weniger schön. Schließlich kam er sogar bis in die Klasse. Er saß dann immer in einer besondern Ecke auf einem besondern Stuhl, der nach ihm »Dick« hieß, und lauschte, das graue Haupt vorgebeugt, aufmerksam und voll tiefster Ehrfurcht auf alle die Gelehrsamkeiten, die selbst zu erringen er nicht fähig war.

Seine Verehrung dehnte er auf den Doktor aus, den er für den scharfsinnigsten und vollendetsten Philosophen aller Zeiten hielt. Es dauerte lange, ehe er anders als barhaupt mit dem Doktor sprach, und selbst, als sie miteinander Freundschaft geschlossen hatten und stundenlang an der Seite des Hofs spazierengingen, legte er seine Ehrfurcht vor den Wissenschaften dadurch an den Tag, daß er von Zeit zu Zeit grundlos den Hut abnahm.

Wieso der Doktor dazu kam, ihm auf diesen Spaziergängen Bruchstücke aus dem berühmten Wörterbuch vorzulesen, weiß ich nicht. Vielleicht tat er es anfangs nur aus Zerstreutheit. Später wurde es Gewohnheit, und Mr. Dick, der immer mit einem vor Stolz und Freude glänzenden Gesicht zuhörte, hielt im Innersten seines Herzens das Wörterbuch für das herrlichste Werk der Welt.

Agnes wurde ebenfalls bald mit Mr. Dick befreundet, und da er oft zu uns ins Haus kam, machte er auch mit Uriah Bekanntschaft.

Unsere Freundschaft nahm beständig zu. Während er offiziell kam, um als Vormund nach mir zu sehen, zog er mich in Wirklichkeit immer zu Rate, wenn ihm hie und da ein Zweifel aufstieg. Immer ließ er sich von meinen Ratschlägen leiten, da er nicht nur eine hohe Achtung vor meinem angebornen Scharfsinn hegte, sondern auch glaubte, daß ich einiges von meinen Gaben von meiner Tante geerbt hätte.

Eines Donnerstag morgens, als ich Mr. Dick nach der Poststation begleitete, begegnete ich Uriah auf der Straße, der mich bei dieser Gelegenheit an mein Versprechen, zu ihm und seiner Mutter zum Tee zu kommen, erinnerte. Er wand sich dabei wieder und sagte: »Ich erwartete ja auch niemals, daß Sie Wort halten würden, Mr. Copperfield, sin mir doch so niedrige Leute.«

Ich war mir wirklich bisher noch nicht vollkommen klar darüber geworden, ob ich Uriah gern hätte oder ihn verabscheute, und wie er da auf der Straße vor mir stand und ich ihm ins Gesicht sah, schwankte ich in meinen Gefühlen. Da ich es aber geradezu als Beleidigung empfand, für hochmütig gehalten zu werden, sagte ich, man brauchte mich nur einzuladen.

»O, wenn das alles ist, Master Copperfield, und wenn wirklich unsere niedrige Stellung Sie nicht abhält, würden Sie da nicht diesen Abend schon kommen? Aber wenn unsere Niedrigkeit Sie abstößt, Master Copperfield, dann bitte sagen Sie es nur ganz offen, mir sin uns unserer Stellung wohl bewußt.«

Ich sagte, ich wolle Mr. Wickfield um Erlaubnis bitten und dann mit Vergnügen kommen. Um sechs Uhr abends – die Kanzlei wurde gerade zeitig geschlossen – meldete ich Uriah, daß ich zu kommen bereit sei.

»Mutter wird wahrhaftig stolz sein«, sagte er, als wir zusammen fortgingen, »vielmehr sie würde stolz sein, wenn das nicht sündhaft wäre, Master Copperfield.«

»Und doch muteten Sie mir heute morgen noch zu, daß ich stolz wäre«, sagte ich.

»O Gott nein, Master Copperfield«, entgegnete Uriah. »Glauben Sie das nicht. So ein Gedanke wäre mir nie in den Sinn gekommen. Ich hätte es niemals als Stolz angesehen, wenn Sie uns für viel zu niedrig angesehen hätten. Mir sin doch gar so sehr niedrige Leute.«

»Haben Sie in der letzten Zeit wieder fleißig die Gesetze studiert?« fragte ich, um dem Gespräch eine andre Wendung zu geben.

»Ach, Master Copperfield«, entgegnete er mit einer Miene

voll Selbstverleugnung, »mein Leben ist kaum ein Studium zu nennen. Ich habe abends manchmal ein oder zwei Stunden in Gesellschaft von Herrn Tidd verbracht.«

»Es ist wohl recht anstrengend?«

»Für mich ist es wohl manchmal schwer«, antwortete Uriah. »Aber ich weiß nicht, wie es für einen begabten Menschen sein mag.«

Nachdem er im Weitergehen mit zwei Fingern seiner rechten Skeletthand ein Weilchen auf seinem Kinn getrommelt hatte, fuhr er fort:

»Sehen Sie, Master Copperfield, es gibt da lateinische Worte und Phrasen bei Herrn Tidd, die für einen Leser von meinen geringen Kenntnissen Hemmnisse sind.«

»Wollen Sie Lateinisch lernen?« fragte ich rasch. »Ich würde Ihnen mit Vergnügen ein wenig darin behilflich sein.«

»O, ich danke Ihnen, Master Copperfield, es ist sicher sehr freundlich von Ihnen, es mir anzubieten, aber ich bin eine viel zu geringe Person, um es annehmen zu können.«

»Aber dummes Zeug, Uriah!«

»Ach, Sie müssen mich wirklich entschuldigen, Master Copperfield! Ich bin Ihnen unendlich verbunden und würde es außerordentlich gern annehmen, aber ich bin eine viel, viel zu geringe Person. Es gibt sowieso schon Leute genug, die mich in meiner Niedrigkeit mit Füßen treten, ohne daß ich ihre Gefühle durch Besitz von Gelehrsamkeit beleidige. Gelehrsamkeit ist nichts für mich! Eine Person wie ich darf nicht hoch streben. Sie muß, wenn sie im Leben vorwärtskommen will, es auf die bescheidenste Art tun, Master Copperfield!«

Ich sah Uriahs Mund noch nie so weit offen und die Falten in seiner Wange so tief, wie während dieser Rede, die er mit Kopfschütteln und unterwürfigen Krümmungen begleitete.

»Ich glaube, Sie haben unrecht, Uriah«, sagte ich. »Ich glaube, ich könnte Ihnen so manches lehren, wenn Sie es nur lernen wollten.«

»O, daran zweifle ich nicht, Master Copperfield«, antwortete er. »Nicht im geringsten. Aber da Sie selbst keine niedrige Person sind, können Sie vielleicht nicht richtig urteilen über solche, die es sind. Ich will Leute, die besser sind als ich, nicht durch Wissen verletzen. Ich bin eine viel zu geringe Person! – Hier ist meine bescheidene Wohnung, Master Copperfield.«

Wir traten unmittelbar von der Straße in ein niedriges altmodisches Zimmer und fanden dort Mrs. Heep, Uriahs Ebenbild in kleinerem Maßstabe.

Sie empfing mich mit der größten Unterwürfigkeit und bat mich um Verzeihung, daß sie ihren Sohn küßte, mit dem Bemerken, wenn sie auch niedrigen Standes wären, so hätten sie doch auch natürliche Gefühle, die hoffentlich andre nicht verletzen würden.

Es war ein ganz anständiges Zimmer, halb Wohnstube, halb Küche, aber in keiner Hinsicht gemütlich. Das Teezeug stand auf dem Tisch, und der Kessel kochte über dem Feuer. Ich bemerkte eine Kommode mit einem Schreibpult darauf für Uriah. Er las dort abends oder schrieb. Seine blaue Aktentasche lag darauf und spie förmlich Papiere. Ich sah seine Bücher, angeführt von Mr. Tidd, dann einen Schrank in der Ecke und den üblichen Hausrat.

Ich konnte nicht sagen, daß irgendein Gegenstand besonders kahl oder ärmlich ausgesehen hätte, aber das Ganze machte den Eindruck.

Es gehörte wahrscheinlich mit zu Mrs. Heeps Unterwürfigkeit, daß sie immer noch Trauer trug, obschon ihr Gatte bereits sehr lange Zeit tot war. Nur in der Haube war eine Art Kompromiß zu entdecken, aber sonst trug sie noch ebenso tiefe Trauer wie beim Leichenbegräbnis.

»Es ist ein denkwürdiger Tag heute, Uriah«, sagte Mrs. Heep, während sie den Tee bereitete, »weil uns Master Copperfield die Ehre seines Besuches erweist.«

»Ich sagte gleich, auch du würdest es so auffassen, Mutter«, bestätigte Uriah.

»Wenn ich den seligen Vater aus einem Grunde zurückwünschte«, sagte Mrs. Heep, »so wäre es aus dem, daß er unsern Gast diesen Nachmittag sehen könnte.«

Mich setzten diese Komplimente in Verlegenheit, andrerseits empfand ich es auch als schmeichelhaft, daß ich als so geehrter Gast empfangen wurde, und Mrs. Heep erschien mir deshalb als eine recht angenehme Frau.

»Mein Uriah«, sagte Mrs. Heep, »hat diese Stunde lang ersehnt, Sir! Er befürchtete, unsere Niedrigkeit sei ein Hindernis, und ich stimmte mit ihm überein. Niedrig sind mir, niedrig waren mir und niedrig werden mir bleiben.«

»Gewiß haben Sie keine Veranlassung, es zu sein, Ma'am«, sagte ich, »wenn Sie es nicht selbst wollen.«

»Ich danke Ihnen, Sir«, entgegnete Mrs. Heep. »Aber wir kennen unsre Stellung und müssen dankbar dafür sein.«

Es fiel mir auf, daß Mrs. Heep langsam näher rückte und Uriah allmählich mir gegenüber zu sitzen kam, während sie mir ehrerbietig die besten Bissen zuschoben. Freilich war keine besondere Auswahl da, aber ich nahm den guten Willen für die Tat.

Sie fingen dann an, von Tanten zu sprechen, und dann erzählte ich ihnen von meiner Tante; Mrs. Heep begann von Stiefvätern zu sprechen, und ich erzählte von meinem, hörte jedoch bald auf, da meine Tante mir geraten hatte, über diesen Punkt gegen jedermann zu schweigen. Aber ein weicher, junger Kerl hätte nicht mehr Chancen gegenüber ein paar Pfropfenziehern gehabt, ein zarter junger Milchzahn nicht weniger Sicherheit vor ein paar Zahnärzten, als ich in den Händen Uriahs und Mrs. Heeps.

Sie machten mit mir, was ihnen gefiel, zogen Dinge aus mir heraus, die ich gar nicht verraten wollte, und zwar um so leichter, als ich in meiner kindlichen Arglosigkeit mir etwas darauf einbildete, so freimütig zu sein, und mir meinen beiden ehrerbietigen Wirten gegenüber gönnerhaft vorkam.

Sie liebten einander so sehr, das lag auf der Hand. Wahrscheinlich brachte das eine gewisse natürliche Wirkung auf mich hervor. Aber die Geschicklichkeit, mit der sie einander in die

Hände arbeiteten, war ein Kunsttrick, dem ich noch viel weniger zu widerstehen vermochte.

Als nichts mehr aus mir herauszulocken war – denn über das Leben bei Murdstone & Grinby und über meine Reise war ich stumm wie das Grab –, fingen sie von Mr. Wickfield und Agnes an. Uriah warf den Ball Mrs. Heep zu. Mrs. Heep fing ihn auf und warf ihn Uriah zurück. Uriah spielte eine Zeitlang mit ihm und sandte ihn dann wieder seiner Mutter zu, und so ging es hinüber und herüber, bis ich gar nicht mehr wußte, wer ihn hatte, und ganz verwirrt war.

Der Ball selbst nahm auch stets eine andere Form an. Bald war er Mr. Wickfield, bald Agnes, – bald Mr. Wickfields vortrefflicher Charakter, bald meine Bewunderung für Agnes, – dann Mr. Wickfields Kanzlei und Vermögen, unser häusliches Leben nach dem Essen, dann der Wein, den Mr. Wickfield trank, der Grund, warum er ihn trank, und der Jammer, daß er soviel tränke –, bald das, bald jenes –, dann wieder alles auf einmal. Und die ganze Zeit stand ich unter dem Eindruck, daß ich gar nicht viel spräche und sie nur immer ein wenig ermuntere, aus Furcht, sie würden sonst wieder in Unterwürfigkeit ersterben. Dann ertappte ich mich plötzlich, daß ich etwas ausgeplaudert, was ich hätte verschweigen sollen, und merkte die Wirkung davon an dem Zwinkern von Uriahs scharfgeschnittenen Nasenflügeln.

Es wurde mir langsam unbehaglich, und der Wunsch regte sich in mir, den Besuch abzubrechen, als jemand an der Türe, die wegen der Schwüle offenstand, vorüberging, wieder umkehrte, hereinsah und mit dem Ausruf: »Copperfield, ja ist's denn möglich!« hereintrat.

Es war Mr. Micawber.

Mr. Micawber mit seiner Lorgnette, seinem Spazierstock, seinem Hemdkragen, seiner vornehmen Miene und dem herablassenden Rollen in seiner Stimme, wie er leibte und lebte.

»Mein lieber Copperfield«, sagte Mr. Micawber und streckte mir die Hände hin, »dies ist in der Tat eine Begegnung, die geeignet ist, den Geist mit dem Gefühle der Ungewißheit und

Wandelbarkeit alles Menschlichen zu erfüllen, – kurz, es ist eine außerordentliche Begegnung. Ich gehe auf der Straße herum, gerade über die Wahrscheinlichkeit einer überraschenden Schicksalswendung – meine Hoffnung in dieser Hinsicht ist jetzt sehr lebhaft – nachdenkend, da stoße ich auf einen jungen, aber geschätzten Freund, der zur ereignisreichsten Periode meines Lebens in engster Verbindung steht, fast möchte ich sagen, mit dem Wendepunkt meines Schicksals. Mein lieber Copperfield, wie geht es Ihnen?«

Ich kann nicht sagen, daß ich gerade ihn hier sehr gern sah, aber doch freute es mich, ihn wiederzusehen, und ich schüttelte ihm herzlich die Hand und fragte nach dem Befinden seiner Gattin.

»Ich danke«, sagte Mr. Micawber mit seiner alten Handbewegung und sein Kinn in seinem Hemdkragen vergrabend. »Sie ist leidlich in der Genesung begriffen. Die Zwillinge ziehen nicht länger ihre Nahrung aus den Quellen der Natur, kurz« – er bekam wieder einen seiner alten Vertraulichkeitsausbrüche – »sie sind entwöhnt, und Mrs. Micawber ist zur Zeit meine Reisegefährtin. Sie wird sich glücklich schätzen, Copperfield, die Bekanntschaft mit jemand zu erneuern, der sich in jeder Hinsicht als würdiger Priester an dem geheiligten Altar der Freundschaft erwiesen hat.«

Ich sagte, ich würde mich außerordentlich freuen, sie zu sehen.

»Sie sind sehr gütig!« Mr. Micawber lächelte, vergrub wieder sein Kinn und sah sich um.

»Ich habe meinen Freund Copperfield«, sagte er höflich, ohne dabei jemand anzublicken, »nicht in der Einsamkeit gefunden, sondern bei einem geselligen Mahl in Gesellschaft einer verwitweten Dame und eines jungen Mannes, der wahrscheinlich ihr Sprößling – kurz und gut, ihr Sohn ist. Den Herrschaften vorgestellt zu werden, würde ich mir zur Ehre anrechnen.«

Ich konnte in dieser Lage nicht umhin, Mr. Micawber mit Uriah Heep und seiner Mutter bekannt zu machen. Da sich die beiden Heeps sehr unterwürfig benahmen, nahm Mr. Micawber einen Stuhl an und machte seine vornehmsten Handbewegungen.

»Jeder Freund meines Freundes Copperfield«, sagte er, »hat auch einen persönlichen Anspruch auf mich.«

»Mir sind viel zu niedrige Leute, Sir«, sagte Mrs. Heep, »ich und mein Sohn, um Master Copperfields Freunde sein zu dürfen. Er ist so gütig gewesen, seinen Tee bei uns zu trinken, und mir sind ihm so dankbar für seine Gesellschaft und auch Ihnen, Sir, daß Sie uns beachten.«

»Ma'am«, erwiderte Mr. Micawber mit einer Verbeugung. »Sie sind sehr liebenswürdig! Und was machen Sie, Copperfield? Immer noch im Weingeschäft?«

Es lag mir außerordentlich viel daran, Mr. Micawber fortzubringen, und erwiderte, den Hut in der Hand und wahrscheinlich mit sehr rotem Gesicht, daß ich ein Schüler Mr. Strongs sei.

»In der Schule«, sagte Mr. Micawber und zog erstaunt die Augenbrauen in die Höhe. »Es freut mich außerordentlich, das zu hören. Obgleich ein Talent wie mein Freund Copperfield« – er wandte sich zu Uriah und Mrs. Heep – »nicht jener Ausbildung bedarf, die er ohne seine Kenntnisse der Menschen und menschlichen Verhältnisse vielleicht notwendig hätte, so ist doch ein reicher Boden immerhin fruchtbar und geeignet für noch schlummernde Keime, kurz« – er verfiel wieder in seine Vertraulichkeit – »Copperfield ist ein Talent, fähig, es mit den Klassikern aufzunehmen.«

Uriah machte, seine dünnen Hände langsam reibend, eine gespenstige Windung mit dem Oberleib, um seiner Hochachtung für mich den gewünschten Ausdruck zu verleihen.

»Wollen wir zu Mrs. Micawber gehen, Sir?« fragte ich, um loszukommen.

»Wenn Sie ihr diese Gunst erweisen wollen, Copperfield«, erwiderte Mr. Micawber und stand auf. »Ich nehme keinen Anstand, hier in Gegenwart unserer Freunde zu erklären, daß ich ein Mann bin, der mehrere Jahre unter dem Drucke materieller

Schwierigkeiten stand.« – Wußte ich doch, daß so etwas noch herauskommen würde! Er pflegte von jeher gern mit seinen Schwierigkeiten zu prahlen. »Manchmal habe ich mich über meine Verlegenheiten siegreich erhoben, manchmal haben meine Verlegenheiten obgelegen. Sie haben – kurz, ich war untendurch. Manchmal habe ich nicht ohne Erfolg ihnen ins Gesicht gesehen, oft wurden sie zu zahlreich für mich, und ich gab es auf und sagte zu Mrs. Micawber mit Catos Worten: ›Plato, wohl hast du recht, es ist vorbei, nicht länger vermag ich zu ringen.‹ Aber zu keiner Zeit meines Lebens habe ich eine höhere Genugtuung empfunden als damals, wo ich meinen Kummer, wenn ich ein paar Verlegenheiten, die lediglich durch Exekutionsdekrete und Sichtwechsel entstanden, Kummer nennen darf, – in den Busen meines Freundes Copperfield ausschütten konnte.«

Mr. Micawber schloß diese schöne Rede mit den Worten: »Mr. Heep, guten Abend! Mrs. Heep, Ihr ganz ergebenster Diener!« Dann ging er in seiner elegantesten Art mit mir hinaus, knarrte möglichst laut mit seinen Schuhen und summte eine Melodie vor sich hin.

Mr. Micawber war in einem kleinen Gasthaus abgestiegen und bewohnte darin ein kleines Zimmer, das von dem allgemeinen Gastzimmer abgeteilt, aus diesem Grunde stark nach Tabaksrauch roch.

Es mußte wohl über der Küche liegen, denn durch die Fugen des Fußbodens drang ein warmer Fettgeruch, und die Wände waren mit einer speckigen Ausdünstung überzogen. Der Ausschank konnte auch nicht weit sein, wie ein Duft von Spirituosen und beständiges Gläsergeklirr verrieten.

Hier lag auf einem kleinen Sofa, unter der Abbildung eines Rennpferdes, mit der Fußspitze nach dem Senftopf auf dem stummen Diener zielend, Mrs. Micawber, der ihr Mann mein Kommen mit den Worten ankündigte: »Meine Liebe, gestatte mir, daß ich dir einen Schüler des Doktor Strong vorstelle.«

Mrs. Micawber war erstaunt, aber sehr erfreut, mich zu sehen. Ich war ebenfalls sehr erfreut, und nach einer freundschaftlichen

Begrüßung von beiden Seiten nahm ich neben ihr auf dem kleinen Sofa Platz.

»Meine Liebe«, sagte Mr. Micawber, »wenn du Copperfield über unsere gegenwärtige Lage, die er gewiß gern wissen wird wollen, aufklären möchtest, werde ich unterdessen daneben die Zeitungen lesen und nachsehen, ob sich unter den Ankündigungen nichts findet.«

»Ich dachte, Sie wären in Plymouth, Ma'am«, sagte ich zu Mrs. Micawber, als er fort war.

»Mein lieber Master Copperfield«, antwortete sie, »wir *gingen* damals nach Plymouth.«

»Um an Ort und Stelle zu sein«, ergänzte ich.

»Jawohl«, sagte Mrs. Micawber, »aber wie sich herausstellte, sehen sie beim Zollamt Talente nicht gern. Der lokale Einfluß meiner Familie reichte nicht hin, für einen Mann von Mr. Micawbers Fähigkeiten eine Anstellung in diesem Fach durchzuführen. Man zog vor, einen Mann von Mr. Micawbers Fähigkeiten abzulehnen. Die mangelhafte Begabung der andern würde gegen seine zu sehr abgestochen haben. Und außerdem möchte ich Ihnen, mein lieber Master Copperfield, nicht verhehlen, daß der Zweig meiner Familie, der in Plymouth seinen Wohnsitz hat, uns nicht mit der Wärme aufnahm, die wir so kurz nach unserer Befreiung hätten erwarten können, als er wahrnahm, daß außer Mr. Micawber und mir noch der kleine Wilkins und seine Schwester sowie die beiden Zwillinge auf der Welt sind. Mit einem Wort«, Mrs. Micawber dämpfte ihre Stimme, »– es muß das unter uns bleiben –, unsere Aufnahme war kühl.«

»O mein Gott«, sagte ich.

»Ja, es ist wahrhaft schmerzlich, die Menschheit in solchem Lichte sehen zu müssen, Master Copperfield – aber unsre Aufnahme war ausgesprochen kühl! Zweifellos kühl! Ja, der Zweig meiner Familie, der seinen Wohnsitz in Plymouth hat, wurde vor Ablauf einer Woche direkt persönlich gegen Mr. Micawber.«

Ich sagte, daß sie sich schämen sollten.

»Aber es war einmal so. Was konnte unter solchen Umständen ein Mann von Mr. Micawbers Charakter tun? Nur ein Ausweg blieb übrig: Von diesem Zweig unserer Familie das Geld zur Rückkehr nach London ausborgen und um jeden Preis zurückfahren.«

»Und dann kehrten Sie alle zurück, Ma'am?«

»Wir kehrten zurück. Seitdem habe ich andre Zweige meiner Familie um Rat gefragt wegen der Laufbahn, die Mr. Micawber am förderlichsten sein würde, – denn ich bestehe darauf, er muß eine Laufbahn einschlagen, Master Copperfield«, sagte Mrs. Micawber mit Entschiedenheit. »Es ist klar, daß eine Familie von sechs Köpfen, den Dienstboten abgerechnet, nicht von der Luft leben kann.«

»Gewiß nicht, Ma'am«, sagte ich.

»Die Meinung dieser andern Zweige meiner Familie ist, daß Mr. Micawber seine Aufmerksamkeit sofort auf die Kohlen richten solle.«

»Auf was, Ma'am?«

»Auf den Kohlenhandel! Mr. Micawber kam nach näherer Erkundigung auf den Gedanken, daß für einen Mann von seinen Talenten im Medway-Kohlenhandel etwas zu holen wäre. Wie Mr. Micawber sehr richtig sagte, galt es nun, den ersten Schritt zu tun, nämlich, die Medway zu besichtigen, und wir traten die Reise an und besichtigten Medway. Ich sage: *wir*, Master Copperfield«, fügte Mrs. Micawber ergriffen hinzu, »denn ich werde meinen Gatten nie verlassen.«

Murmelnd gab ich meiner Bewunderung und Zustimmung Ausdruck.

»Wir kamen an und sahen die Medway. Mein Urteil über den Kohlenhandel auf diesem Fluß ist, daß zu ihm vielleicht Talent, vor allem aber Kapital nötig ist. Talent besitzt Mr. Micawber, Kapital hingegen nicht. Wir haben den größten Teil des Medway besichtigt, und ich bin zu diesem individuellen Schluß gelangt. Da wir hier so nahe waren, meinte Mr. Micawber, sei es leichtsinnig, eine Gelegenheit, uns die Kathedrale anzusehen, zu versäumen. Erstens, da sie wirklich sehenswert ist, und dann, weil sich möglicherweise in einem Erzbistum wie Canterbury leicht etwas finden könnte. Bisher hat sich noch nichts gefunden, und wir warten jetzt auf Geld aus London, um unsern pekuniären Verpflichtungen in diesem Gasthaus nachkommen zu können. Bis zur Ankunft dieses Geldes«, sagte Mrs. Micawber gefühlvoll, »bin ich von meinem Heim in Pentonville, von meinem Knaben und meinem Mädchen und meinen Zwillingen isoliert.«

Ich hegte das größte Mitgefühl für Mr. und Mrs. Micawber in dieser bedrängten Lage, sprach dies auch gegen Mr. Micawber, der jetzt zurückkehrte, aus und setzte hinzu, daß ich nur wünschte, ich besäße das Geld, um es ihnen leihen zu können.

Mr. Micawbers Antwort verriet seinen Gemütszustand. Er schüttelte mir die Hand und sagte: »Copperfield, Sie sind ein wahrer Freund, aber wenn das Schlimmste kommt, so ist ein Mensch noch nicht ganz verlassen, solange er noch ein Rasiermesser besitzt.«

Bei diesem schrecklichen Wink schlang Mrs. Micawber die Arme um ihres Gatten Hals und bat ihn, sich doch zu beruhigen. Mr. Micawber fing an zu weinen, erholte sich aber gleich wieder soweit, daß er dem Kellner klingeln und einen heißen Nierenpudding und einen Teller voll Krevetten zum Frühstück bestellen konnte.

Als ich Abschied nahm, drangen sie so sehr in mich, mit ihnen zu dinieren, ehe sie wieder abreisten, daß ich es unmöglich abschlagen durfte. Da ich aber am nächsten Tag nicht abkommen konnte, versprach Mr. Micawber, zu Dr. Strong in die Schule zu kommen und mich für den nächsten Tag auszubitten – er hätte eine Ahnung, daß das Geld übermorgen eintreffen würde –, falls es mir dann besser passen sollte.

Wirklich wurde ich am übernächsten Tag aus der Klasse gerufen und fand Mr. Micawber im Sprechzimmer. Das Essen sollte also am nächsten Tage stattfinden. Auf meine Frage, ob das Geld gekommen sei, drückte er mir die Hand und ging.

Als ich an diesem Abend aus unserm Fenster schaute, sah ich zu meiner Verwunderung und nicht ohne Unruhe Mr. Micawber und Uriah Heep Arm in Arm vorbeigehen. Uriah, ganz niedergedrückt im Bewußtsein der Ehre, die ihm widerfuhr, Mr. Micawber, strahlend vor Freude, Uriah seine Gönnerschaft angedeihen lassen zu können. Noch mehr war ich am nächsten Tage erstaunt, als ich zu Tisch ins Gasthaus kam, zu vernehmen, daß Mr. Micawber Uriah sogar nach Hause begleitet und dort Brandy mit Wasser getrunken hatte.

»Ich will Ihnen etwas sagen, lieber Copperfield«, sagte Mr. Micawber. »Ihr Freund Heep ist ein junger Mensch, der Staatsanwalt sein könnte. Wenn ich diesen jungen Mann zu der Zeit, als sich meine Verhältnisse zur Krise zuspitzten, gekannt hätte, würden meine Gläubiger wahrscheinlich mürber geworden sein, als es der Fall war.«

Ich konnte mir das nicht recht vorstellen, da Mr. Micawber sie ja überhaupt nicht bezahlt hatte. Aber ich wollte nicht fragen. Ich wollte auch nicht fragen, ob er nicht am Ende zu mitteilsam gegen Uriah gewesen und von mir zuviel gesprochen habe. Ich scheute mich, Mr. Micawbers und besonders Mrs. Micawbers Gefühle zu verletzen. Aber unbehaglich war mir zumute, und ich mußte nachher oft daran denken.

Wir hatten ein sehr gutes, kleines Diner. Einen ausgezeichneten Fisch, Kalbsnierenbraten, Bratwürste, ein Rebhuhn und einen Pudding. Wir tranken Wein und starkes Ale, und nach dem Essen bereitete uns Mrs. Micawber eigenhändig eine Bowle heißen Punsch.

Mr. Micawber war ungewöhnlich aufgeräumt. Ich sah ihn noch niemals so gut aufgelegt. Sein Gesicht war vom Punsch so erhitzt, daß es wie lackiert aussah. Er war ganz gerührt über die Stadt und trank auf ihr Gedeihen und ließ dabei fallen, daß Mrs. Micawber und er sich hier außerordentlich wohl befunden hätten und nie die in Canterbury verlebten angenehmen Stunden vergessen würden. Dann brachte er einen Toast auf mich aus, und wir unterhielten uns alle drei über unser früheres Zusammentreffen, bei welcher Gelegenheit wir das ganze Besitztum der Familie im Geiste nochmals verkauften.

Dann ließ ich Mrs. Micawber leben oder sagte vielmehr bescheiden: »Wenn Sie mir gestatten würden, Ma'am, möchte ich mir erlauben, auf Ihre Gesundheit zu trinken.«

Sodann hielt Mr. Micawber eine Lobrede auf seine Gattin und hob hervor, sie wäre ihm immer als Führer, Philosoph und Freund zur Seite gestanden, und wenn ich einmal heiratete, so empfehle er mir, eine solche Frau zu nehmen, falls noch eine zu finden sei.

Als der Punsch zu Ende ging, wurde er noch gemütlicher und heiterer. Auch sie wurde lebhafter, und wir sangen das alte schottische Lied: »Auld lang Seyne« und vergossen Tränen dabei.

Kurz, ich sah nie jemand so fidel wie dem Augenblick, wo ich von ihm und seiner liebenswürdigen Frau herzlich Abschied nahm.

Um so verwunderter war ich, nächsten Morgen um sieben Uhr folgende Mitteilung zu erhalten, datiert halb zehn Uhr abends, eine Viertelstunde nach unserm Scheiden:

»Mein lieber junger Freund!

Der Würfel ist gefallen – und alles vorbei. Als ich den nagenden Gram unter der künstlichen Maske der Heiterkeit verbarg, sagte ich Ihnen nicht, daß auf Geld nicht zu hoffen ist. Unter solchen Verhältnissen, die zu ertragen mitanzusehen und zu erzählen gleich demütigend sind, habe ich meine Rechnung hier getilgt mit einer Schuldverschreibung, vierzehn Tage zahlbar nach Ausstellung in meinem Domizil in PentonvilleLondon.

Bei Verfall wird sie nicht eingelöst. Die Folge davon ist der Untergang. Die Axt ist gehoben, und der Baum muß fallen.

Möge der Unglückliche, der Ihnen jetzt schreibt, mein lieber Copperfield, Ihnen eine Warnung für das ganze Leben sein. Er schreibt in dieser Absicht und von dieser Hoffnung erfüllt. Wenn er glauben könnte, noch in dieser einen Hinsicht nützlich sein zu dürfen, so könnte vielleicht ein lichter Strahl in das freudlose Kerkerdunkel seiner Zukunft dringen, obgleich ihm zur Zeit ein hohes Alter außerordentlich problematisch erscheint (gelinde angedeutet).

Dies ist die letzte Mitteilung, mein lieber Copperfield, die Sie empfangen von Ihrem

an den Bettelstab gebrachten ausgestoßnen

Wilkins Micawber.«

Ich war so bestürzt durch den Inhalt dieses herzzerreißenden Briefes, daß ich unverzüglich nach dem kleinen Gasthof eilte, um zu versuchen, Mr. Micawber ein wenig zu trösten.

Unterwegs begegnete ich der Londoner Landkutsche. Auf dem Rücksitz saßen Mr. und Mrs. Micawber, – ersterer ein Bild friedvollen Genießens. Er hörte lächelnd Mrs. Micawber zu, knackte Nüsse aus einer Papiertüte und hatte eine Flasche in der Brusttasche stecken. Da sie mich nicht bemerkten, hielt ich es für das beste, mich nicht sehen zu lassen. So lenkte ich mit erleichtertem Herzen in eine Seitenstraße, die am kürzesten zur Schule führte, ein und fühlte mich im ganzen großen sehr befreit, daß sie fort waren, trotzdem ich sie immer noch sehr gern hatte.

18. Kapitel

Ein Rückblick

Schulzeit! Stilles Dahingleiten meines Daseins, unsichtbares, unfühlbares Vorrücken des Lebens – von der Kindheit in das Jünglingsalter. Ich blicke zurück auf diesen einst so munter strömenden Fluß, der jetzt nur mehr ein mit gefallenem Laub bestreutes Strombett ist. Ich will nach einigen Zeichen suchen an seinem Ufer, um alte Erinnerungen zu wecken.

Ich sitze wieder auf meinem Platz in der Kathedrale, wohin wir jeden Sonntagmorgen gehen, nachdem wir uns in der Schule versammelt haben. Der Erdgeruch, die sonnenlose Luft, das Gefühl, von der Welt abgeschlossen zu sein, das Brausen der Orgel durch die schwarzweißen Gewölbe der Galerien und des Kirchenschiffs sind Schwingen, die mich zurücktragen und über diesen Tagen in halbwachem Traume schweben lassen.

Ich bin nicht der letzte mehr in der Schule. In wenigen Monaten habe ich mehrere Schüler überholt. Aber der erste in der Anstalt erscheint mir noch als ein machtvolles Wesen in schwindelnder Höhe. Ich kann ihn nicht erreichen. Agnes sagt: nein, ich aber: ja. Und ich erzähle ihr, sie ahne nicht, welche Schätze von Wissen sich dieses wunderbare Wesen angeeignet hat. Sie hingegen sieht mich schon an seiner Stelle. Er ist nicht mein Freund und Gönner wie Steerforth einst, aber ich sehe zu ihm auf mit ehrfurchtsvollem Schauer. Ich beschäftige mich viel mit dem Gedanken, was er sein wird, wenn er einmal Dr. Strongs Anstalt verläßt, und was die Menschheit tun wird, sich ihm gegenüber zu behaupten.

Wer taucht da vor mir auf? Miss Shepherd ists, die ich liebe.

Miss Shepherd ist in der Pension bei Misses Nettingall. Ich bete Miss Shepherd an. Es ist ein kleines Mädchen mit einem Spenser, mit rundem Gesicht und lockigem Flachshaar.

Die jungen Damen aus der Pension der Misses Nettingall kommen ebenfalls in die Kirche. Ich kann nicht mehr in das Gebetbuch sehen, weil ich Miss Shepherd anschauen muß. Wenn der Chor singt, höre ich Miss Shepherd. Im Gottesdienst schiebe ich im Geiste Miss Shepherds Namen ein – mitten unter die königliche Familie. Zu Hause in meinem Zimmer fühle ich mich manchmal gedrängt, in Liebesverzückung auszurufen: O Miss Shepherd!

Eine Zeitlang bin ich über Miss Shepherds Gefühle im unklaren. Aber das Schicksal will uns endlich wohl, und wir treffen uns in der Tanzstunde. Miss Shepherd ist meine Tänzerin. Ich berühre Miss Shepherds Handschuhe und fühle ein Zittern in meinem rechten Jackenärmel emporsteigen und zu den Haaren wieder hinausfahren. Ich sage Miss Shepherd nicht ein einziges zärtliches Wort, und doch verstehen wir einander. Miss Shepherd und ich leben nur, um ein Paar zu sein.

Warum schenke ich Miss Shepherd zwölf Paranüsse? Sie drücken keine Liebe aus, lassen sich schlecht in ein anständiges Päckchen wickeln, sind schwer aufzuknacken selbst zwischen

Stubentüren, schmecken ölig, und doch finde ich, daß sie für Miss Shepherd passen. Auch weiche Biskuits schenke ich Miss Shepherd und unzählige Orangen. Einmal küsse ich Miss Shepherd in der Garderobe. O welche Wonne! Wie groß ist mein Schmerz und meine Entrüstung am nächsten Tag, als das Gerücht zu mir dringt, daß sie bei Misses Nettinghall hat in der Ecke stehen müssen, weil sie einwärts gegangen ist.

Wie kommt es, daß ich mit Miss Shepherd breche, trotzdem sie mir Tag und Nacht im Kopfe steckt? Ich kann es nicht begreifen. Miss Shepherd und ich werden kühl gegeneinander. Ein Gerücht kommt mir zu Ohren, Miss Shepherd habe gesagt, sie könnte es nicht leiden, daß ich sie immer so anstarre, und sie zöge Master Jones vor. – Jones! Einen Knaben ohne alle Verdienste. Die Kluft zwischen Miss Shepherd und mir wird immer größer. Endlich begegne ich ihr eines Tages, wie sie aus der Schule geht, und sie schneidet mir ein Gesicht im Vorbeigehen und lacht ihren Begleiter an. Alles ist aus! Die Verehrung eines ganzen Lebens, so kommt es mir vor, ist vorbei. Miss Shepherd wird aus dem Morgengebet gestrichen, und die königliche Familie hat mit ihr nichts mehr zu tun.

Ich bin in der Klasse aufgestiegen und niemand stört mehr meinen Frieden. Ich bin jetzt gar nicht mehr höflich gegen Misses Nettingalls junge Damen und würde ihnen keine Beachtung mehr schenken, und wenn ihrer noch zweimal soviel wären und jede zwanzigmal so hübsch. Die Tanzstunde kommt mir langweilig vor, und ich möchte wissen, warum die Mädchen nicht allein tanzen und uns ungeschoren lassen. Ich erstarke in lateinischen Versen und vernachlässige meine Schnürstiefel. Dr. Strong erwähnt mich öffentlich als einen vielversprechenden Schüler. Mr. Dick rast vor Freude, und meine Tante schickt mir mit der nächsten Post eine Guinee.

Der Schatten eines Fleischerburschen steigt auf wie die Erscheinung des behelmten Hauptes in Macbeth. Wer ist dieser junge Fleischerbursche? Er ist der Schrecken der Jugend von Canterbury. Es geht die Sage, daß der Rindstalg, mit dem er sich die Haare schmiert, ihm übernatürliche Kräfte verleiht, und daß er es mit einem Erwachsenen aufnehmen kann. Er hat ein breites Gesicht, einen Stiernacken, dicke rote Backen, ein böses Gemüt und eine Lästerzunge. Er macht von ihr Gebrauch, um Dr. Strongs junge Herren zu beschimpfen. Er sagt öffentlich, wenn sie etwas brauchten, wolle er es ihnen schon »geben«. Er bezeichnet einige von uns, darunter auch mich, über die er mit einer Hand Herr werden könne. Er lauert den kleinern Jungen auf, um ihnen eines auf den schutzlosen Kopf zu geben, und ruft mir auf offener Straße Herausforderungen nach. Aus allen diesen Gründen beschließe ich, mit dem Fleischerburschen einen Kampf auszufechten.

Es ist an einem Sommerabend in einem grünen Laubengang an der Ecke einer Mauer. Ich habe mich mit dem Fleischerburschen bestellt. Eine auserlesene Anzahl unserer Schüler begleiten mich. Den Fleischerburschen zwei andere, ein junger Wirt und ein Schornsteinfeger. Alle Vorbereitungen sind getroffen. Wir stehen einander gegenüber. Im Nu hat mir der Fleischerbursche zehntausend Funken aus meiner linken Augenbraue herausgeschlagen. In der nächsten Sekunde weiß ich nicht, wo ich bin, wo die Mauer ist oder überhaupt irgend jemand. Ich weiß überhaupt nichts mehr, so wütend balgten wir uns auf dem zertretenen Rasenplatze herum. Manchmal sehe ich den Fleischerburschen blutig, aber zuversichtlich. Manchmal sehe ich gar nichts und sitze, nach Luft schnappend, auf dem Knie meines Sekundanten. Dann falle ich wieder wütend über den Fleischerburschen her und schlage mir die Knöchel an seinem Gesicht kaputt, ohne daß das ihn im mindesten aus der Fassung bringt. Schließlich wache ich ganz wirr im Kopfe auf wie aus einem tiefen Schlaf und sehe den Fleischerburschen fortgehen, beglückwünscht von seinen Begleitern und im Gehen den Rock anziehend, und schließe daraus sehr richtig, daß er gesiegt hat.

Ich werde in einer traurigen Verfassung nach Hause gebracht. Man legt mir Beefsteaks aufs Auge, reibt mich mit Essig und Branntwein ein, und auf meiner Oberlippe prangt eine große, weiße Quetschung, die unglaublich anschwillt. Drei oder vier Tage muß ich zu Hause bleiben, sehe schrecklich aus, trage einen grünen Augenschirm und würde mich fürchterlich langweilen, wenn nicht Agnes wie eine Schwester zu mir wäre und mich tröstete, mir vorläse und mir die Zeit vertriebe.

Agnes besitzt immer mein ganzes Vertrauen. Daher erzähle ich ihr die ganze Geschichte von dem Fleischerburschen und den Beleidigungen, die er mir zugefügt hat, und auch sie ist der Meinung, daß ich nicht umhin konnte, mich mit ihm zu boxen, während sie bei dem bloßen Gedanken daran schaudert und zittert.

Unmerklich ist die Zeit verstrichen, und Adams ist nicht mehr der Erste in den Tagen, die jetzt kommen, und ist es schon manchen und manchen Tag nicht mehr gewesen. Er ist schon so lange abgegangen, daß ihn außer mir nicht viele mehr kennen, als er wieder einmal den Doktor besucht. Adams steht im Begriff, Advokat zu werden und eine Perücke zu tragen. Mich wundert, daß er bescheidner auftritt, als ich angenommen hatte, und äußerlich weniger imponiert. Er hat auch die Welt noch nicht aus den Angeln gehoben, denn soweit ich erkennen kann, läuft sie ruhig weiter, als sei nichts geschehen.

Dann eine große Leere, durch die die Helden der Dichtkunst und Geschichte in stattlichen Scharen, die kein Ende zu nehmen scheinen, vorbeiziehen. –

Und was kommt dann? Ich bin jetzt der Erste und sehe auf die Reihe der Knaben unter mir mit einer herablassenden Teilnahme für die herab, die mich an den Jungen erinnern, der ich war, als ich zuerst hierherkam. Dieser kleine Junge scheint mit mir nichts mehr gemein zu haben. Ich denke an ihn wie an etwas, das ich auf meinem Lebensweg hinter mir gelassen habe, denke an ihn fast wie an einen Fremden.

Und das kleine Mädchen, das ich am ersten Tag bei Mr. Wickfield sah? Auch verschwunden. An seiner Stelle lebt im Hause das vollkommene Ebenbild des Porträts. Agnes, meine süße Schwester – wie ich sie innerlich nenne –, mein Berater und Freund, der gute Engel aller, die mit ihrem stillen, guten, sich selbst verleugnenden Wesen in Berührung treten, ist zur Jungfrau herangereift.

Was für Veränderungen außer denen in meiner Größe und dem Aussehen und den Kenntnissen, die ich gesammelt, sind an mir zu bemerken?

Ich trage eine goldne Uhr mit Kette, einen Ring am kleinen Finger und einen langschößigen Rock und verbrauche sehr viel Pomade – was in Verbindung mit dem Ring nichts Gutes bedeutet.

Bin ich schon wieder verliebt? Allerdings.

Ich bete die älteste Miss Larkins an. Die älteste Miss Larkins ist aber kein kleines Mädchen. Sie ist schlank, brünett, schwarzäugig, eine junonische Gestalt. Die älteste Miss Larkins ist kein Backfisch, selbst die jüngste Miss Larkins ist es nicht mehr und dabei drei oder vier Jahre jünger als ihre Schwester. Die älteste Miss Larkins mag so gegen dreißig sein. Meine Leidenschaft für sie übersteigt alle Grenzen.

Die älteste Miss Larkins ist mit Offizieren bekannt. Das ist kaum auszuhalten. Ich sehe sie auf der Straße mit ihnen sprechen. Sie kommen auf der Straße quer herüber zu ihr, wenn ihr Hut – sie trägt gern lebhafte Farben – auf dem Trottoir neben dem ihrer Schwester auftaucht. Sie lacht und plaudert mit ihnen und scheint Gefallen daran zu finden.

Den größten Teil meiner freien Zeit verbringe ich mit Spazierengehen, um ihr zu begegnen. Wenn ich sie einmal am Tage grüßen kann, fühle ich mich glücklich. Hie und da bekomme ich einen Gegengruß. Ich leide Qualen in der Nacht, wenn Wettrennball ist, wo sie mit den Offizieren tanzt. Wenn es eine Gerechtigkeit unter der Sonne gibt, muß mir das angerechnet werden.

Meine Leidenschaft raubt mir jeden Appetit, und ich trage beständig mein allerneuestes Seidenhalstuch. Mein einziger Trost ist, daß ich beständig meine besten Kleider anziehe und mir immer wieder die Stiefel putzen lasse. Ich komme mir dann der ältesten Miss Larkins würdiger vor.

Alles, was ihr gehört, was mit ihr in Verbindung steht, ist mir teuer.

Mr. Larkins, ein brummiger, alter Gentleman mit einem Doppelkinn und einem unbeweglichen Auge flößt mir großes Interesse ein. Wenn ich seiner Tochter nicht begegnen kann, trachte ich wenigstens ihn zu treffen. Die Frage: Wie geht es Ihnen, Mr. Larkins. Sind Ihre Fräulein Töchter und die werte Familie ganz wohl? erscheint mir so anzüglich, daß ich rot werde.

Ich denke beständig über mein Alter nach. Wenn ich auch siebzehn bin und siebzehn sehr jung für die älteste Miss Larkins ist, was tut das? Überdies werde ich bald einundzwanzig sein! Ich streife abends um Mr. Larkins Haus herum, und es gibt mir jedesmal einen Stich ins Herz, wenn ich die Offiziere hineingehen sehe, oder sie oben im Besuchszimmer höre, wo die älteste Miss Larkins Harfe spielt. Ich umkreise sogar hie und da in krankhaft überspannter Stimmung das Haus, wenn die Familie zu Bett gegangen ist, und suche zu erraten, wo der ältesten Miss Larkins Schlafzimmer sein mag. Ich wünsche, daß ein Feuer ausbrechen möge. Ich dränge mich mit einer Leiter durch die entsetzt und ratlos dastehenden Zuschauer, rette Miss Larkins in meinen Armen, kehre dann noch einmal um, etwas Vergessenes zu holen, und finde in den Flammen den Tod. Denn ich bin meistens sehr uneigennützig in meiner Liebe und fühle mich nur befriedigt, wenn ich mich vor Miss Larkins hervortun und dann sterben kann.

Aber nicht immer.

Manchmal stehen anspruchsvollere Träume vor mir. Während ich mich zu einem großen Ball bei Larkins ankleide, was mich im Geist zwei Stunden kostet, spielt meine Phantasie mit lieblichen Bildern. Ich stelle mir vor, wie ich den Mut fasse, Miss Larkins meine Liebe zu erklären. Ich denke mir Miss Larkins, wie sie den Kopf auf meine Schultern sinken läßt und sagt: »Ach Mr. Copperfield. Darf ich meinen Ohren trauen?« Ich stelle mir vor, wie Mr. Larkins am nächsten Morgen zu mir kommt und sagt: »Mein lieber Copperfield, meine Tochter hat mir alles gestanden. Ihre

Jugend ist kein Hindernis. Hier sind zwanzigtausend Pfund. Seid glücklich.« Ich sehe, wie meine Tante nachgibt und uns segnet, – und Mr. Dick und Dr. Strong der Trauung beiwohnen. Ich bin ein ganz vernünftiger Bursche und sehe mich auch noch als solchen, wenn ich heute zurückblicke, bin auch ganz bescheiden, – aber das verträgt sich alles damit.

Ich begebe mich in Wirklichkeit in das verzauberte Haus, nehme Lichterglanz wahr, Geplauder, Musik, Blumen, leider auch Offiziere, und die älteste Miss Larkins in strahlender Schönheit. Sie trägt ein blaues Kleid und blaue Blumen im Haar – Vergißmeinnicht! Als ob sie noch nötig hätte, Vergißmeinnicht zu tragen. Es ist die erste wirkliche große Gesellschaft, zu der ich eingeladen bin; ich fühle mich recht unbehaglich, denn ich scheine nirgends hinzugehören, und niemand scheint mir etwas Besondres mitteilen zu wollen. Nur Mr. Larkins fragt mich, was meine Schulkollegen machen, was er bleiben lassen könnte, da ich mit ihnen nicht verkehre, um von ihnen nicht beleidigt zu werden.

Nachdem ich einige Zeit an der Türe gestanden und im Anblick der Göttin meines Herzens geschwelgt habe, naht sie sich mir – sie – die älteste Miss Larkins – und fragt mich freundlich, ob ich tanze. Ich stammle mit einer Verbeugung: »Mit Ihnen, Miss Larkins.«

»Nur mit mir?« fragt Miss Larkins.

»Es würde mir kein Vergnügen machen, mit jemand anders zu tanzen.«

Miss Larkins lacht und wird rot, das heißt, ich bilde mir ein, sie wird rot, und sagt: »Den nächsten Tanz habe ich noch frei.«

Die Zeit naht heran.

»Aber es ist ein Walzer«, bemerkt Miss Larkins und macht ein besorgtes Gesicht, als ich mich vorstelle. »Können Sie Walzer tanzen, sonst würde Kapitän Bailey –?«

Aber ich tanze Walzer und noch dazu ziemlich gut. Ich nehme Miss Larkins Arm und entführe sie unbarmherzig dem Kapitän Bailey. Er ist todunglücklich, ich zweifle nicht daran. Aber er ist

317

mir Luft. Ich bin auch todunglücklich gewesen! Ich tanze den Walzer mit der ältesten Miss Larkins. Ich weiß nicht wohin und wie lang. Ich weiß nur, ich schwimme im Raum in einem Zustand seliger Trunkenheit mit einem blauen Engel dahin, bis ich mich in einem kleinen Zimmer neben ihr auf einem Sofa wiederfinde. Sie bewundert eine Blume (rote *Camelia japonica* – Preis: eine halbe Krone) in meinem Knopfloch. Ich reiche sie ihr mit den Worten:

»Ich fordere einen unschätzbaren Preis dafür, Miss Larkins.«

»In der Tat! Was wäre das?« fragt Miss Larkins.

»Eine Blume von Ihnen, um sie zu bewahren, wie ein Geizhals sein Geld.«

»Sie sind ein recht kecker junger Mann«, sagt Miss Larkins. »Da.«

Sie gibt mir eine Blume, nicht unfreundlich. Ich drücke sie an meine Lippen und dann an meine Brust.

Miss Larkins lacht, reicht mir ihren Arm und sagt: »Aber jetzt führen Sie mich zu Kapitän Bailey.«

Ich bin noch ganz versunken in die Erinnerung, als sie wieder zu mir kommt am Arm eines biedern ältlichen Herrn, der die ganze Zeit Whist gespielt hat, und sagt:

»O, hier ist mein kecker junger Freund. Mr. Chestle möchte Sie kennenlernen, Mr. Copperfield.«

Ich fühle sofort heraus, daß er ein Freund der Familie ist und bin sehr geehrt.

»Ich bewundere Ihren Geschmack, Sir«, sagt Mr. Chestle. »Er macht Ihnen Ehre. Sie haben wahrscheinlich kein großes Interesse für Hopfen, aber ich selbst besitze in der Nachbarschaft von Ashford ziemlich umfangreiche Hopfengärten. Wenn Sie einmal bei uns vorbeikommen, wird es uns sehr freuen, Sie, solange es Ihnen gefällt, bei uns zu sehen.«

Ich drücke Mr. Chestle meinen warmen Dank aus und schüttle ihm die Hand. Ich lebe dahin wie im Traum. Ich tanze noch einmal mit der ältesten Miss Larkins einen Walzer, und sie sagt, ich tanzte sehr gut. Ich gehe in einem Zustand unaussprechlicher Wonne nach Hause und tanze die ganze Nacht hindurch im Traum, den Arm um die blaue Taille der angebeteten Göttin gelegt. Noch einige Tage später bin ich ganz in Reflexionen versunken, kann sie aber nirgends auf der Gasse erblicken. Der Besitz des heiligen Pfandes, der verwelkten Blume, tröstet mich nur unvollkommen.

»Trotwood«, sagt Agnes eines Tages nach dem Diner, »wer glaubst du heiratet morgen? Jemand, den du verehrst!«

»Doch nicht am Ende du, Agnes?«

»O, ich nicht«, sagt sie und blickt fröhlich von den Noten auf, die sie abschreibt. »Hörst du, was er sagt, Papa? – Die älteste Miss Larkins!«

»Mit Kapitän Bailey?« habe ich gerade noch Kraft genug zu fragen.

»Nein, mit keinem Kapitän. Mit Mr. Chestle, einem Hopfenzüchter.«

Ich bin ein oder zwei Wochen gräßlich niedergeschlagen. Ich lege meinen Ring ab, trage meine schlechtesten Kleider, verwende keine Pomade mehr und seufze häufig über der entschwundenen Miss Larkins verwelkten Blume. Dann habe ich dieses Leben gründlich satt, und da mich der Fleischerbursche von neuem reizt, werfe ich die Blume weg, trete mit ihm an und besiege ihn glorreich.

Dieser Vorfall und das Wiederanstecken meines Ringes, sowie ein maßvoller Gebrauch der Bären-Pomade sind die einzigen Merkzeichen, die mir von meinem Weg zum siebzehnten Geburtstag in der Erinnerung geblieben sind.

19. Kapitel

Ich halte die Augen offen und mache eine Entdeckung

Ich weiß nicht mehr, ob ich innerlich froh oder traurig war, als meine Schultage zu Ende gingen und die Zeit nahte, wo ich Dr. Strongs Anstalt verlassen sollte.

Ich war sehr glücklich dort gewesen, hatte eine große Zuneigung zu dem Doktor gefaßt und mir eine hervorragende und ausgezeichnete Stellung in jener kleinen Welt geschaffen. Deshalb schied ich ungern; aus andern, recht unwesentlichen Gründen jedoch war ich froh. Dunkle Vorstellungen über die Wichtigkeit eines selbständig gewordenen jungen Mannes, über die wundervollen Dinge, die so ein hervorragendes Lebewesen vollbringen könnte, die großartigen Wirkungen, die es unfehlbar auf die Gesellschaft ausüben müßte, erfüllten mich ganz. So mächtig waren diese Träume in mir, daß es mir jetzt manchmal vorkommt, als müßte ich die Schule wohl ohne jeden Kummer verlassen haben. Der Abschied machte nicht den Eindruck auf mich, den man hätte erwarten können. Ich glaube, die Aussicht auf die Zukunft verwirrte mich vollständig. Das Leben schien mir wie das große Feenmärchen, das ich damals gerade las.

Meine Tante und ich pflogen manche ernste Beratung, welchen Beruf ich eigentlich einschlagen sollte. Länger als ein Jahr konnte ich keine genügende Antwort auf ihre so oft wiederholte Frage, was ich eigentlich werden wollte, finden. Ich konnte in mir keine besondere Vorliebe zu irgendeinem bestimmten Beruf entdecken. Wenn ich mir mit einem Schlage die Kenntnis der nautischen Wissenschaften und das Kommando über ein schnell segelndes Expeditionsgeschwader hätte aneignen können, so würde ich durch die Aussicht auf die Triumphe großer Entdeckungsreisen, glaube ich, vollständig zufriedengestellt gewesen sein. Da aber etwas dergleichen voraussichtlich nicht geschehen konnte, hätte ich gern einen Beruf gewählt, in dem ich meiner Tante möglichst wenig auf der Tasche zu liegen brauchte.

Mr. Dick wohnte jederzeit mit nachdenklicher und überlegener Miene unseren Beratungen bei. Einmal machte er plötzlich einen Vorschlag und riet, ich sollte Kupferschmied werden. Meine Tante nahm aber diesen Vorschlag so ungnädig auf, daß er nie einen zweiten mehr wagte und sich von da an begnügte, sie gespannt anzusehen und mit seinem Gelde zu klimpern.

»Ich will dir etwas sagen, Trot, mein Liebling«, sagte meine Tante eines Morgens um die Weihnachtszeit. »Da diese schwierige Frage immer noch nicht gelöst ist und wir uns hüten müssen, voreilig einen Entschluß zu fassen, ist es wohl am besten, wir warten noch ein wenig ab. Unterdessen mußt du dich bemühen, die Frage von einem andern Gesichtspunkt als dem eines Schülers aus zu betrachten.«

»Das will ich tun, Tante.«

»Es ist mir eingefallen, daß eine kleine Veränderung in den Verhältnissen und ein Blick auf das Leben draußen dir vielleicht nützlich sein können und dir helfen, zu einem richtigen Urteil zu kommen. Zum Beispiel eine kleine Reise. Wenn du etwa wieder in deine alte Heimat reistest und das sonderbare Weib mit dem heidnischen Namen besuchtest«, sagte meine Tante und rieb sich die Nase.

»Von allem auf der Welt wäre mir das das liebste, Tante.«

»Also gut. Das ist schön und würde auch mir gut passen. Es ist natürlich und vernünftig, daß es dir lieb ist, und ich bin ganz überzeugt, Trot, daß du immer das Natürliche und Vernünftige tun wirst.«

»Das hoffe ich, Tante.«

»Deine Schwester Betsey Trotwood wäre stets das natürlichste und vernünftigste Mädchen auf Erden gewesen, und du wirst dich ihrer gewiß würdig zeigen, nicht wahr?«

»Ich hoffe, ich werde mich *deiner* würdig zeigen, Tante. Das genügt mir.«

»Aber was ich in dir zu sehen wünsche, Trot, ist ein tüchtiger

Mensch. Ein braver, tüchtiger Mensch, der seinen eignen Willen hat. Und Entschlossenheit –« sie nickte mir energisch zu und ballte die Faust. »Und Entschiedenheit. Und Charakter, Trot! Einen starken Charakter, der sich außer mit gutem Grund von niemand und in keinerlei Weise bestimmen läßt. So möchte ich dich sehen. So hätten dein Vater und deine Mutter sein können, Gott weiß es, und es wäre besser für sie gewesen.«

Ich gab meiner Hoffnung Ausdruck, so zu werden, wie sie es wünschte.

»Damit du im kleinen anfängst, selbständig zu beobachten und zu handeln, lasse ich dich allein reisen. Ich hatte zuerst vor, dir Mr. Dick als Begleitung mitzugeben, aber bei näherer Überlegung sehe ich, daß es besser ist, wenn er hier zu meinem Schutze bleibt.«

Mr. Dick sah einen Augenblick etwas unzufrieden drein, aber die hohe Ehre, der wunderbarsten Frau auf der Welt seinen Schutz angedeihen lassen zu dürfen, verbreitete bald wieder Sonnenschein auf seinem Gesicht.

»Außerdem«, sagte meine Tante, »ist ja die Denkschrift da.«

»Ja, natürlich«, stimmte Mr. Dick eilfertig bei. »Ich gedenke sie fertig zu machen, Trotwood. Das muß sofort geschehen, und dann wird sie eingereicht – weißt du, und dann« – er unterbrach und machte eine lange Pause – »kanns losgehen.«

So wurde ich denn von meiner Tante mit einer hübschen Summe Geldes ausgerüstet und zärtlich entlassen.

Sie gab mir beim Abschied viele gute Ratschläge und ebenso viele Küsse und sagte, ich solle mich in jeder Hinsicht ein bißchen umsehen, und empfahl mir zu diesem Zweck, auf der Hin- oder Herreise ein paar Tage in London zu bleiben. Kurz und gut, ich sollte drei oder vier Wochen tun und lassen, was ich wollte; nur mit der einen Bedingung, ich müßte meine Augen offenhalten und dreimal in der Woche getreulich Bericht erstatten.

Zuerst begab ich mich nach Canterbury, um von Agnes, Mr. Wickfield und dem guten Doktor Abschied zu nehmen. Agnes freute sich sehr und sagte, ohne mich sei das Haus gar nicht mehr das alte.

»Ich bin auch nicht mehr der alte, wenn ich nicht hier bin«, sagte ich. »Mir ist, als fehlte mir die rechte Hand, wenn ich dich nicht habe. Jeder, der dich kennt, Agnes, zieht dich zu Rate und läßt sich von dir leiten.«

»Jeder, der mich kennt, verzieht mich, glaube ich«, gab sie lächelnd zur Antwort.

»Nein, es geschieht, weil du ganz anders bist als alle übrigen. Du bist so gut und so mild, du bist so sanft von Natur und hast immer recht.«

»Du sprichst«, sagte Agnes mit einem lieblichen Lächeln, »als ob ich die verblichene Miss Larkins wäre.«

»Es ist gar nicht schön von dir, mein Vertrauen so zu miß-brauchen«, antwortete ich und errötete bei dem Gedanken an meine ehemalige blaue Gebieterin, »aber ich will dir trotzdem noch weiter vertrauen, Agnes; ich kann es mir nicht abgewöhnen. Wenn ich mich einmal verliebe, werde ichs dir immer wieder sagen. Selbst wenn ich mich in allem Ernste verliebe.«

»Aber du warst doch immer ernstlich verliebt«, sagte Agnes und lachte wieder.

»Ach, damals war ich noch ein Kind oder ein Schuljunge«, sagte ich, auch lachend, aber nicht ohne mich ein wenig zu schä-men. »Die Zeiten haben sich verändert, und ich vermute, ich werde gelegentlich einmal entsetzlich Ernst machen. Was mich wundert, ist nur, daß du nicht selbst schon Ernst gemacht hast, Agnes.«

Agnes lachte wieder und schüttelte den Kopf.

»Ich weiß ja, daß es nicht der Fall ist, sonst hättest du es mir mitgeteilt. Oder wenigstens« – ich bemerkte eine leichte Röte auf ihren Wangen – »hättest du es mich erraten lassen. Aber ich kenne niemand, der verdiente, von dir geliebt zu werden, Agnes. Ein Mann von so edlem Charakter, daß er deiner würdig ist, muß erst kommen, bevor ich meine Einwilligung geben kann. Vorder-hand werde ich ein scharfes Auge auf alle Bewunderer haben und an den Glücklichen sehr große Anforderungen stellen, das ver-sichere ich dir.«

So hatten wir eine Zeitlang gesprochen, halb im Scherz, halb im Ernst, wie wir es bei unserm Verhältnis von Kindheit an gewöhnt waren. Aber plötzlich sah mich Agnes an und sagte in ganz verändertem Ton:

»Trotwood, etwas möchte ich dich fragen und wollte es schon lang tun. Etwas, was ich sonst niemand gegenüber äußern könnte. Hast du nicht eine gewisse Veränderung an meinem Vater bemerkt?«

Ich hatte sehr wohl etwas bemerkt und mich oft innerlich gefragt, ob es ihr nicht auch auffiele. Ich muß mich durch mein Gesicht verraten haben, denn Agnes' Augen standen sofort in Tränen.

»Sage mir, was es ist!« sagte sie mit leiser Stimme.

»Ich glaube – kann ich ganz aufrichtig sein, Agnes? ich liebe ihn doch so sehr.«

»Gewiß. «

»Ich glaube, die Angewohnheit, die er damals schon hatte, als ich das erstemal herkam, tut ihm nicht gut. Er ist oft sehr nervös, oder kommt es mir nur so vor.«

»Es ist wirklich so«, bestätigte Agnes und nickte mit dem Kopf.

»Seine Hand zittert, er spricht undeutlich und sieht verstört aus. Ich habe auch bemerkt, daß gerade zu solchen Zeiten, und wenn er am wenigsten Herr seiner selbst ist, immer in Geschäftssachen nach ihm gefragt wird.«

»Von Uriah«, bestätigte Agnes.

»Ja. Und das Gefühl, der Arbeit nicht gewachsen zu sein oder sie vielleicht nicht richtig erfassen zu können oder seinen Zustand gegen seinen Willen verraten zu haben, scheint ihn so aufzuregen, daß es den nächsten Tag noch schlimmer geht und den nächsten noch schlimmer, bis er zuletzt ganz angegriffen und schwach wird. Beunruhige dich nicht zu sehr, Agnes, über das, was ich dir sage, aber in einem solchen Zustand sah ich ihn neulich abends. Er legte den Kopf auf das Pult und weinte wie ein Kind.«

Agnes legte ihre Hand plötzlich sanft auf meinen Mund und einen Augenblick später hatte sie ihren Vater an der Türe empfangen und lag an seiner Brust. Der Ausdruck ihres Gesichts, als sie mich beide ansahen, ergriff mich sehr. Es lag darin eine so tiefe Zärtlichkeit, eine solche Dankbarkeit für alle seine Liebe und Sorgfalt, sie bat mich mit ihren Blicken so innig, selbst in meinen innersten Gedanken nicht unzart zu ihm zu sein, sie war so stolz auf ihn, so teilnahmsvoll bekümmert und voll Vertrauen zugleich, daß nichts einen tiefern Eindruck auf mich hätte machen können.

Wir waren bei Doktors zum Tee geladen. Wir gingen zur gewöhnlichen Stunde hin und fanden den Doktor, seine junge Frau und deren Mutter um den Kamin versammelt. Der Doktor, der von meiner Reise so viel Aufhebens machte, als ob ich nach China ginge, empfing mich wie einen Ehrengast und ließ einen Klotz Holz auf das Feuer werfen, damit er bei dem roten Schein noch einmal das Gesicht seines alten Schülers sehen könnte.

»Ich werde nicht viel neue Gesichter mehr an Trotwoods Stelle sehen«, sagte der Doktor und wärmte sich die Hände über dem Feuer. »Ich werde müde und sehne mich nach Ruhe. Noch sechs Monate, dann werde ich von meinen jungen Leuten scheiden und ein ruhigeres Leben führen.«

»Das haben Sie schon zehn Jahre lang gesagt, Doktor«, entgegnete Mr. Wickfield.

»Aber jetzt will ich es wirklich ausführen. Mein erster Lehrer soll mein Nachfolger sein – ich mache wirklich Ernst –, und Sie werden bald die Kontrakte abzufassen und uns fest zu binden haben, wie zwei Halunken.«

»Und Sorge zu tragen haben, daß Sie nicht der Betrogne sind«, sagte Mr. Wickfield, »was unausbleiblich wäre, wenn Sie den Kontrakt allein machten.«

»Na, ich bin bereit. Es gibt in meinem Beruf unangenehmere Arbeiten als diese.«

»Ich werde dann an weiter nichts zu denken haben als an mein Wörterbuch«, sagte der Doktor mit einem Lächeln »und an den andern Kontraktpunkt – an Ännie.«

Als Mr. Wickfield Ännie, die mit Agnes am Teetisch saß, ansah, schien sie seinen Blick mit so besonderer Scheu zu vermeiden, daß er sehr aufmerksam wurde und sichtlich über etwas nachgrübelte.

»Es ist eine Post aus Indien gekommen, bemerke ich eben«, sagte er nach kurzem Schweigen.

»Ja, und Briefe von Mr. Jack Maldon«, sagte der Doktor.

»Wirklich!«

»Der arme gute Jack«, ergriff Mrs. Markleham das Wort und schüttelte den Kopf. »Dieses schreckliche Klima! Man lebt dort, sagt man mir, auf einem Sandhaufen unter einem Brennglas. Er sah kräftig aus, aber nur scheinbar. Mein lieber Doktor, es war sein guter Wille und nicht seine Konstitution, die ihn das Wagnis unternehmen ließ. Liebe Ännie, du mußt sicherlich noch wissen, daß dein Vetter niemals kräftig war. Nie robust, wie man sagt.«

Mrs. Markleham sprach mit großem Nachdruck und sah uns der Reihe nach an. »Schon damals nicht, als meine Tochter und er als Kinder den ganzen Tag lang Arm in Arm miteinander herumliefen.«

Ännie gab keine Antwort.

»Habe ich aus dem, was Sie sagen, Ma'am, zu entnehmen, daß Mr. Maldon krank ist?« fragte Mr. Wickfield.

»Krank!« wiederholte der »General«. »Er ist alles mögliche, bester Herr.«

»Nur nicht wohl?«

»Nur nicht wohl, allerdings! Er hat einen schrecklichen Sonnenstich gehabt, Sumpffieber und, wer weiß, was sonst noch für Krankheiten. Was seine Leber betrifft«, sagte der »General« mit Resignation, »so hat er sie schon bei seiner Abreise von vornherein aufgegeben.«

»Das schreibt er alles?« fragte Mr. Wickfield.

»Schreiben? Bester Herr, Sie kennen meinen armen Jack Maldon schlecht, wenn Sie eine solche Frage tun. Er etwas sagen! Eher läßt er sich von vier wilden Pferden zerreißen.«

»Mama!« sagte Mrs. Strong.

»Liebe Ännie. Ein für allemal muß ich dich bitten, mich nicht zu unterbrechen, außer, wenn du bestätigen willst, was ich sage. Du weißt so gut wie ich, daß dein Vetter Maldon sich von jeder beliebigen Anzahl wilder Pferde zerreißen lassen würde – warum sollte ich mich auf vier beschränken! Ich will mich nicht auf vier beschränken – acht, sechzehn, zweiunddreißig, ehe er etwas sagen würde, das des Doktors Plänen zuwiderliefe.«

»Wickfields Plänen«, verbesserte der Doktor, indem er sich das Kinn strich und seinen Ratgeber reuig ansah. »Das heißt unsern gemeinsamen Plänen. Ich sagte selbst: im Inland oder im Ausland.«

»Und ich«, fügte Mr. Wickfield ernst hinzu, »im Ausland! Ich wirkte daraufhin, ihn ins Ausland zu schicken. Es geschah auf meine Verantwortung.«

»O Verantwortung! Alles geschah in bester Absicht, liebster Mr. Wickfield, das wissen wir. Aber wenn der gute Junge dort nicht leben kann, so kann er dort nicht leben. Und wenn er dort nicht leben kann, so wird er lieber sterben, als den Plänen des Doktors zuwiderhandeln. Ich kenne ihn«, sagte der »General«, und fächelte sich in einer Art prophetischer Agonie, »und ich weiß, er wird dort eher sterben, als des Doktors Plänen zuwiderhandeln.«

»Nun, nun, Ma'am«, sagte Dr. Strong freundlich. »Ich bin auf meine Pläne nicht versessen und kann sie ja selbst umstoßen. Ich kann sie durch andere ersetzen. Wenn Mr. Jack Maldon wegen Krankheit zurückkommt, so müssen wir uns eben bemühen, ein besseres und passenderes Unterkommen hier für ihn zu finden.«

Mrs. Markleham war von diesem edeln Anerbieten so überwältigt – natürlich hatte sie es nicht im entferntesten erwartet, geschweige denn veranlaßt –, daß sie nur sagen konnte, es sei des Doktors würdig. Und nachdem sie mehrere Male ihren Fächer geküßt hatte, klopfte sie ihm damit auf die Hand. Dann schalt sie Ännie sanft aus, weil sie ihre Dankbarkeit für solche ihretwegen einem alten Spielgefährten erwiesene Güte nicht lebhafter bezeige, und unterhielt uns mit einigen Einzelheiten über verschiedene verdienstliche Mitglieder ihrer Familie, die ebenfalls würdig wären, daß man ihnen auf die Beine hülfe.

Die ganze Zeit über sprach Ännie kein Wort und schlug kein einziges Mal die Augen auf. Ununterbrochen hielt Mr. Wickfield seinen Blick auf sie geheftet. Es schien mir, als ob er gar nicht bedächte, daß das jemand auffallen könnte. Er war so vertieft in seine Gedanken über sie, daß ihn nichts ablenken konnte. Er fragte jetzt, was Jack Maldon geschrieben habe, und an wen.

»Nun, hier«, sagte Mrs. Markleham und nahm einen Brief von dem Kaminsims. »Hier schreibt der gute Junge dem Doktor selbst – wo ist's nur? ja: – Leider muß ich Sie benachrichtigen, daß meine Gesundheit ernst gelitten hat und ich befürchten muß, genötigt zu sein, als einzige Hoffnung auf Genesung, für einige Zeit nach Hause zurückzukehren. – Armer Kerl! Das ist ziemlich deutlich. Einzige Hoffnung auf Genesung! Der Brief von Ännie spricht noch deutlicher. Ännie zeig einmal den Brief her!«

»Jetzt nicht, Mama«, bat Mrs. Strong leise.

»Meine Liebe, du bist unbedingt in manchen Dingen eine der lächerlichsten Personen in der Welt«, erwiderte die Mutter, »und in deinem Verhalten, wenn es die Ansprüche deiner eignen Familie gilt, direkt widernatürlich. Ich glaube, wir würden gar nichts von dem Brief erfahren haben, wenn ich nicht selbst danach gefragt hätte. Nennst du das auf Doktor Strong bauen, meine Liebe? Ich bin ganz überrascht.«

Ännie brachte zögernd den Brief, und ich sah, wie ihre Hand zitterte.

»Jetzt wollen wir suchen, wo es steht«, sagte Mrs. Markleham und hielt die Lorgnette vor die Augen: » – die Erinnerung an alte Zeiten, geliebteste Ännie – usw. – das ist es nicht. Der liebenswürdige alte Proktor – wer ist denn das? Mein Gott, Ännie, wie undeutlich dein Vetter Maldon schreibt, und wie einfältig ich bin. Doktor heißts natürlich. – ja, wirklich *liebenswürdig*.« Sie küßte wieder ihren Fächer und warf die Küsse dem Doktor zu, der uns in stiller Zufriedenheit ansah. »Jetzt habe ich es gefunden: Du wirst nicht erstaunt sein zu hören, Ännie, – nein gewiß nicht, da sie von jeher wußte, daß er nie robust war – sagte ich das nicht eben? – daß ich in diesem fernen Lande viel gelitten habe und daher entschlossen bin, es um jeden Preis zu verlassen – auf Urlaub wegen Krankheit, wenn es geht, und wenn der nicht zu erlangen ist, nach gänzlichem Aufgeben meines Postens. Was ich gelitten habe und hier noch leide, ist unerträglich. Ohne den schnellen Entschluß dieses besten aller Menschen«, fügte Mrs. Markleham hinzu, indem sie wieder mit dem Fächer telegraphierte und den Brief zusammenfaltete, »könnte ich es gar nicht aushalten, daran zu denken.«

Mr. Wickfield sagte kein Wort, obgleich die alte Dame von ihm eine Rede zu erwarten schien. Er beobachtete das strengste Schweigen und sah nicht vom Boden auf. Als die Sache längst fallengelassen war und wir uns über andere Themen unterhielten, saß er immer noch so da und blickte nur von Zeit zu Zeit einmal auf, um mit gedankenvollem finstern Blick seine Augen auf dem Doktor oder seiner Gattin ruhen zu lassen.

Der Doktor liebte Musik außerordentlich. Agnes sang sehr schön und ebenso Mrs. Strong. Sie sangen miteinander und spielten Duette, und wir hatten ein ordentliches kleines Konzert.

Etwas fiel mir auf: Mr. Wickfield schien Agnes' vertrautes Verhältnis zu Mrs. Strong gar nicht zu passen. Ich muß gestehen, auch in mir wurde die Erinnerung an das, was ich am Abend bei Mr. Maldons Abreise bemerkt hatte, wieder lebendig und zwar in einer Bedeutung, die mich jetzt beunruhigte. Die Schönheit Ännies erschien mir jetzt nicht mehr so unschuldsvoll wie früher, ich mißtraute der natürlichen Anmut ihres Benehmens, und wenn ich Agnes neben ihr ansah und dachte, wie gut und wahr sie war, da erwachte in mir ein Zweifel, ob es eine passende Freundschaft sei.

Der Abend schloß mit einem Vorfall, der mir noch deutlich vor Augen steht. Agnes wollte eben Ännie umarmen und küssen, als Mr. Wickfield wie zufällig dazwischentrat und seine Tochter rasch wegzog. Da sah ich auf Mrs. Strongs Gesicht wieder jenen Ausdruck von Entsetzen, der mir an jenem Abschiedsabend schon so einen tiefen Eindruck gemacht hatte.

Ich mußte die ganze Zeit beim Nachhausegehen an diesen Blick denken und hatte das Gefühl, als schwebe über des Doktors Heim eine dunkle Wolke. In das Gefühl meiner Ehrerbietung vor seinem grauen Haupt mischte sich das Mitleid mit seinem kindlichen Vertrauen auf Menschen, die ihn hintergingen, und Zorn gegen die, die ihm Leid antaten. Der drohende Schatten eines schweren Verhängnisses und einer tiefen Schmach, der nur noch keine bestimmte Form angenommen hatte, fiel wie ein Fleck auf das stille Haus, wo ich als Knabe gelernt und gespielt hatte, und entstellte es. Es machte mir keine Freude mehr, an die ernsten breitblättrigen Aloes zu denken und den sorgfältig gepflegten Rasenfleck, an die steinernen Urnen und des Doktors Spaziergang und den so gut dazu passenden Klang der Domglocke. Es war, als ob das stille Heiligtum meiner Kinderzeit zerstört und sein Frieden und seine Ehre in alle Winde zerstoben seien.

Aber mit dem Morgen kam der Abschied von dem alten Haus, das Agnes mit ihrem stillen Wirken so erfüllte, und das beschäftigte mein Gemüt vollauf. Wenn ich auch wahrscheinlich bald wieder zu Besuch kommen würde, so wohnte ich doch nicht mehr dort, und die alte Zeit war vorbei. Wie ich meine Bücher und Kleider einpackte, war mir schwerer ums Herz, als ich Uriah Heep merken lassen wollte, der mir so dienstbereit half, daß ich schlecht genug war, zu glauben, er freue sich über meine Abreise.

Ich verabschiedete mich von Agnes und ihrem Vater mit anscheinender Gleichgültigkeit, die männlich aussehen sollte, und nahm meinen Platz auf dem Bock der Londoner Landkutsche ein.

Ich fühlte mich auf meinem Wege durch die Stadt so gerührt und voll Sanftmut, daß ich am liebsten meinem alten Feind, dem Fleischerburschen, zugenickt und ihm ein Fünfschillingstück als Trinkgeld hingeworfen hätte. Aber er sah so metzgermäßig drein, wie er im Laden den großen Holzblock rein schabte, und sein Aussehen hatte durch den Verlust des Schneidezahns, den ich ihm ausgeschlagen, so wenig gewonnen, daß ich lieber keine Aussöhnungsversuche machte.

Am meisten lag mir am Herzen, als wir erst draußen im Freien waren, dem Kutscher so alt wie möglich zu erscheinen und im tiefsten Baß zu sprechen. Letzteres gelang mir nicht ohne Anstrengung, aber ich hielt daran fest, weil es sich so erwachsen ausnahm.

»Sie fahren durch, Sir?« fragte der Kutscher.

»Ja, William«, sagte ich herablassend – ich kannte ihn nämlich– »ich reise nach London. Und dann gehe ich nach Suffolk.«

»Auf die Jagd, Sir?«

Er wußte so gut wie ich, daß in dieser Jahreszeit von Jagd ebensowenig die Rede sein konnte wie von Walfischfang. Aber ich fühlte mich doch geschmeichelt.

»Ich weiß nicht«, sagte ich und stellte mich unentschlossen, »ob ich die Flinte in die Hand nehmen werde.«

»Die Rebhühner sind jetzt damisch scheu, höre ich«, sagte William.

»Vermutlich«, bestätigte ich.

»Sind Sie aus der Grafschaft Suffolk, Sir?«

»Ja«, sagte ich mit einiger Wichtigkeit. »Ich bin aus Suffolk.«

»Die Knödel sollen dort damisch fein sein, Mordstrümmer.«

Ich wußte es nicht, fühlte aber die Notwendigkeit, die Einrichtungen meiner Grafschaft in Ehren zu halten und mich mit ihnen vertraut zu zeigen.

Ich nickte daher mit dem Kopf, als wollte ich sagen »das will ich meinen!«

»Und die Ponys, das sind Viecher. Ein Suffolker Pony, wenns ein gutes is, is sein Gewicht in Gold wert. Haben Sie mal Suffolker Ponys gezüchtet, Sir?«

»N-nein, nein«, sagte ich, »nicht direkt.«

»Hier. Der Genlmn hinter mich, möcht ich wetten«, sagte William, »hat sie im großen gezüchtet.«

Der erwähnte Gentleman schielte verdächtig, hatte ein vorstehendes Kinn, auf dem Kopf einen hohen weißen Hut mit schmalem Rand und enganliegende helle Hosen, die außen von den Stiefeln an bis zur Hüfte hinauf zugeknöpft waren. Sein Kinn schob sich über des Kutschers Schulter so nahe zu mir hin, daß mich sein Atem am Hinterkopf kitzelte, und als ich mich umdrehte, schaute er mit seinem geraden Auge sehr sachkundig auf die Pferde.

»Oder nicht?« fragte William.

»Was, oder nicht«? fragte der Gentleman hinter mir.

»Suffolkponys im großen gezüchtet.«

»Das will ich meinen«, sagte der Gentleman. »Gibt kein Pferd nicht und keine Hunde nicht, was ich nicht gezüchtet hätt. Was die Pferd sind und die Hundsviecher, ists für viele ein Gaudium. Für mich sind sie Essen und Trinken – Wohnung, Weib und Kind, Lesen, Schreiben und Rithmetik – Schnupfen, Zigarren und Schlaf.«

»So ein Mann sollte nicht hinter dem Kutschbock sitzen, nicht wahr?« flüsterte mir William ins Ohr.

Ich legte diese Bemerkung als die Andeutung des Wunsches aus, ich möchte dem andern meinen Platz überlassen und machte mich errötend dazu erbötig.

»Na, wenns Ihnen gleich ist, Sir«, sagte William, »ich glaube, es schickt sich so besser.«

Ich habe dies immer als meine erste Niederlage im Leben betrachtet. Als ich mich im Bureau einschreiben ließ, wurde hinter meinem Namen: »Sitz auf dem Kutschbock« vermerkt, und ich hatte dem Buchhalter extra eine halbe Krone gegeben. Ich hatte meinen besondern Überzieher und Schal genommen, um diesem Ehrensitz zu genügen, und war sehr stolz darauf gewesen, der Kutsche zur Zierde zu gereichen. Und jetzt, auf der ersten Station bereits, verdrängte mich ein schäbiger schielender Mensch, der weiter kein Verdienst beanspruchen konnte, als daß er nach Stall roch.

Mein Mißtrauen zu mir selbst, das mich im Leben bei mancherlei Anlässen schon befallen hatte, wurde durch diesen Vorfall im Postwagen noch verschlimmert.

Vergeblich nahm ich zu meiner Baßstimme meine Zuflucht.

Die ganze übrige Reise sprach ich tief wie ein Bauchredner,

aber innerlich fühlte ich mich vollständig vernichtet und kam mir furchtbar jung vor.

Dennoch war es merkwürdig und interessant, als wohlerzogener gutgekleideter und reichlich mit Geld versehener junger Mann da oben hinter vier Pferden zu sitzen und Umschau nach allen den Plätzen zu halten, wo ich auf meiner mühseligen Wanderschaft einst gerastet hatte. Jedes auffällige Merkzeichen am Weg gab meinen Gedanken reichliche Nahrung. Wenn ich auf die Landstreicher herabblickte und die wohlbekannten Physiognomien dieser Klasse Menschen heraufschauen sah, war mir, als ob des Kesselflickers geschwärzte Hand mich wieder bei der Brust packte.

Als wir durch die engen Gassen von Chatham rasselten und ich im Vorbeifahren einen flüchtigen Blick in das Gäßchen werfen konnte, wo ich meine Jacke verkauft hatte, steckte ich den Kopf vor, um einen Blick auf den Platz zu erhaschen, wo ich in der Sonne und im Schatten gewartet, ehe mir das alte Ungeheuer mein Geld gab. Und als wir endlich die letzte Station vor London erreichten und am Salemhaus vorbeifuhren, wo Mr. Creakle jähzornig den Stock geführt, da hätte ich alle meine Habe für das Recht hingegeben, hineingehen zu dürfen und ihn durchzuprügeln und alle die Knaben herauszulassen, wie gefangene Sperlinge.

Wir stiegen im »Goldnen Kreuz« in Charing Cross ab, das damals noch ein düsteres altes Haus in einer engen Gasse war.

Ein Kellner wies mich ins Frühstückszimmer und ein Stubenmädchen in meine Schlafkammer, die wie eine Lohnkutsche roch und dunkel war wie eine Familiengruft. Ich litt immer noch an dem qualvollen Bewußtsein meiner großen Jugend, denn niemand hatte Respekt vor mir. Das Stubenmädchen nahm nicht die mindeste Rücksicht auf meine Wünsche, und der Kellner benahm sich familiär und erlaubte sich mir gegenüber Ratschläge.

»Na«, sagte er in vertraulichem Ton. »Was möchten Sie wohl essen? Junge Herren essen gewöhnlich gern Geflügel. Also ein Huhn?«

Ich sagte ihm so majestätisch, wie mir möglich war, daß ich auf ein Huhn keinen Appetit hätte.

»So, so! Junge Herren haben Rinder- und Schöpsenbraten meist satt, also Kalbskotelett?«

Ich nahm diesen Vorschlag an, da mir nichts anderes einfallen wollte.

»Liegt Ihnen was an Kartoffeln?« fragte der Kellner mit einschmeichelndem Lächeln, den Kopf schief haltend. »Junge Herren haben sich meist an Kartoffeln übereressen.«

Ich befahl mit meiner tiefsten Stimme, Kalbskoteletten mit Kartoffeln und Beilage zu bestellen und am Schenktisch zu fragen, ob Briefe da wären für Trotwood-Copperfield, Hochwohlgeboren. Ich wußte natürlich, daß das nicht der Fall sein konnte, aber es kam mir erwachsener vor, wenn ich tat, als ob ich welche erwartete.

Er kehrte bald mit der Nachricht zurück, daß keine da wären, – worüber ich mich sehr wunderte – und fing an, für mich den Tisch in einer Box zu decken. Während er damit beschäftigt war, fragte er mich, was ich trinken wolle, und nahm, als ich antwortete: »eine halbe Flasche Sherry«, wie ich fürchte, die Gelegenheit wahr, den Wein aus den abgestandenen Resten mehrerer Karaffen zusammenzuschütten. Ich kam zu dieser Ansicht, weil ich, mit einer Zeitung beschäftigt, ihn hinter der Bretterwand, die seinen Privatraum vorstellte, sehr eifrig den Inhalt mehrerer Flaschen in eine zusammengießen hörte, wie einen Apotheker, der ein Rezept verfertigt. Als der Wein gebracht wurde, kam er mir schal vor, und es waren mehr Semmelbrösel englischer Abkunft darin, als sich mit einem vollkommen reinen ausländischen Wein vertrug; aber ich war blöd genug, ihn zu trinken und nichts zu sagen.

Da ich jetzt heiter gestimmt war – woraus ich schließe, daß es auch ganz angenehme Vergiftungsmethoden gibt –, beschloß ich, ins Theater zu gehen. Ich wählte das Covent Garden-Theater und sah dort von einem Logenrücksitz »Julius Cäsar« und die neue Pantomime.

Alle diese vornehmen Römer lebendig und zu meiner Unterhaltung auf der Bühne auf- und abgehen zu sehen, während sie mir in der Schule immer nur wie finstere Lehrer erschienen waren, machte einen ganz neuen und wunderbaren Eindruck auf mich. Das Gemisch von Wirklichkeit und Märchen, die Bühne, die Poesie, der Kerzenglanz, die Musik, die Gesellschaft, der wunderbare Szenenwechsel, alles das wirkte so blendend auf mich und eröffnete mir eine so endlose Perspektive von Wonnen, daß es mir vorkam, wie ich um zwölf Uhr nachts auf die beregnete Straße trat, als ob ich aus einem romantischen Leben in Wolkenregionen herab in eine lärmende, plätschernde, regenschirmkämpfende, droschkenrüttelnde, absatzklappernde, schmutzige, erbärmliche, schwelende Welt fiele.

Ich blieb eine kleine Weile versonnen auf der Straße stehen, als ob ich wirklich fremd auf Erden wäre, aber die rücksichtslosen, nüchternen Rippenstöße, die ich im Gedränge bekam, weckten mich bald wieder auf, und ich kehrte in das Hotel zurück, auf dem Weg noch erfüllt von der glänzenden Vision. Sie verließ mich auch nicht, als ich bei Porter und Austern um halb ein Uhr im Gastzimmer am Kamin saß. Das Schauspiel und die Vergangenheit – wie durch einen glänzenden Schleier schien mein früheres Leben mir hindurchzuschimmern – nahmen mich so in Anspruch, daß ich die Gestalt eines schönen jungen Mannes, der mit geschmackvoller Nachlässigkeit gekleidet war, nicht gleich bemerkte.

Endlich erhob ich mich, um zu Bett zu gehen, sehr zur Freude des verschlafenen Kellners, der fortwährend mit den Füßen scharrte und sich in seiner kleinen Speisekammer räkelte. Auf dem Weg nach der Tür ging ich an dem neuen Gast vorüber und sah ihn genauer bei dieser Gelegenheit. Ich kehrte sogleich um, ging zurück und sah ihn wieder an. Er erkannte mich nicht, aber ich ihn augenblicklich.

Zu andern Zeiten hätte mir das Selbstvertrauen oder die Entschlossenheit gefehlt, ihn anzureden, und ich hätte es vielleicht auf den nächsten Tag verschoben und so die Gelegenheit versäumt. Aber in meiner damaligen Gemütsstimmung, noch frisch unter dem Eindruck des Theaterstücks, gedachte ich seiner früheren Beschützerrolle mit solcher Dankbarkeit, und meine alte Liebe zu ihm machte sich so mächtig Luft, daß ich mit klopfendem Herzen vor ihn trat und sagte:

»Steerforth. Kennst du mich nicht mehr?«

Er sah mich an, genau so, wie ers früher manchmal getan, aber ich sah kein Zeichen des Erkennens in seinem Gesicht.

»Ich fürchte, du kennst mich wirklich nicht mehr«, sagte ich.

»Mein Gott«, rief er plötzlich aus. »Es ist der kleine Copperfield.«

Ich ergriff seine beiden Hände und konnte sie gar nicht loslassen. Nur aus Scham und Furcht, sein Mißfallen zu erregen, fiel ich ihm nicht um den Hals.

»Nie, nie, nie war ich so froh, lieber Steerforth! Ich bin ganz außer mir vor Freude, dich zu sehen.«

»Auch ich freue mich, dich wiederzusehen«, sagte er und schüttelte mir herzlich die Hand. »Copperfield, alter Junge, komm nur nicht ganz außer Rand und Band.« Trotz dieser Worte freute er sich sichtlich darüber, daß mich das Entzücken ihn wiederzuhaben so rührte.

Ich wischte die Tränen weg, die ich mit der größten Anstrengung nicht hatte zurückhalten können, und versuchte zu lachen, und wir setzten uns nebeneinander an den Tisch.

»Aber wie kommst du hierher?« fragte Steerforth und schlug mir auf die Achsel.

»Ich bin heute mit der Canterburykutsche angekommen. Meine Tante dort unten hat mich adoptiert, und ich habe eben meine Schulstudien absolviert. Aber was machst du hier, Steerforth?«

»Ach, ich bin, was man so einen Oxford-Studenten nennt«, erwiderte er, »das heißt, ich muß mich dort periodisch zu Tode langweilen und bin jetzt auf dem Weg zu meiner Mutter. Du bist ein verwünscht hübscher Bursche geworden, Copperfield! Ganz noch wie früher, wenn ich dich jetzt ordentlich ansehe. Nicht im mindesten verändert.«

»Ich habe dich sofort erkannt«, sagte ich, »aber dich vergißt man auch nicht so leicht.«

Er lachte, während er mit der Hand durch sein reichgelocktes Haar fuhr, und sagte fröhlich:

»Ja. Ich bin auf einer Pflichtreise begriffen. Meine Mutter wohnt in der Umgebung der Stadt, und da die Straßen in scheußlicher Verfassung sind und es bei mir zu Hause recht langweilig ist, beschloß ich, die Nacht über hier zu bleiben. Ich bin noch kaum sechs Stunden in der Stadt und habe mich bereits im Theater gräßlich geödet.«

»Ich war auch im Theater«, sagte ich, »im Covent Garden. Was für eine herrliche, entzückende Unterhaltung, Steerforth!«

Steerforth lachte herzlich.

»Mein lieber junger Davy«, sagte er und schlug mir wieder freundschaftlich auf die Schulter. »Du bist die reinste Daisy. Das reinste Gänseblümchen. Ein Gänseblümchen auf dem Feld bei Sonnenaufgang ist nicht frischer als du. Ich war doch auch im Covent Garden und habe in meinem Leben noch nichts Schauderhafteres gesehen. Hallo, Kellner!«

Der Kellner, der unserer Erkennungsszene von weitem sehr aufmerksam zugesehen hatte, kam jetzt sehr ehrerbietig heran.

»Wo haben Sie meinen Freund Mr. Copperfield hingesteckt?«

»Bitte um Verzeihung, mein Herr?«

»Wo er schläft! Welche Nummer! Verstehen Sie mich denn nicht?« fragte Steerforth.

»Sehr wohl, Sir«, sagte der Kellner, sich entschuldigend. »Mr. Copperfield ist augenblicklich in 44, Sir.«

»Was zum Teufel soll das heißen«, entgegnete Steerforth, »daß Sie Mr. Copperfield in ein kleines Loch über dem Stall bringen?«

»Mein Herr, wir wußten doch nicht«, entschuldigte sich der Kellner ganz zerknirscht, »wer Mr. Copperfield ist. Wir können Mr. Copperfield Nummer 72 geben, wenn es gewünscht wird. Neben Ihnen, Sir.«

»Natürlich wird es gewünscht«, sagte Steerforth, »und zwar sofort.«

Der Kellner entfernte sich augenblicklich, um die nötigen Vorkehrungen zu treffen.

Steerforth, dem es viel Spaß machte, daß sie mich in Nummer 44 gesteckt hatten, lachte wieder und klopfte mir auf die Schulter und lud mich zum Frühstück für nächsten Morgen um zehn Uhr ein, was ich mit Stolz und Freude annahm.

Da es schon ziemlich spät war, nahmen wir unsere Kerzen und gingen hinauf und trennten uns an der Türe mit größter Herzlichkeit. Mein neues Zimmer, viel schöner als mein erstes, war gar nicht dumpfig und hatte ein ungeheures Himmelbett, so groß wie ein kleines Landgut.

Hier in Kissen, die für sechs Personen genügt hätten, schlief ich bald ein und träumte vom alten Rom und von Steerforth und Freundschaft, und gegen früh, als die Landkutsche durch den Torweg rasselte, mischte sich in meinen Traum der Donner der Götter.

20. Kapitel

Bei Steerforth

Als das Stubenmädchen früh um acht Uhr an meine Tür klopfte, hereinkam und mir meldete, daß draußen warmes Wasser zum Rasieren für mich bereit stehe, empfand ich es schmerzlich, daß ich dessen nicht bedurfte und errötete darüber im Bett.

Der Argwohn, das Mädchen könnte darüber gelacht haben, quälte mich die ganze Zeit über beim Anziehen und verlieh mir ein scheues, schuldbewußtes Aussehen, als sie auf dem Weg zum Frühstück mir auf der Treppe begegnete. Ich war mir meiner Jugend so unangenehm bewußt, daß ich mich gar nicht entschließen konnte, unter so demütigenden Umständen an ihr vorüberzugehen, sondern, während sie unten kehrte, am Fenster stehenblieb und so lang durch ein Fenster die Reiterstatue König Karls, umgeben von einem Labyrinth von Fiakern und in dem feinen

Regen und dunkelbraunen Nebel nichts weniger als majestätisch aussehend, betrachtete, bis mir der Kellner meldete, der Herr warte mit dem Frühstück auf mich.

Steerforth empfing mich nicht im Gastzimmer, sondern in einem hübschen separaten Zimmer mit roten Vorhängen und türkischen Teppichen, wo ein helles Feuer brannte und ein warmes Frühstück auf dem sauber gedeckten Tisch stand. Ein niedliches Miniaturbild des Zimmers, des Feuers, des Frühstücks und Steerforths und alles übrigen malte sich in dem kleinen runden Spiegel über dem Seitentische ab. Ich war ein wenig befangen am Anfang, weil Steerforth so selbstbewußt und elegant war und mir nicht nur an Jahren überlegen. Sein gefälliges, ungezwungnes Benehmen brachte jedoch bald alles ins Gleichgewicht, und ich fühlte mich wie zu Hause. Ich kam aus dem Staunen nicht heraus, wie sehr sich das »Goldne Kreuz« – verglichen gegen gestern – verwandelt hatte.

Die Familiarität des Kellners war verschwunden, als sei sie niemals dagewesen. Er bediente uns sozusagen in Sack und Asche.

»Nun, Copperfield?« fragte Steerforth, als wir allein waren. »Was treibst du eigentlich, welches Ziel hast du – und so weiter. Ich weiß nicht, es kommt mir vor, als ob du mein Eigentum wärst.«

Glühend vor Vergnügen, daß er noch so viel Teilnahme an mir nahm, erzählte ich ihm, daß meine Tante mich zu dieser kleinen Reise veranlaßt habe, und daß Yarmouth mein Ziel sei.

»Da du also keine Eile hast«, sagte Steerforth, »so komm doch mit zu meiner Mutter nach Highgate und bleib ein oder zwei Tage bei uns. Meine Mutter wird dir gefallen, – sie ist ein bißchen eingebildet auf mich und spricht viel von mir, aber das darfst du ihr nicht übelnehmen. Und du wirst ihr auch gefallen.«

»Ich wollte, es wäre so, wie du sagst«, erwiderte ich lächelnd.

»O«, sagte Steerforth, »wer mich gern hat, hat ein Anrecht auch an sie und findet sicher Anerkennung.«

»Dann werde ich bei ihr allerdings in besonderer Gunst stehen«, sagte ich.

»Gut, komm und beweise es. Wir wollen uns ein paar Stunden in der Stadt umsehen. Es ist ordentlich eine Freude, sie einem Grünschnabel wie dir, Copperfield, zeigen zu können. Und dann fahren wir mit dem Wagen nach Highgate.«

Ich konnte mir nur mit Mühe klarmachen, daß ich nicht träumte und nicht sogleich in Nummer 44 oder in der Box im Gastzimmer bei dem familiären Kellner aufwachen würde.

Nachdem ich an meine Tante über das glückliche Zusammentreffen mit meinem vielbewunderten Schulkameraden und die Einladung geschrieben, fuhren wir in einem Fiaker aus, und ich bewunderte das Panorama, das Museum und andre Sehenswürdigkeiten. Ich konnte dabei nicht umhin, zu bemerken, wie viel Steerforth über alle möglichen Dinge wußte, und wie gering er solches Wissen anzuschlagen schien.

»Du wirst dir gewiß einen hohen akademischen Rang erwerben, Steerforth«, sagte ich, »wenn du ihn nicht schon besitzt. Sie müssen sehr stolz auf dich sein.«

»Ich einen Rang erwerben?« rief Steerforth. »Ich nicht, mein liebes Gänseblümchen. Du nimmst es doch nicht übel, wenn ich dich Daisy nenne?«

»Durchaus nicht«, sagte ich.

»Bist doch ein guter Junge! Mein liebes Gänseblümchen also, ich wünsche und beabsichtige nicht im mindesten, mich in dieser Hinsicht auszuzeichnen. Für meine Zwecke habe ich schon genug gelernt. Ich komme mir selber schon so ziemlich fad vor.«

»Aber der Ruhm –« fing ich an.

»Du romantisches Gänseblümchen«, sagte Steerforth und lachte noch herzlicher. »Soll ich mich vielleicht plagen, damit ein Dutzend dickköpfiger Kerle den Mund aufsperren und verwundert die Hände zusammenschlagen. Das mögen sie meinetwegen bei jemand anders tun.«

Ich war ordentlich beschämt, daß ich so fehlgegriffen hatte, und bemühte mich, die Rede auf etwas andres zu bringen. Das war zum Glück nicht schwer, denn Steerforth konnte immer mit einer ihm eignen Leichtigkeit und Gewandtheit von einem Gegenstand zum andern übergehen.

Während unserer Umschau in der Stadt nahmen wir den Lunch ein, und der kurze Wintertag verging so schnell, daß wir erst in der Dämmerung an einem alten steinernen Haus in Highgate oben auf der Höhe hielten.

Eine ältere Dame, wenn auch noch nicht sehr bei Jahren, von stolzer Haltung und mit schönen Zügen, stand in der Tür, als wir ausstiegen, und schloß Steerforth mit der Begrüßung: »Mein liebster James!« in die Arme.

Diese Dame wurde mir als Mrs. Steerforth vorgestellt, und sie bewillkommnete mich mit großer Freundlichkeit.

Das Haus war ein vornehmes, altmodisches Gebäude, sehr still und wohlgehalten. Von den Fenstern meines Zimmers aus sah ich in der Ferne London liegen wie eine große Dunstwolke, durch die hie und da die Lichter funkelten.

Während des Umziehens fand ich Gelegenheit, einen Blick auf die soliden Möbel, die eingerahmten Stickereien – wahrscheinlich Jugendarbeiten von Steerforths Mutter – und ein paar Kreidezeichnungen, Damen mit gepudertem Haar im Reifrock darstellend, zu werfen, die an den Wänden sichtbar wurden und wieder verschwanden, wenn das frisch angezündete Feuer aufflackerte. Dann rief man mich zu Tisch.

Im Speisezimmer war noch eine zweite Dame anwesend von kleinerm Wuchs, dunklem Teint und nicht sehr angenehmem Äußern, wenn sie auch durchaus nicht häßlich war. Sie zog meine Aufmerksamkeit auf sich, vielleicht weil ich nicht erwartet hatte, sie zu sehen, vielleicht weil ich ihr gegenübersaß, vielleicht auch, weil etwas Bemerkenswertes an ihr war.

Sie hatte schwarzes Haar, lebhafte schwarze Augen und eine Narbe auf der Lippe. Es war eine alte Narbe, eher ein schmaler weißer Strich quer über die Lippen bis herunter zum Kinn. In mir setzte sich sofort die Vorstellung fest, daß die Dame dreißig Jahre alt sei und sich einen Mann wünschte. Sie sah ein wenig verfallen aus, – wie ein Haus, das lange nicht bewohnt gewesen ist, doch hatte sie, wie schon gesagt, kein gerade häßliches Äußere. Ihre Hagerkeit schien die Folge eines verzehrenden Feuers in ihrem Innern zu sein, das sich noch deutlicher in ihren dunklen Augen offenbarte.

Sie wurde als Miss Dartle vorgestellt, und Steerforth und seine Mutter nannten sie Rosa. Ich erfuhr, daß sie im Hause wohnte und seit langem Mrs. Steerforths Gesellschafterin war. Sie sagte niemals etwas grade heraus, sondern deutete es immer bloß an und ließ es dadurch meist viel wichtiger erscheinen, als es in Wirklichkeit war. Als zum Beispiel Mrs. Steerforth bei Gelegenheit und mehr im Scherz als im Ernst die Befürchtung fallenließ, ihr Sohn lebe an der Universität etwas allzu flott, sagte Miss Dartle:

»O wirklich? Du weißt, wie wenig ich das kenne, und daß ich bloß frage, um mich belehren zu lassen. Aber ist das nicht immer so? Ich habe immer geglaubt, das Leben auf der Universität sei immer – nicht?«

»Es ist die Vorbereitung zu einer sehr ernsten Laufbahn, wenn du das meinst, Rosa«, antwortete Mrs. Steerforth ein wenig kühl.

»O ja. Das ist sehr wahr«, entgegnete Miss Dartle. »Aber ist es bei alledem nicht –? Ich lasse mich gern belehren, wenn ich unrecht habe. Ist es wirklich nicht –?«

»Was soll es denn wirklich sein«, fragte Mrs. Steerforth.

»O, wenn du meinst, so ist es also nicht – «, erwiderte Miss Dartle. »O, es freut mich, das zu hören. Nun weiß ich, was ich zu tun habe. Das ist der Vorteil des Fragens. Ich werde nie mehr zugeben, daß die Leute das Universitätsleben verschwenderisch und liederlich nennen.«

»Da tust du sehr recht«, sagte Mrs. Steerforth. »Der Erzieher meines Sohnes ist ein gewissenhafter Herr, und wenn ich mich nicht schon unbedingt auf James verließe, so könnte ich doch ihm vollständig vertrauen.«

»Wirklich?« sagte Miss Dartle. »O Gott! Gewissenhaft ist er? Wirklich gewissenhaft?«

»Ja, ich bin davon überzeugt«, sagte Mrs. Steerforth.

»Ach, wie reizend! Wie angenehm! Wirklich gewissenhaft? Da ist er also nicht – aber natürlich kann ers ja nicht sein, wenn er wirklich gewissenhaft ist. Ach, ich werde ganz glücklich sein, da ich es jetzt weiß. Du kannst dir gar nicht denken, wie ihn das in meinen Augen hebt, daß er so gewissenhaft ist.«

Miss Dartle gab ihre Ansichten über jede Frage auf diese Weise zu verstehen und manchmal mit großem Nachdruck, auch wenn sie sich im Widerspruch mit Steerforth befand.

Ein Beispiel dieser Art kam noch während des Essens vor. Mrs. Steerforth sprach von meiner beabsichtigten Reise nach Suffolk, und ich sagte zufällig, wie sehr ich mich freuen würde, wenn ihr Sohn mit mir ginge.

Ich erzählte ihnen von meiner alten Kindsfrau und Mr. Peggottys Familie und erinnerte meinen Freund an den Schiffer, den er damals in der Schule gesehen hatte.

»Aha, der rauhe Bursche!« sagte Steerforth. »Er hatte einen Sohn mit, nicht?«

»Nein. Es war sein Neffe«, gab ich zur Antwort, »den er aber als Sohn adoptiert hat. Er hat auch eine sehr hübsche kleine Nichte als Tochter angenommen. Mit einem Wort, sein Haus oder vielmehr sein Boot, denn er wohnt in einem solchen, auf trocknem Land, ist voll von Leuten, die sein Edelmut und seine Güte erhält. Du wirst entzückt sein, diese Häuslichkeit zu sehen.«

»Meinst du«, sagte Steerforth. »Ja, wenn du glaubst. – Wir werden sehen, was sich tun läßt. Es wäre die Reise wert, – gar nicht zu reden von dem Vergnügen, mit dir zu reisen, Daisy, – einmal mitten unter Leuten dieses Schlages zu leben.«

Mein Herz schlug voll Hoffnung auf eine neue Freude. Sein Ton, mit dem er »von Leuten dieses Schlages« gesprochen hatte, veranlaßte jetzt Miss Dartle, deren glänzende Augen uns beobachtet hatten, einzufallen.

»O wirklich? Erzählen Sie. Sind sie wirklich –?«

»Was sollen sie sein, und wer soll was sein?« fragte Steerforth.

»Leute dieses Schlages – sind sie wirklich Stöcke und Klötze und Geschöpfe anderer Art? Darüber möchte ich belehrt sein.«

»Nun es ist ein ziemlich großer Unterschied zwischen ihnen und uns«, sagte Steerforth gleichgültig. »Man kann doch nicht erwarten, daß sie so feinfühlig sind wie wir. Ihr Zartgefühl ist nicht so leicht zu verletzen. Sie sind entsetzlich tugendhaft, glaube ich, wenigstens behaupten das viele Leute, und ich will dem nicht widersprechen. Aber sie sind keine feinen Naturen und können dankbar dafür sein, daß sie wegen ihrer Dickfelligkeit nicht so leicht verwundbar sind.«

»Wirklich?« sagte Miss Dartle. »Nun, ich muß gestehen, es freut mich sehr, so etwas zu hören. Es ist so tröstlich! Es ist eine wahre Wonne, zu wissen, daß sies nicht fühlen, wenn sie leiden. Manchmal habe ich mir ordentlich Kummer gemacht um diese Art Leute. Aber von jetzt an werde ich jeden Gedanken an sie fallenlassen. Man lebt, um zu lernen. Ich gestehe, ich hatte meine Zweifel. Aber jetzt sind sie behoben. Ich wußte es nicht, aber jetzt weiß ich es. Und das beweist, wie nützlich es ist, zu fragen, nicht wahr?«

Ich nahm an, Steerforth habe das, was er sagte, im Scherz gemeint oder um Miss Dartle aufzuziehen, und ich erwartete, er würde es mir sagen, als sie fort waren und wir beide allein am Kamin saßen. Aber er fragte mich bloß, was ich von ihr hielte.

»Sie ist sehr gescheit, nicht wahr?« fragte ich.

»Gescheit! Sie hält alles an einen Schleifstein«, sagte Steerforth »und macht es scharf, wie sie sich und ihr Gesicht seit Jahren scharf gemacht hat. Sie hat sich schon halb aufgebraucht durch beständiges Schärfen. Sie ist ganz Schneide.«

»Was für eine merkwürdige Narbe sie auf der Lippe hat«, sagte ich. Steerforths Gesicht verfinsterte sich, und er schwieg einen Augenblick. »Hm«, sagte er dann, »an der bin eigentlich ich schuld.«

»Durch einen unglücklichen Zufall?«

»Nein. Ich war noch ein kleiner Junge, und sie brachte mich auf, und ich warf ihr einen Hammer ins Gesicht. Ein vielversprechender junger Engel muß ich gewesen sein.«

Es tat mir sehr leid, ein so peinliches Thema berührt zu haben, aber es ließ sich nicht mehr ändern.

»Sie hat die Narbe seit jener Zeit behalten, wie du siehst«, sagte Steerforth, »und wird sie mit sich ins Grab nehmen, wenn sie je in einem ruht. Ich kann kaum glauben, daß sie überhaupt jemals Ruhe finden wird. Sie war das mutterlose Kind eines Vetters meines Vaters. Als meine Mutter Witwe geworden war, nahm sie sie als Gesellschafterin zu sich. Sie hat ein paar tausend Pfund eigenes Vermögen und legt die Zinsen alljährlich auf das Kapital. Da hast du die Geschichte von Miss Rosa Dartle.«

»Sie liebt dich gewiß wie einen Bruder?« fragte ich.

»Hm«, entgegnete Steerforth und sah ins Feuer. »Manche Brüder werden nicht allzu sehr geliebt und manche lieben – aber schenk dir ein, Copperfield. Wir wollen auf die Gänseblümchen im Tale trinken, dir zu Ehren, – und auf die Lilien auf dem Felde, die nicht säen und nicht ernten, mir zu Ehren und zur Schande.« Das trübe Lächeln, das auf seinem Gesicht gelegen, verschwand, als er diese Worte fröhlich sagte, und er war wieder ganz der alte, offene, gewinnende Steerforth.

Ich mußte mit peinlichem Interesse nochmals die Narbe betrachten, als wir beim Tee saßen. Ich bemerkte bald, daß es der empfindlichste Fleck des Gesichtes der Dame war; daß er sich zuerst veränderte, wenn sie die Farbe wechselte, und in seiner ganzen Länge einen bleifarbigen Streifen darstellte, der wie ein Zeichen mit sympathetischer Tinte geschrieben, wenn man es ans Feuer hält, aussah.

Es entstand ein kleiner Streit zwischen ihr und Steerforth beim Pochbrettspiel. Sie war einen Augenblick ganz wütend, und da wurde der Streif sichtbar wie die Schrift an der Mauer des Königs Belsazar.

Ich wunderte mich natürlich nicht, daß Mrs. Steerforth große Stücke auf ihren Sohn hielt. Sie zeigte mir sein Bild als kleines Kind in einem Medaillon mit einer abgeschnittenen Locke, sie zeigte mir sein Bild aus der Zeit, in der ich ihn zuerst kennengelernt, und trug ihn, wie er jetzt war, auf der Brust. Alle seine Briefe, die er ihr je geschrieben, hatten ihr eignes Schränkchen am Kamin, und sie würde mir gewiß einige zu meiner Freude vorgelesen haben, wenn er sie nicht durch gute Worte von ihrem Vorhaben abgebracht hätte.

»Mein Sohn erzählte mir, Sie wären bei Mr. Creakle mit ihm bekannt geworden«, sagte Mrs. Steerforth, als wir uns beide an einem Tisch unterhielten, während James und Miss Dartle an einem andern ihr Pochbrett spielten. »Ich kann mich noch aus jener Zeit erinnern, daß er mir von einem jungen Schüler erzählte, an dem er Gefallen gefunden hatte, aber wie Sie sich wohl denken können, ist mir Ihr Name entfallen.«

»Er benahm sich damals sehr hochherzig und edel gegen mich, Ma'am«, sagte ich, »und ich hatte einen solchen Freund sehr nötig. Ich wäre ohne ihn zugrunde gegangen.«

»Er ist immer hochherzig und edel«, sagte Mrs. Steerforth mit Stolz.

Ich stimmte mit vollem Herzen ein, Gott weiß es. Sie fühlte das, denn die Steifheit ihres Wesens fing an, etwas nachzulassen, außer wenn sie lobend von ihrem Sohn sprach, wobei sie stets eine stolze Miene aufsetzte.

»Es war eigentlich keine passende Schule für meinen Sohn«, fuhr sie fort. »Durchaus nicht; aber es kamen damals bei der Wahl besondere Umstände in Betracht. Meines Sohnes Feuergeist machte es notwendig, daß er mit einem Mann zusammenkam, der seine Überlegenheit fühlte und sich vor ihm beugte. Und wir fanden dort einen solchen Mann.«

Ich wußte das, da ich den Burschen kannte. Und dennoch verachtete ich ihn deshalb nicht noch mehr, sondern hielt es eher für einen Zug, der manches wiedergutmachte. Überhaupt schien es mir ein Milderungsgrund für Creakle zu sein, daß er einem so unwiderstehlichen Menschen, wie Steerforth war, nicht hatte standhalten können.

»Die großen Fähigkeiten meines Sohnes«, fuhr Mrs. Steerforth in ihrem mütterlichen Stolz fort, »wurden von freiwilligem Wetteifer und selbstbewußtem Stolz angestachelt. Er würde sich gegen jeden Zwang empört haben, aber da er dort der Herr war,

war er fest entschlossen, sich seiner Stellung würdig zu erweisen. Das sah ihm ganz ähnlich.«

Ich stimmte aus vollstem Herzen bei.

»So wählte mein Sohn aus eignem freien Willen ohne Zwang den Weg, auf dem er immer, wenn er will, jeden Mitbewerber überholen kann. Mein Sohn sagte mir, Mr. Copperfield, daß Sie ihn förmlich verehrt haben und ihn gestern, als Sie ihn trafen, mit Freudentränen im Auge anredeten. Es würde affektiert aussehen, wenn ich mich überrascht stellen sollte, daß mein Sohn solche Gemütsbewegungen hervorzurufen imstande ist. Aber ich kann gegen eine Person, die seine Verdienste so tief fühlt, nicht gleichgültig sein, und ich kann Ihnen nur versichern, daß auch er für Sie Gefühle ungewöhnlicher Freundschaft hegt, und daß Sie sich auf seinen Schutz verlassen können.«

Miss Dartle spielte genau so eifrig, wie sie alles andere tat. Aber ich müßte sehr irren, wenn sie auch nur ein Wort von unserm Gespräch verloren hätte.

Als der Abend ziemlich weit vorgerückt war, und Gläser und Flaschen hereingebracht wurden, versprach mir Steerforth, am Kamin sitzend, daß er allen Ernstes an die Reise nach Yarmouth denken wolle. Es habe weiter keine Eile damit, sagte er. In einer Woche sei auch noch Zeit genug, und seine Mutter wiederholte gastfreundlich dasselbe. Während des Gesprächs nannte er mich mehr als einmal »Daisy«, was Miss Dartle wieder anregte.

»Ist das nicht, Mr. Copperfield, ein Spitzname? Und warum nennt er Sie so? Vielleicht – vielleicht, weil er Sie für jung und unschuldig hält? Ich bin so dumm in solchen Dingen.«

Ich wurde rot, als ich antwortete, daß es nur deswegen sei.

»O«, sagte Miss Dartle, »wie freue ich mich, daß ich es weiß. Ich frage, um aufgeklärt zu werden, und bin froh, es zu wissen. Also er denkt, Sie sind jung und unschuldig! Sie sind also sein Freund. Ach, das ist ja entzückend!«

Sie ging bald darauf zu Bett und Mrs. Steerforth ebenfalls.

Nachdem Steerforth und ich noch eine halbe Stunde am Feuer gesessen und von Traddles und all den übrigen aus der alten Zeit geplaudert hatten, gingen wir zusammen hinauf. Steerforths Zimmer stieß an das meinige, und ich warf einen Blick hinein. Es war ein wahres Muster von Komfort, voller Lehnstühle, Kissen und Fußschemel, von seiner Mutter gestickt, und ausgestattet mit allem, was man nur wünschen konnte.

Mrs. Steerforths hübsches Gesicht sah von der Wand herab auf ihren Liebling, als wenn es ihr noch ein Genuß wäre, zu wissen, daß ihr Bildnis ihn während des Schlummers überwachen konnte.

Ein helles Feuer brannte in meinem Zimmer, und die weißen Gardinen an meinem Fenster und Bett gaben dem Raum ein sehr sauberes Aussehen. Ich nahm in einem großen Lehnstuhl vor dem Kamine Platz, um über mein Glück nachzudenken, und hatte mich eine Zeitlang in diesen Genuß versenkt, als ich bemerkte, daß ein Porträt Miss Dartles mit forschendem Blick vom Kaminsims auf mich herabsah.

Das Bildnis war erschreckend ähnlich. Der Maler hatte die Narbe weggelassen, aber ich ergänzte sie mir, und da sah ich sie bald hervortreten, bald verschwinden, jetzt nur auf der Oberlippe, dann wieder in ganzer Länge dunkelfarbig erscheinend.

Es berührte mich unangenehm, daß Miss Dartles Bild grade in meiner Stube untergebracht war.

Um den Anblick loszuwerden, entkleidete ich mich rasch, blies das Licht aus und ging zu Bett. Aber noch vor dem Einschlafen mußte ich immer darüber nachdenken, ob sie mich nicht forschend ansehe: »Ists wirklich so? Ich möchte das wissen –«

Und wenn ich in der Nacht aufwachte, da kam mir zum Bewußtsein, daß ich im Traum allerlei Leute gefragt hatte, ob es wirklich so sei oder nicht, – ohne zu wissen, was ich eigentlich meinte.

21. Kapitel

Die kleine Emly

In dem Hause von Steerforths Mutter befand sich ein Diener, der gewöhnlich zur Verfügung des jungen Herrn zu stehen hatte und von ihm auf der Universität aufgenommen worden war.

Dem Äußern nach war er ein Muster von Respektabilität. Ich glaube nicht, daß es in solcher Stellung einen respektabler aussehenden Mann geben konnte. Er trat leise auf, war äußerst still in seinem ganzen Wesen, ehrerbietig, aufmerksam, immer zur Hand, wenn er gebraucht wurde, und nie zu sehen, wenn man ihn nicht brauchte. Aber seine hervorstechendste Eigenschaft war, wie gesagt, seine Respektabilität.

Er hatte ein unbewegliches Gesicht, einen etwas steifen Nacken, einen runden, glatten Kopf mit kurzem an den Schläfen dicht anliegendem Haar, eine milde Sprechweise und eine eigentümliche Art, den Buchstaben S so deutlich zu lispeln, daß er ihn öfter als jeder andere Mensch zu gebrauchen schien. Aber auch diese Eigentümlichkeit trug nur zu seiner Respektabilität bei.

Selbst wenn seine Nase umgekehrt im Gesicht gestanden hätte, würde ihn dies wahrscheinlich noch respektabler gemacht haben. Er umgab sich mit einer Atmosphäre von Respektabilität und wandelte mit Sicherheit in ihr einher.

So durch und durch respektabel war er, daß ihn wegen irgend etwas im Verdacht zu haben, für jedermann von vornherein ausgeschlossen schien. So respektabel war er, daß sich niemand unterstanden hätte, ihm eine Livree zuzumuten, noch viel weniger eine niedrige Arbeit. Und dessen waren sich die weiblichen Dienstboten des Hauses so sehr bewußt, daß sie sich solcher Arbeit stets aus freien Stücken unterzogen und das meistens, während er am Herdfeuer die Zeitung las.

Ich sah nie einen gesetzteren, zurückhaltenderen Menschen als ihn. Aber auch durch diese Eigenschaft erschien er noch respektabler. Sogar der Umstand, daß niemand seinen Taufnamen wußte, schien zur Hebung seiner Respektabilität beizutragen. Niemand hatte etwas einzuwenden, daß man ihn mit seinem Familiennamen Littimer rief. Ein Peter konnte gehenkt oder ein Tom deportiert werden, aber Littimer war höchst respektabel.

Ich glaube, die fast ehrwürdige Art seiner nahezu abstrakten Respektabilität war schuld, daß ich mir in seiner Gegenwart ganz besonders jung vorkam.

Wie alt er sein mochte, konnte ich nicht erraten. Und das kam ihm schon wieder zugute. Nach seiner Ruhe und Respektabilität zu schließen, konnte er ebensogut fünfzig wie dreißig Jahre sein.

Littimer brachte mir, ehe ich aufstand, das gewisse, auf mich wie ein Vorwurf wirkende Rasierwasser und meine Kleider. Als ich die Vorhänge zurückzog, um aus dem Bett zu schauen, sah ich ihn in einer gleichmäßigen Respektabilitätstemperatur, ungerührt von dem winterlichen Ostwinde draußen und in keiner Hinsicht fröstlig, meine Stiefel in die erste Tanzposition stellen und Stäubchen von meinem Rock blasen, den er so zärtlich, als wäre es ein Wickelkind, hinlegte.

Ich wünschte ihm guten Morgen und fragte ihn, wie spät es sei. Er zog eine höchst respektable Jagduhr heraus, ließ den Deckel nur halb aufspringen, spähte hinein, als ob er eine orakelfähige Auster zu Rate zöge, und sagte: »Wenn es beliebt, es ist halb neun. Mr. Steerforth wird sich freuen, zu hören, wie Sie geruht haben, Sir.«

»Ich danke«, antwortete ich, »vortrefflich. Befindet sich Mr. Steerforth wohl?«

»Ich danke Ihnen, Sir. Mr. Steerforth befindet sich recht wohl.« Es war wieder eine von Littimers Eigenheiten, daß er nie von Superlativen Gebrauch machte. Immer der kühle, ruhige Mittelweg.

»Habe ich die Ehre, sonst noch etwas für Sie zu tun, Sir? Die Frühstücksglocke wird um neun Uhr läuten. Die Familie frühstückt um halb zehn.«

»Nichts sonst. Ich danke Ihnen.«

»Ich danke Ihnen, wenn Sie erlauben«, erwiderte Littimer; und mit diesen Worten und mit einer leichten Verbeugung, wie wenn er für seine Berichtigung um Verzeihung bitten wollte, ging er hinaus und schloß die Türe so zart, als ob ich eben in einen süßen Schlummer, von dem mein Leben abhing, gesunken wäre.

Jeden Morgen fand ein Gespräch dieser Art zwischen uns statt, niemals länger und niemals kürzer. So hoch ich mich infolge von Steerforths Gesellschaft, Mrs. Steerforths Vertrauen oder meiner Unterhaltung mit Miss Dartle dem Alter entgegengereift wähnte, vor diesem so respektablen Mann wurde ich jedesmal wieder zum Kinde.

Er besorgte Pferde für uns, und Steerforth, der alles konnte, gab mir Reitstunden. Er besorgte uns Florette, und Steerforth unterrichtete mich im Fechten – Handschuhe, und ich nahm Boxstunden. Es verletzte mich nicht, vor Steerforth als Neuling in allen diesen Künsten zu erscheinen, aber unerträglich war es mir, meinen Mangel an Geschicklichkeit vor dem so respektablen Littimer sehen zu lassen. Ich hatte gar keinen Grund, zu glauben, daß er selbst von allen diesen Dingen etwas verstünde. Nicht durch das geringste Zucken auch nur eines seiner respektablen Augenlider ließ er so etwas ahnen. Aber wenn er nur bei unseren Übungen anwesend war, kam ich mir schon als der grünste und unerfahrenste aller Sterblichen vor.

Die Woche verstrich in der angenehmsten Weise. Ich lernte Steerforth noch besser kennen und aus tausend Gründen noch mehr bewundern. Seine ungenierte Weise, mich wie ein Spielzeug zu behandeln, war mir lieber als jedes andere Benehmen, das er mir hätte zeigen können. Es erinnerte mich an die Zeit unserer frühern Bekanntschaft, erschien mir als eine natürliche Folge derselben, zeigte mir, daß er noch ganz der alte war, und befreite mich von jedem unangenehmen Gefühl, das ein Nebeneinanderstellen seiner und meiner Eigenschaften hätte verursachen können. Vor allem aber war es seine vertrauliche, ungezwungene und herzliche Art, weil er sie gegen niemand sonst zur Schau trug, die mich annehmen ließ, er behandle mich, wie schon damals in der Schule, auch jetzt im Leben anders als irgendeinen seiner Freunde. Ich glaubte seinem Herzen näherzustehen als alle andern und glühte vor Liebe zu ihm.

Er entschloß sich, mit mir auf das Land zu gehen, und der Tag unserer Abreise kam heran. Anfangs schwankte er, ob er Littimer mitnehmen solle oder nicht, entschied sich aber dann, ihn zu Hause zu lassen.

Der respektable Mann war selbstverständlich zufrieden und befestigte unsere Manteltaschen auf dem kleinen Wagen, der uns nach London bringen sollte, so sorgfältig, als müßten sie dem Sturm von Jahrhunderten trotzen, und nahm meine bescheiden hingehaltene Gabe mit unerschütterlicher Miene entgegen.

Wir sagten Mrs. Steerforth und Miss Dartle Adieu unter vielen Danksagungen meinerseits und vielen Freundschaftsbezeigungen von seiten Steerforths zärtlicher Mutter. Das letzte, was ich sah, war Littimers unbewegtes Auge. Es war voll der Überzeugung, wie ich mir einbildete, daß ich wirklich sehr jung sei.

Meine Empfindungen bei einer so glücklichen Rückkehr zu der alten trauten Umgebung will ich nicht zu beschreiben versuchen. Von London aus nahmen wir die Post. So sehr lag mir die Ehre von Yarmouth am Herzen, daß ich sehr erfreut war, als Steerforth während der Fahrt durch die dunklen Gassen nach dem Gasthof sagte, es sei ein gutes, verrücktes, abgelegenes Loch.

Wir begaben uns gleich nach der Ankunft zu Bett (ich bemerkte ein paar schmutzige Schuhe und Gamaschen, die meinem alten Freund, dem »Delphin« gehörten) und frühstückten spät am Morgen. Steerforth, der sehr gut aufgelegt war, hatte schon vorher einen Spaziergang am Strande gemacht und, wie er sagte, bereits die Hälfte der Fischer kennengelernt. Er hätte bestimmt, wie er sagte, in der Ferne Mr. Peggottys Haus mit dem rauchenden Ofenrohr gesehen und große Lust gefühlt, hinzugehen, die Tür zu öffnen und sich in meinem Namen vorzustellen.

»Wann willst du mich dort einführen, Daisy?« fragte er. »Ich stehe ganz zu deiner Verfügung. Arrangiere du.«

»Nun, Steerforth, ich denke, heute abend wäre die beste Zeit.

Da sitzen sie alle um das Feuer. Ich möchte, daß du sie siehst, wenn es gerade am gemütlichsten ist.«

»Also gut, heute abend.«

»Ich werde ihnen natürlich nichts von unserm Hiersein sagen lassen. Wir müssen sie überraschen!«

»Natürlich«, sagte Steerforth. »Es wäre sonst kein Spaß dabei. Wir müssen die Eingeborenen in ihrem Naturzustand sehen.«

»Obgleich sie – ein ›gewisser Schlag Leute sind‹, wie du einmal sagtest«, bemerkte ich.

»Aha. Du erinnerst dich also an mein Geplänkel mit Rosa«, sagte er mit einem raschen Blick. »Verdammtes Frauenzimmer! Ich fürchte mich fast vor ihr. Sie verfolgt mich wie ein Kobold. Aber weg mit ihr! – Was gedenkst du jetzt zu tun? Wie ich vermute, willst du deine alte Kindsfrau besuchen.«

»Freilich wohl«, sagte ich, »Peggotty muß ich zuerst besuchen.«

»Gut«, antwortete Steerforth und sah auf die Uhr. »Genügt es dir, um dich auszuweinen, wenn ich dich ein paar Stunden allein lasse?« Ich erwiderte lachend, ich glaubte bis dahin fertig sein zu können. Daß er aber auch kommen müßte, denn sein Ruhm sei ihm so voraus geeilt, daß er eine ebenso wichtige Person wäre wie ich.

»Ich werde kommen, wohin du willst, und alles Gewünschte vollbringen. Sage mir nur, wohin ich kommen soll, und in zwei Stunden werde ich mich in jedem gewünschten Zustand vorstellen, gleichgültig, ob sentimental oder humoristisch.«

Ich gab ihm genaueste Anweisungen, damit er die Wohnung Mr. Barkis' – »Fuhrmann nach Blunderstone und andern Orten« – auffinden könne, und ging dann allein aus.

Die Luft war scharf, die Erde trocken, die See gekräuselt und klar, die Sonne verbreitete reiches Licht, wenn auch wenig Wärme, und alles erschien munter und frisch. Ich selbst fühlte mich in meiner Freude, hier zu sein, so glücklich, daß ich am liebsten die Leute auf der Straße angehalten und ihnen die Hände geschüttelt hätte.

Die Straßen kamen mir natürlich eng und klein vor, wie es immer der Fall ist, wenn man in reiferem Alter die Umgebung der Kinderjahre wiedersieht. Aber ich hatte keinen Fleck vergessen und fand nichts verändert, bis ich an Mr. Omers Laden kam. *Omer & Joram* stand, wo früher bloß Omer gestanden hatte, aber die Inschrift: »Tuchhändler, Schneider, Mützenmacher, Leichenbesorger usw.« war geblieben.

Im Hintergrund des Ladens erblickte ich eine hübsche Frau, die ein kleines Kind in ihren Armen schaukelte, während sich ein zweites, etwas größeres, an ihre Schürze klammerte. Unschwer erkannte ich in ihnen Minnie und deren Kinder. Die Glastür des Hinterzimmers stand nicht offen, aber aus dem Arbeitsschuppen klang in gedämpften Tönen die alte Weise, als ob sie nie aufgehört hätte.

»Ist Mr. Omer zu Hause?« fragte ich eintretend. »Ich möchte ihn gern einen Augenblick sehen.«

»O ja, Sir, er ist zu Hause«, sagte Minnie. »Bei solchem Wetter erlaubt ihm sein Asthma nicht auszugehen. Joe, ruf den Großvater.«

Der kleine Kerl an der Schürze stieß einen so lauten Ruf aus, daß er selbst sofort darüber ganz bestürzt war und sein Gesicht in den Kleidern der Mutter versteckte. Dann hörte ich ein Keuchen und Husten näher kommen, und bald darauf stand Mr. Omer, noch kurzatmiger als ehemals, aber nicht viel älter aussehend, vor mir.

»Diener, Sir«, sagte Mr. Omer, »womit kann ich Ihnen dienen, Sir?«

»Sie können mir die Hand schütteln, Mr. Omer«, sagte ich und streckte die meinige aus. »Sie waren einmal sehr freundlich zu mir, und ich glaube nicht, daß ich damals meine Erkenntlichkeit gebührend an den Tag legte.«

»So. War ich das?« fragte der Alte. »Freut mich, es zu hören, aber ich kann mich nicht mehr erinnern. Wissen Sie auch gewiß, daß ich es war?«

»Ganz gewiß.«

»Ich glaube, mein Gedächtnis ist so kurz geworden wie mein Atem«, sagte Mr. Omer und sah mich kopfschüttelnd an. »Ich kann mich Ihrer nicht erinnern.«

»Wissen Sie nicht mehr, wie Sie auf meine Ankunft in der Postkutsche warteten? Wie ich dann hier frühstückte und wir zusammen nach Blunderstone hinüberfuhren? Sie und ich und Mrs. Joram und auch Mr. Joram, die damals noch nicht verheiratet waren!«

»Gott im Himmel!« rief Mr. Omer nach einem Hustenanfall überrascht. »Was Sie sagen! Minnie, mein Kind, erinnerst du dich? Lieber Himmel, ja. Es war eine Dame damals, glaube ich?«

»Meine Mutter«, bestätigte ich.

»O gewiß«, sagte Mr. Omer und tupfte mir mit dem Zeigefinger auf die Weste, »und ein kleines Kind war auch dabei. Sie wurden miteinander begraben. Drüben in Blunderstone, ganz recht. O Gott! Wie haben Sie sich seitdem immer befunden?«

»Sehr gut!« und ich sagte, ich hoffte dasselbe von ihm.

»Nun, ich kann mich nicht beklagen. Mein Atem wird kurz, aber daß er mit den Jahren nicht länger wird, ist begreiflich. Ich nehme es, wie es kommt und nehme es von der besten Seite. Das ist immer noch das Gescheiteste, nicht wahr?«

Er hustete wieder, weil er so hatte lachen müssen, und seine Tochter, die dicht neben ihm stand, stützte ihn und ließ ihr Kleinstes auf dem Ladentisch strampeln.

»Mein Gott! Freilich ja«, fuhr Mr. Omer fort. »Zwei auf einmal. Damals auf der Fahrt wurde der Hochzeitstag für meine Minnie festgesetzt. Bestimmen Sie den Tag, Mr. Omer, sagte Joram damals zu mir, und Minnie redete mir auch zu. Und jetzt ist er mit im Geschäft. Sehen Sie mal her: das Jüngste!«

Minnie lachte und strich sich das Haar an den Schläfen glatt, während ihr Vater dem strampelnden Kind einen seiner fetten Finger hinhielt.

»Zwei auf einmal, natürlich!« und er nickte gedankenvoll. »Ganz richtig. Und Joram arbeitet grade heute wieder an einem grauen mit Silbernägeln; ungefähr diese Größe«, und er deutete auf das strampelnde Kind auf dem Ladentisch.

»Aber wollen Sie nicht etwas genießen?«

Ich lehnte dankend ab.

»Warten Sie mal«, sagte Mr. Omer. »Barkis, dem Fuhrmann seine Frau, die Peggotty, hat sie nicht was mit Ihrer Familie zu tun? Sie stand doch bei Ihnen in Diensten, nicht?«

Ich bejahte, was ihn sehr befriedigte.

»Ich glaube wahrhaftig, mein Atem wird nächstens besser, da mein Gedächtnis sich so erholt! Denken Sie sich, Sir, wir haben hier bei uns in der Lehre eine junge Verwandte von ihr, die einen so feinen Geschmack in der Putzmacherei entwickelt, daß es eine Herzogin nicht mit ihr aufnehmen kann.«

»Doch nicht die kleine Emly?« fuhr es mir heraus.

»Emily heißt sie«, sagte Mr. Omer, »und klein ist sie auch. Aber ich sage Ihnen, eine Larve hat sie, daß die Hälfte der Frauenzimmer in Yarmouth wütend ist.«

»Dummes Zeug, Vater!« rief Minnie.

»Meine Liebe«, sagte Mr. Omer, »ich meine doch nicht dich«, – er zwinkerte mir zu – »ich meine bloß eine Hälfte der Frauenzimmer von Yarmouth und fünf Meilen im Umkreis.«

»Sie hätte eben nicht großtun sollen, Vater«, sagte Minnie »und den Leuten keinen Anlaß geben, von ihr zu reden, dann hätten sie es nicht tun können.«

»Hätten es nicht tun können! Ist das deine Lebenserfahrung? Was könnte ein Frauenzimmer nicht tun, – besonders wenn es sich um das hübsche Gesicht einer andern handelt!«

Ich dachte schon, Mr. Omers letzte Stunde sei gekommen. Er hustete so stark und konnte so wenig Luft kriegen, daß ich jeden Augenblick erwartete, seinen Kopf hinter dem Ladentisch verschwinden und seine kleinen schwarzen Beine mit den Schleifen am Knie im Todeskampf emporzappeln zu sehen. Endlich erholte er sich wieder, mußte sich aber erschöpft niedersetzen.

»Sehen Sie«, fing er atemlos wieder an und trocknete sich die Glatze ab. »Emly hat sich hier weder an Bekannte noch Freunde angeschlossen, geschweige denn sich einen Liebsten angeschafft. Natürlich heißt es gleich, sie wolle die vornehme Dame spielen.

Bloß weil sie manchmal in der Schule gesagt hatte, wenn sie eine vornehme Dame sei, wolle sie ihrem Onkel das oder jenes kaufen.«

»Das hat sie mir tausendmal gesagt, als wir noch Kinder waren«, bestätigte ich eifrig.

Mr. Omer nickte und rieb sich das Kinn. »Ganz recht! Dann verstand sie, sich mit sehr geringen Mitteln viel besser zu kleiden als andere sich mit großem Aufwand, und das machte die Sache ganz schlimm. Übrigens war sie ja ein wenig, was man eigensinnig nennen könnte. Hatte sich vielleicht nicht so ganz im Zaum, war ein bißchen verzogen und konnte am Anfang nicht recht still sitzen. Mehr kann man doch nicht gegen sie sagen, Minnie!«

»Nein, Vater«, bestätigte Mrs. Joram, »Schlimmeres gewiß nicht.«

»Als sie daher eine Stellung bekam und einer alten verdrießlichen Dame Gesellschaft leisten sollte, vertrug sie sich nicht mit ihr und blieb nicht. Schließlich kam sie zu uns auf drei Jahre in die Lehre. Zwei davon sind fast vorbei, und wir haben noch kein so gutes Mädchen gehabt. Sie wiegt sechs andere auf. Wiegt sie nicht sechs andere auf, Minnie?«

»Ja, Vater«, entgegnete Minnie, »ich sage ihr doch nichts Unrechtes nach.«

»Sehr gut«, sagte Mr. Omer, »so lasse ich mirs gefallen.«

»Und jetzt, junger Herr«, setzte er hinzu, nachdem er sich noch ein Weilchen das Kinn gerieben hatte, »damit Sie mich nicht für ebenso langatmig wie kurzatmig halten, rede ich weiter nichts mehr.«

Da das ganze Gespräch in leisem Ton geführt worden war, bezweifelte ich nicht, daß Emly in der Nähe sei. Auf meine Frage nickte Mr. Omer bejahend und deutete nach der Tür des Hinterstübchens. Man hatte nichts dagegen einzuwenden, daß ich einen Blick hineinwerfen zu dürfen bat, und so sah ich denn Emly durch die Glasscheibe bei ihrer Arbeit sitzen.

Sie war ein wunderliebes niedliches Geschöpf geworden, die klaren, blauen Augen, die einst so tief in mein Kinderherz ge-

blickt hatten, jetzt lachend einem von Minnies Kleinen zugewandt, das in ihrer Nähe spielte. Es lag genug von dem alten
Mutwillen in ihnen, um begreiflich erscheinen zu lassen, was ich
eben gehört hatte. Aber nichts, was nicht von Güte und Glück
sprach und auf ebensolche Lebensführung hinwies.

Die Weise vom Hof drüben, die nie aufgehört zu haben schien
– es war wohl eine Weise, die nie aufhört –, hämmerte leise die
ganze Zeit hindurch.

»Wollen Sie nicht hineingehen und mit ihr sprechen?« fragte
Mr. Omer. »Tun Sies doch, Sir! Tun Sie doch, als ob Sie zu Hause
wären.«

Ich war zu befangen dazu und fürchtete, Emly und mich in
Verlegenheit zu bringen. Aber ich erkundigte mich nach der
Stunde ihres Fortgehens, um die Besuchszeit bei ihren Verwand-
ten danach einrichten zu können, und nahm Abschied von Mr.
Omer, seiner hübschen Tochter und ihren kleinen Kindern.
Dann machte ich mich auf den Weg zu meiner guten, alten Peg-
gotty. –

In der mit Ziegelstein gepflasterten Küche stand sie und
kochte das Mittagessen. Auf mein Klopfen hatte sie mir die Türe
aufgemacht und fragte, was ich wünschte. Ich sah sie mit einem
Lächeln an, aber ihre Miene blieb ganz verständnislos. Wohl
hatte ich nie aufgehört, ihr zu schreiben, aber es waren fast sieben
Jahre her, seit wir einander nicht gesehen.«

»Ist Mr. Barkis zu Hause, Ma'am?« fragte ich mit verstellter
lauter Stimme.

»Er ist zu Hause, Sir«, antwortete Peggotty, »aber er liegt an
der Gicht.«

»Fährt er jetzt nicht nach Blunderstone?«

»Nur wenn er gesund ist.«

»Fahren Sie manchmal hinüber, Mrs. Barkis?«

Sie sah mich aufmerksamer an, und ich bemerkte, wie ihre
Hände unruhig wurden.

»Weil ich mich dort nach einem Hause erkundigen möchte,
das sie – hm – wie heißt es nur – ›Krähenhorst‹ nennen.«

Sie trat einen Schritt zurück und streckte in ungewisser Angst die Hände aus, als wollte sie mich zurückhalten.

»Peggotty!« rief ich ihr zu.

Sie schrie auf. »Mein lieber, lieber Junge!« Wir brachen beide in Tränen aus und lagen uns in den Armen.

Peggotty wußte sich gar nicht zu fassen. Sie lachte und weinte abwechselnd vor Stolz und Freude. Wie sie jammerte, daß sie mich so lange nicht zärtlich ans Herz hatte schließen können, kann ich nicht übers Herz bringen zu erzählen. Nicht einen Augenblick quälte mich der Gedanke, es könnte kindisch aussehen, daß ich ihre Rührung teilte. Ich habe in meinem ganzen Leben noch nie so gelacht und geweint, gern gestehe ich es ein, wie an diesem Morgen.

»Und Barkis wird sich freuen!« sagte sie und trocknete sich die Augen mit der Schürze, »es wird ihm mehr helfen als ganze Töpfe voll Salbe. Kann ich hinaufgehen und ihm sagen, daß du hier bist? Willst du nicht mit hinaufkommen und ihn besuchen, mein Liebling?«

Natürlich wollte ich. Aber Peggotty brauchte sehr lange, denn sooft sie die Türe erreichte und sich nach mir umsah, fiel sie mir immer wieder lachend und weinend um den Hals. Endlich, um die Sache abzukürzen, ging ich selbst hinauf mit ihr und trat, nachdem ich ein wenig draußen gewartet hatte, um ihr Zeit zu lassen, Mr. Barkis auf mein Kommen vorzubereiten, in das Krankenzimmer.

Mr. Barkis nahm mich mit sichtlichem Entzücken auf. Er war zu gichtisch, um mir auch nur die Hand reichen zu können, und bat mich, statt dessen die Trottel an seiner Zipfelmütze zu schütteln, was ich mit Herzlichkeit tat. Als ich an seinem Bette saß, sagte er, er fühle sich so wohl wie damals, als er mich mit der Kutsche nach Blunderstone gefahren hatte. Er sah höchst wunderlich aus so zugedeckt im Bett, daß man bloß sein Gesicht sehen konnte.

»Was für einen Namen schrieb ich damals im Wagen an, Sir?« fragte er mit einem leisen rheumatischen Lächeln.

»Ach, Mr. Barkis, wir hatten schon damals eine sehr wichtige Unterhaltung über diesen Punkt, nicht wahr?« sagte ich.

»Ich ›wollte‹ lange Zeit, Sir.«

»Ja, ja, lange Zeit.«

»Und ich bereue es nicht«, sagte er. »Erinnern Sie sich noch, wie Sie einmal erzählten, daß sie alle Apfeltorten machte und das Kochen besorgte?«

»O, recht gut.«

»Es war so wahr wie Kohlrübe«, sagte Mr. Barkis. »Es war so wahr«, und er schüttelte die Nachtmütze, was seine höchste Begeisterung ausdrückte, »wie die Steuern, und nichts ist so wahr wie die.«

Er wandte mir seine Augen zu, als ob er meine Zustimmung erwartete. Ich gab ihm recht.

»Nichts ist so wahr und wirklich wie die Steuern«, wiederholte er. »Wenn ein Mann, so arm wie ich, im Bett liegen muß, dann findet er das bald heraus. Ich bin ein sehr armer Mann, Sir!«

»Es tut mit leid, das zu hören, Mr. Barkis.«

»Ein sehr armer Mann, ja, das bin ich!«

Er brachte jetzt langsam seine Hand unter der Bettdecke hervor und tastete nach einem Stock, der neben dem Bette hing. Damit tappte er eine Weile unter das Bett, während sich sein Gesicht auf die seltsamste Weise verzog, bis er auf einen Koffer stieß, dessen eines Ende ich längst hervorstehen sehen hatte. Dann glätteten sich seine Züge wieder.

»Alte Kleider«, sagte er.

»So, so!«

»Ich wollte, es wäre Geld, Sir.«

»Ich wünschte es Ihnen auch«, gab ich zur Antwort.

»Aber es ist keins«, sagte Mr. Barkis und riß seine Augen, soweit er nur konnte, auf.

Ich versicherte ihm, daß ich dies vollkommen glaube, und er fuhr fort, indem er seine Frau mit freundlicheren Augen ansah:

»Sie ist die nützlichste und beste aller Frauen, C. P. Barkis! Alles Lob, das man C. P. Barkis nachsagen kann, verdient sie und noch mehr. Meine Liebe, du wirst heute für Gäste kochen. Was Gutes zu essen und zu trinken, was?«

Ich hätte gegen diesen unnötigen Ehrenbeweis Einwand erhoben, aber Peggotty machte ein so furchtbar ängstliches Gesicht und gab mir allerhand Zeichen, daß ich schwieg.

»Ich muß hier irgendwo ein bißchen Geld haben, meine Liebe«, sagte Mr. Barkis. »Ich bin recht müde jetzt. Wenn du mit Master David mich ein bißchen nicken lassen möchtest, will ich nachsehen, wenn ich aufwache.«

Wir verließen das Zimmer, wie er wünschte. Draußen erzählte mir Peggotty, daß er, jetzt noch ein bißchen knickeriger als früher, stets zu dieser List seine Zuflucht nähme, bevor er mit einem einzigen Geldstück aus seinem Schatz herausrücke. Er litte dabei unsägliche Schmerzen, weil er jedesmal ohne Beistand aus dem Bett kriechen müßte, um den unglückseligen Koffer aufzusperren.

Wirklich hörten wir ihn jetzt drinnen jämmerlich stöhnen, weil dieses einer Elster würdige Beginnen ihm sehr weh tat.

Peggottys Augen standen voll Tränen aus Mitleid für ihn, aber sie meinte, seine Freigebigkeit würde ihm nur gut tun, und man trete ihm am besten nicht entgegen. So stöhnte er weiter, bis er wieder im Bett lag, schmerzensreich wie ein Märtyrer, und uns dann hereinrief und vorgab, soeben von einem erquickenden Schlummer erwacht zu sein und eine Guinee unter dem Kopfkissen gefunden zu haben. Seine Befriedigung, uns so hinters Licht geführt und das undurchdringliche Geheimnis des Geldkoffers so glücklich vor uns bewahrt zu haben, schien ihn hinlänglich für die ausgestandenen Qualen zu entschädigen.

Ich bereitete Peggotty auf Steerforths Ankunft vor, die nicht lange auf sich warten ließ. Ich bin überzeugt, es war für meine alte Kindsfrau gleichbedeutend, ob er ihr Wohltäter oder mein Freund war; sie hätte ihn in beiden Fällen nicht mit größerer Dankbarkeit und Ergebenheit aufnehmen können. Seine heitere frische Laune, sein offnes Benehmen, sein liebenswürdiges Auge, seine Gabe, sich jeder Lage anzupassen, und wenn er wollte, jedes Herz zu erobern, gewann auch sie in weniger als fünf Minuten.

Schon sein Benehmen gegen mich würde ihr genügt haben. Er blieb mit mir zum Essen da – wenn ich sagte: bereitwillig, würde ich nur unvollkommen seine freudige Beistimmung ausdrücken. Er kam in Mr. Barkis Zimmer wie Luft und Licht und hellte es auf wie ein schöner Tag. Nicht die Spur Gezwungenes und Gewolltes lag in seinem Tun und Lassen. Alles an ihm war von unbeschreiblicher Leichtigkeit, so reizvoll, natürlich und angenehm, daß es noch heute in der Erinnerung einen überwältigenden Eindruck auf mich macht.

Wir verbrachten unsere Zeit fröhlich in dem kleinen Wohnzimmer, wo das Märtyrerbuch unberührt und aufgeschlagen wie damals auf dem Pulte lag, und ich betrachtete die schrecklichen Bilder. Als Peggotty von diesem Zimmer als von dem meinigen sprach, hatte ich kaum Zeit, Steerforth einen Blick zuzuwerfen, da hatte er schon die ganze Sachlage erfaßt. »Natürlich«, sagte er, »solange wir in Yarmouth bleiben, schläfst du hier und ich im Gasthaus.«

»Dich zu einer so langen Reise bewogen zu haben, um dich dann allein zu lassen, scheint mir wenig freundschaftlich zu sein, Steerforth«, wandte ich ein.

»Aber um Gotteswillen! Wohin gehörst du von Rechts wegen?« sagte er. »Was heißt das: ›es scheint‹?« Und damit war die Angelegenheit ein für allemal erledigt.

Er blieb unverändert liebenswürdig bis zum letzten Augenblick, wo wir uns – um acht Uhr – nach Mr. Peggottys Boot auf den Weg machten. Seine Eigenschaften traten, je später es wurde, immer glänzender hervor, und schon damals schien es mir, als ob sein Wunsch zu gefallen, ihn mit einer vermehrten Sinnesschärfe ausstattete und in seinem Bestreben noch unterstützte.

Wenn mir damals jemand gesagt hätte, daß alles das nichts als ein glanzvolles Spiel sei, nichts als flüchtiges Vergnügen und gedankenlose Lust, ein Übergewicht an den Tag zu legen in bloßer leichtsinniger Sucht etwas zu gewinnen, was ihm wertlos schien und in der nächsten Minute weggeworfen werden sollte, – wenn mir jemand an diesem Abend so etwas gesagt haben würde, ich weiß nicht, in welcher Weise ich meiner Entrüstung Luft gemacht hätte. Wahrscheinlich würde es mein romantisches Gefühl von Treue und Freundschaft, mit dem ich jetzt neben ihm herging, über die winterlich dunkeln Dünen nach dem alten Boot, während der Wind noch klagender um uns pfiff als an jenem Abend, wo ich zuerst über Mr. Peggottys Schwelle trat, nur noch verstärkt haben.

»Es ist eine wilde Gegend, Steerforth, nicht wahr?« begann ich.

»Unheimlich genug in der Finsternis«, sagte er. »Die See brüllt, als hungerte ihr nach uns –. Ist dort das Boot, wo das Licht schimmert?«

»Es ist das Boot«, sagte ich.

»Es ist dasselbe, das ich heute früh schon sah. Ich ging aus Instinkt direkt darauf los, glaube ich.«

Wir schwiegen, als wir uns dem Lichte näherten, und gingen leise auf die Türe zu. Ich legte meine Hand auf die Klinke, Steerforth zuflüsternd, sich dicht an mich zu halten. Dann trat ich ein.

Ein Stimmengemurmel war bis heraus gedrungen, und im Augenblick unseres Eintritts hörten wir noch ein Händeklatschen. Ich war sehr erstaunt, als ich sah, daß dieses Geräusch von der sonst so trostlosen Mrs. Gummidge stammte.

Aber Mrs. Gummidge war nicht die einzige Person, die heut so ungewöhnlich erregt schien. Mr. Peggotty, dessen Gesicht von ungewöhnlicher Befriedigung leuchtete, und der aus vollem Halse lachte, hatte seine sehnigen Arme weit geöffnet, um die kleine Emly darin aufzunehmen. Ham, mit einem Gemisch von Bewunderung, Entzücken und ungeschickter Befangenheit, die ihm sehr gut stand, hielt die Kleine an der Hand, wie wenn er sie Mr. Peggotty vorstellen wollte. Emly selbst, rot und verschämt, aber entzückt über Peggottys Freude, wie deutlich in ihren strahlenden Augen zu lesen war, hielt nur unser Eintritt ab (sie war die erste, die uns sah), sich an Mr. Peggottys Brust zu werfen.

So stellte sich uns dieses Bild dar, als wir aus der dunklen kalten Nacht in die warme helle Stube traten, – mit Mrs. Gummidge im Hintergrund, die wie eine Verrückte in die Hände klatschte.

Das Bild löste sich bei unserm Eintritt so rasch auf, daß man an seinem frühern Vorhandensein hätte zweifeln können. Ich stand mitten unter der erstaunten Familie dicht vor Peggotty und hielt ihm die Hand hin. Da schrie Ham auf:

»Masr Davy. Es is Masr Davy.« Im nächsten Augenblick schüttelten wir uns die Hände, fragten einander, wie es uns ginge, beteuerten, wie froh wir wären, uns zu sehen, und sprachen alle durcheinander.

Mr. Peggotty war so stolz und überglücklich, daß er gar nicht reden konnte und mir in einem fort die Hand drückte, dann Steerforth und wieder mir. Dann wühlte er in seinem struppigen Haar und lachte so freudig und triumphierend, daß es eine Wonne war, ihn anzuschauen.

»Daß die beiden Genlmn, wirklich erwachsene Genlmn, grade heute abends kommen mußten!« sagte Mr. Peggotty, »so etwas ist ganz gewiß noch nicht in der Welt passiert. Emly, mein Liebling, komm her. Komm her, du kleine Hexe. Das ist Masr Davys Freund! Dat is der Herr, von dem du all hört hest, Emly! Er kommt und besucht dich mit Masr Davy an dem glücklichsten Abend, den dein Onkel jemals erlebt hat und erleben wird! Riemen platt und ein Hurra für ihn!«

Nachdem Mr. Peggotty alles das in einem Atem und mit außerordentlicher Lebhaftigkeit und Freude gesprochen, nahm er das Gesicht seiner Nichte zwischen seine beiden Hände, küßte es wohl ein dutzendmal, legte es mit einem Ausdruck von zärtlichem Stolz und Liebe an seine Brust und streichelte es so mild, als wäre seine Hand eine Damenhand. Dann ließ er sie wieder los, und während sie sich in mein früheres kleines Schlafzimmer flüchtete, sah er uns alle ganz erhitzt und atemlos mit ungewöhnlicher Befriedigung an.

»Wenn Sie beide Genlmn, jetzt erwachsene Genlmn und solche Genlmn –«, begann er.

»Dat sün sei – dat sün sei«, rief Ham dazwischen, »gut seggt. Dat sün sei, Masr Davy –, erwachsene Genlmn – dat sün sei!«

»– wenn Sie beide Genlmn –, erwachsene Genlmn«, sagte Mr. Peggotty, »mir auch vor übelnehmen, daß ich so unter vollen Segeln bin –, wenn Sie wüßten, – warum –, so muß ich Sie um Verzeihung bitten. Emly, lieber Schatz! – aha, sie merkt, daß ichs erzählen will« – er hatte wieder einen Freudenausbruch – »und hat sich aus dem Staub gemacht. Willst du nicht so gut sein, nach ihr zu sehen, Mutting!«

Mrs. Gummidge nickte und verschwand.

»Wenn das nicht der schönste Abend meines Lebens ist«, sagte Mr. Peggotty und nahm bei uns vor dem Feuer Platz, »so will ich eine Krabbe sein und noch dazu eine gekochte, und mehr kann ich nicht sagen. Die kleine Emly da, Sir«, fügte er leise zu Steerforth hinzu, »die da so rot wird –.« Steerforth nickte nur, aber mit einem so liebenswürdigen Ausdruck von Anteilnahme, daß Mr. Peggotty es wie eine Antwort auffaßte.

»So ist es! Das ist sie und so ist sie. Schoin Dank, Sir.«

Ham nickte mir mehrere Male zu, als ob er mir dasselbe sagen wollte.

»Üns lütt Emly«, fuhr Mr. Peggotty fort, »ist in unser Huus wesen, was nur ein klein helläugiges Geschöpf in einem Haus sein kann. – Is nich mien Kind, hatte nie eins. Aber ich könnte sie nicht lieber haben. Sie verstehen! – Könnte nich.«

»Ich verstehe«, sagte Steerforth.

»Das weiß ich, Sir, und schoin Dank! Masr Davy weiß noch, was sie war. Sie selber können mit eignen Augen sehen, was sie jetzt ist. Aber keiner von Ihnen kann wissen, was sie meinem Herzen war, ist und noch sein wird. Ich bin rauh, Sir, rauh wie ein Seeigel, aber niemand, nur eine Frau vielleicht, kann wissen, was lütt Emly für mich ist. Und unter uns gesagt«, fügte er ganz leise hinzu, »die Frau, die das begriffe, ist nicht einmal Missis Gummidge, wenn sie auch bannich veel Verdienst hett.«

Er fuhr sich wieder mit beiden Händen durch die Haare und sprach weiter.

»Nun war da eine gewisse Person, die unsre Emly von der Zeit, als ihr Vater ertrank, kannte, und sie immer vor Augen gehabt hat. Als Baby, junge Deeren, als Weib. Nich von besonnern Ansehen, die Person. Etwa nach meiner Art. Rauh – n beeten Südwester sehr salzig – aber im ganzen ein ehrlichen Kerl, und das Herz am rechten Fleck.«

Ich glaube, ich habe Ham noch nie so fürchterlich grinsen sehen wie damals.

»Und was tut diese gesegnete Teerjacke nun?« fuhr Mr. Peggotty fort, und sein Gesicht strahlte wie ein Vollmond vor Wonne, »verliert sien Herz an üns lütt Emly. Läuft ihr Tach und Nacht im Kielwasser, macht sich zu ihren Sklaven, verliert sien ganz Takelage und gesteht mir die Havarie. Natürlich hätt ich gern gesehen, daß unsre kleine Emly sich gut verheiratet. Hätte bei jedem Wetter einen ehrenhaften Mann, der ein Recht hat, sie in Schutz zu nehmen, neben ihr gesehen. Weiß doch nicht, wie lang ich lebe, und wie bald ich sterben kann! Aber ich weiß, wenn ich einmal nachts draußen im Sturm kentern könnte und die Lichter der Stadt zum letztenmal glänzen sähe über den Brechern, gegen die man sich nicht halten kann, so würde ich ruhiger sinken bei dem Gedanken: dort am Ufer ist ein Mann, der fest wie Eisen zur kleinen Emly hält, die Gott segnen möge, – und kein Unheil kann ihr zustoßen, solang dieser Mann lebt.«

Mr. Peggotty schwenkte den Arm, als ob er im Ernst zum letzten Mal den Lichtern der Stadt zuwinken wollte, und fuhr dann fort, Ham zunickend:

»Also ich rate ihm, mit Emly zu sprechen. Er ist lang genug, aber blöder als ein kleiner Butt und will nicht. Red ich also mit ihr. ›Was? Ihn?‹ sagt Emly. ›Ihn, den ich so viele Jahre kenne und so gern habe? Ach, Onkel, kann ich doch nicht! Er ist so ein guter Junge.‹ Ich gebe ihr einen Kuß und sage: ›Liebes Kind, hast recht, dich offen auszuprechen, sollst nach deinem Sinn wählen und frei sein wie ein Vögelchen.‹ Dann geh ich zu ihm und sage: ›Wollte, es wäre so gewesen, aber es geht nicht. Aber ihr sollt bleiben, wie ihr wart. Und wat ick di segg, is: bliew wie früher mit ihr und bliew een Mann.‹ Und er sagt zu mir und schüttelt mir die Hand: ›Will ich‹, sagt er! Und hett dat dohn ehrlich und männlich zwei Jahre lang und wir waren zuhaus unter uns wie vordem.«

Mr. Peggottys Gesicht, dessen Ausdruck sich gemäß den verschiedenen Stadien seiner Erzählung lebhaft verändert hatte, leuchtete jetzt wieder ganz in dem früheren triumphierenden Entzücken auf, wie er eine Hand auf mein und die andere auf Steerforths Knie legte und folgende Rede zwischen uns teilte:

»Op eenmal hüt awend kommt lütt Emly von die Arbeit tohus und er mit ihr. Nicht viel Besondres bei, werden Sie sagen. Nein, is auch nich, weil er sie unter seine Obhut nimmt wie ein Bruder, by Dunkelweren und vor Dunkelweren und zu jeder Zeit. Aber diese Teerjacke nimmt mit eins ihre Hand und ruft mir ganz freudig zu: ›Dat soll mien lütt Fru weren‹; und sie sagt, halb keck, halb scheu und lachend und weinend zu mir: ›Ja, Onkel, wenn du erlaubst!‹ – Wenn ich erlaube!« schrie Mr. Peggotty mit einemmal auf und wackelte mit dem Kopf vor Freude bei dem bloßen Gedanken: »Herr, als ob ich etwas anderes tun könnte! – ›wenn du erlaubst, ich bin jetzt gesetzter und hab mirs noch einmal überlegt und will ihm eine so gute kleine Frau sein, wie mir nur möglich ist, denn er ist ein lieber, guter Mensch.‹ Und dann klatscht Missis Gummidge in die Hände wie im Theater, – und Sie beide Genlmn traten herein. So, jetzt ists draußen! Sie beide kommen also herein. Jetzt diese Stunde ists vorgefallen, und da steht der Mann, der sie heiraten wird, wenn sie aus der Lehre ist.«

Ham wankte, wie wohl begreiflich, unter dem Schlag, den ihm Mr. Peggotty in seiner unbegrenzten Freude jetzt als ein Zeichen des Vertrauens und der Freundschaft auf die Achsel gab.

Da er sich gedrungen fühlte, ebenfalls etwas zu sagen, sprach er unter vielem Stottern:

»Sie war nicht größer als Sie, Masr Davy, als Sie zuerst kamen – als ich schon dachte: wie schön sie heranwächst! Wuchs heran wie eine Blume! Ick giw mien Leben her – Masr Davy – und mit Freuden. Sie is mich mehr – als – sie is mich allens, was ich jemals brauchen kann – mehr als ick to seggen vermöchte. Ick – ich liebe sie wahr und wahramstig. Kein Genlmn auf den Land und op de See – kann sien Liewste mehr lieben als ich sie, wenn schon mancher gemeine Mann – besser sagen würde – was er meint.«

Mir kam es rührend vor, einen so handfesten Burschen wie Ham unter der Stärke seines Gefühls für das hübsche kleine Geschöpf, das sein Herz gewonnen hatte, ordentlich zittern zu sehen. Das schlichte Vertrauen, das Peggotty und er uns schenkten, rührte mich. Mich rührte überhaupt die ganze Geschichte.

Wie ich an meine Erinnerungen aus der Kindheit denken mußte, weiß ich nicht mehr. Ob noch eine leise Spur von Liebe zur kleinen Emly in mir lebte, weiß ich nicht. Ich weiß nur, daß mich alles, was ich sah, mit Freude erfüllte. Anfangs mit einer Freude, so empfindsam, daß ein klein wenig mehr sie schon zum Schmerz gemacht hätte.

Hätte ich den richtigen Ton anschlagen müssen, würde es mir kaum gelungen sein. Aber diese Rolle fiel Steerforth zu, und er führte sie mit solchem Geschick durch, daß wir uns in wenigen Minuten so ungeniert und wohl fühlten, wie nur möglich.

»Mr. Peggotty«, sagte er, »Sie sind durch und durch ein guter Kerl und verdienen so glücklich zu sein, wie Sies heute abend sind! Meine Hand darauf! – Ham, mein Junge: ich freue mich. Geben Sie mir die Hand! Daisy, schür das Feuer an und machs mal prasseln. Und Mr. Peggotty, wenn Sie Ihre kleine Nichte absolut nicht bewegen können herzukommen, gehe ich lieber. Eine solche Lücke an einem Abend wie heute möchte ich in Ihren Familienkreis nicht um alle Schätze Indiens reißen.«

Mr. Peggotty eilte in mein ehemaliges kleines Schlafzimmer, um die kleine Emly einzufangen.

Erst wollte sie nicht kommen, und dann ging Ham zu ihr. Endlich brachten sie sie – sehr scheu und verwirrt –, bald jedoch wurde sie sicherer, als sie merkte, wie rücksichtsvoll Steerforth mit ihr redete, wie geschickt er alles zu vermeiden wußte, was sie in Verlegenheit bringen konnte, wie er mit Mr. Peggotty von Booten und Schiffen, von Gezeiten und Fischen sprach, sich dann an mich wendete, als die Rede auf Mr. Peggottys Besuch in Salemhaus kam und leicht und sicher die Unterhaltung leitete. So bannte er uns alle allmählich in einen Zauberkreis, und unsere Gespräche nahmen den zwanglosesten Verlauf.

Emly sprach zwar wenig an diesem Abend, aber sie hörte aufmerksam zu. Ihr Gesicht war lebhaft und reizend hübsch.

Steerforth erzählte dann eine Geschichte von einem Schiffbruch so lebendig, als ob er sie vor sich sähe, und auch die Augen der kleinen Emly hingen an seinen Lippen, als ob auch sie das Schauspiel in Wirklichkeit miterlebte. Dann wieder kam er auf ein lustiges Abenteuer aus seinem Leben mit einer solchen Frische, als ob ihm die Geschichte so neu wäre wie uns, zu sprechen, und die kleine Emly lachte, daß das Boot von ihrer Lustigkeit widerhallte, und wir alle lachten mit, unwiderstehlich zu Steerforth hingezogen. Schließlich brachte er Mr. Peggotty dazu, zu singen oder vielmehr zu brüllen:

»Wenn die Stürme blasen, blasen, blasen usw.« und er selbst sang ein Schifferlied so ausdrucksvoll und schön, daß es mir schien, als ob selbst der Wind draußen mit zuhöre.

Was Mrs. Gummidge betrifft, so heiterte er dieses Opfer von Schwermut derartig auf, daß sie noch am nächsten Tag glaubte, behext gewesen zu sein.

Als die kleine Emly freier wurde und mit mir von unsern alten Streifungen an den Gestaden sprach und vom Muschelsuchen, und ich sie fragte, ob sie noch wisse, wie sehr ich sie geliebt habe, und wir beide dann lachten und erröteten bei diesem Rückblick an die schönen, alten Zeiten, die sich jetzt fast wie ein Traum ausnahmen, schwieg er aufmerksam still und beobachtete uns gedankenvoll.

Sie saß den ganzen Abend auf der alten Kiste in ihrer Ecke neben dem Feuer, – und an ihrer Seite, wo sonst ich gesessen hatte, Ham. Ich konnte nicht herausbekommen, ob es eine kleine Koketterie oder mädchenhafte Scheu von ihr war, daß sie sich immer dicht an der Wand und von Ham entfernt hielt, aber ich bemerkte, daß es den ganzen Abend der Fall war.

Es schlug Mitternacht, als wir Abschied nahmen. Wir hatten zum Abendessen Zwieback und gedörrten Fisch gegessen. Steerforth hatte aus seiner Manteltasche eine Flasche Wacholderbranntwein geholt, die wir Männer – ich kann es jetzt ohne Erröten sagen – wir Männer geleert hatten. Wir schieden sehr lustig voneinander, und als sie alle in der Türe standen, um uns, soweit es ging, heimwärts zu leuchten, sah ich Emlys schöne blaue Augen hinter Ham hervorschauen und hörte ihre liebliche Stimme uns vor dem schlechten Weg warnen.

»Eine allerliebste kleine Schönheit!« sagte Steerforth und nahm meinen Arm. »Es ist wirklich ein kurioses Haus und nette Leute, und es ist eine ganz neuartige Empfindung, mit ihnen umzugehen.«

»Und wie famos«, entgegnete ich, »daß wir grade zu dieser Verlobung kommen mußten! Ich habe in meinem Leben noch nicht so glückliche Menschen gesehen. Es war ganz entzückend, an ihrer ehrlichen Freude teilnehmen zu können.«

»Es ist ein tölpelhafter Kerl für das Mädchen, was?« sagte Steerforth.

Er war so herzlich gegen Ham und gegen sie alle gewesen, daß mir diese unerwartete und kalte Bemerkung einen Ruck gab. Aber als ich ihn rasch anblickte und seine lachenden Augen sah, antwortete ich ganz erleichtert:

»Ach, Steerforth. Du hast gut über die Armen scherzen. Miss Dartle kannst du wohl anführen oder deine Gefühle im Scherz vor mir zu verstellen suchen, ich aber weiß es besser. Wenn ich sehe, wie von Grund aus du sie verstehst, wie du auf das Glück dieser Fischer oder auf die Liebe meiner alten Kindsfrau eingehen kannst, weiß ich genau, daß Freude und Schmerz dieser Leute dir nicht gleichgültig sind. Und ich bewundere und liebe dich deshalb um so mehr, Steerforth.«

Er blieb stehen, sah mich an und sagte: »Daisy, ich glaube, du redest wirklich im Ernst. Du bist ein guter Kerl. Ich wollte, wir wären es alle.«

Im nächsten Augenblick sang er lustig Mr. Peggottys Lied, während wir raschen Schrittes nach Yarmouth zurückkehrten.

22. Kapitel

Alte Umgebungen und neue Menschen

Steerforth und ich blieben länger als vierzehn Tage auf dem Lande. Natürlich waren wir viel beisammen, aber mitunter trennten wir uns auf ein paar Stunden. Er war ein guter Segler und ich ein recht mäßiger, und wenn er mit Mr. Peggotty, was ihm einen Hauptspaß machte, hinausfuhr, blieb ich meistens zu Haus.

Daß ich bei Peggotty wohnte, legte mir einen Zwang auf, von dem er frei war. Da ich wußte, wie sorgsam sie Mr. Barkis pflegte, wollte ich abends nicht lang wegbleiben, wogegen Steerforth es sich im Gasthaus einrichten konnte, wie er wollte. So kam es denn, wie ich hörte, daß er noch in der Nacht, wenn wir längst im Bette lagen, den Fischerleuten im Wirtshaus »Zum guten Vorsatz« kleine Feste gab oder in Seemannskleidern ganze Mondnächte hindurch auf der See war und erst mit der Morgenflut zurückkam. Ich wußte, daß seine ruhelose Natur und sein Feuergeist sich ebenso gern in schwerer Anstrengung bei bösem Wetter Luft machten, wie in jeder andern Art Aufregung, die sich ihm darbot. Deshalb überraschte mich sein Tun nicht.

Ein anderer Grund, weswegen wir uns manchmal trennten, war mein natürlicher Wunsch, die alte vertraute Umgebung von Blunderstone zuweilen zu besuchen. Selbstverständlich konnte Steerforth, nachdem er einmal dort gewesen war, kein besonderes Interesse an dem Orte haben, und so kam es, daß wir drei oder vier Tage hindurch einander nur ganz zeitig morgens beim Frühstück sahen und erst spät abends wieder. Ich hatte keine Ahnung, was er in der Zwischenzeit trieb, und wußte nur, daß er überall sehr beliebt war und zwanzig Mittel, sich die Zeit zu vertreiben, fand, wo ein anderer auch nicht eins entdeckt hätte.

Ich für meinen Teil beschäftigte mich auf meinen einsamen Spaziergängen damit, mir jeden Schritt des alten Wegs ins Gedächtnis zurückzurufen. Ich wurde nicht müde, alte bekannte

Plätze aufzusuchen. Ich verweilte auf ihnen, wie ich es früher in Gedanken so oft getan hatte. Das Grab unter dem Baum, wo meine beiden Eltern ruhten, und bei dem ich einst so unglücklich und verlassen gestanden, als es meine gute Mutter und ihr Kind aufnahm, der Hügel, den Peggottys zärtliche Fürsorge seitdem gepflegt und in ein Gartenbeet verwandelt hatte, war mir ein Ort, an dem ich oft stundenlang verweilte. Er lag ein wenig abseits vom Hauptwege in einer stillen Ecke, aber nicht so weit weg, daß ich nicht beim Auf- und Abgehen die Leichensteine hätte lesen können.

Manchmal schreckte ich aus meinen Gedanken auf, wenn die Kirchenglocke die Stunden schlug, aus meinen Gedanken, die sich immer Luftschlösser bauten, in denen ich große Rollen im Leben spielen und große Dinge vollbringen wollte. Immer malte ich mir dabei aus, daß meine Mutter noch am Leben sei.

In dem alten Haus war vieles anders geworden. Die alten verlassenen Krähennester waren fort und die Bäume, gestutzt und verschnitten, hatten ihre alte Gestalt verloren. Der Garten war verwildert, und die Hälfte der Fenster mit Laden verschlossen. Bewohnt wurde es jetzt nur von einem armen, wahnsinnigen Herrn und seinen Wärtern. Er saß immer an meinem kleinen Fenster und sah auf den Friedhof hinaus, und ich hätte gern gewußt, ob seine wirren Gedanken sich wohl auch mit denselben Träumen beschäftigten, die mich einst an dem heitern Morgen erfüllten, wo ich aus demselben kleinen Fenster in meinem Nachtkleid herausschaute und im Schimmer der aufgehenden Sonne den friedlich weidenden Schafen zusah.

Unsere alten Nachbarn, Mr. und Mrs. Grayper, waren nach Südamerika ausgewandert, und der Regen hatte sich einen Weg durch das Dach ihres verlassenen Hauses gebahnt und die Mauern fleckig und schimmlig gemacht. Mr. Chillip war wieder mit einer langen, knochigen, großnasigen Frau verheiratet, und sie hatten ein kleines, schwächliches Kind mit einem schweren Kopf, den es nicht aufrecht halten konnte, und zwei Glotzaugen, die sich immer zu wundern schienen, warum es überhaupt auf der Welt sei.

Wenn ich auf dem nächsten Wege nach Yarmouth zurückkam, schnitt ich mit einer Fähre den beträchtlichen Umweg, den die Landstraße machte, ab. Da Mr. Peggottys Haus kaum hundert Yards vom Wege lag, stattete ich ihm im Vorbeigehen stets einen Besuch ab. Und immer wartete Steerforth dort auf mich, und dann gingen wir zusammen nach Hause.

An einem dunklen Abend – später als gewöhnlich – fand ich ihn bei meiner Heimkehr von Blunderstone in Mr. Peggottys Haus in Gedanken versunken vor dem Feuer sitzen. Er war so vertieft, daß er mein Ankommen nicht bemerkte. Das hätte auch unter andern Umständen leicht stattfinden können, da der sandige Boden draußen das Geräusch der Schritte vollständig verschlang; aber selbst mein Eintritt weckte ihn nicht auf. Ich stand dicht neben ihm und sah ihn an, aber immer noch saß er in Gedanken verloren mit düsterer Miene da.

Er fuhr derart auf, als ich ihm meine Hand auf die Schulter legte, daß ich ordentlich erschrak.

»Du kommst fast über mich wie der Geist des Vorwurfs«, rief er beinahe ärgerlich aus.

»Ich mußte mich doch auf irgendeine Weise bemerkbar machen«, entschuldigte ich mich. »Ich habe dich wohl aus allen Himmeln gerissen?«

»Nein«, antwortete er, »nein.«

»Habe ich dich gestört?« fragte ich und setzte mich neben ihn.

»Ich habe mir die Bilder im Feuer betrachtet.«

»Du zerstörst sie ja für mich«, sagte ich, als er die Flamme rasch mit einem Holzscheit schürte und eine Unmasse glimmender Funken emporschlugen und hinauf in die Esse prasselten.

»Du hättest sie doch nicht sehen können«, entgegnete er. »Mir ist diese Zwitterzeit, wo es weder Tag noch Nacht ist, verhaßt. Wie lange du ausbleibst! Wo warst du?«

»Ich habe von meinem alten Spazierweg Abschied genommen.«

»Und ich habe hier gesessen«, sagte Steerforth und sah sich im Zimmer um, »und mir bei dem öden Eindruck, den alles in dieser Stunde macht, gedacht, daß die Menschen, die wir am Abend nach unserer Ankunft hier so glücklich beisammen fanden, vielleicht bald auseinaner gerissen, tot oder wer weiß zu welchem Schaden gekommen sein können. David, bei Gott, ich wollte, ich hätte in den zwanzig Jahren meines Lebens einen einsichtsvollen Vater gehabt!«

»Aber mein lieber Steerforth, was fehlt dir denn?«

»Ich wollte von ganzem Herzen, ich wäre besser geleitet worden!« rief er aus. »Ich wollte von ganzer Seele, ich könnte mich besser beherrschen!« Es lag eine so leidenschaftliche Niedergeschlagenheit in seinen Worten, daß ich ganz erstaunt war. Er schien mehr verändert, als ich es je für möglich gehalten hätte.

»Ich wäre lieber dieser arme Peggotty oder dieser Lümmel von seinem Neffen«, sagte er, indem er aufstand und sich mit finsterer Miene an den Kamin lehnte – »als ich, der zwanzig Mal reicher und zwanzig Mal klüger ist. Lieber das, als sich selbst zur Qual sein, wie ich es mir während der letzten halben Stunde in diesem verwünschten Boote gewesen bin.«

Ich war derartig verblüfft durch sein verändertes Wesen, daß ich ihn anfangs nur stillschweigend beobachten konnte, wie er das Haupt auf die Hand gestützt trübe ins Feuer sah. Endlich bat ich ihn mit aller Aufrichtigkeit, mir zu sagen, was ihn in so ungewöhnlicher Weise bedrücke. Aber ehe ich noch ausgesprochen, fing er an zu lachen, erst ärgerlich, aber bald mit wiederkehrender Fröhlichkeit.

»Pah! Es ist nichts, Davy! Ich sagte dir doch schon in London, ich bin manchmal für mich ein öder Gesellschafter. Ich habe ein wenig Alpdrücken gehabt, das ist alles. Es gibt wunderliche Zeiten, wo einem die Ammenmärchen wieder einfallen, man weiß nicht, warum. Ich glaube, ich bin mir vorgekommen wie der böse Bube, der nicht folgen wollte und von Löwen gefressen wurde. Wahrscheinlich ist das ein grandioseres Bild für ›zum Teufel gehen‹. Was alte Weiber einen Schauder nennen, hat mich von Kopf bis zu Fuß überlaufen. Ich habe mich vor mir selbst gefürchtet.«

»Das ist wohl das einzige, vor dem du dich fürchtest, glaube ich!«

»Vielleicht! Und doch hätte ich manchmal Grund genug, mich vor allerlei zu fürchten«, antwortete er. »Basta, jetzt ists vorbei. Es wird mich nicht noch einmal überlaufen, David. Aber ich sage dir nochmals, mein guter Junge, daß es für mich und andere gut gewesen wäre, wenn ich einen festen und einsichtsvollen Vater gehabt hätte.«

Sein Gesicht war immer ausdrucksvoll, aber ich hatte noch nie einen so düstern Ernst darin bemerkt wie jetzt, wo er, in das Feuer schauend, so sprach.

»Soviel drum«, und er schnippte mit den Fingern und machte eine Handbewegung, als ob er ein Bild in der Luft verjagen wollte.

»Jetzt, wo es fort ist, bin ich wieder Mann, wie Macbeth sagt, und jetzt zum Essen, Daisy!«

»Ich möchte nur wissen, wo sie alle stecken«, sagte ich.

»Gott weiß«, sagte Steerforth. »Nachdem ich an der Fähre auf dich gewartet hatte, trat ich hier ein und fand das Haus leer. Und dann fing ich an zu grübeln, und so fandest du mich hier.«

Die Ankunft der Mrs. Gummidge mit einem Korbe erklärte, warum das Haus so lange leer gestanden. Sie war fortgegangen, um etwas zum Abendessen für Mr. Peggotty einzukaufen, wenn er mit der Flut zurückkehrte, und hatte für den Fall, daß Ham und die kleine Emly nach Hause kommen sollten, die Türe offenstehen lassen. Nachdem Steerforth Mrs. Gummidges Laune durch eine heitere Begrüßung und eine scherzhafte Umarmung sehr gehoben hatte, hängte er sich in mich ein und wir eilten fort.

Er war jetzt wieder guter Laune und unterhielt mich mit großer Lebhaftigkeit.

»Wir geben also morgen dieses Piratenleben auf, nicht wahr?« sagte er lustig.

»So haben wirs ausgemacht«, erwiderte ich, »und unsre Plätze in der Landkutsche sind schon bestellt.«

»Nun, dann kann man nichts mehr machen«, sagte Steerforth. »Ich habe fast vergessen, daß es noch etwas anderes auf der Welt zu tun gibt, als sich auf dem Meer draußen von den Wellen herumwerfen zu lassen. Ich wollte, es gäbe weiter nichts.«

»Solange die Sache neu ist«, sagte ich lachend.

»Leicht möglich«, erwiderte er, »obgleich für jemand, der so liebenswürdig und unschuldig ist wie mein junger Freund, die Bemerkung recht sarkastisch klingt. Ich weiß ja, ich bin ein launenhafter Mensch, David. Das weiß ich, aber solange das Eisen heiß ist, kann ich es auch tüchtig schmieden. Ich glaube, ich könnte schon ein ganz leidliches Examen als Lotse in diesen Gewässern ablegen.«

»Mr. Peggotty sagte, du wärest ein Wunder«, gab ich zur Antwort.

»Ein nautisches Phänomen, was!« lachte Steerforth.

»Freilich sagt er das und du weißt, mit welchem Recht, da du so eifrig betreibst, was du einmal angegriffen hast, und es so leicht bemeisterst. Was mich bei dir nur in Erstaunen versetzt, Steerforth, ist, daß du dich zufrieden gibst, deine Fähigkeiten so planlos zu verwenden.«

»Zufrieden?« antwortete er fröhlich. »Ich bin nie zufrieden, außer mit deiner Naivität, mein liebes Gänseblümchen. Und was die Planlosigkeit anbetrifft, so habe ich nie die Kunst gelernt, mich an eines der Räder, an denen sich unsre Tage herumdrehen, festzubinden. Ich habe es in einer schlechten Lehrzeit vergessen und jetzt ists mir einerlei. Du weißt doch, daß ich hier ein Boot gekauft habe?!«

»Was du für ein merkwürdiger Mensch bist«, rief ich aus und blieb stehen, denn ich hörte jetzt das erstemal davon. »Du kommst vielleicht in deinem Leben nicht wieder hierher!«

»Das weiß ich nicht gewiß. Ich habe Gefallen an dem Orte gefunden. Jedenfalls«, fuhr er fort und schlug einen hastigen Schritt ein, »habe ich ein Boot gekauft, das zum Verkauf stand. Einen

Kutter nennt es Mr. Peggotty, und er wird es während meiner Abwesenheit unter seine Obhut nehmen.«

»Jetzt verstehe ich dich, Steerforth«, sagte ich frohlockend. »Du tust, als hättest du es für dich angeschafft, willst ihm aber im Grunde ein Geschenk damit machen. Das hätte ich gleich wissen können. Das sieht dir wieder ähnlich. Mein lieber Steerforth, ich kann dir gar nicht sagen, wie mich dein Edelsinn rührt.«

»Still!« sagte er und wurde rot. »Je weniger du Worte machst, desto besser.«

»Wußte ichs nicht?« rief ich aus, »sagte ich nicht, daß Freud und Leid dieser ehrlichen Herzen dir nicht gleichgültig bleiben können?«

»Ja, ja, ja«, antwortete er. »Alles das hast du gesagt, aber jetzt hör endlich auf.«

Besorgt, ihn zu verletzen, wenn ich länger bei diesem Thema verweilte, beschäftigte ich mich bloß in Gedanken damit, während wir noch rascher als vorhin unsern Weg zurücklegten.

»Das Boot muß neu getakelt werden«, fing Steerforth wieder an. »Ich werde Littimer zur Aufsicht dalassen, bis es ganz fertig ist. Habe ich dir schon gesagt, daß Littimer angekommen ist?«

»Nein.«

»Er kam diesen Morgen mit einem Brief von meiner Mutter.«

Als sich unsre Blicke begegneten, bemerkte ich, daß Steerforth blaß bis in die Lippen war, obwohl er mich fest ansah. Ich fürchtete, ein Streit zwischen ihm und seiner Mutter habe die Stimmung veranlaßt, die ich an ihm vorhin gesehen. Ich spielte darauf an.

»Ach nein«, sagte er, schüttelte den Kopf und lachte leise auf. »Nichts derart. Ja. Er ist angekommen. Mein Bedienter. Mein Macher.«

»Immer der alte?« fragte ich.

»Ganz der alte«, sagte Steerforth. »Kalt und still wie der Nordpol. Er soll Sorge tragen, daß das Boot umgetauft wird. Es heißt jetzt ›Sturmvogel‹. Was kümmert sich Mr. Peggotty um Sturmvögel. Ich will es umtaufen lassen.«

»Wie soll es heißen?« fragte ich.

»Die kleine Emly.«

Da er mich wieder so fest ansah, hielt ich es für einen Wink, daß er nicht gelobt zu sein wünschte. Ich konnte nicht umhin, meine Freude darüber auszudrücken, machte aber wenig Worte. Da ließ er wieder, wie gewöhnlich, sein Lächeln sehen und schien erleichtert zu sein.

»Aber schau nur«, rief er. »Da kommt die kleine Emly selbst und der Bursche mit ihr. Meiner Seel, er ist der reinste Ritter. Er verläßt sie nie.«

Ham war Schiffszimmermann geworden und hatte sich in diesem Handwerk ein großes Geschick angeeignet. Er trug seinen Arbeitsrock, sah rauh genug, aber doch sehr männlich aus und schien so recht ein passender Beschützer für das kleine blühende Wesen an seiner Seite zu sein. In seinem Gesicht lag eine Offenheit, die Ehrlichkeit und sichtlicher Stolz auf seine Braut, die ihm besser standen als ein schönes Gesicht. Ich dachte mir, als sie näherkamen, wie gut sie zueinander paßten.

Emly entzog Ham schüchtern ihre Hand, als wir stehenblieben, um sie zu begrüßen, und errötete, als sie sie Steerforth und mir gab. Als sie dann wieder weitergingen, legte sie ihre Hand nicht wieder in Hams Arm, sondern ging schüchtern mit gezwungenem Wesen neben ihm her. Mir kam das alles sehr hübsch und anziehend vor, und Steerforth schien dasselbe zu denken, als wir dem im Dämmerlicht des aufgehenden Mondes verschwindenden Paar nachsahen.

Plötzlich strich – offenbar jenen folgend – ein junges Weib an uns vorbei, dessen Näherkommen wir bisher nicht bemerkt hatten.

Sie war dünn angezogen, schäbig aufgeputzt und hatte ein hageres verlebtes Gesicht. Sie schien an weiter nichts zu denken, als jenen nachzugehen. Ebenso schnell wie die beiden andern war sie unsern Blicken in dem nebelhaften Dämmer entschwunden.

»Das ist ein schwarzer Schatten, der dem Mädchen da nachfolgt«, sagte Steerforth und blieb stehen. »Was bedeutet das?«

Er sprach mit so tonloser Stimme, daß es mich fast erschreckte.

»Sie wird sie anbetteln wollen«, sagte ich.

»Eine Bettlerin wäre nichts Absonderliches«, meinte Steerforth, »aber es ist seltsam, daß die Bettlerin heute abend gerade diese Gestalt annehmen muß.«

»Warum?«

»Ich mußte an ein ähnliches Gesicht denken, als sie vorbeiging«, sagte er nach einer Pause. »Wo zum Teufel mag sie hergekommen sein?«

»Wahrscheinlich aus dem Schatten dieser Mauer«, sagte ich, als wir auf einen Weg traten, an dem eine Mauer hinlief.

»Es ist vorbei«, sagte er, über die Schulter blickend, »und möge alles Böse damit vorbei sein. Und jetzt zu Tisch!« Aber er sah sich noch ein paarmal nach der in der Ferne schimmernden See um und äußerte in abgerissenen Worten seine Verwunderung über die Erscheinung. Erst als wir darauf in dem einfachen Zimmer bei Kerzenschein fröhlich bei Tisch saßen, schien er zu vergessen.

Littimer war auch da und übte seine gewöhnliche Wirkung auf mich aus. Als ich ihn nach dem Befinden von Mrs. Steerforth und Miss Dartle fragte, antwortete er ehrerbietig, sie befänden sich leidlich wohl und ließen sich mir empfehlen. Weiter fügte er nichts hinzu, und doch schien er mir ganz deutlich damit verstehen zu geben: Sie sind sehr jung, Sir; über alle Maßen jung.

Wir hatten kaum das Diner beendet, als er an die Tafel herantrat und zu seinem Herrn sagte:

»Ich bitte um Verzeihung, Sir, Miss Mowcher ist hier.«

»Wer?« rief Steerforth ganz überrascht.

»Miss Mowcher, Sir.«

»Was, um Himmels willen, macht die hier?«

»Sie scheint aus dieser Gegend zu stammen, Sir. Sie sagte mir, sie mache jedes Jahr eine Geschäftsreise hierher. Ich traf sie heute nachmittag auf der Straße, und sie läßt fragen, ob sie sich die Ehre nehmen darf, Ihnen nach dem Essen ihre Aufwartung zu machen.«

»Kennst du die Riesin, Daisy?« fragte Steerforth.

Ich mußte leider gestehen und schämte mich wegen dieses Mangels vor Littimer, daß Miss Mowcher und ich einander nie vorgestellt worden waren.

»Dann sollst du sie kennenlernen. Sie ist eines der sieben Weltwunder. Wenn Miß Mowcher kommt, lassen Sie sie eintreten!«

Ich war sehr gespannt auf die Dame, besonders da Steerforth stets zu lachen anfing, wenn ich sie erwähnte, und sich entschieden weigerte, irgendeine Aufklärung zu geben. Ich war daher voller Erwartung, und wir saßen schon eine halbe Stunde beim Wein, als endlich die Tür aufging und Littimer in seiner gewohnten unerschütterlichen Ruhe meldete: »Miss Mowcher.«

Ich blickte nach der Türe und – sah nichts. Ich dachte gerade, Miss Mowcher lasse recht lang auf sich warten, als zu meinem unendlichen Erstaunen um die Ecke eines bei der Tür stehenden Sofas eine Zwergin gewackelt kam, vierzig bis fünfundvierzig Jahre alt, mit sehr großem Kopf und Gesicht, verschmitzten grauen Augen und so außerordentlich kurzen Armen, daß sie, um ihren Finger, wie sie es zu lieben schien, schelmisch an ihre Stumpfnase legen zu können, als sie mit Steerforth liebäugelte, ihrer Hand mit dem Kopf entgegenkommen mußte. Ihr Doppelkinn war so fett, daß die Bänder ihres Hutes samt der Schleife darin verschwanden. Der Hals fehlte, die Taille gleichfalls und die Beine schienen nicht der Rede wert. Wenn auch ihr Körper wie bei andern Menschen unten in ein paar Füße auslief, so war die Person doch so klein, daß sie vor einem gewöhnlichen Sessel wie vor einem Tische stand. In einem schlendrigen Stil gekleidet, den Zeigefinger an die Nase gelegt und eines der schlauen Augen zugekniffen, stand diese Dame eine Weile mit lustigem Gesicht noch vor uns und brach dann in einen Strom von Beredsamkeit aus.

»Was! Mein Blütenkind«, fing sie scherzend an und drohte Steerforth mit einem Schütteln ihres großen Kopfs. »Sie sind hier? So, so! O Sie nichtsnutziger Mensch, schämen Sie sich, was machen Sie so weit von Hause weg? Auf schlimmen Wegen, möcht ich wetten! O Sie sind mir ein Spitzbube, Steerforth. Ja, das sind Sie, und ich bin auch so was, nicht wahr? Hahaha. Sie hätten hundert Pfund gegen fünf gewettet, daß Sie mich hier nicht sehen würden, nicht wahr? Aber ich sage Ihnen, mein Jüngelchen, ich bin überall. Ich bin hier und dann wieder dort und wieder nirgends, ganz so, wie der Taler des Zauberkünstlers im Taschentuch der schönen Dame. Da wir grade von Taschentüchern sprechen und von Damen: was für ein Segen Sie für Ihre liebe Mutter sind! Nicht wahr, mein lieber Junge?«

Miss Mowcher band jetzt ihren Hut ab, warf die Bänder über die Schultern und setzte sich atemlos auf einen Fußschemel vor dem Kamin; und der Speisetisch bildete eine Art Mahagonilaube für sie.

»O du lieber Gott«, fuhr sie fort und schlug sich mit den Händen auf ihre kleinen Knie, mich listig von der Seite ansehend, »ich werde zu dick, das ist die Sache, Steerforth. Wenn ich eine Treppe hinaufsteige, wird mir jeder Atemzug so schwer wie ein Eimer Wasser. Wenn Sie mich aus einem Fenster im obersten Stockwerk herausblicken sehen, könnten Sie mich für eine schöne Frau halten, nicht wahr?«

»Ich würde Sie überall dafür halten«, antwortete Steerforth.

»Gehen Sie, Sie Schelm Sie«, rief das kleine Geschöpf und schlug nach ihm mit dem Taschentuch, mit dem sie sich eben das Gesicht abgewischt hatte, »und seien Sie nicht unverschämt. Aber in allem Ernst und auf Ehrenwort, ich war letzte Woche bei Lady Mithers, – ja, das ist eine Frau! Wie die sich trägt! – Und Mithers selbst kam in das Zimmer, in dem ich auf sie wartete, – ja, das ist ein Mann! Wie der sich trägt! Und seine Perücke dazu. Er hat sie jetzt schon zehn Jahre! Und er fing auch an, mir solche Komplimente zu machen, daß ich wirklich schon dachte, ich müßte klingeln. Hahaha. Er ist ein angenehmer Schwerenöter, aber er hat keine Grundsätze.«

»Was hatten Sie bei Lady Mithers zu tun?« fragte Steerforth.

»Das hieße ausplaudern, mein kleines Engelchen«, gab Miss Mowcher zur Antwort, legte wieder den Finger an die Nase, kniff das eine Auge zu und zwinkerte mit dem andern uns an wie ein Kobold von übernatürlicher Schlauheit. »Das geht Sie nichts an. Sie möchten wissen, ob ich ihr Haar vor dem Ausfallen bewahre oder ob ich es färben muß oder ihren Teint und ihren Augenbrauen nachhelfe, nicht wahr? Sie sollens erfahren, mein Liebling – wenn ich es Ihnen sage. Wissen Sie, wie mein Urgroßvater hieß?«

»Nein«, sagte Steerforth.

»Aufsitzer hieß er, mein Herzblättchen«, erwiderte Miß Mowcher, »und er stammt von einer ganzen Reihe von Aufsitzern ab. Und von ihnen habe ich die Fähigkeit gelernt, die Leute aufsitzen zu lassen.«

Etwas Derartiges, wie Miss Mowcher das Auge zukniff, war mir noch nicht vorgekommen. Sie hatte eine wunderliche Art, den Kopf schlau auf eine Seite zu legen, wenn sie auf eine Antwort wartete, und das Auge nach oben zu drehen wie eine Elster. Ich war ganz außer mir vor Erstaunen und starrte sie, allen Gesetzen der Höflichkeit zuwider, ununterbrochen an.

Sie hatte jetzt den Stuhl an sich herangezogen und holte geschäftig aus einem Beutel eine Anzahl Fläschchen, Schwämme, Kämme, Bürsten, Flanelläppchen und Brenneisen hervor, jedesmal ihren kurzen Arm bis an die Schulter in den Sack tauchend, und häufte die Sachen auf dem kleinen Stuhl auf. Plötzlich hielt sie inne und sagte zu Steerforth zu meiner großen Verlegenheit: »Wie heißt Ihr Freund?«

»Mr. Copperfield«, sagte Steerforth. »Er möchte Sie gerne kennenlernen.«

»O das kann er! Er sah mir schon lang danach aus«, erwiderte Miss Mowcher und wackelte lächelnd auf mich zu. »Ein Gesicht wie ein Pfirsich!« Ich saß auf einem Stuhl, trotzdem mußte sie sich noch auf Zehenspitzen stellen, um mich in die Wange zu kneifen. »Ordentlich verführerisch! Ich habe Pfirsiche sehr gern. Ich schätze mich glücklich, Ihre Bekanntschaft zu machen, Mr. Copperfield!«

Ich sagte, daß das Glück nur meinerseits sei.

»O du meine Güte, wie höflich wir sind!« rief Miss Mowcher aus und machte einen komischen Versuch, ihr großes Gesicht mit ihrer kleinen Hand zu bedecken. »Es ist eine Welt voll blauen Dunstes, nicht wahr?«

Das galt uns beiden. Dann vergrub sie wieder ihren Arm in den Beutel.

»Wie meinen Sie das, Miss Mowcher?« fragte Steerforth.

»Hahaha! Was für eine erquickliche Sorte Schwindler wir sind, nicht wahr, mein Süßer«, erwiderte die Zwergin und kramte, den Kopf auf eine Seite geneigt, das eine Auge nach der Decke gerichtet, wieder in dem Strickbeutel herum. »Schauen Sie mal her.« Und sie nahm etwas heraus. »Schnitzel von den Nägeln des russischen Prinzen! Prinz ›A bis Z durcheinander‹ nenne ich ihn, denn sein Name ist ein Mischmasch von allen Buchstaben.«

»Der russische Prinz ist Ihre Kundschaft, nicht wahr?«

»So ists, mein Herzblättchen. Ich halte ihm die Nägel in Ordnung. Zweimal die Woche. Finger und Zehen.«

»Hoffentlich zahlt er gut«, sagte Steerforth.

»Er bezahlt, wie er spricht, mein liebes Kind – durch die Nase –« entgegnete Miss Mowcher. »Das ist keiner von den Glattrasierten wie Ihr, der Prinz. Das würden Sie zugeben, wenn Sie seinen Schnurrbart sähen. Rot von Natur, schwarz durch die Kunst.«

»Durch Ihre Kunst natürlich?«

Miss Mowcher nickte. »Mußte nach mir schicken. Konnte nicht anders. Das Klima veränderte seine Farbe. In Rußland gings noch, aber hier nicht. So einen rostigen Prinzen haben Sie Ihr Lebtag nicht gesehen. Wie altes Eisen.«

»Und deswegen nennen Sie ihn einen Schwindler?« fragte Steerforth.

»Sie wären mir der rechte«, antwortete Miss Mowcher und schüttelte heftig den Kopf. »Ich meinte doch, daß wir Schwindler sind – wir Menschen im allgemeinen –, und zeigte Ihnen zum Beweis die Schnitzel von den Nägeln des Prinzen. Diese Nägel empfehlen mich bei den vornehmen Familien besser als alle meine Talente zusammengenommen. Ich trage sie stets bei mir. Sie sind die beste Empfehlung. Wenn Miss Mowcher dem Fürsten die Nägel schneidet, dann muß sie etwas können! Ich schenke sie den jungen Damen. Ich glaube wahrhaftig, sie legen sie in ihre Albums. Hahaha! Wahrhaftig, das ganze soziale System, wie es die Leute nennen, wenn sie Reden im Parlament halten, ist ein System aus Prinzennägeln«, sagte die winzige Frau und versuchte ihre kleinen Arme zu verschränken und nickte ernsthaft mit ihrem großen Kopf. Dann schlug sie sich auf die Knie, stand auf und rief: »Das nenne ich nicht Geschäfte betreiben. Kommen Sie her, Steerforth, lassen Sie uns die Polarregionen untersuchen, und dann haben Sies überstanden.«

Sie suchte sich zwei oder drei ihrer kleinen Werkzeuge heraus und ein Fläschchen und fragte zu meinem Erstaunen, ob der Tisch sie wohl tragen würde. Auf Steerforths bejahende Antwort schob sie einen Stuhl daran, und die Hilfe meiner Hand erbittend, stieg sie rasch hinauf wie auf eine Bühne.

»Wenn einer von ihnen meine Knöchel gesehen hat«, rief sie, als sie sicher oben stand, »so sagen Sie es, und ich gehe nach Hause und bringe mich um.«

»Ich habe nichts gesehen«, bekannte Steerforth.

»Ich auch nicht«, sagte ich.

»Also gut. Dann kann ich ja noch weiter leben«, rief Miss Mowcher. »Nun komm, Hühnchen, zu Mrs. Strick und laß dich töten!«

Das war eine Einladung an Steerforth. Er setzte sich demgemäß mit dem Rücken gegen den Tisch, sein lachendes Gesicht mir zugewendet, und ließ sich den Kopf untersuchen – offenbar zu keinem andern Zweck als zu unserer Unterhaltung. Übrigens, Miss Mowcher auf dem Tisch stehen zu sehen, wie sie Steerforths reiches braunes Haar durch ein großes rundes Vergrößerungsglas besichtigte, war wirklich ein wunderlicher Anblick.

»Sie sind mir ein netter Junge«, sagte sie nach kurzer Untersuchung. »Wenn ich nicht wäre, hätten Sie in einem Jahr eine Glatze wie ein Mönch. Nur eine halbe Minute, junger Freund,

und ich will Ihren Locken eine Frisur geben, die die nächsten zehn Jahre vorhält.«

Mit diesen Worten goß sie ein paar Tropfen auf ein Flanellfleckchen, rieb damit eine ihrer kleinen Bürsten ein, und fing an, Steerforths Kopf in der geschäftigsten Weise zu bearbeiten.

»Sie kennen doch Charley Pyegrave, den Sohn des Herzogs, nicht wahr?«

»Ein wenig«, sagte Steerforth.

»Das ist ein Mann! Der hat einen Backenbart! Können Sie sich vorstellen, der versucht es ohne mich – und ist noch dazu in der Garde!«

»Verrückt«, sagte Steerforth.

»Sollte man glauben. Aber verrückt oder nicht, er hats versucht. Wissen Sie, was er tut. Geht hin zu einem Parfümeur und verlangt eine Flasche Macassaröl.«

»Das tut Charley?« fragte Steerforth.

»Ja, Charley! Aber sie haben kein Macassaröl.«

»Was ist das? – Etwas zu trinken?« fragte Steerforth.

»Zu trinken«, erwiderte Miss Mowcher und gab ihm scherzhaft einen Klaps auf die Hand. »Um seinem Schnauzbart damit aufzuhelfen! Das wissen Sie recht gut. Im Laden war eine Frau, ein ältliches Frauenzimmer, fast schon ein Drache, die noch nie von so etwas gehört hatte. ›Ich bitte um Entschuldigung‹, sagt dieser Drache zu Charley, ›ist es nicht – nicht – nicht Schminke?‹ ›Was zum Teufel soll ich mit Schminke tun?‹ war die Antwort. ›Es war nicht bös gemeint‹, sagte die Frau. ›Es wird bei uns unter so viel Namen danach gefragt, daß ich dachte, es könnte Schminke sein.‹ – Sehen Sie, mein Kind, das ist wieder so ein Beispiel erquicklichen Humbugs! Ja, ja, hierherum frägt man nach solchen Dingen nicht viel. Das bringt mich wieder auf etwas. Ich habe kein hübsches Mädchen gesehen, seitdem ich hier bin, Jammy.«

»Nicht?« sagte Steerforth.

»Nicht den Schatten von einem«, erwiderte Miss Mowcher.

»Wir könnten ihr eine lebendige zeigen, glaube ich«, sagte Steerforth und drehte mir seine Augen zu, »nicht wahr, Daisy?«

»Allerdings«, gab ich zu.

»Aha!« rief das kleine Geschöpf und sah erst mich und dann Steerforth mit schlauem Blick an, »hüm!«

Der erste Ausruf klang wie eine Frage an uns beide, der zweite schien nur Steerforth zu gelten. Sie schien auf beide keine Antwort zu finden, sondern fuhr fort zu reiben, den Kopf auf eine Seite gelegt und ein Auge der Decke zugewandt, als ob sie von dort her eine Auskunft erhoffte.

»Eine Schwester von Ihnen, Mr. Copperfield?« fing sie nach einer kleinen Pause wieder an, »wie?«

»Nein«, sagte Steerforth, ehe ich antworten konnte, »nichts von der Sorte. Im Gegenteil! Mr. Copperfield war ein großer Bewunderer von ihr, wenn ich nicht irre.«

»So? Und ist es jetzt nicht mehr?« entgegnete Miss Mowcher. »Ist er unbeständig? O, pfui. Schwebt er von Blume zu Blume, bis Polly seine Zärtlichkeit erwidern wird? Heißt sie nicht Polly?« Die koboldartige Schnelligkeit, mit der sie mich mit diesen Fragen überfiel, und ihr forschender Blick brachten mich für einen Augenblick ganz außer Fassung.

»Nein, Miss Mowcher«, antwortete ich. »Sie heißt Emily.«

»Ah?« rief die Zwergin wie vorhin, »hem? Hem? Was für eine Plaudertasche ich bin, nicht wahr, Mr. Copperfield?«

In ihrem Blick und Ton lag etwas, was in Verbindung mit diesem Thema mir nicht paßte, deshalb sagte ich ernster, als bisher einer von uns gesprochen hatte:

»Sie ist ebenso schön wie tugendhaft und mit einem vortrefflichen Mann von gleichem Stande verlobt. Ich schätze sie wegen ihrer Verständigkeit ebensosehr, wie ich ihre Schönheit bewundere.«

»Sehr gut gesagt«, rief Steerforth. »Hört, hört, hört! Jetzt will ich die Neugier dieser kleinen Fatme, mein liebes Gänseblümchen, dadurch befriedigen, daß ich ihr nichts zu erraten übriglasse; also: sie ist augenblicklich in der Lehre bei Omer & Joram, Mützenmacher und so weiter und so weiter, hier in der Stadt.

Verstehen Sie wohl? Omer & Joram! Verlobt ist sie mit ihrem Vetter, Ham Peggotty, Beruf Schiffszimmermann, Aufenthalt Yarmouth. Sie wohnt bei einem Verwandten, Vorname unbekannt, Familienname Peggotty, Beruf Schiffer – ebenfalls hier. Sie ist die hübscheste kleine Hexe von der Welt. Ich bewundere sie ebensosehr wie Mr. Copperfield. Ich möchte nicht, weil es mein Freund nicht gern sieht, ihrem Bräutigam unrecht tun, aber mir scheint sie zu gut für ihn zu sein. Ich bin überzeugt, sie könnte einen bessern finden, und ich möchte schwören, sie ist zu einer vornehmen Dame geboren.«

Miss Mowcher hörte mit unveränderter Kopfhaltung genau zu. Dann fuhr sie mit wunderbarer Schnelligkeit fort zu plaudern: »O das ist alles?« und ihre kleine Schere blitzte in allen Richtungen um Steerforths Kopf. »Sehr, sehr gut! Eine lange Geschichte! Sollte eigentlich enden: und sie wurden glücklich für ihr ganzes Leben, was? Wie heißt es im Pfänderspiel: Ich liebe meine Geliebte mit einem E, weil sie ›E‹ntzückend ist, ich hasse sie mit einem E, weil sie ›E‹ingenommen ist (für einen andern), ich halte sie für die ›E‹inzige und ›E‹ntführe sie. Ihr Name ist ›E‹mily und sie wohnt zu ›E‹bner ›E‹rde. Hahaha, Mr. Copperfield, was halten Sie von der Wankelmütigkeit?«

Sie sah mich mit ausnehmender Schlauheit an, wartete aber keine Antwort ab und fuhr in einem Atem fort:

»So! Wenn je ein Nichtsnutz wiederhergerichtet worden ist, so sind Sies, Steerforth. Wenn ich einen Kopf auf der Welt verstehe, ist es der Ihrige. Hören Sie genau, was ich Ihnen sage, mein Liebling: Ich verstehe den Ihren«, und sie spähte ihm ins Gesicht. »So, jetzt können Sie sich ›drücken‹, Jammy, wie wir bei Hof sagen. Und wenn Mr. Copperfield Platz nehmen will, so will ich ihn bearbeiten.«

»Was meinst du dazu, Daisy?« fragte Steerforth lachend und bot mir seinen Platz an. »Willst du dich herrichten lassen?«

»Ich danke Ihnen, Miss Mowcher, heute nicht!«

»Sagen Sie nicht nein«, entgegnete die kleine Frau und sah mich mit Kennermiene an. »Ein bißchen mehr Augenbrauen?«

»Ich danke Ihnen«, erwiderte ich. »Ein andermal.«

»Ein Viertelzoll weiter nach den Schläfen zu«, sagte Miss Mowcher, »läßt sich in vierzehn Tagen machen.«

»Nein, ich danke Ihnen. Jetzt nicht.«

»Nur beim Ohrläppchen nehmen«, drang sie in mich, »nicht? Nun, so wollen wir den Grundstein zu einem Backenbart legen!«

Ich konnte nicht anders, ich mußte erröten, als ich es ausschlug, denn ich fühlte, daß sie meine schwache Seite berührt hatte.

Als Miss Mowcher sah, daß ich jetzt wenigstens von ihrer Kunstfertigkeit keinen Gebrauch machen wollte und ungerührt von dem Anblick des kleinen Fläschchens blieb, das sie mir in ihrer Überredungskunst vor die Augen hielt, sagte sie, wir würden schon eines schönen Morgens anfangen, und bat mich, ihr vom Tische herabzuhelfen. Auf meine Hand gestützt sprang sie mit großer Gewandtheit herunter und band sich ihr Doppelkinn in ihren Hut.

»Das Honorar«, sagte Steerforth, »beträgt?«

»Fünf blanke«, erwiderte Miss Mowcher, »und es ist spottbillig, mein Hühnchen. Bin ich nicht ein lockerer Zeisig, Mr. Copperfield?«

Ich antwortete höflich: »Durchaus nicht.« Aber ich dachte mirs doch, als sie die beiden halben Kronen in die Luft warf, wieder auffing und sie dann in die Tasche fallen ließ.

»Das ist die Kasse«, erklärte sie und schlug sich auf die Tasche, und dann steckte sie ihre sieben Sachen wieder in den Strickbeutel.

»Habe ich alle meine Fuchsfallen? Ich kann es doch nicht machen wie der lange Ned Bedwood, als sie ihn in die Kirche schleppten, um ihn mit jemand zu trauen, und dabei die Braut vergaßen. Hahaha, ein böser Kerl, der Ned. Aber drollig. Nun, ich weiß schon, ich breche Ihnen jetzt das Herz, aber ich muß Sie verlassen. Sie müssen alle Ihre Kraft zusammennehmen und zusehen, wie Sies tragen können. Adieu, Mr. Copperfield! Hüten

Sie sich, Jockey von Norfolk! Was habe ich nur alles zusammengeschwatzt?! Aber da seid Ihr beiden Ungeheuer dran schuld. Ich verzeihe Euch. ›Bob schwor‹, wie der Engländer sagte, statt Bon soir nach der ersten französischen Lektion. ›Bob schwor‹, meine Hühnchen.«

Den Beutel über dem Arm wackelte sie hinaus, blieb aber noch einmal in der Türe stehen und fragte, ob sie uns nicht eine Locke zum Andenken dalassen sollte. Dann ging sie.

Steerforth lachte so sehr, daß ich mitlachen mußte, obwohl mir nicht danach zumute war. Dann erzählte er mir, daß Miss Mowcher einen großen Kundenkreis habe und sich vielen Leuten auf mancherlei Weise nützlich mache. Einige behandelten sie als ein bißchen verrückt, aber sie sei eine scharfe Beobachterin und ebenso weitblickend wie kurzarmig.

Ich wollte wissen, ob sie bösartig sei oder gutherzig. Aber da ich mich vergeblich bemühte, seine Aufmerksamkeit auf diesen Punkt zu lenken, ließ ich davon ab. Dagegen erzählte er mir mit großer Redelust von ihrem Geschick und ihren Einkünften, und daß sie das Schröpfen wissenschaftlich betriebe. Für den Fall, daß ich jemals ihrer Dienste bedürfen sollte!

Sie bildete den Hauptgegenstand unserer Unterhaltung während des Abends, und als ich für die Nacht von ihm schied, rief er mir noch ›Bob schwor‹, wie der Engländer sagte, nach.

Als ich Mr. Barkis' Haus erreichte, fand ich zu meiner großen Verwunderung Ham vor demselben auf und ab gehen und vernahm, daß die kleine Emly drin sei.

»Ja, sehen Sie, Masr Davy«, sagte Ham zögernd, »Emly möt drin mit jemand snaken.«

»Ich sollte meinen«, sagte ich lächelnd, »das wäre grade ein Grund für Sie, drin zu sein, Ham.«

»Im allgemeinen freilich, Masr Davy«, sagte er leise, »sollte woll sin. Ein Mächen, Sir, ein junges Mächen, das Emly mal kannte und eigentlich nicht mehr kennen sollte –«

Bei diesen Worten fiel mir plötzlich die Gestalt ein, die ich vor ein paar Stunden hatte von der Mauer kommen sehen.

»Is een armes Wurm, Masr Davy«, sagte Ham. »Wird von allen unner de Foit treten in der Stadt. In den Gräbern auf dem Kirchhof liegt keiner, vor dem sich die Leute mehr scheuten.«

»Bin ich ihr heut abend nicht begegnet, Ham, als wir euch trafen?«

»Woll möglich. Weiß es freilich nich, Masr Davy. Aber nicht lange drauf kam sie zu Emly ans Fenster geschlichen und flüsterte: ›Emly, Emly, um Christi willen, hab ein weiblich Herz für mich. Ich war einst wie du!‹ Das waren feierliche Worte, Masr Davy!«

»Gewiß wohl, Ham. Und was tat Emly?«

»Emly sagte: ›Marta, bist dus? Marta, bist dus wirklich?‹ Sie hatten manchen Tag bei Mr. Omer gearbeitet.«

»Ja, ich entsinne mich ihrer«, rief ich, denn ich erinnerte mich an eins der beiden Mädchen, die ich einst bei meinem ersten Besuch dort gesehen hatte. »Ich entsinne mich ihrer jetzt genau.«

»Marta Endell« sagte Ham, »zwei oder drei Jahre älter als Emly. War ihre Schulfreundin.«

»Ihren Namen kenne ich nicht«, sagte ich. »Ich wollte Sie nicht unterbrechen.«

»Was das betrifft, Masr Davy«, erwiderte Ham, »is allens mit den Worten gesagt: ›Emly, um Christi willen, hab ein weiblich Herz für mich. Ich war einmal so wie du! –‹ Sie wollte mit Emly sprechen; Emly konnte nicht – dort, denn Onkel war nach Hause gekommen, und er wollte nicht – nein, Masr Davy, – so gut und weichherzig er ist, so konnte er doch nicht um alle Schätze, die im Meer liegen, die beiden nebeneinander sehen.«

Ich fühlte, wie wahr das sei, und empfand es so deutlich wie Ham. »Emly schreibt also mit Bleistift einen Zettel und reicht ihn ihr durchs Fenster hinaus. »Zeig das meiner Tante, Mrs. Barkis, und sie wird dich aus Liebe zu mir aufnehmen, bis der Onkel ausgegangen ist und ich kommen kann.« Nach und nach erzählt sie mirs, Masr Davy, und bittet mich, sie herzubringen. Was kann ich tun? Freilich sollte sie so eine nicht kennen, aber ich kann ihr nichts abschlagen, wenn sie weint.«

Er griff in die Brust seiner zottigen Jacke und zog sehr sorglich eine kleine, hübsche Börse hervor.

»Und wenn ichs ihr nicht abschlagen konnte, als ihr die Tränen im Auge standen, Masr Davy«, sagte Ham, »wie konnt ichs ihr abschlagen, als sie mir das zu tragen gab, – da ich doch wußte, wozu – son lütt Spielzeug und so wenig Geld drin! Meine liebe Emly!«

Ich schüttelte ihm warm die Hand – es tat mir wohler als Worte –, und wir gingen ein paar Minuten schweigend auf und ab. Da öffnete sich die Türe, und Peggotty winkte Ham, einzutreten. Ich wollte mich entfernen, aber sie kam mir nach und bat mich ebenfalls hereinzukommen. Da die Tür unmittelbar in die Küche führte, stand ich, eh ich mir dessen recht bewußt war, mitten unter ihnen.

Das Mädchen – dasselbe, das ich auf den Dünen gesehen –, kniete nicht weit vom Feuer auf dem Fußboden und hatte den Kopf und den Arm auf einen Stuhl gelegt. Aus ihrer Stellung erriet ich, daß Emly eben erst aufgestanden war, und daß Kopf und Arm auf ihrem Schoße geruht hatten.

Ich konnte nicht viel von dem Gesicht des Mädchens sehen, denn es war halb von dem gelösten Haar bedeckt, das zerrauft aussah, als ob sie es sich zerwühlt hätte. Ich konnte nur erkennen, daß sie jung und blond war.

Peggotty hatte geweint. Die kleine Emly ebenfalls. Niemand sprach ein Wort. Die Schwarzwälderuhr schien in dem Schweigen doppelt so laut zu ticken wie gewöhnlich.

Emly redete zuerst.

»Marta möchte nach London gehen«, sagte sie zu Ham.

Er stand zwischen beiden und sah auf das kniende Mädchen mit einem Gemisch von Mitleid und Besorgnis, sie möchte in zu nahe Berührung mit ihr kommen, die er so liebte. Alle sprachen, als ob sie krank wäre, fast im Flüsterton.

»Besser dort als hier«, sagte eine dritte Stimme laut. Es war Marta; aber sie regte sich nicht dabei. »Niemand kennt mich dort. Hier kennt mich jeder.«

»Was will sie dort?« fragte Ham.

Das Mädchen hob den Kopf empor und sah einen Augenblick schmerzlich auf. Dann ließ sie ihn wieder sinken wie ein Weib im tiefsten Schmerz.

»Sie wird versuchen, ordentlich zu sein«, sagte die kleine Emly. »Du weißt nicht, wie sie zu uns gesprochen hat! Nicht wahr, Tante.«

Peggotty nickte mitleidig mit dem Kopf.

»Ich will es versuchen«, sagte Marta, »wenn Ihr mir von hier fort helft. Schlimmer als hier kann es nicht werden. Vielleicht wird es besser.

»O«, sagte sie mit angstvollem Schaudern, »bringt mich fort von diesen Straßen, wo die ganze Stadt von Kindheit an mich kennt.«

Als Emly Ham ihre Hand hinhielt, sah ich, wie er ihr einen kleinen Leinwandbeutel hineinlegte. Sie nahm ihn in der Meinung, es sei ihre Börse, bemerkte aber bald den Irrtum. Is allens dien, Emly«, hörte ich ihn sagen. »Habe nichts in der Welt, was nicht dein ist, mein Herz! Es macht mir nur deinetwegen Freude.«

Die Tränen traten Emly von neuem in die Augen, aber sie wandte sich ab und ging zu Marta hin. Was sie ihr gab, weiß ich nicht. Ich hörte sie nur flüsternd fragen: »Reicht es?«

»Mehr als genug«, sagte das Mädchen, ergriff Emlys Hand und küßte sie. Dann stand sie auf, nahm ihr Tuch zusammen, bedeckte sich das Gesicht damit und ging laut weinend nach der Türe. Auf der Schwelle blieb sie einen Augenblick stehen, als wollte sie noch etwas sagen oder umkehren, aber kein Wort kam über ihre Lippen. In das Tuch schluchzend, ging sie hinaus. Als die Tür zufiel, sah die kleine Emly uns drei aufgeregt an, verbarg dann ihr Gesicht in den Händen und fing an zu schluchzen.

»Weine nicht, Emly«, sagte Ham und klopfte ihr milde auf die Schulter. »Du sollst nicht so weinen, liebes Herz.«

»Ach Ham«, rief sie immer noch bitterlich schluchzend aus, »ich bin nicht so, wie ich sein sollte. Ich bin manchmal nicht so dankbar, wie ich sein sollte.«

»Doch, doch, bist es immer, ich weiß es«, sagte Ham.

»Nein, nein, nein«, schrie die kleine Emly und schüttelte den Kopf. »Ich bin nicht so gut, wie ich sein sollte!«

Und wieder weinte sie, als ob ihr das Herz brechen müßte.

»Ich mute deiner Liebe zu viel zu, ich weiß, daß ichs tue. Ich quäle dich oft und bin launisch gegen dich, immer, wenn ich ganz anders sein sollte. Du bist niemals so gegen mich. Warum kann ich nur so sein, wo ich doch an nichts weiter denken sollte, als wie ich mich dir dankbar zeigen und dich glücklich machen könnte.«

»Du machst mich immer glücklich, mein Herz!« sagte Ham. »Ich bin glücklich, wenn ich dich sehe. Ich bin den ganzen Tag glücklich, wenn ich an dich denke.«

»Weil du so gut bist!« rief sie aus. »Ach Ham! Es wäre besser für dich, wenn du eine andere liebtest, eine die beständiger und deiner würdiger ist als ich. Die ganz in dir aufginge und niemals launenhaft wäre wie ich!«

»Armes, kleines Weichherz!« sagte Ham leise. »Marta hat sie außer sich gebracht.«

»Bitte, Tante«, schluchzte Emly, »komm her und laß mich meinen Kopf auf deinen Schoß legen. Ach, ich bin heute sehr unglücklich, Tante. Ich bin nicht so gut, wie ich sein sollte. Noch lange nicht, ich weiß es wohl.«

Peggotty setzte sich auf den Stuhl neben das Feuer. Emly schlang ihre Arme um sie, kniete neben ihr nieder und sah ihr flehend ins Gesicht.

»Ach bitte, Tante, versuch mir beizustehen. Lieber Ham, versuch mir beizustehen. Mr. David, der alten Zeiten wegen, bitte, helfen Sie mir. Ich muß besser werden! Ich muß hundertmal dankbarer werden, als ich jetzt bin. Ich muß mehr fühlen, welches Glück es ist, die Frau eines braven Mannes zu werden und ein friedvolles Leben zu führen. O Gott, o Gott, ach mein Herz, mein Herz!«

Sie verbarg ihr Gesicht an der Brust meiner alten Kindsfrau, hörte mit ihrer Klage, die in ihrem Schmerz etwas Kindliches hatte, auf und weinte stumm, während Peggotty sie zu beruhigen suchte, wie ein kleines Kind.

Allmählich wurde sie ruhiger, und dann sprachen wir ihr Trost zu, bis sie wieder aufblickte und mit uns redete. Dann unterhielten wir sie, bis sie wieder lächeln konnte und dann lachen, und sich zuletzt halb beschämt wieder aufrecht setzte, während Peggotty ihr die Locken zurechtstrich, ihr die Augen trocknete und sie wieder hübsch machte, damit der Onkel beim Nachhausekommen nicht frage, warum sein Liebling geweint habe.

Sie tat heute etwas, was ich noch nie bei ihr gesehen hatte, sie küßte ihren Bräutigam unschuldig auf die Backen und drängte sich dicht an seine derbe Gestalt, als wäre er ihre beste Stütze. Als sie in dem matten Mondlicht zusammen fortgingen, und ich ihnen nachblickte und dabei an Marta denken mußte, sah ich, wie sie seinen Arm mit beiden Händen umklammerte und sich immer noch dicht an ihn drängte.

23. Kapitel

Ich sehe, daß Mr. Dick recht hatte, und wähle einen Beruf

Als ich am nächsten Morgen aufwachte, dachte ich viel an die kleine Emly und ihre große Aufregung gestern abend nach Martas Fortgehen. Ich hatte das Gefühl, daß es unrecht sei, Steerforth von der erlebten Szene etwas zu verraten. Gegen niemand fühlte ich eine zartere Empfindung als gegen das liebliche Geschöpf, das meine Gespielin gewesen und das ich auf das hingebendste liebte. Etwas zu erzählen, was mir der Zufall und die Fülle ihrer Herzensregung offenbart, kam mir wie eine Roheit vor, unwürdig meiner selbst, unwürdig des Glanzes unserer reinen Kinderjahre, der immer noch ihr Haupt umgab. Ich faßte daher den Entschluß, es als Geheimnis in meiner Brust zu bewahren, und das verlieh Emlys Bild einen neuen Reiz.

Während wir frühstückten, erhielt ich einen Brief von meiner Tante, dessen Inhalt derart war, daß ich glaubte, Steerforth werde mir einen Rat erteilen können. So beschloß ich, mit ihm darüber während unserer Heimreise zu sprechen. Vorderhand nahm der Abschied von unsern Freunden genug Zeit in Anspruch. Mr. Barkis war in seinem Schmerz über unsere Abreise nicht der letzte. Ich glaube, er hätte seinen Geldkoffer noch einmal aufgesperrt und eine zweite Guinee geopfert, wenn er uns dadurch achtundvierzig Stunden in Yarmouth hätte zurückhalten können. Peggotty und ihre ganze Familie waren voll Schmerz über unsere Abreise. Das ganze Geschäft Omer & Joram stand unter der Türe, um uns Lebewohl zu sagen. So viel Schiffer waren zu Steerforth gekommen, um unsere Koffer an den Wagen zu bringen, daß das Gepäck eines ganzen Regiments hätte befördert werden können. Mit einem Wort, wir reisten zum allgemeinen Bedauern ab und ließen viele Leute sehr betrübt zurück.

»Bleiben Sie lange hier, Littimer?« fragte ich, als der Wagen auf die Abfahrt wartete.

»Nein, Sir. Wahrscheinlich nicht sehr lange.«

»Er kann es jetzt noch nicht wissen«, bemerkte Steerforth leichthin. »Er weiß, was er zu tun hat, und wird es schon besorgen.«

»Davon bin ich überzeugt«, sagte ich.

Littimer griff bei meinem Kompliment an den Hut, und ich kam mir etwa acht Jahre alt vor. Ergriff noch einmal an den Hut und wünschte uns glückliche Reise. Und wir sahen ihn noch von weitem auf dem Trottoir stehen, ein so ehrwürdiges Geheimnis wie eine ägyptische Pyramide.

Eine kleine Weile sprachen wir nicht. Steerforth war ungewöhnlich stumm, und ich hatte genug zu tun mit meinen Gedanken, die sich mit den alten Plätzen und den Veränderungen, die während meiner Abwesenheit vielleicht zu Hause vorgekommen sein mochten, beschäftigten. Schließlich wurde Steerforth plötzlich wieder fröhlich und gesprächig, wie das so seine Art war, faßte mich am Arm und fragte: »Sprich doch, David!

Was ists mit dem Brief, den du heute beim Frühstück erwähntest?«

»Richtig«, sagte ich und griff in die Tasche. »Er ist von meiner Tante.«

»Und was schreibt sie? Ist es von Belang?«

»Sie erinnert mich daran, daß der Zweck meiner Reise war, mich ein wenig umzusehen und ein wenig nachzudenken.«

»Was du natürlich getan hast.«

»Eigentlich nur zum Teil. Um die Wahrheit zu sagen, ich fürchte, ich habe es vergessen.«

»Nun so sieh dich jetzt um und hole das Versäumte nach«, sagte Steerforth. »Dort rechts hast du flaches Land und viel Sumpf darin, und links wirst du dasselbe sehen. Schau gradeaus, und du wirst keinen Unterschied finden. Und hinter uns ists gradeso.«

Ich lachte und erwiderte, daß ich aus dem Anblick solcher Einförmigkeit allerdings keinen Anhaltspunkt für einen geeigneten Beruf gewinnen könnte.

»Was meint deine Tante weiter?« fragte Steerforth und blickte auf den Brief in meiner Hand. »Schlägt sie dir etwas vor?«

»O ja. Sie fragt mich, was ich davon halte, Proktor zu werden. Was hältst du davon?«

»Ach, ich weiß nicht«, antwortete Steerforth gleichgültig. »Du kannst, denke ich, das ebenso gut werden wie irgend etwas anderes.« Ich mußte wieder lachen, weil ihm alles so vollständig gleichgültig schien, und sagte es ihm.

»Was ist überhaupt ein Proktor, Steerforth?«

»Na. Das ist so eine Art mönchischer Anwalt. Er ist das bei einigen vermoderten Gerichtshöfen, in Doctors' Commons – einem alten, stillen Winkel beim St. Pauls-Kirchhof, was ein Solicitor beim gewöhnlichen Zivilgericht ist. Er bekleidet ein Amt, das von Rechts wegen schon vor zwei Jahrhunderten hätte aufhören sollen. Ich kann dirs am besten erklären, wenn ich dir erzähle, was Doctors' Commons ist. Es ist ein kleiner Ort in einem abgelegenen Winkel, wo sie nach sogenanntem Kirchenrecht vorgehen, allerhand Kniffe handhaben nach uralten Ungeheuern von Parlamentsakten, von denen drei Viertel der Welt überhaupt nichts weiß, während das andere Viertel der Meinung ist, man hätte sie bereits in fossilem Zustande ausgegraben. Es ist ein Ort, der ein altes Monopol hat für Rechtsstreitigkeiten über Erbschafts- und Heiratsangelegenheiten und Prozesse wegen Schiff- und Bootsfahrt.«

»Dummes Zeug, Steerforth!« rief ich aus. »Zwischen Kirchenrecht und Seerecht besteht doch keine Verwandtschaft.«

»Gewiß nicht, mein Lieber, aber tatsächlich wird in beiden in Doctors' Commons von ein und denselben Richtern geurteilt und entschieden. Wenn du erst einmal dort bist, wirst du sie über die Hälfte der nautischen Wörter in Youngs Marine Lexikon stolpern hören in Sachen der ›Nancy‹ gegen die ›Sarah Jane‹ wegen Beschädigung durch Zusammenstoß, oder weil Mr. Peggotty und die Schiffer von Yarmouth während eines Sturms dem Ostindienfahrer ›Nelson‹ mit Anker und Rettungsleinen zu Hilfe gefahren sind. Und kommst du ein anderes Mal hin, wirst du sie vertieft finden in die Zeugenaussagen gegen einen wegen schlechter Führung angeklagten Geistlichen, und der Richter in dem Schiffsprozeß ist vielleicht Advokat in der Sache des Geistlichen oder umgekehrt. Sie sind wie die Schauspieler. Sind einmal Richter, einmal Advokaten, dann wieder gar nichts von beiden, aber immer ist es ein sehr angenehmes, rentables kleines Privattheatergeschäft, das vor einer ungewöhnlich erlesenen Zuhörerschaft seine Vorstellung gibt.«

»Aber Advokat und Proktor sind doch nicht ein und dasselbe«, fragte ich etwas verwirrt, »oder doch?«

»Nein«, erwiderte Steerforth, »Die Advokaten müssen auf der Universität den Doktor machen. Deshalb weiß ich auch von ihnen etwas. Die Proktoren sind von den Advokaten beschäftigt. Beide beziehen sehr hübsche Honorare und machen im allgemeinen recht gemütliche Geschäftchen miteinander. Ich möchte dir überhaupt anempfehlen, dich für Doctors' Commons zu entscheiden, David. Sie brüsten sich dort mit ihrer Vornehmheit, wenn dir das etwas ausmacht.«

Ich zog bei dem etwas karikierten Bilde, das Steerforth eben entworfen hatte, seine Ansichten in gehörigen Betracht und fühlte mich, wenn ich an das altertümliche und würdevolle Aussehen dachte, das ich unwillkürlich mit dem alten, stillen Winkel nicht weit vom St. Pauls-Kirchhof verband, gar nicht abgeneigt, auf den Plan meiner Tante einzugehen. Sie überließ mir übrigens ganz die Entscheidung und sagte mir ganz offen, daß es ihr kürzlich beim Besuch ihres Proktors, als sie ihr Testament zu meinen Gunsten habe umändern lassen, eingefallen sei.

»Es ist jedenfalls ein sehr löbliches Vorhaben deiner Tante«, sagte Steerforth, »und verdient Aufmunterung. Daisy; mein Rat ist, daß du dich für Doctors' Commons entscheidest.«

Mein Entschluß stand jetzt fest. Ich erzählte Steerforth weiter, daß mich meine Tante in der Stadt erwarte und sich auf eine Woche in einem Privathotel in Lincolns Inns Fields, das eine steinerne Treppe und eine Eingangstür im Dach aufzuweisen habe, eingemietet hätte. Meine Tante war nämlich fest überzeugt, daß jedes Haus in London Nacht für Nacht von einer Feuersbrunst bedroht sei.

Wir vollendeten den Rest unserer Reise in größter Heiterkeit und kamen des öftern auf Doctors' Commons zu sprechen und versetzten uns im Geiste in ferne Zeit, wo ich einst Proktor sein würde, was Steerforth so drollig auszumalen wußte, daß wir beide sehr lustig waren. Als wir unser Reiseziel erreichten, versprach er mir, mich übermorgen zu besuchen, und ich fuhr nach Lincolns Inns Fields, wo mich meine Tante bereits mit dem Abendessen erwartete.

Wenn ich während der Zeit meiner Abwesenheit eine Reise um die Welt gemacht haben würde, hätten wir uns nicht freudiger begrüßen können. Meine Tante weinte fast, als sie mich umarmte, und sagte unter geheucheltem Lächeln, daß, wenn meine arme Mutter noch am Leben wäre, sie gewiß Tränen vergossen haben würde.

»Du hast also Mr. Dick zu Hause gelassen, Tante? Das tut mir leid! – Ach, Janet, wie gehts?«

Als Janet mit einem Knix dankte, fiel mir auf, daß das Gesicht meiner Tante sehr lang wurde.

»Auch mir tut es sehr leid«, fuhr meine Tante fort und rieb sich die Nase. »Ich habe keine Ruhe gehabt, Trot, seit ich hier bin.«

Ehe ich noch fragen konnte, fuhr sie bereits fort:

»Ich bin überzeugt,« – sie legte die Hand in bekümmerter Entschlossenheit auf den Tisch – »daß Dicks Charakter nicht geeignet ist, die Esel fernzuhalten. Es fehlt ihm an der nötigen Entschlossenheit. Ich hätte lieber Janet zu Hause lassen sollen und wäre dann vielleicht ruhiger gewesen. Wenn je ein Esel über meinen Rasen gegangen ist«, sagte sie mit Nachdruck, »dann war es heute nachmittag um vier Uhr. Ein kalter Schauder überfiel mich vom Scheitel bis zur Zehe, und ich weiß genau, es war ein Esel.«

Ich wollte es ihr ausreden, aber sie wies jeden Trost zurück.

»Es war ein Esel«, sagte sie, »und es war der mit dem gestutzten Schweif, auf dem die ›Mordschwester‹ damals ritt, als sie zu uns kam.« – Sie nannte Miss Murdstone nie anders. – »Wenn es einen Esel in Dover gibt, dessen Frechheit ich am wenigsten ertragen kann, so ist es dieser«, und sie schlug auf den Tisch.

Auch Janet versuchte sie zu beruhigen und sagte, der betreffende Esel sei zur Zeit mit Sand- und Kiesfahren beschäftigt und somit keiner Übertretung fähig. Meine Tante aber wollte nichts hören.

Das Abendessen war gut und wurde ganz heiß serviert, obgleich die Zimmer meiner Tante sehr hoch lagen – ich weiß nicht, ob sie für ihr Geld so viel steinerne Stufen wie möglich beanspruchte oder nur in nächster Nähe der Tür im Dache sein wollte –, und bestand aus einem Huhn, Beefsteak und Gemüse; alles war ausgezeichnet. Meine Tante hatte so ihre eignen Ansichten über Londoner Lebensmittel und aß nur wenig.

»Ich glaube, dieses arme Huhn ist in einem Keller ausgekrochen«, sagte sie, »und nicht an die Luft gekommen außer auf einen Droschkenstand. Ich *hoffe*, das Beefsteak ist Rindfleisch, aber ich glaube es nicht. Nichts ist echt in dieser Stadt, nur der Schmutz.«

»Kann denn das Huhn nicht vom Lande sein, Tante?« fragte ich.

»Ausgeschlossen! Es würde einem Londoner Kaufmann kein Vergnügen machen, etwas Echtes zu verkaufen.«

Ich wagte nicht, diese Meinung zu bestreiten, ließ mir jedoch das Abendessen gut schmecken, was meiner Tante sehr zur Befriedigung gereichte. Als der Tisch abgeräumt war, half ihr Janet das Haar aufstecken, damit sie ihre Nachtmütze aufsetzen konnte, die kleiner war als gewöhnlich – wegen der Möglichkeit einer Feuersbrunst. Dann nahmen wir am Kamin Platz. Nach gewissen feststehenden Regeln, von denen nicht die leiseste Abweichung geduldet wurde, bereitete ich ihr ein Glas weißen Glühwein und schnitt eine Scheibe Toast in lange dünne Streifen. Damit sollte der Rest des Abends vergehen. Sie saß mir gegenüber, trank ihren Glühwein und tunkte die Röstschnitten hinein und sah mich unter dem Besatz ihrer Nachtmütze hervor wohlwollend an.

»Nun, Trot«, fing sie an, »was sagst du zu der Idee mit dem Proktor? Oder hast du noch nicht darüber nachgedacht?«

»Ich habe sogar sehr viel darüber nachgedacht, liebe Tante, und lange darüber mit Steerforth beraten. Ich finde sehr großen Gefallen daran. Ganz außerordentlichen Gefallen.«

»Aber das ist ja herrlich!«

»Nur ein Bedenken hätte ich, Tante.«

»Nur heraus damit, Trot.«

»Schau, ich möchte dich fragen, Tante, da es doch ein privilegierter Beruf ist, ob mein Eintritt nicht sehr teuer zu stehen kommen wird.«

»Dich einschreiben zu lassen, kostet gerade tausend Pfund.«

»Das macht mir wirklich viel Sorge«, sagte ich und rückte meinen Stuhl näher an sie heran. »Das ist sehr viel Geld. Du hast schon so viel für meine Erziehung ausgegeben und mich in jeder Hinsicht so freigebig ausgestattet wie nur möglich. Es gibt gewiß manchen Beruf, den ich ohne besondere Auslagen anfangen könnte und in dem ich doch Aussicht hätte, es mit Fleiß und

Ausdauer zu etwas zu bringen. Glaubst du nicht, daß es besser wäre, es auf diese Weise zu versuchen? Weißt du bestimmt, daß du so viel Geld auslegen kannst und daß es recht ist, es auf diese Weise auszugeben? Ich bitte dich, – dich, meine zweite Mutter, das wohl zu überlegen. Bist du dir darüber klar?«

Meine Tante aß die Röstschnitte, die sie angebissen hatte, zuerst ruhig zu Ende, wobei sie mich fest ansah, dann setzte sie das Glas auf den Kamin, faltete die Hände über ihr Knie und sagte:

»Trot, mein Kind, wenn ich einen Lebenszweck habe, so ist es der, dich zu einem glücklichen und verständigen Menschen zu machen. Ich habe es mir vorgenommen. Und auch Dick. Ich wünschte, gewisse Leute könnten Dicks Meinung über diese Sache hören. Sein Scharfblick ist wunderbar. Aber kein Mensch außer mir weiß, was dieser Mann für einen Verstand hat.« Sie hielt einen Augenblick inne, um meine Hand zu ergreifen, und fuhr fort:

»Man soll nur an die Vergangenheit denken, wenn man daraus Nutzen für die Gegenwart ziehen kann. Vielleicht hätte ich mich mit deinem armen Vater besser vertragen können, vielleicht auch mit deiner Mutter, dem armen Kind, selbst damals noch, als sie mich mit deiner Schwester Betsey Trotwood so enttäuschte. Als du zu mir kamst, als kleiner fortgelaufner Junge, ganz staubig und die Füße vom Weg zerrissen, dachte ich es mir. Von dem Tag an bis heute, Trot, bist du immer mein Stolz und meine Freude gewesen. Niemand anders hat auf mein Vermögen Anspruch – wenigstens« – hier stockte sie zu meiner Verwunderung und wurde verlegen – »nein, niemand anders hat darauf Anspruch, und du bist mein Adoptivkind. Sei mir, wenn ich alt bin, ein liebevoller Sohn und nimm es mit meinen Launen nicht so genau, und du wirst mehr tun für eine alte Frau, deren beste Lebenszeit nicht so glücklich und zufrieden war, wie sie hätte sein können, als diese Frau für dich tut.«

Es war das erste Mal, daß ich meine Tante von ihrer frühern Lebensgeschichte sprechen hörte. In der anspruchslosen Weise, wie sie es tat und dann schnell abbrach, lag eine Großherzigkeit, die meine Liebe und Verehrung zu ihr womöglich noch vermehrte.

»Wir sind also soweit einig, Trot«, sagte sie, »und brauchen nicht weiter davon zu reden. Gib mir einen Kuß. Wir wollen morgen nach dem Frühstück zu Doctors' Commons gehen.«

Wir plauderten noch lange beim Feuer, ehe wir zu Bett gingen.

Mein Schlafzimmer befand sich mit dem meiner Tante auf einem Flur, und es störte mich ein wenig, daß sie in der Nacht oft bei mir anklopfte, wenn Fiaker in der Ferne rollten, und mich fragte, ob ich die Feuerspritzen hörte. Aber gegen Morgen schlief sie fester und ließ mich in Ruhe. Mittags machten wir uns auf den Weg nach der Kanzlei der Herren Spenlow & Jorkins in Doktors Commons. Meine Tante hatte noch eine andere vorgefaßte Meinung von London und sah in jedem Menschen einen Taschendieb. Deshalb gab sie mir ihre Börse mit zehn Guineen und etwas Silbergeld zum Tragen.

Wir waren fast am Ziel, als sie plötzlich ihre Schritte beschleunigte und ganz erschreckt aussah. Es fiel mir auf, daß ein ärmlich gekleideter, verdächtig aussehender Mann, der uns eine Weile aufmerksam angestarrt, jetzt schnell hinter uns herging, als wolle er meine Tante anrempeln.

»Trot, lieber Trot!« flüsterte sie mir erschrocken zu und preßte meinen Arm. »Ich weiß nicht, was ich tun soll!«

»Beunruhige dich nicht«, sagte ich. »Es ist kein Grund dazu. Tritt in einen Laden, und ich werde mit dem Burschen sehr schnell fertig sein.«

»Nein, nein, Kind«, entgegnete sie, »um alles in der Welt, sprich nicht mit ihm. Ich bitte dich, ich befehle es dir!«

»Aber lieber Himmel, Tante!« sagte ich. »Er ist nichts als ein frecher Bettler.«

»Du weißt nicht, wer er ist«, entgegnete meine Tante. »Du weißt nicht, was du sprichst.«

Wir waren mittlerweile in einen Torweg getreten, und der Mann war ebenfalls stehengeblieben.

»Sieh ihn nicht an«, sagte meine Tante, als ich mich zornig umdrehte. »Bitte besorge mir eine Droschke, mein Kind, und erwarte mich auf dem Paulskirchhof.«

»Dich erwarten?« wiederholte ich.

»Ja«, antwortete meine Tante. »Ich muß mit ihm gehen.«

»Mit ihm, Tante? Mit diesem Mann?«

»Ich bin vollständig bei Sinnen«, antwortete sie, »und ich sage dir, ich muß. Hole mir eine Droschke.«

Sosehr mich ihr Benehmen in Erstaunen versetzte, fühlte ich doch, daß ich kein Recht hatte, einen so entschieden ausgesprochenen Wunsch abzuschlagen. Ich ging eilig ein paar Schritte und rief einen leer vorbeifahrenden Fiaker an. Ich hatte kaum Zeit, den Tritt herabzulassen, als meine Tante schon hineinstieg und der Mann ihr folgte. Sie winkte mir mit der Hand so ernstlich, zu gehen, daß ich unwillkürlich sofort gehorchte. Ich hörte noch, wie sie zu dem Kutscher sagte: »Fahren Sie los, ganz gleichgültig wohin!«

Es fiel mir wieder ein, was mir Mr. Dick erzählt und was ich damals für eine Sinnestäuschung von ihm gehalten hatte. Ohne Zweifel war der Unbekannte, von dem er gesprochen, derselbe, obgleich ich mir nicht im mindesten denken konnte, welcher Art sein Einfluß auf meine Tante sein mochte. Nach einer halben Stunde Wartens auf dem Kirchhof sah ich den Wagen wieder kommen, und meine Tante saß allein drin.

Sie hatte sich noch nicht genügend von ihrer Aufregung erholt, um den beabsichtigten Besuch sogleich machen zu können. Ich mußte zu ihr einsteigen, und wir fuhren eine Weile langsam die Straße auf und ab. Sie sagte weiter nichts: »Mein liebes Kind, frage mich niemals, was eben geschehen ist, und sprich nicht davon.«

Als sie ihre Fassung endlich wiedergewonnen hatte, sagte sie, sie sei jetzt wieder ganz ruhig und wir könnten aussteigen. Als sie mir ihre Börse gab, damit ich den Kutscher bezahle, bemerkte ich, daß die Guineen nicht mehr drin waren; nur noch das Silbergeld.

Ein kleiner niedriger Torweg führte uns zu Doctors' Commons. Schon nach ein paar Schritten schien mir das Geräusch der Stadt wie durch Zauber in weite Ferne gerückt. Ein paar stille Höfe und schmale Gänge brachten uns zu der Kanzlei von Spenlow & Jorkins, die Oberlicht hatte und in deren Vorzimmer drei oder vier Schreiber tätig waren. Einer derselben, ein kleiner vertrockneter Mann mit einer steifen, braunen Perücke, die wie aus Pfefferkuchen aussah, stand auf, um meine Tante zu begrüßen, und wies uns in Mr. Spenlows Zimmer.

»Mr. Spenlow ist bei Gericht, Ma'am«, sagte er, »er hat Tagfahrt im Archivgericht, aber es ist gleich daneben, und ich werde sofort um ihn schicken.«

Während wir warteten, benutzte ich die Gelegenheit, mich umzusehen. Das Mobiliar des Zimmers war altmodisch und verstaubt. Das grüne Tuch auf dem Schreibtisch hatte die Farbe ganz verloren und sah welk und bleich aus wie ein Findelkind. Es lagen viele beschriebene Rollen darauf, einige bezeichnet mit Konsistorial-, andere mit Archivgericht, andere mit Prerogativ- und Admiralitätsgericht, noch andere mit Delegiertengericht, so daß ich mich erstaunt fragte, wie viel Gerichte es wohl überhaupt geben möge und wie lange es wohl dauern würde, bis ich das alles verstünde. Außerdem bemerkte ich mehrere außerordentlich dicke Bücher mit notariell aufgenommenen Zeugenaussagen, stark gebunden und in Reihen gestellt, immer eine Reihe für je einen Rechtsfall. Alles das sah sehr einträglich aus und gab mir einen angenehmen Begriff von den Geschäften eines Proktors. Ich musterte mit zunehmendem Wohlgefallen diese und andere ähnliche Gegenstände, als man draußen eilige Schritte hörte und Mr. Spenlow in einem schwarzen, mit weißem Pelz besetzten Talar hereintrat.

Er war ein kleiner, hellblonder Gentleman mit tadellosen Stiefeln und einem weißen Halskragen von der steifsten Sorte. Sehr knapp und sorgfältig zugeknöpft schien er sich sehr viel Mühe mit der Pflege seines sorgfältig gelockten Backenbarts gegeben zu haben. Seine goldne Uhrkette war so schwer, daß mich die spaßhafte

Vermutung beschlich, ob er, um sie herauszuziehen, nicht auch einen so starken, goldnen Arm haben müßte, wie er über den Läden der Goldschmiede zu sehen ist. Er war so sorgfältig angezogen und so steif, daß er sich kaum verbeugen konnte, und wenn er ein paar Papiere auf seinem Pult ansehen wollte, sich aus der Hüfte heraus verneigen mußte wie eine Gliederpuppe.

Meine Tante stellte mich vor. Er begrüßte mich mit großer Höflichkeit und sagte dann:

»Sie gedenken also, Mr. Copperfield, sich unserm Beruf zu widmen. Ich erwähnte neulich zufällig Miss Trotwood, als ich das Vergnügen hatte, mit ihr zu sprechen – er machte eine höfliche Gliederpuppenverbeugung –, daß bei uns eine Stelle vakant sei. Miss Trotwood war so freundlich zu bemerken, daß sie einen Neffen habe, für den sie eine gute Stellung suche. Diesen Neffen habe ich jetzt wahrscheinlich das Vergnügen?« – wieder Puppenverbeugung.

Ich verbeugte mich ebenfalls und erwiderte, meine Tante habe es mir mitgeteilt; ich könnte aber jetzt noch nicht sagen, wie es mir gefallen würde, ehe ich nicht mehr davon kennengelernt hätte, und daß ich voraussetzte, ich würde sozusagen versuchsweise eintreten dürfen.

»O gewiß, gewiß!« sagte Mr. Spenlow. »Wir schlagen in unserm Geschäft immer einen Monat vor – einen Probemonat. Ich würde mich glücklich schätzen, zwei Monate oder drei oder eine unbestimmte Zeit anzubieten, aber ich habe einen Kompagnon, Mr. Jorkins.«

»Und die Gebühr beträgt tausend Pfund, Sir?« fragte ich weiter.

»Die Gebühr, Stempel eingerechnet, beträgt tausend Pfund. Wie ich schon zu Miss Trotwood erwähnte, werde ich nie von gewinnsüchtigen Rücksichten bestimmt oder gewiß weniger als die meisten Menschen. Mr. Jorkins hat jedoch seine Ansichten über die Sache, und ich halte es für meine Pflicht, Mr. Jorkins' Meinung zu respektieren. Mr. Jorkins hält tausend Pfund sogar für zuwenig.«

»Ich nehme an«, sagte ich, immer noch in der Hoffnung, meiner Tante Ausgaben ersparen zu können, »daß Sie sicherlich einem eingeschriebenen Angestellten, wenn er sich besonders nützlich macht und seinen Beruf gründlich erfüllt« – ich mußte erröten, denn es klang so sehr wie Selbstlob –, »in den letzten Jahren seiner Lehrzeit –«

Mr. Spenlow beeilte sich, meinem Wort »Salär« zuvorzukommen, und hob mit großer Anstrengung seinen Kopf so weit über den Halskragen, um ihn schütteln zu können.

»Nein! Ich will nicht sagen, wie ich über diesen Punkt denken würde, wenn ich nicht gebunden wäre. Mr. Jorkins ist unerbittlich.«

Mir wurde ordentlich angst vor diesem schrecklichen Mr. Jorkins. Später fand ich, daß er ein sehr sanfter Mann von etwas trägem Temperament war, der im Geschäft selbst stets unbemerkt im Hintergrund blieb, aber immer als der hartnäckigste und unbarmherzigste Mensch vorgeschoben wurde. Wenn ein Schreiber höheres Gehalt haben wollte, zeigte sich Mr. Jorkins unerbittlich. War ein Klient langsam im Bezahlen der Kosten, so bestand Mr. Jorkins hartherzig darauf, und so höchst unangenehm diese Sachen für Mr. Spenlows Gefühle sein mochten, – Mr. Jorkins bestand auf seinem Schein. Das Herz und die Hand des guten Engels Spenlow wären immer offen gewesen ohne den Dämon Jorkins. Im spätern Alter habe ich noch manche Kanzlei kennengelernt, die nach dem Prinzip Spenlow & Jorkins vorging.

Es wurde vereinbart, daß ich meinen Probemonat anfangen sollte, sobald es mir beliebe, und daß bis zu seinem Ablauf meine Tante ruhig in Dover bleiben könne, da ihr der Kontrakt ohne Schwierigkeiten zur Unterschrift nach Hause geschickt werden würde. Als wir das abgemacht hatten, erbot sich Mr. Spenlow, mich im Gerichtshof herumzuführen. Ich nahm es sehr gerne an, und wir gingen fort, ließen aber meine Tante zurück, da sie sich, wie sie sagte, an solche Orte nicht wagte. Sie schien Gerichtshöfe für eine Art Pulvermühlen, die jeden Augenblick auffliegen könnten, zu halten.

Mr. Spenlow führte mich durch einen gepflasterten, von ernsten Ziegelsteingebäuden umgebenen Hof – nach den Schildern an den Türen und den Namen der Doktoren zu schließen, Amtswohnungen der studierten Advokaten, von denen Steerforth gesprochen, – und dann in einen großen dunkeln Saal linker Hand, der fast wie eine Kapelle aussah.

Der rückwärtige Teil des Raumes war durch ein Gitter abgesperrt. Drin saßen an beiden Seiten einer erhöhten Bühne in Hufeisenform auf altmodischen Speisezimmerlehnstühlen in roten Talaren und grauen Perücken die erwähnten Doktoren. In der Rundung des Hufeisens zwinkerte über einem kleinen Pult, das wie eine Kanzel aussah, ein alter Herr hervor, den ich, wenn er in einem Vogelkäfig gesessen hätte, für eine Eule gehalten haben würde, der aber nur, wie ich erfuhr, der vorsitzende Richter war. Innerhalb des Hufeisens, etwas niedriger – sozusagen zu ebner Erde –, saßen verschiedne andere Herren von Mr. Spenlows Rang, wie er in schwarze, mit weißem Pelz verbrämte Amtstracht gekleidet. Ihre Kragen waren durchweg sehr steif und ihre Blicke sehr hochfahrend; aber in letzterer Hinsicht bemerkte ich, daß ich ihnen unrecht getan hatte, als zwei oder drei von ihnen aufzustehen und eine Frage des vorsitzenden Richters zu beantworten hatten. Noch nie sah ich etwas Schafsmäßigeres.

Das Publikum, bestehend aus einem Burschen mit einem langen Umhängtuch und einem schäbig eleganten Herrn, der heimlich Brotkrumen aus seinen Rocktaschen aß, wärmte sich an einem Ofen in der Mitte des Saales. Die schläfrige Stille des Ortes wurde nur durch das Knistern des Ofenfeuers oder die Stimme eines der Doktoren unterbrochen, wenn einer von diesen Herren langsam durch die ganze Bibliothek von Zeugenaussagen wanderte und nur unterwegs manchmal zur Erquickung bei irgend einem kleinen Argument einkehrte.

Mein ganzes Leben lang habe ich nie einer so gemütlichen, schläfrigen, altmodischen, zeitvergessenen, kleinen Familiensitzung beigewohnt. Ich fühlte, es mußte auf jeden Mann beruhigend wie ein Opiat wirken, ausgenommen auf einen Klienten.

Sehr befriedigt von dem träumerischen Charakter des Ortes gab ich Mr. Spenlow zu verstehen, daß ich vorläufig genug gesehen hätte, und wir begaben uns wieder zu meiner Tante, mit der ich sodann Commons verließ. Noch beim Herausgehen bei Spenlow & Jorkins sah ich, wie die Schreiber einander anstießen und mit ihren Federn auf mich deuteten, was mir meine große Jugend wieder sehr lebhaft vor Augen führte.

Wir erreichten Lincolns Inns Fields ohne neue Abenteuer, außer, daß wir einem unglücklichen Esel vor einem Obstkarren begegneten, der in meiner Tante peinliche Erinnerungen erweckte. Wir führten noch eine lange Unterhaltung über meine Zukunft, als wir in unserer Wohnung angekommen waren. Da ich wußte, wie sehr sie sich nach Hause sehnte und geplagt von ihren wunderlichen Gedanken über Feuer, Taschendiebe und Nahrungsmittel sich keine halbe Stunde in London glücklich fühlen konnte, drang ich in sie, sich meinetwegen keine Sorge zu machen, sondern mich ruhig mir selbst zu überlassen.

»Ich habe auch schon dran gedacht, liebes Kind, und bin nicht umsonst eine Woche hier gewesen. Eine kleine möblierte Wohnung ist in Adelphi zu vermieten, Trot! Sie würde wunderbar für dich passen!«

Damit holte sie aus ihrer Tasche eine aus einer Zeitung sorgfältig herausgeschnittene Anzeige, daß in der Buckingham Straße in Adelphi einige möblierte Zimmer als elegante Wohnung für einen jungen Herrn der Rechtshörerschaft zu vermieten und gleich zu beziehen seien. Der Preis war billig, hieß es, und die Wohnung könnte auch für einen Monat überlassen werden.

»Ja, das ist das Wahre, Tante«, sagte ich, ganz erregt von der Aussicht, eine eigne Wohnung zu beziehen.

»Also komm«, erwiderte meine Tante und setzte sogleich wieder ihren Hut auf, den sie eben erst abgelegt hatte. »Wir wollens uns ansehen.«

Wir gingen aus. Die Anzeige wies uns an eine gewisse Mrs. Crupp, und wir zogen die Hausglocke. Erst nach drei- bis viermaligem Läuten konnten wir Mrs. Crupp in Gestalt einer beleibten Dame, deren flanellner Unterrock unter einem Nankingkleid hervorguckte, zu Gesicht bekommen.

»Bitte zeigen Sie uns Ihre Zimmer, Ma'am«, sagte meine Tante.

»Für diesen jungen Herrn?« fragte Mrs. Crupp und suchte in der Tasche nach dem Schlüssel.

»Ja, für meinen Neffen.«

»Is a wunderschöne Wohnung für so an Herrn«, sagte Mrs. Crupp. Wir folgten ihr die Treppe hinauf.

Die Wohnung befand sich im obersten Stock des Hauses, ein großer Vorzug in den Augen meiner Tante – wegen der Feuersgefahr –, und bestand aus einem kleinen Eintrittszimmer, so dunkel, daß man kaum etwas sehen konnte, einem kleinen stockfinstern Vorratszimmer, in dem man überhaupt nichts sehen konnte, einem Wohnzimmer und einer Schlafkammer. Die Möbel waren recht verschossen, aber gut genug für mich. Und unten floß der Fluß vorbei.

Da mir die Wohnung gefiel, zogen sich meine Tante und Mrs. Crupp in die Speisekammer zurück, um über die Bedingungen zu verhandeln, während ich im Wohnzimmer auf dem Sofa sitzen blieb und kaum an die Möglichkeit zu denken wagte, der Mieter eines so vornehmen Quartiers zu werden. Nach einem Zweikampf von einiger Dauer kehrten sie zurück, und ich las zu meiner Freude an ihren Gesichtern, daß die Sache abgemacht sei.

»Sind das die Möbel des letzten Mieters?« fragte meine Tante.

»Ja, Ma'am.«

»Was ist aus ihm geworden?«

Mrs. Crupp wurde von einem quälenden Husten befallen, zwischen dem sie mit großer Schwierigkeit hervorstieß: »Er wurde krank hier, Ma'am, und – und – uch, uch, uch, mein Gott, – er starb.«

»Ha! Woran starb er?«

»Er starb vom Trinken und vom Rauchen.«

»Rauchen? Sie meinen doch nicht Ofenrauch?« fragte meine Tante.

»Nein, Ma'am. Von Zigarren und Pfeifen.«

»Das ist wenigstens nicht ansteckend, Trot«, bemerkte meine Tante sich zu mir wendend.

»Nein«, sagte ich, »allerdings nicht.«

Mit einem Wort, da meine Tante sah, wie sehr mir die Wohnung gefiel, nahm sie sie, vorläufig auf einen Monat, und wenn dann keine Kündigung erfolgen sollte, für das ganze Jahr. Mrs. Crupp hatte die Wäsche und das Kochen zu besorgen; alles andere war bereits abgemacht, und Mrs. Crupp verpflichtete sich ausdrücklich, daß sie mich stets wie einen Sohn lieben werde. Ich sollte übermorgen einziehen, und sie sagte, sie danke dem Himmel, daß sie wieder für jemand zu sorgen habe.

Auf dem Heimwege gab meine Tante der Hoffnung Ausdruck, das Leben, das ich jetzt zu beginnen im Begriffe stehe, werde mir einen selbständigen und festen Charakter geben; weiter verlange sie nichts. Sie wiederholte das noch mehrere Male am folgenden Tag, während wir die Hersendung meiner Bücher und Sachen von Mr. Wickfield regelten. Ich schrieb bei dieser Gelegenheit einen langen Brief an Agnes, den meine Tante zu besorgen versprach.

Sie sorgte für alle meine möglichen Bedürfnisse während des Probemonats auf das reichlichste und freute sich schon auf die bevorstehende Demütigung der Esel in Dover. Zu ihrer und meiner großen Überraschung erschien Steerforth nicht und, als die Kutsche fort war, wandte ich mich dem Adelphi zu und mußte an die Tage denken, wo ich durch seine unterirdischen Bogengänge streifte, und an die glücklichen Veränderungen, die mich wieder ans Licht gebracht.

24. Kapitel

Meine erste Ausschweifung

Es war etwas wunderbar Schönes, das hohe Schloß für mich allein zu haben und mich, wenn ich die Außentür zumachte, zu fühlen wie Robinson Crusoe, wenn er sich in seiner Festung befand und die Leiter hinter sich hinaufgezogen hatte. Es war etwas Zauberhaftes, mit dem Hausschlüssel in der Tasche in der Stadt herumzugehen und zu wissen, daß man jeden zu sich einladen könnte, ohne irgend jemand damit zu belästigen, als höchstens sich selbst; so wunderbar herrlich, kommen und gehen zu können, ohne um Erlaubnis fragen zu müssen, und die keuchende Mrs. Crupp aus den Tiefen der Erde heraufzuläuten, wenn man sie brauchte – und sie Lust hatte zu kommen.

Alles das war wunderbar schön, aber eigentlich auch manchmal recht langweilig. Es war sehr hübsch, besonders an einem schönen Morgen, frisch und lebendig bei Tag und noch mehr bei Sonnenschein. Aber wenn der Tag sank, schien das Leben ebenfalls unterzugehen. Ich weiß nicht, wie es kam, aber es war selten gemütlich bei Kerzenschein. Ich hätte jemand haben mögen, um mich mit ihm zu unterhalten. Agnes fehlte mir. An ihrer Statt – die sie immer lächelnd meine Herzensergüsse aufgenommen – herrschte eine öde Leere.

Und bis zu Mrs. Crupp war ein recht weiter Weg.

Nach zwei Tagen und Nächten kam es mir vor, als hätte ich schon ein Jahr dort gewohnt, und, da Steerforth immer noch nicht erschien und ich fürchtete, er könnte krank sein, machte ich am dritten Tag frühmorgens einen Abstecher nach Highgate. Mrs. Steerforth freute sich sehr, mich zu sehen, und sagte mir, er sei zu einem seiner Oxforder Freunde auf Besuch nach Saint Albans gegangen, käme aber morgen zurück. Ich hatte ihn so gern, daß ich auf seine Oxforder Freunde ordentlich eifersüchtig war.

Da man mich so dringend zum Essen einlud, mußte ich annehmen, und wir sprachen den ganzen Tag nur von ihm. Ich erzählte Mrs. Steerforth, wie gerne ihn die Leute in Yarmouth hätten, und was er für ein angenehmer Gesellschafter gewesen sei. Miss Dartle war wie gewöhnlich voller Andeutungen und geheimnisvoller Fragen, hörte aber mit so großem Interesse zu und fragte so oft: »wirklich, ist es wirklich –?« bis sie alles erfahren hatte, was sie wissen wollte. Sie sah genau so aus wie bei meinem ersten Besuch, aber die Damengesellschaft erschien mir so angenehm, daß ich mich ein ganz klein wenig in Miss Dartle verliebte. Mehrmals am Abend und besonders, als ich nachts nach Hause ging, drängte sich mir der Gedanke auf, was für ein angenehmer Verkehr sie für mich in der Buckingham Straße sein müßte.

Ich verzehrte am andern Morgen gerade meinen Kaffee mit Semmeln – es war wunderbar, wieviel Kaffee Mrs. Crupp verbrauchte und wie schwach er dabei war –, als zu meiner grenzenlosen Freude Steerforth hereintrat.

»Lieber Steerforth!« rief ich aus. »Ich fing schon an zu glauben, ich würde dich nie mehr wiedersehen.«

»Sie haben mich fast gewaltsam entführt«, sagte Steerforth, »gleich am nächsten Morgen nach meiner Rückkehr. Aber Daisy, du haust ja hier wie ein alter Junggeselle.«

Ich zeigte ihm die ganze Wohnung und sogar die Speisekammer voll Stolz, und er lobte alles sehr.

»Ich will dir was sagen, alter Junge«, fügte er dann hinzu. »Ich hätte Lust, das zu meinem Absteigequartier zu machen, bis du mir kündigst.«

Ich war entzückt. Ich sagte ihm, wenns auf die Kündigung ankäme, könnte er bis zum jüngsten Tag warten.

»Aber du mußt doch etwas frühstücken«, sagte ich und griff nach der Klingel. »Mrs. Crupp soll dir frischen Kaffee kochen, und ich will dir auf meinem neuen Junggesellenherd ein wenig Schinken rösten.«

»Nein, nein«, sagte Steerforth, »klingle nicht. Ich kann nicht. Ich muß mit zwei Kollegen im Piazza-Hotel in Covent Garden frühstücken.«

»Dann kommst du aber doch zum Mittagessen?«

»Mein Wort, ich kann nicht! Nichts würde mir angenehmer sein, aber ich muß bei den beiden bleiben. Wir wollen alle drei morgen früh wieder fort.«

»Nun, dann bring sie mit hierher zu Tisch«, schlug ich vor. »Glaubst du, sie würden kommen?«

»O gewiß, sehr gerne«, sagte Steerforth, »aber wir würden dir Ungelegenheiten machen. Speise du lieber mit uns irgendwo.«

Damit wollte ich mich in keiner Weise einverstanden erklären. Ich konnte doch keine bessere Gelegenheit finden, ein kleines Antrittsfest zu geben. Ich war auf meine Wohnung noch einmal so stolz, nachdem Steerforth sie so gelobt hatte, und brannte vor Verlangen, sie alle Stücke spielen zu lassen. Er mußte mir daher auf das bestimmteste im Namen seiner Freunde für sechs Uhr abends zusagen.

Als er fort war, klingelte ich Mrs. Crupp und weihte sie in meinen verwegnen Plan ein. Sie sagte vorerst, selbstverständlich könne man von ihr nicht erwarten, daß sie bei Tisch bediene, aber sie kenne einen gewandten jungen Mann, der für fünf Schillinge und ein kleines Trinkgeld vielleicht dazu bereit wäre. Ich bestellte natürlich diesen jungen Mann. Dann sagte Mrs. Crupp, sie könne selbstverständlich nicht an zwei Orten zugleich sein, was mir einleuchtete, und daß ein junges »Gschöpf« in der Speisekammer, um Teller zu waschen, unentbehrlich sei. Ich fragte, was so ein Mädchen kosten könne, und Mrs. Crupp sagte, achtzehn Pence würden mich kaum zugrunde richten. Das sah ich ein, und so war alles abgemacht. Dann sagte Mrs. Crupp: »Jetzt also das Essen.« Es war ein bemerkenswertes Beispiel von Gedankenlosigkeit seitens des Ofensetzers, daß Mrs. Crupps Küchenherd so gebaut war, daß man nur Hammelkoteletten und Kartoffelbrei darauf kochen konnte. Den Fischkessel, sagte sie, sollte ich nur einmal in der Küche ansehen. Weiter könne sie nichts sagen.

Warum sollte ich ihn ansehen! Da es doch nichts geholfen hätte, schlug ich es ab und sagte ihr: »Also kein Fischgericht!«

Aber Mrs. Crupp meinte: »Sagen Sie das nicht, es gibt doch Austern! Warum wollen Sie die nicht nehmen?« Das war also auch abgemacht. Dann sagte Mrs. Crupp, sie würde folgendes empfehlen: »Ein paar gebratene Hühner – aus der Hotelküche; ein Gericht gedämpftes Rindfleisch mit Gemüse – aus der Hotelküche; zwei Zwischenspeisen – aus der Hotelküche; eine Pastete mit Bohnen – aus der Hotelküche; eine Torte mit Früchtegelee – aus der Hotelküche.« Das, meinte Mrs. Crupp, würde ihr volle Zeit lassen, ihre geistigen Fähigkeiten auf die Kartoffeln zu konzentrieren und den Käse und die Sellerie, so rasch wie ich es wünschte, servieren zu können.

Ich handelte nach Mrs. Crupps Rat und gab selber in der Hotelküche die nötigen Aufträge. Als ich nachher am Strand entlangging und in einem Fleischladen eine harte marmorierte Substanz mit der Aufschrift »Mockturtle« erblickte, ließ ich mir ein Stück abschneiden, das, wie ich später erfuhr, für fünfzehn Personen gereicht hätte. Nicht ohne einige Schwierigkeit verstand sich Mrs. Crupp dazu, das Präparat aufzuwärmen. Es schmolz aber in flüssigem Zustand so zusammen, daß es, wie Steerforth sagte, knapp ein »Happen« für vier war.

Außerdem kaufte ich noch ein kleines Dessert auf dem Covent Garden Markt und gab einem Weinhändler in der Nachbarschaft einen namhaften Auftrag. Als ich nachmittags nach Hause kam und die Flaschen auf dem Fußboden der Vorratskammer im Viereck aufgeschichtet sah, kamen sie mir so zahlreich vor (obgleich zwei fehlten, was Mrs. Crupp sehr unangenehm war), daß ich geradezu darüber erschrak.

Der eine von Steerforths Freunden hieß Grainger, der andere Markham. Beide waren sehr fröhliche, lebenslustige junge Leute. Grainger war etwas älter als Steerforth, Markham sah jugendlich aus und konnte höchstens zwanzig sein. Es fiel mir auf, daß Markham stets von sich als der »Mensch« sprach und nie in der ersten Person.

»Der Mensch könnte sich hier sehr wohl befinden, Mr. Copperfield«, sagte Markham.

»Es ist keine schlechte Lage«, stimmte ich zu, »die Wohnung ist wirklich recht bequem.«

»Ich hoffe, ihr habt beide guten Appetit mitgebracht«, fragte Steerforth.

»Ehrenwort!« erwiderte Markham. »Der Mensch bekommt in der Stadt Appetit. Man ist den ganzen Tag hungrig. Man ißt in einem fort.«

Da ich ein wenig befangen war am Anfang und mir zu jung vorkam, um den Wirt zu spielen, bat ich Steerforth zu präsidieren und setzte mich ihm gegenüber. Alles war sehr gut, wir sparten keinen Wein, und er übertraf sich selbst, so gut hielt er alles in Gang, so daß keine Pause in unserm Fest eintrat. Ich konnte während des Essens kein so guter Gesellschafter sein, wie ich wünschte, denn mein Stuhl stand der Tür gegenüber, und meine Aufmerksamkeit wurde immer dadurch abgelenkt, daß der gewandte junge Mann sehr oft das Zimmer verließ und sein Schatten stets unmittelbar darauf mit einer Flasche am Mund an der Wand erschien.

Auch das junge »Gschöpf« machte mir einige Sorgen. Nicht so sehr, weil sie stets vergaß, die Teller zu waschen, sondern weil sie sie immer zerbrach. Da sie sehr wißbegierig zu sein schien und sich nicht auf die Vorratskammer beschränkt hielt, lugte sie beständig durch die halboffene Tür herein, hielt sich jedesmal für entdeckt und zog sich in diesem Glauben des öftern auf die Teller zurück, mit denen sie sorgfältig vorher den Fußboden belegt hatte, und richtete dadurch viel Zerstörung an.

Immerhin waren das geringfügige Unannehmlichkeiten, die ich bald vergaß, als das Tischtuch weggenommen war und das Dessert auf der Tafel stand, um welche Zeit, nebenbei gesagt, der gewandte junge Mann kaum mehr lallen konnte. Ich bedeutete ihm, die Gesellschaft der Mrs. Crupp aufzusuchen und auch das junge »Gschöpf« mit hinunterzunehmen, und überließ mich ganz dem Vergnügen.

Es fing damit an, daß ich sehr heiter wurde; ich erzählte allerlei halbvergessene Dinge und wurde ungewöhnlich gesprächig.

Ich lachte herzlich über meine eignen Witze und die der andern, rief Steerforth zur Ordnung, weil er den Wein nicht hatte herumgehen lassen, versprach des öftern nach Oxford zu kommen, erklärte, daß ich vorläufig jede Woche ein solches Diner geben würde, und nahm so furchtbar viel Schnupftabak aus Graingers Dose, daß ich mich in die Speisekammer zurückziehen und zehn Minuten lang niesen mußte.

Der Wein ging immer schneller und schneller herum, und ich öffnete immer mehr Flaschen, lange, bevor es nötig war. Ich sagte, Steerforth sei mein teuerster Freund, der Beschützer meiner Kindheit und der Gefährte meiner Jugend. Ich müsse auf seine Gesundheit trinken. Ich schulde ihm mehr, als ich ihm je vergelten könnte, und bewunderte ihn mehr, als ich mit Worten zu sagen vermöchte. Und dann schloß ich: »Steerforth soll leben! Gott segne ihn! Hurra!« Wir gaben ihm dreimal drei Hurras und dann noch eins und ein noch recht ordentliches, um das Maß vollzumachen. Ich zerbrach mein Glas, als ich um den Tisch ging, ihm die Hand zu schütteln, und sagte in zwei Worten: »Steerforth! dubistderleitsternmeineslebens.«

So ging es fort, da bemerkte ich plötzlich, daß jemand mitten im Singen eines Liedes begriffen war. Markham sang, und zwar: »Wenn die Sorg das Menschenherz mit Gram beschwert.« Am Schluß sagte er, er möchte die Weiber leben lassen. Ich erhob Einspruch dagegen und gestattete es nicht. Ich fand die Form nicht respektvoll genug und wollte niemand in meinem Hause erlauben, anders als auf die »Damen« zu trinken. Ich wurde sehr heftig gegen ihn, weil ich sah, daß Steerforth und Grainger mich auslachten – oder ihn – oder uns beide. Er sagte, »man« ließe sich nichts vorschreiben. Ich war damit nicht einverstanden. Er sagte, der »Mensch« dürfte nicht beleidigt werden. Und ich gab ihm recht. – Unter meinem Dache, wo die Laren und die Gesetze der Gastfreundschaft geheiligt seien, dürfe niemand beleidigt werden. Er sagte, es wäre des Menschen nicht unwürdig zu bekennen, daß ich ein verteufelt guter Kerl sei. Ich ließ ihn sofort hochleben.

Es rauchte jemand. Alle rauchten. Ich rauchte auch und unterdrückte mühsam einen Schüttelfrost. Steerforth hielt eine Rede auf mich, die mich fast bis zu Tränen rührte. Ich dankte in einer Gegenrede und hoffte, die Anwesenden würden morgen bei mir speisen und übermorgen – jeden Tag um fünf Uhr, damit wir einen langen Abend vor uns hätten. Ich fühlte mich bewogen, einen Privattoast auszubringen. Ich ließ meine Tante leben. Miss Betsey Trotwood, die beste ihres Geschlechts.

Es lehnte sich jemand aus meinem Schlaftstubenfenster und kühlte sich die Stirn an dem steinernen Sims. Das war ich. Ich redete mich als Copperfield an und sagte: warum hast du geraucht! Du hättest ja wissen können, daß du es nicht vertragen kannst. Dann sah sich jemand im Spiegel. Das war ich. Meine Augen blickten stier, und mein Haar – nur mein Haar, sonst nichts – sah ganz betrunken aus.

Jemand sagte zu mir: »Wir wollen ins Theater gehen, Copperfield.«

Ich befand mich nicht mehr im Schlafzimmer, sondern wieder an dem mit Gläsern bedeckten Tische. Da stand die Lampe; Grainger saß zu meiner Rechten, Markham links, Steerforth mir gegenüber, – alle von einem Nebel umgeben und weit, weit weg. »Ins Theater? Natürlich. Also los!« Aber sie müßten mich entschuldigen, wenn ich sie erst alle hinausließe und die Lampe abdrehte wegen der Feuersgefahr.

Die Finsternis verwirrte mich. Die Tür war verschwunden. Ich tappte nach ihr in den Fenstergardinen, als Steerforth mich lachend beim Arme faßte und hinausführte. Wir gingen die Treppe hinunter, einer nach dem andern. Auf einer der letzten Stufen stolperte jemand und kollerte hinunter. Eine Stimme sagte, es sei Copperfield. Ich ärgerte mich über die Unwahrheit, bis ich mich im Hausflur auf dem Rücken liegend fand und zu glauben anfing, es müßte doch etwas Wahres dran sein.

Draußen lag starker Nebel, und um die Straßenlaternen hingen große Ringe. Ich hörte so etwas wie, es sei feucht. Mir kam es kalt vor. Steerforth staubte mich unter einer Laterne ab und bog meinen Hut zurecht, den irgend jemand auf höchst rätselhafte Weise irgendwo gefunden hatte. Dann sagte er: »Ist dir schon besser, Copperfield?« und ich erwiderte: »Nie besserer.«

Ein Mann in einem Taubenschlag blickte aus dem Nebel und kassierte Geld von jemand ein und fragte, ob ich einer der Herren wäre, für die gezahlt worden sei. Gleich darauf befanden wir uns sehr hoch oben in einem sehr heißen Theater, und ich sah in ein großes Parterre hinab, das mir zu dampfen schien, so wenig konnte ich die Leute, die darin zusammengepfropft saßen, unterscheiden. Auch eine große Bühne sah ich, die im Vergleich mit der Straße sehr rein und glatt schien, und es waren auch Leute darauf, die unverständlich von irgend etwas sprachen. Ein Überfluß von Licht, Musik, Damen in den Logen, und ich weiß nicht, was sonst noch. Alles schien schwimmen zu lernen und benahm sich ganz unerklärlich, wenn ich es festzuhalten versuchte. Auf irgend jemandes Anregung hin beschlossen wir hinunter in die erste Rangloge zu den Damen zu gehen. Ein Gentleman in Gesellschaftsanzug saß auf einem Sofa. Er zog mit einem Opernglas in der Hand an meinem Blick vorüber. Ebenso mein eignes Bild im Spiegel. Dann führte man mich in eine der Logen, und ich setzte mich irgendwo nieder, sagte etwas, und die Leute in meiner Nähe riefen jemand »Ruhe« zu.

Und die Damen sahen mich empört an und – ja, was ist denn das? Da sitzt Agnes in der Reihe vor mir neben einer Dame und einem Herrn, die ich nicht kenne. Ich sehe ihr Gesicht jetzt noch – besser als damals – mit einem auf mich gerichteten, unbeschreiblichen Blick voll Schmerz und Verwunderung.

»Agnes!« sagte ich mit schwerer Zunge. »Mein Gott, Agnes!«

»Still, ich bitte dich«, sagte sie. Ich konnte nicht begreifen warum. »Du störst das Publikum! Schau auf die Bühne.«

Ich versuchte meinem Blick eine bestimmte Richtung zu geben und etwas von dem zu verstehen, was unten vorging, aber es war vergebens. Ich sah sie wieder an, und sie drückte sich scheu in ihre Ecke und hielt ihre Hand an die Stirn.

»Agnes!« lallte ich, »Ichfürchtubisnichwohl.«

»Ja, ja. Bitte, laß mich, Trotwood!« erwiderte sie. »Höre. Gehst du bald wieder?«

»Gehbalwier?« wiederholte ich.

»Ja.«

Ich hatte die törichte Absicht, ihr zu antworten, daß ich auf sie warten wollte, um sie die Treppe hinunterzuführen. Ich mußte es irgendwie herausgebracht haben, denn, nachdem sie mich eine Weile aufmerksam angesehen, sagte sie leise:

»Ich weiß, daß du mir folgen wirst, wenn ich dir sage, daß mir sehr viel daran liegt. Geh Jetzt, Trotwood! Um meinetwillen, und bitte deine Freunde, daß sie dich nach Hause bringen!«

Sie hatte mich doch so weit zur Besinnung gebracht, daß ich, wenn auch ärgerlich auf sie, mich schämte und mit einem kurzen »Gura!«, das gute Nacht heißen sollte, aufstand und fortging. Meine Freunde folgten mir, und ich trat aus der Logentür unmittelbar in mein Schlafzimmer, wo bloß noch Steerforth bei mir blieb, mir beim Ausziehen half, wobei ich ihm wiederholt versicherte, Agnes sei meine Schwester, und ihn immerwährend bat, den Korkzieher zu bringen, damit ich noch eine Flasche Wein aufmachen könnte.

Irgend jemand lag in meinem Bett und sagte und tat das immer wieder die ganze Nacht hindurch in einem Fiebertraum und in buntem Wirrwarr, während das Bett wie eine rauhe See niemals stille stand. Aus diesem jemand wurde langsam ich mit fieberndem Durst in einer heißen, trocknen Haut, die mich umhüllte wie ein hartes Brett.

Meine Zunge war dem Boden eines leeren Kessels gleich, beschlagen von langem Dienst und über einem langsamen Feuer röstend; meine Handflächen Platten von glühendem Metall, die kein Eis kühlen konnte.

Aber erst die Seelenqual, die Reue und die Scham, als ich am Morgen wieder meiner bewußt wurde! Mein Entsetzen, tausend Beleidigungen begangen zu haben, die ich vergessen hatte und nicht mehr gutmachen konnte, – die Erinnerung an Agnes' unbeschreiblichen Blick, das quälende Gefühl der Unmöglichkeit, mich mit ihr auszusprechen, da ich weder wußte, wann sie nach London gekommen war, noch wo sie wohnte! Mein Ekel bei dem bloßen Anblick der Stube, wo das Gelage stattgefunden hatte – der Kopfschmerz, der Geruch von Zigarrenrauch, der Anblick der Gläser, die Unfähigkeit, aufzustehen, geschweige denn auszugehen. Ach Gott, was war das für ein Tag!

Und der Abend! als ich am Kamin saß mit einem Teller Hammelsuppe, die ganz in Fett schwamm! – Gequält von dem Gedanken, daß ich jetzt auf demselben Wege sei wie mein Vormieter und der Erbe seiner traurigen Geschichte, war ich halb und halb willens, stracks nach Dover zu eilen und alles zu beichten! Wie dann Mrs. Crupp hereinkam, den Suppenteller holte und eine Niere auf dem Käseteller als einzigen Überrest des gestrigen Gelages vorwies, und ich dabei wirklich Neigung fühlte, an ihre Nankingbrust zu sinken und in aufrichtigem Elend zu sagen: »O Mrs. Crupp, Mrs. Crupp, reden Sie nicht von Fleisch, mir ist so miserabel.«

Aber selbst in diesem Katzenjammer fühlte ich so etwas wie Zweifel, daß Mrs. Crupp eine Frau sei, der man vertrauen könne.

25. Kapitel

Gute und böse Engel

Ich trat am Morgen nach jenem beklagenswerten Tag von Kopfschmerz, Übelkeit und Reue, vollständig verwirrt über das Datum des von mir gegebenen Festes, das mir ein paar Monate in die Vergangenheit zurückgeschoben schien, als hätte ein Heer von Titanen den Hebel der Zeit verrückt, aus meiner Stube, als ich einen Dienstmann mit einem Brief in der Hand die Treppe heraufkommen sah. Er ging ganz langsam; kaum sah er mich aber oben auf der Treppe, verfiel er in Trab und blieb keuchend vor mir stehen, als ob er sich bis zur äußersten Erschöpfung angestrengt hätte.

»D. Copperfield, Hochwohlgeboren«, sagte er und berührte mit seinem kleinen Rohrstock seine Mütze.

Ich konnte mich kaum zu dem Namen bekennen, so bestürzt war ich bei dem Bewußtsein, daß der Brief von Agnes kam. Endlich sagte ich, daß ich D. Copperfield, Hochwohlgeboren, sei und nahm das Schreiben, das, wie der Dienstmann sagte, auf Antwort wartete. Ich ließ ihn vor der Türe stehen und trat mit einer solchen Aufregung in die Stube, daß ich den Brief erst auf den Tisch legen mußte, um mich mit seiner Außenseite etwas vertraut zu machen, ehe ich mich entschließen konnte, ihn aufzubrechen.

Dann fand ich ein paar sehr freundliche Zeilen, die nicht den geringsten Hinweis auf meinen Zustand im Theater enthielten. Sie sagten weiter nichts als: »Lieber Trotwood! Ich wohne hier in dem Hause von Papas Agenten, Mr. Waterbroock, Elyplatz, Holborn. Willst Du mich heute zu jeder beliebigen Stunde besuchen? Immer Deine Agnes.«

Ich brauchte zur Abfassung einer mich befriedigenden Antwort so viel Zeit, daß ich wirklich nicht weiß, was der Dienstmann draußen sich gedacht haben muß; – wahrscheinlich, ich lernte schreiben.

Ich muß mindestens ein halbes Dutzend Briefe entworfen haben. Einer fing an: »Wie kann ich jemals hoffen, liebe Agnes, daß Du den widerlichen Eindruck vergessen kannst, – « das gefiel mir nicht und ich zerriß den Brief. Ich fing wieder an: »Shakespeare sagt, liebe Agnes, wie seltsam es ist, daß der Mensch im eignen Mund seinen Feind – « Aber das erinnerte mich an Markham, und ich kam nicht weiter. Ich fing ein drittes Billet mit einer Zeile von sechs Silben an: »Gedenke, gedenke – « aber das erinnerte mich an den Beginn der Inschrift auf dem Tower, die von Aufruhr und Pulververschwörung handelt. Nach vielen vergeblichen Versuchen schrieb ich endlich: »Meine liebe Agnes! Dein Brief ist ganz wie Du selbst, und ich kann nicht mehr zu seinem Lobe sagen. Ich komme um vier Uhr. Mit aufrichtiger Zuneigung, Dein bekümmerter D. C.« Mit diesem Brief, den ich wohl zwanzigmal zurücknehmen wollte, nachdem ich ihn kaum aus der Hand gegeben, trat der Dienstmann endlich den Rückweg an.

Wenn irgendeinem der Berufsgentlemen in Doctors' Commons der Tag nur halb so schrecklich vorkam wie mir, so hat er, glaube ich, genügend Buße für seinen Teil an diesem alten verrotteten kirchengesetzlichen Käse getan. Ich verließ die Kanzlei um halb vier, traf ein paar Minuten später vor Agnes' Wohnung ein, und dennoch dauerte es eine volle Viertelstunde, ehe ich den verzweifelten Entschluß fassen konnte, an Mr. Waterbroocks Klingel zu ziehen.

Die Kanzlei für die laufenden Angelegenheiten Mr. Waterbroocks befand sich zu ebner Erde. Der vornehmere Teil der Berufsfragen wickelte sich im obern Teil des Hauses ab. Man führte mich in ein hübsches, aber kleines Gesellschaftszimmer, und hier saß Agnes und häkelte eine Börse.

Ihr Gesicht sah so gut und still aus und erinnerte mich so an die heitern, frischen Tage meiner Schulzeit in Canterbury und stach so sehr von dem betrunknen durchräucherten Scheusal ab, das ich neulich gewesen, daß ich meiner Reue und Scham freien Lauf ließ und – kurz, mich wie ein Kind benahm. Ich kann nicht leugnen, daß ich weinte. Bis zu dieser Stunde weiß ich noch nicht, ob es das Klügste oder das Lächerlichste war, was ich tun konnte.

»Wenn es irgend jemand anders gewesen wäre als du, Agnes«, sagte ich mit abgewandtem Gesicht, »würde es mich nur halb so grämen. Aber daß du grade mich so sehen mußtest! Ich wollte fast, ich wäre lieber gestorben.«

Sie legte ihre Hand – ihre Berührung war wie die keiner andern Hand – einen Augenblick auf meinen Arm, und ich fühlte mich so getröstet und beruhigt, daß ich sie dankbar an meine Lippen drückte.

»Setz dich doch«, sagte Agnes heiter. »Sei nicht unglücklich, Trotwood! Wenn du dich mir nicht anvertrauen kannst, wem denn sonst.«

»Ach, Agnes«, antwortete ich, »du bist mein guter Engel.«

Sie lächelte, wie mir schien, ziemlich trübe und schüttelte den Kopf.

»Ja, Agnes«, wiederholte ich, »mein guter Engel! Immer mein guter Engel.«

»Wenn ich das wirklich sein darf, Trotwood«, sagte sie, »dann kann ich dir auch sagen, daß mir etwas sehr am Herzen liegt.«

Ich sah sie forschend an, bereits mit einem Vorgefühl dessen, was kommen würde.

»Dich vor deinem bösen Engel warnen«, fuhr Agnes fort und sah mich fest an.

»Meine liebe Agnes, wenn du Steerforth meinst –«

»Allerdings, Trotwood.«

»Dann tust du ihm sehr unrecht. Er mein oder irgend jemandes böser Engel! Er, der mir nie etwas anderes als ein Führer, eine Stütze und ein Freund gewesen ist. Liebe Agnes, ist es nicht ungerecht und deiner unwürdig, ihn nach dem, was du neulich abends sahst, zu beurteilen?«

»Ich beurteile ihn durchaus nicht danach«, gab sie ruhig zur Antwort.

»Wonach denn?«

»Nach mancherlei, an sich Kleinigkeiten, die mir aber in einem andern Licht erscheinen, wenn ich sie zusammenhalte. Ich beurteile ihn teils nach dem, was du mir von ihm erzählt hast, Trotwood, teils nach deinem Charakter und dem Einfluß, den er auf dich ausübt.«

Es lag etwas in ihrer sanften Stimme, das in mir eine anklingende Seite zu berühren schien. Ihre Stimme war immer ernst, aber wenn sie sehr ernst war wie jetzt, übte sie einen überwältigenden Einfluß auf mich aus. Ich betrachtete Agnes, während sie stumm ihre Augen auf ihre Arbeit gesenkt hielt. Mir war es, als ob ich ihr noch immer zuhörte, und Steerforths Bild trat, trotz aller meiner Zuneigung zu ihm, durch ihren Ton wie in Dunkelheit zurück.

»Ich nehme mir sehr viel heraus«, sagte Agnes und blickte wieder auf, »wenn ich dir bei meiner geringen Weltkenntnis so zuversichtlich einen Rat gebe oder überhaupt eine so entschiedene Meinung äußere. Aber ich weiß, in welchen Gefühlen sie wurzelt, Trotwood; wie sie ihren Ursprung hat in der Erinnerung an unsere gemeinsam verlebte Jugend und in einer innigen Teilnahme an allem, was dich angeht. Das macht mich so sicher. Ich bin überzeugt, daß ich recht habe. Ich bin davon durchdrungen. Mir ist, als ob jemand anders durch mich spräche und nicht ich, wenn ich dich vor diesem gefährlichen Feinde warne.«

Wieder blickte ich sie an, wieder hatte ich die Empfindung, als ob sie noch spräche, während sie bereits schwieg, und wieder trat sein Bild in tiefen Schatten zurück.

»Ich erwarte nicht etwa«, begann Agnes abermals nach einer Weile, »daß du mit einem Schlag ein Gefühl, das dir bereits zur Überzeugung geworden ist, ausrotten kannst oder wirst; schon deswegen nicht, weil es seine Wurzeln in deinem vertrauenden Charakter hat. Du solltest das auch gar nicht versuchen. Ich bitte dich nur, Trotwood, wenn du an mich denkst – ich meine –«, sagte sie mit einem ruhigen Lächeln, denn ich wollte sie unterbrechen und sie wußte warum, »– sooft du an mich denkst, dich daran zu erinnern, was ich dir eben gesagt habe. Verzeihst du mir alles das?«

»Ich werde dir verzeihen, Agnes«, erwiderte ich, »wenn du später einmal Steerforth Gerechtigkeit widerfahren läßt und ihn so gern haben wirst wie ich.«

»Erst dann?«

Ihr Gesicht umdüsterte sich einen Augenblick bei diesen Worten, aber sie erwiderte mein Lächeln, und wir waren wieder so rückhaltlos in unserer gegenseitigen Vertraulichkeit wie früher.

»Und wann wirst du mir den letzten Abend verzeihen, Agnes?«

»So oft ich mich daran erinnere!«

Sie wollte damit den Gegenstand fallenlassen, aber das Herz war mir zu voll davon, und ich beharrte darauf, ihr alles ausführlich zu erzählen und ihr auseinanderzusetzen, von welcher Kette zufälliger Umstände das Theater das letzte Glied gewesen war.

Diese Erzählung und ein längeres Verweilen bei dem Dienst, den mir Steerforth an jenem Abend geleistet, gewährte mir eine große Erleichterung.

»Du darfst nicht vergessen«, sagte Agnes und lenkte, als ich ausgesprochen, die Unterhaltung ruhevoll auf ein anderes Thema, »daß du mir auch immer Bericht erstatten mußt, wenn du dich verliebst. Wer ist Miss Larkins' Nachfolgerin geworden, Trotwood?«

»Niemand, Agnes.«

Agnes lachte und drohte mir mit dem Finger.

»Nein, Agnes, niemand. Auf mein Wort, niemand. Bei Mrs. Steerforth ist wohl eine Dame, die sehr gescheit ist und mit der ich mich gern unterhalte – Miss Dartle –, aber ich mache ihr gewiß nicht den Hof.«

Agnes lachte wieder über ihren Scharfblick und sagte, wenn ich ihr immer mein Vertrauen schenkte, werde sie vielleicht ein kleines Register meiner heftigsten Neigungen anlegen, ähnlich den Tabellen über die Könige und Königinnen von England. Dann fragte sie mich, ob ich Uriah gesehen hätte.

»Uriah Heep? – Nein. Ist er denn in London?«

»Er kommt täglich unten in die Kanzlei. Er fuhr schon eine Woche vor mir nach London. Ich fürchte wegen eines unangenehmen Geschäftes, Trotwood.«

»Ein Geschäft, das dir Unruhe macht, Agnes? Was kann das sein?«

Agnes legte ihre Arbeit weg, faltete ihre Hände und sah mich mit ihren schönen, sanften Augen nachdenklich an.

»Ich glaube, er will bei Papa ins Geschäft eintreten.«

»Was? Uriah? Dieser niedrige, kriecherische Kerl will sich in eine derartige Stellung drängen?« rief ich entrüstet. »Hast du denn dagegen gar keine Vorstellungen erhoben, Agnes? Bedenke doch, was das für eine Verbindung werden würde. Du mußt dich aussprechen darüber!

Du darfst nicht dulden, daß dein Vater einen so wahnsinnigen Schritt tut. Du mußt es verhindern, solange es noch Zeit ist.«

Agnes schüttelte den Kopf bei meinen Worten und lächelte ein wenig über meine Wärme, und dann erwiderte sie:

»Du erinnerst dich doch an unser letztes Gespräch wegen meines Vaters? Kaum einige Tage später ließ Papa mir gegenüber die erste Andeutung von dem fallen, was ich dir eben sagte. Es war ein trauriger Anblick, ihn mit dem Wunsch, mir es als eine Sache freier Wahl seinerseits vorzustellen, andererseits seine Unfähigkeit zu verbergen, daß ihm der Schritt aufgezwungen wurde, kämpfen zu sehen. Es schmerzte mich sehr.«

»Aufgezwungen, Agnes? Von wem?«

»Uriah hat sich Papa unentbehrlich gemacht«, fuhr sie nach einigem Schweigen fort. »Er ist schlau und wachsam. Er hat die Schwächen Papas durchschaut und sie ausgenützt, bis – kurz, Trot –, bis Papa ihn fürchtete.«

Es war ersichtlich, daß sie mehr hätte sagen können, mehr wußte oder wenigstens argwöhnte. Ich wollte ihr durch weiteres Fragen keinen Schmerz bereiten, denn ich wußte, daß sie es mir nur verschwieg, um ihren Vater zu schonen. Ich fühlte wohl, daß die Dinge allmählich dieser Wendung entgegengereift sein mußten, und blieb stumm.

»Seine Macht über Papa ist sehr groß. Er stellt sich unterwürfig und bescheiden und dankbar – vielleicht ist er es wirklich – ich will es wenigstens hoffen –, aber er hat eine sehr einflußreiche Stellung errungen und nützt seinen Einfluß aufs äußerste aus.«

Ich sagte, er sei ein Hund, was mich für den Augenblick sehr befriedigte.

»Damals sprach Papa mit mir und sagte, Uriah wolle fort. Es täte ihm sehr leid, aber er habe bessere Aussichten. Papa war sehr niedergeschlagen und von Sorge gebeugter, als du und ich ihn jemals gesehen haben. Der Ausweg, Uriah als Teilhaber anzunehmen, schien ihn sehr zu erleichtern, wenn es auch seinen Stolz verletzte und er sich sehr deswegen zu schämen schien.«

»Und wie nahmst du es auf, Agnes?«

»Hoffentlich, Trotwood, tat ich das Richtige. Ich fühlte, daß das Opfer nötig war, Papas Ruhe wegen, und deshalb bat ich ihn, es zu bringen. Ich sagte ihm, es würde ihm die Last seines Lebens leichter machen – hoffentlich wird es das –, und es wäre mir noch mehr Gelegenheit gegeben, beständig um ihn zu sein. Ach, Trotwood!« Agnes bedeckte sich das Gesicht mit den Händen und brach in Tränen aus. »Mir ist es, als wäre ich meines Vaters Feind gewesen. Ich weiß, gegen wie viele Dinge er sich abgeschlossen hat bloß meinetwegen; wie seine Sorge um mich ihn ängstlich und schwach gemacht hat, weil er sich immer auf denselben Gedanken konzentrierte. Wenn ich das einmal wiedergutmachen könnte! Wenn ich ihn je wieder erheben könnte, so, wie ich jetzt unschuldigerweise die Ursache seines Verfalles bin.«

Ich hatte Agnes noch nie weinen sehen. Wohl hatte sie Tränen in den Augen gehabt, wenn ich immer wieder neue Ehren aus der Schule brachte, auch als wir das letzte Mal von ihrem Vater sprachen; ich hatte gesehen, wie sie ihr liebliches Gesicht abwandte, als wir voneinander Abschied nahmen, aber nie war sie so schmerzlich erschüttert gewesen. Es berührte mich so tief, daß ich nur in einer kindischen, hilflosen Weise sagen konnte: »Bitte, Agnes, weine nicht! Weine nicht! Meine liebe Schwester!«

Aber Agnes war mir zu sehr an Charakterfestigkeit und Willensstärke überlegen, wenn ich es auch damals noch nicht wußte, um meine Tröstungen nötig zu haben. Ihre schöne, ruhige Gelassenheit kehrte bald zurück wie heiterer Himmel über Wolken.

»Wir werden wohl nicht mehr lange allein bleiben«, sagte sie, »und solange ich noch Zeit habe, laß mich dich ernstlich bitten, Trotwood, freundlich gegen Uriah zu sein. Stoß ihn nicht zurück. Sei nicht heftig gegen ihn, wenn du ihn unangenehm empfindest. Er verdient es vielleicht nicht, denn wir können ihm noch nichts Böses nachsagen. In jedem Fall denke zuerst an Papa und mich.«

Agnes konnte nichts weiter hinzufügen, denn die Türe ging auf und Mrs. Waterbroock kam hereingesegelt. Sie war eine große und breite Dame, die ein sehr weites Kleid trug. Vielleicht sah sie nur deswegen so aus. Ich entsann mich dunkel, sie im Theater gesehen zu haben wie in einer Zauberlaterne. Aber wie es schien, erinnerte sie sich meiner noch vollkommen und hatte mich noch immer im Verdacht, betrunken zu sein.

Als sie allmählich herausfand, daß ich nüchtern und ein ganz bescheidner, junger Mann sei, wurde sie viel milder gegen mich gestimmt und fragte mich vorerst, ob ich viel in der Gesellschaft verkehre. Auf meine Verneinung schien ich sehr in ihrer guten Meinung zu sinken, aber gnädig genug verbarg sie das und lud mich für den nächsten Tag zu Tisch ein. Ich nahm die Einladung an und nahm Abschied, suchte Uriah in der Kanzlei auf und ließ, da er abwesend war, meine Karte für ihn zurück.

Als ich tags darauf zum Essen kam, geriet ich beim Öffnen der Haustüre in ein Dampfbad von Schöpsenbratendunst und schloß daraus, daß ich nicht der einzige Gast sei.

Mr. Waterbroock war ein Mann in mittleren Jahren mit kurzem Hals und großem Kragen, und es fehlte ihm zum Mops nur eine schwarze Nase. Er sagte mir, er schätze sich glücklich, die Ehre zu haben, meine Bekanntschaft zu machen. Und als ich mich vor ihm verbeugt hatte, stellte er mich mit großer Feierlichkeit einer ehrfurchtgebietenden schwarzsamtenen Dame in großem Velvethut vor, die mir wie eine nahe Verwandte Hamlets, etwa seine Tante, vorkam.

Sie hieß Mrs. Henry Spiker, und ihr Gatte – ein so frostiger Mann, daß sein grauer Kopf mit Reif bestreut zu sein schien – war auch zugegen. Unendliche Ehren wurden den Henry Spikers erwiesen; wie mir Agnes sagte, weil Mr. Henry Spiker der Anwalt irgend jemandes war, der in entfernten Beziehungen zur königlichen Schatzkammer stand.

Uriah Heep traf ich auch in der Gesellschaft. Er war in einen schwarzen Anzug und tiefe Unterwürfigkeit gekleidet. Als ich ihm die Hand schüttelte, sagte er, er sei stolz, von mir beachtet zu werden, und fühle sich für meine Herablassung tief verpflichtet. Ich hätte lieber gesehen, er wäre mir weniger verpflichtet gewesen, denn er verfolgte mich wie ein Schatten den ganzen Abend hindurch, und sooft ich ein Wort zu Agnes sprach, sah er mit seinen wimperlosen Augen und seinem Leichengesicht gespenstisch auf uns hin.

Noch andere Gäste waren anwesend, alle in Eis eingekühlt gleich dem Wein. Einer zog meine Aufmerksamkeit besonders auf sich, ehe er noch hereintrat, da man ihn als Mr. Traddles anmeldete. Mit einem Schlag sah ich Salemhaus vor mir und dachte: »Könnte das Tommy sein, der immer die Gerippe zeichnete?«

Ich brannte ordentlich auf Mr. Traddles Bekanntschaft. Er war ein stiller, gesetzt aussehender, junger Mann von zurückhaltendem Wesen und weit offenstehenden Augen und einem recht komischen Haarwuchs. Er versteckte sich so rasch in einem dunkeln Winkel, daß ich ihn nur mit Mühe wiederfinden konnte. Endlich gelang es mir, und entweder täuschten mich meine Augen oder es war wirklich der alte, unglückselige Tommy.

Ich bahnte mir einen Weg zu Mr. Waterbroock und sagte, ich glaubte zu meinem großen Vergnügen, einen alten Schulkollegen hier gefunden zu haben.

»Wirklich?« sagte Mr. Waterbroock überrascht. »Sie sind doch viel zu jung, um mit Mr. Henry Spiker in der Schule gewesen zu sein.«

»O, den meine ich nicht, ich meine Mr. Traddles.«

»Ach so, ach so. Wirklich?« sagte mein Wirt mit merklich verminderter Teilnahme. »Schon möglich.«

»Wenn es wirklich derselbe ist, so waren wir in einem gewissen Salemhaus Kameraden, und er muß ein ganz vortrefflicher Mensch sein.«

»O ja, Traddles ist ein guter Kerl«, erwiderte mein Wirt und nickte mit duldsamer Miene. »Traddles ist ein recht guter Kerl.«

»Es ist ein seltsames Zusammentreffen.«

»Ja, wirklich«, stimmte mein Wirt bei. »Traddles wurde erst heute morgen eingeladen, als der Tischplatz, der für Mr. Henry Spikers Bruder bestimmt war, infolge seiner Unpäßlichkeit frei wurde. Mr. Henry Spikers Bruder ist ein sehr feiner Mann, Mr. Copperfield.«

Ich murmelte meine Zustimmung, trotzdem ich nichts von dem Betreffenden wußte, und fragte, was Mr. Traddles Beruf sei.

»Traddles steht vor der Advokatur. Hm, Ja. Ja, er ist ein sehr guter Kerl, – hat niemand zum Feind als sich selber.«

»Er hat sich selbst zum Feinde?« sagte ich bedauernd, denn es tat mir leid, das zu hören.

»Nun ja.« Mr. Waterbroock spitzte den Mund und spielte in behäbiger, wohlwollender Weise mit seiner Uhrkette. »Ich möchte sagen, er ist so einer von den Leuten, die sich selbst im Licht stehen. Ich möchte sogar sagen, daß er niemals mehr als fünfhundert Pfund wert sein wird. Traddles wurde mir von einem Geschäftsfreund empfohlen. Ach ja, er hat ein gewisses Talent, Rechtsfälle schriftlich klar auseinanderzusetzen. Ich kann ihm im Laufe des Jahres immerhin nicht Unbedeutendes zukommen lassen. O ja, ja.«

Die behäbige und zufriedene Art, mit der Mr. Waterbroock sich in diesem kleinen Wort »ja« ausließ, machte einen tiefen Eindruck auf mich. Es lag so viel darin. Mr. Waterbroock machte ganz den Eindruck eines Mannes, der, wenn auch nicht mit einem silbernen Löffel, so doch mit einer Leiter geboren worden war und alle Sprossen geschickt genommen hatte und jetzt mit dem Auge eines Philosophen und Gönners von oben auf die Leute herabsah.

Ich beschäftigte mich noch mit diesem Gedanken, als gemeldet wurde, es sei serviert. Mr. Waterbroock gab Hamlets Tante den Arm. Mr. Henry Spiker führte Mrs. Waterbroock. Agnes, die ich gern unter meine Obhut genommen hätte, bekam einen borniert lächelnden Menschen mit dünnen Beinen zum Tischherrn. Uriah, Traddles und ich schlossen als die jüngsten der Gesellschaft den Zug.

Ich verschmerzte das Mißgeschick, nicht neben Agnes sitzen zu dürfen, ein wenig dadurch, daß ich mich auf der Treppe Traddles zu erkennen geben konnte, der mich mit größter Wärme begrüßte, wobei Uriah sich so zudringlich vor lauter Unterwürfigkeit krümmte, daß ich ihn am liebsten über das Geländer geworfen hätte.

Traddles und ich wurden bei Tisch auseinander gesetzt und erhielten unsern Platz an zwei entgegengesetzten Ecken zugewiesen: er in dem Sonnenschein einer rotsamtnen Dame, ich in der düstern Nacht der Tante Hamlets.

Das Diner dauerte sehr lange, und die Unterhaltung drehte sich um Aristokratie und Vollblut. Mrs. Waterbroock sagte uns des öftern, daß, wenn sie eine Schwäche besäße, es die für das Vollblut sei.

Es wäre viel gemütlicher gewesen, wenn wir uns nicht so vornehm benommen hätten. Wir taten so außerordentlich exklusiv, daß der Gesichtskreis in der Unterhaltung sehr eingeengt war. In der Gesellschaft befand sich ein Mr. Gulpidge mit Frau, der an zweiter Stelle mit den juristischen Geschäften der Bank zu tun hatte. So trug teils die Bank, teils das Schatzamt die Schuld, daß wir förmlich waren bis zum Äußersten. Dazu kam noch, daß Hamlets Tante den Erbfehler ihrer Familie hatte, viel Monologe zu halten und über jedes Thema, auf das die Sprache kam, sich selbst eine Rede zu halten. Allerdings waren dieser Themen nur wenige, aber da wir immer wieder auf das Vollblut zurückkamen, so erschloß sich ihr ein ebenso weites Feld für abstrakte Spekulationen wie einst ihrem berühmten Neffen. Wir hätten ganz gut eine Gesellschaft von Werwölfen sein können, so blutig wurde allmählich die Unterhaltung.

»Ich gestehe, ich bin ganz Mrs. Waterbroocks Meinung«, sagte Mr. Waterbroock und hielt das Weinglas vor das Auge. »Jedes Ding hat seine gute Seite, aber das Blut ist die Hauptsache.«

»Ach«, fiel Hamlets Tante ein, »nichts gewährt so viel Befriedigung. Nichts entspricht in so hohem Grade dem *beau idéal.* Es gibt wohl – wenn auch zum Glück nicht viele – niedrige Kreaturen, die vor Dingen niederknien, die ich Götzenbilder nennen möchte. Entschieden Götzenbilder! Vor Verdienst, Talent und dergleichen! Aber das sind unfaßbare Begriffe. Blut ist etwas anderes. Wir erkennen Blut an einer Nase. Wir sehen es an der Kinnbildung und sagen, da ist es. Da ist Vollblut. Es ist eine greifbare Sache. Wir können mit Fingern darauf zeigen. Es läßt keinen Zweifel zu.«

Der Simpel mit den dünnen Beinen, der neben Agnes bei Tisch saß, verteidigte die Sache noch viel entschiedener.

»Meine Herrschaften, äh, sie wissen«, sagte er und blickte mit dummem Lächeln herum, »wir können Vollblut nicht entbehren. Einige junge Leute, äh, sind vielleicht in Erziehung und Benehmen hinter ihrer Stellung zurückgeblieben und mögen ein bißchen auf falschem Weg sein, äh, und bringen sich und andere in Verlegenheit, aber auf Ehre, äh, es ist immer angenehm, zu denken, daß sie blaues Blut haben. Ich für meinen Teil möchte mich lieber von einem Mann, der blaues Blut hat, zu Boden schlagen, als von einem aufheben lassen, der keines hat.«

Dieser Ausspruch, der das Thema in eine Nußschale zusammenpreßte, erregte die größte Befriedigung und lenkte die allgemeine Aufmerksamkeit auf diesen Herrn bis zu dem Moment, wo sich die Damen zurückzogen. Als dies geschehen war, bemerkte ich, daß Mr. Gulpidge und Mr. Henry Spiker, die sich bis dahin sehr fern voneinander gehalten hatten, ein Schutz- und Trutzbündnis gegen uns übrige schlossen und uns zur Schmach und Demütigung ein geheimnisvolles Gespräch über den Tisch hinüber eröffneten.

»Die Angelegenheit mit dem ersten Schatzschein über viertausendfünfhundert Pfund hat nicht den erwarteten Verlauf genommen«, sagte Mr. Gulpidge.

»Meinen Sie die D. von A.s.?« fragte Mr. Spiker.

»Die C. von B.s.«

Mr. Spiker zog die Augenbrauen in die Höhe und machte ein sehr betroffenes Gesicht.

»Als man sich wegen der Angelegenheit an Lord – Sie wissen schon«, sagte Mr. Gulpidge vorsichtig.

»Ich verstehe«, sagte Mr. Spiker: »N.!«

Mr. Gulpidge nickte geheimnisvoll. – »Als man sich an ihn wendete, sagte er weiter nichts als: ›Geld, oder er kommt nicht los.‹«

»Gott im Himmel!«

»Geld, oder er kommt nicht los«, wiederholte Mr. Gulpidge fest. »Der nächste an der Reihe! – Sie verstehen mich!«

»K.« sagte Mr. Spiker mit einem ominösen Blick.

»K. weigerte sich nun entschieden, zu unterzeichnen. Man erwartete ihn zu diesem Zweck in Newmarket, und er weigerte sich glatt, es zu tun.«

Mr. Spiker war förmlich versteinert.

»So steht die Sache jetzt noch«, sagte Mr. Gulpidge und warf sich in seinen Stuhl zurück. »Unser Freund Waterbroock wird mich entschuldigen, wenn ich mich wegen der Wichtigkeit der betreffenden Interessen nicht deutlicher erklären kann.«

Mir kam es so vor, als schätze sich Mr. Waterbroock nur zu glücklich, solche Interessen und solche Namen auch nur andeutungsweise an seinem Tisch erwähnen zu hören. Er nahm eine Miene wichtigtuender Mitwisserschaft an, obgleich ich überzeugt bin, daß er ebenso wenig von dem Gespräch verstand wie ich, und billigte höchlichst die von seinen Gästen beobachtete Zurückhaltung.

Als Vergeltung für das ihm anvertraute Geheimnis fühlte Mr. Spiker natürlich ein Bedürfnis, seinem Freunde ebenfalls eins anzuvertrauen. Und so folgte auf das eben erzählte Gespräch ein anderes, in dem die Reihe des Erstaunens an Mr. Gulpidge kam, auf dieses wieder eins, das Mr. Spiker sehr verblüffte, und so ging es fort in bunter Abwechslung. Unterdessen litten wir, die Outsider, unter dem Druck der unermeßlichen Interessen, um die sich das Gespräch drehte, und unser Wirt sah uns als die Opfer heilsamen, ehrfurchtsvollen Grauens und Staunens mit Stolz an.

Ich freute mich sehr, daß ich endlich zu Agnes hinaufgehen, mich mit ihr in einer Ecke unterhalten und ihr Traddles vorstellen konnte, der scheu, aber angenehm und immer noch dasselbe gutmütige Geschöpf wie früher war. Da er morgens früh die Stadt für einen Monat verlassen mußte, konnte ich leider nicht viel mit ihm sprechen, aber wir nahmen uns gegenseitig das Wort ab, gleich nach seiner Rückkehr miteinander zusammenzukommen. Es interessierte ihn sehr, daß ich Steerforth kannte, und er sprach von ihm mit so viel Wärme, daß ich ihn seine Äußerungen vor Agnes wiederholen ließ.

Aber Agnes sah dabei nur mich an und schüttelte bloß leise den Kopf. Da sie sich hier in Gesellschaft von Leuten befand, unter denen sie sich nach meiner Überzeugung unmöglich zu Hause fühlen konnte, freute es mich fast zu hören, daß sie in wenigen Tagen die Stadt verlassen wollte, sosehr es mir auch leid tat, so bald wieder von ihr scheiden zu müssen. Ich blieb, bis alle Gäste fort waren. Mich mit ihr zu unterhalten und sie singen zu hören, weckte in mir so angenehme Erinnerung an das Leben in dem ernsten, alten Haus, das sie so verschönt hatte, daß ich am liebsten die halbe Nacht geblieben wäre. Da ich aber keinen Vorwand zu längerem Bleiben finden konnte, als alle Lichter auf dem Tisch ausgelöscht wurden, empfahl ich mich sehr gegen meinen Willen.

Ich fühlte damals mehr als je, daß Agnes mein guter Engel sei.

Wenn ich sagte, alle Gäste seien schon fortgewesen, hätte ich Uriah ausnehmen sollen, der sich immer in unserer Nähe herumgedrückt hatte. Er folgte mir auf dem Fuße, als ich die Treppe hinabging. Er schlich dicht neben mir, als ich mich vom Hause entfernte, und schob zögernd seine langen Knochenfinger in die noch längeren Finger seiner Handschuhe.

Ich fühlte gar keine Neigung für seine Gesellschaft, aber ich mußte an Agnes' Bitte denken und lud ihn ein, mit mir zu kommen und eine Tasse Kaffee zu trinken.

»Ach, Master Copperfield, ich bitte vielmals um Entschuldigung, *Mister* Copperfield – das Master kommt mir immer so auf die Lippen –, ich möchte nicht, daß Sie sich Ungelegenheiten machen, indem Sie eine so niedrige Person wie mich in Ihr Haus laden.«

»Es macht mir gar keine Ungelegenheiten«, sagte ich. »Wollen Sie?«

»Es würde mich sehr, sehr freuen«, entgegnete Uriah mit einer kriecherischen Verbeugung.

»Nun, so kommen Sie!«

Ich konnte mich nicht überwinden, ihn anders als ziemlich schroff zu behandeln, aber er schien es nicht zu merken. Wir schlugen den kürzesten Weg ein, ohne uns viel zu unterhalten, und er tat so unterwürfig, sogar seinen Vogelscheuchenhandschuhen gegenüber, daß er sie immer noch anzog und noch immer keine Fortschritte damit gemacht hatte, als wir bereits bei meiner Wohnung angekommen waren.

Ich führte ihn die dunkle Treppe hinauf, damit er sich nicht den Kopf anstieße, und seine feuchte kalte Hand lag wie ein Frosch in der meinigen, so daß ich sie am liebsten hätte fallen lassen und davongelaufen wäre. Der Gedanke an Agnes und die Pflichten der Gastfreundschaft behielten jedoch die Oberhand, und ich brachte ihn bis in meine Stube. Als ich Licht anzündete, geriet er in demütige Verzückung über das Zimmer, und als ich den Kaffee in dem einfachen Blechgefäß kochte, in dem Mrs. Crupp ihn am liebsten bereitete, wahrscheinlich, weil das Gefäß nicht dazu bestimmt war – es war ein Rasiertopf – und sie einen sehr teuern Patentkaffeetopf lieber in der Vorratskammer verschimmeln ließ, legte er so viel Bewegung an den Tag, daß ich ihn am liebsten verbrüht hätte.

»Ach wirklich, Master Copperfield – ich meine Mister Copperfield – zu sehen, wie Sie mich so bedienen, das hätte ich nie erwartet. Aber auf allen Seiten geschehen so viele Dinge mit mir, die ich in meiner niedrigen Stellung nie hätte erwarten können, daß es ordentlich ist, als regnete es Segnungen herab auf mein Haupt. Sie haben gewiß etwas von der Veränderung in meinen Aussichten gehört, Mister Copperfield?«

Als er auf meinem Sofa saß, die magern Knie unter der Kaffeetasse in die Höhe gezogen, Hut und Handschuhe auf dem Boden neben sich, mit dem Löffel immer langsam im Kreise rührend, die schlummerlosen rötlichen Augen, die aussahen, als ob ihnen die Wimpern weggesengt worden wären, mir zugewendet, ohne aber mich anzublicken, während die unangenehmen Schattierungen in seinen Nüstern mit seinem Atem kamen und gingen und die schlangenhaften Windungen seinen Körper vom Kinn bis zu den Stiefeln durchliefen, da empfand ich, daß ich ihn tief innerlich haßte. Das Bewußtsein, ihn als Gast bei mir zu haben, stimmte mich sehr unbehaglich. Ich war damals noch jung und verstand es nicht, starke Gefühle zu verbergen.

»Haben gewiß etwas von einer Veränderung in meinen Aussichten gehört, Master Copperfield, – ich wollte sagen, Mister Copperfield?« –

»Ja, so im allgemeinen.«

»Ah, ich dachte mir gleich, Miss Agnes müsse davon wissen. Ich bin so froh, zu hören, das Miss Agnes davon weiß, – o, ich danke Ihnen, Master – Mister Copperfield.«

Ich hätte ihm am liebsten den Stiefelknecht, der vor mir auf dem Teppich stand, an den Kopf geworfen, weil er mich verleitet hatte, etwas über Agnes zu sagen, so unwesentlich es auch war. Aber ich trank ruhig meinen Kaffee weiter.

»Was für ein Prophet sie gewesen sin, Mister Copperfield. Gott, was Sie für ein Prophet gewesen sin! Wissen Sie noch, wie Sie mir einmal gesagt haben, daß ich vielleicht dereinst in Mr. Wickfields Geschäft eintreten und die Firma gar Wickfield & Heep heißen könnte? Sie besinnen sich vielleicht nicht mehr drauf, aber eine so niedrige Person, Master Copperfield, was ich bin, hütet so einen Ausspruch wie einen Schatz.«

»Ich erinnere mich, etwas der Art gesagt zu haben«, entgegnete ich, »wenn ich es damals auch selbst nicht für sehr wahrscheinlich hielt.«

»O, wer hätte das für wahrscheinlich gehalten, Mister Copperfield?!« stimmte Uriah voll Begeisterung ein. »Ich gewiß nicht! Ich weiß noch recht gut, wie ich mit eignem Munde sagte, daß ich dazu eine viel zu niedrige Person sei. Und das war wirklich und wahrhaftig mein Ernst.«

Er saß vor mir mit seinem hölzernen Grinsen und sah ins Feuer.

»Aber was die niedrigste Person is, Master Copperfield«, fuhr er sogleich wieder fort, »kann ein Werkzeug zum Guten werden. Wie froh bin ich, daß ich für Mr. Wickfield ein Werkzeug zum Guten gewesen bin und es noch weiter sein darf. O, was für ein würdiger Herr er gewesen is, Mister Copperfield, aber wie unvorsichtig!«

»Es tut mir sehr leid, das zu hören«, sagte ich. Ich konnte mich nicht zurückhalten, spitzig hinzuzufügen: »In jeder Hinsicht.«

»Sie haben ganz recht, Mister Copperfield«, erwiderte Uriah, »in jeder Hinsicht! Miss Agnes über alles! Sie erinnern sich wohl nicht mehr an Ihre beredten Äußerungen, Master Copperfield, wie Sie einmal sagten, daß jedermann sie bewundern müsse, und wie dankbar ich Ihnen dafür war? Sie haben das sicher vergessen, Master Copperfield.«

»Nein«, sagte ich trocken.

»O, wie mich das freut, zu denken, daß Sie der erste waren, der die Funken des Ehrgeizes in meiner niedrigen Brust weckte, und daß Sie es nicht vergessen haben. O, würden Sie erlauben, daß ich Sie noch um eine Tasse Kaffee bitte?«

Etwas in dem Nachdruck, den er auf das »Wecken der Funken« legte, und der Blick, den er dabei auf mich warf, machte mich auffahren, als ob ich ihn plötzlich im Licht eines Blitzes vor mir hätte stehen sehen. Von seinem Ersuchen, das er in einem ganz andern Ton aussprach, wieder zur Besinnung gebracht, schenkte ich ihm ein, aber mit so unsicherer Hand und von dem Gefühl, daß ich ihm nicht gewachsen sei, und einer so bangen, argwöhnischen Angst vor dem, was er jetzt sagen werde, befallen, daß ich wohl fühlte, nichts von alledem könne seinem Scharfblick entgehen.

Er sagte gar nichts, er rührte seinen Kaffee um, nippte, betastete sein Kinn sanft mit seiner scheußlichen Hand, sah ins Feuer, sah sich im Zimmer um, wand sich in tiefster Demut, rührte und nippte und trank den Kaffee, aber er überließ mir die Fortsetzung des Gesprächs.

»Also, Mr. Wickfield«, sagte ich endlich, »der fünfhundert Ihrer Sorte – oder meiner Sorte aufwiegt«, ich stockte leider vor den Worten »oder meiner« – »ist unvorsichtig gewesen, Mr. Heep?«

»O, sehr sehr unvorsichtig, Master Copperfield«, bestätigte Uriah mit einem bescheidnen Seufzer. »O, wie sehr unvorsichtig! Aber ich möchte gern, daß Sie mich Uriah nennen. Es erinnert so an die alten Zeiten.«

»Nun gut, Uriah«, – ich brachte den Namen nur schwer heraus.

»Ich danke Ihnen!« erwiderte er mit Inbrunst. »Ich danke Ihnen, Master Copperfield. Es ist wie das Wehen des alten Windes oder wie das Läuten alter Glocken, wenn Sie Uriah sagen. Ich bitte um Verzeihung, was hab ich doch gleich gesagt?«

»Sie sprachen von Mr. Wickfield.«

»Ja richtig. Ach, eine große Unvorsichtigkeit, Mister Copperfield! Zu irgendeinem Fremden würde ich gar nicht von der Sache reden, selbst gegen Sie kann ich es nur andeutungsweise. Wenn in den letzten paar Jahren jemand anders an meiner Stelle gewesen wäre, so hätte er Mr. Wickfield ganz unter den Daumen bekommen. Unter den Daumen«, betonte Uriah sehr langsam, streckte seine grausam aussehende Hand aus und preßte sie geballt auf den Tisch nieder, daß er wackelte und das Zimmer erschütterte.

Wenn ich hätte zusehen müssen, wie er seinen breiten Fuß auf Mr. Wickfields Kopf legte, hätte ich ihn nicht mehr hassen können.

»O Gott, ja, Master Copperfield«, fuhr er mit einer sehr sanften Stimme fort, die seltsam zu seiner geballten Faust, die noch immer fest auf dem Tische lastete, abstach. »Daran ist kein Zweifel. Vermögensverlust, Schande, und wer weiß, was sonst noch, wäre das Ende gewesen! Mr. Wickfield weiß es. Ich bin das niedrige Werkzeug, das ihm demütig diente, und er stellt mich auf eine Höhe, die ich nie zu erreichen hoffte. Wie dankbar muß ich sein!« Als er ausgesprochen hatte, wandte er mir sein Gesicht zu, aber ohne mich anzusehen, und schabte langsam und gedankenvoll seinen eckigen Kinnbacken mit dem Daumen, als ob er sich rasierte.

Ich erinnere mich recht gut, wie mir das Herz vor Entrüstung schlug, als sich sein tückisches Gesicht, vom roten Licht passend beleuchtet, wieder zu etwas anderm vorbereitete.

»Master Copperfield«, fing er an, »aber ich halte Sie vom Schlafengehen ab?«

»Sie halten mich nicht ab, ich gehe meist spät zu Bett.«

»Vielen Dank, Master Copperfield! Ich habe mich aus meiner niedrigen Stellung erhoben, es ist wahr, aber ich bin immer noch demütig. Ich hoffe, ich werde nie anders sein als demütig und bescheiden. Werden Sie nicht von meiner Bescheidenheit schlechter denken, wenn ich Ihnen ein klein wenig mein Herz öffne, Master Copperfield?«

»O nein«, sagte ich mit Anstrengung.

»Vielen Dank!« Er zog sein Taschentuch heraus und fing an, sich die Handflächen abzuwischen. »Miss Agnes, Master Copperfield – «

»Nun, Uriah?«

»O, wie angenehm ist es, daß Sie mich freiwillig Uriah nennen!« er schnellte sich wie ein Fisch. »Meinen Sie nicht auch, daß sie heute abend sehr schön war, Master Copperfield?«

»Sie ist es immer, sie ist ihrer Umgebung in jeder Hinsicht überlegen.«

»O, ich danke Ihnen. Das ist so wahr«, rief er. »O, wie so dankbar bin ich Ihnen dafür!«

»Keine Ursache!« sagte ich kühl. »Sie haben gar keinen Grund, mir zu danken.«

»Das betrifft eben den Punkt, Master Copperfield, den ich mir eben die Freiheit nehmen wollte, zu berühren. So niedrig ich bin« – er wischte seine Hände stärker ab und sah abwechselnd sie und das Feuer an – »niedrig, wie meine Mutter is, und so bescheiden unser armes, aber ehrliches Dach immer gewesen, hat doch das Bild von Miss Agnes – ich stehe nicht an, Ihnen mein Geheimnis anzuvertrauen, Master Copperfield, denn mein Herz floß immer gegen Sie über seit dem ersten Tag, wo ich das Vergnügen hatte, Sie in dem Ponywagen zu sehen, – hat das Bild von Miss Agnes seit Jahren schon in meinem Herzen gewohnt. Ach, Master Copperfield, mit welch reiner Zuneigung liebe ich den Boden, den Agnes betritt!«

Ich glaube, mich durchzuckte der wahnwitzige Gedanke, das rotglühende Schüreisen aus dem Kamin zu reißen und es Uriah durch den Leib zu rennen. Der Vorsatz verließ mich blitzschnell wieder, wie eine Kugel den Flintenlauf, aber Agnes' Bild, durch die bloßen Worte dieses rotköpfigen Tieres geschändet, blieb vor meiner Seele stehen, während ich ihn gekrümmt vor mir sitzen sah, als ob seine gemeine Seele seinen Körper zusammendrückte, und machte mich schwindeln. Es war, als ob Uriah vor meinen Augen anschwölle und größer würde, als ob das Zimmer erfüllt wäre von dem Widerhall seiner Stimme, und es bemächtigte sich meiner jenes gewisse seltsame Gefühl, das wohl keinem Menschen fremd ist, daß dieses alles vor einer unbestimmten Zeit schon einmal geschehen sei und daß ich genau wüßte, was er jetzt sagen werde. Noch zur rechten Zeit gewahrte ich das Machtbewußtsein, das in seinem Gesicht lauerte, und erinnerte mich an Agnes' Bitte. Gefaßter, als ich es mir noch vor einer Minute zugetraut haben würde, fragte ich ihn, ob er Agnes seine Gefühle gestanden hätte.

»O nein, Master Copperfield«, antwortete er. »Ach Gott, nein. Niemand anders als Ihnen. Sie sehen ja, ich trete soeben erst aus meiner niedrigen Stellung heraus. Ich hoffe so sehr, daß sie selbst gewahr wird, wie nützlich ich ihrem Vater bin, denn ich glaube wirklich, ich bin ihm sehr nützlich, und wie ich ihm die Sache bequem mache und ihm den Weg ebne. Sie liebt ihren Vater so sehr, Master Copperfield – o, wie schön ist das von einer Tochter –, daß ich glaube, sie wird zuletzt seinetwegen freundlich gegen mich sein.«

Ich durchschaute die Tiefe dieses schurkischen Plans und begriff sofort, warum er gerade mir ihn enthüllte.

»Wenn Sie die Güte haben wollen, mein Geheimnis zu bewahren, Master Copperfield, und nicht gegen mich sein wollen, so würde ich das als eine besondere Gunst betrachten. Sie werden gewiß – der Familie keine Unannehmlichkeiten verursachen wollen. Ich weiß, was Sie für ein gutes Herz haben, aber da Sie mich nur in meiner niedrigen Stellung haben kennengelernt – in meiner niedrigsten, sollte ich sagen, denn ich bin immer noch in einer sehr niedrigen –, so könnten Sie, ohne es zu wissen, mir bei meiner Agnes entgegenwirken. Sie sehen, ich nenne sie ›mein‹,

Master Copperfield. Es gibt ein Lied: ›Auf die Krone würde ich verzichten, auf meine Lieb mitnichten‹.«

Teuere Agnes, du, viel zu gut und schön für irgendeinen, den ich mir ausdenken könnte, solltest zur Gattin eines solchen Scheusals bestimmt sein?!

»Die Sache hat noch keine Eile, Master Copperfield«, fuhr Uriah in seiner unterwürfigen Art fort, während ich, mit diesem Gedanken beschäftigt, ihn ansah. »Meine Agnes ist noch sehr jung, und Mutter und ich, wir müssen noch viel vorwärtskommen und noch manches einrichten, bis wir soweit sin. So werde ich Zeit genug haben, sie mit meinen Hoffnungen vertraut zu machen, bis sich Gelegenheit dazu findet. O, ich bin Ihnen so außerordentlich dankbar, daß Sie mir Gehör geschenkt haben. O, es ist eine solche Erleichterung, Sie können sich das gar nicht vorstellen, daß ich nun weiß, Sie kennen unsere Lage und werden gewiß nicht, um der Familie keine Unannehmlichkeiten zu machen, mir zuwiderhandeln wollen.«

Er nahm meine Hand, die ich ihm nicht zu entziehen wagte und, nachdem er sie mit seinen kalten, feuchten Krallen gedrückt, zog er seine abgerissene Uhr heraus.

»Mein Gott! Es ist halb zwei! Die Stunden vergehen wie Minuten, wenn man von alten Zeiten spricht, Master Copperfield.«

Ich antwortete, ich hätte es für später gehalten, nicht daß ich wirklich so dachte, sondern weil es mit meiner Unterhaltungsgabe ganz und gar zu Ende war.

»Mein Gott«, sagte er nachdenklich, »das Haus, wo ich drin wohne, eine Art Hotel garni, Master Copperfield, nahe beim New River, ist gewiß schon seit zwei Stunden zu. Alles muß schon schlafen.«

»Es tut mir leid, daß ich hier nur ein Bett habe und daß ich – «

»O sprechen Sie nicht von Betten, Master Copperfield«, fiel Uriah voll Entzücken ein und zog ein Bein in die Höhe. »Hätten Sie etwas dagegen, wenn ich mich hier vors Feuer legte?«

»Wenn wir schon dabei halten, so nehmen Sie mein Bett und ich lege mich hier vors Feuer.«

Der Ton, mit dem er dies Anerbieten zurückwies, war im Übermaß seiner Überraschung und Unterwürfigkeit schrill genug, um bis zu den Ohren der Mrs. Crupp dringen zu können, die, wie ich vermute, um diese Zeit in einer entlegnen Kammer, etwa auf Grundwasserhöhe, schlummerte, eingelullt von dem Ticken einer unverbesserlichen Uhr, die, trotzdem sie jeden Morgen genau gestellt wurde, immer mindestens dreiviertel Stunden zu spät ging. Da keiner meiner Einwände ihn zu bewegen vermochte, sich in mein Schlafzimmer zu legen, so mußte ich, so gut es ging, Anordnungen treffen, daß er vor dem Feuer schlafen konnte. Die Matratze des Sofas, das zu kurz für seine lange Gestalt war, die Sofakissen, ein Bett und zwei Tischtücher und ein Überrock brachten für ihn ein Nachtlager zustande.

Nachdem ich ihm meine Schlafmütze geliehen, die er sofort über den Kopf zog, und in der er so entsetzlich aussah, daß ich sie seitdem nie wieder getragen habe, wünschte ich ihm gute Ruhe.

Ich werde diese Nacht nie vergessen. Ich werde nie vergessen, wie ich mich im Bett herumwälzte, mich mit meinen Gedanken an Agnes und dieses Geschöpf abquälte, hin und her überlegte, was zu tun sei, und zu keinem andern Entschluß kommen konnte, als daß der beste Weg für ihren Frieden sei, nichts zu tun und, was ich gehört, für mich zu behalten. War ich einen Augenblick eingeschlafen, erschien mir Agnes und ihr Vater, den Blick zärtlich auf sie gerichtet, wie ich es so oft gesehen, beide mit flehenden Mienen, und erfüllten mich mit unbestimmtem Entsetzen. Wenn ich wieder erwachte, quälte mich der Gedanke, daß Uriah im nächsten Zimmer schlafe wie ein Alp, und lastete auf mir mit einem bleischweren Schrecken, als hätte ich einen Teufel zu Gaste.

Auch das Schüreisen drängte sich in meinen halbwachen Schlummer und wollte nicht wieder verschwinden. Zwischen Schlafen und Wachen kam es mir vor, ich hätte es ihm rot und glühend durch den Leib gerannt. Diese Vorstellung quälte mich so sehr, daß ich sie gar nicht abschütteln konnte und mich ins nächste Zimmer stahl, um ihn anzusehen. Da lag er auf dem Rükken, die Beine weit von sich gestreckt, und röchelte aus der Kehle heraus, und der Atem stockte ihm in der Nase, und den Mund hatte er offen wie ein Postbureau. Er übertraf an Scheußlichkeit so sehr alle meine Vorstellungen, daß ich aus wahrem Widerwillen jede halbe Stunde wieder einmal hinging und ihn ansehen mußte. Und die lange, lange Nacht blieb hoffnungslos wie der dunkle Himmel, an dem sich kein Dämmern des Tages zeigen wollte.

Als ich Uriah frühmorgens die Treppe hinabsteigen sah – Gott sei Dank, er wollte nicht zum Frühstück bleiben –, war es mir, als ob mit ihm auch die Nacht hinwegginge. Als ich mich zu Doctors' Commons verfügte, gab ich Mrs. Crupp besondern Befehl, die Fenster offen zu lassen, damit frische Luft durch mein Zimmer streichen und sie von seiner Gegenwart reinigen könne.

26. Kapitel

Ich gerate in Gefangenschaft

Ich bekam Uriah Heep bis zu dem Tag, wo Agnes die Stadt verließ, nicht mehr zu Gesicht. Ich hatte mich an der Station eingefunden, um Abschied von ihr zu nehmen und sie wegfahren zu sehen, und er war richtig auch da, um mit demselben Wagen nach Canterbury zurückzukehren. Es gewährte mir eine kleine Befriedigung, seinen an den Ärmeln und an der Taille ausgewachsenen, hochschultrigen, maulbeerfarbenen Überrock mit einem Regenschirm, so groß wie ein Zelt, zusammengeschnallt auf dem Eckplatz des Hintersitzes auf dem Wagenverdeck liegen zu sehen, während Agnes natürlich innen in der Kutsche fuhr.

Die Qualen, die ich während meiner Bemühungen, freundlich zu ihm zu sein, solang Agnes zusah, ausstand, verdienten vielleicht diese kleine Belohnung. Auch jetzt wieder umlauerte er uns wie ein großer Geier und verschlang jede Silbe, die Agnes und ich miteinander sprachen. Während der unruhigen Stunden, die ich seinen Enthüllungen verdankte, hatte ich viel an die Worte denken müssen, die Agnes damals zu mir gesagt: »Hoffentlich tat ich recht. Ich fühlte, daß das Opfer eine Notwendigkeit für den Frieden meines Vaters war, und bat ihn, es zu bringen.«

Eine quälende Ahnung, daß sie demselben Gefühl auch noch andere Opfer bringen könnte, hatte mich seitdem nie wieder verlassen. Ich wußte, wie sehr sie ihren Vater liebte, wußte, wie opferfähig ihr Charakter war. Ich hatte von ihren eignen Lippen gehört, daß sie sich für die unschuldige Ursache seiner Irrungen hielt und überzeugt war, sie schulde ihm unendlich viel und müsse alles tun, um das Geschehne wiedergutzumachen. Der Gedanke, daß sie so außerordentlich abstach von dem rothaarigen Scheusal in seinem maulbeerfarbenen Überzieher, war für mich kein Trost, denn ich fühlte, daß gerade in dem Unterschied, in der Selbstverleugnung ihrer reinen Seele und der gemeinen Niedrigkeit der seinen, die Hauptgefahr lag. Zweifellos wußte auch Uriah alles das recht gut und hatte sich in seiner List alles vortrefflich ausgerechnet.

Ich war so fest überzeugt, daß die bloße Aussicht auf ein solches Opfer Agnes' Glück zerstören mußte, und erkannte so sicher aus ihrem Wesen, sie ahne noch nichts, daß ich es nicht übers Herz bringen konnte, sie vor dem ihr drohenden Schicksal zu warnen. So schied ich ohne weitere Erklärung.

Sie winkte mir mit der Hand und lächelte mir ein Lebewohl aus dem Wagenfenster zu, während ihr böser Geist auf dem Dache kauerte, als hätte er sie schon frohlockend in seinen Klauen.

Lange Zeit konnte ich die Abschiedsszene nicht vergessen. Als Agnes mir ihre Ankunft meldete, fühlte ich mich so unglücklich, als ob ich sie eben erst abreisen sähe. Sooft ich nachgrübelte, verdoppelten sich meine Sorge und Unruhe. Kaum eine Nacht verging, ohne daß ich nicht davon träumte.

Ich hatte Muße genug, mich meiner Unruhe zu überlassen, denn Steerforth weilte in Oxford, und ich war, außer in der Kanzlei, meistens allein. Ich glaube, ich hegte damals schon einen unbewußten Argwohn gegen Steerforth. Ich beantwortete einen Brief von ihm höchst freundschaftlich, empfand aber angenehm, daß er nicht nach London kam. Ich glaube, Agnes hatte einen großen Einfluß auf mich ausgeübt, der um so mächtiger auf mich wirkte, als er durch Steerforths Anblick nicht gestört wurde.

Unterdessen vergingen Tage und Wochen. Ich wurde in aller Form bei Spenlow & Jorkins inskribiert. Meine Tante gab mir außer dem Hauszins, und was dazu gehörte, neunzig Pfund jährlich. Meine Zimmer wurden für zwölf Monate gemietet, und obgleich sie mir abends immer noch sehr ungemütlich vorkamen und sich mir die Abende sehr lang gestalteten, so gewöhnte ich mich doch allmählich an die gleichmäßige gedrückte Stimmung und den Kaffee, von dem ich täglich, glaube ich, eine Gallone verzehrte.

In dieser Zeit machte ich auch drei Entdeckungen: Erstens, daß Mrs. Crupp von einer Krankheit gequält wurde, die sie die »Krämpf« nannte und die sich dadurch auszeichnete, daß sie stets mit einer geröteten Nase Hand in Hand ging und mit Pfefferminz behandelt werden mußte. Zweitens, daß eine sonderbare Temperatur meiner Vorratskammer alle Brandyflaschen zum Zerspringen brachte. Drittens, daß ich ganz allein in der Welt stand und diesen Umstand in Verse brachte.

An dem Tag, als ich in der Kanzlei eingeschrieben wurde, gab ich kein Fest mehr. Ich bewirtete bloß die Schreiber mit etwas kalter Küche und Sherry und ging abends allein ins Theater. Ich sah dort das Stück »Der Fremdling« und war so abgespannt, daß ich mich kaum in meinem eignen Spiegel erkannte, als ich nach Hause kam.

Als mein Kontrakt unterzeichnet war, meinte Mr. Spenlow, er hätte sich glücklich geschätzt, mich zur Feier des Tags in seinem Haus in Norwood zu sehen, wenn nicht seine Wirtschaft infolge der angekündigten Rückkehr seiner Tochter aus einer Erziehungsanstalt in Paris etwas in Unordnung geraten wäre. Aber er würde sich ein Vergnügen daraus machen, mich sofort nach ihrer Ankunft bei sich zu sehen. Ich wußte, daß er Witwer war und nur eine einzige Tochter hatte, und drückte ihm meinen Dank aus.

Mr. Spenlow hielt Wort. In ein oder zwei Wochen kam er auf sein Versprechen zurück und sagte, wenn ich ihm die Ehre erweisen wollte, ihn nächsten Samstag zu besuchen und bis Montag zu bleiben, würde er sich sehr glücklich schätzen. Natürlich nahm ich an, und er versprach mir, mich in seinem Phaeton mitzunehmen und wieder zurückzufahren.

Als der Tag kam, bildete sogar mein Reisesack bei den Schreibern, denen das Haus in Norwood ein geheiligtes Geheimnis war, einen Gegenstand der Verehrung. Einer von ihnen erzählte mir, er habe gehört, Mr. Spenlow speise nur von Silber und Porzellan, und Champagner werde beständig vom Faß geschenkt wie Tischbier. Der alte Schreiber mit der Perücke, der Mr. Tiffey hieß, war im Verlauf seines Lebens mehrmals in Geschäften dort gewesen und dann stets bis ins Frühstückszimmer vorgedrungen. Er beschrieb es als ein Gemach von überwältigender Pracht und sagte, daß er dort braunen ostindischen Sherry getrunken hätte, so kostbar, daß ihm die Augen davon übergegangen seien.

Wir wohnten an diesem Tag einer Verhandlung im Konsistorium bei, – es drehte sich um die Exkommunikation eines Bäckers, der sich in einer Kirchenratsitzung gegen eine Pflastersteuer gesträubt hatte, und da das Material nach meiner Berechnung gerade doppelt so lang war wie Robinson Crusoes Abenteuer, wurde es ziemlich spät. Zuletzt erlebten wir aber doch, den Mann zu sechswöchentlicher Exkommunikation und zu einer Unmasse von Kosten verurteilt zu sehen, und dann verließen der Proktor des Bäckers und der Richter und die Advokaten der beiden Parteien – alle sehr nahe miteinander verwandt – zusammen die Stadt, und Mr. Spenlow und ich fuhren im Phaeton davon.

Der Phaeton war ein sehr hübscher Wagen; die Pferde beugten ihren Hals und hoben die Beine, als wüßten sie, daß sie zu Doctors' Commons gehörten.

In den Commons wurde viel Wetteifer in allem, wo es zu glänzen galt, entfaltet, und es gab viele schöne Equipagen dort, obgleich ich immer dafürgehalten habe, daß zu meiner Zeit der Hauptpunkt des Wettstreites in der Wäschestärke lag, die von den Proktoren in solchen Unmassen verbraucht wurde, wie es nur die Natur des Menschen vertragen kann.

Wir unterhielten uns auf der Hinfahrt sehr angenehm, und Mr. Spenlow gab mir mancherlei Winke. Er sagte, Proktor zu sein sei der vornehmste Beruf von der Welt und dürfe durchaus nicht mit dem eines einfachen Anwalts verwechselt werden. Er sei etwas ganz anderes, unendlich exklusiver, weniger mechanisch und viel gewinnreicher. »Wir machen es uns in den Commons viel leichter, als es anderswo geschehen könnte«, bemerkte er, »und das allein erhebt uns schon zu einer privilegierten Klasse.« Allerdings könne man sich die unangenehme Tatsache nicht verhehlen, daß man eigentlich von den Advokaten angestellt sei, aber er gab mir zu verstehen, daß sie eine untergeordnete Klasse Menschen wären und von allen Proktoren von nur einigermaßen Selbstgefühl von oben herab angesehen würden.

Ich fragte Mr. Spenlow, was er für die beste Art Geschäfte halte. Er entgegnete, daß ein guter Prozeß um ein bestrittenes Testament, wobei es sich um ein hübsches, kleines Gut von dreißig oder vierzigtausend Pfund handle, so ziemlich die beste Sache sei. Bei einem solchen Prozeß, sagte er, falle nicht nur ziemlich viel ab durch die Rechtseinwände in jedem Stadium des Verfahrens und bei den Bergen von Zeugenbeweisen, bei der Einvernahme und Wiedereinvernahme, gar nicht zu sprechen von der ersten Appellation an die Delegierten und von einer zweiten an das Herrenhaus, – sondern, weil die Kosten schließlich doch auf das Grundstück fielen, gingen die beiden Parteien mit gleicher Lebhaftigkeit an den Prozeß, und um die Kosten mache man sich keine Sorge. Was er besonders bewunderte, sagte er, seien die Commons, die stets geschlossen vorgingen. Es herrsche eine Organisation wie nirgends auf der Welt. Es sei das vollendete Bild der Gemütlichkeit. »Zum Beispiel: Es läuft eine Scheidungsklage ein oder eine Klage auf Wiedereinsetzung in den vorigen Stand an das Konsistorium. Sehr gut. Sie wird im Konsistorium verhandelt. Man macht ein hübsches, ruhiges Familienspiel daraus und wickelt es ganz nach seiner Bequemlichkeit ab. Ist die Partei mit dem Konsistorium nicht zufrieden, dann geht sie an den Archescourt. Was ist der Archescourt? Derselbe Gerichtshof im selben Lokal mit demselben Barreau und denselben Advokaten, nur mit einem andern Richter. Denn es kann der Konsistorialrichter bei jeder Tagfahrt als Advokat plädieren. Man spielt also die Partie noch einmal durch; aber immer noch ist man nicht recht zufrieden. Sehr gut. Was geschieht dann? Man geht zu den Delegierten. Wer sind die Delegierten? Nun, die Delegierten sind die Advokaten, die unbeschäftigt bei der Partie die beiden ersten Male zugesehen, die Karten gemischt, abgehoben und mit ins Spiel hineingeredet haben. Sie kommen jetzt als Richter dran, um die Sache zu jedermanns Zufriedenheit abzumachen. Unzufriedene Leute gebe es immer, die von der Korruption in den Commons redeten und von der Notwendigkeit, sie zu reformieren«, sagte Mr. Spenlow feierlich zum Schluß. Aber als der »Weizenpreis am höchsten stand«, hätten die Commons das meiste zu tun gehabt. Man könne ruhig die Hand aufs Herz legen und der ganzen Welt sagen: Rührt an die Commons, und das ganze Land kommt herunter.

Ich hörte dem allen mit großer Aufmerksamkeit zu, und obgleich ich einigermaßen zweifelte, ob das Land, wie Mr. Spenlow behauptete, den Commons wirklich so sehr zu Dank verpflichtet sein müßte, so beugte ich mich doch ehrerbietig vor seiner Autorität. Was den Weizenpreis betraf, überstieg dies meine Verstandeskräfte, und ich unterdrückte jeden Zweifel. Ich habe bis heute noch nicht mehr von diesem Weizenpreis begriffen. Ich bin bis zu dieser Stunde niemals über diesen Weizen hinweggekommen.

Jedenfalls war ich nicht der Mann, um die Axt an die Commons anzulegen und das Land zugrunde zu richten. Durch mein Schweigen drückte ich meine ehrerbietige Zustimmung zu allem aus, was mein an Jahren und Kenntnissen mir überlegener Begleiter erzählte. Dann unterhielten wir uns über den »Fremdling« und das Theater und das Gespann, bis wir bei Mr. Spenlows Besitz ankamen.

Vor dem Hause lag ein wundervoller Garten und trotz der ungünstigen Jahreszeit sah er so vortrefflich gehalten aus, daß ich ganz bezaubert war. Ein entzückender Rasenplatz, Baumgruppen und Gebüsche, Laubengänge, an denen Blumen und Gesträuch schon die ersten Blätter zeigten, konnte ich noch im Halbdunkel unterscheiden. Hier wandelt Miss Spenlow allein, dachte ich. O Gott.

Wir traten in das hell erleuchtete Haus, und in der Vorhalle hingen alle Arten Hüte, Mützen, Überröcke, Mäntel, Handschuhe, Reitpeitschen und Spazierstöcke.

»Wo ist Miss Dora?« fragte Mr. Spenlow den Bedienten.

Dora! dachte ich, was für ein schöner Name.

Wir traten in das nächste Zimmer – wahrscheinlich das durch den braunen ostindischen Sherry denkwürdig gewordene Frühstückszimmer –, und ich hörte eine Stimme sagen: »Mr. Copperfield – meine Tochter Dora und ihre vertraute Freundin.« Offenbar war es Mr. Spenlows Stimme, aber ich wußte es nicht genau und kümmerte mich auch nicht mehr darum. In einem Augenblick war alles vorbei. Mein Schicksal hatte sich erfüllt. Ich war ein Gefangener und ein Sklave. Ich liebte Dora Spenlow bis zum Wahnwitz.

Sie war für mich ein überirdisches Wesen, eine Fee, eine Sylphe, ich weiß nicht, was sonst noch alles, etwas, was noch niemand gesehen, und alles, wonach sich jeder sehnen mußte. Ich versank in einen Abgrund von Liebe im Augenblick. Von einem Zaudern am Rande, von einem Hinabsehen oder Zurückblicken konnte nicht die Rede sein. Ich war kopfüber hinabgestürzt, ehe ich noch ein Wort sprechen konnte.

»Ich habe Mr. Copperfield schon früher gesehen«, bemerkte eine mir wohlbekannte Stimme, während ich, etwas vor mich hinmurmelnd, mich tief verbeugte.

Das hatte nicht Dora gesprochen, – nein. Aber ihre vertraute Freundin, – Miss Murdstone.

Ich glaube, ich war gar nicht sonderlich überrascht. Ich hatte die Fähigkeit, mich zu wundern, offenbar verloren. In der Welt des Stoffes gab es nichts des Erstaunens wertes, außer Dora Spenlow.

Ich sagte: »Wie geht es Ihnen, Miss Murdstone? Ich hoffe, Sie befinden sich wohl.« Sie erwiderte: »Sehr wohl.« Ich fragte: »Was macht Mr. Murdstone?« Sie antwortete: »Mein Bruder ist wohlauf. Ich danke Ihnen recht sehr.«

Mr. Spenlow, den wahrscheinlich unser Bekanntsein überraschte, mischte sich jetzt ins Gespräch.

»Es freut mich zu erfahren, Copperfield, daß Sie und Miss Murdstone einander bereits kennen.«

»Mr. Copperfield und ich«, sagte Miss Murdstone mit großer Fassung, »sind Verwandte. Wir waren einmal flüchtig bekannt. Damals in seinen Kinderjahren. Die Verhältnisse haben uns seitdem getrennt. Ich würde ihn nicht wiedererkannt haben.«

Ich entgegnete, daß ich sie unter allen Umständen wiedererkannt hätte. Und das war wahr genug.

»Miss Murdstone hatte die Güte«, sagte Mr. Spenlow, »das Amt – wenn ich mich so ausdrücken darf – einer vertrauten Freundin meiner Tochter Dora anzunehmen. Da meine Tochter Dora leider keine Mutter mehr hat, war Miss Murdstone so gütig, ihre Gefährtin und Beschützerin zu werden.«

Mir schoß der Gedanke durch den Kopf, daß Miss Murdstone ähnlich der Taschenwaffe, die man gewöhnlich Lebensretter nennt, sich besser zum Angriff als zur Verteidigung eigne. Aber da ich keine Minute lang an etwas anderes als an Dora denken konnte, so warf ich einen Blick auf sie und dachte mir, daß dieses hübsche, übermütige Gesicht nicht sehr geeignet sein dürfte, besonders zutraulich zu ihrer Gefährtin und Beschützerin zu werden.

Als das erste Mal zum Diner geläutet wurde, führte mich Mr. Spenlow zum Umkleiden in sein Zimmer. Der Gedanke, mich umzuziehen, oder sonst irgend etwas zu tun in diesem Zustand von Verliebtheit, war denn doch zu lächerlich. Ich konnte mich nur vor den Kamin hinsetzen, den Schlüssel meines Reisesacks zerbeißen und an die entzückende, jugendfrische, lebhafte Dora mit den blitzenden Augen denken. Diese Gestalt, dieses Gesicht und dieses anmutige, bezaubernde Wesen!

Die Glocke läutete so bald wieder, daß ich mich in aller Hast anziehen mußte, statt diesem Geschäft die wünschenswerte Aufmerksamkeit zuwenden zu können. Dann ging ich die Treppen hinunter. Ich fand bereits Gesellschaft vor. Dora sprach mit einem alten, grauköpfigen Herrn. Obgleich er fast weiß war und Urgroßvater dazu, wie er selbst sagte, war ich doch fürchterlich eifersüchtig auf ihn.

In welcher Gemütsstimmung ich mich befand! Ich war auf jeden eifersüchtig. Ich konnte den Gedanken nicht ertragen, daß jemand Mr. Spenlow besser kannte als ich. Es bereitete mir Qualen, von Vorfällen sprechen zu hören, von denen ich nichts wußte. Als ein sehr liebenswürdiger Herr mit einem lebhaft glänzenden kahlen Kopf mich über den Tisch fragte, ob ich das erste Mal hier sei, hätte ich die fürchterlichste Rache an ihm nehmen mögen. Ich kann mich kaum an jemand aus der Gesellschaft erinnern, außer an Dora. Ich hatte keine Ahnung, was ich aß. Ich genoß nur Dora und ließ ein halbes Dutzend Schüsseln unberührt weitergehen. Ich saß neben ihr. Ich plauderte mit ihr. Sie hatte das lieblichste Stimmchen, das heiterste Lachen, die anmutigsten und entzückendsten kleinen Launen, die jemals einen verlorenen Jüngling in hoffnungslose Sklaverei schmiedeten. Sie war niedlich in allem. Um so kostbarer, dachte ich.

Als sie mit Miss Murdstone das Speisezimmer verließ – sie waren die einzigen Damen –, verfiel ich in ein träumerisches Brüten, das nur von der quälenden Angst, Miss Murdstone möchte mich in Doras Augen herabsetzen, gestört wurde. Der liebenswürdige Herr mit dem kahlen, glänzenden Kopf erzählte mir eine lange Geschichte, – wie ich vermute, von Gartenpflege. Ich glaubte, er sagte mehrere Male: mein Gärtner. Ich tat, als ob ich ihm mit tiefster Aufmerksamkeit zuhörte, wandelte aber die ganze Zeit hindurch mit Dora in dem Garten des Paradieses.

Meine Befürchtung, dem Gegenstand meiner alles verzehrenden Neigung nachteilig geschildert zu werden, wurde wieder wach, als wir in den Salon traten und ich das strenge und kalte Gesicht der Miss Murdstone sah. Aber sie wurde bald in sehr unerwarteter Weise zerstreut.

»Mr. Copperfield«, sagte Miss Murdstone und winkte mir in ein Fenster: »Auf ein Wort!«

Ich stand Auge in Auge mit Miss Murdstone.

»David Copperfield«, sagte sie. »Ich brauche mich nicht über Familienverhältnisse zu verbreiten. Sie sind kein verlockendes Thema.«

»Keineswegs, Ma'am.«

»Keineswegs«, stimmte Miss Murdstone bei. »Ich wünsche nicht die Erinnerung an alte Streitigkeiten aufzufrischen. Ich bin von einer Person beleidigt worden – einer Frau, muß ich leider zur Unehre meines Geschlechtes gestehen –, deren Namen ich nicht ohne Zorn und Entrüstung erwähnen kann, und deshalb will ich sie lieber nicht nennen.«

Diese Anspielung auf meine Tante machte mich wütend, aber ich sagte nur, es wäre wirklich besser, wenn ihr Name nicht erwähnt würde. Ich vertrüge es nicht, in respektloser Weise von ihr sprechen zu hören, fügte ich hinzu, ohne meine Meinung in sehr entschiedener Weise auszudrücken.

Miss Murdstone schloß die Augen und senkte voller Verachtung den Kopf. Dann sah sie langsam wieder auf und sagte: »David Copperfield, ich versuche nicht die Tatsache zu verhehlen, daß ich in Ihrer Kindheit eine sehr ungünstige Meinung von Ihnen gefaßt hatte; ich mag mich damals geirrt haben oder Sie haben aufgehört, mein Urteil zu rechtfertigen. Aber darum handelt es sich jetzt nicht zwischen uns. Ich gehöre einer Familie an, die sich, wie ich glaube, durch eine gewisse Festigkeit des Charakters auszeichnet, und ich bin kein Geschöpf der Verhältnisse und der Umstände. Ich kann meine Meinung von Ihnen haben, Sie können Ihre Meinung von mir haben.«

Die Reihe, sich zu verbeugen, war jetzt an mir.

»Damit ist noch nicht gesagt, daß wir wegen Meinungsverschiedenheit hier in Kollision zu kommen brauchten. Unter den obwaltenden Umständen ist es sogar besser, wenn es nicht geschieht. Da die Wechselfälle des Lebens uns wieder zusammengeführt haben und uns auch noch öfter zusammenführen können, möchte ich Ihnen vorschlagen, daß wir uns gegenseitig wie entfernte Bekannte behandeln. Die Familienverhältnisse rechtfertigen es vollkommen, wenn wir uns auf solchen Fuß stellen, und es ist ganz unnötig, daß einer von uns den andern zum Gegenstand von Klatschereien macht. Sind Sie damit einverstanden?«

»Miss Murdstone«, erwiderte ich, »ich bin der Ansicht, daß Sie und Mr. Murdstone mich aufs grausamste behandelt haben und meiner Mutter das Leben verbitterten. Dieser Ansicht werde ich sein, so lange ich lebe. Im übrigen bin ich mit Ihrem Vorschlag einverstanden.«

Miss Murdstone schloß wieder die Augen und neigte den Kopf. Dann berührte sie mit den Spitzen ihrer kalten, steifen Finger meinen Handrücken und verließ mich, sich die kleinen Fesseln an ihrem Handgelenk und ihrem Hals ordnend. Sie schienen mir noch die alten und genau im selben Zustand zu sein wie damals. Zusammengehalten von Miss Murdstones Charakter machten sie mir den Eindruck von Ketten an einer Kerkertür, die dem Beobachter schon an der Außenseite sagen, was drinnen zu erwarten ist.

Ich weiß weiter nichts mehr von dem Abend, als daß ich die Königin meines Herzens entzückende Balladen in französischer Sprache singen hörte, zu denen wir immer tanzen sollten; tarala, tarala; und dabei begleitete sie sich mit einem herrlichen Instrument, das einer Gitarre ähnlich sah.

Ich schwelgte in seligem Entzücken. Ich wies alle Erfrischungen zurück. Einen besonderen Widerwillen empfand ich gegen Punsch. Sie lächelte mich an und gab mir ihre entzückende Hand, als Miss Murdstone sie unter ihre Obhut nahm und hinausbegleitete. Einmal sah ich mein Gesicht im Spiegel. Es sah vollständig vertrottelt aus. In höchst sentimentaler Stimmung legte ich mich zu Bett und befand mich in der Krisis eines Liebesfiebers, als ich wieder aufwachte.

Es war ein schöner Morgen und noch so frühzeitig, daß ich auf den Einfall kam, in den Laubengängen einen kleinen Spaziergang zu machen, um dabei von ihrem Bild zu träumen. In der Vorhalle begegnete ich ihrem kleinen Hund namens Jip. Ich näherte mich ihm zärtlich, denn ich liebte selbst ihn, aber er zeigte mir grimmig die Zähne, lief unter einen Stuhl, um zu knurren, und wollte nichts von Vertraulichkeit wissen.

Der Garten war frisch und einsam.

Ich ging auf und ab und sagte mir, wie unendlich glücklich ich mich fühlen müßte, wenn ich mich jemals mit diesem Himmelswunder verloben könnte. An Heirat, Vermögen und dergleichen Dinge dachte ich in meiner Unschuld ebenso wenig wie damals, als ich die kleine Emly liebte. Sie Dora nennen, ihr schreiben, sie anbeten und glauben zu dürfen, daß sie in Gesellschaft andrer Leute doch noch an mich denke, erschien mir als der Gipfel menschlicher Sehnsucht, – sicher war es der Gipfelpunkt der meinigen. Zweifellos ein sentimentaler junger Gimpel, empfand ich doch so herzensrein, daß ich selbst heute nicht verächtlich darauf zurückblicken kann, wenn es mir auch noch so lächerlich vorkommt.

Ich war noch nicht lange spazierengegangen, als ich an einer Ecke mit ihr zusammenstieß. Jetzt noch durchzuckt es mich vom Scheitel bis zur Sohle, wenn ich an diese Ecke denke, und die Feder zittert mir in der Hand.

»Sie – sind – früh auf, Miss Spenlow«, stotterte ich.

»Es ist so dumm zu Haus«, sagte sie, »und Miss Murdstone ist so lächerlich. Sie redet solchen Unsinn von der Notwendigkeit, daß die Erde erst trocken sein müsse, ehe man ausgehen kann. Trocken!« sie lachte melodisch. – »Sonntagmorgens, wenn ich drinnen nichts zu tun habe, muß ich doch irgend etwas anfangen. Deshalb sagte ich Papa gestern abends, ich müßte spazierengehen. Außerdem ist es die schönste Zeit des ganzen Tages. Meinen Sie nicht auch?«

Ich nahm allen meinen Mut zusammen und sagte, ein bißchen stotternd, daß mir alles jetzt sehr herrlich vorkäme, wenn es mir auch eine Minute vorher noch sehr dunkel geschienen hätte.

»Wollen Sie mir damit ein Kompliment machen?« fragte Dora, »oder hat sich das Wetter wirklich geändert?«

Ich stotterte noch schlimmer als vorher heraus, daß es durchaus kein Kompliment, sondern volle Wahrheit sei, daß ich aber von einer Wetterveränderung nichts bemerkt hätte. »Es war ein innerlicher Vorgang«, fügte ich errötend hinzu, um es vollends zu erklären.

Noch nie sah ich solche Locken. Wie hätte das auch sein können, da es bis dahin noch nie solche gab. Sie schüttelte sie, um ihr Erröten zu verbergen. Und der Strohhut mit den blauen Bändern, der auf diesen Locken saß, welch unbezahlbarer Schatz wäre es für mich gewesen, hätte ich ihn in meiner Stube in der Buckingham-Straße aufhängen dürfen!

»Sie sind eben von Paris zurückgekehrt?« fragte ich.

»Ja. Waren Sie schon einmal dort?«

»Nein.«

»O, dann müssen Sie bald hingehen. Es wird Ihnen ungemein gefallen!«

Tiefster Schmerz ergriff mich; daß sie mein Fortgehen wünschen, ja, nur für möglich halten konnte, war unerträglich. Ich verabscheute Paris. Ich verabscheute Frankreich. Ich sagte, ich würde England jetzt um keiner irdischen Rücksicht willen verlassen. Nichts könnte mich dazu bewegen. Kurz, sie schüttelte schon wieder ihre Locken, als zu unserer Erlösung das Hündchen den Gang heruntergelaufen kam. Es benahm sich entsetzlich eifersüchtig gegen mich und bellte mich heftig an.

Sie nahm Jip auf ihren Arm – o mein Gott – und liebkoste ihn. Aber er fuhr fort zu bellen. Er litt es nicht, daß ich ihn anfaßte, und bekam deshalb Schläge von ihr. Meine Leiden wurden nur noch größer, als ich sah, wie sie ihn auf seine Nase tätschelte, während er mit den Augen zwinkernd ihr die Hände leckte und innerlich immer noch murrte wie ein kleiner Brummbaß. Endlich war er still – er hatte gut still sein mit ihrem niedlichen Kinn auf seinem Kopf –, und wir gingen weiter, um uns das Gewächshaus anzusehen.

»Sie sind nicht sehr genau bekannt mit Miss Murdstone oder doch?« fragte Dora. »Mein Liebling.«

Die beiden letzten Worte galten leider dem Hund. »Nein, keineswegs.«

»Sie ist eine langweilige Person«, sagte Dora schmollend. »Ich kann gar nicht begreifen, woran Papa gedacht hat, als er mir das fade Ding zur Beschützerin wählte. Wer braucht denn Schutz? Ich gewiß nicht. Jip kann mich viel besser beschützen als Miss Murdstone, – nicht wahr, guter Jip?« Er zwinkerte bloß schläfrig, als sie ihn auf den runden Kopf küßte.

»Papa nennt sie meine vertraute Freundin, aber das ist sie ganz und gar nicht, nicht wahr, Jip? Wir schenken solchen grämlichen Leuten unser Vertrauen gewiß nicht, Jip und ich. Wir suchen uns schon aus, wen wir gerne haben, anstatt uns jemand zuweisen zu lassen, nicht wahr, Jip?«

Jip brummte bejahend. Es hörte sich an wie ein Teekessel.

Für mich war jedes Wort Doras ein neues Glied zu meiner Sklavenkette.

»Es ist sehr hart, weil wir keine liebe Mama haben, an ihrer Stelle ein brummiges, altes Geschöpf wie Miss Murdstone immer auf den Fersen zu haben, nicht wahr, Jip? Aber das ist uns gleichgültig, Jip. Wir wollen nicht mit ihr vertraut sein und werden uns schon selbst so glücklich machen, wie wir können. Wir werden sie schon gallig machen, nicht wahr, Jip.«

Wenn das noch länger gedauert hätte, wäre ich wahrscheinlich vor ihr auf die Knie gefallen, was mir alle weiteren Aussichten sofort abgeschnitten hätte. Aber zum Glück war das Gewächshaus nicht weit. Es enthielt eine wahre Ausstellung von schönen Geranien. Wir gingen an ihnen entlang, und Dora blieb oft stehen, um diese oder jene Blüte zu bewundern. Ich folgte ihrem Beispiel und bewunderte auch immer die gleiche, und schließlich hielt Dora scherzend das Hündchen in die Höhe, damit es an den Blumen rieche. Und wenn wir uns vielleicht auch nicht alle drei im Feenland befanden, ich war bestimmt darin. Wenn ich heute noch an einem Geranium rieche, wundere ich mich über die plötzliche Veränderung, die mit mir vorgeht. Es erscheint ein Strohhut mit blauen Bändern, eine Menge Locken, ein kleiner, schwarzer Hund, den zwei zarte Arme an eine Wand von Blumen und frischen Blättern halten, vor meinen Blicken. Miss Murdstone hatte uns gesucht. Sie fand uns hier und bot ihre unliebenswürdige Wange, deren kleine Runzeln mit Puder gefüllt waren, Dora zum Kuß. Dann nahm sie Doras Arm und ging so steif zum Frühstück wie zu einem Soldatenbegräbnis.

Wie viele Tassen Tee ich trank, bloß weil Dora ihn bereitete, weiß ich nicht mehr. Ich erinnere mich nur, daß ich solche Mengen hinuntergoß, daß mein ganzes Nervensystem hätte zugrunde gehen müssen, wenn ich damals schon eins besessen hätte. Später gingen wir in die Kirche. Miss Murdstone saß zwischen Dora und mir, aber trotzdem hörte ich die Angebetete singen, und die Gemeinde verschwand vor meinen Augen. Ich hörte eine Predigt – natürlich über Dora; das ist leider alles, was ich von dem Gottesdienst weiß.

Der Tag verging sehr still. Keine Gesellschaft, ein Spaziergang, ein Familiendiner für vier und am Abend Ansehen von Büchern und Bildern. Miss Murdstone hatte ein Predigtbuch vorgenommen und hielt scharf Wache über uns. Ach, wie wenig ahnte Mr. Spenlow, als er nach dem Diner das Taschentuch übers Gesicht gedeckt mir gegenüber ein wenig nickte, wie sehnsüchtig ich ihn in meiner Einbildung als Schwiegervater umarmte. Er ahnte nicht, als wir uns gute Nacht sagten, daß er soeben seine volle Einwilligung zu meiner Verlobung mit Dora gegeben hatte und ich den Segen des Himmels auf sein Haupt herabrief.

Wir fuhren frühmorgens nach der Stadt, denn unser harrte ein Bergungsfall im Admiralitätsgericht, der eine ziemlich genaue Kenntnis der Schiffahrt verlangte und zu dem, da wir in den Commons von solchen Sachen nicht viel verstehen konnten, der Richter zwei alte Mitglieder vom Schiffahrtsbureau himmelhoch gebeten hatte, ihm aus der Klemme zu helfen. Doch saß Dora wieder am Frühstückstisch, den Tee zu bereiten, und ich hatte das traurige Vergnügen, vor ihr im Phaeton den Hut ziehen zu dürfen, während sie, Jip auf den Armen, in der Türe stand.

Es ist unbeschreiblich, wie mir an jenem Tag der Admiralitätsgerichtshof erschien. Ein unglaublicher Wirrwarr herrschte in meinem Kopf, als ich den Verhandlungen zuhörte. Ich las den Namen Dora auf dem silbernen Ruder, das als Emblem des hohen Gerichtshofs auf dem grünen Tisch lag, und als Mr. Spenlow ohne mich nach Hause fuhr – ich hatte mich mit der ungesunden Hoffnung getragen, er werde mich noch einmal mitnehmen –, kam ich mir wie ein Seemann vor, der von seinem Schiff auf einer wüsten Insel zurückgelassen worden ist. Wenn der schläfrige alte Gerichtshof aufwachen und meine Träume von Dora sichtbar machen könnte, die mich in seinen Räumen erfüllten, würde die Aufrichtigkeit meines Berichts an den Tag kommen. Aber nicht nur die Träume, die ich an diesem Tag hatte, sondern Woche für Woche, Monat um Monat. Ich ging zum Gericht, nicht um zuzuhören, sondern um an Dora zu denken. Wenn ich einmal aufpaßte, so geschah es nur bei Ehesachen mit einer Erinnerung an Dora und mit der Frage, wieso verheiratete Leute sich überhaupt scheiden lassen könnten.

In der ersten Woche meines Verliebtseins kaufte ich vier prachtvolle Westen; – nicht meinetwegen, ich machte mir nichts aus ihnen – aber für Dora. Ich trug gelbe Glacehandschuhe auf der Straße und legte den Grundstein zu all meinen Hühneraugen. Man hätte nur meine damaligen Stiefel mit der natürlichen Größe meiner Füße zu vergleichen brauchen, um sich über den Zustand meines Herzens klarzuwerden.

Und trotzdem ich mich auf diese Art zum Krüppel machte, ging ich doch täglich meilenweit, um Dora zu begegnen. Ich war nicht nur auf der Landstraße nach Norwood so bekannt wie der Briefträger, sondern ich durchstreifte auch London. Ich wanderte in den Straßen umher, wo sich die besten Läden für Damen befanden, ich spukte im Basar herum wie ein ruheloser Geist und schleppte mich immer und immer wieder durch den Park, wenn ich mich auch noch so abgehetzt fühlte. Zuweilen nach langen Zwischenräumen und zu seltnen Gelegenheiten sah ich sie, zuweilen winkte mir ihr kleiner Handschuh hinter einem Wagenfenster zu, manchmal traf ich sie und begleitete sie und Miss

Murdstone ein kleines Stück und sprach mit ihr. In einem solchen Fall fühlte ich mich nachher immer höchst unglücklich, weil mir nichts Gescheites eingefallen war oder weil sie keinen Begriff von der Tiefe meiner Liebe hatte oder sich nicht darum kümmerte. Wie man sich leicht denken kann, erwartete ich immer eine neue Einladung von Mr. Spenlow, aber ich täuschte mich jedesmal.

Mrs. Crupp muß eine sehr scharfblickende Frau gewesen sein, denn als ich kaum ein paar Wochen verliebt war, aber noch nicht den Mut fand, an Agnes etwas anderes zu schreiben, als daß ich Mr. Spenlow und seine Familie, die aus einer Tochter bestünde, in seinem Hause besucht habe –, hatte sie es schon herausgekriegt.

Als ich eines Abends sehr schwermütig zu Hause saß, kam sie herauf zu mir und fragte mich, ob ich ihr nicht gegen ihre »Krämpf« mit etwas Kardamom, Rhabarber und sieben Tropfen Nelkenessenz oder, wenn es das nicht sein könnte, mit ein klein wenig Brandy, dem nächstsichersten Mittel, aushelfen möchte. Da ich von der ersten Arznei nie gehört, die zweite jedoch in der Vorratskammer stehen hatte, schenkte ich Mrs. Crupp ein Glas Brandy ein, das sie, um jeden Verdacht, es könnte unrecht verwendet werden, zu beseitigen, in meiner Gegenwart austrank.

»Kopf hoch, Sir!« sagte sie. »Ich kann Sie nicht so sehen, Sir. Ich bin selbst eine Mutter.«

Ich sah nicht recht ein, was dieser Umstand mit mir zu tun hatte, aber ich lächelte Mrs. Crupp, so gütig ich konnte, an.

»Schauen S«, sagte sie. »Entschuldigen S. Ich weiß schon, was is. Es betrifft eine Damö.«

»Mrs. Crupp«, sagte ich und wurde rot.

»Gott segne Ihna. Nur frischen Mut! Reden S nix vom Sterben. Wenns Ihnen nicht anlächelt, gibts genug andere. Sie sind ein junger Herr, wo das Anlächeln schon wert is, und Sie müssens Ihnern Wert kennenlernen, Mr. Copperfull.«

Mrs. Crupp nannte mich immer Mr. Copperfull, erstens, weil es nicht mein Name war, und zweitens, weil sie offenbar immer an ein Portemonnaie »full Kupper« dabei dachte.

»Wieso vermuten Sie, daß eine junge Dame im Spiel ist, Mrs. Crupp?«

»Mr. Copperfull«, sagte Mrs. Crupp mit Gefühl, »ich bin selbst eine Mutter.«

Eine Zeitlang konnte sie nur ihre Hand auf ihren Nankingbusen legen und sich gegen die Wiederkehr des Schmerzes mit kleinen Schlückchen ihrer Medizin wehren. Endlich ergriff sie wieder das Wort.

»Als Ihner liebe Tante diese Zimmer mietete, Mr. Copperfull, war meine Red, ich hätt jetzt jemand, um den ich mich kümmern könnt. Dem Himmel sei Dank! sagte ich. Jetzt hab ich einen gefunden, wo ich mich drum kümmern kann. Sie essen nicht genug und trinken nix.«

»Gründen Sie darauf Ihre Vermutungen, Mrs. Crupp?«

»Wissen S«, sagte Mrs. Crupp in bestimmtem Ton, »ich hab schon für andere junge Herrn gewaschen, als für Ihnen. Ein junger Herr kann zu viel auf sich halten oder zu wenig auf sich halten. Er kann sich das Haar zu regelmäßig bürsten oder zu unregelmäßig bürsten. Er kann viel zu große Stiefel tragen oder was die viel zu kleinen sind. Das kommt drauf an, wie der junge Herr sich seinen Originalcharakter gformt hat. Aber mag er tun, was er will, jedenfalls ist eine junge Damö im Spiel.«

Sie schüttelte den Kopf so bedeutsam, daß ich mir ganz aus dem Sattel gehoben workam.

»Ich will nur den Herrn anführen, der was vor Ihnen hier starb. Er verliebte sich in eine Kellnerin und ließ sich die Westen enger machen, obgleich er vom Trinken ganz aufgeschwolln gewesen is.«

»Mrs. Crupp«, sagte ich, »ich muß Sie ersuchen, gefälligst die junge Dame, von der in meinem Fall die Rede ist, nicht mit einer Kellnerin in einem Atem zu nennen.«

»Mr. Copperfull, ich bin selbst eine Mutter, und so etwas möcht mir niemals nicht einfallen. Ich bitt Ihna um Entschuldigung, wenn ich zudringlich bin. Es fällt mir niemals nicht ein, zudringlich zu sein, wo ich nicht willkommen bin. Aber Sie sind noch ein junger Herr, Mr. Copperfull, und was mein Rat is, fassens Ihna ein Herz und lernens Ihnern eignen Wert kennen. Wenns Ihna schon zur Zerstreuung auf etwas legen wollen, legens Ihna aufs Kegelschieben, was Ihna zerstreuen und guttun möcht.«

Bei diesen Worten dankte sie verbindlichst für den Brandy, – der vollkommen ausgetrunken war, mit einer majestätischen Verbeugung und verließ mich. Als ihre Gestalt im Dunkel des Vorzimmers verschwand, erschien mir ihr Rat allerdings wie eine Zudringlichkeit, aber ich ließ mir ihn zur Warnung dienen, ein Geheimnis in Zukunft besser zu verbergen.

27. Kapitel

Tommy Traddles

Am nächsten Tag kam mir der Einfall, Traddles zu besuchen. Die Zeit seiner Abwesenheit mußte um sein, und er wohnte in einer kleinen Straße nicht weit von der Tierarzneischule in Camdentown, einer Gegend, die, wie mir einer unserer Schreiber sagte, meistens von wohlhabendern Studenten bewohnt würde, die lebende Esel kauften, um in ihren Privaträumen Experimente an ihnen zu machen.

Die Straße erschien mir nicht so anheimelnd, wie ich es Traddles wegen gewünscht hätte. Die Bewohner schienen eine besondere Neigung zu haben, unbrauchbare Kleinigkeiten auf die Straße zu werfen, was keineswegs zur Reinlichkeit beitrug. Ich bemerkte nicht nur Kohlblätter und ähnliche Abfälle, sondern sah mit eignen Augen einen Schuh, eine verbogene Blechpfanne, einen schwarzen Hut und einen Regenschirm in verschiedenen Stadien der Zersetzung, während ich mich nach Traddles Hausnummer umsah.

Der Eindruck des Ortes erinnerte mich lebhaft an die Tage bei Mr. und Mrs. Micawber. Das von mir aufgesuchte Haus trug einen unbeschreiblichen Charakter schäbiger Eleganz, wodurch es von den andern Häusern der Straße abstach, obwohl sie alle, nach einem einförmigen Muster gebaut, wie kindische Kopien eines Häuserbauen spielenden Knaben aussahen, und erinnerte mich noch mehr an Mr. und Mrs. Micawber.

Ich erreichte soeben die Tür, als ein Milchmann heraustrat und etwas rief, das mich noch mehr an Mr. und Mrs. Micawber erinnerte. »Na, was ist also«, äußerte er zu einem sehr jungen Dienstmädchen, »mit meiner kleinen Rechnung?«

»O, der Herr sagt, er werde sie demnächst begleichen.«

»Die Rechnung läuft schon sehr lange«, – die Worte schienen für jemand im Hause bestimmt zu sein und nicht für das Mädchen, weil der Mann gar so grimmig den Gang hinabsah. »Die Rechnung läuft schon so lange und läßt nichts mehr von sich hören, daß sie, mir scheint, schon ganz fortgelaufen ist. Ich lasse mir das nicht gefallen, verstanden«, schrie der Milchmann in den Gang hinein.

Das Äußere des Mannes paßte durchaus nicht für einen Händler mit einem so milden Artikel. Es hätte eher für einen Fleischer oder einen Branntweinhändler gepaßt.

Die Stimme des Dienstmädchens wurde ganz unhörbar. Nach der Bewegung ihrer Lippen zu schließen, schien sie noch einmal zu wiederholen, daß der Herr sie demnächst in Ordnung bringen werde.

»Ich will dir was sagen«, fuhr der Milchmann fort und sah sie zum ersten Mal scharf an und griff ihr unter das Kinn. »Trinkst du gern Milch?«

»Ja, recht gern.«

»Gut, dann kriegst du morgen keine, verstanden? Nicht einen Tropfen Milch kriegst du morgen.«

Das Mädchen schien mir einigermaßen durch die Aussicht, wenigstens heute welche zu bekommen, getröstet. Nachdem der Milchmann, mit einem finstern Blick auf sie, den Kopf geschüttelt, ließ er ihr Kinn los, öffnete unwillig seinen Krug und goß das übliche Maß in die Familienkanne. Darauf entfernte er sich brummend und rief seine Milch mit rachsüchtigem Gekreisch weiter in der Straße aus.

»Wohnt Mr. Traddles hier?« fragte ich.

Eine geheimnisvolle Stimme im Hintergrunde rief »Ja«, worauf auch das junge Mädchen »Ja« antwortete.

»Ist er zu Hause?«

Wieder antwortete die geheimnisvolle Stimme bejahend, und das Mädchen machte das Echo.

Daraufhin ging ich auf die Weisung der Kleinen die Treppe hinauf, nicht ohne beim Vorbeigehen an dem Zimmer im Hintergrund ein geheimnisvolles Auge, das wahrscheinlich zu der geheimnisvollen Stimme gehörte, wachsam auf mich gerichtet zu sehen.

Als ich oben an der Treppe ankam – das Haus war nur ein Stock hoch –, stand Traddles bereits zu meinem Empfang bereit. Er freute sich sehr, mich zu sehen, und führte mich mit herzlichem Willkommengruß in sein kleines Zimmer. Es ging vorne hinaus und war sehr nett, wenn auch nur spärlich möbliert. Er bewohnte kein Zimmer sonst, wie ich bemerkte, denn ich sah ein Schlafsofa und seine Schuhbürsten und Wichse neben den Büchern auf einem Regal unter einem Wörterbuch. Der Tisch war mit Papieren bedeckt, und Traddles schien in seinem alten Rock emsig gearbeitet zu haben. Ich bemerkte alles, ohne mich besonders umsehen zu müssen. Auf seinem porzellanenen Tintenfaß befand sich das Bild einer Kirche, was mich wieder lebhaft an die alten Micawberzeiten erinnerte. Verschiedne sinnreiche Einrichtungen, um die Kommode, den Stiefelvorrat und dergleichen zu verbergen, sahen so recht demselben Traddles ähnlich, der aus Schreibpapier Elefantenkäfige machte, um dann Fliegen hineinzusperren, und der für die erlittenen Mißhandlungen sich mit dem Entwurf von Gerippen tröstete. In einer Ecke des Zimmers lag etwas, sauber mit einem großen, weißen Tuch zugedeckt. Ich konnte nicht herausbekommen, was es sein mochte.

»Traddles«, sagte ich, schüttelte ihm wieder die Hand und setzte mich, »ich bin so erfreut dich wiederzusehen –«

»Ganz meinerseits, Copperfield. Eben weil ich mich so außerordentlich freute, dich zu sehen, gab ich dir diese Adresse anstatt die meines Bureaus.«

»Du hast auch ein Bureau?«

»Ja, ich habe ein Viertel Zimmer, ein Viertel Gang und das Viertel von einem Schreiber. Ich und drei andere haben zusammengeschossen, um ein Bureau zu mieten – damit es geschäftsmäßiger aussieht –, und wir bestreiten auch den Schreiber zu viert. Mich kostet er eine halbe Krone wöchentlich.«

Sein alter einfacher Charakter, seine Gutmütigkeit und ein bißchen von seinem alten Pech glänzten aus dem Lächeln, mit dem er mir diese Erklärung gab.

»Es ist nicht etwa Stolz, Copperfield, weißt du, daß ich gewöhnlich diese Adresse hier nicht verrate. Es geschieht bloß der Leute wegen, die mich besuchen und vielleicht nicht gern hierhergingen. Was mich betrifft, muß ich mich in der Welt durch mancherlei Hindernisse durchkämpfen, und es wäre lächerlich, wenn ich anders erscheinen wollte, als ich bin.«

»Du bereitest dich auf die Advokatur vor, erzählte mir Mr. Waterbrook.«

»Freilich, ja«, sagte Traddles und rieb sich langsam die Hände. »Ich bereite mich auf die Advokatur vor. Tatsächlich habe ich erst jetzt nach recht langer Verzögerung meinen Dienst angetreten. Es ist schon einige Zeit her, daß ich eingeschrieben wurde, aber die Bezahlung der hundert Pfund gab einen großen Ruck. Einen großen Ruck«, wiederholte er mit einem Zucken, als ob ihm ein Zahn ausgerissen würde.

»Weißt du, woran ich fortwährend denken muß, Traddles, wenn ich dich so vor mir sitzen sehe?«

»Nein.«

»An den himmelblauen Anzug, den du immer trugst.«

»Ach Gott, ja, richtig!« rief Traddles lachend. »Zu eng an den Armen und Beinen, nicht wahr? Ach, was waren das doch für glückliche Zeiten!«

»Unser Schulmeister hätte sie glücklicher machen können,

ohne uns besonders zu schaden, sollte ich meinen«, entgegnete ich.

»Möglich«, gab Traddles zu, »aber lieber Gott, was hatten wir doch für Spaß dort! Erinnerst du dich an die Nächte im Schlafzimmer, wenn wir unsre Abendgesellschaften abhielten und du uns Geschichten erzähltest? Hahaha. Weißt du noch, wie ich durchgehauen wurde, als ich um Mr. Mell weinte. Der alte Creakle! Ich möchte ihn doch gern einmal wiedersehen.«

»Er benahm sich wie eine Bestie gegen dich, Traddles«, sagte ich unwillig, denn grade seine gute Laune erweckte in mir den alten Eindruck, als ob er eben erst durchgeprügelt worden wäre.

»So, meinst du? Wirklich? Vielleicht tat ers. Aber das ist jetzt schon lange Zeit her. Der alte Creakle!«

»Du wurdest damals von einem Onkel erzogen, nicht wahr?«

»Ja freilich. Von dem Onkel, an den ich immer schreiben wollte und niemals schrieb. Hahaha! Ja, ich hatte damals einen Onkel. Er starb bald, nachdem ich aus der Schule kam.«

»So?«

»Ja. Er hatte sich zur Ruhe gesetzt und war, sagen wir mal, Tuch- oder Kleiderhändler gewesen. Er hatte mich zu seinem Erben eingesetzt. Aber ich gefiel ihm nicht, als ich erwachsen war.«

»Ist das dein Ernst?« fragte ich. Er erzählte mir das so ruhig, daß ich dachte, ich hätte ihn nicht recht verstanden.

»Freilich Ja, Copperfield. Es ist mein Ernst. Es war eine schlimme Sache, aber er konnte mich durchaus nicht leiden. Er sagte mir, ich entspräche seinen Erwartungen ganz und gar nicht und heiratete dann seine Haushälterin.«

»Und was tatest du?«

»Ich tat nichts Besonderes. Ich lebte bei ihm und wartete, ob sie mich nicht irgendwo anbrächten, da schlug sich ihm unglücklicherweise die Gicht auf den Magen und er starb, und sie heiratete einen jungen Mann, und für mich blieb nichts übrig.«

»Bekamst du gar nichts, Traddles?«

»Ach, mein Gott! Ich bekam fünfzig Pfund. Ich war für keinen bestimmten Beruf erzogen, und eine Zeitlang wußte ich überhaupt nicht, was ich beginnen sollte. Endlich machte ich mit dem Beistand eines Advokatensohns, der auch in Salemhaus gewesen, – Yawler, mit der schiefen Nase, du erinnerst dich seiner gewiß, – einen Anfang.«

»Nein, zu meiner Zeit war er noch nicht dort. Damals haben sie alle grade Nasen gehabt.«

»Nun, das macht weiter nichts. Also mit seiner Hilfe lernte ich Akten abschreiben. Dabei schaute nicht viel heraus, und dann fing ich an, Referate aufzusetzen, Auszüge zu machen und ähnliche Arbeiten zu verrichten. Ich bin nämlich ein rechter Büffler, Copperfield, und habe gelernt, mich in solchen Sachen kurz zu fassen. Hernach kam mir der Gedanke, mich als Student der Rechte einschreiben zu lassen, und das fraß den Rest meiner fünfzig Pfund auf. Yawler empfahl mich unterdessen bei ein paar Kanzleien, zum Beispiel bei Mr. Waterbrook, und ich machte manches nette Geschäft. Außerdem schätze ich mich so glücklich, mit einem Buchhändler bekannt geworden zu sein, der eine Enzyklopädie herausgibt, und da bekam ich wieder Arbeit. Gerade jetzt bin ich für ihn tätig«, sagte er mit einem Blick auf den Tisch. »Ich bin kein schlechter Kompilator, Copperfield«, fuhr er mit einer gewissen heitern Zufriedenheit fort, »aber ich habe nicht die geringste Erfindungsgabe. Ich glaube, es hat noch nie einen jungen Mann von so wenig Originalität wie ich bin gegeben.«

Ich nickte, da Traddles meine Zustimmung zu erwarten schien, und er fuhr mit derselben bescheidenen Genügsamkeit fort: »So sparte ich mir denn nach und nach die hundert Pfund zusammen, Gott sei Dank, daß sie erlegt sind. Es gab einen förmlichen Ruck.« Wieder zuckte er, als ob ihm abermals ein Zahn ausgezogen würde. »Ich ernähre mich durch solche Arbeiten und hoffe immer, eines Tages mit irgendeiner Zeitung in Verbindung zu kommen, und dann wäre mein Glück gemacht! Du, Copperfield, bist ganz genau so wie früher mit deinem gemütlichen Gesicht, und ich freue mich so sehr, dich zu sehen, daß ich dir auch das letzte nicht verheimlichen will. Also höre: Ich bin verlobt.«

»Verlobt! (O Dora!)«

»Sie ist eine Pfarrerstochter, eine von zehn Schwestern unten in Devonshire. Jawohl! Jawohl«, bestätigte er, denn er sah mich unwillkürlich einen Blick auf das Tintenfaß werfen, »jawohl, das ist die Kirche. Man geht hier herum, links durch dieses Tor, und grade hier, wo ich die Feder hinhalte, steht das Haus mit den Fenstern nach der Kirche.«

Seine Freude, mit der er auf diese Einzelheiten einging, wurde mir erst einen Augenblick später ganz klar. Meine selbstsüchtigen Gedanken hatten nämlich gerade einen Grundriß von Mr. Spenlows Haus und Garten entworfen.

»Sie ist so ein liebes Mädchen«, sagte Traddles, »ein wenig älter als ich, aber ein gar so liebes Mädchen. Ich erzählte dir doch, ich würde verreisen. Ich war dort. Ich reiste hin und zurück zu Fuß und habe eine entzückende Zeit verlebt. Freilich wird es ein ziemlich langer Brautstand werden, aber wir sagen immer: warten und hoffen. Und, Copperfield, sie würde warten sechzig Jahre und noch länger.«

Er stand auf und legte mit triumphierendem Lächeln die Hand auf das weiße Tuch, das mir schon früher aufgefallen war.

»Wir haben für alle Fälle schon einen kleinen Anfang mit der Wirtschaft gemacht. Freilich geht es nur langsam vorwärts, aber angefangen haben wir.« Er zog sorgfältig und mit großem Stolz das Tuch weg. »Hier sind schon zwei Stücke für die Einrichtung. Diesen Blumentopf mit Untersetzer hat sie selbst gekauft. Das wird in das Wohnzimmerfenster gesetzt«, sagte Traddles und beugte sich ein wenig zurück, um das Stück mit desto mehr Bewunderung betrachten zu können, »mit einer Pflanze drin. Diesen kleinen runden Tisch mit der Marmorplatte, zwei Fuß zehn Zoll im Umfang, habe ich gekauft. Sagen wir, man will ein Buch hinlegen, oder es kommt jemand zu Besuch und will eine Teetasse aus der Hand setzen, und – und – dazu ist er eben sehr gut. Es ist ein wundervolles Stück Arbeit, fest wie ein Felsen.« Ich hob beide Stücke in den Himmel, und Traddles deckte sie wieder so sorgfältig zu, wie er sie enthüllt hatte.

»Es fehlt noch viel zu einem vollständigen Mobiliar, aber es ist ein Anfang. Die Tischtücher und Betten und die andern Sachen dieser Art machen mir am meisten Sorge, Copperfield. Ebenso die Eisensachen, die Lichterkasten, die Roste, weil diese Sachen gar so ins Geld gehn. Aber warten und hoffen. Ich versichere dir, sie ist ein so liebes Mädchen.«

»Davon bin ich überzeugt.«

»Mittlerweile«, sagte Traddles und setzte sich wieder auf seinen Stuhl, – »und damit will ich aufhören, von mir zu schwatzen, – schlage ich mich durch, so gut ich kann. Ich verdiene nicht viel, brauche aber auch nur wenig. Für gewöhnlich esse ich bei den Leuten unten, nette, angenehme Menschen. Beide, Mr. und Mrs. Micawber, haben viel erlebt und sind vortreffliche Gesellschafter.«

»Um Gottes willen, Traddles?« rief ich aus. »Was sagst du da?«

Traddles sah mich verständnislos an.

»Mr. und Mrs. Micawber? Aber die kenne ich auch ganz genau!« Ein gewisses zweimaliges Klopfen an der Haustür, das ich aus alter Erfahrung von der Windsor-Terrasse her kannte und das nur von Mr. Micawber herrühren konnte, nahm mir jeden Zweifel. Ich bat Traddles, seinen Hauswirt doch heraufkommen zu lassen. Er rief sogleich über das Treppengeländer hinunter, und Mr. Micawber, nicht im geringsten verändert – seine engen Beinkleider, sein Stock, sein Hemdkragen und seine Lorgnette, alles genau wie früher –, trat mit vornehmen und jugendlichen Allüren in das Zimmer.

»Ich bitte um Verzeihung, Mr. Traddles«, sagte er mit dem gewohnten Rollen in der Stimme und unterbrach die Melodie, die er vor sich hingesungen hatte. »Ich wußte nicht, daß sich eine in Ihrer Behausung fremde Persönlichkeit hier im Allerheiligsten befindet.« Mr. Micawber machte mir eine leichte Verbeugung und zog den Hemdkragen in die Höhe.

»Wie geht es Ihnen, Mr. Micawber?« fragte ich.

»Sir«, antwortete Mr. Micawber. »Ich bin Ihnen außerordentlich verbunden. Ich befinde mich in *statu quo*.«

»Und Mrs. Micawber?«

»Sir, auch sie ist Gott sei Dank in *statu quo.*«

»Und die Kinder, Mr. Micawber?«

»Sir. Es gereicht mir zur Freude, Ihnen sagen zu können, daß auch sie sich der besten Gesundheit erfreuen.«

Bis dahin hatte mich Mr. Micawber noch nicht erkannt, trotzdem ich dicht vor ihm stand. Als er mich jetzt lächeln sah, betrachtete er mich genauer, trat zurück und rief: »Ist es möglich, habe ich das Glück, abermals Copperfield wiederzusehen?« Und er schüttelte mir beide Hände mit größter Herzlichkeit.

»Gott im Himmel, Mr. Traddles, denken Sie nur! Muß ich hier den Freund meiner Jugend, den Gefährten früherer Jahre wiederfinden! – Meine Liebe«, rief er über das Treppengeländer hinab, während Traddles nicht wenig verwundert bei dieser Beschreibung von mir dreinschaute, – »meine Liebe, hier in Mr. Traddles' Gemach befindet sich ein Herr, den dir vorzustellen ich mir das Vergnügen machen möchte.«

Mr. Micawber kam wieder herein und schüttelte mir abermals die Hände.

»Und was macht unser guter Freund, der Doktor, Copperfield, und der ganze Kreis in Canterbury?«

»Ich habe nur gute Nachrichten von ihnen.«

»Das freut mich ungemein. In Canterbury sahen wir uns das letzte Mal. Es war im Schatten, bildlich gesprochen, jenes erhabenen Gotteshauses, das von Chaucer unsterblich gemacht schon in alten Zeiten das Wanderziel des Pilgrims aus den fernsten Winkeln – kurz, es war neben dem Dom.«

Ich stimmte bei. Mr. Micawber fuhr fort mit demselben Schwung zu sprechen, aber, wie mir vorkam, nicht ohne einige Zeichen von Unruhe über gewisse Töne im Nebenzimmer, wie wenn sich Mrs. Micawber die Hände wüsche und eilig Schubladen, die schwer aufgingen, auf- und zuschöbe.

»Sie finden uns, Copperfield«, sagte Mr. Micawber, halb auf Traddles blickend, »gegenwärtig in einem sozusagen kleinen und anspruchslosen Haushalt, aber Sie wissen, daß ich in meiner Kar-

riere mancherlei Schwierigkeiten besiegt und Hindernisse überwunden habe. Sie stehen der Tatsache nicht fremd gegenüber,
daß es Abschnitte in meinem Leben gegeben hat, wo ich genötigt
war zu pausieren, bis gewisse voraussichtliche Ereignisse eintreten sollten, Zeitabschnitte, wo ich sozusagen einen Anlauf nehmen mußte, um das, was ich sicher ohne Anmaßung einen entscheidenden Sprung nenne, tun zu können. Die gegenwärtige
Zeit nun bedeutet einen dieser Augenblicke im menschlichen
Leben. Sie sehen mich zurückgetreten zum Sprung, und ich habe
allen Grund zu glauben, daß binnen kurzem ein großer Um-
schwung zu gewärtigen ist.«

Ich hatte kaum meine Beistimmung ausgedrückt, als Mrs.
Micawber hereintrat, ein wenig salopper gekleidet als früher –
vielleicht kam es mir auch nur so vor –, aber immerhin mit allen
Anzeichen gesellschaftlichen Aufputzes und braunen Handschuhen angetan.

»Mein Liebling«, sagte Mr. Micawber und führte sie mir entgegen, »hier steht ein Herr, der seine Bekanntschaft mit dir zu erneuern wünscht. Sein Name ist Copperfield.«

Es wäre besser gewesen, wenn man Mrs. Micawber ein wenig
vorbereitet hätte. Sie befand sich momentan in gesundheitlichen
Umständen, die große Schonung erforderten, und wurde von der
plötzlichen Überraschung so erschüttert und unwohl, daß Mr.
Micawber zum Brunnen im Hof hinunterlaufen und eine Schüssel Wasser holen mußte, um ihr die Stirn zu waschen. Sie kam
schnell zu sich und freute sich aufrichtig, mich wiederzusehen.
Wir unterhielten uns wohl eine halbe Stunde, und ich erkundigte
mich nach den Zwillingen, die, wie sie sagte, schon sehr groß
seien, und nach Master und Miss Micawber, die »direkte Riesen«
sein sollten, sich aber nicht sehen ließen.

Mr. Micawber wollte mich durchaus zum Essen dabehalten.
Ich hätte nichts dagegen gehabt, aber aus Mrs. Micawbers Augen
schien mir etwas wie Unruhe bei der Berechnung des noch vorhandenen kalten Bratens zu sprechen. Ich gab daher vor, anderswo eingeladen zu sein, und widerstand allem Drängen um so

mehr, als mir Mrs. Micawbers Mienen heiterer zu werden schienen.

Ich verlangte von Traddles und den beiden Micawbers, daß sie unbedingt jetzt schon den Tag festsetzen müßten, wo sie bei mir speisen wollten. Traddles' Arbeit machte es nötig, den Tag etwas weiter hinauszuschieben, aber schließlich kamen wir doch zu einem Resultat, und ich verabschiedete mich.

Unter dem Vorwand, mir einen nähern Weg zeigen zu wollen, begleitete mich Mr. Micawber bis an die Ecke der Straße – »um mit einem alten Freund ein paar Worte im Vertrauen sprechen zu können.«

»Lieber Copperfield«, begann er, »ich brauche Ihnen wohl kaum zu versichern, welch unaussprechlichen Trost es mir gewährt, bei den obwaltenden Umständen unter unserm Dach ein Herz schlagen zu wissen von solcher Wärme wie das Ihres Freundes Traddles. Wenn auf der einen Seite eine Waschfrau wohnt, die in dem Fenster ihres Wohnzimmers altbackenes Brot zum Verkaufe ausstellt, und ein Polizeidiener gegenüber, können Sie sich wohl vorstellen, welche Quelle des Trostes die Gesellschaft Mr. Traddles' für Mrs. Micawber und mich bedeutet. Zur Zeit, mein lieber Copperfield, bin ich im Kommissionshandel in Getreide tätig. Ich kann mich nicht des Ausdrucks bedienen, daß es ein lohnender Beruf ist, – kurz, er trägt nichts. Und infolgedessen befinde ich mich in einer vorübergehenden Verlegenheit materieller Art. Glücklicherweise kann ich jedoch hinzufügen, daß ich sichere Aussicht habe – ich darf noch nicht verraten, wo –, etwas zu finden, was mich instand setzen wird, dauernd für mich und unsern Freund Traddles, für den ich eine ungewöhnliche Teilnahme hege, sorgen zu können. Sie werden vielleicht nicht überrascht sein, wenn ich Ihnen sage, daß Mrs. Micawber sich in einem Zustand befindet, der es nicht unwahrscheinlich macht, auf eine Vermehrung der Pfänder der Liebe – kurz, sie ist in andern Umständen. Mrs. Micawbers Familie hat geruht, über diesen Umstand Äußerungen der Unzufriedenheit fallen zu lassen. Ich will bloß bemerken, daß es sie nichts angeht und daß ich solche Einmischung mit Entrüstung zurückweise.«

Dann schüttelte mir Mr. Micawber die Hand und verließ mich.

28. Kapitel

Mr. Micawber wirft seinen Fehdehandschuh hin

Bis zu dem Tag, wo ich meine neuaufgefundnen alten Freunde bewirten sollte, lebte ich hauptsächlich von Dora und Kaffee. In meinem Liebessiechtum schwand mein Appetit. Ich freute mich darüber, denn ich hätte es als Treulosigkeit gegen Dora aufgefaßt, Genuß an einem Mittagessen zu finden. Meine ausgedehnten Spaziergänge verfehlten die gewöhnliche Wirkung, da der Gram meiner Seele der frischen Luft entgegenwirkte. Ich habe auch meine Zweifel, die sich auf die damals erlangte drückende Erfahrung gründen, ob sich ein gesunder Appetit im Menschen entwickeln kann, wenn er beständig von zu engen Schuhen gepeinigt wird.

Ich traf diesmal nicht so große Vorbereitungen wie zu meinem ersten Gastmahl. Das Essen sollte bloß aus Zunge, einer kleinen Schöpsenkeule und aus Taubenpastete bestehen.

Mrs. Crupp wurde rebellisch, als ich ihr zuerst schüchtern die Bereitung von Fisch und Braten zumutete, und sagte gekränkt und würdevoll: »Nein, nein, Sir. So was können von mir nicht verlangen. Sie kennens mich zu gut, als daß Sie so was bei mir voraussetzen könnten.« Aber zuletzt verständigten wir uns doch, als ich auf ihre Bedingung, vierzehn Tage nicht zu Hause zu essen, einging.

Überhaupt mußte ich von Mrs. Crupp wegen der Tyrannei, die sie auf mich ausübte, Schreckliches ertragen. Noch nie habe ich mich vor jemand so gefürchtet. Immer mußte ein Vergleich geschlossen werden, und wenn ich zögerte, einzuschlagen, brach jedesmal sofort ihre seltsame Krankheit, die bei ihr immer im Hinterhalt zu liegen schien, aus und nahm von ihren Lebensgeistern Besitz. Wenn ich nach sechsmaligen, schüchternen und erfolglosen Versuchen endlich ungeduldig an der Klingel riß und sie erschien – was auch dann nicht immer der Fall war –, trat sie jedesmal mit vorwurfsvoller Miene herein, sank atemlos auf einen Stuhl bei der Tür, legte verletzt die Hand auf das Nankinggebiet, und ich mußte sie immer mit einem Opfer von Brandy wieder versöhnen. Wenn ich es mir nicht gefallen lassen wollte, daß mein Bett erst um fünf Uhr nachmittags gemacht wurde, so genügte eine Bewegung ihrer Hand, um mich zu einer gestotterten Bitte um Verzeihung zu veranlassen. Kurz, sie verkörperte den Schrecken meines Lebens.

Ich kaufte einen gebrauchten Serviertisch für das Gastmahl, denn ich wollte um keinen Preis den gewandten jungen Mann wieder engagieren. Ich hegte ein Vorurteil gegen ihn, weil ich ihm an einem Sonntagmorgen auf dem Strand in einer Weste begegnete, die einer von mir, seit jenem Feste vermißten, wunderbar ähnlich sah. Das »Gschöpf« bestellte ich wieder, aber unter der Bedingung, daß sie nur die Gerichte hereinzubringen und dann vor der Eingangstüre zu warten habe, wo man ihr Schnaufen nicht hören konnte und der Rückzug auf Teller eine physische Unmöglichkeit war.

Nachdem ich das Nötige zu einer Punschbowle, deren Bereitung Mr. Micawber vorbehalten bleiben sollte, ferner eine Flasche Lavendelwasser, zwei Wachskerzen, ein Papier voll verschiedener Nadeln und ein Kissen dazu, damit Mrs. Micawber ihre Toilette bei mir machen könne, gekauft und in meinem Schlafzimmer für Mrs. Micawber Feuer angemacht und schließlich eigenhändig den Tisch gedeckt hatte, sah ich voll Fassung den kommenden Dingen entgegen.

Zur bestimmten Stunde trafen meine drei Gäste ein. Mr. Micawber mit einem noch höhern Hemdkragen als gewöhnlich, einem neuen Band an seinem Augenglase, – Mrs. Micawber, ihre Haube in ein Papierpaket eingeschlagen, am Arme Traddles.

Alle waren über meine Wohnung entzückt. Als ich Mrs. Micawber an meinen Toilettetisch führte und sie die Vorbereitungen bemerkte, die ich für sie getroffen, geriet sie so außer sich, daß sie ihren Gatten herbeirief.

»Lieber Copperfield«, sagte Mr. Micawber, »das ist wirklich luxuriös. Es verrät eine Lebensführung, die mich an meine eigne Junggesellenzeit erinnert, als Mrs. Micawber noch nicht gebeten worden war, Treue an Hymens Altar zu schwören.«

»Er meint, von ihm gebeten, Mr. Copperfield«, setzte Mrs. Micawber kokett hinzu. »Von andern kann er das nicht sagen.«

»Meine Liebe«, entgegnete Mr. Micawber und wurde plötzlich sehr ernst. »Von andern zu sprechen, hege ich nicht den Wunsch. Ich bin mir wohl bewußt, daß es vielleicht für einen geschah – als du nach dem unerforschlichen Ratschluß des Schicksals für mich aufbewahrt wurdest –, der nach langem Kampfe einer materiellen Verlegenheit höchst verwickelter Natur zum Opfer fallen sollte. Ich verstehe deine Anspielungen, meine Liebe; es schmerzt mich, aber ich ertrage es mit Fassung.«

»Micawber!« rief Mrs. Micawber in Tränen aus. »Habe ich das verdient? Ich, die ich dich nie verlassen habe, die dich nie verlassen wird, Micawber!«

»Meine Liebe«, sagte Mr. Micawber sehr gerührt. »Du wirst verzeihen und gewiß auch unser alter, erprobter Freund Copperfield wird es, wenn die frische Wunde eines verletzten Gemüts, empfindlich geworden durch eine Kollusion mit einem Knechte der öffentlichen Gewalt, kurz, mit einem ordinären Röhrenarbeiter beim Wasserwerk, – in einem solchen Augenblick wieder aufbricht, und wirst mich wegen meiner Verirrung nicht verdammen.«

Er umarmte seine Frau und drückte mir die Hand und ließ mich durch seine dunkeln Andeutungen vermuten, daß man ihm zu Hause wegen Zahlungsversäumnisses das Wasser abgesperrt hatte.

Um seine Gedanken von diesem traurigen Vorfall abzulenken, führte ich ihn zu den Zitronen und gestand ihm, daß ich hinsichtlich der Punschbereitung auf ihn rechne.

Im Handumdrehen wich seine Verzweiflung. Noch nie habe ich einen Menschen beim Duft von Zitronenschalen und heißem Rum so vergnügt gesehen wie Mr. Micawber an diesem Nachmittag. Wunderbar glänzte uns sein Gesicht aus der dünnen Wolke dieser köstlichen Dämpfe entgegen, wie er rührte und mischte und kostete und aussah, als ob er anstatt Punsch ein Vermögen für seine Familie bis ins letzte Glied zurechtmachte.

Mrs. Micawber, ich weiß nicht, ob es die Haube ausmachte, die sie jetzt auf hatte, oder das Lavendelwasser oder die Nadeln oder das Feuer oder die Wachslichter, trat, für ihre Jahre wirklich liebenswürdig aussehend, aus meinem Zimmer. Eine Lerche konnte nicht fröhlicher sein als diese vortreffliche Frau.

Ich wagte nie zu fragen, aber ich vermute, daß Mrs. Crupp schon beim Backen der Seezungen krank geworden war, denn mit dem andern Essen ging es schief. Die Hammelkeule kam auf den Tisch, innen sehr rot und außen sehr blaß und über und über mit einem unbekannten sandigen Stoff bestreut, als ob sie in die Asche des merkwürdigen Küchenherdes gefallen wäre. Wir wurden nicht in den Stand gesetzt, uns durch Untersuchung der Sauce darüber klarzuwerden, denn das »Gschöpf« hatte sie auf die Treppen getropft. Noch lange war sie als Fettfleck sichtbar, bis die Tritte mit der Zeit alles verwischten. Die Taubenpastete war nicht schlecht, aber eine Täuschung. Die Rinde glich einem phrenologischen Schädel, der viel verspricht, aber nichts hält: außen lauter Buckel und Erhöhungen, inwendig nichts. Kurz, das Gastmahl war ein Mißgriff, so daß ich mich höchst unglücklich fühlte – wegen des Mißgriffs nämlich, denn wegen Dora fühlte ich mich immerwährend unglücklich. Zum Glück kamen mir die vortreffliche Laune meiner Gäste und ein guter Einfall Mr. Micawbers zu Hilfe.

»Mein lieber Freund Copperfield«, sagte nämlich Mr. Micawber, »unvorhergesehene Ereignisse treten auch in den bestgeleiteten Haushaltungen ein. In Familien, die nicht durch den alles durchdringenden Einfluß, der zugleich den Genuß heiligt und ihn erhöht, – kurz, ich wollte sagen, wenn keine Hausfrau da ist, sind sie mit Sicherheit zu erwarten und müssen mit stoischem Gleichmut getragen werden. Wenn Sie erlauben, daß ich mir die Freiheit nehme zu bemerken, daß nur wenige Speisen halb gar sind und daß ich der Meinung bin, wir könnten mit einiger Arbeitsteilung daraus etwas Gutes bereiten, wenn unsere jugendliche Aufwärterin uns einen Rost verschaffen wollte, so würde ich glauben, daß das kleine Mißgeschick leicht gutzumachen ist.«

In meiner Speisekammer befand sich ein Rost, auf dem ich meinen Frühstücksschinken zu braten pflegte. Er war im Augenblick herbeigeschafft, und wir machten uns sofort daran, Mr. Micawbers Vorschlag zur Ausführung zu bringen. Die Arbeitsteilung, von der er gesprochen, ging folgendermaßen vor sich:

Traddles schnitt die Schöpsenkeule in Scheiben, Mr. Micawber, in allen solchen Dingen ein Meister, bestreute sie mit Pfeffer, Salz, Senf und Cayenne, – ich legte sie auf den Rost, wendete sie mit der Gabel um und nahm sie nach Mr. Micawbers Anleitung vom Feuer. Mrs. Micawber wärmte und rührte Champignonsauce in einer kleinen Pfanne. Als wir genug Schnitten hatten, fingen wir mit noch aufgestreiften Ärmeln an zu essen, während noch mehr Scheibchen auf dem Feuer zischten und unsere Aufmerksamkeit sich zwischen dem Fleisch auf unsern Tellern und dem auf dem Rost teilte.

Das Neuartige dieser Kocherei, die Vortrefflichkeit des Gerichtes, die Aufregung, die mit der Zubereitung verknüpft war, das häufige Aufstehen, um nach dem Rechten zu sehen, das Essen, wenn die knusperigen Schnitten ganz heiß vom Roste kamen, die damit verbundenen Späße, der Lärm und der Duft, der uns umgab, alles trug dazu bei, daß wir die Hammelkeule bis auf den letzten Rest verzehrten. Mein Appetit kehrte wie durch ein Wunder wieder. Es ist eine Schande, aber ich glaube wirklich, ich vergaß Dora eine Zeitlang. Ich bin überzeugt, Mr. und Mrs. Micawber hätten nicht erfreuter sein können, wenn sie ein Bett verkauft haben würden. Traddles lachte herzlich die ganze Zeit über und aß und schaffte. Wir alle taten desgleichen, und ich muß sagen, niemals war ein Mahl fröhlicher.

Auf dem Höhepunkt der Freude angekommen, wollten wir eben die letzten Scheibchen in den höchsten Zustand der Vollkommenheit versetzen, als ich bemerkte, daß sich noch jemand im Zimmer befand; und meine Augen sahen in die Littimers, der den Hut in der Hand vor mir stand.

»Was ist geschehen?« fragte ich unwillkürlich.

»Ich bitte um Verzeihung, Sir, ist mein Herr nicht hier?«

»Nein.«

»Haben Sie ihn nicht gesehen, Sir?«

»Nein. Kommen Sie nicht von ihm?«

»Nicht direkt, Sir.«

»Hat er Ihnen gesagt, daß Sie ihn hier finden würden?«

»Das gerade nicht, Sir, aber wahrscheinlich wird er wohl morgen erst hier sein, da es heute noch nicht der Fall ist.«

»Kommt er von Oxford hierher?«

»Dürfte ich sehr bitten, Sir«, war die respektvolle Erwiderung, »mir zu erlauben, diese Arbeit zu übernehmen?« Damit nahm Littimer mir die Gabel aus meiner widerstandslosen Hand und beugte sich über den Rost, als ob seine Aufmerksamkeit jetzt ganz von dieser Beschäftigung in Anspruch genommen würde.

Nicht einmal das plötzliche Erscheinen Steerforths selbst hätte uns so aus der Fassung bringen können. In einem Augenblick wurden wir zu Schwächlingen vor diesem respektablen Diener. Mr. Micawber, ein Liedchen summend, um seine Befangenheit zu bemänteln, warf sich in seinen Stuhl zurück, und der Griff einer hastig versteckten Gabel guckte aus seiner Brusttasche hervor. Es sah aus, als ob er sich angestochen hätte. Mrs. Micawber zog ihre braunen Handschuhe an und setzte eine vornehm schlaffe Miene auf. Traddles fuhr sich mit seinen fettglänzenden Händen durch das Haar, daß es sich straff aufrichtete, und starrte verwirrt auf das Tischtuch. Ich selbst war an meiner eignen Tafel wieder zum Kinde geworden und wagte kaum einen Blick auf die respektable Erscheinung zu werfen, die weiß Gott woher gekommen war, um meinen Haushalt in Ordnung zu bringen.

Unterdessen nahm Littimer das Fleisch vom Rost und servierte es mit ernster Miene. Wir langten alle zu, aber es schmeckte uns nicht mehr, und wir taten nur, als ob wir davon äßen. Dann räumte er die Teller geräuschlos auf und stellte den Käse auf den Tisch. Schließlich räumte er ab und brachte die Weingläser. Den Serviertisch schob er eigenhändig in die Speisekammer. Alles dies vollbrachte er in untadelhafter Weise und wandte keinen Blick von seiner Arbeit. Aber selbst in seinen Ellbogen, wenn er mir den Rücken kehrte, schien der Ausdruck seiner unerschütterlichen Meinung, daß ich außerordentlich jung sei, zu lauern.

»Kann ich sonst noch etwas besorgen, Sir?«

Ich dankte, sagte nein und fragte ihn, ob er selbst nicht etwas essen wollte.

»Nichts. Ich danke verbindlichst, Sir.«

»Kommt Mr. Steerforth aus Oxford?«

»Ich bitte um Entschuldigung, Sir?«

»Kommt Mr. Steerforth aus Oxford?«

»Ich vermute, er muß morgen hier sein, Sir, ich glaubte eigentlich, er müßte schon heute hier sein. Die Schuld des Irrtums liegt jedenfalls an mir, Sir.«

»Falls Sie ihn vor mir sehen sollten –« begann ich.

»Ich bitte um Verzeihung, Sir, ich glaube nicht, daß ich ihn vor Ihnen sehen werde.«

»Falls Sie ihn aber doch sehen sollten, sagen Sie ihm bitte, es täte mir sehr leid, daß er heute nicht hier gewesen ist, da ich einen Besuch von einem seiner Schulkameraden hatte.«

»In der Tat, Sir?« Und Mr. Littimer teilte eine Verbeugung zwischen mir und Traddles, dem er einen flüchtigen Blick zuwarf.

Er bewegte sich geräuschlos nach der Tür, als ich mit einer verzweifelten Anstrengung, irgend etwas Natürliches herauszubringen – was mir diesem Mann gegenüber nie glücken wollte –, noch sagte:

»Sie, Littimer!«

»Sir?«

»Sind Sie noch lange in Yarmouth geblieben?«

»Nicht besonders lang, Sir.«

»Ist das Boot fertig?«

»Ja, Sir. Ich blieb dort, bis es fertig war.«

»Davon bin ich überzeugt.« Er sah mich ehrerbietig an. – »Mr. Steerforth hat es natürlich noch nicht gesehen?«

»Ich kann es wirklich nicht sagen, Sir. Ich vermute – kann es aber nicht mit Bestimmtheit angeben. Ich erlaube mir, Ihnen gute Nacht zu wünschen, Sir.«

Die ehrerbietige Verbeugung, mit der er seine letzten Worte begleitete, galt uns allen zugleich, und er verschwand.

Meine Gäste schienen freier aufzuatmen, als er fort war; aber ich selbst fühlte mich nicht sehr erleichtert. Mir schlug das Gewissen bei dem Gedanken, daß ich seinem Herrn ein wenig mißtraut hatte, und konnte eine unbestimmte Angst nicht abschütteln, daß er es gemerkt habe. Wie kam es nur, daß ich das Gefühl nicht loswerden konnte, daß dieser Mann stets meine geheimsten Empfindungen durchschaute!

Mr. Micawber riß mich aus meinen Betrachtungen, indem er auf Littimer eine große Lobrede hielt und ihn als einen höchst respektablen Menschen bezeichnete. Er hatte den ihm gebührenden Anteil an Littimers für uns alle bestimmten Verbeugung mit unendlicher Herablassung entgegengenommen.

»Der Punsch, lieber Copperfield«, sagte er sodann und kostete, »wartet wie Ebbe und Flut auf keinen Menschen. Ah, er hat gerade jetzt die schönste Blume. Meine Liebe, was ist deine Meinung?«

Mrs. Micawber fand ihn ebenfalls vortrefflich.

»Dann will ich mir die Freiheit nehmen, wenn mein Freund Copperfield gestattet, auf die Tage zu trinken, wo er und ich noch jünger waren und Schulter an Schulter unsern Weg durch die Welt erkämpften.«

Er leerte sein Glas, und wir folgten seinem Beispiel, – Traddles, ganz in Grübeln versunken, in welcher Zeit Mr. Micawber und ich wohl Schulter an Schulter im Kampf des Lebens gerungen haben mochten.

»Ahem!« sagte Mr. Micawber, sich räuspernd, ganz durch-
glüht von dem Punsch. »Liebe Frau, wünschest du noch ein
Glas?«

Mrs. Micawber wollte nur ganz wenig eingeschenkt haben,
aber wir ließen uns das nicht gefallen, und sie bekam ein volles
Glas.

»Da wir so hübsch unter uns sind, Mr. Copperfield«, sagte sie
und nippte an ihrem Punsch, »– Mr. Traddles bildet ja sozusagen
einen Teil unserer Familie –, so wüßte ich gern Ihre Meinung
über Mr. Micawbers Aussichten. Der Getreidehandel«, fuhr sie
gedankenvoll fort, »ist wohl, wie ich zu Mr. Micawber des öfteren geäußert habe, ein ehrenwerter Beruf, aber nicht rentabel.
Provisionen in der Höhe von zwei Schilling neun Pence in vierzehn Tagen können, so genügsam unsere Ansprüche auch sind,
kein lohnender Ertrag genannt werden.«

Darin stimmten wir alle mit ihr überein.

»Ich muß mir also folgende Frage vorlegen«, sagte Mrs. Micawber, die sich stets einbildete, die Dinge sehr klar zu sehen,
und durch ihren gesunden Menschenverstand ihren Gatten auf
gerader Bahn zu erhalten wähnte. »Wenn man sich nicht auf Getreide werfen kann, worauf sonst. Auf Kohlen? Keineswegs.
Schon einmal haben wir unser Augenmerk auf den Rat meiner
Familie hin auf Versuche dieser Art gelenkt, und sie sind fehl-
geschlagen.«

Mr. Micawber lehnte sich in seinen Stuhl zurück, die Hände in
den Taschen, sah uns von der Seite an und nickte mit dem Kopfe,
als wollte er sagen, die Sache läge jetzt ungemein klar.

»Da also Getreide und Kohlen«, fuhr Mrs. Micawber noch
überlegsamer fort, »vollständig außer Frage gerückt sind, sehe
ich mich natürlich in der Welt um und frage mich, in welchem
Fache wohl könnte ein Mann von Mr. Micawbers Talenten sein
Glück machen? Kommissionsgeschäfte schließe ich von vornherein aus, da sie unsicherer Natur sind. Für eine Person von Mr.
Micawbers besondern Anlagen ist eine sichere Sache die allerge-
eignetste.«

Traddles und ich drückten unsere Zustimmung, daß diese große Entdeckung zweifellos richtig sei, durch beifälliges Gemurmel aus.

»Ich will nicht hinter dem Berge halten, Mr. Copperfield, daß ich schon lange herausgefühlt habe, das Brauereigeschäft müßte Mr. Micawber direkt auf den Leib geschrieben sein. Sehen Sie einmal Barclay & Perkins, Truman, Hanbury und Buxton an. Nur in einem ausgedehnten Wirkungskreis kann Mr. Micawber, wie ich am besten weiß, sich entfalten, und der Gewinn ist, wie ich mir sagen ließ, ungeheuer. Wenn aber nun Mr. Micawber solchen Firmen nicht beitreten kann – man beantwortet seine Briefe nicht einmal, selbst wenn er seine Dienste für eine Stellung untergeordneten Ranges anbietet –, was nützt es da, sich noch länger mit dieser Idee zu befassen? Nichts! Ich habe die felsenfeste Überzeugung, daß Mr. Micawbers Manieren –«

»Hm, aber ich bitte dich, meine Liebe«, unterbrach Mr. Micawber.

»Lieber Mann, sei still«, sie legte ihren braunen Handschuh auf den Arm ihres Gatten; »ich bin felsenfest überzeugt, Mr. Copperfield, daß Mr. Micawbers Manieren ihn in hervorragender Weise für das Bankiergeschäft qualifizieren. Ich kann mir genau ausmalen, wie Mr. Micawbers Manieren, wenn ich ihn als Repräsentanten eines Bankiers vor mir sähe, mein Vertrauen erwecken müßten, falls ich ein Depot zu erlegen gedächte. Wenn sich aber nun die verschiedenen Bankhäuser weigern, sich Mr. Micawbers Fähigkeiten zu bedienen, und ein derartiges Anerbieten mit Geringschätzung zurückweisen, was hat es da für einen Zweck, noch länger bei einem solchen Gedanken zu verweilen? Keinen! Und was die Eröffnung eines Bankgeschäfts auf eigne Faust betrifft, so wären immerhin einige Mitglieder aus meiner Familie, wenn sie ihr Geld nur Mr. Micawber anvertrauen wollten, in der Lage, ein derartiges Unternehmen begründen zu können. Aber wenn sie ihr Geld Mr. Micawber nun eben nicht anvertrauen wollen – und sie wollen nicht –, was bleibt da übrig? Ich stelle fest, daß wir noch nicht weitergekommen sind als vorhin!«

Ich schüttelte den Kopf und sagte: »Durchaus nicht.« Traddles schüttelte gleichfalls den Kopf und sagte ebenso: »Durchaus nicht.«

»Was habe ich daraus zu folgern? Was ist der Schluß, den ich aus alledem ziehen muß, Mr. Copperfield? Habe ich unrecht, wenn ich sage, es liegt doch klar auf der Hand, daß wir leben müssen?«

Ich antwortete: »Keineswegs«, und Traddles antwortete ebenfalls: »Keineswegs«, und ich setzte noch sehr weise hinzu, der Mensch müsse entweder leben oder sterben.

»Sehr richtig«, erwiderte Mrs. Micawber. »Das ist es eben, und die Sachen, lieber Mr. Copperfield, stehen so, daß wir nicht leben können, wenn sich nicht sehr bald etwas von unsern gegenwärtigen Verhältnissen vollkommen Verschiedenes findet. Ich bin nun davon durchdrungen und habe es Mr. Micawber bei den verschiedensten Gelegenheiten auseinandergesetzt, daß sich nichts von selber findet. Wir müssen gewissermaßen mit dazu beitragen, daß sich etwas findet. Vielleicht habe ich unrecht, aber ich habe nun einmal diese Meinung.«

Traddles und ich stimmten ihr lebhaft bei.

»Sehr gut. Was empfehle ich also? Mr. Micawber ist mit den verschiedenartigsten Eigenschaften – mit großem Talent –«

»Aber ich bitte dich, meine Liebe.«

»Bitte, laß mich ausreden, lieber Mann. Also Mr. Micawber ist mit den verschiedenartigsten Eigenschaften, mit großem Talent, fast möchte ich sagen mit Genie ausgestattet. Man wird sagen, daß ich als seine Gattin voreingenommen sei –«

Traddles und ich murmelten: »Nein.«

»Und trotz alledem ist Mr. Micawber ohne passende Stellung und Beruf. Auf wen fällt die Verantwortung? Auf wen sonst als auf die Gesellschaft! Und daher soll man eine so schmähliche Tatsache laut verkünden und die Gesellschaft öffentlich auffordern, sie in Ordnung zu bringen. Und das hat, nach meiner Ansicht, lieber Mr. Copperfield«, sagte Mrs. Micawber mit Anstrengung, »Mr. Micawber zu tun, er hat der Gesellschaft den

Fehdehandschuh hinzuwerfen und zu ihr zu sagen: Wer ihn aufheben will, der trete vor.«

Ich wagte die Frage, wie dies anzufangen sei.

»Durch Annoncieren! In allen Zeitungen! Nach meiner Ansicht muß Mr. Micawber, um sich seiner selbst, seiner Familie, ja sogar der Gesellschaft, die ihn bisher ganz und gar übersehen hat, gerecht zu werden, in allen Zeitungen annoncieren. Er muß sich deutlich beschreiben als den und den mit den und den Eigenschaften und kann die Forderungen stellen: jetzt stellt mich an mit den gebührenden Bezügen – frankierte Offerten an W. M., *poste restante,* Camdentown.«

»Dieser Gedanke meiner Gattin, lieber Copperfield«, sagte Mr. Micawber, blickte mich von der Seite an und versenkte sein Kinn so tief, daß die beiden Kragenspitzen vorn zusammenstießen, »deckt sich mit dem ›Sprung‹, den ich neulich andeutete, als ich das Vergnügen hatte, Sie zu sehen.«

»Annoncieren in den Zeitungen ist ziemlich kostspielig«, gab ich zu bedenken.

»Sehr wahr«, sagte Mrs. Micawber und behielt unbeirrt ihre logisch aussehende Miene bei. »Sehr richtig, lieber Mr. Copperfield! Ich habe dasselbe schon Mr. Micawber gegenüber festgestellt. Hauptsächlich aus diesem Grunde bin ich der Meinung, daß Mr. Micawber eine gewisse Summe Geldes, lediglich, wie ich schon sagte, um sich, seiner Familie und der Gesellschaft gerecht zu werden, aufnehmen sollte, und zwar gegen Wechsel.«

Mr. Micawber, in seinen Stuhl zurückgelehnt, spielte mit seinem Augenglas und blickte nach der Decke. Aber es schien mir, als ob er dabei einen Seitenblick auf Traddles werfe, der in das Feuer sah.

»Wenn kein Mitglied meiner Familie«, nahm Mrs. Micawber ihre Rede wieder auf, »natürliches Gefühl genug besitzt, diesen Wechsel zu finanzieren – ich glaube es gibt einen bessern Geschäftsausdruck dafür – «

»Eskomptieren«, berichtigte sie Mr. Micawber, ohne seine Blicke von der Decke zu wenden.

»Diesen Wechsel zu eskomptieren, dann würde ich vorschlagen, daß Mr. Micawber in die City gehen, den Wechsel auf den Geldmarkt bringen und ihn um den höchstmöglichen Preis begeben möge. Wenn die Leute auf dem Geldmarkt Mr. Micawber nötigen, ein großes Opfer zu bringen, so haben sie das mit ihrem Gewissen abzumachen. Ich betrachte die Summe als Anlagekapital! Ich empfehle Mr. Micawber dasselbe zu tun, nämlich, sie als Betriebskapital anzusehen, das sichern Gewinn abwirft, und vor keinem Opfer zurückzuschrecken.«

Ich fühlte – ich wußte zwar nicht warum –, daß dies ein Beweis großer Selbstverleugnung von seiten Mrs. Micawbers war, und versuchte durch Murmeln meine Meinung in diesem Sinn auszudrücken. Traddles, von meiner Auffassung angesteckt, tat dasselbe und sah unentwegt ins Feuer.

»Ich will meine Ansichten über meines Gatten Geldverhältnisse nicht weiter ausspinnen«, sagte Mrs. Micawber, trank ihren Punsch aus und nahm ihr Umhängetuch zusammen, um sich in mein Schlafzimmer zurückzuziehen. »An Ihrem Tisch, mein lieber Copperfield, und in Gegenwart Mr. Traddles, der, wenn auch kein so alter Freund, so doch einer der Unsrigen ist, konnte ich mich nicht enthalten, Sie mit dem Wege bekannt zu machen, den einzuschlagen ich Mr. Micawber anrate. Ich fühle die Zeit gekommen, wo er eine Anstrengung machen und die ihm zukommende Stellung in der Welt beanspruchen muß. Meiner Ansicht nach sind das die richtigen Mittel dazu. Ich bin mir wohl bewußt, daß ich bloß eine Frau bin und daß zur Diskussion solcher Fragen im allgemeinen der männliche Verstand für geeigneter gehalten wird. Ich darf aber andererseits nicht vergessen, daß Papa oft zu mir sagte – als ich noch zu Hause bei Papa und Mama war: ›Emmas Körper ist zart und gebrechlich, aber sie erfaßt die Gegenstände mit einer Geistesschärfe, die keiner andern nachsteht.‹ Ich weiß sehr wohl, daß mein Vater zu parteiisch dachte, aber daß er bis zu einem gewissen Grade ein Menschenkenner ersten Ranges war, verbieten mir Pflicht und Verstand zugleich zu bezweifeln.«

Mit diesen Worten und gegenüber allen unsern Bitten, daß sie die Punschrunde noch ferner mit ihrer Gegenwart beehren möge, taub, zog sich Mrs. Micawber in mein Schlafzimmer zurück. Ich hatte das sichere Gefühl, daß sie eine edle Frau sei, eine Frau des römischen Altertums hätte sein können und als solche allerlei heroische Taten in den Zeiten öffentlicher Gefahr zu vollbringen imstande gewesen wäre. Unter diesem Eindruck gratulierte ich Mr. Micawber zu dem Schatz, den er besaß. Das Gleiche tat Traddles. Mr. Micawber reichte uns beiden nacheinander die Hand und bedeckte dann das Gesicht mit seinem Taschentuch, in dem sich mehr Schnupftabak befand, als er ahnte. Dann machte er sich in heiterster Laune wieder über den Punsch her.

Er überströmte von Beredsamkeit. Er belehrte uns, daß in seinen Kindern der Mensch wieder neu zu leben beginne und daß unter dem Druck von Geldverlegenheiten jede Vermehrung ihrer Zahl doppelt willkommen sei. Er erzählte, daß seine Gattin anfangs hinsichtlich dieses Punktes ihre Zweifel gehabt habe, daß er sie aber diesbezüglich vollständig beruhigt hätte. Ihre Familie sei ihrer gänzlich unwürdig, und die Gefühle derselben ließen ihn vollkommen kalt. Sie könnten, wie er sagte, zum Teufel gehen.

Sodann erging er sich in warmen Lobsprüchen über Traddles. Traddles sei ein Charakter, auf dessen Beharrlichkeit er selbst ja keinen Anspruch machen könne, den er aber, Gott sei Dank, noch imstande sei zu bewundern. Gefühlvoll spielte er auf die junge, ihm noch unbekannte Dame an, die Traddles so sehr mit seiner Zuneigung ehre und die diese Neigung dadurch vergelte, daß auch sie wiederum Traddles mit ihrer Zuneigung ehre und glücklich mache. Er ließ sie leben. Ich auch. Traddles dankte uns und sagte mit einer Einfachheit und Ehrlichkeit, die ich wohl zu schätzen wußte: »Ich danke euch wirklich sehr. Ich versichere euch, sie ist ein liebes Mädchen.«

Mr. Micawber benützte die erste Gelegenheit, um mit größter Schonung und Förmlichkeit sich nach dem Zustande meiner Gefühle zu erkundigen. Nur eine ausdrückliche gegenteilige Versicherung meinerseits, bemerkte er, könne ihn von dem Eindruck befreien, daß ich, sein alter Freund Copperfield, liebe und geliebt werde. Nach langem verlegenen Erröten, Stottern und Leugnen sagte ich endlich, mit dem Glas in der Hand: »Also gut, wir wollen auf D.s Wohl trinken«, und das regte Mr. Micawber so sehr an und erfreute ihn derart, daß er mit einem Punschglas in das Schlafzimmer eilte, damit auch Mrs. Micawber auf D.s Wohl trinken könne.

Sie tat es mit großer Begeisterung und rief mit schriller Stimme: »Hoch, hoch! Mein lieber Mr. Copperfield, das ist ja entzückend. Hoch!« Und zum Zeichen ihres Beifalls klopfte sie an die Verbindungswand.

Unser Gespräch nahm allmählich wieder eine weltliche Färbung an. Mr. Micawber erzählte, daß ihm Camdentown nicht mehr recht gefalle und daß das erste, was er tun werde, sobald sich etwas durch die Zeitung gefunden, eine neue Wohnung zu nehmen wäre. Er sprach von einer Terrasse am Westende der Oxfordstraße, Hydepark gegenüber, die er von jeher im Auge gehabt, die er aber wahrscheinlich nicht gleich werde mieten können, da viel Einrichtung dazu nötig sein würde. Mittlerweile müßte es vorläufig der obere Teil eines Hauses über einem anständigen Geschäftslokal, vielleicht in Piccadilly, tun, wo Mrs. Micawber sehr angenehm wohnen würde und wo sich nach Einbau eines Bogenfensters oder Aufbau eines neuen Stockwerks oder ähnlichen kleinen Veränderungen ein paar Jahre ganz bequem und angenehm zubringen ließen. Was aber auch die Zukunft ihm vorbehalten habe, setzte er hinzu, wo immer seine Wohnung dereinst auch stünde, stets könnten wir darauf bauen, daß ein Zimmer für Traddles und Messer und Gabel für mich da sein würden. Wir dankten ihm für seine Güte, und er bat uns um Entschuldigung, daß er sich in diese praktischen und geschäftsmäßigen Einzelheiten eingelassen habe, und entschuldigte sich damit, daß sie für einen Mann, der sein Leben ganz neu beginne, etwas sehr Natürliches seien.

Unsere Unterhaltung wurde durch Mrs. Micawber, die an die

Wand klopfte und wissen wollte, ob wir für den Tee bereit seien, unterbrochen. Sie bereitete ihn sodann für uns in liebenswürdigster Weise und fragte mich stets, wenn ich beim Reichen der Tassen und des Butterbrotes in ihre Nähe kam, flüsternd, ob D. blond oder brünett, klein oder schlank sei, und anderes der Art, was mir sehr wohl tat.

Nach dem Tee sprachen wir beim Kamin über die verschiedenartigsten Dinge, und Mrs. Micawber war so gütig, uns mit einer dünnen blechernen Stimme, die mir zur Zeit unserer ersten Bekanntschaft schon wie eine Art Tischbier der Akustik vorgekommen war, die Lieblingsballaden »Der flotte weiße Sergeant« und »Little Tafflin« vorzusingen. Um dieser beiden Lieder willen war sie, als sie noch zu Hause lebte bei Papa und Mama, berühmt gewesen. Mr. Micawber belehrte uns, daß sie seine Aufmerksamkeit, als er sie damals das erstemal unter ihrem elterlichen Dache hatte singen hören, derartig auf sich gezogen habe, daß er bei der ersten Ballade, der von »Little Tafflin«, bereits den Entschluß gefaßt habe, das Herz der Sängerin zu gewinnen oder unterzugehen.

Es war zehn Uhr vorbei, als Mrs. Micawber aufstand, um die Haube wieder in der braunen Papiertüte unterzubringen und ihren Hut aufzusetzen. Mr. Micawber benutzte die Pause, als Traddles ihm in seinen Überzieher half, mir einen Brief zuzustecken, den ich gelegentlich lesen sollte. Ich meinerseits nahm die Gelegenheit wahr, als ich meinen Gästen über die Treppe hinableuchtete, wobei Mr. Micawber mit seiner Gattin am Arm vorausging und Traddles mit der Haube in der Tüte folgen wollte, letzteren einen Augenblick festzuhalten.

»Traddles«, sagte ich, »Mr. Micawber meint es nicht schlecht, der arme Kerl, aber ich an deiner Stelle würde ihm niemals etwas borgen.«

»Lieber Copperfield«, entgegnete Traddles. »Ich habe gar nichts zu verborgen.«

»Aber einen Namen hast du.«

»O, den kann man auch verborgen?« fragte Traddles mit einem dankbaren Blick.

»Selbstverständlich.«

»O! – Ja, du hast recht. Ich danke dir recht sehr, Copperfield, aber – ich fürchte, den habe ich ihm schon geliehen.«

»Zu dem Wechsel, der so eine sichere Anlage sein soll?«

»Nein, nicht zu dem. Ich habe heute abend zum ersten Mal davon gehört. Sie werden mir wahrscheinlich auf dem Nachhauseweg den Vorschlag machen. Es handelte sich um etwas anderes.«

»Ich hoffe, die Sache fällt nicht schlimm aus«, sagte ich.

»Ich hoffe nicht. Mr. Micawber erwähnte noch, daß für Deckung gesorgt sei. Das waren seine Worte. Daß für Deckung gesorgt sei.«

Da Mr. Micawber jetzt zu uns heraufsah, konnte ich nur noch schnell meine Warnung wiederholen. Traddles dankte mir und ging die Treppe hinunter.

Als ich sah, wie gutmütig er Mrs. Micawber die Haube nachtrug und ihr dann den Arm reichte, konnte ich mich der Befürchtung nicht erwehren, er werde sich an Händen und Füßen gebunden auf den Geldmarkt schleppen lassen.

Ich kehrte in meine Stube zurück und dachte, halb ernsthaft, halb belustigt, über Mr. Micawbers Charakter und unsere alten Beziehungen zueinander nach, als ich einen raschen Schritt die Treppe heraufkommen hörte. Anfangs dachte ich, Mrs. Micawber hätte etwas vergessen und Traddles käme es holen, aber als die Schritte näher kamen, fühlte ich mein Herz lauter klopfen und mir das Blut ins Gesicht schießen, denn ich erkannte Steerforth.

Ich vergaß niemals Agnes, und sie kam nie aus dem Allerheiligsten meiner Gedanken, wohin ich sie von Anfang an gestellt hatte. Aber als er eintrat, vor mir stand, mir die Hand hinstreckte, da wurde der Schatten, der auf ihn gefallen, zu Licht, und nur mit Scham und Verwirrung konnte ich an meine Zweifel denken. Ich liebte Agnes deshalb nicht weniger, und sie erschien mir immer noch als derselbe sanfte, segenbringende Engel meines Lebens. Mir und nicht ihr warf ich vor, Steerforth unrecht getan zu haben, und ich hätte gerne Buße getan, wenn ich nur gewußt hätte, wie und womit.

»Was, Daisy, alter Junge, ganz stumm geworden?« lachte Steerforth und schüttelte mir herzlich die Hand und warf sie scherzend wieder weg. »Hab ich dich wieder bei einem Gelage ertappt, du Sybarit! Diese Leute aus Doctors' Commons sind die größten Lebemänner der Stadt und schlagen uns soliden Leute von Oxford aufs Haupt.« Sein lebhaftes Auge schweifte munter im Zimmer umher, als er sich neben mich auf das Sofa setzte und das Feuer anschürte, daß es im Kamin emporloderte.

»Du hast mich so überrascht«, sagte ich und begrüßte ihn jetzt mit aller Herzlichkeit, »daß ich kaum den Atem hatte dich zu bewillkommnen, Steerforth.«

»Nun, ›mein Anblick tut schlimmen Augen gut‹, wie die Schotten sagen«, entgegnete Steerforth. »Und das tut der deinige auch, du voll entfaltetes Gänseblümchen. Was machst du übrigens, du Schwelger?«

»Ich befinde mich sehr wohl und schwelge heute durchaus nicht, obwohl ich auch diesmal ein Gastmahl zu viert eingestehen muß.«

»Die andern drei traf ich schon auf der Straße, überströmend von deinem Lobe. Wer ist der Herr mit den engen Hosen?«

Mit ein paar Worten skizzierte ich Mr. Micawber, so gut ich konnte. Steerforth lachte herzlich über das schwache Porträt dieses Herrn und sagte, er müsse ihn unbedingt kennenlernen. »Wer, glaubst du, ist der andere?« fragte ich.

»Gott weiß! Hoffentlich kein Fadian. Er sah ein wenig danach aus.«

»Traddles!« rief ich triumphierend.

»Wer ist das?« fragte Steerforth leichthin.

»Du erinnerst dich nicht mehr an Traddles? Traddles aus Salemhaus!«

»Ach, der Bursche!« sagte Steerforth, ein Stück Kohle im Feuer mit dem Schüreisen zerschlagend. »Ist er immer noch so simpel? Wo zum Kuckuck hast du den aufgegabelt?«

Ich pries Traddles, so sehr ich konnte, denn ich fühlte, daß Steerforth geringschätzig von ihm dachte.

Steerforth brach das Gespräch mit einem leichten Nicken und der Bemerkung ab, daß es ihn freuen würde, den alten Burschen wiederzusehen; er sei immer ein närrischer Kauz gewesen. Und ob ich nichts zu essen habe. Während ich die Überreste der Taubenpastete hervorholte, hämmerte er immer mit dem Schüreisen auf die Kohlen.

»Das ist ja ein Abendessen für einen König, Daisy«, sagte er dann nach längerem Schweigen mit auffallender Lebhaftigkeit und nahm am Tische Platz. »Ich werde ihm Gerechtigkeit widerfahren lassen, denn ich komme von Yarmouth.«

»Nicht von Oxford?«

»O nein. Ich habe mich auf dem Meer herumgetrieben – besser beschäftigt.«

»Littimer war heute hier, um nach dir zu fragen, und ich glaubte ihn so zu verstehen, daß du in Oxford wärest, obgleich mir jetzt auffällt, daß er es eigentlich nicht direkt gesagt hat.«

»Littimer ist ein größerer Narr, als ich dachte, wenn er sich nach mir erkundigt«, sagte Steerforth, schenkte sich ein Glas Wein ein und trank mir zu. »Wenn du ihn verstehen kannst, Daisy, bist du gescheiter als wir alle.«

»Das ist wahr«, sagte ich und rückte meinen Stuhl näher an den Tisch. »Du bist also in Yarmouth gewesen, Steerforth? Warst du lange dort?«

»Nein, so einen Seitensprung von einer Woche oder so.«

»Und was machen sie alle? Natürlich ist die kleine Emly noch nicht verheiratet?«

»Noch nicht. Wird schon kommen. Ich glaube, in einigen Wochen oder Monaten oder – was weiß ich. Ich habe die Leute nicht viel gesehen. Übrigens« – er legte Messer und Gabel hin, die er mit großem Eifer gebraucht hatte, und fühlte in seine Taschen – »ich habe einen Brief für dich.«

»Von wem?«

»Na, von deiner alten Kindsfrau.« Er zog verschiedene

Papiere aus seiner Brusttasche. »Rechnung für Herrn J. Steerforth aus dem ›Guten Vorsatz‹. Das ist es nicht. Nur ein bißchen Geduld. Wir werden ihn gleich haben. Der Alte, wie heißt er gleich, befindet sich schlecht, und davon schreibt sie, glaube ich.«

»Barkis meinst du?«

»Ja.« Er untersuchte immer noch den Inhalt seiner Tasche. »Ich fürchte, es ist mit dem armen Barkis vorbei. Ich sprach mit einem kleinen Apotheker oder Wundarzt oder was er sonst ist, der dich hat auf die Welt bringen helfen. Er sprach furchtbar gelehrt von der Krankheit, aber es lief darauf hinaus, daß der Fuhrmann seine letzte Reise ziemlich bald antreten werde. Greif einmal in die Brusttasche des Überrocks auf dem Stuhl dort! Da wird der Brief wahrscheinlich drin sein, nicht wahr?«

»Hier ist er.«

»Nun, dann ists gut.«

Der Brief war von Peggotty, etwas weniger leserlich als gewöhnlich und recht kurz. Sie schrieb, ihr Mann läge hoffnungslos darnieder und sei noch etwas knickeriger als früher und deshalb schwer zu pflegen. Von ihren Mühen und Nachtwachen erwähnte sie nichts, sondern lobte ihren Gatten nur höflichst. Der Brief atmete die einfache, ungekünstelte Frömmigkeit, die ich an ihr kannte, und schloß mit einem »lieben Gruß an mein Herzenskind.«

Während ich die Schrift entzifferte, fuhr Steerforth fort zu essen und zu trinken.

»Es ist eine böse Geschichte«, sagte er, als ich fertig war, »aber die Sonne geht jeden Tag unter und Menschen sterben alle Minuten; wir dürfen uns über das uns allen gemeinsame Schicksal nicht aufregen. Wenn wir uns jedesmal aufhalten ließen, wenn dieser unausbleibliche Gast an irgendeine Türe klopft, würden wir nie etwas in dieser Welt erreichen. Nur immer drauflos. Scharf, wenns sein muß, langsam, wenn es nicht anders geht, aber nur immer drauflos. Über alle Hindernisse hinweg und das Rennen gewinnen!«

»Welches Rennen?«

»Nun, das Rennen, in das man sich jeweilig eingelassen hat. Nur drauflos!«

Als er innehielt und mich, seinen schönen Kopf ein wenig zurückgeworfen und das Glas erhoben, ansah, glaubte ich in seinem Gesicht, obwohl es von der scharfen Seeluft gebräunt war, Spuren zu entdecken, als ob er unter dem verzehrenden Feuer der wilden Energie, die ihn manchmal so leidenschaftlich durchtobte, ein wenig gelitten habe. Ich wollte ihm anfangs Vorstellungen wegen seiner tollen Rücksichtslosigkeit, mit der er sich zuweilen seinen Launen überließ, machen, aber meine Gedanken kehrten wieder zum Ausgangspunkt unseres Gesprächs zurück.

»Ich möchte dir etwas sagen, Steerforth, wenn du mir in deiner guten Laune ein wenig zuhören willst.«

»Sprich nur«, antwortete er und rückte wieder an den Kamin.

»Ich will dir etwas sagen, Steerforth, ich möchte hinreisen und meine alte Kindsfrau besuchen. Nicht, daß ich ihr besondere Dienste leisten könnte, aber sie ist mir so zugetan, daß mein Besuch sie vielleicht trösten kann. Es wird ihr eine Zerstreuung sein und eine Unterstützung. Es macht mir nicht viel Mühe, und ich habe ihr doch so viel zu danken. Würdest du nicht auch an meiner Stelle einen Tag der Reise opfern?«

Sein Gesicht war nachdenklich geworden, und nach einigem Besinnen sagte er halblaut: »Ja, geh. Es kann nichts schaden.«

»Du bist eben erst wieder zurück. Es hätte daher keinen Zweck, dich zu fragen, ob du mitreisen willst.«

»Natürlich. Ich fahre heute noch nach Highgate. Ich habe die ganze lange Zeit meine Mutter nicht gesehen, und es liegt mir ordentlich schwer auf dem Gewissen, denn es ist etwas daran, so geliebt zu werden wie ich, – ihr verlorener Sohn. – Pah! Unsinn! – Du wirst wohl morgen abreisen?« fragte er mich dann und legte mir seine Hände auf die Schultern.

»Ja, ich glaube wohl.«

»Geh erst übermorgen! Ich wollte dich einladen, ein paar Tage bei uns zu bleiben, und bin zu diesem Zweck bei dir. Und jetzt reißest du nach Yarmouth aus!«

»Du hast gar kein Recht, von Ausreißen zu sprechen, Steerforth! Du selbst fährst wild in der Welt herum auf unbekannten Pfaden.«

Er sah mich eine Weile stumm an, dann schüttelte er mich und sagte:

»Also übermorgen! Und mittlerweile verbringst du mit uns den morgigen Tag, so gut es geht. Wer weiß, wann wir wieder zusammenkommen! Also abgemacht? Sag also: übermorgen! Du mußt dich zwischen Rosa Dartle und mich stellen, um uns auseinanderzuhalten.«

»Damit ihr euch nicht zu sehr liebt?«

»Ja. Oder haßt, das kommt auf eins heraus! Also abgemacht.«

Ich sagte zu. Steerforth zog seinen Überzieher an, zündete sich eine Zigarre an und begab sich nach Hause. Ich nahm auch meinen Überzieher um, zündete mir aber keine Zigarre an, denn vom Rauchen hatte ich vorläufig genug, und begleitete ihn bis zur Landstraße, die abends wie ausgestorben dalag. Er war die ganze Zeit bester Laune, und als wir voneinander schieden und ich ihm nachsah, wie er so stramm und elastisch dahinschritt, mußte ich an seine Worte denken: »Nur immer drauflos! Über alle Hindernisse hinweg, das Rennen gewinnen und dem Ziel entgegen!« und ich wünschte zum erstenmal, daß er ein seiner würdiges Ziel haben möge.

Ich entkleidete mich; dabei fiel mir Mr. Micawbers Brief aus der Tasche. Er war anderthalb Stunden vor dem Mittagessen datiert und lautete:

Sir! – denn ich wage nicht zu sagen, mein lieber Copperfield! Ich kann nicht umhin, Sie zu benachrichtigen, daß der Endesgefertigte untendurch ist. Einige schwache Versuche, Ihnen die vorzeitige Kenntnis seiner unglücklichen Lage zu ersparen, werden Ihnen vielleicht heute bemerklich werden. Aber die Hoffnung ist versunken und der Endesgefertigte ist zerschmettert.

Gegenwärtiges Schreiben wird in der persönlichen Nähe – ich kann es nicht Gesellschaft nennen – eines Individuums geschrieben, das sich in einem an Trunkenheit grenzenden Zustand befindet. Dieses Individuum, der Angestellte eines Wucherers, ist in gerichtlichem Besitz des Hauses kraft einer Zwangsvollstrekkung wegen rückständigen Zinses. Das Inventar besteht nicht nur aus dem dem Endesgefertigten gehörigen beweglichen Eigentum und Mobiliar jeder Art, sondern auch aus dem des Mr. Thomas Traddles, Aftermieters und Mitgliedes unserer ehrenwerten Gesellschaft vom innern Juristenkollegium.

Wenn noch ein bitterer Tropfen in dem überschäumenden Kelch fehlte, der jetzt, um mit den Worten des unsterblichen Dichters zu reden, den Lippen des Endesgefertigten dargereicht wird, so wäre er in der Tatsache zu finden, daß eine Freundesbürgschaft über £ 23–4 s.–9½ d, die der eben erwähnte Mr. Thomas Traddles geleistet hat, fällig ist und der Deckung entbehrt; ferner in der Tatsache, daß die an den Endesgefertigten hängenden lebendigen Verantwortlichkeiten sich nach dem Lauf der Natur noch um ein hilfloses Opfer mehren werden, dessen unglückliches Erscheinen nach Verlauf von – in runden Zahlen zu sprechen – von nicht ganz sechs Monaten von heute an gerechnet zu erwarten steht.

Unter diese Prämissen wäre es ganz überflüssig hinzuzufügen, daß Staub und Asche für immer bedecken das Haupt des

Wilkins Micawber

Der arme Traddles! Wie ich Mr. Micawber kannte, fürchtete ich nicht, daß er sich von dem Schlage nicht erholen werde, aber meine Nachtruhe wurde ernstlicher gestört durch Gedanken an Traddles und die Pfarrerstochter – eine von zehn Schwestern in Devonshire –, die ein so liebes Mädchen sein sollte und auf Traddles warten wollte, sechzig Jahre und noch länger.

29. Kapitel

Mein zweiter Besuch in Steerforths Haus

Ich bat am nächsten Morgen Mr. Spenlow um einen kurzen Urlaub. Da ich kein Gehalt bezog und es dem hartherzigen Jorkins weiter nicht unangenehm war, wurde er ohne Schwierigkeiten bewilligt. Ich benützte die Gelegenheit, um mit fast erstickter Stimme und umnebelten Augen die Hoffnung auszudrücken, daß Miss Spenlow sich wohl befinde, worauf Mr. Spenlow mit nicht mehr Ergriffenheit, als ob es sich um ein ganz gewöhnliches Menschenkind handle, mir dankend erwiderte, daß sie sehr wohl sei.

Wir Angestellten ohne Gehalt wurden als Keime des Patrizierordens der Proktoren immer mit soviel Rücksicht behandelt, daß ich stets mein eigner Herr war. Da ich jedoch nicht vor ein oder zwei Uhr in Highgate zu sein brauchte, und wir wieder eine kleine Exkommunikationssache vormittags im Gericht verhandelten, so brachte ich daselbst eine oder zwei Stunden recht angenehm mit Mr. Spenlow zu. Der Prozeß, der den Namen führte: »richterliche Entscheidung angerufen von Tipkins gegen Bullock behufs Besserung dessen Seele«, war einem Streite zwischen zwei Kirchenvorstehern entsprossen, wobei der eine den andern gegen einen Brunnen gestoßen hatte. Da der Pumpenschwengel dieses Brunnens in ein Schulhaus hineinragte und das Schulhaus unter dem Giebel des Kirchendachs stand, so galt der Stoß als gegen die Kirche geführt. Es war ein amüsanter Fall, und als ich auf dem Bock der Kutsche nach Highgate hinauffuhr, mußte ich immer noch an die Commons denken und an das, was Mr. Spenlow über ihre Wichtigkeit für das Land gesagt hatte.

Mrs. Steerforth war erfreut mich zu sehen, und Miss Rosa Dartle desgleichen. Sehr angenehm überraschte es mich, Littimer nicht dort zu finden und uns von einem bescheidnen kleinen Dienstmädchen mit blauen Bändern in der Haube und viel angenehmern und weniger verwirrenden Augen als denen des respektablen Bedienten – bedient zu sehen.

Was mir besonders auffiel, noch ehe ich eine halbe Stunde im Hause weilte, war die scharfe und unermüdliche Aufmerksamkeit Miss Dartles mir gegenüber und die lauernde Weise, mit der sie mein Gesicht mit Steerforths Zügen und umgekehrt zu vergleichen schien, als ob sie etwas ergründen wollte. Sooft ich sie ansah, konnte ich sicher sein, daß ihre großen, schwarzen, lodernden Augen mit gespannter Aufmerksamkeit auf mir ruhten oder rasch von mir zu Steerforth hinüberblickten oder uns beide zugleich belauerten. Von ihrem luchsartigen Beginnen stand sie so wenig ab, daß sie mich sogar noch durchbohrender ansah, als sich meine Überraschung in meinem Gesicht malte. Trotzdem ich mir nichts Bösen bewußt war, schüchterten mich diese seltsamen Augen ein, und es war mir nicht möglich, ihren lechzenden Glanz zu ertragen.

Den ganzen Tag über schien Miss Dartle in allen Teilen des Hauses gegenwärtig zu sein. Wenn ich mit Steerforth in seinem Zimmer sprach, hörte ich ihr Kleid auf dem kleinen Gang draußen rauschen. Wenn wir uns auf dem Rasenplatz hinter dem Hause mit Fechten oder Boxen die Zeit vertrieben, sah ich ihr Gesicht wie ein ruheloses Licht von Fenster zu Fenster wandern, um dann an einem stillzustehen und uns zu beobachten.

Als wir alle vier nachmittags spazierengingen, legte sie ihre dünne Hand wie eine Feder auf meinen Arm, um mich zurückzuhalten, bis Steerforth und seine Mutter außer Hörweite waren. Dann sprach sie:

»Sie sind recht lange nicht hier gewesen. Ist Ihr Beruf wirklich so interessant, daß er Ihre Aufmerksamkeit so sehr in Anspruch nimmt? Ich frage nur, weil ich mich gern unterrichte, wenn ich etwas nicht weiß. Ist er wirklich so –?«

Ich antwortete, daß er mir recht gut gefiele, aber daß er mich doch nicht ganz und gar feßle …

»O, es freut mich, das zu hören, weil ich mich immer gern belehren lasse, wenn ich unrecht habe«, sagte sie. »Sie meinen, er ist vielleicht ein wenig trocken, nicht wahr? Das ist wohl auch der Grund, warum Sie ein bißchen Erholung und Abwechslung –

oder Aufregung und dergleichen bedürfen? Gewiß wohl. Aber ist es nicht ein bißchen – nicht? – für ihn; ich meine nicht Sie –« ein rascher Blick ihres Auges nach Steerforth ließ mich erraten, auf wen sie anspielte; aber im übrigen war mir ihre Rede unerklärlich. Sie mochte mir das ansehen.

»Nimmt es ihn nicht ganz in Anspruch – ich sage nicht, daß es wirklich der Fall ist, – ich frage bloß. Hält es ihn vielleicht nicht ein wenig zu sehr ab, seine ihn so blind liebende Mutter – nicht?«

Ihre Worte waren mit einem Blick auf mich begleitet, der meine innersten Gedanken zu durchdringen schien.

»Miss Dartle«, entgegnete ich, »ich bitte Sie, nicht zu denken –«

»O, gewiß nicht. O mein Gott, glauben Sie nur nicht, daß ich mir etwas denke. Ich bin nicht im geringsten mißtrauisch, ich stelle nur eine Frage. Ich stelle keine Meinung auf. Ich möchte mir nur eine Meinung nach dem bilden, was Sie mir sagen. Also ist es nicht so? Nun, das freut mich recht sehr.«

»Sicherlich ist es nicht der Fall«, sagte ich ganz verwirrt, »ich trage nicht die Schuld, wenn Steerforth länger als gewöhnlich von Hause weggeblieben ist, wenn es überhaupt der Fall ist. Ich wüßte wahrhaftig selbst nichts darüber, wenn ich es nicht aus Ihren Worten entnähme. Ich habe ihn erst nach langer Zeit gestern abend wiedergesehen.«

»Wirklich nicht?«

»Nein, wirklich nicht, Miss Dartle.«

Als sie mich jetzt fest ansah, wurde ihr Gesicht spitzer und blässer und die Narbe deutlicher und länger, bis sie die Oberlippe durchschnitt und tief in die Unterlippe hineinging und sich im Kinn verlor. Der Ausdruck ihres Gesichts und der Glanz ihrer Augen hatten etwas Erschreckendes für mich, als sie mich so scharf ansah.

»Was treibt er?« fragte sie.

Ich wiederholte die Worte oder sprach sie ihr vielmehr nach, so erstaunt war ich.

»Was treibt er?« sagte sie mit einer Leidenschaft, die sie wie

Feuer zu verzehren schien. Worin steht ihm dieser Mensch bei, der mich nie ansehen kann, ohne daß eine offenkundige Falschheit in seinen Augen lauert? »Ich verlange nicht von Ihnen, daß Sie ihren Freund verraten sollen. Ich bitte Sie bloß mir zu sagen, ist es Haß, Stolz, Ruhelosigkeit, eine tolle Laune, Liebe oder was sonst, was ihn leitet?«

»Miss Dartle«, entgegnete ich, »wie soll ich Ihnen beteuern, daß ich von Steerforth nichts weiß, was seit meinem ersten Besuch hier anders geworden wäre. – Ich kann mich auf nichts besinnen. Ich bin fest überzeugt, es ist nichts. Ich verstehe kaum, was Sie meinen.«

Wie sie mich fest anblickte, ging ein Zucken und Pulsieren, bei dem ich unwillkürlich an Schmerz denken mußte, über jene grausame Narbe und zog ihr die Mundwinkel, wie vor Hohn oder Mitleid, in die Höhe. Rasch legte sie die Hand darauf – eine Hand so fein und dünn, daß sie fast durchsichtig wie feines Prozellan war, und sagte in wilder, leidenschaftlicher Erregung: »Ich beschwöre Sie, das geheimzuhalten.« Dann sprach sie kein Wort mehr.

Mrs. Steerforth fühlte sich heute besonders glücklich in ihres Sohnes Gesellschaft, und Steerforth benahm sich mehr als gewöhnlich aufmerksam und ehrerbietig gegen sie. Die beiden beisammen zu sehen war für mich sehr interessant. Nicht nur wegen ihrer Zuneigung zueinander, sondern auch wegen ihrer großen Ähnlichkeit, denn was bei ihm Stolz oder Ungestüm war, erschien bei ihr durch Alter und Geschlecht zu stolzer Würde gemildert. Mehr als einmal kam mir der Gedanke, daß ein ernster Zwist zwischen beiden wohl nie stattgefunden haben konnte. Zwei solche Charaktere, besser gesagt, zwei solche Schattierungen ein und desselben Charakters mußten miteinander viel schwerer zu versöhnen sein als die schroffsten Gegensätze. Der Gedanke wurde nicht von selbst in mir wach, sondern war durch einige Äußerungen Rosa Dartles veranlaßt.

Sie sagte nämlich bei Tisch: »Ich möchte gern etwas wissen, weil ich den ganzen Tag daran gedacht habe, und möchte mir gern darüber klar sein.«

»Was willst du denn also wissen, Rosa?« fragte Mrs. Steerforth.

»Ich bitte dich, Rosa, sei nicht immer so geheimnisvoll.«

»Geheimnisvoll! O? Wirklich? Hältst du mich dafür?«

»Aber ich bitte dich doch immer, sprich offen heraus. Ganz in deiner natürlichen Manier.«

»O, ist es nicht meine natürliche Manier? Da mußt du wirklich Nachsicht mit mir haben, denn ich frage nur, um mich zu belehren. Wir kennen uns selbst nie genau.«

»Es ist dir zur zweiten Natur geworden«, sagte Mrs. Steerforth ruhig.

»Aber ich weiß noch, und du wahrscheinlich auch, daß du früher anders warst, Rosa. Du warst früher mehr vertrauensvoller Natur.«

»Du hast sicherlich recht. Da sieht man wieder, wie schlechte Gewohnheiten einen beschleichen können. Wirklich? Vertrauensvoller? Wie ich mich nur so unversehens verändern konnte? Es ist wirklich recht seltsam! Ich muß mich bemühen, wieder zu werden wie früher.«

»Ich wollte, du könntest es«, sagte Mrs. Steerforth mit einem Lächeln.

»Ich werde es bestimmt versuchen. Ich will Offenheit lernen von – sagen wir – von James.«

»Du könntest in keiner bessern Schule Offenheit lernen«, bestätigte Mrs. Steerforth lebhaft, denn aus allem, was Miss Dartle sagte, wenn sie es auch auf die unschuldigste Weise tat, blickte ein gewisser Sarkasmus hervor.

»Davon bin ich überzeugt«, erwiderte Miss Rosa mit ungewöhnlicher Innigkeit. »Du weißt, wenn ich von irgend etwas überzeugt bin, so davon.«

Mrs. Steerforth schien zu bereuen, daß sie sich ein wenig gereizt gezeigt hatte, und fragte sogleich in einem sehr gütigen Ton:

»Gut, liebe Rosa, aber wir wissen immer noch nicht, was du eigentlich wissen möchtest.«

»Was ich gern erfahren möchte?« gab Miss Dartle mit fast

aufreizender Kälte zur Antwort. »O! Ich hätte nur gern gewußt, ob Menschen, die einander in moralischer Hinsicht sehr ähnlich sind – ist das der richtige Ausdruck?«

»So richtig wie jeder andere«, sagte Steerforth.

»Ich danke dir! – ob Menschen, die sich in moralischer Hinsicht sehr ähnlich sind, mehr Gefahr laufen als andere bei ernstlichen Zwistigkeiten in unversöhnliche Feindschaft zu geraten.«

»Ich sollte meinen ja«, sagte Steerforth.

»Wirklich? O Gott! Nehmen wir zum Beispiel an – man kann bei einem solchen Beispiel den unwahrscheinlichsten Fall setzen –, daß du und deine Mutter einmal einen ernsthaften Streit hätten –«

»Liebe Rosa!« unterbrach sie Mrs. Steerforth mit einem heitern Lachen. »Nimm lieber ein anderes Beispiel. James und ich kennen unsere Pflichten gegeneinander zu gut, unberufen.«

»O!« sagte Miss Dartle und nickte gedankenvoll mit dem Kopf. »Gewiß! Und das muß jeden Streit verhüten. Aber gewiß. Sicherlich. Es freut mich ordentlich, daß ich einfältig genug war, den Fall zu setzen. Es ist so tröstlich zu wissen, daß eure gegenseitigen Pflichten so etwas verhüten würden. Ich danke dir wirklich recht sehr!«

Noch einen andern geringfügigen Umstand, der mit Miss Dartle zusammenhing, darf ich nicht zu erwähnen vergessen, denn ich hatte Grund, mich später daran zu erinnern, als die nicht wiedergutzumachende Vergangenheit klar vor mir lag. Den ganzen Tag über und besonders von diesem Augenblick an strengte sich Steerforth aufs äußerste an, dieses eigentümliche Wesen durch liebenswürdiges Entgegenkommen aufzuheitern. Ich wunderte mich nicht, daß es ihm gelang. Daß sie sich gegen den bezaubernden Einfluß seiner gewinnenden Kunst – ich hielt es damals für eine gewinnende Naturanlage – wehrte, überraschte mich ebenfalls nicht, denn ich wußte, daß sie manchmal störrisch und grämlich sein konnte. Ich sah, wie sie ihn mit steigernder Bewunderung betrachtete. Ich sah, wie sie in ihrem Widerstand immer schwächer und schwächer wurde, sosehr sie

sich auch sträubte und bemüht war, der Gewalt seiner Um-
strickung zu widerstehen. Zuletzt bemerkte ich, wie ihr scharfer
Blick milder und ihr Lächeln sanfter wurde, und ich hörte auf,
mich vor ihr zu fürchten; dann setzten wir uns alle um das Feuer
und sprachen und lachten, rückhaltlos, als ob wir Kinder wären.

Mochte das lange Beisammensitzen daran schuld sein oder
wollte Steerforth den errungenen Vorteil nicht wieder aus der
Hand geben, ich weiß es nicht, aber wir blieben kaum fünf
Minuten im Speisezimmer, als sie fortgegangen war.

»Sie spielt auf ihrer Harfe«, sagte Steerforth leise vor der Salontür, »und ich glaube, daß seit den letzten drei Jahren nur
meine Mutter das von ihr gehört hat.« Er sprach das mit einem
seltsamen Lächeln, das sogleich wieder verschwand, und wir traten in das Zimmer und fanden sie allein.

»Bitte, steh nicht auf«, sagte er, »bitte nicht, meine liebe Rosa.
Tu mir noch ein einziges Mal den Gefallen und singe uns ein irländisches Lied.«

»Was liegt dir an einem irländischen Lied!«

»Viel! Viel mehr als an jedem andern. Und Daisy hier liebt die
Musik von ganzer Seele. Sing uns ein irländisches Lied, Rosa!
Und laß mich hier sitzen und zuhorchen wie früher!«

Er rührte weder sie noch den Stuhl an, von dem sie aufgestanden war, sondern setzte sich neben die Harfe. Sie blieb eine kleine
Weile ganz seltsam vor dem Instrument stehen und bewegte ihre
Hand über die Saiten, ohne sie erklingen zu lassen. Endlich setzte
sie sich hin, zog die Harfe hastig an sich und spielte und sang.

Ich weiß nicht, was dem Liede einen so unirdischen Eindruck
verlieh. Es lag etwas Furchtbares in ihm. Es klang, als ob es nie
geschrieben oder in Musik gesetzt worden wäre, sondern unmittelbar ihrer Leidenschaft entspränge, die nur unvollkommen
in den gedämpften Tönen ihrer Stimme Ausdruck fand und sich
verkroch, als der letzte Ton verwehte. Ich war ganz benommen,
als sie sich wieder über die Harfe lehnte und ihre Finger wieder
lautlos über die Saiten streichen ließ.

Eine Minute, und ich fuhr aus meiner Betäubung empor.

Steerforth war aufgestanden, zu ihr getreten und hatte sie lachend mit seinem Arm umschlungen und zu ihr gesagt: »Komm, Rosa, in Zukunft wollen wir einander wieder sehr lieb haben.« Und sie hatte ihn geschlagen und mit der Wut einer wilden Katze von sich gestoßen und war aus dem Zimmer geeilt.

»Was ist mit Rosa geschehen?« fragte Mrs. Steerforth, die jetzt hereintrat.

»Sie ist eine Zeitlang ein Engel gewesen und hat sich jetzt zur Abwechslung ins Gegenteil verwandelt.«

»Du solltest sie nicht reizen, James, denk daran, sie ist verbittert, und du solltest ihr nicht zuviel zumuten!«

Rosa kam nicht wieder, und sie wurde weiter nicht erwähnt, bis ich Steerforth auf sein Zimmer begleitete, um ihm gute Nacht zu sagen. Dann lachte er über sie und fragte mich, ob ich jemals ein so wildes, kleines, unbegreifliches Geschöpf gesehen.

Ich gab meinem Erstaunen Ausdruck und fragte ihn, was sie denn plötzlich so übelgenommen haben könnte.

»Ach, das weiß der Himmel. Alles, was du willst – oder gar nichts. Ich sagte dir schon einmal, sie legt alles, sich selbst mit inbegriffen, an einen Schleifstein und macht es scharf und spitzig. Sie ist wie eine Messerschneide, und man muß sie sehr vorsichtig behandeln. Sie ist immer gefährlich. – Gute Nacht.«

»Gut Nacht«, sagte ich, »lieber Steerforth. Ehe du noch aufstehst, bin ich schon fort. Gute Nacht.«

Er zögerte mich gehen zu lassen und stand vor mir, die Hände auf meine Schultern gelegt wie gestern, in meinem Zimmer.

»Daisy«, sagte er mit einem Lächeln, »wenn es auch nicht der Name ist, den dir deine Paten gaben, ist es doch der Name, bei dem ich dich am liebsten nenne, – ich wollte, ich wollte, du könntest mich auch so nennen!«

»Nun, das kann ich ja tun, wenn ich will.«

»Daisy, wenn uns jemals etwas voneinander trennen sollte, so mußt du immer das Beste von mir halten, alter Junge. Komm, versprich mir das! Denke immer von mir das Beste, wenn uns je Verhältnisse trennen sollten!«

»Ich kenne an dir nichts Bestes, Steerforth, und nichts Schlimmstes. Ich habe dich immer gleich lieb.«

So viel tiefe Reue fühlte ich, ihm jemals auch nur in Gedanken Unrecht getan zu haben, daß mir schon das Bekenntnis meiner Schuld auf den Lippen schwebte. Aber ich konnte es nicht über das Herz bringen, Agnes zu verraten, und wußte auch nicht, wie ich es anfangen sollte. Ich hatte daher noch immer nichts gesprochen, als er zu mir sagte: »Gott behüte dich, Daisy, und gute Nacht!« Ich schwieg also, und wir gaben uns die Hände und schieden voneinander.

Beim Morgengrauen zog ich mich rasch und still an und warf einen Blick in sein Zimmer. Er lag in festem Schlummer, den Kopf auf den Arm gelegt, wie ich ihn oft in der Schule gesehen. Es kam die Zeit, und zwar sehr bald, wo ich mich fast verwundert fragte, warum nichts seine Ruhe störte, als ich ihn angesehen. – Er schlummerte – ich will noch einmal an dieses Bild zurückdenken –, wie ich ihn in der Schule oft hatte schlummern sehen, und ich verließ ihn in dieser stillen Stunde –, um niemals mehr, Gott vergebe ihm, seine Hand in Liebe und Freundschaft zu berühren. Niemals, niemals mehr!

30. Kapitel

Ein Verlust

Ich kam abends nach Yarmouth und ging in den Gasthof. Ich wußte, daß Peggottys Besuchzimmer – meine kleine Stube – wahrscheinlich binnen kurzem sehr in Anspruch genommen sein würde, wenn nicht jener furchtbare Besucher, dem alle Lebenden Platz machen müssen, schon im Hause war. So begab ich mich in den Gasthof, speiste dort und bestellte ein Bett.

Es war zehn Uhr, als ich ausging. Die meisten Läden waren geschlossen und die Stadt ruhte. Als ich bei Omer & Joram vorbeikam, fand ich die Läden zu, aber die Türe stand offen. Da ich im

Hintergrund Mr. Omer mit einer Pfeife im Mund erblickte, trat ich ein und fragte nach seinem Befinden.

»Gott segne meine Augen!« sagte Mr. Omer. »Was machen Sie hier? Nehmen Sie Platz! Stört sie der Rauch nicht?«

»Nicht im mindesten. Ich habe es ganz gern, wenn andere rauchen.«

»Sie selbst rauchen nicht, was? Um so besser, Sir. Es ist eine schlechte Angewohnheit für einen jungen Mann. Nehmen Sie Platz. Ich rauche auch nur des Asthmas wegen.« Er stellte mir einen Stuhl hin, war wieder ganz außer Atem und sog an seiner Pfeife, als ob sie die nötige Luft enthielte, ohne die er ersticken müßte.

»Ich habe zu meinem Leidwesen schlechte Nachrichten über Mr. Barkis bekommen«, sagte ich.

Mr. Omer sah mich mit ernstem Gesicht an und nickte mit dem Kopf.

»Wissen Sie, wie er sich heute abend befindet?«

»Das hätte ich Sie selbst gerne gefragt, wenn es nicht so unzart wäre. Das ist so eine von den dunkeln Seiten unseres Geschäfts. Wenn jemand krank ist, können wir nicht gut fragen, wies ihm geht.«

An diesen Punkt hatte ich nicht gedacht, obgleich ich schon beim Hereintreten ahnte, daß ich etwas von dem alten Lied würde zu hören bekommen. Ich gab eine entsprechende Antwort.

»Ja, ja, Sie verstehen mich schon«, sagte Mr. Omer und nickte. »Wir dürfen es nicht tun. Was glauben Sie wohl, die Mehrzahl der Kundschaften würde eine solche Erschütterung nicht aushalten, wenn ich zum Beispiel sagte: »Omer & Joram lassen sich empfehlen und fragen, wie Sie sich heute morgen befinden.« Wir nickten einander zu, und Mr. Omer sog frischen Atem aus seiner Pfeife.

»Ja, das ist so eine von den Sachen, die uns Höflichkeit unmöglich machen, wenn wir sie einmal gern bezeigen möchten. Nehmen Sie mich an. Ich habe den Barkis so vierzig Jahre gekannt. Aber ich kann nicht hingehen und fragen, wie geht es ihm.«

Ich begriff, daß das wirklich hart war für Mr. Omer und sagte es ihm.

»Ich glaube, ich bin nicht eigennütziger als andere Menschen. Schauen Sie mich an, mir kann der Atem jeden Augenblick ausgehen, und es ist nicht wahrscheinlich, daß man angesichts solchen Zustandes noch eigennützig ist. Ich sage, es ist nicht wahrscheinlich bei einem Mann, der sich bewußt ist, daß ihm der Atem ausgehen kann wie einem Blasebalg, der aufgeschnitten wird, – noch dazu, wenn man Großvater ist.«

»Sicherlich nicht!«

»Nicht, daß ich mich über mein Geschäft beklagte«, fuhr Mr. Omer fort. »Jedes Geschäft hat seine angenehmen und unangenehmen Seiten. Ich wollte nur, daß die Kundschaften etwas weniger empfindlich wären.« Mit sehr behäbiger und freundlicher Miene paffte er eine Weile stumm aus seiner Pfeife und sagte dann, wieder auf seine Äußerung zurückkommend: »Wir sind daher auf Emly angewiesen, wenn wir etwas von Mr. Barkis erfahren wollen. Sie weiß, wie wir es meinen, beunruhigt sich nicht weiter und mißtraut uns ebensowenig, als ob wir lauter Lämmer wären. Minnie und Joram sind eben hingegangen, um sich nach Barkis' Befinden zu erkundigen, und wenn Sie warten wollen, so können Sie alles ausführlich hören. Wollen Sie vielleicht etwas nehmen? Ein Glas Shrub und Wasser? Ich trinke Shrub und Wasser«, sagte Mr. Omer und griff nach dem Glas, »es wirkt glättend auf die Atemwege. Die Sache ist nur die«, ergänzte er mit heiserer Stimme, »daß die Wege schon in Ordnung sind, nur Atem hab ich zu wenig.«

Er hatte wirklich keinen Atem übrig, und ihn lachen zu sehen, war in der Tat angsterregend. Ich dankte für die angebotene Erfrischung und sagte, ich wollte, wenn er erlaube, warten, bis seine Tochter und sein Schwiegersohn zurückkehrten, und fragte, wie es der kleinen Emly ginge.

»Sehen Sie«, sagte Mr. Omer, nahm die Pfeife aus dem Mund

und kratzte sich mit ihr am Kinn. »Ich will es Ihnen aufrichtig sagen, es soll mich freuen, wenn die Hochzeit vorbei ist.«

»Wieso?«

»Es ist jetzt so eine Sache mit ihr. Nicht, daß sie nicht mehr so hübsch wäre als früher; ich versichere Ihnen, sie ist sogar noch hübscher. Sie arbeitet auch grade soviel wie früher. Immer noch für sechs andere, aber es fehlt ihr so das rechte Herz« – Mr. Omer kratzte sich wieder das Kinn und rauchte ein wenig – »das ist es, was ich so im allgemeinen an Emly vermisse.«

Mr. Omers Mienenspiel und Gebärden waren so ausdrucksvoll, daß ich glaubte, seine Meinung erraten zu haben, und daher mit dem Kopfe nickte. Er schien sich zu freuen, daß ich ihn so rasch verstand, und fuhr fort:

»Meiner Ansicht nach kommt das daher, daß sie noch keinen rechten Halt hat. Wir haben oft darüber gesprochen, ihr Onkel und ich und ihr Bräutigam, nach der Arbeitszeit. Sie wissen ja«, sagte Mr. Omer und schüttelte ein wenig den Kopf, »daß sie ein außerordentlich zärtliches, kleines Wesen ist. Das Sprichwort sagt, aus einem Schweinsohr kann man keine seidne Börse machen. Nun, ich verstehe nichts davon. Ich glaube, es ginge doch, wenn man nur beizeiten anfinge. Das alte Boot war für sie ein Vaterhaus, Sir, das Marmor und Sandstein nicht hätten ersetzen können.«

»Sehr wahr«, sagte ich.

»Zu sehen, wie das kleine hübsche Ding sich täglich enger und enger an ihren Onkel anschließt, das ist ein Anblick, der was wert ist. Aber Sie wissen, wenn das der Fall ist, dann geht immer ein Kampf vor sich. Warum sollte er mehr verlängert werden, als nötig ist?«

Ich hörte aufmerksam dem guten Alten zu und stimmte seiner Ansicht von Herzen bei.

»Ich machte ihnen daher folgenden Vorschlag. Ich sagte: Emly ist doch nicht streng an die Lehrzeit gebunden. Ihr Dienst war für mich einträglicher, als ich anfangs gedacht, und sie hat schneller gelernt, als man voraussehen konnte. Die Firma Omer &

Joram macht einen Strich durch den Rest der Lehrzeit, und sie ist frei, sobald ihr es wünscht. Wenn sie uns später damit entschädigen will, daß sie hie und da eine Kleinigkeit für uns zu Hause arbeitet, ist es uns recht. Paßt es ihr nicht, auch gut. Wir kommen so oder so nicht zu Schaden. Denn sehen Sie«, sagte Mr. Omer und berührte mich mit seiner Pfeife, »warum sollte ein Mann von so kurzem Atem wie ich und noch dazu ein Großvater es mit so einem blauäugigen Blümchen wie sie so genau nehmen.«

»Gewiß ja!«

»Gut. Also ihr Vetter – Sie wissen doch, sie soll ihren Vetter heiraten?«

»Jawohl«, erwiderte ich, »ich kenne ihn sehr gut.«

»Aber richtig, ja. Also ihr Vetter, der Arbeit in Fülle und ein reichliches Auskommen hat, dankte mir offen und herzlich und benahm sich dabei, muß ich schon sagen, auf eine Art, die mir eine hohe Meinung von ihm einflößt; und dann ging er fort und mietete ein so hübsches, kleines Häuschen, wie Sie oder ich uns nur wünschen könnten. Das Häuschen ist jetzt möbliert, so vollständig und hübsch wie eine Puppenstube, und wenn nicht die Verschlimmerung in Barkis' Krankheit dazwischen gekommen wäre, hätten sie jetzt schon Mann und Frau sein können. So aber ist es aufgeschoben worden.«

»Und Emly, Mr. Omer«, fragte ich, »ist sie ruhiger geworden?«

»Nun, sehen Sie«, er rieb sich wieder nachdenklich das Kinn, »das ließ sich nicht erwarten. Die Aussicht auf die Veränderung, die Trennung und alles das Übrige mußte auf sie einwirken. Barkis' Tod hätte die Angelegenheit nicht weit hinausgeschoben, wohl aber sein langes Siechtum. Jedenfalls ist es ein Zustand von Ungewißheit, verstehen Sie?«

»Jawohl.«

»Deshalb ist Emly immer noch ein bißchen niedergeschlagen und aufgeregt; eigentlich sogar noch mehr als früher. Von Tag zu Tag scheint sie mehr an ihrem Onkel zu hängen und sich schwerer von uns allen trennen zu können. Ein freundliches Wort von mir treibt ihr die Tränen in die Augen, und wenn Sie sähen, wie sie mit dem kleinen Mädchen meiner Minnie umgeht, würden Sie das nie vergessen. Du lieber Himmel! Wie sie das Kind liebt!«

Ich benützte die Gelegenheit und fragte Mr. Omer, ehe wir noch unterbrochen wurden, ob er etwas von Marta wisse.

»Ach«, erwiderte er und schüttelte mit bekümmertem Blick den Kopf, »nichts Gutes. Eine traurige Geschichte, Sir, von welcher Seite man sie auch immer ansieht. Ich hätte nie gedacht, daß in dem Mädchen etwas Schlimmes stäke. Ich möchte nichts darüber vor meiner Tochter erwähnen – denn sie möchte mir gleich über den Mund fahren –, aber ich habe es nie geahnt. Keiner von uns hat es geahnt.«

Mr. Omer, der seine Tochter kommen hörte, bevor ich noch etwas merkte, berührte mich mit seiner Pfeife und kniff warnend ein Auge zu. Minnie und ihr Mann traten unmittelbar darauf herein.

Ihr Bericht lautete, daß es mit Mr. Barkis so schlimm stünde wie nur möglich. Er läge ohne Bewußtsein da, und Mr. Chillip habe beim Fortgehen in der Küche geäußert, daß keine Hilfe mehr sei.

Da ich zugleich erfuhr, daß Mr. Peggotty sich dort befinde, beschloß ich augenblicklich hinzugehen. Ich wünschte Mr. Omer und dem jungen Paar gute Nacht und lenkte meine Schritte zu Peggottys Haus, erfüllt von einer feierlichen Empfindung, die Mr. Barkis in meinen Augen zu einem neuen und ganz andern Wesen machte.

Mr. Peggotty war nicht so sehr überrascht, mich zu sehen, wie ich erwartet; und ich habe seitdem bei solchen Gelegenheiten immer wieder bemerkt, daß bei der Erwartung eines Todesfalls alle andern Veränderungen und Überraschungen zu einem Nichts zusammenschrumpfen.

Ich schüttelte ihm die Hand, wir traten in die Küche, und er schloß leise die Tür. Die kleine Emly saß vor dem Feuer, die Hände vor dem Gesicht. Ham stand neben ihr. Wir sprachen im Flüsterton und horchten auf jedes Geräusch im obern Zimmer.

»Das ist wieder einmal sehr freundlich von Ihnen, Masr Davy«, sagte Mr. Peggotty.

»Ungemein«, bestätigte Ham.

»Emly, mein Schatz! Schau her, Masr Davy ist doch gekommen. Kopf hoch, mein Kind! Hast du kein Wort für Masr Davy?«

Ich sehe noch, wie ein Schauder ihren Körper durchlief. Ich fühle noch die Kälte ihrer Hand. Sie ließ kein Zeichen von Freude sehen, sondern bebte vor mir zurück und glitt von dem Stuhl und schmiegte sich schweigend und zitternd an die Brust ihres Onkels.

»Sie hat so ein zärtliches Herz«, sagte Mr. Peggotty und strich ihr reiches Haar mit seiner großen harten Hand glatt, »daß sie solchen Kummer nicht tragen kann. Es ist bei jungen Menschen natürlich, Masr Davy. Ihnen sind solche Prüfungen noch neu, und sie sind furchtsam wie mein kleines Vögelchen hier.«

Sie drängte sich noch dichter an ihn, schlug aber weder die Augen auf noch sprach sie ein Wort.

»Es wird spät, liebes Kind«, sagte Mr. Peggotty, »und Ham ist schon da, um dich nach Haus zu bringen. Geh doch hin an sein zärtliches Herz! Nun, Emly? Nun, Kleine?«

Ich hörte sie nicht sprechen, aber er beugte sein Haupt herab, als ob er ihr zuhörte, und sagte dann:

»Du willst bei deinem Onkel bleiben? Was? Das kann doch dein Ernst nicht sein. Wenn dein Bräutigam dich nach Haus bringen will? Was werden die Leute sagen, wenn sie so ein lüttes Ding neben so einer alten Teerjacke wie ich bin sehen?« sagte Mr. Peggotty und blickte uns mit unendlichem Stolz an. »Das Meer hat nicht so viel Salz in sich, als sie in ihrem Herzen Liebe zu ihrem Onkel! Närrische, kleine Emly!«

»Emly hat ganz recht, Masr Davy«, sagte Ham. »Da sie es wünscht und so unruhig und aufgeregt ist, will ich sie bis morgen hierlassen. Ich will auch hierbleiben.«

»Nein, nein«, sagte Mr. Peggotty. »Das geht nicht. Ein verheirateter Mann, wie du bist – oder wie du beinah bist –, darf nicht ein ganzes Tagewerk versäumen, und du kannst nicht gleichzeitig wachen und arbeiten. Das geht nicht. Du gehst nach Hause und legst dich ins Bett. Du weißt, daß Emly in guter Hut ist!«

Ham gab nach und nahm seine Kappe. Selbst als er Emly küßte, und niemals sah ich ihn sich ihr nähern, ohne zu fühlen, daß ihm die Natur das Feingefühl eines vornehmen Menschen gegeben hatte, – schien sie sich dichter an ihren Onkel zu drängen, als wiche sie vor ihrem Bräutigam zurück. Ich machte die Tür hinter ihm leise zu, damit nichts die im Hause herrschende Stille stören möge, und als ich wieder in die Küche trat, sprach Mr. Peggotty immer noch mit ihr.

»Jetzt will ich hinaufgehen und deiner Tante sagen, daß Masr Davy hier ist, und das wird sie ein wenig trösten«, sagte er. »Setz dich dort ans Feuer, liebes Kind, und wärm dir die eiskalten Hände. Du darfst es nicht so schwer nehmen! Was, du willst mich begleiten? Also gut. Komm mit. Wenn ihr Onkel jetzt von Haus und Hof vertrieben würde und im Straßengraben schlafen müßte, Masr Davy«, sagte er mit demselben Stolz wie vorher, »ich glaube, sie würde nicht von ihm lassen. Aber bald wird sie einen andern haben, – einen andern, und bald, Emly!«

Als ich später die Treppe hinaufging und an der Tür meines kleinen, jetzt ganz finstern Zimmers vorbeikam, da machte es auf mich den unbestimmten Eindruck, als ob sie drin auf dem Fußboden läge. Aber es konnte ebensogut ein Phantasiegebilde gewesen sein, hervorgerufen durch die Dunkelheit.

Ehe Peggotty herunterkam, hatte ich Zeit, über die Todesfurcht der kleinen Emly nachzudenken – ein Gefühl, dem ich mit Hinzurechnung dessen, was Mr. Omer mir erzählt, die große Veränderung in ihr zuschrieb –, und es blieb mir Muße genug, ihre Schwäche in milderm Licht zu sehen, während ich die tickenden Schläge der Uhr zählte und den feierlichen Eindruck der tiefen Stille ringsum immer deutlicher empfand.

Peggotty schloß mich in ihre Arme, segnete mich und dankte mir immer und immer wieder, daß ich ihr in ihrem Leid so viel Trost bringe. Dann bat sie mich heraufzukommen und sagte mir schluchzend, daß mich Mr. Barkis immer so gern gehabt und bewundert und oft von mir gesprochen habe, ehe er in seine Bewußtlosigkeit verfallen sei. Und daß ihn, wenn er wieder zu sich kommen sollte, mein Anblick aufhellen würde, wenn ihn überhaupt etwas Irdisches noch stärken könnte.

Die Wahrscheinlichkeit, daß dies geschehen werde, schien mir bei seinem Anblick sehr gering. Er lag mit dem Kopf und den Schultern außerhalb des Bettes sehr unbequem auf dem Koffer, der ihm schon so viel Schmerz und Unruhe verursacht. Ich erfuhr, daß er verlangt hätte, man möge den Koffer neben sein Bett stellen, wo er seitdem immerfort und Tag und Nacht den Arm um ihn gelegt hielt. Auch jetzt lag seine Hand darauf. Die Zeit und die Welt sollten bald für ihn entschwunden sein, aber der Koffer war noch da, und die letzten Worte, die er gesprochen hatte, waren: »Alte Kleider!« gewesen.

»Barkis, mein Herz!« sagte Peggotty fast heiter und beugte sich über ihren Gatten, während ihr Bruder und ich am Fuß des Bettes stehenblieben. »Hier ist mein lieber Junge, mein lieber Sohn Master Davy, der uns zusammengebracht hat, Barkis! Dem du immer Botschaften für mich gabst, weißt du noch? Willst du nicht mit Master Davy sprechen?«

Barkis war so stumm und empfindungslos wie sein Koffer, der seinem Gesicht noch den einzigen Ausdruck gab, den es hatte.

»Er löscht aus mit der Flut«, sagte Mr. Peggotty leise zu mir.

Meine Augen waren feucht wie die Mr. Peggottys, und ich wiederholte flüsternd: »Mit der Flut?«

»Die Leute hier an der Küste können nicht sterben, ehe die Flut nicht fast vorbei ist. Sie können nicht geboren werden, wenn sie nicht fast auf der Höhe ist. Er löscht aus mit der Flut. Um halb vier ist Ebbe, un denn bliewt sei stehen een half Stund lang. Wenn er leben bleibt, bis das Wasser wieder steigt, hält er aus, bis abermals die Flut vorbei ist.«

Wir wachten lange Zeit – viele Stunden – an dem Bett. Welch geheimnisvollen Einfluß meine Anwesenheit auf Mr. Barkis und seinen Zustand gehabt haben mochte, vermag ich nicht zu sagen, aber als er gegen Ende zu phantasieren anfing, murmelte er etwas wie, daß er mich in die Schule fahren müsse.

»Er kommt zu sich«, sagte Peggotty.

Mr. Peggotty berührte mich und flüsterte feierlich:

»Jetzt gehts schnell zu Ende.«

»Barkis, mein Lieber!«

»C. P. Barkis!« flüsterte der Sterbende mit schwacher Stimme, »es gibt kein besseres Weib auf Erden.«

»Schau, hier ist Master Davy«, sagte Peggotty, denn eben öffnete er die Augen.

Ich wollte ihn fragen, ob er mich noch kenne, als er versuchte, seinen Arm auszustrecken, und ganz deutlich und mit freundlichem Lächeln zu mir sagte:

»Barkis will.«

Es war Stauwasser, und er ging dahin, zugleich mit der Flut.

31. Kapitel

Ein noch größerer Verlust

Auf Peggottys Bitte wurde mir der Entschluß nicht schwer zu bleiben, bis die irdischen Reste des armen Botenfuhrmanns ihre letzte Reise nach Blunderstone machten.

Schon seit langer, langer Zeit hatte Peggotty aus ihren Ersparnissen ein Grab auf dem alten Kirchhof neben dem ihres lieben, süßen Mädels, wie sie immer meine Mutter nannte, gekauft; und dort sollte er jetzt ruhen.

Ich leistete ihr Gesellschaft und tat, was ich konnte für sie. Es war wenig genug, und ich fürchte, ich empfand eine gewisse Befriedigung persönlicher und beruflicher Natur, daß ich mich erkenntlich erweisen konnte, indem ich Mr. Barkis' letzten Willen im Testament übernahm und seinen Inhalt erklärte.

Ich kann auf das Verdienst des Ratschlags Anspruch machen,

es in dem Kasten gesucht zu haben. Man fand es endlich in einem Futtersack, worin sich außer einem Bündel Heu noch eine alte goldne Uhr mit Kette und Petschaft, die Mr. Barkis an seinem Hochzeitstag getragen hatte und seitdem niemals wieder, ein silberner Pfeifenklopfer in Gestalt eines Beines, eine künstliche Zitrone voll winziger Tassen, die er wahrscheinlich gekauft, um sie mir zu schenken, von der er sich aber nicht hatte trennen können, dann 87½ Guineen in Gold und ganz neuen Banknoten, mehrere Aktien der englischen Bank, ein altes Hufeisen, ein falscher Schilling, ein Stück Kampfer und eine Austernschale befanden. Aus dem Umstand, daß sie poliert war und inwendig in Regenbogenfarben spielte, vermute ich, daß Mr. Barkis irgendeinen unklaren Begriff von Perlen gehabt haben mußte.

Durch viele Jahre hatte Mr. Barkis auf allen seinen Fahrten diesen Koffer mit sich geführt. Damit es weniger auffallen sollte, hatte er eine Fabel erdacht, nach der alles einem gewissen Mr. Blackboy gehörte und bei Barkis nur deponiert sei. Diese Legende stand in jetzt kaum mehr leserlichen Buchstaben auf dem Deckel geschrieben.

Alles hatte er im Lauf der Jahre zusammengescharrt; seine Hinterlassenschaft in Geld betrug fast 3000 £. Davon vermachte er die Zinsen von einem Tausend Mr. Peggotty für Lebenszeit; bei seinem Tode sollte das Kapital unter Peggotty, der kleinen Emly und mir oder unsern Erben verteilt werden. Alles übrige vermachte er seiner Witwe, die er auch zur einzigen Vollstreckerin seines letzten Willens ernannte.

Ich fühlte mich ordentlich als Proktor, als ich das Dokument feierlich laut vorlas und die einzelnen Bestimmungen, wer weiß wie viele Mal, den Beteiligten auseinandersetzte. Ich fing an zu denken, daß doch mehr an den Commons sei, als ich mir gedacht hatte. Ich prüfte das Testament mit der größten Aufmerksamkeit, erkannte seine vollkommene formelle Richtigkeit an, machte ein paar Bleistiftnotizen an den Rand und wunderte mich innerlich, daß ich so viel von der Sache verstand.

Darüber und mit der Aufnahme einer genauen Aufstellung

der Hinterlassenschaft und mit Raterteilen über alle möglichen Punkte, wegen deren sich Peggotty an mich wendete, verging die Woche vor dem Leichenbegängnis. Ich bekam Emly nicht zu Gesicht, erfuhr aber, daß sie in vierzehn Tagen in aller Stille getraut werden sollte.

Bei dem Begräbnis war ich sozusagen nicht von Amts wegen zugegen, das heißt, ich hatte keinen schwarzen Vogelscheuchenmantel mit Schleifen an, sondern ging ganz früh nach Blunderstone hinüber und wartete auf dem Friedhof, nur von Peggotty und ihrem Bruder begleitet, bis der Leichenwagen kam.

Der verrückte Herr sah aus meinem kleinen Fenster zu. Mr. Chillips' Baby wackelte über der Schulter seiner Amme mit seinem schweren Kopf und stierte mit seinen großen Augen den Geistlichen an, – Mr. Omer keuchte im Hintergrund; sonst war niemand da und alles sehr still.

Wir gingen nach dem Begräbnis noch eine Stunde auf dem Kirchhof auf und ab und nahmen uns von dem Baum über dem Grab meiner Mutter ein paar grüne Blätter zum Andenken mit. – Ein Bangen befällt mich. Eine Wolke schwebt über der fernen Stadt, der ich jetzt meine einsamen Schritte zuwende. Immer mehr Angst empfinde ich, je näher ich komme. Kaum kann ich mich überwinden, wieder daran zu denken, was dann geschah.

Es wird nicht schlimmer, weil ich es niederschreiben muß. Es würde nicht besser, wenn ich es verschwiege. Es ist geschehen. Niemand kann es ungeschehen machen. Niemand kann es ändern. Meine alte Kindsfrau sollte mit mir wegen des Testaments am nächsten Tag nach London fahren. Die kleine Emly blieb den ganzen Tag über bei Mr. Omer. Am Abend sollten wir uns alle in dem alten Boot treffen. Ham wollte sie zur gewöhnlichen Stunde nach Hause bringen. Ich versprach auch dort zu sein, und Mr. Peggotty und seine Schwester wollten uns am Abend bei sich erwarten.

Ich nahm Abschied von allen am Zauntor an der Straße und ging, anstatt unmittelbar umzukehren, in der Richtung nach Lowestoft ein Stück spazieren. Dann kehrte ich um und schlug wieder den Weg nach Yarmouth ein. In einem reinlichen Bierhause kehrte ich zu Mittag ein, und so verging der Tag, und es wurde Abend, als ich die Stadt erreichte. Es stürmte und regnete, aber hinter den Wolken schien der Vollmond hervor, und es war nicht allzu finster.

Bald erblickte ich Mr. Peggottys Haus, und das Licht glänzte durch die Fenster. Ein kurzes, aber mühsames Waten durch den tiefen Sand brachte mich an die Tür, und ich trat ein.

Es sah recht behaglich drin aus. Mr. Peggotty hatte seine Abendpfeife geraucht, und es waren bereits einige Vorbereitungen zum Abendessen getroffen. Das Feuer brannte hell, und der Kasten wartete auf Emly auf seinem alten Platz. Auch Peggotty saß in ihrem gewohnten Stuhl und sah aus, wenn ihre Trauerkleider nicht gewesen wären, als ob sie ihn nie verlassen hätte. Das Arbeitskästchen mit der St.-Pauls-Kirche auf dem Deckel, das Ellenmaß und das Stückchen Wachslicht lagen neben ihr wie früher. Mrs. Gummidge schien in ihrer alten Ecke wieder ein wenig grämlich zu sein, sah aber sonst ganz harmlos drein.

»Sej sün der erst an Bord, Masr Davy«, sagte Mr. Peggotty mit glücklichem Gesicht. »Behalten Sie den Rock nicht an, wenn er naß ist, Sir. «

»Ich danke Ihnen, Mr. Peggotty«, sagte ich und gab ihm meinen Überzieher zum Aufhängen. »Er ist ganz trocken.«

»Stimmt«, sagte Mr. Peggotty und befühlte meine Schultern.

»Trocken wie ein Tisch! Setzen Sie sich nieder, Sir! Wir brauchen zu Ihnen nicht Willkommen zu sagen, denn Sie sind ja immer von Herzen willkommen.«

»Ich danke Ihnen, Mr. Peggotty. Das weiß ich.«

»Nun, Peggotty?« und ich gab ihr einen Kuß, »wie geht es dir, Alte?«

»Haha«, lachte Mr. Peggotty, setzte sich neben uns und rieb sich mit der ganzen Gemütlichkeit seines Naturells behäbig die Hände. »Keine Frau auf der ganzen Welt, wie ich ihr immer sage, kann sich leichter ums Herz fühlen als sie. Sei hett ehr Flicht gegen den Seligen dohn; und der Selige wußte es; und der Selige hett

515

sien Schuldichkeit gegen sie dohn, wie sie ehr Schuldichkeit gegen ihn; und – und – und – s ist allens in Ordnung.«

Mrs. Gummidge seufzte tief auf.

»Frisch und munter, Mutting!« sagte Mr. Peggotty, nickte uns aber heimlich zu, offenbar fühlend, daß die letzten Ereignisse besonders geeignet waren, die Erinnerung an den »Alten« aufzufrischen. »Loot den Kopp nöch häng. Frisch um deiner selbst willen! Auf! Nur ein ganz klein wenig! Das übrige kommt denn schon von selbst.«

»Bei mir nicht, Danl«, erwiderte Mrs. Gummidge. »Bei mir kommt nichts von selbst, als daß ich einsam und verlassen bin.«

»Nun, nun«, beschwichtigte Mr. Peggotty.

»Ja, ja, Danl. Eine Person wie ich paßt nicht unter Leute, die Geld geerbt haben. Mir geht alles die Quere. Besser, man wäre mich los.«

»Na, wie sollte ich denn das Geld ohne dich ausgeben? Was sprichst du nur wieder! Brauche ich dich jetzt nicht notwendiger als früher?«

»Ich wußte doch, daß man mich früher nicht brauchte«, jammerte Mrs. Gummidge mit weinerlicher Stimme, »und jetzt sagst du es mir geradeheraus. Wie konnte ich es auch erwarten, da ich so einsam und verlassen bin und mir alles so die Quere geht!«

Mr. Peggotty war ordentlich entrüstet über sich, daß er etwas gesagt hatte, was so gefühllos ausgelegt werden konnte, antwortete aber nichts, weil seine Schwester ihn am Ärmel zupfte und den Kopf schüttelte. Nachdem er einige Augenblicke lang Mrs. Gummidge in tiefer Bekümmernis angesehen, warf er einen Blick auf die Wanduhr, stand auf, putzte das Licht und stellte es ins Fenster.

»Na also«, sagte er heiter. »So weit wären wir, Mrs. Gummidge!« Mrs. Gummidge ließ einen leisen Seufzer hören. »Illuminiert, wies Sitte ist. Sie möchten wohl wissen, wozu das ist, Sir? Ja, sehen Sie, das ist für die kleine Emly. Sie wissen, der Weg ist nicht allzu hell oder angenehm nach Dunkelwerden, und wenn ich um die Zeit, wo sie heimkommt, hier bin, stell ich das

Licht ins Fenster. Und damit wird zweierlei erreicht«, sagte er und beugte sich mit großer Fröhlichkeit zu mir herunter. »Erstens sagt es Emly, dort ist das Haus, und dann: der Onkel ist da! Denn wenn ich nicht daheim bin, wird kein Licht ins Fenster gestellt.«

»Du bist wie ein kleines Kind«, sagte Peggotty mit unverhohlener Zärtlichkeit.

»Mag wohl sein, aber dem Ansehn nach freilich nicht – freilich dem Äußeren nach nicht«, lachte Mr. Peggotty, »aber sonst so, was? Na, mir kanns gleich sein. Ich will euch mal was sagen. Wenn ich mir das hübsche, kleine Haus unserer Emly ansehe, da kommts mir vor, als ob auch die kleinsten Dinger so zart wie sie selber wären. Ich nehme sie in die Hand und lege sie wieder hin und fasse sie so zärtlich an, als wären sie Emly selber. Ich litte nicht, daß auch nur ein einziges hart angefaßt würde. Um die ganze Welt nicht. Da habt Ihr ein kleines Kind in Gestalt eines großen Seeigels«, sagte Mr. Peggotty und brach in ein lautes Gelächter aus.

Peggotty und ich lachten auch, nur nicht so laut.

»Ich glaube«, fuhr Mr. Peggotty mit fröhlichem Gesicht fort und schlug sich auf die Schenkel, »daß ich zu viel mit ihr gespielt habe, Löwe und Walfisch und was sonst noch, als sie nicht höher war als mein Knie. – Und dort werde ich das Licht auch hinstellen, wenn sie verheiratet und nicht mehr hier ist. Wo sollte ich sonst wohnen als hier? Und wenn ich noch so reich würde. Und ist sie nicht mehr da, so stell ich doch das Licht ins Fenster und tue, als ob ich auf sie wartete wie jetzt. Da habt Ihr wieder das kleine Kind in Gestalt eines ungeheuern Seeigels! Und selbst jetzt, wo ich das Licht aufflackern sehe, sage ich zu mir, Emly kommt. Aber damit hab ich ja recht«, sagte Mr. Peggotty, indem er sein Lachen unterbrach und in die Hände klatschte, »denn da ist sie.«

Es war bloß Ham.

Das Wetter mußte wohl regnerischer geworden sein als vorhin, denn er hatte seinen großen Südwester tief ins Gesicht gezogen.

»Wo ist Emly?« fragte Mr. Peggotty.

Ham machte eine Bewegung mit dem Kopf, als ob sie draußen stünde.

Mr. Peggotty nahm das Licht aus dem Fenster, putzte es und stellte es auf den Tisch und ging an das Feuer, um es zu schüren, als Ham, der regungslos dagestanden, zu mir sagte:

»Masr Davy, wollen Sie eine Minute herauskommen und sehen, was Emly und ich mitgebracht haben?«

Wir gingen hinaus.

Als ich an der Tür an ihm vorbeiging, sah ich zu meinem Staunen und Schrecken, daß er totenbleich war. Er schob mich hastig hinaus ins Freie und machte die Tür schnell hinter uns beiden zu.

»Ham, was ist geschehen?«

»Masr Davy! –«

Es war, als ob ihm das Herz brechen sollte, so schrecklich weinte er.

Ich war ganz gelähmt beim Anblick solchen Grames. Ich weiß nicht, was ich dachte oder befürchtete, ich konnte ihn nur ansehen.

»Ham, mein armer, guter Junge, um Gotteswillen, was ist denn geschehen?«

»Meine Liebe, Masr Davy, – der Stolz und die Hoffnung meines Herzens – sie, für die ich gestorben wäre – und jetzt noch sterben würde, – sie ist fort.«

»Fort!«

»Emly ist geflohen! Ach, Mast- Davy, bedenken Sie, unter welchen Umständen sie geflohen sein muß, wenn ich meinen barmherzigen Gott bitte, sie lieber zu töten – sie, die ich so über alles liebe –, als sie in Schmach und Schande zu lassen.«

Sein zum stürmischen Himmel erhobenes Gesicht, seine zitternden verkrampften Hände, der wilde Schmerz in seinem ganzen Wesen bleiben bis zu dieser Stunde in meiner Erinnerung unzertrennlich mit dieser einsamen öden Düne verbunden. Es ist dort immer Nacht für mich und er das einzig Lebendige in der ganzen Szene.

»Sie sind ein Gelehrter«, sagte er hastig, »und wissen, was recht und gut ist. Was soll ich drin sagen? Wie soll ichs ihm beibringen, Masr Davy?«

Ich sah die Tür aufgehen und versuchte instinktiv, die Klinke außen festzuhalten, um einen Augenblick Zeit zu gewinnen. Es war zu spät. Mr. Peggotty steckte den Kopf heraus, und nie werde ich die Veränderung in seinem Gesicht vergessen, als er uns erblickte.

Ich erinnere mich an ein großes Wehklagen und Weinen, als die Frauen an ihm hingen und wir alle im Zimmer standen, ich mit einem Papier in der Hand, das Ham mir gegeben hatte, Mr. Peggotty mit aufgerissener Jacke, zerrauftem Haar, Gesicht und Lippen kalkweiß und Blutstropfen auf seiner Brust, die aus seinem Munde gekommen waren, und starr den Blick auf mich geheftet.

»Lesen Sie, Sir«, sagte er mit leiser, bebender Stimme, »aber langsam, ich weiß nicht, ob ich es sonst verstehen würde.«

Inmitten eines Todesschweigens las ich aus einem tränenbefleckten Brief:

»Wenn Du, der Du mich viel mehr liebst, als ich jemals verdient habe, selbst als ich noch unschuldigen Herzens war, dies liest, werde ich weit weg von Euch sein –«

»Werde ich weit weg von euch sein«, wiederholte Mr. Peggotty langsam. »Halt! Emly weit weg. Gut!«

»– wenn ich diesen Morgen das geliebte Vaterhaus – mein liebes, liebes Heim verlassen habe –«

Der Brief war vom Abend vorher datiert.

»– so werde ich nie wieder zurückkehren, wenn er mich nicht als seine Frau zurückbringt. Viele Stunden später wirst Du dies anstatt meiner finden. O, wenn Du wüßtest, wie sehr zerrissen mein Herz ist. Wenn Du, dem ich so wehe getan habe, daß Du es mir nie verzeihen kannst, wissen könntest, was ich leide. Ich bin zu schlecht, um von mir selbst zu schreiben. Laß es Dir ein Trost sein, daß ich so schlecht bin. Um der himmlischen Barmherzigkeit willen, sage dem Onkel, daß ich ihn nie auch nur halb so geliebt habe wie jetzt. O denk nicht dran, wie zärtlich und gütig Du gegen mich gewesen bist! – vergiß, daß wir uns jemals heiraten sollten, – versuche zu glauben, ich sei als kleines Kind gestorben und läge irgendwo begraben. Bitte den Himmel, daß er Erbarmen habe mit meinem Onkel. Sag ihm, daß ich ihn nie auch nur halb so geliebt habe wie jetzt. Sei ihm eine Stütze. Liebe ein braves Mädchen, das meinem Onkel das sein kann, was ich ihm einmal war, ein Mädchen, das Dir treu ist und Deiner wert. Gott segne Euch Alle. Ich werde oft auf meinen Knien für Alle beten. Wenn er mich nicht als seine Frau zurückbringt und ich nicht mehr für mich selbst beten kann, so will ich doch für Euch Alle beten. Noch einmal dem Onkel einen letzten Liebesgruß, meine letzten Tränen und meinen letzten Dank!«

Das war alles. Lange noch, nachdem ich aufgehört zu lesen, starrte mich Mr. Peggotty an. Endlich wagte ich seine Hand zu ergreifen und ihn zu bitten, so gut ich konnte, sich zu fassen. Er antwortete:

»Ich danke, ich danke«, aber er rührte sich nicht.

Ham redete ihn an. Mr. Peggotty begriff den Schmerz seines Neffen so weit, daß er ihm die Hand drückte, aber er blieb stehen wie früher, und keiner wagte, ihn zu stören.

Langsam ließen seine Augen von mir ab, wie wenn er aus einer Vision erwachte, und blickte um sich. Dann sagte er mit leiser Stimme:

»Wer ist es? Ich will seinen Namen wissen.«

Ham sah mich an und plötzlich durchfuhr es mich wie ein elektrischer Schlag.

»Wer steht im Verdacht?« sagte Mr. Peggotty. »Wer ist es?«

»Master Davy«, flehte Ham, »gehen Sie einen Augenblick hinaus, damit ich ihm sagen kann, was ich muß. Sie dürfen es nicht hören, Sir!« Wieder durchzuckte es mich wie vorhin. Ich sank in einen Stuhl und versuchte etwas zu stammeln, aber meine Zunge war wie gelähmt, und vor meinen Augen wurde es dunkel.

»Ich will seinen Namen wissen«, hörte ich wieder sagen.

»Vor einiger Zeit hielt sich manchmal ein Bedienter hier auf«, stammelte Ham, »auch ein Herr war dabei. Beide gehörten zusammen.« Mr. Peggotty stand so starr wie vorhin und sah jetzt Ham an.

»Den Bedienten hat man gestern mit – unserm armen Mädchen gesehen. Er hat diese Woche und länger hier herumgelauert. Man sagte, er sei fort. Aber er hielt sich nur versteckt. Gehen Sie hinaus, Masr Davy! Bitte, gehen Sie hinaus.«

Ich fühlte, wie Peggottys Arm sich um meinen Hals legte, aber ich hätte nicht von der Stelle gehen können, und wenn das Haus über mir zusammengestürzt wäre.

»Ein fremder Wagen mit Pferden stand heut früh vor Tagesanbruch auf der Straße nach Norwich«, erzählte Ham weiter. »Der Bediente ging zu dem Wagen und kam zurück und ging wieder hin. Als er zuletzt hinging, war Emly bei ihm. Der andere saß drin. Er ist der Mann.«

»Um Gottes willen«, sagte Mr. Peggotty, taumelte zurück und streckte die Hand aus, als ob er etwas Fürchterliches abwehren wollte. »Sag nicht, daß es Steerforth ist.«

»Masr Davy!« rief Ham mit gebrochener Stimme aus. »Sie können nichts dafür, und ich gebe Ihnen gewiß nicht die Schuld, – aber er heißt Steerforth und ist ein gottverfluchter Schurke.«

Kein Laut und keine Träne und keine Bewegung verrieten Mr. Peggottys Schmerz, bis er plötzlich wieder aufzuwachen schien und seinen zottigen Rock von dem Nagel in der Ecke herabnahm.

»So helft mir doch. Ich bin wie auf den Kopf geschlagen und kann nicht damit zurechtkommen«, sagte er ungeduldig. »Kommt her und helft mir doch. Gut! Jetzt gebt mir den Hut her!«

Ham fragte ihn, wohin er gehen wollte.

»Ich will meine Nichte suchen! Ich will meine Emly suchen! Zuerst will ich dem Boot die Planken einschlagen und es versenken, wo ich ihn ersäuft hätte, so wahr ich lebe, wenn mir nur ein Gedanke von Verdacht gekommen wäre. Wie er so vor mir saß«, sagte er wild und streckte die Hand geballt vor sich aus, »wie er so vor mir saß, so wahr ich lebe, ich hätte ihn ersäuft und hätte es für recht gehalten! … Ich will meine Nichte suchen!«

»Wo?« schrie Ham und stellte sich vor die Tür.

»Überall! Ich will meine Nichte suchen durch die ganze Welt! Ich will meine arme Nichte aufsuchen in ihrer Schande und sie zurückbringen. Keiner soll mich aufhalten. Ich sage dir, ich will meine Nichte suchen!«

»Nein, nein, nein!« rief Mrs. Gummidge und trat in hellen Tränen dazwischen. »Nein, nein, nein, Daniel, nicht in deinem jetzigen Zustand! Such sie nach einer kleinen Weile, mein armer verlassener Dan, und dann wird es gut sein, aber nicht jetzt in solcher Verfassung! Setz dich nieder und verzeih mir, daß ich dir immer eine solche Plage gewesen bin! – Daniel, was sind meine kleinen Unannehmlichkeiten gewesen gegen dein Leid! Laß uns ein Wort sprechen über die Zeiten, wo sie eine Waise und Ham eine Waise waren und ich eine arme Wittfrau, als du uns aufnahmst. Es wird deinem gequälten Herzen wohltun. Daniel«, sagte sie und legte ihren Kopf an Mr. Peggottys Schulter, »der Schmerz wird dir leichter werden, wenn du an die Verheißung denkst, Dan:

Was ihr dem Geringsten der meinigen getan, das habt ihr mir getan! Und das muß immer wahr bleiben unter diesem Dach, das uns so viele, viele Jahre Schutz gewährt hat.«

Mr. Peggotty war ganz widerstandslos geworden, und als ich ihn weinen hörte, da wich der Drang, vor ihm auf den Knien Steerforth zu verfluchen, einem bessern Gefühl. Mein gequältes Herz fand Erleichterung wie seines, und auch ich weinte.

32. Kapitel

Der Anfang einer langen Reise

Eine natürliche Empfindung ist nichts Beschämendes, und deshalb scheue ich mich auch nicht zu gestehen, daß ich meine Liebe zu Steerforth niemals stärker empfand als zu der Zeit, wo sich die Banden, die mich an ihn knüpften, lösten. In dem bittern Schmerz der Erkenntnis seiner Unwürdigkeit sah ich seine Eigenschaften in einem glänzenderen Licht als je, ließ seinen Fähigkeiten, die ihn zu einem großen bedeutenden Menschen hätten machen können, mehr Gerechtigkeit widerfahren als damals, wo ich ihm am meisten ergeben gewesen. So tief ich darunter litt, mit an seiner Schuld zu tragen, glaube ich doch, ich hätte ihm ins Gesicht keinen Vorwurf schleudern können. Aber, wie wohl auch er, fühlte ich, daß zwischen uns beiden alles zu Ende war. Wie er an mich zurückdachte, habe ich nie erfahren – wahrscheinlich leicht und oberflächlich genug –, aber ich mußte an ihn denken wie an einen teuern Toten.

Ja, Steerforth, der du längst vom Schauplatze dieser Geschichte abgetreten bist, vielleicht tritt mein Gram dereinst gegen dich vor dem ewigen Gericht als Zeuge auf, aber ein Ankläger will ich dir niemals sein!

Die Kunde von dem Geschehenen verbreitete sich bald durch die Stadt, und am nächsten Morgen hörte ich in den Straßen die Leute vor ihren Türen davon sprechen. Viele ließen sich sehr bitter über sie aus, nur wenige über ihn, aber für ihren zweiten Vater und ihren Bräutigam herrschte bloß ein Gefühl; überall legte man vor ihrem Schmerz eine Achtung voll Zartgefühl und Rücksicht an den Tag. Die Schiffer hielten sich fern, als die beiden am frühen Morgen langsam am Strande auf- und abgingen, standen in Gruppen beisammen und sprachen voll Mitleid miteinander. Ich fand Mr. Peggotty und Ham an der Küste dicht am Meer. Sie hatten die ganze Nacht über nicht geschlafen und noch bei

Tagesanbruch zusammengesessen, wie Peggotty mir sagte, und sahen sehr ermattet aus. Mr. Peggotty schien mir mehr gealtert zu sein in einer Nacht als in den vielen Jahren, seit ich ihn kannte. Aber beide waren so ernst und ruhig wie das Meer, das leise bewegt, als ob es im Schlummer atme, doch ohne Wellenschlag unter dem dunkeln Himmel lag, – der Horizont beleuchtet von einem Sonnenstreifen silberhellen Lichtes.

»Wir haben viel beraten über das, was zunächst zu geschehen hat«, sagte Mr. Peggotty zu mir, nachdem wir eine Weile stumm nebeneinander hergeschritten waren. »Aber jetzt sehen wir unsern Weg klar vor uns.«

Ich warf heimlich einen Blick auf Ham, der jetzt auf den fernen Sonnenschimmer auf dem Meer hinausblickte, und ein furchtbarer Gedanke beschlich mich – nicht, daß sein Gesicht voll Ingrimm gewesen wäre –, ich konnte nur den Ausdruck finstrer Entschlossenheit darin erkennen – der Gedanke, daß er Steerforth töten würde, wenn er ihm begegnen sollte.

»Mien Flicht is dohn, Sir«, sagte Mr. Peggotty, »ick will mien« – er hielt inne und fuhr dann mit festerer Stimme fort – »ick will sie suchen. Dat is mien Flicht von nun an.«

Er schüttelte den Kopf, als ich ihn fragte, wo er sie suchen wollte und ob er morgen nach London zu reisen gedenke. Ich sagte ihm, ich sei heute noch hiergeblieben, um ihm vielleicht beistehen zu können, aber ich sei bereit zu fahren, sobald er es wünschte.

»Ich werde Sie begleiten, Sir«, erwiderte er, »wenn es Ihnen recht ist, morgen.«

Wieder gingen wir eine Weile stumm nebeneinander her.

»Ham«, fuhr er fort, »wird seinem jetzigen Beruf treu bleiben und mit meiner Schwester zusammenwohnen. Das alte Boot dort –«

»Sie wollen das alte Boot verlassen, Mr. Peggotty?« fragte ich leise.

»Mein Platz ist dort nicht mehr, Mr. Davy, und wenn jemals ein Boot, als die Nacht über der Tiefe schwebte, unterging, ist es dieses. Aber nein, Sir, nein, ich will nicht sagen, daß es verlassen sein soll. Das sei fern von mir.«

Wieder gingen wir stumm eine Strecke zusammen, bis er abermals anfing:

»Mien Wunsch is, Sir, daß es Tag und Nacht, Sommer und Winter so aussehen soll wie damals, als sie es zuerst betrat. Wenn sie jemals zurückkehren sollte, darf das alte Haus nicht aussehen, als ob es für sie verschlossen sei, sondern soll sie locken, immer näher und näher zu kommen und draußen aus Wind und Regen durch das alte Fenster mit einem Gruß nach dem verlassenen Sitz neben dem Feuer zu blicken. Und wenn sie dann niemand drin sieht als Mrs. Gummidge, so faßt sie sich vielleicht ein Herz und tritt zitternd ein und legt sich hin auf ihr altes Bett und läßt ihr Haupt müde ausruhen, wo sie einst so fröhlich war.«

Ich konnte ihm nicht antworten, obgleich ich es versuchte.

»Jede Nacht, so regelmäßig wie die Flut, muß das Licht in dem alten Fenster stehen, damit ihr winkt: Komm zurück, mein Kind, komm zurück! Wenn es jemals wieder leise an die Tür deiner Tante klopft, Ham, nach Dunkelwerden, so geh du nicht hinaus. Nur sie, nicht dich, darf mein verirrtes Kind sehen.«

Er ging ein wenig voraus und schritt vor uns her. Ich warf einen Blick auf Ham und sah immer noch denselben Ausdruck auf seinem Gesicht. Seine Augen starrten immer noch wie gebannt auf das ferne Licht. Ich faßte seinen Arm.

Zweimal rief ich ihn beim Namen so laut, wie man einen Schlafenden zu wecken sucht, ehe er auf mich achtete. Als ich ihn fragte, womit sich seine Gedanken so eifrig beschäftigten, gab er zur Antwort:

»Mit dem, was vor mir ist, Masr Davy, und dort droben.«

»Mit dem, was vor Ihnen liegt, meinen Sie?« Er hatte mit der Hand aufs Meer hinausgedeutet.

»Woll, Masr Davy. Ich weiß nicht recht, wie es ist, aber von dort drüben scheint es mir zu kommen – das Ende, meine ich«; er sah mich an mit wachen Augen, doch der Ausdruck in seinem Gesicht veränderte sich nicht.

»Welches Ende?« fragte ich, noch ganz unter dem Eindruck meiner Bestürzung.

»Ich weiß es nicht«, sagte er gedankenvoll; »ich dachte eben darüber nach, daß der Anfang vor allem hier war, – und hier muß auch das Ende sein. Aber jetzt ists fort, Masr Davy«, setzte er hinzu, wohl als Antwort auf meine besorgten Blicke, mit denen ich ihn maß. »Sie brauchen sich nicht vor mir zu fürchten – awer ick bün so wirr im Kopp –, ich bin ganz gefühllos geworden.«

Mr. Peggotty stand jetzt still und wartete auf uns. Die Erinnerung an diese Szene und meine Besorgnisse traten mir in spätern Zeiten immer wieder vor die Seele, bis das unerbittliche Ende kam. Wir gingen auf das alte Boot zu und traten ein. Mrs. Gummidge saß nicht mehr grämlich in ihrer Ecke, sondern machte sich emsig um das Frühstück zu schaffen. Sie nahm Mr. Peggotty den Hut ab, schob ihm seinen Stuhl hin und sprach so sanft und zärtlich zu ihm, daß ich sie kaum wiedererkannte.

»Mein guter Daniel«, sagte sie. »Du mußt essen und trinken und dich aufrecht erhalten, denn sonst kannst du nichts tun. Versuchs nur, liebe, gute Seele. Und wenn ich dich mit meinem Gerede störe, so sags nur, Daniel, und ich schweig schon still.«

Als sie uns alle bedient hatte, setzte sie sich an das Fenster, wo sie sich emsig mit dem Ausbessern der Hemden und Kleider für Mr. Peggotty beschäftigte und alles dann sorgfältig zusammenlegte und in einen alten Sack aus Ölzeug, wie ihn die Matrosen haben, packte. Dabei fuhr sie in derselben ruhigen Weise zu sprechen fort.

»Immer und zu jeder Zeit, Danl, will ich hier sein, und alles soll so eingerichtet werden, wie du es wünschst. Es wird mir sauer werden, aber ich will viele, viele Male an dich schreiben, wenn du fort bist, und meine Briefe an Master Davy schicken. Vielleicht schreibst du auch an mich, Daniel, von Zeit zu Zeit, und schreibst mir von deinen einsamen Reisen.«

»Du wirst dich hier recht verlassen fühlen«, sagte Mr. Peggotty.

»Nein, nein, Danl, gewiß nicht. Sorge dich nicht meinetwegen. Ich werde genug zu tun haben, um das Haus in Ordnung zu halten, bis du zurückkehrst, Danl. Bei schönem Wetter will ich mich vor die Türe setzen wie früher, und kommt jemand in die Nähe, soll er schon von weitem sehen, daß die alte Wittfrau treu hier aushält.«

Wie hatte sich Mrs. Gummidge in der kurzen Zeit verändert! Sie war eine ganz andere geworden. Sie legte so viel Feingefühl an den Tag, wenn sie etwas sagen wollte oder eine Bemerkung vermied, vergaß so sehr sich selbst und zeigte sich so rücksichtsvoll gegen all den Kummer um sich her, daß ich fast mit Verehrung zu ihr aufblickte. Und was sie an diesem Tag alles zustande brachte! So vielerlei Dinge mußten vom Strande herauf in den Schuppen geschafft werden – Ruder, Netze, Segel, Tauwerk, Spieren, Hummerkörbe, Ballastsäcke und anderes, und obgleich helfende Hände genug da waren, denn keiner hätte sich geweigert, für Mr. Peggotty Hand anzulegen, und alle hätten sich mit einem bloßen »danke« für bezahlt gehalten –, so wurde sie doch den ganzen Tag nicht müde, die schwersten Lasten heraufzuschleppen. Sie schien ganz vergessen zu haben, über ihr altes Mißgeschick zu klagen. Die ganze Zeit über bewahrte sie eine sich stets gleichbleibende Ruhe; gewiß eine wunderbare Veränderung bei ihrem Charakter. Bis zur Dämmerung bebte ihre Stimme kein einziges Mal, und keine Träne trat ihr in die Augen; erst als sie und ich und Mr. Peggotty allein beisammen saßen und er aus Erschöpfung eingeschlafen war, da fing sie an, leise zu schluchzen und zu weinen, begleitete mich an die Türe und sagte: »Gott segne Sie, Masr Davy, bleiben Sie dem Armen immer ein Freund!« Dann lief sie hinaus, um sich das Gesicht zu waschen, damit er ihr nichts anmerken sollte, wenn er aufwachte.

Kurz, als ich abends fortging, ließ ich sie als Stütze und Stab für Mr. Peggotty in seinem Schmerz zurück und konnte nicht genug über die Lehre, die ich aus all dem zog, nachdenken.

Es war zwischen neun und zehn Uhr, als ich, in trübem Sinnen durch die Stadt schlendernd, vor Mr. Omers Tür ankam. Der Alte hatte es sich so sehr zu Herzen genommen, wie mir seine

Tochter erzählte, daß er den ganzen Tag sehr niedergedrückt gewesen war und sich, ohne seine Pfeife geraucht zu haben, zu Bett gelegt hatte:

»Ein falschherziges, schlechtes Mädchen!« sagte Mrs. Joram. »Es ist nie etwas Gutes an ihr gewesen.«

»Sagen Sie das nicht«, wehrte ich ab. »Sie meinen es nicht so.«

»Ja, ich meine es gewiß so!« rief Mrs. Joram ärgerlich.

»Nein, nein!«

Mrs. Joram warf den Kopf zurück und wollte sehr gereizt werden. Aber sie konnte es nicht übers Herz bringen und fing zu weinen an. Ich war damals freilich noch jung, aber ich dachte in ihrer Weichheit besser von ihr, und es kam mir vor, als ob die Rührung ihr, der tugendhaften Gattin und Mutter, sehr gut stünde.

»Was wird sie nur anfangen?« schluchzte Minnie. »Wie wird es ihr gehen? Was wird aus ihr werden! O, wie konnte sie nur so grausam handeln!«

Ich gedachte der Zeit, wo Minnie ein junges und hübsches Mädchen gewesen, und es freute mich, daß sie sich ebenfalls mit tiefem Gefühl daran erinnerte.

»Meine kleine Minnie ist eben eingeschlafen«, sagte sie. »Selbst im Schlaf schluchzt sie nach Emly. Den ganzen Tag lang hat sie beständig geweint und mich immer und immer wieder gefragt, ob Emly ein schlechtes Mädchen sei. Was kann ich zu ihr sagen, wo doch Emly ihr gestern abend ein Band von ihrem Hals umgebunden und ihren Kopf neben sie auf das Kissen gelegt hat, bis sie einschlief? Meine kleine Minnie hat jetzt noch das Band um. Es sollte vielleicht nicht sein, aber was soll ich tun? Emly ist sehr schlecht, aber sie hatten einander so lieb. Und das Kind versteht es doch nicht!«

Mrs. Joram fühlte sich so unglücklich, daß ihr Mann herauskommen mußte, um sie zu beruhigen. Ich ließ die beiden allein, um zu Peggotty zu gehen, und fühlte mich womöglich noch trauriger als bisher.

Die gute Peggotty war trotz ihres Kummers und der schlaflosen Nächte der letzten Zeit bei ihrem Bruder geblieben, um bei ihm die Nacht zuzubringen. Eine alte Frau, die in den letzten Wochen für sie die Wirtschaft besorgte, war mit mir allein im Hause. Da ich ihrer nicht bedurfte, schickte ich sie zu Bett und setzte mich eine Weile lang vor das Küchenfeuer, um über das Geschehene nachzudenken.

In meine Vorstellungen mischte sich das Sterbebett des seligen Mr. Barkis, und ich trieb mit der Ebbe hinaus in die schimmernde Ferne, auf die heute morgen Ham so seltsam gestarrt hatte, als mich aus meinem Nachsinnen ein Pochen an der Tür weckte. Es hing ein Klopfer an der Tür, aber der Schall ging von einer Hand aus, tief unten am Holz, als ob er von einem Kinde herrühre.

Ich machte überrascht die Türe auf und sah zu meinem Erstaunen anfangs weiter nichts als einen großen Regenschirm, der sich allein fortzubewegen schien. Aber gleich darauf entdeckte ich Miss Mowcher darunter.

Ich hätte das kleine Geschöpf wahrscheinlich nicht sehr freundlich empfangen, wenn sie beim Weglegen ihres Regenschirms, den sie mit der größten Mühe nicht zumachen konnte, noch jenes fidele Gesicht von damals gezeigt hätte. Aber, als ich sie von ihrem Schirm erlöste und sie zu mir aufsah, waren ihre Mienen so ernst, und sie rang die kleinen Hände so betrübt, daß ich mich fast zu ihr hingezogen fühlte.

»Miss Mowcher« sagte ich, nachdem ich auf die leere Straße hinausgesehen, ohne eigentlich zu wissen, warum, »wie kommen Sie hierher? Was gibts?«

Sie winkte mir mit ihrem kurzen Arm, ihr Parapluie zuzumachen, und ging rasch an mir vorbei in die Küche. Ich konnte kaum die Türe schließen, da saß sie schon auf der Ecke des Herdvorsetzers im Schatten der Kochgefäße, schaukelte sich hin und her und rieb sich kummervoll die Hände auf den Knien.

Ganz beunruhigt über den seltsamen Besuch zu solch ungewöhnlicher Stunde rief ich wieder aus: »Ich bitte Sie, Miss Mowcher, was gibt es denn? Sind Sie krank?«

»Mein liebes, gutes Kind«, sie drückte beide Hände auf ihr

Herz. »Ich bin *hier* krank. – Sehr krank. Daran denken zu müssen, daß es so weit kommen mußte, während ich es doch hätte wissen und verhüten können, wenn ich nicht eine so gedankenlose Närrin gewesen wäre!«

Wieder schaukelte sich ihr unverhältnismäßig großer Hut mit ihrem kleinen Körper hin und her, und sein riesenhafter Schatten hielt an der Wand Takt mit ihr.

»Es überrascht mich, Sie in so erregter und ernster Stimmung –« fing ich an.

»Ja. So ists immer«, unterbrach sie mich. »Sie wundern sich alle, diese unüberlegten jungen Leute, die hübsch und groß gewachsen sind, daß ein kleines Ding wie ich noch Gefühl hat. Sie halten mich für ein Spielzeug und lachen über mich, werfen mich weg, wenn sie meiner müde sind, und wundern sich, daß ich mehr Gefühl habe als ein Schaukelpferd oder ein hölzerner Soldat! Ja, ja, so ists. Immer die alte Geschichte!«

»Das mag vielleicht bei andern so sein«, entgegnete ich, »aber bei mir nicht. Ich versichere es Ihnen. Vielleicht dürfte ich mich gar nicht wundern, Sie hier zu sehen. Aber ich kenne Sie doch zu wenig!«

»Was kann ich tun?« Die kleine Frau stand auf und zeigte mit beiden Händen auf sich. »Schauen sie her! So wie ich bin, war mein Vater und sind meine Schwester und mein Bruder noch heute. Für sie habe ich seit vielen Jahren Tag für Tag auf das angestrengteste gearbeitet, Mr. Copperfield. Ich muß doch leben! Ich tue niemand etwas zuleide! Wenn es Menschen gibt, die so leichtsinnig und grausam sind, Scherz mit mir zu treiben, was bleibt mir dann anderes übrig, als mich ihnen gegenüber auch so zu benehmen? Wessen Fehler ist es, wenn ich dies tue. Meiner?«

»Nein, Miss Mowcher, Ihrer gewiß nicht.«

»Wenn ich mich gegen Ihren falschen Freund als sentimentale Zwergin benommen hätte«, fuhr die kleine Person fort und schüttelte mit vorwurfsvollem Ernst den Kopf, »glauben Sie, daß er mir jemals geholfen oder mich empfohlen haben würde? Wenn sich die kleine Mowcher, die, um auf die Welt zu kommen, gewiß keine Hand gerührt haben würde, an ihn oder seinesgleichen in ihrem Unglück gewendet hätte, glauben Sie, daß er auf ihr dünnes Stimmchen gehört haben würde? Die kleine Mowcher müßte auch leben, selbst wenn sie die verbittertste und dümmste aller Zwerginnen wäre, aber sie könnte es nicht. Nein. Sie könnte nach Brot und Butter pfeifen, bis sie verhungerte!«

Miss Mowcher setzte sich wieder auf den Ofenvorsetzer, zog ihr Taschentuch heraus und wischte sich die Augen.

»Danken Sie Gott für mich, wenn Sie ein so gutes Herz haben, wie ich glaube, daß ich bei meinem Mißgeschick noch heiter alles zu ertragen imstande bin. Ich wenigstens bin dankbar, daß ich meinen schmalen Weg durch die Welt finden kann, ohne jemand verpflichtet zu sein, und daß ich auf alles, was man mich leichtsinnig oder gedankenloserweise leiden läßt, noch mit Narrenpossen zu antworten vermag. Wenn ich über meine Mängel nachdenke, so ist es mir zum Nutzen und niemand zum Schaden. Wenn ich euch Riesen schon zum Spielzeug diene, so gehet wenigstens behutsam mit mir um!«

Miss Mowcher steckte das Taschentuch wieder ein, blickte mich sehr aufmerksam an und fuhr dann fort:

»Ich sah Sie soeben auf der Straße. Sie können sich denken, daß ich mit meinen kurzen Beinen und meinem kurzen Atem Sie nicht einholen konnte, aber ich erriet, woher Sie kamen, und ging Ihnen nach. Ich bin heute schon einmal hier gewesen, aber die gute Alte war nicht zu Hause.«

»Kennen Sie sie?« fragte ich.

»Nicht persönlich, habe aber von Omer & Joram oft von ihr gehört. Ich war heute früh um sieben Uhr dort. Wissen Sie noch, was Steerforth damals, als ich Sie das erste Mal im Gasthof sah, über das unglückliche Mädchen sagte?«

Der große Hut auf Miss Mowchers Kopf und sein noch größerer Schatten an der Wand schwankten wieder hin und her, als sie die Frage stellte.

Ich erinnerte mich recht gut daran, denn es war mir heute schon oft eingefallen.

»Möge der Vater alles Übels ihn verderben!« sagte die kleine Frau und hob mit funkelnden Augen ihren Zeigefinger in die Höhe, »und zehnmal mehr noch seinen schurkischen Bedienten. Ich glaubte damals, *Sie* hätten sich in sie verliebt.«

»Ich?!«

»Kind, Kind! O über meine Blindheit!« rief Miss Mowcher, rang leidenschaftlich die Hände und ging vor dem Ofenvorsetzer auf und ab. »Warum flossen Sie nur so über von ihrem Lob und wurden so rot und verlegen!«

Allerdings war das der Fall gewesen, aber aus einem ganz andern Grund, als es ihr geschienen hatte.

»Was wußte ich!« Miss Mowcher zog ihr Taschentuch heraus und stampfte jedesmal mit dem Fuß auf den Boden, wenn sie es mit beiden Händen an ihre Augen drückte. »Er schmeichelte Ihnen und beschwatzte Sie, das sah ich wohl, und Sie waren wie weiches Wachs in seinen Händen. Kaum hatte ich das Zimmer eine Minute verlassen, als mir sein Bedienter sagte, daß die ›junge Unschuld‹ – so nannte er Sie, und Sie können ihn in Zukunft die ›alte Sünde‹ nennen –, sich in sie verliebt hätte, daß sie aber leichtsinnig sei und Steerforth gern habe. Doch sei sein Herr entschlossen, es zu nichts Schlimmem kommen zu lassen – mehr um Ihret- als um des Mädchens willen. Und daß er und sein Herr deshalb in Yarmouth wären. Mußte ich ihm nicht glauben? Ich sah, wie Steerforth sie Ihretwegen lobte. Sie nannten zuerst ihren Namen. Sie gaben zu, früher einer ihrer Bewunderer gewesen zu sein, und wurden abwechselnd rot und blaß, wenn ich nur von ihr sprach. Konnte ich etwas anderes denken, als daß Sie ein junger Lebemann seien, wenn auch ohne Erfahrung, aber bereits in richtigen Händen? O! O! O! – Die beiden befürchteten, ich möchte der Wahrheit auf den Grund kommen!« rief Miss Mowcher aus, streckte die kurzen Arme gen Himmel und ging in tiefem Schmerz in der Küche auf und ab. »Weil ich ein kleines, schlaues Ding bin – muß ich es doch sein, wenn ich überhaupt bestehen will –, und sie führten mich ganz und gar hinters Licht und gaben mir an das arme Mädchen einen

Brief mit, der die erste Veranlassung war, daß sie mit Littimer sprach.«

Ich war ganz betäubt bei der Enthüllung solcher Perfidie und konnte bloß Miss Mowcher ansehen, wie sie in der Küche auf und ab ging, bis sie ganz außer Atem war. Dann setzte sie sich wieder auf den Ofenvorsetzer, wischte sich die Augen und schüttelte lange, ohne ein Glied zu rühren, den Kopf, und ohne ein einziges Wort zu sprechen.

»Meine Reisen«, fing sie endlich wieder an, »führten mich vorgestern abend nach Norwich. Was ich dort von dem heimlichen Kommen und Gehen der beiden, ohne daß Sie seltsamerweise dabei waren, erfuhr, ließ mich Schlimmes ahnen. Ich setzte mich vorige Nacht in die Landkutsche und bin heute morgen hier eingetroffen. Ach! Zu spät!«

Der armen kleinen Mowcher war bei all dem Weinen und Klagen so kalt geworden, daß sie sich dem Feuer zudrehte und ihre kleinen, nassen Füße in die Asche steckte, um sie zu wärmen, und still vor dem Herd saß wie eine große Puppe. Ich lehnte an einem Stuhl auf der andern Seite des Ofens, in trübe Gedanken verloren, sah ins Feuer und warf manchmal einen Blick auf sie.

»Ich muß jetzt gehen«, seufzte sie nach einer Weile und stand auf. »Es ist schon spät, nicht wahr? Sie haben doch kein Mißtrauen mehr gegen mich?«

Als ich ihrem durchdringenden Blick begegnete, konnte ich es nicht übers Herz bringen, ganz offen ja zu sagen.

»Schauen Sie«, sagte sie und nahm meine Hand, um über den Ofenvorsetzer steigen zu können, und sah mir betrübt ins Gesicht, »Sie würden mir sicher nicht mißtrauen, wenn ich ein Weib von natürlicher Größe wäre.«

Ich fühlte, wieviel Wahres in ihren Worten lag, und war beschämt.

»Sie sind ein sehr junger Mann. Nehmen Sie einen Rat von mir an, wenn ich auch nur ein Dreikäsehoch bin! Verbinden Sie bei einem Anblick körperlichen Mangels nie damit die Voraussetzung eines geistigen, wenn Sie nicht sehr guten Grund dazu haben!«

Ich ließ sogleich jeden Argwohn fallen. Ich versicherte, daß ich ihr vollständig vertraue und daß wir beide blinde Werkzeuge in arglistigen Händen gewesen wären. Sie dankte mir dafür und sagte, ich sei ein guter Junge.

»Jetzt geben Sie acht!« rief sie aus, indem sie sich auf dem Weg nach der Tür umdrehte und mich mit emporgehaltenem Zeigefinger schlau ansah. »Ich habe Grund anzunehmen – ich habe so etwas gehört, und meine Ohren sind fein –, daß sie ins Ausland gegangen sind. Wenn sie jemals zurückkehren, einzeln oder zusammen, und ich bin noch am Leben, so kann ich, die ich immerwährend unterwegs bin, ihnen eher als irgendein anderer begegnen. Was auch immer ich erfahre, werde ich Sie wissen lassen. Wenn ich jemals irgend etwas für das arme verführte Mädchen tun kann, so werde ich es, so Gott will, getreulich vollbringen. Und für Littimer wäre es besser, ein Bluthund wäre ihm auf den Fersen als die kleine Mowcher!«

Ich schenkte, als ich den Blick bemerkte, mit dem sie diese Worte sprach, ihrer Versicherung unbedingten Glauben.

»Trauen Sie mir nicht mehr, aber auch nicht weniger zu als einer Frau von natürlicher Größe«, sagte sie und erfaßte bittend meine Hand. »Wenn Sie mich jemals wiedersehen und ich mich wieder so benehme wie damals, so denken Sie daran, in welcher Gesellschaft ich mich befinde. Vergessen Sie nicht, daß ich ein hilf- und wehrloses, kleines Geschöpf bin. Stellen Sie sich mich vor mit einem Bruder oder einer Schwester, die gleich mir Zwerge sind und mit denen ich abends nach geschehener Arbeit beisammen bin. Vielleicht werden Sie dann nicht so sehr zweifeln, daß auch ich ernst und bekümmert sein kann. Gute Nacht!«

Ich gab Miss Mowcher mit einer ganz andern Meinung als früher die Hand und öffnete die Tür, um sie hinauszulassen. Es war keine Kleinigkeit, ihr den großen Regenschirm so in die Hand zu geben, daß er das gehörige Gleichgewicht behielt, aber es gelang mir endlich, und ich sah ihn durch den Regen die Straße hinabschwanken, ohne daß man im geringsten merkte, daß jemand darunter ging, außer wenn ein ungewöhnlich starker Guß aus einer Dachrinne ihn auf die Seite drückte und Miss Mowcher in angestrengtem Bemühen, ihn wieder aufzurichten, sehen ließ. Nach ein oder zwei Ausfällen, die ich zu ihrer Unterstützung machte, die aber jedesmal durch das unbeirrte Weiterhüpfen des Regenschirms unnütz erschienen, begab ich mich wieder in das Haus, ging zu Bett und schlief bis zum Morgen.

Früh kamen Mr. Peggotty und meine alte Kindsfrau zu mir, und wir gingen zusammen auf die Station, wo Mrs. Gummidge und Ham zum Abschied auf uns warteten.

»Masr Davy«, flüsterte Ham und zog mich beiseite, während Mr. Peggotty seinen Ölzeugsack verstaute. »Es ist ganz aus mit ihm. Er weiß nicht, wo er hingeht, er weiß nicht, was vor ihm liegt, er tritt eine Wanderung an bis zum Ende seiner Tage, wenn er nicht findet, was er sucht. Ich weiß, Sie werden sein Freund sein, Masr Davy!«

»Verlassen Sie sich darauf«, sagte ich und schüttelte ihm ernst die Hand.

»Danke, danke, Sir! Nur noch eins! Ich habe gute Arbeit, das wissen Sie ja, Masr Davy, und weiß jetzt nicht, was ich mit meinem Verdienst anfangen soll. Geld ist für mich von keinem Nutzen mehr. Wenn Sie es für ihn anwenden könnten, würde ich mit leichterem Herzen an die Arbeit gehen. Sie dürfen dabei nicht denken, Sir«, – er sprach dies sehr ruhig und gelassen – »daß ich nicht auch sonst immer wie ein Mann nach besten Kräften arbeiten würde.«

Ich sagte ihm, ich sei davon durchdrungen und deutete sogar auf die Möglichkeit hin, daß er doch einmal noch das einsame Leben, an das er jetzt natürlich immer denken müßte, aufgeben werde.

»Nein, Sir!« Er schüttelte den Kopf. »Damit ists vorbei. Niemand kann den Platz ausfüllen, der leer ist. Aber Sie werden das von dem Geld doch nicht vergessen? Es wird immer etwas für ihn zurückgelegt sein.«

Ich machte Ham darauf aufmerksam, daß doch Mr. Peggotty ein sicheres, wenn auch bescheidenes Einkommen aus der

Hinterlassenschaft seines verstorbenen Schwagers beziehe, gab ihm aber zu gleicher Zeit das gewünschte Versprechen. Dann nahmen wir Abschied von einander. Selbst jetzt noch kann ich nicht ohne Schmerz zurückdenken, mit welcher Fassung er seinen tiefen Kummer trug.

Es läßt sich kaum schildern, wie Mrs. Gummidge neben dem Wagen herlief und durch die Tränen, die sie zu unterdrücken suchte, nichts als Mr. Peggotty sah und immer mit den Leuten, die des Weges kamen, zusammenrannte. Sie setzte sich schließlich auf die Türstufe eines Bäckerladens nieder, ganz außer Atem, den Hut bis zur Formlosigkeit zerdrückt und nur einen Schuh an; der andere lag in ziemlicher Entfernung auf dem Pflaster.

Als wir unser Reiseziel erreicht hatten, war unser erster Schritt, uns nach einer kleinen Wohnung für Peggotty, wo auch ihr Bruder schlafen könnte, umzusehen. Wir hatten das Glück, bald eine sehr reinliche und billige, nur zwei Straßen weit von mir oberhalb eines Wachszieherladens, zu finden. Dann kaufte ich etwas kaltes Fleisch in einem Eßwarengeschäft und nahm meine Reisegefährten mit nach Haus zum Tee; ein Schritt, der, wie ich zu meinem Bedauern konstatieren mußte, durchaus nicht Mrs. Crupps Billigung fand. Offenbar fühlte sie sich sehr gekränkt, weil Peggotty, bevor sie noch zehn Minuten bei mir war, ihr Witwenkleid aufschürzte und mein Schlafzimmer auszukehren begann. Das betrachtete Mrs. Crupp als eine Freiheit, die sich Peggotty herausnahm, und sie werde nie gestatten, sagte sie, daß sich irgend jemand etwas herausnähme.

Mr. Peggotty hatte mir während der Reise nach London etwas gesagt, was mir nicht ganz unerwartet kam. Er wollte nämlich vor allen Dingen Mrs. Steerforth aufsuchen. Da ich mich verpflichtet fühlte, ihm darin beizustehen und zwischen den beiden zu vermitteln, andererseits Mrs. Steerforths mütterliche Gefühle soviel wie möglich schonen wollte, so schrieb ich noch am Abend an sie. In so milden Ausdrücken wie möglich teilte ich ihr mit, was ihr Sohn getan, und inwieweit ich selbst die Mitschuld trug. Ich schrieb, daß Mr. Peggotty wohl ein Mann von niederem

Stande, aber von redlichster und vornehmster Denkungsweise sei und daß ich zu hoffen wagte, sie werde ihm in seinem schweren Leid eine Zusammenkunft nicht versagen. Ich bestimmte zwei Uhr nachmittags als die Stunde unseres Kommens und schickte den Brief mit der ersten Frühpost ab.

Zur bestimmten Stunde standen wir an der Tür – an der Tür des Hauses, wo ich noch vor wenigen Tagen so glücklich gewesen, wo mein junges Herz so warm und vertrauensvoll geschlagen hatte und das, mir von nun für immer verschlossen, eine Ruine und eine Wüste für mich war.

Kein Littimer zeigte sich. Das angenehme Gesicht, das ich statt des seinigen schon bei meinem letzten Besuch erblickt hatte, erschien auf unser Klopfen und führte uns in den Salon. Dort saß Mrs. Steerforth, Rosa Dartle glitt, als wir eintraten, aus einer Zimmerecke zu ihr und stellte sich hinter ihren Stuhl.

Ich sah sogleich an dem Gesicht der Mutter, daß James ihr selbst alles gesagt hatte. Es war sehr blaß und trug die Spuren einer tiefern Bewegung, als mein Brief, der in ihr gewisse Zweifel zugelassen haben würde, hätte erzeugen können. Sie sah ihm ähnlicher als je. Ich fühlte mehr, als ich es sah, daß diese Ähnlichkeit auch meinem Begleiter nicht entging. Sie saß aufrecht in ihrem Lehnstuhl, mit unbeweglichem, leidenschaftslosem Gesicht, als ob sie nichts aus der Fassung bringen könnte. Sie sah Mr. Peggotty, als er vor ihr stand, sehr fest an, und auch er zuckte mit keiner Wimper. Rosa Dartles scharfer Blick ruhte auf uns allen. Einige Augenblicke lang wurde kein Wort gesprochen.

Mrs. Steerforth bot Mr. Peggotty einen Stuhl an. Er sagte mit leiser Stimme: »Ich würde es für unnatürlich halten, Maam, mich hier in diesem Hause niederzusetzen. Ich möchte lieber stehen bleiben.«

Darauf folgte wieder eine Pause, die Mrs. Steerforth mit den Worten unterbrach:

»Ich weiß zu meinem tiefen Bedauern, was Sie hierher führt. Was wünschen Sie von mir? Was soll ich für Sie tun?«

Er nahm den Hut unter den Arm, zog Emlys Brief aus der Tasche, faltete ihn auf und überreichte ihn ihr.

»Bitte, lesen Sie das, Maam. Er ist von meiner Nichte.«

Sie las den Brief in derselben leidenschaftslosen Weise – ungerührt, wie es schien, von seinem Inhalt – und gab ihn zurück.

»Wenn er mich nicht als seine Gattin zurückbringt«, – sagte Mr. Peggotty und wies mit dem Finger auf die Stelle. »Ich will wissen, Maam, ob er sein Wort halten wird.«

»Nein.«

»Warum nicht?«

»Es ist unmöglich! Er würde sich damit unheilbar kompromittieren. Sie wissen doch, daß sie weit unter seinem Stande ist.«

»So erheben Sie sie!« sagte Mr. Peggotty.

»Sie hat weder Erziehung noch Bildung.«

»Vielleicht, vielleicht auch nicht«, sagte Mr. Peggotty. »Ich glaube es nicht, Maam, aber ich habe kein Urteil in solchen Dingen. Erziehen Sie sie!«

»Da Sie mich schon zwingen, offner zu reden, was ich sehr ungern tue, so muß ich sagen, daß ihre niedrigen verwandtschaftlichen Beziehungen es unmöglich machen.«

»Hören Sie, Maam«, erwiderte Peggotty leise und ruhig. »Sie wissen, was es heißt, sein Kind zu lieben! Ich weiß es auch! Wenn sie hundertmal mein eignes Kind wäre, könnte ich sie nicht mehr lieben. Sie wissen nicht, was es heißt, sein Kind verlieren. Ich weiß es! Alle Reichtümer der Welt wären mir nicht zu viel, sie zurückzukaufen. Aber retten Sie sie vor der Schmach, und wir werden ihr nie zur Schande gereichen. Keiner von all denen, unter denen sie aufgewachsen ist und denen sie so viele Jahre alles war, soll ihr liebes Gesicht wiedersehen. Wir werden zufrieden sein, an sie denken zu können, als ob sie weit weg von uns unter einem andern Himmel und unter einer andern Sonne wäre; wir werden sie mit ihrem Gatten und – vielleicht – der Sorge für ihre Kleinen allein lassen und die Zeit erwarten, wo wir alle gleich sind vor Gott.«

Seine schlichte Beredsamkeit blieb nicht ohne Wirkung. Mrs.

Steerforth behielt ihr stolzes Wesen bei, aber in ihrer Stimme lag eine gewisse Milde, als sie antwortete:

»Ich suche nichts zu beschönigen. Ich erhebe keine Gegenanklage, aber es tut mir leid wiederholen zu müssen, es ist unmöglich. Eine solche Heirat würde die Zukunft meines Sohnes und alle seine Aussichten unwiederbringlich vernichten. Nichts ist gewisser, daß sie nie stattfinden kann und nie stattfinden wird. Wenn ich es auf eine andre Art gutmachen kann –«

»Ich sehe das Ebenbild des Gesichtes vor mir«, unterbrach sie Mr. Peggotty, und seine Augen flammten auf, »das mich angesehen hat in meinem Haus, an meinem Kamin, in meinem Boot und wo nicht sonst noch – lächelnd und freundlich, während er auf Verrat sann –, ich könnte bei dem bloßen Gedanken daran wahnsinnig werden. Wenn das Ebenbild dieses Gesichtes nicht zu brennendem Feuer wird bei dem Einfall, mir für die Schande und das Verderben meines Kindes Geld anzubieten, so ist das schlimm genug. Ich weiß nicht, da ich jetzt doch eine Dame vor mir habe, welcher von beiden Fällen der schlimmere ist.«

Mrs. Steerforths Ausdruck veränderte sich im Augenblick.

Eine jähe Röte überflog ihr Gesicht, und sie sagte heftig, die Armlehnen des Stuhles mit den Fingern umklammernd:

»Und welche Entschädigung können Sie mir geben, daß Sie eine solche Kluft geöffnet haben zwischen mir und meinem Sohn? Was ist Ihre Liebe gegen die meine? Was ist Ihr Verlust gegen den unsern?«

Miss Dartle legte leise die Hand auf ihre Schulter und flüsterte ihr etwas zu, aber sie wollte nicht hören.

»Nein, Rosa, kein Wort weiter: Soll er hören, was ich ihm zu sagen habe. Mein Sohn, der der einzige Zweck meines Lebens war, dem jeder meiner Gedanken galt, dem ich jeden Wunsch erfüllte von Kindheit an, von dem ich nie getrennt war seit seiner Geburt, läuft jetzt mit einem elenden Mädchen davon und meidet mich. Er lohnt mein Vertrauen mit systematischer Täuschung ihretwegen und verläßt mich ihretwegen. Er wirft eine tolle Laune in die Waagschale und opfert seine Mutter, seine

Pflicht, seine Liebe, seine Dankbarkeit – alle meine Ansprüche an ihn, die jeder Tag und jede Stunde seines Lebens zu immer festeren Banden hätte machen müssen. Ist mir damit vielleicht kein Unrecht zugefügt?«

Abermals bemühte sich Rosa Dartle, sie zu besänftigen, doch umsonst.

»Nicht ein Wort, Rosa, sage ich! Wenn James sein Alles auf das geringste Etwas setzen kann, so kann ich mein Alles auf Wichtigeres setzen. Er mag mit den Mitteln, die ihm meine Liebe gegeben hat, gehen, wohin er will. Glaubt er, er werde durch lange Abwesenheit meinen Sinn brechen, dann kennt er seine Mutter sehr schlecht! Wenn er jetzt noch seine Laune fallenläßt, so soll er mir willkommen sein. Tut er es nicht, so soll er nie lebend oder sterbend in meine Nähe kommen, solange ich meine Hand abwehrend bewegen kann. Ehe er sich nicht von ihr für immer losgesagt hat und mich demütig um Verzeihung bittet, soll er nie mehr in meine Nähe kommen. Das ist mein Recht. Das verlange ich von ihm. Das ist die Kluft, die zwischen uns liegt ... Und ist mir damit kein Unrecht geschehen?« setzte sie hinzu und sah Mr. Peggotty mit demselben stolzen, unduldsamen Blick an wie vorhin.

Als ich die Mutter diese Worte sprechen hörte, da war mir, als stünde ihr Sohn vor mir. Seine ganze eigenwillige Starrköpfigkeit sah ich in ihr. Alles, was ich von seiner irregeleiteten Energie kannte, sah ich auch jetzt in ihrem Charakter und begriff, daß er in seinen stärksten Eigenheiten derselbe war.

Sie sagte jetzt zu mir, so maßvoll wie vorhin, daß es nutzlos sei, mehr darüber anzuhören oder zu äußern, und daß sie den Besuch beendigt zu sehen wünsche.

Sie stand mit würdevoller Miene auf, um das Zimmer zu verlassen, als Mr. Peggotty ihr bedeutete, das sei unnötig.

»Befürchten Sie nicht, daß ich Ihnen noch länger lästig fallen werde, denn ich habe nichts weiter zu sagen, Maam«, sprach er und ging langsam zur Tür. »Ich kam ohne Hoffnung hierher und nehme keine mit. Ich habe getan, was ich für meine Schuldigkeit hielt, aber nicht auf Erfolg gerechnet. Dieses Haus ist für mich und die Meinigen zu unheilvoll gewesen, als daß ich vernünftigerweise anderes hätte erwarten können.«

Mit diesen Worten schieden wir, und Mrs. Steerforth blieb, ein Bild vornehmen Wesens, neben ihrem Lehnstuhl stehen.

Wir hatten über einen gepflasterten Vorhof mit gläsernen Wänden und gläsernem Dach, von Reben umrankt, zu gehen. Der Tag war schön, und die nach dem Garten führende Glastür stand offen. Als wir schon nahe dem Ausgang waren, trat Rosa Dartle mit geräuschlosem Schritt an mich heran und sprach:

»Ein schöner Einfall, diesen Menschen herzubringen!« Eines so konzentrierten Ausdrucks von Wut und Verachtung, wie er jetzt ihr Gesicht verdunkelte und in ihren jettschwarzen Augen flammte, hätte ich sie nicht für fähig gehalten. Wie immer bei großen Aufregungen trat die alte Narbe von dem Hammerwurf auffällig hervor. Als das Zucken darin jetzt wieder deutlich wurde, erhob sie die Hand und schlug darauf.

»So, der richtige Bursche, um ihn als Fürsprecher mitzubringen! Sie sind mir ein echter Mann«, sagte sie.

»Miss Dartle, Sie können doch nicht so ungerecht sein, mir die Schuld beizumessen!«

»Warum säen Sie Zwietracht zwischen diesen beiden Wahnsinnigen. Sehen Sie denn nicht, daß sie beide vor Eigenwillen und Stolz verrückt sind?«

»Tue ich denn das?«

»Ja, Sie tun es«, antwortete sie. »Warum bringen Sie diesen Menschen her?«

»Es hat ihn ins Herz getroffen, Miss Dartle. Sie wissen es vielleicht nicht.«

»Ich weiß, daß James Steerforth«, sagte sie und legte die Hand auf die Brust, wie um einen Sturm, der darin raste, niederzuhalten, »ein verderbtes Herz hat und ein Verräter ist. Aber was geht mich dieser Mensch da an und seine ordinäre Nichte.«

»Miss Dartle!« sagte ich. »Sie machen das Unrecht nur noch schlimmer. Es ist genug jetzt. Ich will nur noch das eine zum Abschied sagen, daß Sie ihm sehr unrecht tun.«

»Ich tue ihm kein Unrecht. Es ist ein schlechtes, nichtswürdiges Pack. Ich wollte, ich könnte diese Leute auspeitschen lassen.«

Mr. Peggotty ging, ohne ein Wort zu sagen, an ihr vorüber und zur Türe hinaus.

»Pfui, Miss Dartle, pfui!« sagte ich entrüstet. »Wie können Sie seinen unverdienten Schmerz so mit Füßen treten!«

»Ich möchte sie alle mit Füßen treten. Ich möchte sein Haus niederreißen lassen, und sie möchte ich brandmarken auf der Stirne, sie in Lumpen kleiden und auf die Straße werfen, daß sie verhungert! Wenn ich zu richten hätte, so müßte ich sie so sehen. Ja, mit eigner Hand würde ich es tun. Ich verabscheue sie! Wenn ich ihr jemals ihre Schande vorwerfen könnte, ich würde es tun, wo immer es ist. Wenn ich sie zu Tode hetzen könnte, würde ichs tun. Und wenn ein einziges Wort des Trostes ihr eine Erquikkung in ihrer Sterbestunde wäre, und nur ich könnte es sagen, so würde ich es verschweigen, und wenn es mir das Leben kostete.«

Die Worte allein gaben nur ein schwaches Abbild von dem Haß, der sie erfüllte und der sich in ihrer ganzen Gestalt und in ihrer verhaltenen Stimme verriet. Ich habe Leidenschaft in mancherlei Form gesehen, aber niemals mehr als in dieser.

Als ich Mr. Peggotty wieder einholte, ging er langsam und nachdenklich den Hügel hinab. Er wolle noch heute abend, jetzt, wo er alles in London erledigt, was er sich vorgenommen, seine Reise antreten. »Ich will meine Nichte suchen«, sagte er.

Wir gingen in die bescheidne Wohnung über dem Wachszieherladen, und ich sprach mit seiner Schwester über seine Absicht. Sie wußte von seinem Reiseziel nicht mehr als ich und glaubte, er habe bereits einen festen Plan im Sinn.

Ich wollte ihn in seiner Verfassung nicht allein lassen, und wir aßen alle drei zusammen eine Beefsteak-Pastete – eine der vielen guten Dinge, die Peggotty ausgezeichnet zu bereiten verstand. Nach dem Essen saßen wir ein paar Stunden ziemlich wortkarg am Fenster, dann stand Mr. Peggotty auf, holte seinen Reisesack und seinen derben Stock herbei und legte beides auf den Tisch. Er nahm von dem Bargeld seiner Schwester eine kleine Summe als Abschlag auf seine Erbschaft an, so wenig, daß es meines Erachtens kaum auf einen Monat reichen konnte. Er versprach mir zu schreiben, wenn ihm etwas zustieße, hängte sich den Reisesack um, nahm Hut und Stock und sagte uns beiden Lebewohl.

»Und allen Segen auf dein Haupt, meine gute Alte!« sagte er und umarmte Peggotty, »und auf Ihres, Masr Davy«, setzte er hinzu, mir die Hand schüttelnd. »Ich will sie suchen nah und fern. Wenn sie zurückkommen sollte, während ich abwesend bin – es wird wohl nicht der Fall sein –, oder wenn ich sie zurückbringen kann, dann will ich mit ihr leben und sterben, wo niemand ihr Vorwürfe machen darf. Wenn mir etwas zustoßen sollte, so vergeßt nicht, daß meine letzten Worte für sie waren, ›meine unveränderte Liebe gehört immer noch meinem teuern Kind, und ich verzeihe ihr‹.«

Er sprach die Worte feierlich und mit entblößtem Haupt. Dann setzte er den Hut auf und ging fort. Wir begleiteten ihn bis ans Haustor. Es war ein warmer staubiger Abend und um eine Stunde, wo in der großen Verkehrsstraße, in die das Nebengäßchen mündete, vorübergehend Stille in dem ewigen Geräusch der Schritte auf dem Pflaster eintrat und die Sonne rot und abendlich glänzte. Er bog um die Ecke in ein Lichtmeer, in dem wir ihn bald aus den Augen verloren.

Oft in solchen Abendstunden mußte ich an ihn auf seiner mühevollen Pilgerfahrt und an seine Worte denken: »Ich werde sie suchen, nah und fern, und wenn mir etwas zustoßen sollte, so vergeßt nicht, daß meine letzten Worte für sie waren: ›Meine unwandelbare Liebe gehört immer noch meinem teuern Kind, und ich verzeihe ihr.‹«

33. Kapitel

Wonne

Die ganze Zeit über trug ich Dora glühender im Herzen als je. Der Gedanke an sie war mir Zuflucht in Leid und Kummer und tröstete mich sogar einigermaßen für den Verlust meines Freundes. Je mehr Mitleid ich mit mir selbst oder anderen empfand, desto mehr suchte ich Trost in Doras Bild.

Ich war sozusagen ganz in Dora aufgegangen, sozusagen ganz und gar von ihr durchtränkt.

Das erste, was ich nach meiner Rückkehr tat, war ein Nachtspaziergang nach Norwood, um dort zwei Stunden lang das Haus und den Garten wie einen Feenpalast aus Kinderträumen zu umkreisen und an Dora zu denken. Ich ging wie ein Mondsüchtiger um das Haus herum, guckte durch die Spalten in dem Gartenzaun oder hob mit größter Anstrengung mein Kinn über die verrosteten Nägel auf der obersten Planke, um den Lichtern in den Fenstern Küsse zuzuwerfen und die Nacht anzurufen, meine Dora zu beschirmen, – ich weiß nicht mehr recht, wovor, wahrscheinlich vor Feuer. Vielleicht auch vor Mäusen, die sie fürchterlich verabscheute.

Meine Liebe erfüllte mich derart, daß ich sie natürlich Peggotty anvertraute, als sie eines Abends, eifrig mit der Ausbesserung meiner Garderobe beschäftigt, neben mir saß. Selbstverständlich teilte ich ihr das große Geheimnis nur in Bruchstücken mit. Peggotty interessierte sich lebhaftest für meinen Fall, aber zu meiner Auffassung der Sache konnte sie sich nicht bekehren. Sie war außerordentlich zu meinen Gunsten eingenommen und wollte durchaus nicht begreifen, warum ich meine Zweifel hatte oder niedergeschlagen sein konnte.

»Die junge Dame kann sich zu einem solchen Verehrer gratulieren«, bemerkte sie, »und was den Alten betrifft, um Gotteswillen, was will er denn eigentlich?«

Ich bemerkte jedoch, daß der Proktortalar und die steife Halsbinde Peggotty ein wenig einschüchterten und ihr Furcht vor Mr. Spenlow einflößten, der in meinen Augen von Tag zu Tag immer ätherischer wurde, bis er in seinem Strahlenglanze mir wie ein kleiner Leuchtturm in einem Meer von Pergament und Papier vorkam, wenn er unter seinen Akten im Gerichtssaal saß.

Wenn ich bei einer Verhandlung die schläfrigen alten Richter und Doktoren ansah und bedachte, daß sie sich um Dora nicht kümmern würden, auch wenn sie sie kannten, daß keiner vor Entzücken den Verstand verloren hätte bei der bloßen Aussicht auf eine Heirat mit Dora und daß ihre bezaubernde Gitarre und ihr Gesang auch nicht einen von diesen schläfrigen Philistern einen Zoll vom Wege gelockt hätte, verachtete ich sie alle ohne Ausnahme.

Nicht ohne Stolz übernahm ich die Ordnung von Peggottys Angelegenheit. Ich ließ das Testament bestätigen, erlegte die Erbschaftssteuer, brachte Peggotty persönlich in die Bank und hatte bald alles erledigt. Dem allzu trocknen juristischen Charakter dieser Beschäftigung gaben wir dadurch eine Abwechslung, daß wir uns ein schwitzendes Wachsfigurenkabinett in Fleetstreet, das inzwischen hoffentlich geschmolzen ist, und Miss Linwoods Ausstellung ansahen, die eine Art Mausoleum für Häkelei war; dann besuchten wir noch den Tower und stiegen in die Kuppel der St.-Pauls-Kirche. Alle diese Wunderwerke machten so viel Eindruck, wie es die gegebenen Verhältnisse nur erlaubten, auf Peggotty. Bloß die St.-Pauls-Kirche wurde ihrer Ansicht nach von dem Bilde auf dem Deckel des Arbeitskästchens in verschiedenen Einzelheiten übertroffen …

Nachdem die Angelegenheiten in den Commons abgemacht war, führte ich Peggotty hinunter in die Kanzlei, um ihre Rechnung zu bezahlen. Mr. Spenlow war fortgegangen, wie mir der alte Tiffey sagte, um einen Herrn wegen eines Ehescheins zu vereidigen. Da er aber bald wiederkommen mußte, warteten wir.

Wir machten es uns in den Commons zur Regel, immer mehr oder weniger betrübt dreinzusehen, wenn wir mit Klienten in Trauer zu tun hatten. Von demselben Zartgefühl bewegt, schnitten wir immer heitere und freundliche Gesichter, wenn jemand wegen eines Trauscheins kam. Ich bereitete deshalb Peggotty darauf vor, daß sie Mr. Spenlow fast ganz von der Erschütterung über Mr. Barkis' Tod hergestellt sehen würde; und wirklich trat er auch lustig wie ein Bräutigam ein.

Aber weder Peggotty noch ich hatten Augen für ihn, als wir in seinem Begleiter – Mr. Murdstone erkannten.

Mr. Murdstone hatte sich sehr wenig verändert. Sein Haar war so voll und schwarz wie je, sein Blick so wenig vertrauenerweckend wie früher.

»Ah, Copperfield!« sagte Mr. Spenlow. »Sie kennen diesen Herrn, glaube ich.«

Ich machte Mr. Murdstone eine kalte Verbeugung. Peggotty tat, als ob sie ihn kaum kannte. Anfangs war er sehr betroffen, uns beide zusammenzusehen, faßte sich aber sogleich und kam auf mich zu.

»Ich hoffe, Sie befinden sich wohl«, sagte er.

»Das kann Sie schwerlich interessieren. Ja, wenn Sies schon wissen wollen.«

Wir sahen einander in die Augen, dann wendete er sich an Peggotty. »Und wie geht es Ihnen? Ich habe zu meinem Leidwesen erfahren, daß Ihr Gatte gestorben ist.«

»Es ist nicht der erste Verlust in meinem Leben, Mr. Murdstone«, gab ihm Peggotty, am ganzen Leibe zitternd, zur Antwort. »Ich bin nur froh, daß niemand an diesem Verlust schuldig ist.«

»O«, sagte er, »das ist ein großer Trost. Sie haben Ihre Pflicht erfüllt.«

»Ich habe keines Menschen Leben vergiftet. Gott sei Dank, nein, Mr. Murdstone! Ich habe kein liebes Geschöpf gepeinigt und gequält und in ein frühes Grab gebracht.«

Er sah sie düster – reuevoll –, wie mir vorkam, einen Augenblick an und sagte dann zu mir, ohne mir ins Gesicht zu sehen:

»Wir werden uns wahrscheinlich nicht so bald wieder treffen, wahrscheinlich zu unser beider Befriedigung, denn derartige Begegnungen können niemals angenehm sein. Ich erwarte nicht, daß Sie mich jetzt mit freundlicheren Augen ansehen werden, wo Sie sich schon damals immer gegen meine berechtigte Autorität, die nur zu Ihrem Guten und zu Ihrer Besserung angewandt wurde, auflehnten. Eine Antipathie herrscht zwischen uns –«

»Eine alte, glaube ich. –«

Er lächelte und sah mich voll Haß mit seinen dunkeln Augen an. »Sie keimte schon in ihrer Brust, als Sie noch ein Kind waren, und verbitterte das Leben Ihrer armen Mutter. Sie haben recht! Ich hoffe, Sie werden sich noch bessern.«

Damit endete das Zwiegespräch, das leise in einer Ecke der Kanzlei außerhalb von Mr. Spenlows Zimmer geführt worden war.

Mr. Murdstone sagte jetzt mit seiner sanftesten Stimme: »Gentlemen von Mr. Spenlows Beruf sind an Familienzwistigkeiten gewöhnt und wissen, wie verwickelt und schwer sie zu schlichten sind.«

Mit diesen Worten bezahlte er seinen Trauschein und verließ, von einem höflichen Glückwunsch Mr. Spenlows für sich und seine künftige Gattin begleitet, die Kanzlei.

Es wäre mir vielleicht schwerer geworden, mich Mr. Murdstone gegenüber zu bezähmen, wenn ich weniger auf Peggotty hätte achtgeben müssen.

Mr. Spenlow schien nicht zu wissen, wie ich mit Mr. Murdstone stand. Wenn er überhaupt eine Ansicht in der Sache hatte, war es die, daß meine Tante die Führerin der Regierungspartei in unserer Familie repräsentierte, während irgend jemand anders an der Spitze einer aufrührerischen Partei stehe, – so schloß ich wenigstens aus seinen Äußerungen, während Mr. Tiffey Peggottys Rechnung zusammenstellte.

»Miss Trotwood«, bemerkte er, »ist von sehr entschiedenem Charakter und gibt der Opposition nicht so leicht nach. Ich kann Ihnen nur gratulieren, Copperfield, daß Sie auf der richtigen Seite stehen. Zwistigkeiten unter Verwandten sind sehr beklagenswert aber außerordentlich häufig, und die Hauptsache ist, daß man immer auf der rechten Seite steht.«

Damit meinte er nach meinem Dafürhalten die reiche Seite.

»Ich glaube, Mr. Murdstone macht eine gute Partie«, fuhr er fort.

Ich sagte, daß ich gar nichts von der Sache wisse.

»Nach den wenigen Worten, die Mr. Murdstone fallenließ, und nach dem, was ich von seiner Schwester erfuhr, muß es eine ganz gute Partie sein.«

»Ist sie reich?« fragte ich.

»Ja, sie soll Geld haben. Sie ist auch schön, wie ich höre.«

»So, so. Ist sie noch jung?«

»Soeben mündig geworden. Vor so kurzer Zeit, daß ich fast glaube, sie hat darauf gewartet.«

»Der Herr erbarme sich ihrer!« rief Peggotty aus, so feierlich und unerwartet, daß wir alle drei ganz aus der Fassung gerieten; dann kam Tiffey mit der Rechnung.

Das Kinn in die Halsbinde gesteckt reibend, ging Mr. Spenlow die einzelnen Posten mit betrübtem Gesicht durch, als ob an allem Jorkins allein schuld wäre, und gab das Papier Tiffey mit einem Seufzer zurück.

»Ja«, sagte er, »es ist in Ordnung, ganz in Ordnung. Ich würde mich außerordentlich glücklich schätzen, Copperfield, wenn ich die Rechnung auf die Barauslagen hätte beschränken können. Aber es ist eine unangenehme Seite meines Geschäftslebens, daß ich meinen Wünschen nie freien Lauf lassen darf. Ich habe einen Associe, Mr. Jorkins!«

Da er das mit sanfter Melancholie aussprach – mehr konnte man von ihm doch nicht erwarten –, so dankte ich ihm in Peggottys Namen und bezahlte Tiffey in Banknoten. Peggotty kehrte in ihre Wohnung zurück, und Mr. Spenlow und ich gingen aufs Gericht, wo eine Scheidungsklage verhandelt wurde, die sich auf einen sehr scharfsinnigen Paragraphen stützte, der jetzt, glaube ich, abgeschafft ist, kraft dessen aber damals manche Ehe in Brüche ging. Der Gatte, dessen Vorname Thomas Benjamin war, hatte sich einen Trauschein nur auf den Namen Thomas ausstellen lassen, falls es ihm in der Ehe nicht so gefallen sollte, wie er erwartete. Und da er jetzt sich oder seine Frau satt hatte, erschien er nach einer Ehe von ein oder zwei Jahren und erklärte Thomas Benjamin zu heißen und überhaupt nicht verheiratet zu sein. Und das bestätigte das Gericht zu seiner großen Zufriedenheit.

Ich muß gestehen, daß ich so meine Zweifel über die Gerechtigkeit dieses Richterspruchs hegte und mich nicht einmal durch Betrachtung des Gleichnisses vom hohen Weizenpreis aussöhnen ließ.

Mr. Spenlow sprach die Sache mit mir durch. Er sagte: »Sehen Sie die Welt an; sie hat ihre guten und schlechten Seiten. Sehen Sie das Kirchenrecht an; es hat seine guten und seine schlechten Seiten. Alles gehört zu einem System und ist untrennbar voneinander. Sehr gut. Da haben wirs.«

Ich war nicht kühn genug, Doras Vater zu entgegnen, daß man vielleicht die Welt ein wenig bessern könnte, wenn man früh aufstünde und sich mit Eifer an die Arbeit machte; aber ich äußerte wenigstens die Meinung, daß man die Commons bessern könnte.

Mr. Spenlow riet mir angelegentlichst, solchen Gedanken, als eines Gentleman unwürdig, fallenzulassen, daß es ihm aber angenehm sein würde zu hören, in welcher Hinsicht die Commons denn verbessert werden könnten.

Wir vertieften uns in ein langes diesbezügliches Gespräch, gingen dann auf allgemeinere Themen über, und so erfuhr ich, daß in acht Tagen Doras Geburtstag sei. Mr. Spenlow sagte, er würde sich freuen, mich an diesem Tag zu einem kleinen Picknick bei sich zu sehen. Ich verlor sofort den Verstand und wurde am nächsten Tag vollständig irrsinnig, als ich ein feines, durchbrochen gerändertes Billett des Inhalts empfing: »Auf Papas Wunsch. Bitte nicht zu vergessen.«

Ich glaube, ich machte mich bei der Vorbereitung auf das herrliche Fest jeder nur denkbaren Überspanntheit schuldig. Ich werde noch heute rot, wenn ich an die Krawatte denke, die ich mir kaufte. Meine Stiefel würden in jede Sammlung von Folterwerkzeugen gepaßt haben. Ich erstand einen delikaten kleinen Speisekorb, der an sich fast schon eine Liebeserklärung bedeutete. Er enthielt unter anderm Knallbonbons mit den zärtlichsten Sprüchen, die sich für Geld auftreiben ließen. Um sechs Uhr früh war ich schon auf dem Covent-Garden-Markt und kaufte ein Sträußchen für Dora. Um zehn Uhr saß ich im Sattel – ich hatte mir einen feurigen Eisenschimmel gemietet –, die Blumen unter dem Hut, um sie frisch zu erhalten, und trabte nach Norwood.

Als ich Dora im Garten erblickte und tat, als könne ich das Haus nicht finden, um noch einmal vorbeireiten zu können, mag ich damit wohl die übliche Dummheit begangen haben, deren sich Jünglinge in meiner Verfassung befleißen. Als ich dann glücklich das Haus entdeckte und an der Gartentür abstieg und mich in meinen grausamen Stiefeln über den Rasenplatz hinschleppte, ach, wie herrlich sah sie da auf der Gartenbank unter dem Holunderbaum aus an dem schönen Morgen, mit ihrem weißen Strohhut und dem himmelblauen Kleid, von Schmetterlingen umflattert.

In ihrer Gesellschaft befand sich eine junge Dame – verhältnismäßig ältlich, nämlich – zwanzig Jahre. Sie hieß Miss Mills, und Dora nannte sie Julie. Sie war ihre Busenfreundin. Glückliche Miss Mills! Jip war auch da und mußte mich wieder anbellen. Als ich meinen Strauß überreichte, fletschte er aus Eifersucht die Zähne. Er hatte allen Grund dazu.

Wenn er die leiseste Ahnung gehabt hätte, wie sehr ich seine Herrin anbetete, hätte er es erst recht tun müssen.

»O, ich danke Ihnen, Mr. Copperfield. Was für hübsche Blumen!« sagte Dora. Ich wollte erwidern – ich hatte mir einen herrlichen Satz während der drei letzten Meilen einstudiert –, daß auch ich sie für schön gehalten, solange ich sie nicht neben ihr gesehen, aber ich konnte es nicht herausbringen. Ihr Anblick verwirrte mich zu sehr. Sie die Blumen an ihr hübsches Kinn mit den kleinen Grübchen legen zu sehen, hieß alle Geistesgegenwart und Sprachgewandtheit einbüßen. Es wundert mich nur, daß ich nicht sagte, »wenn Sie ein Herz haben, Miss Mills, töten Sie mich, lassen Sie mich hier sterben.«

Dann gab Dora meine Blumen Jip zu riechen. Aber Jip

knurrte und wollte nicht. Und Dora lachte und hielt sie ihm noch näher an die Nase. Jip faßte mit seinen Zähnen eine Geraniumblüte und zauste sie hin und her wie eine Katze. Und Dora schlug ihn und schmollte und sagte: »Meine armen schönen Blumen«, so mitleidig, wie mir vorkam, als ob er mich zerzaust hätte. O, wäre es doch so gewesen!

»Sie werden gewiß gern hören, Mr. Copperfield«, sagte Dora, »daß die abscheuliche Miss Murdstone verreist ist. Sie ist auf ihres Bruders Hochzeit und wird wenigstens drei Wochen wegbleiben. Ist das nicht herrlich?«

Ich erwiderte, es müsse gewiß für sie herrlich sein, und versicherte ihr, alles, was für sie herrlich sei, sei es auch für mich. Miss Mills lächelte dazu mit wohlwollend überlegner Weisheit.

»Sie ist das unangenehmste Ding, das mir jemals vorgekommen ist«, sagte Dora. »Du kannst dir gar nicht denken, wie grämlich und abscheulich sie ist, Julie.«

»Ich kanns mir schon denken«, sagte Julie.

»Ja, du kannst es«, entgegnete Dora und legte die Hand auf den Arm ihrer Freundin. »Verzeih, daß ich dich nicht gleich ausnahm.«

Ich entnahm daraus, daß Miss Mills im Lauf eines langen wechselvollen Lebens viele Prüfungen erduldet haben mußte. Vermutlich stammte daher das Wohlwollen in ihrem Benehmen. Im Lauf des Tages fand ich heraus, daß es sich tatsächlich so verhielt. Miss Mill war unglücklich verliebt gewesen und hatte sich nach schrecklichen Erfahrungen von dem Getriebe der Welt zurückgezogen.

Mr. Spenlow kam heraus, und Dora ging auf ihn zu und sagte: »Schau nur, Papa, was für wunderschöne Blumen!« und Miss Mills lächelte gedankenvoll, als wollte sie sagen: Ihr jungen Schmetterlinge erfreut euch nur eures Daseins am hellen Morgen des Lebens. Dann gingen wir zu dem Wagen, der zur Abfahrt bereit stand.

Nie wieder werde ich einen solchen Ausflug mehr mitmachen. Dora, Miss Mills und Mr. Spenlow saßen in dem offnen Phaethon. Ich ritt hinterher, Dora, das Gesicht mir zugewendet, saß auf dem Rückplatz. Sie legte das Bukett neben sich auf das Kissen und wollte Jip nicht erlauben, sich auf diese Seite zu setzen, damit er es nicht zerdrücke. Sie nahm es oft in die Hand und erquickte sich an dem Duft der Blumen. Unsere Blicke begegneten sich viele Male, und es war ein Wunder, daß ich nicht über den Kopf meines feurigen Eisenschimmels hinweg in den Wagen flog.

Ich glaube, es war staubig. Ich glaube, es war sogar sehr staubig. Ich habe so eine dunkle Erinnerung, als ob Mr. Spenlow mir Vorstellungen machte, warum ich denn so im Staube ritte, aber ich achtete nicht darauf. Ich war mir nur eines Nebels von Liebe und Schönheit um Dora herum bewußt. Mr. Spenlow stand manchmal auf und fragte mich, wie mir die Aussicht gefiele. Ich sagte, der Wahrheit gemäß, sie sei wunderschön, blickte ich doch nur auf Dora! Die Sonnenstrahlen waren: Dora, und die Vögel sangen: Dora. Der Südwind wehte: Dora; und die wilden Blüten in den Hecken waren bis auf jede Knospe lauter Doras. Mein Trost war, daß Miss Mills mich verstand. Nur Miss Mills allein begriff vollständig meine Gefühle.

Ich weiß nicht, wie lang die Fahrt dauerte, und bis heute weiß ich nicht, wo wir eigentlich hinfuhren. Vielleicht war es in die Nähe von Guildford. Vielleicht ließ ein arabischer Zauberer diesen Ort nur für uns emporsteigen und wieder versinken, als wir fort waren. Ein grüner Fleck auf einem Hügel mit weichem Rasen bedeckt. Schattige Bäume ringsumher und Heide, soweit das Auge reichte.

Wie ärgerlich, daß hier Leute auf uns warteten; meine Eifersucht, selbst gegen die Damen, kannte keine Grenzen. Alle Herren – besonders ein Kerl, drei oder vier Jahre älter als ich, mit einem roten Backenbart, auf den er sich unerträglich viel einbildete – waren meine Todfeinde.

Wir packten unsere Körbe aus und fingen an, ein Frühstück zu bereiten. Der Rotbart behauptete, er könnte Salat anmachen – ich bin anderer Meinung –, und drängte sich der allgemeinen Beachtung auf. Einige von den jungen Damen wuschen die grünen Stauden und zerschnitten sie nach seiner Anleitung. Dora unter ihnen. Ich fühlte, daß das Verhängnis mich diesem Manne feindlich gegenübergestellt hatte und daß einer von uns fallen müßte.

Der Rotbart bereitete seinen Salat; ich begriff nicht, wie man ihn essen konnte, – mich hätte nichts vermocht, ihn anzurühren. Dann widmete er sich der Herstellung eines Weinkellers – diese erfinderische Bestie – aus einem hohlen Baumstamm. Schließlich sah ich ihn auf seinem Teller den Riesenanteil eines Hummers zu Doras Füßen essen.

Ich habe nur einen dunkeln Begriff, was dann noch alles geschah. Ich tat sehr heiter, das weiß ich noch, aber es war Heuchelei. Ich gesellte mich zu einem jungen Mädchen in Rosa mit kleinen Augen und flirtete entsetzlich. Sie nahm meine Aufmerksamkeit günstig auf, ob aber meinetwegen, oder weil sie Absichten auf den Rotbart hatte, weiß ich nicht. Man brachte Doras Gesundheit aus. Als ich mittrank, tat ich, als bräche ich mein Gespräch bloß deshalb ab, und nahm es sogleich wieder auf. Ich begegnete dem Blick Doras, als ich mich vor ihr verbeugte, und er kam mir flehentlich vor. Aber sie sah mich über den Kopf des Rotbarts hinweg an, und ich blieb hart wie Stein.

Das junge Mädchen in Rosa hatte eine Mutter in Grün; und ich glaube, letztere trennte uns aus Gründen der Politik. Endlich stand die Gesellschaft auf, während die Reste des Essens weggeräumt wurden, und ich verlor mich, von Wut und Zerknirschung erfüllt, einsam unter den Baum. Ich ging eben mit mir zu Rate, ob ich Unwohlsein vorschützen und auf meinem Rosse entfliehen sollte, als ich Dora und Miss Mills begegnete.

»Mr. Copperfield«, sagte Miss Mills, »Sie sind verstimmt.«

Ich entschuldigte mich: »O, durchaus nicht!«

»Und du, Dora«, sagte Miss Mills, »bist auch verstimmt.«

»Ach Gott, nein«, sagte Dora, »nicht im geringsten.«

»Mr. Copperfield und du, Dora«, sprach Miss Mills fast feierlich, »genug jetzt! Laßt nicht durch ein kleinliches Mißverständnis die Blumen des Lenzes verwelken, die, einmal verblüht, nie mehr wiederkehren. Ich spreche aus alter Erfahrung in einer Vergangenheit – einer fernen unwiederbringlichen Vergangenheit. Die sprudelnden Quellen, die im Sonnenlicht funkeln, soll man nicht aus bloßer Laune versiegen lassen. Die Oase in der Wüste Sahara darf man nicht eitel zertreten.«

Ich weiß nicht, was ich tat, ich war blutrot über und über, aber ich nahm Doras kleine Hand und küßte sie, – und sie entzog sie mir nicht! Ich küßte Miss Mills die Hand, und wir alle stiegen nach meiner Empfindung geradenwegs in den siebenten Himmel auf.

Wir kamen nicht wieder herunter und blieben dort oben den ganzen Abend. Anfangs gingen wir unter den Bäumen auf und ab. Doras Arm lag schüchtern in meinem und, der Himmel weiß, vielleicht ists kindisch, aber wäre es nicht wirklich ein Glück gewesen, inmitten solch törichter Gefühle mit einem Schlag in das Reich der Unsterblichen versetzt zu werden, um für immer unter diesen Bäumen zu wandeln?!

Viel zu bald hörten wir die andern lachen und plaudern und rufen: »Wo ist Dora?« Wir kehrten um, und Dora sollte singen. Der Rotbart wollte die Gitarre aus dem Wagen holen. Aber Dora sagte, bloß ich wisse, wo sie liege. Der Rotbart war also für den Augenblick beseitigt, und ich holte das Futteral, schloß es auf, holte die Gitarre hervor und setzte mich neben Dora. Ich hielt ihr Taschentuch und ihre Handschuhe und trank jede Note ihrer lieben Stimme, und sie sang für mich, der sie liebte; die andern konnten applaudieren, soviel sie wollten, es ging sie ja doch nichts an.

Ich war förmlich trunken vor Freude. Ich fürchtete jeden Augenblick, in der Buckingham Straße aufzuwachen und Mrs. Crupp mit den Teetassen klappern zu hören. Aber Dora sang wirklich, und andere sangen, und Miss Mills sang – »von den Echos, die, hundert Jahre alt, schlummern in den Höhlen der Erinnerung« –, und der Abend kam, und wir kochten Tee in einem Kessel im Freien wie die Zigeuner, und ich war immer noch so glücklich wie vordem.

Glücklicher als je, als die Gesellschaft endlich aufbrach, und die andern, unter ihnen der besiegte Rotbart, ihrer Wege gingen, und auch wir den unsern einschlugen durch den stillen Abend des sterbenden Tages, während süße Düfte rings um uns emporstiegen.

Da Mr. Spenlow von dem Champagner ein wenig schläfrig geworden – Heil dem Boden, auf dem die Rebe wuchs, der Sonne, die den Wein gereift, dem Kaufmann, der ihn verfälscht hatte –, in einer Ecke des Wagens nickte, ritt ich neben dem Schlag und plauderte mit Dora. Sie bewunderte mein Pferd und tätschelte es – o, wie niedlich ihre kleine Hand sich auf dem Hals des Pferdes ausnahm –, und ihr Schal wollte nicht auf der Schulter bleiben, und dann und wann durfte ich ihn zurechtlegen. Es kam mir sogar vor, als ob Jip einzusehen anfing, wie die Sache stünde, und mit mir Freundschaft schließen wollte.

Und die scharfblickende Miss Mills, diese liebenswürdige, so weltmüde Nonne, dieser kleine Patriarch von noch nicht ganz zwanzig Jahren, die mit der Welt abgeschlossen hatte und um keinen Preis die in den Höhlen der Erinnerung schlummernden Echos wecken durfte, – wie sie gütig zu mir war!

»Mr. Copperfield«, sagte Miss Mills, »kommen Sie einen Augenblick auf die Seite des Wagens – wenn Sie einen Moment Zeit haben – ich möchte mit Ihnen sprechen.«

Und ich beugte mich von meinem Rosse auf Miss Mills herab, die Hand auf die Wagentür gestützt. Ein Bild!

»Dora kommt morgen zu Besuch zu mir auf ein paar Tage. Wenn ich Sie einladen darf, wird sich Papa glücklich schätzen, Sie kennenzulernen.«

Was konnte ich anderes tun, als einen stummen Segen auf Miss Mills Haupt herabrufen und ihre Adresse im sichersten Winkel meines Gedächtnisses aufbewahren. Mit dankbarem Blick und feurigen Worten beteuerte ich, wie sehr ich ihre Liebenswürdigkeit zu schätzen wüßte, und welch unendlichen Wert ihre Freundschaft für mich habe.

Dann entließ mich Miss Mills wohlwollend mit den Worten:

»Gehen Sie jetzt wieder zu Dora.« Und das tat ich, und Dora beugte sich aus dem Wagen heraus, um mit mir zu sprechen, und wir plauderten die ganze übrige Fahrt. Ich drängte mein wackeres Roß so dicht an das Rad, daß es sich am Vorderfuß die Haut abschürfte, wofür ich dem Besitzer 3 £ 7 sh. zahlen mußte, eine Summe, die mir angesichts so hohen Genusses lächerlich gering schien. Die ganze Zeit über sah Miss Mills den Mond an, murmelte halblaut Verse und erinnerte sich wahrscheinlich an die uralten Zeiten, wo sie und die Erde noch etwas miteinander gemein hatten.

Norwood lag viele Meilen zu nahe, und wir langten viel zu früh an. Kurz vor unserer Ankunft wachte Mr. Spenlow auf und sagte: »Sie müssen hereinkommen, Copperfield, und ein wenig ausruhen.« Ich nahm an, und wir genossen einige Sandwiches mit Wein. In dem hellen Zimmer sah Dora so bezaubernd aus, daß ich mich gar nicht losreißen konnte und sie wie im Traum anstarrte, bis Mr. Spenlows Schnarchen mich so weit zur Besinnung brachte, daß ich mich verabschiedete. Während des ganzen Rittes nach London fühlte ich noch die letzte Berührung von Doras Hand in meiner, rief mir jeden Vorfall und jedes Wort zehntausendmal zurück und ging endlich schlafen, verliebt bis zum Wahnsinn wie nur je ein junger Fant.

Als ich am nächsten Morgen aufwachte, faßte ich den festen Entschluß, Dora meine Liebe zu erklären, um mir über mein Schicksal Gewißheit zu verschaffen.

Seligkeit oder Verdammnis, das war jetzt die Frage.

Für mich gab es keine andere auf der Welt, und nur Dora konnte sie beantworten. Drei Tage brachte ich zu in grenzenloser Qual, die ich noch dadurch steigerte, daß ich mir alles, was zwischen Dora und mir vorgefallen, auf das Allerentmutigendste auslegte. Endlich begab ich mich zu Miss Mills, mit großen Kosten zu dem Zwecke angetan und den Kopf voll Liebeserklärungen. Wievielmals ich die Straße auf und ab ging und um den Platz herum, ehe ich mich entschließen konnte, die Treppen hinaufzusteigen und anzuklopfen, ist jetzt nicht mehr von Belang.

Selbst, als ich endlich geklopft hatte und an der Türe wartete, kam mir in der Aufregung der Gedanke zu fragen, ob hier Mr. Blackboy wohne – eine Erinnerung an den seligen Barkis –, um Entschuldigung zu bitten und wieder wegzugehen. Aber ich überwand mich.

Mr. Mills war nicht zu Hause. Ich erwartete es auch gar nicht. Nach ihm verlangte niemand. Miss Mills war zu Hause; Miss Mills genügte.

Man wies mich in ein Zimmer, eine Treppe hoch, wo ich sie und Dora fand. Jip war auch da. Miss Mills schrieb Noten ab – es war ein neues Lied: »Der Liebe Grabgesang« –, und Dora malte Blumen. O Gott, was ich fühlte, als ich meine eignen Blumen erkannte, den wirklichen und echten Strauß vom Covent-Garden-Markt. Man konnte zwar nicht behaupten, daß sie sehr ähnlich aussahen oder daß sie überhaupt irgendwelchen mir bekannten Blumen glichen, aber ich erkannte sie an der Papiermanschette, die ganz genau kopiert war.

Miss Mills freute sich sehr mich zu sehen. Sie bedauerte, daß ihr Papa nicht zu Hause war, aber wir schienen es alle mit großer Fassung zu tragen. Sie leitete die Konversation ein paar Minuten, legte dann ihre Feder auf »Der Liebe Grabgesang«, stand auf und verließ das Zimmer.

Ich beschäftigte mich schon mit dem Gedanken, alles auf morgen aufzuschieben.

»Ich hoffe, Ihr armes Pferd war nicht müde, als es gestern nachts nach Hause kam?« sagte Dora und schlug ihre schönen Augen auf. »Es hat einen weiten Weg gemacht.«

Ich fing an zu denken, ich wollte doch lieber heute alles sagen. »Es war ein weiter Weg für mein Pferd«, erwiderte ich, »denn es hatte auf der Reise nichts, an dem es sich erquicken konnte.

»Hat es denn kein Futter bekommen, das Ärmste?«

Ich dachte wieder, ich sollte alles doch lieber bis morgen aufschieben.

»O doch, es hat ihm an nichts gefehlt. Ich meine nur, es fühlte nicht das unaussprechliche Glück, das ich in Ihrer Nähe genoß.«

Dora beugte sich auf ihre Malerei herab und sagte nach einer kleinen Pause, während der ich wie in Fieber glühte – nur die Beine waren mir eiskalt: »Zu einer gewissen Stunde damals schienen Sie selbst dieses Glück nicht allzu sehr zu empfinden.«

Ich erkannte, daß keine Umkehr mehr möglich war.

»Sie schienen es sogar nicht im mindesten zu fühlen«, Dora zog die Augenbrauen in die Höhe und schüttelte den Kopf, »als Sie neben Miss Kitt saßen.«

Kitt hieß nämlich das Mädchen in Rosa mit den kleinen Augen. »Ich wüßte auch gar nicht, warum Sie es hätten empfinden sollen oder warum Sie es überhaupt ein Glück nennen. Aber natürlich meinen Sie es ja auch nicht im Ernst. Selbstverständlich können Sie ja auch tun, was Sie wollen. Jip, du Nichtsnutz, komm her!«

Ich weiß nicht, wie ich es anfing. Aber es war im Nu geschehen. Ich kam Jip zuvor. Ich hielt Dora in den Armen. Ich war voll Beredsamkeit. Ich war nie um ein Wort verlegen. Ich sagte ihr, wie sehr ich sie liebte, und daß ich ohne sie sterben müßte. Ich sagte ihr, ich betete sie an. Jip bellte die ganze Zeit über wie toll. Als Dora das Köpfchen sinken ließ und weinte und zitterte, da stieg meine Beredsamkeit noch, und je verzückter ich wurde, desto mehr bellte Jip. Jeder von uns wurde nach seiner Weise von Minute zu Minute toller. Endlich saßen Dora und ich, leidlich beruhigt, nebeneinander auf dem Sofa, und Jip lag auf ihrem Schoß und zwinkerte mich friedlich an. Die Last war von meinem Herzen genommen. Seligkeit! Dora und ich waren verlobt.

Ich glaube, wir hatten so eine dunkle Ahnung, daß zuletzt eine Hochzeit draus werden sollte. Es muß wohl so gewesen sein, denn Dora bestand darauf, daß wir ohne die Einwilligung ihres Papas nie heiraten dürften. Aber ich glaube nicht, daß wir uns in unserer jugendlichen Ekstase eigentlich um die Zukunft oder die Vergangenheit irgendwie bekümmerten oder an etwas anderes dachten als an die blinde Gegenwart. Wir beschlossen, die Sache vor Mr. Spenlow geheimzuhalten, und ich glaube nicht, daß ich das auch nur einen Augenblick für unehrenhaft hielt.

Miss Mills sah noch gedankenvoller drein als gewöhnlich, als sie mit Dora, die sie suchen gegangen war, zurückkam, – ich fürchte, weil das Vorgefallene ganz danach angetan war, die »in den Höhlen der Erinnerung schlummernden Echos« zu wecken. Sie gab uns ihren Segen und die Versicherung ihrer unwandelbaren Freundschaft und sprach zu uns in Gemeinplätzen, wie es sich für eine Stimme aus der Abgeschiedenheit schickte.

Was für eine traumhaft glückliche, törichte Zeit das war, – die Zeit, als ich an Doras Finger Maß nahm für einen Ring aus Vergißmeinnicht, und der Juwelier, dem ich es gab, mich durchschaute und über dem Bestellbuch lachte und mir so seinen eignen Preis abverlangte für den hübschen kleinen Ring mit den blauen Steinen!

So unzertrennlich verbunden ist dieser Ring mit meiner Erinnerung an Doras Hand, daß gestern, als ich zufällig einen ähnlichen am Finger meiner eignen Tochter bemerkte, etwas wie Schmerz mein Herz durchzuckte.

Geadelt von meinem Geheimnis und der Würde, Dora zu lieben und von ihr geliebt zu werden, so hoch gehoben von meinem Gefühl, daß die Menschen mir wie wimmelndes Gewürm erschienen, ging ich einher. Wir saßen beisammen in dem Garten auf dem Platz in dem alten Sommerpavillon so glücklich, daß mir heute noch alles lieb ist, was mit jener Zeit zusammenhängt; und aus keinem andern Grund als diesem habe ich die Londoner Sperlinge so gern und sehe in ihrem berußten Gefieder die glänzenden Farben tropischer Vögel.

Ach, und die Zeit, als wir uns das erste Mal zankten, acht Tage nach unserer Verlobung, und Dora mir den Ring in einem verzweiflungsvollen Brief zurückschickte, in dem sie die schrecklichen Worte gebrauchte, daß »unsere Liebe in Torheit begonnen und in Wahnsinn geendet habe«, und ich mir die Haare raufte und schrie, daß alles vorüber sei! Im Dunkel der Nacht noch eilte ich zu Miss Mills, sprach sie dann in einer Waschküche auf dem Hof, in der eine Mangel stand, und flehte sie an, zwischen uns zu vermitteln und mich vor dem Wahnsinn zu retten. Und freundlich übernahm Miss Mills die Vermittlung, brachte mir Dora zurück, um uns von der Kanzel ihrer eignen verbitterten Jugenderinnerung herab zu gegenseitiger Nachgiebigkeit und zur äußersten Vorsicht gegenüber den Oasen in der Wüste Sahara zu ermahnen. Und wir weinten und versöhnten uns wieder und waren so glücklich, daß die Waschküche mit der Mangel und all dem Zubehör zu einem Tempel der Liebe wurde, in dem wir einen Plan zu täglichem Briefwechsel in Miss Mills' Hände legte.

Was für eine traumhaft glückliche, törichte Zeit! Von allen, die ich durchlebt, ist keine, an die ich so zärtlich und voll Lächeln zurückdenken kann.

34. Kapitel

Eine große Überraschung

Ich schrieb sogleich nach meiner Verlobung an Agnes einen langen Brief, in dem ich ihr begreiflich zu machen suchte, wie glücklich ich sei und welchen Schatz ich in Dora gefunden. Ich bat sie, es ja nicht als eine oberflächliche Leidenschaft zu betrachten, die jemals verfliegen könnte oder nur im mindesten den kindischen Verliebtheiten gliche, wegen deren sie mich immer zu necken pflegte. Ich versicherte ihr, daß die Tiefe unserer Gefühle unergründlich sei, und sprach die Überzeugung aus, daß so etwas noch nie existiert habe.

Zuweilen, wenn ich an Agnes an einem schönen Abend am offnen Fenster schrieb und die Erinnerung an ihr klares, ruhiges Auge und ihr sanftes Antlitz mich beschlich, kam ein solcher Frieden über mich, daß ich weich wurde bis zu Tränen.

Von Steerforth sagte ich nichts. Ich schrieb nur, daß Emlys Flucht in Yarmouth viel schweren Kummer angerichtet habe und daß ich deswegen doppelt litte. Ich wußte, sie würde sofort die Wahrheit erraten und nie seinen Namen zuerst erwähnen.

Auf meinen Brief erhielt ich umgehend Antwort. Als ich ihn

las, da war mir, als spräche Agnes zu mir. Er klang in meinen Ohren wie ihre herzgewinnende Stimme. Was kann ich mehr sagen!

Während meiner Abwesenheit hatte Traddles ein paarmal bei mir vorgesprochen. Er hatte Peggotty angetroffen, von ihr gehört, daß sie meine alte Kindsfrau sei, sich mit ihr rasch angefreundet und war dageblieben, um mit ihr ein wenig über mich zu plaudern. So erzählte wenigstens Peggotty, aber ich fürchte sehr, daß das Plaudern nur von ihr allein ausging und gewöhnlich lang dauerte, da es sehr schwer war, ihren Redefluß zu bremsen, wenn es sich um mich drehte.

Das erinnert mich nicht bloß, daß ich Traddles an einem gewissen Nachmittag, den er selbst bestimmt hatte, erwartete, sondern auch daran, daß Mrs. Crupp ihr Amt, wenn auch nicht ihren Lohn, aufgegeben hatte, bis Peggotty nicht mehr ins Haus käme. Nachdem sie eines Tages mit sehr schriller Stimme auf der Treppe offenbar mit einem unsichtbaren Hauskobold, – denn körperlich war sie allein – verschiedene Zwiegespräche über Peggotty gehalten, richtete sie einen Brief an mich, in dem sie ihre Ansichten in Worte faßte. Beginnend mit jenem Ausdruck von universeller Tragweite, der für jedes Ereignis im Leben paßte, nämlich, daß sie selbst Mutter sei, – wies sie darauf hin, daß sie einst ganz andere Tage gesehen, aber zu allen Zeiten ihres Lebens einen stark ausgeprägten Widerwillen gegen Spione, Eindringlinge und Denunzianten empfunden habe. Sie nenne keinen Namen, sagte sie. Wer sich getroffen fühle, der nehme sich selbst beim Ohr, aber Spione, Eindringlinge und Denunzianten, vorzüglich solche in Witwenkleidern (das war unterstrichen), habe sie stets verachtet. Wenn ein Gentleman mit aller Gewalt Spionen, Eindringlingen und Denunzianten – (sie nenne noch immer keine Namen) zum Opfer fallen wolle, so sei das seine Sache, er könne sich das nach Gutdünken einrichten, nur das eine bedinge Mrs. Crupp sich aus, nämlich, daß sie mit solchen Personen nicht in »Kontrakt« gebracht würde. Aus diesem Grunde wolle sie von weitern Dienstleistungen im obern Stockwerk enthoben sein, bis die Dinge wieder wie früher stünden und so, wie sie dieselben wünschte.

Jeden Sonntagmorgen würde ich auf dem Frühstückstisch ihr kleines Verrechnungsbuch vorfinden, und sie bäte um jedesmalige umgehende Bezahlung desselben, damit »allen Teilen Mühe und Unannehmlichkeiten« erspart blieben.

Nach diesem Brief beschränkte sich Mrs. Crupp darauf, auf den Treppen vermittelst Wasserkannen Fallen zu stellen, um Peggotty zu einem Beinbruch zu verhelfen. Ich fand es ein wenig lästig, in einem derartigen Belagerungszustand zu leben, fürchtete mich aber zu sehr vor Mrs. Crupp, um an Abhilfe zu denken.

»Mein lieber Copperfield, wie gehts dir?« sagte Traddles, der allen diesen Hindernissen zum Trotz pünktlich in meiner Tür erschien.

»Lieber Traddles, ich freue mich außerordentlich, dich endlich wiederzusehen, und es tut mir nur leid, daß ich nicht früher mit dir zusammenkommen konnte. Aber ich war so viel in Anspruch genommen –«

»Natürlich«, sagte Traddles, »ich weiß schon. ›Die Deinige‹ lebt in London, glaube ich.«

»Was sagst du da?«

»Sie – entschuldige – Miss D. meine ich«, sagte Traddles und wurde vor lauter Zartgefühl rot, »wohnt in London, glaube ich.«

»Jawohl. In der Nähe von London.«

»Meine«, sagte Traddles mit ernstem Blick, »lebt unten in Devonshire – eine von zehn Schwestern. Demzufolge bin ich nicht soviel in Anspruch genommen als du – in dieser Hinsicht.«

»Ich begreife nicht, wie du es aushalten kannst, sie so selten zu sehen.«

»Ha«, sagte Traddles gedankenvoll, »es ist auch das reinste Wunder. Wahrscheinlich ertrage ich es, Copperfield, weil ich es nicht ändern kann.«

»Wahrscheinlich«, sagte ich mit einem Lächeln und nicht ohne ein wenig zu erröten, »und weil du so geduldig und beständig bist, Traddles.«

»Mein Gott, komme ich dir wirklich so vor, Copperfield? Ich hätte mir das wirklich nicht zugetraut. Aber sie ist ein so außerordentlich liebes Mädchen, daß sie mich wahrscheinlich mit diesen guten Eigenschaften angesteckt hat. Es sollte mich gar nicht wundern. Ich versichere dir, sie denkt nie an sich und ist immer nur um die andern neun besorgt.«

»Ist sie die Älteste?«

»Ach Gott, nein. Die Älteste ist eine Schönheit.«

Er bemerkte wahrscheinlich, daß ich über die Einfalt seiner Antwort lächeln mußte, und fügte mit freundlicher Miene hinzu:

»Nicht etwa, daß meine Sophie – ein hübscher Name, Copperfield, nicht wahr –«

»Sehr hübsch.«

»Nicht etwa, daß Sophie in meinen Augen nicht auch schön wäre und in jedermanns Augen für eines der liebenswürdigsten Mädchen gelten müßte, aber wenn ich sage, die Älteste ist eine Schönheit, so meine ich, daß sie in Wirklichkeit eine –« er malte mit beiden Händen rings um sich her Wolken in die Luft. »Bezaubernd, du verstehst mich schon«, sagte er mit Energie.

»Gewiß.«

»O, ich versichere dir, wirklich etwas ganz Ungewöhnliches. Da sie aber ganz für die Gesellschaft und zum Bewundertwerden geschaffen ist, wegen der beschränkten Mittel der Familie jedoch wenig davon genießen kann, ist sie natürlich manchmal ein bißchen reizbar und verstimmt. Sophie gibt ihr aber immer ihre gute Laune wieder.«

»Sophie ist die Jüngste?«

»Ach Gott, nein«, sagte Traddles und rieb sich das Kinn. »Die beiden jüngsten sind erst neun und zehn Jahre. Sophie erzieht sie.«

»Also die zweite Tochter?«

»Nein. Sarah ist die Zweite. Die Ärmste hat irgend etwas mit dem Rückenmark. Es wird allmählich ausheilen, sagen die Ärzte, aber vorläufig muß sie mindestens zwölf Monate im Bett liegen. Sophie pflegt sie. Sophie ist die Vierte.«

»Lebt die Mutter noch?«

»O ja, sie lebt noch. Sie ist eine ganz vorzügliche Frau, aber die feuchte Gegend ist ihrer Gesundheit nicht zuträglich und – kurz, sie ist gelähmt. «

»O Gott!«

»Das ist sehr traurig, nicht wahr«, sagte Traddles, »aber vom Gesichtspunkt einer Haushaltung aus betrachtet ist es nicht gar so schlimm, denn Sophie vertritt ihre Stelle. Sie ist selbst ihr gegenüber Mutter, wie auch den neun andern.«

Ich fühlte die größte Bewunderung für die Tugenden der jungen Dame und fragte dann, mit der besten Absicht, Traddles bei seiner Gutmütigkeit möglichst vor Schaden zu bewahren, wie sich Mr. Micawber befände.

»Er befindet sich ganz wohl, Copperfield, aber ich wohne jetzt nicht mehr bei ihm.«

»Nicht?«

»Nein. Die Sache ist nämlich die«, sagte Traddles geheimnisvoll, »er hat wegen seiner momentanen Geldverlegenheiten den Namen Mortimer angenommen und geht nur nach Dunkelwerden aus und auch dann nur mit Brille. Es gab eine Exekution in unserm Haus der Miete wegen; Mrs. Micawber befand sich in so schlechter Verfassung, daß ich nicht anders konnte, als meinen Namen für den zweiten Wechsel hergeben, von dem neulich gesprochen wurde. Du kannst dir denken, wie angenehm es für mich war, Copperfield, als Mrs. Micawber wieder frischen Mut faßte.«

»Hm«, sagte ich.

»Freilich war ihr Glück nicht von langer Dauer, denn leider kam schon in der nächsten Woche eine zweite Exekution. Das versetzte dem Haushalt den Todesstoß. Ich habe mir seitdem ein möbliertes Zimmer gemietet, und die Mortimers leben ganz zurückgezogen. Du wirst mich gewiß nicht für selbstsüchtig halten, Copperfield, wenn ich dir verrate, daß der Exekutor auch meinen kleinen, runden Tisch mit der Marmorplatte und Sophies Blumentopf mitgenommen hat.«

»Das ist ein Schlag!« rief ich entrüstet.

»Es gab – es gab einen Ruck«, sagte Traddles mit seinem gewohnten Zucken bei diesem Worte. »Ich erwähne es gewiß nicht, um jemand einen Vorwurf damit zu machen, sondern aus einem ganz besondern Grund. Die Sache ist die, Copperfield, ich konnte nämlich damals die Dinge nicht zurückkaufen, erstens, weil der Gläubiger merkte, daß mir viel an ihnen lag, und den Preis entsetzlich in die Höhe trieb, und zweitens, weil ich – kein Geld hatte. Aber ich habe den Laden, in dem die Gegenstände jetzt stehen, nicht aus dem Auge verloren.« – Traddles schwelgte ordentlich im Hochgenuß seines Geheimnisses. – »Er befindet sich am obern Ende der Tottenham Court Road, und heute endlich sind sie zum Verkauf ausgestellt. Ich habe sie bloß von der andern Seite der Straße anzusehen mich getraut, denn wenn der Mann mich erblickte, wäre der Preis unerschwinglich. Da ich nun das Geld habe, ist mir der Gedanke gekommen, dich zu fragen, ob du etwas dagegen hast, wenn deine gute Kindsfrau – ich kann ihr den Laden von weitem zeigen – sie so billig wie möglich für mich zurückkaufen würde.« Die Wonne, mit der mir Traddles diesen Plan auseinandersetzte, und seine Freude über seine unendliche Schlauheit waren unbeschreiblich und stehen mir heute noch deutlich vor Augen.

Ich sagte ihm, daß Peggotty ihm mit größtem Vergnügen beistehen würde und daß wir alle drei das Schlachtfeld besichtigen gehen wollten, aber ich möchte eine Bedingung stellen, und zwar müßte er mir das feierliche Versprechen geben, niemals mehr Mr. Micawber seinen Namen oder irgend etwas sonst zu leihen.

»Mein lieber Copperfield«, sagte Traddles, »das habe ich bereits gelobt, weil ich einzusehen beginne, daß ich nicht nur leichtsinnig, sondern geradezu rücksichtslos gegen Sophie gehandelt habe. Da ich mir bereits selbst das Wort gegeben habe, brauchst du weiter nichts mehr zu befürchten, aber ich gebe es auch dir noch einmal mit größter Bereitwilligkeit. Jenen ersten unglückseligen Wechsel habe ich bereits bezahlt. Ich zweifle keinen Augenblick, daß Mr. Micawber ihn eingelöst haben würde, wenn er gekonnt hätte. Aber er konnte nicht. Übrigens muß ich noch erwähnen, was mir an Mr. Micawber sehr gefällt, Copperfield. Es bezieht sich auf den zweiten Wechsel, der noch nicht fällig ist. Er sagte mir, daß zwar bisher noch keine Deckung dafür vorhanden sei, aber daß sie vorhanden sein *werde*. Ich finde das wirklich recht offen und ehrlich.«

Ich wollte meines Freundes guten Glauben nicht wanken machen und stimmte ihm daher bei. Sodann gingen wir Peggotty abholen, da Traddles den Abend nicht bei mir zubringen wollte, teils weil er in der lebhaftesten Angst schwebte, ein Fremder könnte ihm die Sachen vor der Nase wegkaufen, teils weil es der Abend der Woche war, an dem er an seine Braut zu schreiben pflegte.

Ich werde nie vergessen, wie er um die Straßenecke herumguckte, während Peggotty um die kostbaren Sachen schacherte, und wie aufgeregt er sich benahm, als sie nach vergeblichem Handeln langsam auf uns zukam, dann aber, von dem Händler zurückgerufen, wieder umkehrte. Das Resultat war, daß sie die Sachen verhältnismäßig billig zurückkaufte und Traddles vor Freude ganz außer sich geriet.

»Ich danke Ihnen wirklich recht sehr, Frau Peggotty«, sagte Traddles, als er vernahm, daß ihm die Gegenstände diesen Abend noch in die Wohnung geschickt werden sollten, »wenn ich aber noch um eins bitten dürfte, – du mußt mich nicht für überspannt halten, Copperfield –«

Ich versicherte ihm schon im voraus das Gegenteil.

»Also wenn es möglich wäre, den Blumentopf – er gehört ja Sophie, Copperfield, – gleich jetzt zu holen, so könnte ich ihn selbst nach Hause tragen.«

Peggotty erfüllte gern seine Bitte, und er überhäufte sie mit Danksagungen und ging dann, den Blumentopf zärtlich im Arm, mit dem freudigsten Gesicht von der Welt heimwärts.

Peggotty und ich kehrten zu meiner Wohnung zurück. Da die Läden immer auf sie einen ganz besondern Reiz ausübten, schlenderte ich gemächlich die Straße entlang und wartete, während sie mit großen Augen in alle Schaufenster guckte.

So brauchten wir eine ziemlich lange Zeit, um nach dem Adelphi zu kommen. Als wir die Treppe hinaufstiegen, fiel nur auf, daß frische Fußspuren sichtbar und Mrs. Crupps sämtliche Fallen verschwunden waren. Zu unserer größten Überraschung stand meine Gangtür offen, und wir hörten drinnen Stimmen. Wir sahen einander erstaunt an, konnten uns nicht erklären, was das zu bedeuten habe, und traten ins Zimmer. Von allen Menschen auf der Welt hätte ich meine Tante und Mr. Dick am wenigsten erwartet.

Meine Tante saß auf einem Haufen Koffer, auf dem Schoß ihre Katze und ihre zwei Vögel daneben, wie ein weiblicher Robinson Crusoe und trank Tee. Mr. Dick lehnte gedankenschwer auf dem großen Drachen, den wir zuweilen hatten steigen lassen, und auch er war von Koffern umgeben.

Wir umarmten uns innig, und Mr. Dick und ich schüttelten einander herzlich die Hände, und Mrs. Crupp, die Tee bereitete und sich vor lauter Aufmerksamkeit gar nicht zu lassen wußte, sagte mit innigem Ton, sie hätte wohl gewußt, wie Mr. Copperfield das Herz überfließen würde, wenn er seine lieben Verwandten sähe.

»Hallo!« rief meine Tante Peggotty zu, die vor ihrem gebieterischen Anblick zurückbebte. »Wie geht es Ihnen?«

»Du erinnerst dich doch meiner Tante, Peggotty«, sagte ich.

»Um aller Liebe und Barmherzigkeit willen, Kind«, rief meine Tante, »nenne die Frau nicht mit diesem Südseeinsulanernamen. Wenn sie verheiratet und ihn los ist, – übrigens das beste, was sie tun konnte – warum soll sie daraus keinen Vorteil ziehen? Wie ist Ihr Name Jetzt? P...?« fragte meine Tante als Kompromiß für den ihr so verhaßten Namen.

»Barkis, Maam«, antwortete Peggotty mit einem Knix.

»Gut. Wenigstens menschlich. Es klingt wenigstens nicht so, als ob Sie einen Missionär nötig hätten. Wie geht es Ihnen, Barkis? Hoffentlich gut?«

Ermutigt durch diese gnädigen Worte und durch die dargebotene Hand, trat Barkis vor, nahm die Hand und knixte dankend.

»Wir sind beide älter geworden, sehe ich«, sagte meine Tante.

»Wir sind einander schon früher einmal begegnet. Das war eine recht nette Geschichte, damals! Trot, Liebling, bitte noch eine Tasse.«

Ich schenkte ihr pflichtschuldig ein; sie saß in ihrer gewöhnlichen steifen Haltung da, und ich wagte Einspruch gegen ihren unbequemen Sitz auf dem Koffer zu erheben.

»Ich will das Sofa herrücken oder den Lehnstuhl, Tante. Du hast es hier sehr unbequem.«

»Ich danke dir, Trot, aber ich ziehe vor auf meinem Eigentum zu sitzen.« Mit diesen Worten blickte meine Tante Mrs. Crupp scharf an und bemerkte: »Wir wollen Sie nicht länger bemühen, Maam.«

»Soll ich nicht vorher noch ein bißchen Tee aufgießen, Maam?« fragte Mrs. Crupp.

»Nein, ich danke Ihnen, Maam.«

»Oder noch ein Stück Butter heraufholen? Wollen Sie vielleicht ein frisches Ei, oder soll ich einen Schnitt Schinken rösten? Kann ich denn gar nichts für Ihre werte Tante tun, Mr. Copperfield?«

»Gar nichts, Maam«, schnitt ihr meine Tante das Wort ab. »Ich werde mir schon so behelfen. Ich danke.«

Mrs. Crupp, die unaufhörlich zum Zeichen ihrer Sanftmütigkeit gelächelt hatte und beständig den Kopf schief hielt, um auf ihre schwache Konstitution hinzuweisen, und sich zum Zeichen unbeirrbarer Dienstwilligkeit die Hände gerieben hatte, lächelte, knixte und schob sich allmählich zur Türe hinaus.

»Dick«, sagte meine Tante. »Wissen Sie noch, was ich Ihnen über Liebedienerei und Geldanbeter gesagt habe?«

Mr. Dick gab mit einem etwas erschreckten Blick, der verriet, daß er es eigentlich vergessen hatte, hastig eine bejahende Antwort.

»Mrs. Crupp gehört zu ihnen. Barkis, vielleicht sind Sie so

freundlich und sehen nach dem Tee und schenken mir noch eine Tasse ein. Es war mir unangenehm, mir von der Frau einschenken zu lassen.«

Ich kannte meine Tante hinlänglich, um zu wissen, daß sie etwas Wichtiges auf dem Herzen hatte und daß ihre so unerwartete Ankunft mehr bedeutete, als ein Fremder hätte annehmen mögen. Ich sah, wie ihr Blick auf mir ruhte, wenn sie sich unbeobachtet glaubte und wie sie innerlich sonderbar schwankte, während ihr Äußeres seine ganze Steifheit und Fassung bewahrte. Ich fing an nachzudenken, ob ich etwas getan hätte, was sie kränkte, und das Gewissen schlug mir, daß ich ihr noch nichts von Dora gesagt. War es das vielleicht? Ich wußte, sie würde sprechen, wenn sie es für gut finden würde, setzte mich neben sie, streichelte die Vögel und spielte mit der Katze und tat so unbefangen wie möglich. In Wirklichkeit war mir keineswegs danach zumute und hätte es auch nicht sein können, ganz abgesehen davon, daß Mr. Dick, der hinter meiner Tante auf dem großen Drachen lehnte, jede Gelegenheit benützte, um düster den Kopf gegen mich zu schütteln und auf sie zu deuten.

»Trot«, sagte meine Tante endlich, als sie ihren Tee getrunken, sich das Kleid sorgfältig glattgestrichen und den Mund abgewischt hatte, – »Sie brauchen nicht hinauszugehen, Barkis, – Trot, bist du ein fester und selbständiger Charakter geworden?«

»Ich hoffe es, Tante.«

»Wie meinst du das?«

»Nun, ich glaube es, Tante.«

»Also rate einmal« – sie blickte mich ernst an – »warum, meinst du, sitze ich heute abend lieber auf diesem meinem Eigentum?«

Ich schüttelte ratlos den Kopf.

»Weil es alles ist, was ich habe. Weil ich ruiniert bin, mein Liebling.« Wenn das Haus und wir mit ihm in den Fluß hinabgefallen wären, hätte ich kaum mehr erschrocken sein können.

»Dick weiß es«, sagte meine Tante und legte ihre Hand ruhig auf meine Schulter. »Ich bin ruiniert, lieber Trot. Alles, was ich noch auf der Welt besitze, befindet sich hier in diesem Zimmer, mit Ausnahme des Häuschens, und das sucht Janet zu vermieten. Barkis, ich möchte ein Bett für diesen Herrn haben! Der Ersparnis wegen könnten Sie vielleicht auch für mich hier irgend etwas zurechtmachen. Irgend etwas. Es ist nur für die eine Nacht. Wir werden morgen weiter darüber reden.«

Ich war ganz starr vor Erstaunen und Sorgen um sie und nur um sie und wurde nur dadurch herausgerissen, daß sie mir einen Augenblick lang um den Hals fiel und mir weinend sagte, daß sie bloß meinetwegen bekümmert sei. In der nächsten Minute hatte sie ihre Bewegung wieder unterdrückt und sagte mehr triumphierend als niedergeschlagen:

»Wir müssen Schicksalsschlägen kühn ins Gesicht sehen und dürfen uns nicht einschüchtern lassen, Liebling. Wir müssen lernen, die Komödie zu Ende zu spielen. Wir müssen das Unglück müde machen, Trot.«

35. Kapitel

Niedergeschlagenheit

Sobald ich meine Geistesgegenwart, die mich beim ersten überwältigenden Eindruck der eben gehörten Nachricht ganz und gar verlassen, wiedergewonnen hatte, schlug ich Mr. Dick vor, mit mir zu dem Wachszieher zu gehen, wegen des durch Mr. Peggottys Abreise freigewordnen Bettes.

Der Laden des Wachsziehers befand sich auf dem Hungerfordmarkt. Der Platz sah damals noch ganz anders aus als jetzt, und vor dem Tor war ein niedriger Säulengang aus Holz angebracht, der Mr. Dick außerordentlich gefiel. Das Haus glich einem der bekannten altmodischen Wettergläser mit den zwei drehbaren Figuren.

Ich glaube, der Glorienschein, in diesem stolzen Bauwerk wohnen zu dürfen, hätte Mr. Dick für vielerlei Ungemach entschädigt, aber da eigentlich mit Ausnahme der sonderbaren Gerüche, die dem Laden entströmten, und des vielleicht ein wenig beschränkten Raumes keines zu ertragen war, versetzte ihn die neue Wohnung in umso größeres Entzücken. Mrs. Crupp hatte ihm zwar verächtlich versichert, daß dort nicht Platz genug wäre, um eine Katze zu schaukeln, aber Mr. Dick bemerkte sehr richtig zu mir, indem er sich aufs Bettende niedersetzte: »Du weißt, Trotwood, ich will gar keine Katze schaukeln. Ich schaukle nie Katzen. Was geht das also mich an?«

Ich versuchte zu erfahren, ob er etwas über die plötzlichen einschneidenden Veränderungen in den Verhältnissen meiner Tante wüßte. Wie vorauszusehen, hatte er keine Ahnung. Er konnte mir nichts sagen, als daß meine Tante vorgestern zu ihm geäußert hatte:

»Jetzt wollen wir einmal sehen, Dick, ob Sie wirklich der Philosoph sind, für den ich Sie halte.« Darauf habe er erwidert: ja, er hoffe es, und dann habe sie gesagt: »Ich bin zugrunde gerichtet«, und er habe darauf geantwortet: »Ach wirklich!« und sei zu seiner Freude sehr gelobt worden. Dann wären sie zu mir gereist und hätten ein paar Flaschen Porter und belegte Brote unterwegs genossen.

Mr. Dick war so ruhig und heiter, wie er mir das mit erstaunt aufgerißnen Augen und einem verwunderten Lächeln erzählte, daß ich mich leider verleiten ließ, ihm zu erklären, daß Zugrundegerichtet ein Not, Mangel und Hunger bedeute. Bald aber sah ich mich bitter bestraft für meine übereilten Worte, denn er wurde ganz blaß, und Tränen liefen ihm über die Wangen, und er warf mir einen Blick so unsäglichen Kummers zu, daß ein härteres Herz als das meinige weich geworden wäre. Ihn wieder aufzuheitern, kostete mir viel mehr Mühe, als ich vorhin gehabt, ihn in Kümmernis zu versetzen, und ich erkannte bald, was ich gleich hätte wissen können, daß er bloß zuversichtlich gewesen war, weil er in die »weiseste und wunderbarste aller Frauen« und auf die unerschöpflichen Hilfsquellen meines Geistes ein schrankenloses Vertrauen setzte. Die letztern hielt er, glaube ich, jedem nicht absolut tödlichen Übel für mindestens gewachsen.

»Was können wir nur tun, Trotwood?« fragte er. »Wir haben die Denkschrift –«

»Ja, allerdings. Gewiß. Aber alles, was wir vorderhand tun können, Mr. Dick, ist, daß wir unsern Kummer meiner Tante nicht merken lassen und ein freundliches Gesicht machen.«

Er stimmte dem auf das eifrigste bei und flehte mich an, ihn, wenn ich ihn nur einen Zollbreit von dem rechten Wege abweichen sehen sollte, durch eine jener überlegenen Methoden, die mir immer zu Gebote stünden, wieder zur Besinnung zu bringen. Aber leider muß ich sagen, daß der Schrecken, den meine unvorsichtige Mitteilung ihm eingejagt, zu stark für ihn war, als daß er ihn hätte verbergen können. Den ganzen Abend schweiften seine Blicke immer wieder zu meiner Tante hin, voll des Ausdrucks allertiefster Besorgnis, als ob er fürchte, sie jede Sekunde vor seinen Augen rapid abmagern zu sehen. Er war sich dessen wohl bewußt und nahm sich nach Kräften zusammen, aber daß er sich ganz steif hielt und nur mit den Augen rollte wie eine Maschinerie, machte die Sache nicht besser.

Ich bemerkte, wie er während des Abendessens das Brot, das zufällig klein war, betrachtete, als ob es unser letzter Rettungsanker sei. Und als die Tante ihn zum Essen nötigte, ertappte ich ihn, wie er heimlich Stücke von seinem Käse in die Tasche steckte, – ganz sicher nur, um uns mit dem Aufgehobenen wieder lebendig zu machen, wenn wir auf dem Pfade des Hungertodes entsprechend weit vorgeschritten sein würden.

Meine Tante hingegen war sehr gefaßt und darin uns allen ein Vorbild – zum mindesten mir. Sie benahm sich außerordentlich freundlich gegen Barkis, außer, wenn ich sie mit dem Namen Peggotty rief, und tat, als ob sie ganz zu Hause sei, obgleich ich recht wohl wußte, daß sie sich in London nie heimisch fühlen konnte.

Sie sollte in meinem Bett schlafen, und ich wollte mich in das Wohnzimmer legen, um sie zu bewachen. Sie legte großes Gewicht darauf, dem Flusse möglichst nah zu sein im Falle einer Feuersbrunst. Und ich glaube wirklich, sie fühlte sich durch meine Anordnung einigermaßen beruhigt.

»Lieber Trot«, sagte sie, als ich Vorbereitungen traf, ihren gewöhnlichen Schlaftrunk zu mischen. »Nein.«

»Nichts, Tante?«

»Keinen Wein, Trot, Ale!«

»Aber es ist Wein hier, Tante, und du hast ihn dir immer aus Wein bereiten lassen.«

»Heb ihn für Krankheitsfälle auf. Wir dürfen nicht verschwenderisch damit umgehen, Trot. Ale genügt. Eine halbe Pinte!«

Ich dachte, Mr. Dick würde in Ohnmacht fallen. Aber meine Tante beharrte auf ihrem Willen, und ich holte das Ale selbst. Da es schon spät wurde, benützten Peggotty und Mr. Dick die Gelegenheit, zusammen nach Hause zu gehen. Ich schied an der Ecke der nächsten Straße von dem Ärmsten. Er trug niedergeschlagen seinen großen Drachen auf dem Rücken, ein wahres Beispiel menschlicher Trübsal.

Als ich zurückkehrte, ging meine Tante im Zimmer auf und ab und kräuselte die Besatzstreifen ihrer Nachtmütze mit den Fingern. Ich wärmte das Ale und bereitete den Toast nach den gewohnten unfehlbaren Rezepten. Als der Schlaftrunk fertig war, hatte sie bereits die Nachtmütze aufgesetzt und ihren Oberrock auf die Knie zurückgeschlagen.

»Lieber Trot«, sagte sie, nachdem sie einen Löffel voll gekostet hatte, »es ist bedeutend besser als Wein, lange nicht so schwer.«

Ich muß wohl eine etwas zweifelhafte Miene gemacht haben, denn sie fügte hinzu: »Still, still, Kind! Wenn uns nichts Schlimmeres widerfährt, als daß wir Ale trinken müssen, sind wir gut dran.«

»Ich ja, Tante.«

»Wieso nur du?«

»Weil wir ganz verschieden sind.«

»Dummes Zeug und Unsinn, Trot.«

Sie fuhr mit gelassener Heiterkeit fort, das warme Ale auszulöffeln und ihre Röstschnitten zu verzehren.

»Trot, im allgemeinen sind mir fremde Gesichter gleichgültig, aber fast möchte ich sagen, daß mir deine Barkis sehr gut gefällt.«

»Das zu hören ist mir lieber als hundert Pfund.«

»Es ist doch eine ganz seltsame Welt«, bemerkte sie und rieb sich die Nase. »Wie diese Frau jemals mit diesem Namen hineingeraten konnte, ist mir unerklärlich. Es wäre doch viel leichter gewesen, als eine Jackson oder dergleichen auf die Welt zu kommen, sollte man meinen.«

»Vielleicht ist das auch ihre Ansicht; gewiß trägt sie keine Schuld daran.«

»Allerdings nicht«, murrte meine Tante widerstrebend, »aber schlimm ist es doch. Na! Wenigstens heißt sie jetzt Barkis. Wenigstens ein Trost. Barkis hat dich ungemein gern, Trot.«

»Es gibt nichts, was sie meinetwegen nicht täte«, sagte ich.

»Ja, das glaube ich auch. Was hat mich das arme Geschöpf gebeten und angefleht, etwas von ihrem Gelde anzunehmen, – ›weil sie zuviel hat.‹ Das arme Schaf.« Dabei rannen meiner Tante Tränen der Rührung in das warme Ale.

»Sie ist das lächerlichste Geschöpf, das je geboren wurde«, fuhr sie fort. »Vom ersten Augenblick an, als ich sie bei deiner Mutter, dem armen, guten Kinde, sah, erschien sie mir schon als die allerlächerlichste Person auf der Welt. Aber die Barkis hat ihre guten Seiten.«

Sie stellte sich, als ob sie lachte, trocknete sich aber heimlich die Tränen. Dann beschäftigte sie sich wieder mit ihren Röstschnitten. »Ach du meine Güte«, seufzte sie dabei, »ich weiß alles, Trot. Barkis und ich hatten eine lange Unterredung, als du mit Dick fort warst. Ich weiß alles. Ich weiß nur nicht, wo diese unglückseligen Mädchen immer hinauswollen. Sie müssen sich mit aller Gewalt den Schädel einrennen an – an Kaminsimsen –« dieser Gedanke fiel ihr wahrscheinlich ein, weil sie gerade das meinige betrachtete.

»Arme Emly!« sagte ich.

»Ach, sprich mir nicht von arm. Sie hätte sichs vorher überlegen müssen, ehe sie so viel Unheil anrichtete. Gib mir einen

Kuß, Trot. Es tut mir leid, daß du so frühzeitig so traurige Erfahrungen machen mußtest. «

Als ich mich zu ihr hinüberbeugte, stellte sie ihr Glas auf mein Knie, um mich auf dem Stuhl festzuhalten, und sagte:

»Ach Trot, Trot! du bildest dir also ein, du wärest verliebt. Wie?«

»Einbilden!« rief ich aus mit brennrotem Gesicht. »Ich bete sie aus ganzer Seele an.«

»Dora. Hm, hm«, entgegnete meine Tante. »Du wirst natürlich behaupten, das kleine Ding sei bezaubernd.«

»Liebe Tante, kein Mensch kann sich vorstellen, wie sie wirklich ist.«

»Kein Gänschen?«

»Ein Gänschen, Tante!«

Ich glaube wirklich, ich hatte mich auch nicht einen Augenblick je gefragt, ob Dora das sei oder nicht. Ich wies den Gedanken natürlich zurück, aber seine Neuheit machte einigen Eindruck auf mich.

»Nicht leichtsinnig?« fragte meine Tante.

»Leichtsinnig, Tante!«

»Schon gut, schon gut, ich frage ja nur. Ich will sie nicht herabsetzen. Armes Liebespärchen! Und ihr glaubt also, ihr wäret füreinander geschaffen und wollt ein Leben miteinander führen wie zwei kleine Zuckerpuppen, nicht wahr, Trot?«

Sie sprach so freundlich zu mir und mit so sanfter, halb scherzender, halb bekümmerter Miene, daß ich ganz gerührt war.

»Ich weiß wohl, Tante, wir sind jung und unerfahren und schwatzen viel kindisches Zeug. Aber wir lieben uns wahrhaftig, das weiß ich gewiß. Wenn ich denken könnte, daß Dora je einen andern lieben würde, so weiß ich nicht, was ich tun müßte, – ich glaube, ich würde wahnsinnig.«

»Ach Trot«, sagte meine Tante und schüttelte ernst lächelnd den Kopf, »blind, blind, blind.«

»Jemand, den ich kenne, Trot«, fuhr sie nach einer Pause fort, »hat einen fügsamen Charakter und eine Tiefe des Gemütes, die mich an das arme Kind erinnert. Nach echtem, aufrichtigem Ernst muß sich dieser jemand umsehen, damit es ihn stütze und vervollkommne, Trot! Nach wirklicher ernster Gemütstiefe!«

»Wenn du nur Dora kenntest«, rief ich aus.

»O Trot«, sagte meine Tante wieder, »blind, blind!« Und ohne zu wissen, warum und wieso, empfand ich ein dunkles Gefühl eines Mangels an etwas, das wie eine Wolke mein Gemüt verdunkelte.

»Ich will nicht etwa zwei junge Geschöpfe auseinanderbringen oder unglücklich machen, und wenn es auch eine Knaben- und Mädchenliebe ist und aus solchen Liebschaften *sehr oft* – ich sage, nicht *immer* – nichts wird, so wollen wir doch ernsthaft davon sprechen und hoffen, daß alles einen glücklichen Ausgang nimmt. Wir haben ja Zeit genug zu warten.«

Das klang für einen leidenschaftlich Verliebten nicht sehr tröstlich, aber immerhin freute es mich, daß mich meine Tante ins Vertrauen gezogen hatte, und ich bedachte, wie erschöpft sie sein mußte. So bedankte ich mich denn bei ihr innigst für den Beweis ihrer Liebe und für alles andre Gute, was sie an mir getan, und nach einem zärtlichen Gutenacht ging sie in mein Schlafzimmer.

Wie unglücklich fühlte ich mich, als ich mich niederlegte. Immer und immer wieder mußte ich daran denken, daß Mr. Spenlow in mir nur den armen Menschen sehen würde; daß ich nicht mehr derselbe sei wie damals, als ich mich mit Dora verlobte, und als anständiger Mensch verpflichtet wäre ihr zu sagen, wie sich mit einem Schlag meine Lage verändert habe und sie ihres Wortes entbinden müßte. Dazu kamen noch die Sorgen, wovon ich während meiner Lehrzeit, wo ich noch nichts verdiente, leben sollte. Ich mußte doch etwas für meine Tante tun und konnte nichts entdecken. Ich malte mir aus, ich würde schließlich so herunterkommen, daß ich kein Geld mehr hätte und einen schäbigen Rock tragen müßte, Dora keine kleinen Geschenke mehr bringen und keine feurigen Eisenschimmel mehr würde reiten können. Sosehr ich in all dem meine Selbstsucht erkannte, so liebte ich doch Dora zu sehr, um nicht daran denken zu müssen.

Ich wußte, daß es unrecht war, nicht immerwährend meine Tante vor Augen zu haben, aber meine Selbstsucht war so unzertrennlich von Dora, daß ich auf keine andern Gedanken kommen konnte. Wie entsetzlich unglücklich ich mich in jener Nacht fühlte!

Im Halbschlaf träumte ich von Armut in allen möglichen Gestalten. Ich ging zerlumpt einher, verkaufte Dora Zündhölzer, sechs Schachteln für einen halben Penny, saß in der Kanzlei im Nachthemd, und Mr. Spenlow machte mir Vorwürfe, daß ich in so luftiger Kleidung vor den Klienten erscheine; dann las ich wieder gierig die Brösel auf, die der alte Tiffey von seinem Frühstückszwieback, den er regelmäßig Schlag ein Uhr verzehrte, fallen ließ, und machte den hoffnungslosen Versuch, einen Eheschein für Dora und mich zu bekommen, hatte aber dafür nichts anzubieten als einen von Uriah Heeps Handschuhen, den die ganze Richterversammlung der Commons einstimmig zurückwies; und immer wälzte ich mich, mir meines eignen Zimmers mehr oder weniger bewußt, wie ein abgetakeltes Schiff in einem Meer von Bettlaken herum.

Meine Tante konnte auch nicht schlafen, und ich hörte sie mehrere Male im Zimmer auf und ab gehen. Zwei- oder dreimal kam sie in einem langen Flanelltuch, in dem sie sieben Fuß hoch aussah, wie ein Geist in mein Zimmer und trat an mein Sofa. Das erste Mal sprang ich erschrocken auf und vernahm, daß sie aus einem eigentümlich hellen Schein am Himmel schloß, die Westminster-Abtei stehe in Flammen, und wissen wollte, ob bei Umspringen des Windes Gefahr sei, daß das Feuer die Buckingham Straße ergriffe. Die beiden andern Male blieb ich still liegen, und da setzte sie sich auf einen Stuhl in meiner Nähe, murmelte leise vor sich hin: Armer Junge! und ich fühlte mich zwanzigmal unglücklicher noch durch das Bewußtsein, wie uneigennützig sie und wie selbstsüchtig ich dachte.

Ich konnte kaum glauben, daß eine Nacht, die mir so lang erschien, irgend jemand auf der Welt kürzer vorkommen könnte. Diese Betrachtung gaukelte mir eine Gesellschaft vor, wo die

Leute sich die Zeit mit Tanz vertrieben, bis alles ein Traum wurde und ich die Musik unaufhörlich eine Melodie spielen hörte und Dora unablässig tanzen sah, ohne daß sie mich im mindesten beachtete. Der Mann, der die ganze Nacht hindurch die Harfe gespielt hatte, wollte dann sein Instrument vergeblich in eine gewöhnliche Nachtmütze einwickeln, als ich aufwachte, oder besser gesagt, als ich aufhörte zu versuchen, einzuschlafen, und endlich die Sonne durch die Fenster scheinen sah.

Damals befand sich am Ende einer der Nebenstraßen, die in den Strand ausmünden, ein römisches Bad, wo ich oft hinzugehen pflegte, um eine kalte Dusche zu nehmen. Ich zog mich so still wie möglich an, überließ Peggotty die Sorge für meine Tante und stürzte mich kopfüber ins Wasser, um sodann einen Spaziergang nach Hamptstead zu machen. Ich hoffte, daß diese Erfrischung mir einen klaren Kopf verschaffen würde, und es schien auch der Fall gewesen zu sein, denn ich faßte sogleich den Entschluß, einen Versuch zu machen, ob nicht mein Lehrkontrakt aufgehoben und das Einschreibegeld wieder zurückbezahlt werden könnte. Ich ließ mir in einem Gasthaus auf der Heide ein Frühstück geben und ging auf den taubenetzten Wegen, umgeben von dem angenehmen Duft der Sommerblumen, die in den Gärten wuchsen oder in die Stadt getragen wurden, in die Kanzlei, um meinen Plan auszuführen.

Ich kam so früh, daß ich noch eine halbe Stunde vor dem Bureau auf und ab gehen mußte, ehe der alte Tiffey, der immer der erste war, mit den Schlüsseln erschien. Dann setzte ich mich in einen dunkeln Winkel, betrachtete das Sonnenlicht an den Schornsteinen gegenüber und dachte an Dora, bis Mr. Spenlow, gelockt und gekräuselt wie immer, hereintrat.

»Wie gehts, Copperfield?« sagte er. »Ein feiner Morgen.«

»Ein schöner Morgen, Sir. Könnte ich ein paar Worte mit Ihnen sprechen, ehe Sie aufs Gericht gehen?«

»Selbstverständlich«, sagte er. »Kommen Sie in mein Zimmer.«

Ich folgte ihm in sein Bureau, wo er seinen Talar anzog und

sich in einem kleinen Spiegel an der Innenseite einer Schranktür betrachtete.

»Es tut mir leid, Ihnen mitteilen zu müssen, Sir«, begann ich, »daß ich recht unangenehme Nachrichten von meiner Tante erhalten habe.«

»O Gott! Doch hoffentlich kein Schlaganfall?«

»Es hat mit Gesundheit nichts zu tun, Sir. Sie hat große Verluste erlitten. Es bleibt ihr nur mehr sehr wenig übrig.«

»Sie überraschen mich, Copperfield!« rief Mr. Spenlow.

Ich schüttelte den Kopf. »Ihre Verhältnisse haben sich derart verändert, daß ich Sie fragen möchte, ob es nicht möglich wäre, natürlich mit Aufopferung eines Teils meiner Einschreibegebühr« – das setzte ich aus freien Stücken hinzu, veranlaßt durch den Ausdruck seines Gesichts – »meinen Kontrakt rückgängig zu machen.«

Niemand kann sich eine Vorstellung machen, was dieser Vorschlag für mich bedeutete. Es war so gut wie eine Bitte, auf Gnadenwege zur Verbannung von Dora verurteilt zu werden.

»Ihren Lehrkontrakt rückgängig zu machen, Copperfield? rückgängig zu machen?«

Ich setzte mit leidlicher Fassung auseinander, daß ich wirklich nicht wüßte, woher ich meine Subsistenzmittel hernehmen sollte, wenn ich sie nicht selbst verdiente.

»Betreffs der Zukunft«, sagte ich, »hege ich keine Besorgnis –« und ich legte darauf großen Nachdruck, wie, um auf eine Möglichkeit, später einmal doch noch sein Schwiegersohn werden zu können, hinzudeuten, – aber für jetzt sei ich auf meine eignen Einkünfte angewiesen.

»Es tut mir außerordentlich leid, Copperfield, das zu hören«, sagte Mr. Spenlow. »Ganz außerordentlich leid. Es ist nicht üblich, aus solchem Anlaß Lehrkontrakte rückgängig zu machen. Es ist in keiner Hinsicht geschäftsmäßig. Es ist kein empfehlenswerter Präzedenzfall. Durchaus nicht. Andererseits –«

»Sie sind sehr gütig, Sir«, murmelte ich in der Annahme, daß er eine Ausnahme machen wolle.

»O, ich bitte sehr«, wehrte Mr. Spenlow ab. »Andererseits, wollte ich sagen, wenn es mir vergönnt wäre, freie Hand zu haben, – wenn ich nicht einen Associe hätte, – Mr. Jorkins –«

Meine Hoffnungen waren mit einem Schlage vernichtet, aber ich machte noch einen Versuch.

»Meinen Sie nicht vielleicht, Sir«, sagte ich, »wenn ich mit Mr. Jorkins spräche –«

Mr. Spenlow schüttelte entmutigend den Kopf. »Gott verhüte, Copperfield, daß ich jemand Unrecht tun sollte, am allerwenigsten Mr. Jorkins. Aber ich kenne meinen Associe, Copperfield! Mr. Jorkins ist nicht der Mann, der auf einen Vorschlag so eigentümlicher Art eingehen würde. Mr. Jorkins läßt sich nur sehr schwer von dem gewohnten Wege abbringen. Sie wissen doch, wie er ist.«

Ich wußte gar nichts von ihm, als daß er ursprünglich allein im Geschäft gewesen war und jetzt in einem kahlen Hause nicht weit vom Montagu Square wohnte, sehr spät kam und sehr früh wegging, eine Treppe höher ein kleines finsteres Bureau innehatte, wo nie Geschäfte abgewickelt wurden, auf einem Pult eine alte Papiermappe lag, ohne jeden Tintenfleck und, wie die Sage ging, zwanzig Jahre alt.

»Würden Sie etwas dagegen haben, wenn ich mit ihm davon spräche, Sir?«

»Durchaus nicht, aber ich kenne Mr. Jorkins einigermaßen. Ich wollte, es wäre anders, und ich würde mich glücklich schätzen, Ihren Wünschen entsprechen zu dürfen. Ich habe nicht das mindeste dagegen, daß Sie mit Mr. Jorkins darüber sprechen, Copperfield, – wenn Sie es der Mühe wert halten.«

Entschlossen, von dieser Erlaubnis Gebrauch zu machen, die Mr. Spenlow mir mit einem warmen Händedruck gab, setzte ich mich wieder hin, dachte an Dora und beobachtete, wie sich die Sonnenstrahlen von den Rauchfängen auf die Mauer des gegenüberliegenden Hauses stahlen, bis Mr. Jorkins kam. Dann stieg ich in sein Zimmer hinauf und überraschte ihn offenbar sehr durch mein Erscheinen.

»Nur herein, Mr. Copperfield«, sagte er. »Nur herein.«

Ich trat ein und setzte mich und brachte mein Anliegen mit denselben Worten vor wie soeben Mr. Spenlow. Mr. Jorkins war keineswegs der schreckliche Mensch, den man hätte erwarten sollen, sondern ein dicker Herr von sechzig Jahren und einem sanften Gesicht. Er verbrauchte so viel Schnupftabak, daß in den Commons die Sage ging, er lebe fast nur von diesem Reizmittel, da für einen andern Nahrungsstoff in seinem System kein Platz mehr sei.

»Sie haben wahrscheinlich darüber schon mit Mr. Spenlow gesprochen«, sagte Mr. Jorkins, als er mir sehr unruhig bis zu Ende zugehört hatte.

Ich bejahte und sagte ihm, Mr. Spenlow habe seinen Namen genannt.

»Er sagte, ich würde Einwendungen erheben?«

Ich mußte zugeben, daß Mr. Spenlow dies für wahrscheinlich gehalten hatte.

»Es tut mir leid, Ihrem Wunsche nicht willfahren zu können, Mr. Copperfield«, sagte Mr. Jorkins nervös. »Tatsache ist – aber ich habe auf der Bank zu tun, und Sie werden gewiß die Güte haben mich zu entschuldigen.«

Damit stand er in größter Eile auf und wollte das Zimmer verlassen, als ich mir noch einmal ein Herz faßte und sagte, daß sich also leider wohl die Sache nicht würde arrangieren lassen.

»Nein.« Mr. Jorkins blieb in der Türe stehen, um den Kopf zu schütteln. »Nein, ich erhebe Einwand dagegen«, sagte er rasch und ging hinaus. »Sie müssen bedenken, Mr. Copperfield«, setzte er hinzu und sah wieder zur Türe herein, »wenn Mr. Spenlow Einwendungen erhebt –«

»Persönlich macht er keine Einwendungen«, warf ich ein.

»Ja, ja, persönlich!« wiederholte Mr. Jorkins ungeduldig. »Ich versichere Ihnen, Mr. Copperfield, es sind eben Einwendungen da, die Sache ist hoffnungslos. Was sie wünschen, kann nicht geschehen. Ich – ich habe wahrhaftig auf der Bank zu tun.« Damit floh er geradezu und zeigte sich, soviel ich weiß, drei Tage lang nicht wieder in den Commons.

Da ich nichts unversucht lassen wollte, wartete ich, bis Mr. Spenlow wieder zurückkam, und erzählte ihm, was geschehen war, wobei ich ihm zu verstehen gab, daß ich nicht ohne Hoffnung sei, ihm werde es gelingen, das steinerne Herz Mr. Jorkins' zu erweichen, wenn er es nur versuchen wollte.

»Copperfield«, entgegnete Mr. Spenlow mit einem gewinnenden Lächeln«, Sie kennen meinen Associe, Mr. Jorkins, noch nicht so lange wie ich. Nichts liegt mir ferner, als Mr. Jorkins irgendwelche Unaufrichtigkeiten zuzutrauen, aber er hat eine eigentümliche Art, seinen Einwendungen Ausdruck zu verleihen, wodurch sich die Leute oft täuschen lassen. Nein, Copperfield, Mr. Jorkins läßt sich nicht umstimmen, darauf können Sie sich verlassen.«

Ich wußte gar nicht mehr, wen von beiden, Mr. Spenlow oder Mr. Jorkins, ich eigentlich für den Einwand erhebenden Firmateilhaber halten sollte, aber das eine war mir klar, daß von einer Rückzahlung der tausend Pfund nicht die Rede sein konnte. In großer Niedergeschlagenheit verließ ich die Kanzlei, immer in Gedanken mit Dora beschäftigt, und ging nach Hause.

Ich stellte mir im Geiste bereits das Allerschlimmste vor und malte mir alles im schwärzesten Lichte aus, als ein Fiaker mich einholte, neben mir hielt und mich dadurch aufblicken machte. Eine schöne Hand streckte sich mir aus dem Fenster entgegen und das Gesicht, in das ich nie ohne eine Empfindung von Beruhigung und Glück geblickt, von dem Augenblick an, wo es sich zum ersten Mal auf der eichenen alten Treppe mit dem großen breiten Geländer zurückwandte und ich seine sanfte Schönheit mit einem Kirchenfenster verglichen hatte, lächelte mir zu.

»Agnes!« rief ich entzückt, »liebe Agnes, welche Freude, gerade dich von allen Menschen auf der Welt zu sehen.«

»Wirklich?« sagte sie herzlich.

»Ich möchte so gerne mit dir sprechen. Wie wird mir das Herz so leicht, wenn ich dich nur ansehe. Wenn ich einen Zauberstab besäße, niemand anders als dich würde ich mir herbeigewünscht haben.«

»So?« – Agnes lächelte.

»Nun, vielleicht zuerst Dora«, gab ich errötend zu.

»Gewiß, zuerst Dora. Hoffentlich!« sagte Agnes lachend.

»Dann aber sofort dich! Wohin fährst du?«

Sie stand im Begriffe in meine Wohnung zu fahren, um meine Tante zu besuchen. Da das Wetter sehr schön war, schickten wir den Wagen fort, sie nahm meinen Arm, und wir gingen zusammen weiter. Sie kam mir vor wie die verkörperte Hoffnung. Wie ganz anders fühlte ich mich jetzt, wo sie neben mir ging.

Meine Tante hatte Agnes eins ihrer wunderlichen kurzen Billeten geschrieben – nicht länger als eine Banknote –, auf die sich ihre briefstellerischen Leistungen gewöhnlich beschränkten. Sie hatte darin gesagt, daß sie in Unglück geraten sei und Dover verlassen habe, sich aber sonst wohl befinde, so daß sich ihre Freunde keine Sorge um sie zu machen brauchten.

Agnes war nach London gekommen, um sie zu besuchen, da sie schon seit mehreren Jahren auf sehr gutem Fuße mit ihr stand. Die gegenseitige Zuneigung der beiden datierte von jener Zeit her, als ich in Mr. Wickfields Haus zog.

Agnes sagte, sie sei nicht allein. Ihr Papa hätte sie begleitet und – Uriah Heep.

»Also sind sie jetzt Associés?« fragte ich. »Verwünscht sei dieser Heep!«

»Ja, sie haben verschiedene Geschäfte hier abzuwickeln, und ich benützte die Gelegenheit, um ebenfalls mitzukommen. Du mußt nicht glauben, daß mein Besuch bei deiner Tante ganz allein aus Freundschaft entspringt, Trotwood, aber um es dir nur zu gestehen, ich fürchte mich, Papa mit Uriah allein reisen zu lassen.«

»Übt er immer noch denselben Einfluß auf Mr. Wickfield aus?«

Agnes nickte. »Daheim ist alles so verändert, daß du das alte liebe Haus kaum mehr wiedererkennen würdest. Sie wohnen jetzt bei uns.«

»Sie?« fragte ich.

»Mr. Heep und seine Mutter. Er schläft in deinem alten Zimmer«, sagte Agnes und sah mir ruhig in die Augen.

»Ich wollte, ich könnte seine Träume beeinflussen«, seufzte ich. »Dann würde er nicht mehr lang dort schlafen.«

»Ich habe noch mein kleines Zimmerchen, wo ich früher meine Aufgaben machte. Wie doch die Zeit vergeht! Erinnerst du dich? Das kleine getäfelte Zimmer neben dem Salon.«

»Ob ich mich noch erinnere, Agnes? Wo ich dich zum ersten Mal sah, wie du mit dem hübschen, kleinen Schlüsselkörbchen am Arm zur Türe heraustratest.«

»Ja, ja«, sagte Agnes lächelnd. »Es freut mich, daß du noch mit Liebe daran zurückdenkst. Wir waren damals sehr glücklich.«

»Ja, das waren wir, Agnes.«

»Es ist jetzt noch mein Zimmer, aber ich kann Mrs. Heep nicht immer allein lassen und muß ihr manchmal Gesellschaft leisten, wenn ich lieber allein sein möchte. Aber sonst kann ich mich über sie nicht beklagen. Wenn sie mich manchmal durch ihre ewigen Lobsprüche auf ihren Sohn langweilt, so ist das bei einer Mutter natürlich. Er handelt als guter Sohn an ihr.«

Ich blickte Agnes forschend an, konnte aber in ihren Zügen nicht entdecken, ob sie etwas von Uriahs Plänen erraten hatte. Ihre sanften, ernsten Augen sahen mich mit ihrer gewohnten schönen Offenheit an, und in ihrem Antlitz war keine Veränderung zu bemerken.

»Das Hauptübel ihrer Anwesenheit im Hause ist, daß ich nicht mehr so beständig in Papas Nähe sein und ihn bewachen kann, wenn ich mich damit nicht zu kühn ausdrücke. Spinnt Uriah Heep einen verräterischen Plan gegen ihn, so hoffe ich, daß Wahrheit und schlichte Liebe am Ende stärker sein werden. Ich hoffe, daß sie imstande sind, alles Übel und Unglück in der Welt am Ende zu überwinden.«

Ein gewisses freudiges Lächeln, das ich nie auf einem andern Gesicht gesehen, verschwand in ihren Mienen, während ich noch darüber nachdenken mußte, wie schön es sei und wie oft ich es gesehen, und sie fragte mich mit rasch verändertem Ausdruck –

wir bogen gerade in die Buckingham Straße ein –, ob ich wüßte, wie es mit dem Vermögensverlust meiner Tante zugegangen sei. Auf meine verneinende Antwort wurde sie nachdenklich, und es kam mir vor, als ob ihr Arm in dem meinen zitterte.

Wir fanden meine Tante allein und in einiger Aufregung. Eine Meinungsverschiedenheit hatte sich zwischen ihr und Mrs. Crupp über eine theoretische Frage (ob es sich für das schönere Geschlecht schicke, in möblierten Mietszimmern zu wohnen) abgespielt, und meine Tante, gegen die »Krämpf« der Mrs. Crupp gänzlich unempfindlich, hatte den Streit damit kurz abgeschnitten, daß sie dieser Dame rundheraus sagte, sie röche nach Schnaps und möchte so gut sein, lieber hinauszugehen. Beide Äußerungen betrachtete Mrs. Crupp als strafbare Beleidigungen und hatte die Absicht ausgesprochen, das »Gricht« anzurufen.

Meine Tante hatte jedoch Zeit und Muße gehabt sich zu beruhigen, denn Peggotty war mit Mr. Dick ausgegangen, um ihm die berittene Leibwache zu zeigen, – und freute sich sehr, Agnes zu sehen. Sie schien auf den erlittenen Schicksalsschlag fast stolz zu sein und empfing uns in bester Laune. Als Agnes ihren Hut ablegte und sich neben meine Tante setzte, konnte ich nicht umhin mir zu denken, daß hier so recht ihr natürlicher Platz sei. Wie fest vertraute ihr meine Tante trotz ihrer Jugend und Unerfahrenheit, und wie stark war Agnes in ihrer schlichten Liebe und Wahrhaftigkeit.

Wir sprachen von dem Vermögensverlust, und ich erzählte, wie mein Versuch heute morgen ausgefallen.

»Das war unüberlegt, Trot«, sagte meine Tante, »wenn auch gut gemeint. Du bist ein hochherziger Junge, – ich muß jetzt wohl schon sagen, junger Mann, und ich bin stolz auf dich. Soweit wäre alles gut. Aber jetzt, Trot und Agnes, wollen wir dem Fall Betsey Trotwood ins Gesicht sehen und uns klarwerden, wie alles steht.«

Ich bemerkte, daß Agnes blaß wurde und meine Tante sehr aufmerksam beobachtete. Meine Tante streichelte ihre Katze und sah Agnes ebenfalls sehr aufmerksam an.

»Betsey Trotwood also, die immer ihre Geldangelegenheiten selbst abwickelte – ich meine nicht deine Schwester, lieber Trot, sondern mich selbst –, besaß einiges Vermögen. Es kommt nicht darauf an, wieviel, aber es war genug, um zu leben. Eigentlich noch mehr; sie hatte etwas gespart und dazugelegt. Betsey deponierte ihr Vermögen für einige Zeit in der Bank und legte es dann auf den Rat ihres Anwalts in Hypotheken an. Das warf recht anständige Zinsen ab, bis Betsey ausbezahlt wurde. Jetzt hatte sich also Betsey nach einer neuen Gelegenheit, ihr Geld anzulegen, umzusehen. Sie glaubte, sie sei klüger als ihr Anwalt, der jetzt kein so guter Geschäftsmann mehr zu sein schien wie früher – ich meine deinen Vater, Agnes –, und sie setzte sich in den Kopf, das Geld auf eigne Faust zu verwalten. Sie trieb sozusagen ihre Schafe auf einen auswärtigen Markt, und zwar in einen schlechten. Zuerst verlor sie in Minenwerten und dann beim Suchen nach Schätzen im Meer und anderm Unsinn, verlor dann wieder bei Minenwerten und zum Schluß den letzten Rest in Bankpapieren. Ich weiß nicht, wieviel die Bankaktien eine Zeitlang wert waren, sie notierten sogar einmal hundert Prozent über pari. Aber die Bank stand am andern Ende der Erde und muß wohl in den Weltraum hinabgerutscht sein. Jedenfalls ging sie in Trümmer, und niemals mehr wird ein Sixpence herausschauen. Und damit ist die Geschichte aus. Je weniger man darüber spricht, desto besser.«

Meine Tante schloß ihren philosophischen Bericht mit einem triumphierenden Blick auf Agnes, deren Farbe allmählich wieder zurückkehrte.

»Ist das die ganze Geschichte, liebe Miss Trotwood?« fragte Agnes.

»Ich denke, es ist genug, mein Kind. Wenn noch mehr Geld zuzusetzen gewesen wäre, würde sie gewiß noch nicht aus sein. Es wäre Betsey schon gelungen, auch den Rest noch dem übrigen nachzuwerfen und ein zweites Kapitel daraus zu machen. Aber das Geld ist alle, und die Geschichte ist aus.«

Agnes hatte zuerst mit angehaltnem Atem zugehört, sie

wurde immer noch abwechselnd blaß und rot, atmete aber freier auf. Ich glaubte zu wissen, warum. Sie fürchtete, ihr armer Vater wäre in irgendeiner Weise an dem Geschehenen schuld.

Meine Tante faßte sie bei der Hand und lachte.

»Die Geschichte ist aus, und wenn sie nicht gestorben ist, so lebt sie heute noch glücklich und in Freuden. Vielleicht kann ich das auch noch einmal von Betsey sagen. Du, Agnes, bist ein gescheites Kind und auch du, Trot, wenigstens in manchen Dingen, in allen kann man das noch nicht behaupten«; bei diesen Worten schüttelte meine Tante mit der ihr eigentümlichen Energie den Kopf. »Was ist also zu tun? Vorerst haben wir das Häuschen, das jährlich so ungefähr siebzig Pfund einbringt. Ich glaube, wir können es dafür lassen. Das ist alles«, sagte meine Tante, die die Eigentümlichkeit hatte, wie edle Pferde mit einem Ruck mitten im schärfsten Tempo innezuhalten.

»Dann«, fuhr sie nach einer Pause fort, »haben wir Dick. Er bekommt hundert Pfund jährlich, aber das muß natürlich für ihn allein ausgegeben werden. Ich würde ihn lieber fortschicken, obgleich ich weiß, daß ich der einzige Mensch auf der Welt bin, der ihn gehörig würdigt, als daß ich ihn bei mir behielte und das Geld anders als für ihn verwendete. Wie können also, Trot und ich, am besten mit unsern Mitteln auskommen. Was meinst du, Agnes?«

»Ich meine, Tante«, fiel ich ein, »daß ich irgend etwas anfangen muß.«

»Soldat werden, meinst du wohl?« rief meine Tante ganz erschrocken, »oder zur See gehen? Ich will nichts hören. Du sollst ein Proktor werden.«

Ich wollte gerade eine neue Auseinandersetzung beginnen, als Agnes fragte, ob meine Zimmer für lange Zeit gemietet seien.

»Du triffst den rechten Punkt, meine Liebe«, sagte meine Tante. »Für die nächsten sechs Monate wenigstens sind sie nicht loszuwerden. Wir müßten sie denn anderweitig anbringen können, und daran glaube ich nicht. Der letzte Mieter starb hier. Fünf Menschen von sechsen würden natürlich an dieser Frau in Nankingkleidern mit dem flanellnen Unterrock zugrunde gehen. Ich besitze noch eine kleine Summe in bar und glaube, es ist das beste, die noch übrigen sechs Monate hierzubleiben und für Dick ganz in der Nähe ein Schlafzimmer zu suchen.«

Ich hielt es für meine Pflicht, meine Tante auf die Unannehmlichkeit eines beständigen Guerillakrieges mit Mrs. Crupp aufmerksam zu machen, aber sie beseitigte den Einwand summarisch durch die Erklärung, daß sie bei dem ersten Ausbruch von Feindseligkeiten Mrs. Crupp für den ganzen Rest ihrer Lebenszeit in höchstes Erstaunen setzen wollte.

»Ich habe mir gedacht, Trotwood«, sagte Agnes schüchtern, »daß, wenn du Zeit hättest –«

»Ich habe sehr viel Zeit, Agnes. Ich bin immer von vier oder fünf Uhr an frei und habe auch in den Morgenstunden Zeit. So und so«, sagte ich und errötete bei dem Gedanken, wie viele, viele Stunden ich in den Straßen der Stadt und auf der Landstraße nach Norwood vertrödelt hatte, »bleibt mir vollauf Zeit übrig.«

»Ich glaube, die Beschäftigung eines Sekretärs würde dir vielleicht nicht schwerfallen«, sagte Agnes, beugte sich zu mir und sprach mit leiser Stimme so lieb und voll Hoffnungsfreudigkeit, daß es mir heute noch in den Ohren klingt.

»Schwerfallen, liebe Agnes?«

»Dr. Strong hat nämlich jetzt wirklich seine Stelle niedergelegt«, fuhr sie fort, »ist nach London gezogen und hat Papa nach einem Sekretär gefragt. Meinst du nicht, er würde lieber als jeden andern seinen ehemaligen Lieblingsschüler um sich haben?«

»Liebe Agnes«, rief ich aus, »was wäre ich ohne dich! Du bist stets mein guter Engel. Ich habe es doch immer gesagt. Du bist es immer und immer wieder.«

Agnes erwiderte mit fröhlichem Lachen, daß vorläufig ein guter Engel – sie spielte auf Dora an – ausreiche, und erzählte mir, daß der Doktor gewöhnlich die frühen Morgenstunden und den Abend zu arbeiten pflegte und meine freie Zeit ihm daher vortrefflich passen würde. Die Aussicht, mir mein Brot selbst zu verdienen, war mir kaum angenehmer als die Hoffnung, bei meinem alten Lehrer angestellt zu sein; kurz, ich schrieb sofort, dem

Rate Agnes' folgend, einen Brief an ihn, worin ich meinen Wunsch vortrug und meinen Besuch für den nächsten Morgen um zehn Uhr ankündigte. Ich adressierte den Brief nach Highgate – denn in jener für mich so denkwürdigen Gegend wohnte er – und trug ihn augenblicklich selbst auf die Post.

Wo auch Agnes hinkam, immer verriet sogleich irgendein angenehmes Zeichen ihre Gegenwart und geräuschlose Tätigkeit. Als ich zurückkam, hatten die Vogelbauer meiner Tante einen Platz am Fenster gefunden, genau so, wie sie in dem Landhaus in Dover gehangen; mein Lehnstuhl, allerdings nicht so bequem wie der dortige, stand an der entsprechenden Stelle am offenen Fenster, und selbst der runde, grüne Schirm, den meine Tante mitgebracht, war auf das Fensterbrett festgeschraubt. Ich würde im Augenblick erraten haben, wer das alles gemacht und meine lange vernachlässigten Bücher in der aus der Schulzeit gewohnten Ordnung aufgestellt hatte, selbst wenn ich von Agnes' Anwesenheit nichts gewußt hätte.

Meine Tante war sehr gnädig hinsichtlich des Anblicks der Themse (der Fluß sah im Sonnenschein ganz hübsch aus, wenn auch nicht so schön wie das Meer vor dem Landhause), aber mit dem Londoner Rauch konnte sie sich nicht abfinden, der, wie sie sich ausdrückte, alles mit Pfeffer bestreue.

Wegen dieses Pfeffers wurde eine vollständige Umwälzung, bei der Peggotty eine hervorragende Rolle spielte, in jedem Winkel meines Zimmers veranstaltet, und ich sah zu und dachte, wie geräuschvoll selbst Peggotty zu hantieren schien, verglichen mit Agnes, – da klopfte es an die Tür.

»Ich glaube«, sagte Agnes und wurde blaß, »es ist Papa. Er versprach mir herzukommen.«

Ich öffnete die Tür, und nicht nur Mr. Wickfield, sondern auch Uriah Heep traten herein. Ich hatte Mr. Wickfield längere Zeit nicht gesehen. Nach Agnes' Erzählungen hatte ich mich wohl darauf gefaßt gemacht, ihn sehr verändert zu finden, aber sein Aussehen erschütterte mich geradezu.

Er sah viele Jahre älter aus, sein Gesicht zeigte eine ungesunde

Röte, aber er war immer noch mit derselben peinlichen Sorgfalt gekleidet; seine Augen waren entzündet und blutunterlaufen, und seine Hand zitterte – ich wußte warum und hatte es schon vor Jahren kommen sehen. Aber nicht sein verändertes Aussehen – von seiner vornehmen Haltung hatte er nicht das geringste eingebüßt – fiel mir so sehr auf, sondern der Umstand, daß er bei allen noch vorhandenen Zeichen einer angebornen Überlegenheit sich dieser kriecherischen Verkörperung von Gemeinheit – Uriah Heep – unterordnete. Die unnatürliche Stellung dieser beiden Charaktere zueinander, so daß Uriah jetzt der Gebieter und Mr. Wickfield der Abhängige war, machte mir einen peinlicheren und entwürdigenderen Eindruck, als wenn ich einen Affen hätte einem Menschen befehlen sehen.

Mr. Wickfield schien sich alles dessen nur zu sehr bewußt zu sein. Als er hereinkam, blieb er stehen, das Haupt gebeugt, als ob er es fühlte. Das dauerte aber nur einen Augenblick lang, denn Agnes sagte mit sanfter Stimme zu ihm:

»Papa, hier sind Miss Trotwood – und Trotwood, den du so lange nicht gesehen hast!« Und dann trat er näher, gab meiner Tante mit gezwungener Miene die Hand und schüttelte die meine mit größerer Herzlichkeit. Eine Sekunde lang sah ich, daß sich Uriahs Gesicht zu einem bösen Lächeln verzerrte. Ich glaube, auch Agnes sah es, denn sie zog sich schaudernd vor ihm zurück.

Was meine Tante sah oder nicht sah, hätte auch der scharfsinnigste Physiognom nicht aus ihren Mienen lesen können. Ich glaube, es hat nie jemand auf der Welt gegeben, der ein so vollkommen steinernes Gesicht machen konnte. Ihre Mienen hätten in dem vorliegenden Fall ebensogut kahles Mauerwerk sein können, so wenig Licht warfen sie auf ihre Gedanken, bis sie mit ihrer gewohnten Plötzlichkeit das Schweigen brach.

»Na, Wickfield!«

Er sah sie jetzt zum ersten Male an.

»Ich habe Ihrer Tochter erzählt, wie gut ich mein Geld allein angelegt habe, weil ich es Ihnen nicht anvertrauen wollte, da Sie in Geschäftssachen ein wenig schläfrig geworden zu sein schienen. Wir haben die Sache zusammen beraten und sind zu einem guten Schluß gekommen. Agnes wiegt meiner Meinung nach die ganze Firma auf.«

»Wenn ich mir die Freiheit nehmen darf«, sagte Uriah Heep und krümmte sich, »so erlaube ich mir, mit Miss Betsey Trotwood ganz übereinzustimmen, und würde mich glücklich schätzen, wenn Miss Agnes mit zum Geschäft gehörte.«

»Sie gehören ja selbst zum Geschäft«, entgegnete meine Tante, »und das ist gerade genug für Sie, sollte ich meinen. Wie befinden Sie sich?«

Auf diese Frage, die mit ungewöhnlicher Schroffheit gestellt wurde, erwiderte Heep, indem er unruhig die blaue Aktentasche umklammerte, daß er sich recht wohl befinde, meiner Tante danke und hoffe, es gehe ihr ebenso.

»Und Ihnen, Master – ich wollte sagen, Mister Copperfield?« fuhr er fort, »ich hoffe, Sie sind ebenfalls wohl. Es freut mich außerordentlich, Sie zu sehen, Mister Copperfield, selbst unter den gegenwärtigen Verhältnissen.« Ich glaubte ihm das aufs Wort, denn er strahlte vor Schadenfreude.

»Ihre gegenwärtigen Verhältnisse sind wohl nicht so, wie Ihre Freunde wünschen möchten, Mister Copperfield, aber Geld macht nicht den Mann. Es ist – meine bescheidenen Kräfte reichen wahrhaftig nicht aus, es in die richtigen Worte zu kleiden –« sagte Uriah mit einer kriechenden Bewegung, »aber Geld machts nicht.«

Dabei schüttelte er mir die Hand, nicht auf die gewöhnliche Art, sondern indem er in ziemlicher Entfernung von mir stehenblieb und meine Hand wie einen Pumpenschwengel, vor dem er sich ein wenig fürchte, auf und nieder bewegte.

»Und wie finden Sie, sehen wir aus, Master Copperfield – ich wollte sagen, Mister?« schmeichelte er weiter. »Finden Sie nicht Mr. Wickfield blühend aussehend, Sir? In unserm Geschäft machen Jahre nichts aus, Master Copperfield, außer daß sie die Demütigen, nämlich Mutter und mich, erheben – und das Schöne, nämlich Miss Agnes, entwickeln.« Er schnellte sich in so widerwärtiger Weise, daß meine Tante, die ihn starr angesehen, alle Geduld verlor.

»Der Kuckuck hole den Menschen«, sagte sie streng. »Was hat er nur? Zappeln Sie nicht so, Sir!«

»Ich bitte um Entschuldigung, Miss Trotwood«, entgegnete Uriah, »ich weiß, Sie sind nervös.«

»Halten Sie den Mund«, sagte meine Tante, durchaus nicht besänftigt. »Was erlauben Sie sich! Ich bin gar nicht nervös. Aber Sie sind ein Aal und benehmen sich so. Wenn Sie ein Mensch sind, behalten Sie Ihre Glieder in der Gewalt, Sir, – Gott im Himmel!« setzte sie mit großer Entrüstung hinzu. »Ich werde mich nicht aus meinen fünf Sinnen hinausschlängeln und korkziehern lassen.«

Wie leicht begreiflich, war Heep von dieser Explosion ziemlich bestürzt, die noch nachträglich immer stärker auf ihn wirkte, weil meine Tante mit unwilliger Miene auf ihrem Stuhl hin und her rutschte und ihm böse Gesichter schnitt. Er nahm mich beiseite und sagte zu mir in schüchternem Ton:

»Ich weiß recht wohl, Master Copperfield, daß Miss Trotwood bei aller ihrer Vortrefflichkeit ein reizbares Temperament besitzt, habe ich doch schon das Vergnügen ihrer Bekanntschaft vor Ihnen gehabt, Master Copperfield, als ich noch ein niedriger Schreiber war, und es ist nur natürlich, daß sie in den gegenwärtigen Verhältnissen noch gereizter erscheint. Es ist nur ein Wunder, daß es nicht noch schlimmer ist. Ich komme nur her, um zu erklären, daß wir sehr erfreut sein möchten, wenn mir, Mutter und ich oder Wickfield & Heep, bei den gegenwärtigen Verhältnissen etwas tun könnten. – Derf ich mir so viel herausnehmen?« fragte Uriah mit einem verlegnen Lächeln auf seinen Associe.

»Uriah Heep«, sagte Mr. Wickfield monoton und gezwungen, »ist sehr tätig im Geschäft, Trotwood. Was er sagt, hat meine volle Zustimmung, und du weißt, ich fühlte von jeher ein Interesse für dich. Aber abgesehen davon, stimme ich ganz mit Uriah überein.«

»O, was für ein Lohn es ist«, sagte Uriah und zog ein Bein in die Höhe, auf die Gefahr hin, meine Tante abermals zu reizen, »ein solches Vertrauen zu genießen. Aber ich hoffe, ich bin imstande, ihn die Mühseligkeiten des Geschäftes ein wenig abnehmen zu können, Master Copperfield. «

»Uriah Heep ist eine große Stütze für mich«, sagte Mr. Wickfield mit derselben klanglosen Stimme. »Mir ist eine Last von der Seele, Trotwood, seit ich ihn zum Kompagnon habe.«

Ich begriff, der schlaue Rotfuchs ließ ihn das alles sagen, um ihn mir in der Zwangslage vorzustellen, die er mir in jener Nacht, als er meine Ruhe vergiftete, angedeutet hatte. Ich sah wieder dasselbe häßliche Lächeln auf seinem Gesicht und bemerkte, wie er mich lauernd beobachtete.

»Du gehst doch nicht fort, Papa?« fragte Agnes ängstlich. »Willst du nicht warten, bis Trotwood und ich dich heimbegleiten?«

Mr. Wickfield schien einen fragenden Blick auf Uriah werfen zu wollen, doch kam ihm dieser zuvor.

»Ich habe Geschäfte«, sagte Uriah, »sonst würde ich mich glücklich schätzen, hierbleiben zu können. Aber ich lasse meinen Associe als Stellvertreter der Firma da. Miss Agnes, immer der Ihrige! Ich wünsche Ihnen guten Tag, Master Copperfield, und empfehle mich untertänigst bei Miss Betsey Trotwood.«

Mit diesen Worten entfernte er sich, küßte seine große Hand und schielte uns an wie eine Maske.

Wir saßen wohl ein paar Stunden lang zusammen und sprachen von den schönen alten Zeiten in Canterbury. Neben Agnes gewann Mr. Wickfield viel von seinem alten Wesen wieder, obgleich er eine gewisse Gedrücktheit nie loswerden konnte. Dennoch wurde er fröhlicher und hörte uns mit sichtlichem Vergnügen zu, wenn wir uns die vielen kleinen Vorfälle unseres frühern Zusammenlebens zurückriefen. Er sagte, er erinnere sich so gern an die Zeiten, wo er mit Agnes und mir allein gewesen, und wünschte, sie hätten sich nie geändert. In Agnes' ruhigem Antlitz und in der bloßen Berührung ihrer Hand lag etwas, das Wunder an ihm tat.

Meine Tante, die sich die ganze Zeit über in dem andern Zimmer zusammen mit Peggotty beschäftigt hatte, wollte nicht mit uns gehen, als wir aufbrachen. So aßen wir zu dritt zusammen in Mr. Wickfields Wohnung. Nach dem Essen setzte sich Agnes neben ihren Vater und schenkte ihm seinen Wein ein.

Er trank nur, was sie ihm reichte und nicht mehr – wie ein gehorsames Kind –, und wir setzten uns, als der Abend anbrach, ans Fenster. Als es fast dunkel geworden war, legte er sich auf ein Sofa, und Agnes rückte ihm die Kissen zurecht und beugte sich eine Weile über ihn, und als sie wieder zum Fenster zurückkehrte, konnte ich Tränen in ihrem Auge glitzern sehen.

Wie sie dann mit mir von Dora sprach, als wir im Dunkeln am Fenster saßen, wie sie meine Lobsprüche anhörte und miteinstimmte! Ach Agnes, Schwester meiner Jugendzeit, wenn ich damals gewußt hätte, was ich lange später erst erfuhr!

Auf der Straße begegnete ich einem Bettler, und als ich nach dem Fenster zurückblickte und an Agnes' ruhige Engelsaugen dachte, erschreckte er mich durch sein Gemurmel, das wie ein Echo des Satzes vom verflossenen Morgen klang: »Blind, blind, blind!«

36. Kapitel

Enthusiasmus

Ich fing den nächsten Tag abermals mit einem Sprung in das römische Bad an und machte mich dann nach Highgate auf den Weg. Ich war jetzt nicht mehr mutlos, ich fürchtete mich nicht mehr vor einem schäbigen Rock und fühlte keine Sehnsucht nach feurigen Eisenschimmeln. Ich sah das Unglück, das uns betroffen, heute in einem ganz andern Licht als gestern. Alles, was ich tun konnte, war, daß ich meiner Tante zeigte, daß sie ihre Güte nicht an einen gefühllosen, undankbaren Menschen weggeworfen hatte. Es blieb mir nichts anderes übrig, als an die harte

Schule meiner jungen Jahre zu denken, mit entschloßnem und standhaftem Herzen ans Werk zu gehen, die Axt zur Hand zu nehmen, um mir selbst durch den Wald von Hindernissen einen Weg zu bahnen – zu Dora. Und ich ging raschen Schrittes, als könnte ich es schon dadurch verrichten.

Als ich auf der vertrauten Straße nach Highgate dahineilte, diesmal zu einem ganz andern Zweck als damals, schien es mir, als ob sich mein Leben ganz und gar verändert hätte. Aber das entmutigte mich nicht. Mit dem neuen Leben kam neuer Zweck und neue Anstrengung. Groß war die Arbeit, unschätzbar der Preis. Dora war der Preis und Dora mußte gewonnen werden.

Ich geriet derartig in Begeisterung, daß es mir ordentlich leid tat, keinen schäbigen Rock anzuhaben. Ich sehnte mich danach, mit der Axt auf die Schwierigkeiten loszuhauen; am liebsten hätte ich einen alten Mann mit einer Drahtbrille, der am Weg Steine klopfte, um seinen Hammer gebeten, damit ich für Dora einen Pfad aus Granit bahnen könnte. Meine Aufregung versetzte mich so in Hitze und außer Atem, daß ich mir vorkam, als hätte ich wer weiß wieviel schon vollbracht. In dieser Verfassung trat ich in ein Häuschen, das zu vermieten stand. Ich besichtigte es genau, denn ich fühlte die Notwendigkeit, praktisch zu werden. Es paßte für mich und Dora ausgezeichnet. Vorn ein kleiner Garten, in dem Jip herumlaufen und durch das Gitter die Leute anbellen konnte, und oben ein schönes Zimmer für meine Tante. Ich verließ das Haus noch erhitzter als vorher und stürmte nach Highgate in einem Tempo, daß ich eine volle Stunde zu früh ankam und mich erst lange abkühlen mußte, ehe ich fähig war, vor anständigen Leuten zu erscheinen.

Meine erste Sorge war, das Haus des Doktors ausfindig zu machen. Es lag nicht in dem Teil von Highgate, wo Mrs. Steerforth wohnte, sondern auf der andern Seite des kleinen Städtchens. Sodann ging ich, von einem unüberwindlichen Drange getrieben, in ein Gäßchen neben Mrs. Steerforths Haus zurück und blickte über die Gartenmauer. Die Laden vor den Fenstern seines

Zimmers waren geschlossen. Die Tür des Gewächshauses stand offen, und Rosa Dartle ging barhaupt und mit raschem, ungestümem Schritt auf einem Kiesweg im Garten auf und ab. Sie kam mir vor wie ein wildes Tier, das sich vor den Käfigstäben an seiner Kette hin und her schleppt und sich das Herz zergrämt.

Ich wünschte, ich wäre lieber gar nicht hergekommen, stahl mich wieder fort und schlenderte bis zehn Uhr herum.

Als ich das Häuschen des Doktors erreichte – ein hübsches, altes Bauwerk, an das ziemlich viel Geld gewandt worden sein mußte, um es auszubessern und teilweise umzubauen –, sah ich meinen ehemaligen Lehrer im Garten an der Seite des Hauses auf und ab gehen, genauso mit Gamaschen und Brille wie in meiner Schulzeit. Auch viele hohe Bäume standen in seiner Nähe wie damals, und wieder hüpften zwei oder drei Krähen auf dem Rasen herum und sahen ihn an, als ob sie mit ihren Schwestern in Canterbury in Briefwechsel stünden und ihn deshalb so genau beobachteten.

Ich wußte, wie nutzlos es war, aus der Entfernung seine Aufmerksamkeit erregen zu wollen, und entschloß mich, die Türe zu öffnen und hinter ihm dreinzugehen, damit wir einander begegneten, wenn er sich umdrehte. Als er auf mich zukam, sah er mich eine Weile gedankenvoll an, offenbar im Geiste ganz woanders – , dann plötzlich erhellte sich sein wohlwollendes Gesicht, strahlte vor Freude, und er ergriff meine beiden Hände.

»Aber, mein lieber Copperfield«, sagte er, »Sie sind ja zum Manne gereift. Wie geht es Ihnen denn? Ich bin außer mir vor Freude, Sie wiederzusehen. Mein lieber Copperfield, wie Sie sich herausgemacht haben! Sie sind ja ganz – ja – weiß Gott!«

Ich sprach die Hoffnung aus, ihn wohl zu finden, ebenso Mrs. Strong.

»O ja, ja. Annie ist wohlauf und wird entzückt sein, Sie wiederzusehen. Sie waren immer ihr Liebling. Sie äußerte es schon gestern abend, als Ihr Brief kam. Und – ja – natürlich – Sie erinnern sich doch noch Mr. Jack Maldons, Copperfield?«

»Vollkommen, Sir.«

»Natürlich, natürlich! Auch ihm geht es gut.«

»Ist er wieder heimgekehrt, Sir?« fragte ich.

»Aus Indien? Ja. Mr. Jack Maldon konnte das Klima nicht vertragen. Mrs. Markleham – haben Sie nicht Mrs. Markleham vergessen?«

Den »General« vergessen! In der kurzen Zeit!

»Die arme Mrs. Markleham«, fuhr der Doktor wieder fort, »war ganz außer sich seinetwegen; so ließen wir ihn wieder zurückkehren und kauften ihm eine patente kleine Stellung, wo es ihm viel besser gefällt.«

Ich kannte Mr. Jack Maldon zu gut, um nicht zu vermuten, daß es eine Stelle war, die nicht viel Arbeit erforderte, aber desto mehr Gehalt trug. Der Doktor, die Hand auf meine Schulter gelegt und sein freundliches Gesicht mir aufmunternd zugewendet, fuhr fort, auf und ab zu gehen, und sagte:

»Um auf Ihren Vorschlag zurückzukommen, lieber Copperfield! Es ist mir gewiß höchst angenehm, aber können Sie Ihre Zeit nicht besser anwenden? Sie haben sich damals bei uns sehr ausgezeichnet. Sie eignen sich zu allem möglichen. Sie haben einen Grund gelegt, auf dem sich jedes Gebäude erheben kann, und ist es nicht jammerschade, wenn Sie die schönste Zeit Ihres Lebens einer so armseligen Beschäftigung, wie Sie sie bei mir finden, widmen?«

Ich wurde wieder sehr enthusiastisch und verlieh meiner Bitte durch poetischen Schwung einen großen Nachdruck und wies darauf hin, daß ich noch einen andern Beruf habe.

»Das ist wohl richtig«, entgegnete der Doktor, »jedenfalls macht es einen Unterschied, daß Sie schon ein bestimmtes Studium vor sich haben, aber mein lieber, junger Freund, was sind siebzig Pfund jährlich!«

»Sie verdoppeln unser Einkommen, Dr. Strong«, sagte ich.

»O Gott! Wie schrecklich! Ich wollte sagen, nicht daß ich meine, mich streng auf siebzig Pfund jährlich zu beschränken, ich habe von vornherein daran gedacht, dem jungen Mann, den ich auf diese Weise beschäftige, noch außerdem ein Präsent zu machen. Selbstverständlich denke ich auch an eine jährliche Extravergütung.«

»Mein verehrter Lehrer«, sagte ich – diesmal ohne poetischen Schwung »ich schulde Ihnen bereits mehr, als ich jemals in Worte bringen kann –«

»Nein, nein«, unterbrach mich der Doktor, »ich bitte Sie!«

»Wenn Sie mich in meiner freien Zeit – das ist morgens und abends – beschäftigen können und glauben, daß das wirklich siebzig Pfund jährlich wert ist, so erweisen Sie mir einen so großen Dienst, daß ich es gar nicht ausdrücken kann.«

»O Gott. Daß man mit so wenig Geld so viel ausrichten kann! Gott! Gott! Aber sowie Sie irgend etwas Besseres finden, müssen Sie es nehmen. Auf Ihr Wort jetzt!« Das war so seine alte Art von jeher gewesen, wenn er sich im Ernst an das Ehrgefühl von uns Schulknaben gewendet hatte.

»Auf mein Wort, Sir«, antwortete ich, unserer alten Schulgewohnheit gemäß.

»So sei es.« Er klopfte mir auf die Schulter und ging eingehängt mit mir auf und ab.

»Und ich werde noch zwanzigmal glücklicher sein, Sir«, brachte ich eine unschuldige Schmeichelei an, »wenn Sie mich mit dem Wörterbuch beschäftigen.«

Der Doktor blieb stehen, klopfte mir wieder lächelnd auf die Schulter und rief mit höchst ergötzlich anzusehendem Triumph, als ob ich bis an die äußersten Grenzen menschlichen Scharfsinns vorgedrungen wäre:

»Mein lieber junger Freund. Sie haben es erraten! Es handelt sich um das Wörterbuch.«

Wie konnte es auch anders sein. Seine Taschen waren damit so angefüllt wie sein Kopf. Er sagte mir, daß er wunderbare Fortschritte mit seiner Arbeit gemacht habe, seitdem er sich vom Unterricht zurückgezogen, und daß ihm nichts besser passen könnte als mein Vorschlag, früh und abends ein paar Stunden zu arbeiten, da er den Tag über nachdenken müsse. Seine Papiere seien ein wenig in Verwirrung geraten, weil Mr. Jack Maldon sich ihm als Sekretär angeboten habe und an diese Art Beschäftigung nicht sehr gewöhnt sei; aber wir würden bald alles in Ordnung haben und dann rasche Fortschritte machen.

Später fand ich, daß Mr. Jack Maldons frühere Bemühungen die Sache viel schwieriger gestalteten, als zu erwarten war, denn er hatte sich nicht darauf beschränkt, unzählige Fehler zu machen, sondern hatte auch auf das Manuskript des Doktors so viele Soldaten und Damenköpfe gezeichnet, daß man oft gar nichts mehr lesen konnte.

Der Doktor war sehr erfreut über die Aussicht, bald ans Werk gehen zu können, und wir setzten den Beginn auf nächsten Morgen sieben Uhr fest. Wir wollten jeden Morgen und Abend je zwei bis drei Stunden arbeiten mit Ausnahme der Samstage, wo ich mich ausruhen sollte. Dasselbe war natürlich mit den Sonntagen der Fall; die Bedingungen fielen also sehr angenehm für mich aus.

Nachdem unsere Pläne so zu unserer gegenseitigen Zufriedenheit geordnet waren, führte mich der Doktor ins Haus, um mich Mrs. Strong vorzustellen. Wir fanden sie in ihres Gatten neuem Studierzimmer beschäftigt, seine Bücher abzustauben, – eine Freiheit, die nur sie sich mit diesen Heiligtümern erlauben durfte.

Man hatte meinetwegen das Frühstück verschoben, und wir setzten uns zusammen zu Tisch. Wir saßen noch nicht lange, als ich in Mrs. Strongs Gesicht, noch ehe ich einen Laut hörte, Anzeichen, daß irgend jemand ankäme, wahrnahm. Ein Herr kam an das Tor geritten, führte das Pferd in den kleinen Hof, als ob er hier zu Hause sei, band es an einen Ring an der Mauer an und trat, die Reitpeitsche in der Hand, in das Frühstückszimmer. Es war Mr. Jack Maldon. Er schien mir in Indien durchaus nicht gewonnen zu haben. Allerdings war ich heute sehr fanatisch, besonders jungen Leuten gegenüber, die keine Bäume im Walde der Schwierigkeiten fällten, und mein Urteil muß daher mit Vorsicht aufgenommen werden.

»Mr. Jack«, stellte uns der Doktor vor, »Copperfield.« Mr.

Jack schüttelte mir die Hand, nicht besonders herzlich, wie mir vorkam, und mit einer gelangweilten Gönnermiene, die mich insgeheim sehr wurmte.

»Haben Sie schon gefrühstückt, Mr. Jack?«

»Ich frühstücke fast nie, Sir«, erwiderte er, den Kopf in den Großvaterstuhl zurückgelehnt. »Es langweilt mich.«

»Gibts etwas Neues?« fragte der Doktor.

»Gar nichts, Sir. Es verlautet, die Leute oben im Norden seien hungrig und unzufrieden. Aber irgendwo sind sie immer hungrig und unzufrieden.«

Der Doktor machte ein ernstes Gesicht und sagte, als wollte er von etwas anderm sprechen: »Und so gibt es also gar nichts Neues? Keine Nachricht, sagt man, ist eine gute Nachricht.«

»In den Zeitungen steht etwas Langes und Breites über einen Mord. Aber irgendwo wird ja immer gemordet; ich habe die Geschichte nicht gelesen.«

Eine affektierte Gleichgültigkeit allen Begebnissen und Leidenschaften der Menschheit gegenüber galt damals noch nicht wie heute als besonders vornehm. Ich habe sie später so zur Mode werden sehen, daß ich elegante Herren und Damen gekannt habe, die ebensogut als Raupen hätten geboren sein können. Vielleicht fiel es mir damals mehr auf, weil es mir etwas Neues war, aber keinesfalls erhöhte es meine Meinung von Mr. Jack Maldon, noch auch mein Vertrauen zu ihm.

»Ich wollte fragen, ob Ännie heute abend in die Oper gehen will?« fragte Mr. Maldon, zu seiner Kusine gewendet. »Es ist die letzte gute Vorstellung in der Saison, und eine Sängerin tritt heute auf, die sie sich wirklich anhören sollte. Sie ist ganz ausgezeichnet. Außerdem entzückend scheußlich«, schloß er, wieder in Gleichgültigkeit versinkend.

Der Doktor, immer voll Freude, wenn es galt, seiner jungen Frau ein Vergnügen zu bereiten, sagte:

»Du mußt gehen, Ännie, du mußt gehen.«

»Ich möchte lieber zu Hause bleiben«, entgegnete Mrs. Strong, »ich möchte wirklich lieber zu Hause bleiben.«

Ohne ihren Vetter anzusehen, wendete sie sich an mich, erkundigte sich nach Agnes und fragte, ob sie vielleicht heute auch käme, und legte dabei eine so deutliche Unruhe an den Tag, daß ich mich wunderte, daß es dem Doktor nicht auffiel.

Aber er sah nichts. Er sagte ihr scherzend, sie sei doch jung und müsse sich unterhalten und zerstreuen und dürfe sich von so einem alten langweiligen Menschen wie er nicht anöden lassen. Außerdem möchte er sie später gerne die Lieder der neuen Sängerin singen hören, und wie könnte sie das tun, wenn sie nicht hinginge. So ließ sich der Doktor nicht abbringen, und Mr. Jack Maldon sollte zum Mittagessen wiederkommen.

Ich war am nächsten Morgen sehr gespannt, ob Mrs. Strong wirklich in der Oper gewesen. Sie war nicht hingegangen, sondern hatte nach London geschickt, um ihrem Vetter abzusagen, und eine Art Nachmittagbesuch bei Agnes gemacht.

Sie hatte ihren Gatten überredet mitzugehen. Dann waren sie zu Fuß nach Hause zurückgekehrt, da der Abend, wie der Doktor mir sagte, herrlich gewesen sei. Ich hätte gerne gewußt, ob sie wohl ins Theater gegangen wäre, wenn Agnes nicht in London geweilt hätte, denn es interessierte mich, ob Agnes auch auf sie ihren guten Einfluß ausübte.

Sie sah nicht sehr glücklich aus, wie mir vorkam, aber immerhin zufrieden; oder verstellte sie sich vielleicht? Sie saß die ganze Zeit, während wir arbeiteten, am Fenster und bereitete unser Frühstück, das wir bissenweise während der Arbeit verzehrten. Als ich um neun Uhr fortging, kniete sie vor dem Doktor nieder und zog ihm die Schuhe und Gamaschen an. Ein zarter Schatten von ein paar grünen Zweigen, die vom Garten hereinhingen, fiel auf ihr Gesicht, und ich mußte den ganzen Heimweg an jenen Abend denken, wo sie zu ihrem Gatten aufgeblickt, während er ihr vorlas.

Ich hatte jetzt ziemlich viel zu tun, stand um fünf Uhr auf und kam erst um neun oder zehn Uhr abends nach Hause. Aber es gewährte mir eine außerordentliche Befriedigung, so angestrengt beschäftigt zu sein. Ich ging immer schnellen Schrittes und sagte mir voll Begeisterung, je mehr ich mich abmühe, desto mehr tue ich, mir Dora zu verdienen.

Ich hatte ihr noch nichts von meinen veränderten Lebensverhältnissen sagen lassen können, weil sie zu Miss Mills erst in einigen Tagen kommen sollte und ich eine Mitteilung bis dahin aufgeschoben hatte. In meinen Briefen (unsern ganzen Briefverkehr besorgte Miss Mills) hatte ich bloß angedeutet, daß ich ihr viel erzählen müßte. Unterdessen setzte ich mich auf halbe Ration Bärenpomade, gab wohlriechende Seife und Lavendelwasser auf und verkaufte mit großen Opfern drei Westen als zu luxuriös für meine ernste Lebensbahn.

Damit noch nicht zufrieden und von Ungeduld erfüllt, noch mehr zu tun, suchte ich Traddles auf, der jetzt im Dachgiebel eines Hauses in Holborn, Castlestreet, wohnte. Ich nahm Mr. Dick mit, der mich schon zweimal nach Highgate begleitet und seine Bekanntschaft mit dem Doktor wieder erneuert hatte.

Ich nahm ihn mit, weil er, das Mißgeschick meiner Tante lebhaft mitfühlend und von dem aufrichtigen Glauben durchdrungen, daß kein Galeerensträfling angestrengter arbeiten könnte als ich, anfing, Laune und Appetit zu verlieren aus Kummer, nichts Nützliches zu tun zu haben. In dieser Verfassung war er unfähiger als je, die Denkschrift zu Ende zu bringen; je angestrengter er daran arbeitete, desto öfter kam der unglückselige König Karl I. hinein. Von ernster Besorgnis erfüllt, daß seine Krankheit sich verschlimmern könnte, wenn wir ihn nicht durch eine unschuldige Täuschung glauben machten, daß er für uns von Nutzen sein könnte, hatte ich mich entschlossen Traddles zu fragen, ob er nicht Hilfe wüßte. Ehe ich hinging, setzte ich ihm das Geschehene ausführlich auseinander, und Traddles schrieb mir einen prachtvollen Brief zurück, in dem er mich seiner vollsten Teilnahme und unwandelbaren Freundschaft versicherte.

Wir fanden ihn, erquickt durch den immerwährenden Anblick des Blumentopfs und des kleinen runden Tisches, in einer Ecke des Zimmers eifrig am Schreibtisch beschäftigt. Er empfing uns mit offenen Armen, und seine Freundschaft mit Mr. Dick war im Nu geschlossen. Mr. Dick gab seiner festen Überzeugung Ausdruck, ihn schon einmal irgendwo gesehen zu haben, und wir beide sagten dazu: »Sehr wahrscheinlich!«

Das erste, worüber ich Traddles zu Rate zog, war folgendes: Mir war bekannt, daß viele Leute, die sich später auf den verschiedensten Gebieten ausgezeichnet, ihre Laufbahn mit Berichterstatten über die Parlamentsdebatten begonnen hatten. Ich wußte, daß Traddles die Zeitungskarriere als eine seiner Hoffnungen im Auge hatte, und so bat ich ihn um Rat. Er sagte mir, daß die rein mechanische Kunst der Kammerstenographie fast ebenso schwer sei wie das Erlernen von sechs Sprachen und daß man dazu bei großer Ausdauer immerhin ein paar Jahre brauche. Er meinte natürlich, daß das genüge, um mich von meinem Entschluß abzubringen, aber ich sah nichts als die Möglichkeit, hier einige Bäume im Walde der Hindernisse niederzuhauen, und beschloß sofort, mir meinen Weg zu Dora durch dieses Dickicht zu bahnen.

»Ich bin dir sehr verpflichtet, lieber Traddles,« sagte ich. »Ich werde morgen anfangen.«

Traddles machte ein erstauntes Gesicht, denn er wußte noch nichts von meiner begeisterten Stimmung.

»Ich werde mir ein gutes Lehrbuch der Stenographie kaufen und mich damit in den Commons beschäftigen, wo ich wenig genug zu tun habe; ich werde zu meiner Übung die Reden in unserm Gerichtshof mitschreiben, lieber Freund, und werde es schon lernen.«

»Mein Gott«, sagte Traddles und riß die Augen auf, »ich wußte gar nicht, daß du so ein entschlossener Charakter bist, Copperfield.«

Wie hätte er es auch wissen können, war es mir doch selbst neu genug. Ich ging jedoch darüber hinweg und brachte Mr. Dick aufs Tapet.

»Ach, wenn ich irgend etwas tun könnte, Mr. Traddles« – fiel Mr. Dick betrübt ein – »wenn ich die Pauke schlagen könnte oder irgendein Instrument blasen!«

Der Ärmste! Ich zweifle nicht, daß er eine solche Beschäftigung jeder andern vorgezogen haben würde.

Traddles, der um nichts in der Welt die Miene verzogen hätte, erwiderte ruhig:

»Sie schreiben doch eine sehr hübsche Handschrift, Sir. Sagtest du es mir nicht, Copperfield?«

»Eine wunderschöne«, bestätigte ich. Und das war auch der Fall; er schrieb ungewöhnlich sauber und hübsch.

»Könnten Sie nicht vielleicht Akten kopieren, wenn ich Ihnen welche verschaffte?«

Mr. Dick sah mich fragend an. »Was glaubst du, Trotwood?«

Ich schüttelte den Kopf. Mr. Dick schüttelte auch den Kopf und seufzte. »Sag ihm das von der Denkschrift, Trotwood«, bat er mich.

Ich setzte Traddles auseinander, daß es sehr schwer sei, König Karl I. aus Mr. Dicks Manuskripten fernzuhalten, und Mr. Dick hörte zu, sah Traddles ehrerbietig und ernsthaft dabei an und lutschte an seinem Daumen.

»Aber die Akten, die ich meine, sind ja schon ganz fertig und brauchen bloß abgeschrieben zu werden«, sagte Traddles nach einer Weile Nachdenkens. »Mr. Dick hat mit dem Inhalt nichts zu schaffen. Würde das nicht einen Unterschied machen, Copperfield? Sollte man es nicht auf alle Fälle versuchen?«

Das flößte uns neue Hoffnung ein; Traddles und ich streckten die Köpfe zusammen, während uns Mr. Dick von seinem Stuhle aus besorgt beobachtete, und heckten einen Plan aus, der sich schon am nächsten Tag als unerwartet erfolgreich erwies.

Auf einem Tisch am Fenster in der Buckingham Straße legten wir ihm die von Traddles verschaffte Arbeit, darin bestehend, daß er eine Anzahl Kopien eines gerichtlichen Dokuments über ein Wegerecht anzufertigen hatte, – vor, und auf den Tisch daneben legten wir das letzte unvollendete Original der großen Denkschrift. Wir belehrten Mr. Dick, daß er genau abzuschreiben habe, was vor ihm lag, ohne im geringsten vom Inhalt der Akten abzuweichen. Dagegen müsse er sich schleunigst zur

Denkschrift verfügen, wenn er sich gedrungen fühlen sollte, König Karl I. auch nur im mindesten zu erwähnen. Wir ermahnten ihn, darin unerbittlich zu sein, und ließen meine Tante bei ihm sitzen, damit sie ihn bewachte.

Sie erzählte uns später, daß er sich zuerst wie jemand, der mehrere Instrumente zugleich spielen müßte, benommen und seine Aufmerksamkeit beständig zwischen den beiden Tischen geteilt habe, bald aber dabei sehr müde geworden sei und seine Abschrift gehörig und in ordentlicher geschäftsmäßiger Weise vorgenommen, die Denkschrift hingegen auf eine passendere Zeit verschoben habe. Mit einem Wort, er hatte bereits am Samstag abend der nächsten Woche, obgleich wir Sorge trugen, daß er sich nicht überarbeitete, zehn Schilling neun Pence verdient.

Mein Leben lang werde ich nicht vergessen, wie er in allen Läden der Nachbarschaft herumlief, um seinen Schatz in Sixpencestücke umzuwechseln, und sie meiner Tante auf einem Teller in der Form eines Herzens zusammengelegt mit Tränen der Freude und des Stolzes in den Augen brachte. Er stand von dem Augenblicke an, wo er nützlich beschäftigt war, wie unter dem Einfluß eines Zaubers. Und wenn es an jenem Samstagabend einen glücklichen Menschen auf der Welt gab, so war es dieses dankbare Geschöpf, das meine Tante für die wunderbarste Frau der Schöpfung und mich für den wunderbarsten jungen Mann hielt.

»Jetzt ist es mit der Hungersnot vorbei, Trotwood«, sagte Mr. Dick, als er mir in der Ecke des Zimmers die Hand schüttelte. »Ich werde für sie sorgen, Sir!« und er fuhr mit den zehn Fingern in der Luft herum, als ob der Raum voll Goldstücke hinge.

Ich weiß kaum, wer sich mehr freute, Traddles oder ich. »Ich habe wahrhaftig Mr. Micawber ganz darüber vergessen«, sagte Traddles plötzlich, zog einen Brief aus der Tasche und gab ihn mir.

Der Brief – Mr. Micawber ließ nie die geringste Gelegenheit zu schreiben vorübergehen – war an mich adressiert:

»Durch gütige Vermittlung von T. Traddles, Hochgeboren, vom innern Juristenkollegium.« Er lautete:

Mein lieber Copperfield!

Sie sind vielleicht nicht ganz unvorbereitet auf die Nachricht, daß sich etwas gefunden hat. Ich erwähnte wohl schon bei einer früheren Gelegenheit, daß ich ein solches Ereignis erwartete.

Ich stehe im Begriffe, mich in einer Provinzstadt unserer grünen Insel, die mit Recht als eine glückliche Mischung des ackerbautreibenden und des geistlichen Standes bezeichnet werden kann, in unmittelbarer Beziehung zu einem der gelehrten Berufsfächer niederzulassen, Mrs. Micawber und unsere Sprößlinge werden mich begleiten. In einer spätern Epoche wird unsere Asche wahrscheinlich vermischt gefunden werden mit der heiligen Erde des Friedhofs in der Nähe des ehrwürdigen Doms, durch den die von mir erwähnte Stadt einen Ruf erlangt hat, der, wie ich wohl sagen darf, von China bis Peru reicht.

Indem ich von dem modernen Babylon scheide, wo wir so manchen Schicksalswechsel – wie ich hoffe, ehrenhaft – ertragen haben, können Mrs. Micawber und ich uns nicht verhehlen, daß wir jetzt für Jahre und vielleicht für immer von einem Wesen scheiden, das durch starke Bande an den Altar unseres häuslichen Lebens gefesselt ist. Wenn Sie am Vorabend eines solchen Abschieds unseren gemeinsamen Freund, Mr. Thomas Traddles, in unsere gegenwärtige Heimstätte begleiten und dort die einer solchen Gelegenheit angemessenen Wünsche austauschen wollen, so werden Sie unendlich verpflichten einen, der sich immer nennen wird

Ihr
Wilkins Micawber

Ich war froh, daß Mr. Micawber nicht mehr von Asche und Staub reden mußte und endlich wirklich etwas gefunden hatte. Da ich von Traddles erfuhr, daß die Einladung für den heutigen Abend galt, nahm ich sie an, und wir gingen zusammen nach der Wohnung, die Mr. Micawber unter dem Namen Mr. Mortimer innehatte und die am untern Ende von Grays-Inn-Road lag.

Die Räume dieser Wohnung waren so beschränkt, daß die

Zwillinge – jetzt acht oder neun Jahre alt – in einem Klappbett im Familienzimmer schliefen, wo Mr. Micawber in einem Waschtischkruge ein Gebräu des angenehmen Getränks, wegen dessen er sich eines so großen Rufes erfreute, vorbereitet hatte. Es machte mir ein besonderes Vergnügen, bei dieser Gelegenheit die Bekanntschaft Master Micawbers, der jetzt zu einem vielversprechenden Knaben von zwölf oder dreizehn Jahren herangewachsen und mit jener Ruhelosigkeit der Glieder, die bei Jünglingen seines Alters kein allzu seltenes Phänomen ist, behaftet war, zu erneuern. Ich sah auch seine Schwester wieder, Miss Micawber, in der, wie Mr. Micawber uns sagte, seine Gattin, dem Phönix gleich, wiederauflebte.

»Mein lieber Copperfield«, begann Mr. Micawber, »Sie und Mr. Traddles finden uns im Begriffe, unsere Pilgerfahrt anzutreten, und werden gewiß die kleinen Unannehmlichkeiten, die von einem solchen Zustand unzertrennlich sind, entschuldigen.«

Ich sah mich um, während ich in entsprechender Weise antwortete, und bemerkte, daß die Familieneffekten, in keiner Hinsicht verwirrend umfangreich, bereits gepackt zur Reise bereit standen.

Ich wünschte Mrs. Micawber zur bevorstehenden Veränderung viel Glück.

»Mein lieber Mr. Copperfield«, sagte sie. »Von ihrer freundlichen Teilnahme an allen unseren Schicksalen bin ich fest überzeugt. Meine Familie mag es meinetwegen als Verbannung betrachten, aber ich bin Gattin und Mutter und werde Mr. Micawber nie verlassen.«

Traddles, auf dem Mrs. Micawbers Auge ruhte, stimmte gefühlvoll bei.

»Das wenigstens«, sagte Mrs. Micawber, »ist meine Ansicht von der Pflicht, die ich übernahm, als ich die unwiderruflichen Worte wiederholte: ›Ich Emma nehme dich Wilkins‹. Ich las die Trauungsformel gestern abend bei Kerzenschimmer durch und bin zu dem Schlusse gekommen, daß ich Mr. Micawber nie verlassen kann, und«, setzte sie hinzu, »wenn ich mich auch in meiner Auffassung der kirchlichen Zeremonie irren kann, so werde ich ihn trotzdem nie verlassen.«

»Meine Liebe«, sagte Mr. Micawber etwas ungeduldig, »es hat doch niemand von dir etwas anderes erwartet.«

»Ich bin mir bewußt, mein lieber Mr. Copperfield«, fuhr Mrs. Micawber fort, »daß mich jetzt das Schicksal mitten unter Fremde versetzt, und weiß auch, daß die verschiedenen Mitglieder meiner Familie, denen Mr. Micawber in der höflichsten Weise von der Welt die Angelegenheit anzeigte, nicht die mindeste Notiz von seiner Mitteilung genommen haben. Es mag Aberglaube sein, aber es scheint mir Mr. Micawbers Fatum zu sein, daß er niemals Antworten auf den größten Teil der Mitteilungen, die er schreibt, erhält. Aus dem Stillschweigen meiner Familie bin ich berechtigt zu mutmaßen, daß sie gegen meinen Entschluß Einwendungen erhebt, aber ich würde mich von dem Pfade der Pflicht selbst nicht von Papa und Mama, wenn sie noch am Leben wären, abbringen lassen.«

Ich sprach mich dahin aus, daß auch ich das für die einzige richtige Art hielte.

»Es ist vielleicht ein Opfer, sich in einer Episkopalstadt einzukerkern«, sagte Mrs. Micawber, »aber wenn es für mich ein Opfer bedeutet, ein wieviel größeres ist es, Mr. Copperfield, für einen Mann von meines Gatten Fähigkeiten!«

»O, Sie ziehen in eine Episkopalstadt?« fragte ich.

Mr. Micawber, der uns mittlerweile aus dem Waschtischkrug eingeschenkt hatte, erwiderte:

»Nach Canterbury. Die Sache ist die, lieber Copperfield. Ich habe mich kontraktlich gebunden und mit Handschlag verpflichtet, unserm gemeinsamen Freunde Heep in der Eigenschaft eines Privatsekretärs beizustehen und zu dienen.«

Ich starrte Mr. Micawber, dem meine Überraschung große Freude machte, erstaunt an.

»Ich fühle mich verpflichtet, Ihnen mitzuteilen«, fuhr er mit wichtiger Miene fort, »daß Mrs. Micawbers Geschäftskenntnis und kluge Ratschläge in hohem Maße zu diesem Ausgang beigetragen haben. Der Fehdehandschuh, dessen Mrs. Micawber bereits bei einer früheren Gelegenheit Erwähnung tat, wurde in Form einer Annonce hingeworfen. Mein Freund Heep hob ihn auf, und so kam eine Zusammenkunft zustande. Von meinem Freunde Heep, der ein Mann von bemerkenswertem Scharfblick ist, möchte ich nur mit der allergrößten Hochachtung sprechen. Mein Freund Heep hat die Remuneration, die ich im voraus verlangte, nicht allzu hoch angesetzt, aber er machte von dem Werte meiner Dienste abhängig, inwieweit er mich vom Druck meiner materiellen Schwierigkeiten erlösen wolle, und auf diesen Wert meiner Dienstleistungen setze ich nun meine Hoffnung. Mein bißchen Geschicklichkeit und Intelligenz«, fügte er mit prahlerischer Bescheidenheit hinzu, »werde ich meinem Freunde Heep zur Verfügung stellen. Ich habe bereits einigen Einblick in die Jurisprudenz gewonnen – als Beklagter im Zivilprozeß – und werde mich ohne Verzug in die Kommentare des hervorragendsten und bemerkenswertesten unserer englischen Juristen vertiefen. Ich brauche wohl nicht zu bemerken, daß ich den Richter Blackstone meine.«

Ich saß die ganze Zeit über da, bestürzt über Mr. Micawbers Mitteilungen und außerstande, mir sie zu erklären, bis Mrs. Micawber den Faden des Gesprächs aufnahm.

»Auf eines vorzüglich möchte ich Mr. Micawbers Aufmerksamkeit lenken«, sagte sie. »Er darf sich während seiner Beschäftigung mit diesen untergeordneten Zweigen der Jurisprudenz in keiner Hinsicht der Möglichkeit berauben, später den Gipfel des Baumes erklimmen zu können. Ich bin fest überzeugt, daß, wenn Mr. Micawber sich mit ganzer Seele einem Beruf widmet, der seinen reichen Fähigkeiten und seiner fließenden Rednergabe so angemessen erscheint, er sich darin auszeichnen muß. Ich denke an die Stellung eines Richters oder eines Kanzlers. Schließt sich ein Individuum, ich frage Sie, Mr. Traddles, durch die Annahme einer Stelle, wie sie Mr. Micawber in Kürze bekleiden wird, dadurch von vornherein von der Möglichkeit aus, zu einem der soeben genannten Posten befördert zu werden?«

»Meine Liebe«, bemerkte Mr. Micawber, nicht ohne ebenfalls einen fragenden Blick auf Traddles zu werfen, »zur Erörterung solcher Punkte haben wir wahrlich noch Zeit genug.«

»Micawber«, entgegnete sie, »nein! Du hast von jeher den Fehler im Leben begangen, daß du nicht weit genug in die Zukunft blicktest. Deiner Familie, wenn nicht dir selbst, bist du es schuldig, auch die entlegensten Punkte am Rande des Horizontes, bis zu dem dich deine Fähigkeiten führen können, ins Auge zu fassen.«

Mr. Micawber hustete und trank seinen Punsch mit einer Miene außerordentlicher Befriedigung aus, – blickte aber dabei immer noch fragend auf Traddles.

»Die Sache liegt einfach so, Mrs. Micawber«, erklärte Traddles, bemüht, ihr so schonend wie möglich die nötige Aufklärung beizubringen, »ich meine die wirkliche prosaische Tatsache, Sie verstehen –«

»Ganz recht«, sagte Mrs. Micawber, »mein lieber Mr. Traddles. Auch mein Wunsch ist es, hinsichtlich eines so hochwichtigen Gegenstandes so prosaisch und buchstäblich wie möglich zu Rate zu gehen.«

»Die wirkliche prosaische Tatsache liegt so«, fuhr Traddles fort, »daß dieser Zweig der juristischen Laufbahn, selbst wenn Mr. Micawber ein wirklicher Anwalt wäre –«

»Ganz recht«, unterbrach Mrs. Micawber.

»– damit gar nichts zu tun hat. Nur ein Rechtsgelehrter ist zu diesen Ämtern wählbar. Und Mr. Micawber kann nicht eher Rechtsgelehrter werden, ehe er nicht fünf Jahre Jus studiert hat.«

»Verstehe ich recht?« fragte Mrs. Micawber mit ihrer leutseligsten Geschäftsmiene, »verstehe ich Sie recht, lieber Mr. Traddles, daß nach Ablauf dieser Zeit Mr. Micawber als Richter oder Kanzler wählbar wäre?«

»Er wäre wählbar«, sagte Mr. Traddles und legte großen Nachdruck auf das letzte Wort.

»Ich danke Ihnen! Das genügt vollkommen. Wenn das der Fall ist und Mr. Micawber durch den Antritt seines neuen Amtes kein

Recht aufgibt, so bin ich beruhigt. Ich spreche natürlich als Frau, aber ich bin von jeher der Meinung gewesen, daß Mr. Micawber das besitzt, was mein Papa ein juristisches Talent nannte. Und ich hoffe, Mr. Micawber betritt jetzt eine Laufbahn, wo sich diese Gabe entwickeln und ihm eine einflußreiche Stellung sichern wird.«

Mr. Micawber sah sich offenbar bereits am Ziele der Richterkarriere. Er strich sich mit der Hand wohlgefällig über den kahlen Kopf und sagte mit deutlich zur Schau getragener Resignation:

»Meine Liebe, wir wollen den Ratschlüssen des Schicksals nicht vorgreifen. Wenn es mir bestimmt ist, eine Richter-Perücke zu tragen, so bin ich wenigstens äußerlich auf diese Auszeichnung vorbereitet. Ich beklage den Verlust meines Haares nicht; wer weiß, ob ich nicht zu einem besonderen Zweck dessen beraubt wurde. – Es ist nebenbei bemerkt meine Absicht, lieber Copperfield, meinen Sohn für die Kirche zu erziehen, und ich will nicht leugnen, daß es mich seinetwegen glücklich machen würde, wenn ich zu bedeutender Stellung gelangte.«

»Für die Kirche?« fragte ich zerstreut, da ich immerwährend an Uriah Heep denken mußte.

»Ja«, sagte Mr. Micawber, »er hat eine sehr bemerkenswerte Kopfstimme und wird seine Laufbahn als Chorknabe beginnen. Unser Aufenthalt in Canterbury und unsere Konnexionen dortselbst werden ihn unzweifelhaft instand setzen, die erste sich bietende Stelle im Domchor zu erhalten.«

Als ich Master Micawber ansah und er uns, ehe er schlafen ging, das Lied vorsang: »Es klopft der Specht«, da schien es wirklich, als ob seine Stimme zwischen seinen Augenbrauen stäke und von dort ausginge. Er erntete viel Beifall, und dann wendete sich das Gespräch auf allgemeinere Themen. Meine veränderten Verhältnisse erfüllten mich zu sehr, als daß ich sie hätte für mich behalten können. Ich kann gar nicht in Worte fassen, wie außerordentlich entzückt Mr. und Mrs. Micawber waren, als sie von den Verlegenheiten meiner Tante erfuhren, und wie sehr es zur Vermehrung ihrer freundschaftlichen Stimmung beitrug.

Als es mit dem Punsch ziemlich auf die Neige ging, erinnerte ich Traddles, daß wir uns nicht trennen dürften, ohne unsern Freunden Gesundheit, Glück und Erfolg auf ihrer neuen Laufbahn zu wünschen. Ich bat Mr. Micawber unsere Gläser zu füllen und brachte den Toast in angemessener Form aus, worauf ich ihm über den Tisch die Hände schüttelte und zur Feier des großen Ereignisses Mrs. Micawber küßte. Im ersten Punkte ahmte mir Traddles nach. Hinsichtlich des zweiten hielt er seine freundschaftlichen Beziehungen nicht für alt genug, um es zu wagen.

»Mein lieber Copperfield«, antwortete Mr. Micawber, indem er aufstand, die Daumen in den Westentaschen, »Gefährte meiner Jugend, wenn ich diesen Ausdruck gebrauchen darf, und mein geschätzter Freund Traddles – wenn es mir gestattet ist, ihn so zu nennen, Sie werden mir beide erlauben, Ihnen im Namen Mrs. Micawbers, meiner selbst und unserer Sprößlinge in wärmster und rückhaltlosester Weise für Ihre guten Wünsche zu danken. Man dürfte mit Recht erwarten, daß ich am Vorabende einer Wanderung, die uns zu einem ganz neuen Dasein führen wird« – er redete, als ob er fünfhunderttausend Meilen reisen sollte – »einige Bemerkungen zum Abschied zwei solchen Freunden gegenüber machen würde, aber alles, was ich in diesem Sinn zu sagen hatte, ist bereits gesagt worden. Welche Stellung in der Gesellschaft ich auch immer auf dem Umwege über den gelehrten Beruf, dessen unwürdiges Mitglied ich zu werden im Begriff stehe, erklimmen werde, ich werde stets bemüht sein, ihr keine Schande zu machen, und Mrs. Micawber wird ihr in jeder Beziehung zur Zierde gereichen. Unter dem Druck vorübergehender pekuniärer Verbindlichkeiten, die ich mit der Absicht einging, sie sofort zu tilgen, doch leider daran durch eine Verkettung von Umständen verhindert war, habe ich mich genötigt gesehen, eine Tracht anzulegen, die meinen natürlichen Gefühlen widerstrebt – ich meine die Brille –, und einen Namen anzu nehmen, auf den ich keinerlei gerechtfertigte Ansprüche besitze. Alles, was ich in dieser Beziehung zu sagen habe, ist, daß die Wolken über dem Schauplatz der Trostlosigkeit gewichen sind und daß der Gott des Tages abermals hoch über dem Bergesgipfel strahlt. Nächsten Montag mit Ankunft der Nachmittagpost berührt mein Fuß in Canterbury die heimatliche Heide, und mein Name wird wieder Micawber sein.«

Nach diesen Worten nahm Mr. Micawber seinen Platz wieder ein und trank mit gewichtigem Ernst zwei Gläser Punsch hintereinander. Dann sprach er feierlich:

»Noch eins bleibt mir zu tun, ehe diese Trennung vor sich geht, und zwar eine Tat, die das Billigkeitsgefühl von mir fordert. Mein Freund Mr. Thomas Traddles hat mir bei zwei verschiedenen Gelegenheiten mit seinem Wechselgiro ausgeholfen. Bei der ersten Gelegenheit ließ ich Mr. Thomas Traddles, lassen Sie es mich kurz sagen, – in der Tinte. Die Verfallzeit des zweiten ist noch nicht abgelaufen. Der Betrag der ersten Verbindlichkeit« – hier sah Mr. Micawber mit prüfendem Blick in sein Notizbuch – »war, wenn ich nicht irre, 23 £ 4 sh. 9½, der des zweiten 18–6–2, diese Summen machen zusammen, wenn ich nicht irre, 41 £ 10 sh. 11½. Mein Freund Copperfield wird vielleicht die Güte haben, es nachzurechnen.«

Ich tat es, und es stimmte.

»Diese Metropole und meinen Freund Mr. Thomas Traddles zu verlassen«, sagte Mr. Micawber, »ohne mich des pekuniären Teils meiner Verpflichtungen entledigt zu haben, würde wie eine unerträgliche Last auf meinen Geist drücken. Ich habe daher für meinen Freund Mr. Thomas Traddles dieses Dokument hier, das den gewünschten Zweck erfüllt, entworfen. Ich erlaube mir, meinem Freunde Mr. Thomas Traddles einen Schuldschein mit meiner Unterschrift über 41 £ 10 sh 11½ zu überreichen, und schätze mich glücklich, meine sittliche Würde gewahrt zu haben und zu wissen, daß ich jetzt wieder mit erhobenem Haupte vor meine Mitmenschen hintreten kann.«

Mit diesen Geleitworten legte er seinen Schuldschein in Traddles Hände und fügte hinzu, daß er ihm in allen Lebenslagen viel Glück und jedmöglichen Erfolg wünsche. Ich bin überzeugt, daß nicht nur er das Gefühl hatte, seine Schuld bar bezahlt zu haben, sondern auch, daß Traddles selbst den Unterschied nicht sogleich begriff.

Er fühlte sich auf seine Handlungsweise so stolz, daß seine Brust noch einmal so breit aussah, als er uns die Treppen hinableuchtete. Wir schieden beiderseits mit großer Herzlichkeit, und als ich Traddles nach Hause begleitet hatte und heimwärts ging, dachte ich mir des öfteren, daß ich es wohl nur den Erinnerungen an die Zeit, wo ich bei Mr. Micawber als Knabe gewohnt, verdankte, daß er mich nie um Geld ansprach, so leichtsinnig er auch sonst mit dem anderer Leute umging.

Ich hätte gewiß nicht den Mut gehabt, ihm eine Bitte abzuschlagen, und ich bezweifle nicht – zu seiner Ehre sei es gesagt –, daß er das ebenso genau wußte wie ich.

37. Kapitel

Eine kalte Dusche

Mein neues Leben hatte schon länger als eine Woche gedauert und ich war stärker als je in den furchtbar praktischen Entschlüssen, die die Krisis erforderte. Ich fuhr fort, raschen Schrittes zu gehen, und lebte beständig unter dem Gedanken, daß ich vorwärtskäme. Ich machte es mir zur Pflicht, mich in allem, was ich tat, so viel anzustrengen, wie ich nur irgend konnte. Ich verfiel sogar auf den Gedanken, mich auf vegetarische Diät zu setzen, wahrscheinlich von der dunkeln Ahnung erfüllt, daß ich Dora ein Opfer brächte, wenn ich mich zu einem pflanzenfressenden Lebewesen entwickelte.

Noch hatte Dora keine Ahnung von meiner verzweifelten Entschlossenheit, die nur in meinen Briefen gewisse dunkle Schatten vorauswarf. Aber es kam ein Samstag heran, und an diesem Samstagabend sollte sie bei Miss Mills sein; wenn Mr. Mills in seinen Whistklub gegangen sein würde – was man mir durch das Aufstellen eines Vogelkäfigs im Mittelfenster des Gesellschaftszimmers auf die Straße telegraphieren wollte –, sollte ich zum Tee hinkommen.

Um diese Zeit herum hatten wir uns in der Buckingham-Straße ganz eingewohnt, und Mr. Dick fuhr fort, in einem Zustand ungestörter Glückseligkeit abzuschreiben. Meine Tante hatte einen entscheidenden Sieg über Mrs. Crupp erfochten, indem sie sie ablohnte, den ersten auf die Treppe gestellten Wasserkrug zum Fenster hinauswarf und eine Zugeherin, die wir aufgenommen hatten, in eigner Person zum Schutze die Treppen auf und ab geleitete. Diese energischen Maßregeln erfüllten Mrs. Crupps Brust mit solchem Entsetzen, daß sie sich, in der Meinung, meine Tante sei verrückt geworden, stets in ihre Küche flüchtete, wenn sie sie kommen sah. Da meiner Tante Mrs. Crupps Meinung ebenso wie die irgend jemand andern vollständig gleichgültig war, so wurde die früher so kühne Mrs. Crupp in wenigen Tagen derart mutlos, daß sie es vorzog, ihre stattliche Gestalt hinter Türen zu verstecken – wobei jedoch immer ein breiter Rand des flanellnen Unterrocks vorguckte – oder sich in dunkle Ecken zu drücken, wenn meine Tante in der Nähe erschien. Dies bereitete meiner Tante ein so außerordentliches Vergnügen, daß ich glaube, sie stürmte nur die Treppe auf und ab, den Hut schief aufgesetzt, um Mrs. Crupp ununterbrochen in Schrecken zu erhalten.

Da sie ungewöhnlich ordnungsliebend und erfinderisch war, nahm sie in meiner Haushaltung so viel kleine Verbesserungen vor, daß es den Anschein hatte, als seien wir reicher statt ärmer geworden. Unter anderm verwandelte sie die Speisekammer in eine Garderobe für mich und kaufte mir eine Bettstelle, die zur Tageszeit einem Bücherschrank so ähnlich sah, wie es ein Bett nur konnte. Ich war der Mittelpunkt ihrer beständigen Sorgfalt, und meine arme Mutter selbst hätte mich nicht lieber haben und sich mehr um mich kümmern können.

Peggotty fühlte sich außerordentlich geehrt, daß sie an diesen Arbeiten teilnehmen durfte, und obgleich ihr immer noch etwas von der alten Scheu vor meiner Tante anhaftete, so hatte ihr diese doch so viele Beweise von aufmunternder Leutseligkeit und Vertrauen gegeben, daß sie die besten Freunde geworden waren. An dem Samstagabend, als ich zum Tee bei Miss Mills erwartet wurde, war gerade die Zeit gekommen, wo Peggotty heimfahren mußte, um ihren Pflichten gegenüber Ham nachzukommen.

»So leben Sie denn wohl, Barkis«, sagte meine Tante, »und nehmen Sie sich gut in acht. Ich hätte wahrhaftig nie gedacht, daß es mir so leid tun würde, Sie zu verlieren.«

Ich begleitete Peggotty auf die Station und sah sie fortfahren. Sie weinte beim Abschied und legte mir ihren Bruder ans Herz, so wie damals Ham. Wir hatten seit jenem sonnigen Nachmittag nichts mehr wieder von ihm gehört.

»Und jetzt, mein einziger lieber Davy«, bat sie mich, »noch eins! Wenn du Geld brauchst während deiner Lehrzeit oder später, um dich zu etablieren, so hat gewiß niemand ein so gutes Recht, dich zu bitten, es dir leihen zu dürfen, als meines lieben guten Mädels alte dumme Peggotty.«

Ich ließ nicht nach, ich mußte es ihr versprechen. Nur die sofortige Annahme einer großen Summe, glaube ich, hätte sie noch glücklicher gemacht.

»Und noch eines, liebes Kind«, flüsterte sie mir zu. »Sag dem hübschen kleinen Engel, daß ich sie so gern nur eine einzige Minute gesehen hätte. Und sage ihr, daß ich dein Haus gar so gern schön herrichten möchte, bevor sie mein Liebling heiratet, wenn sie es mir erlaubt.«

Ich versicherte ihr, daß niemand anders es anrühren dürfte, und darüber freute sie sich so sehr, daß sie in bester Laune wegfuhr.

Ich mühte mich soviel ich konnte den Tag über in den Commons auf die verschiedenartigste Weise ab und begab mich zur festgesetzten Stunde abends in die Straße, wo Miss Mills wohnte. Ihr Vater, der entsetzlich lang nach dem Essen zu schlafen pflegte, war noch nicht fort, und im Mittelfenster hing noch immer kein Vogelbauer.

Endlich trat Mr. Mills aus der Türe, und ich sah, wie Dora selbst den Käfig aufhängte und über den Balkon nach mir ausspähte und wieder hineinlief, als sie mich erblickte, während Jip draußen blieb und auf einen riesenhaften Fleischerhund herausfordernd herunterbellte, der ihn wie eine Pille hätte verschlucken können.

Dora kam mir an der Salontür entgegen, und Jip kam herausgesprungen und verschluckte sich über sein Geknurr, als er sah, daß ich kein Einbrecher war, und wir alle drei begaben uns so glücklich und voll Liebe wie nur möglich ins Zimmer. Ich vernichtete – gewiß nicht in böser Absicht, aber mich erfüllte das Thema so sehr – im Nu die freudige Stimmung, indem ich Dora, ohne sie im mindesten vorzubereiten, fragte, ob sie einen Bettler lieben könnte.

Die hübsche kleine Dora, wie erschrocken sie war! Ihr einziger Gedanke bei den Worten mußte ein gelbes Gesicht und ein grüner Augenschirm oder ein paar Krücken, ein Holzbein oder ein Hund mit einer blechernen Schale im Maul oder etwas der Art gewesen sein, denn sie starrte mich mit einem ganz allerliebst verwunderten Gesicht an.

»Wie kannst du nur so etwas Albernes fragen!« schmollte sie. »Einen Bettler lieben!!«

»Dora, mein Herzensschatz«, sagte ich, »ich bin ein Bettler.«

»Wie kannst du so albern sein«, und sie schlug mir auf die Hand, »hier sitzen und mir solche Geschichten erzählen! Warte, Jip soll dich beißen.«

Ihr kindisches Wesen war mir das köstlichste auf der Welt, aber ich mußte mich ihr doch deutlicher machen und so wiederholte ich feierlich:

»Dora, mein Herz, ich bin dein zugrunde gerichteter David.«

»Warte nur, Jip wird dich schon beißen«, sagte sie und schüttelte ihre Locken, »wenn du nicht mit dem dummen Zeug aufhörst.«

Aber ich machte ein so ernstes Gesicht, daß sie endlich aufhörte ihre Locken zu schütteln, ihre kleine Hand zitternd auf meine Schulter legte, zuerst erschrocken und besorgt dreinsah und dann anfing zu weinen.

Es war schrecklich. Ich fiel vor dem Sofa auf die Knie nieder, liebkoste sie und bat sie, mir nicht das Herz zu zerreißen. Aber eine lange Zeit konnte die arme kleine Dora bloß ausrufen: »O Gott, o Gott, wie erschrocken bin ich, wo ist Julia Mills? Führe mich zu Julia Mills und geh, geh, ich bitte dich«, bis ich fast von Sinnen war.

Endlich nach vielen Bitten und Beteuerungen brachte ich sie dazu, mich mit ihrem entsetzten Gesicht anzusehen, und es gelang mir ihr Grauen zu mildern, bis sie mich nur mehr liebend ansah und ihre weiche Wange an meiner ruhte. Dann sagte ich ihr, während ich sie mit meinen Armen umschlungen hielt, wie sehr und innig ich sie liebte, sie aber von ihrem Versprechen entbinden müßte, weil ich jetzt arm sei, und daß ich es kaum ertragen würde, wenn ich sie verlieren müßte. Ich für meinen Teil fürchte mich nicht vor der Armut, wenn sie es nicht täte, denn mein Arm und mein Herz würden durch den Gedanken an sie gestählt. Ich erzählte ihr, wie ich schon jetzt mit einem Mute arbeitete, den nur Liebende kennen, schon viel praktischer geworden sei und für die Zukunft sorge. Ein sauer verdienter Bissen Brot sei süßer als ein geerbtes Festgelage. Noch vieles Ähnliche sagte ich ihr und gab es mit einer leidenschaftlichen Beredsamkeit zum besten, die mich ganz überraschte, obgleich ich Tag und Nacht, seit mir meine Tante die Hiobsbotschaft gebracht, an weiter nichts gedacht hatte.

»Ist dein Herz noch immer mein, Dora?« fragte ich begeistert, denn ihr zärtliches Anschmiegen verriet es mir.

»O ja!« rief Dora. »O ja. Es ist ganz dein. O, sei nur nicht so schrecklich.«

»Ich schrecklich! Meiner Dora schrecklich!«

»Sprich nicht von Armsein und harter Arbeit«, sagte Dora und schmiegte sich noch dichter an mich. »O bitte, bitte nicht!«

»Mein teuerstes Herz, der wohlverdiente Bissen Brot –«

»Ja, ja, aber ich mag nichts mehr vom Bissen Brot hören, und Jip muß jeden Mittag Schlag zwölf Uhr ein Hammelkotelett bekommen oder er stirbt.«

Ich war ganz bezaubert von ihrer kindischen entzückenden Weise. Ich versicherte ihr unter Liebkosungen, daß Jip sein Hammelkotelett mit der gewohnten Regelmäßigkeit bekommen sollte. Ich malte unsere bescheidne Häuslichkeit aus und benutzte dazu das kleine Haus, das ich in Highgate gesehen, und wies meiner Tante das obere Zimmer an.

»Bin ich dir noch schrecklich, Dora?« fragte ich dann zärtlich.

»O nein, nein«, schluchzte Dora. »Aber ich hoffe, deine Tante wird hübsch in ihrem Zimmer bleiben. Hoffentlich ist sie keine keifende Alte.«

Hätte ich mich noch mehr in Dora verlieben können, so wäre es sicher jetzt der Fall gewesen. Aber ich fühlte, daß sie doch zu wenig praktisch war. Es kühlte meine neugeborne Begeisterung etwas ab, daß ich sie so schwer damit anstecken konnte. Ich versuchte es noch einmal. Als sie wieder ganz zu sich gekommen war und die Ohren Jips, der auf ihrem Schoße lag, um ihre Finger drehte, wurde ich ernst und sagte:

»Mein Schatz, darf ich noch etwas sagen?«

»O bitte, sei nicht praktisch!« sagte sie liebkosend. »Es erschreckt mich so!«

»Mein Liebling, dabei ist doch nichts Erschreckliches. Ich möchte, daß du es nicht in diesem Lichte siehst. Ich möchte dir Kraft geben und dich begeistern, Dora.«

»O, das ist abscheulich!«

»Aber durchaus nicht, mein Herzensschatz. Ausdauer und Charakterstärke befähigen uns, viel Schlimmeres zu ertragen.«

»Aber ich habe gar keine Stärke«, sagte Dora und schüttelte ihre Locken. »Nicht wahr, Jip? O bitte, gib Jip einen Kuß und sei wieder lieb.«

Ich konnte unmöglich widerstehen und mußte Jip küssen, als sie ihn mir hinhielt, ihren eignen rosigen Mund gespitzt, als sie die Zeremonie leitete, und ich küßte ihn, wie sie es wünschte, genau mitten auf die Nase. Ich entschädigte mich dann für meinen Gehorsam, und ihre Liebkosungen ließen mich meinen Ernst eine lange Zeit vergessen.

»Aber meine geliebte Dora«, fing ich endlich wieder an, »ich wollte dir ja etwas sagen.«

Der Richter des Prärogativgerichts hätte sich in sie verlieben müssen, wie sie ihre Hände faltete, sie emporhielt und mich bat und flehte, ja nicht wieder schrecklich zu sein.

»Ich werde es gewiß nicht sein, mein Liebling«, beruhigte ich sie, »aber wenn du manchmal denken wolltest – nicht wie an etwas Entmutigendes, beileibe nicht – aber wenn du manchmal daran denken wolltest – bloß um dir selbst Mut zu machen –, daß du mit einem armen Menschen verlobt bist –«

»Nicht, nicht! Bitte, nicht! Es ist so schrecklich.«

»Aber durchaus nicht, Herzensschatz«, sagte ich ermunternd. »Wenn du manchmal daran denken und dich dann und wann in deines Papas Haushalt umsehen wolltest und dich ein wenig gewöhntest, vielleicht Rechnung zu führen –«

Die arme, kleine Dora nahm diese Zumutung mit einem Weheruf auf, der halb Seufzer, halb ein Schrei war.

»– so wird das später sehr nützlich sein. Und wenn du mir versprechen wolltest, manchmal ein kleines – ein ganz kleines Kochbuch zu lesen, das ich dir schicken will, so wäre das ausgezeichnet für uns; denn unser Lebenspfad, Dora«, sagte ich und wurde schon wieder bei meinem Thema wärmer, »ist steinig und rauh, und an uns ist es, ihn zu ebnen. Wir müssen uns emporringen! Wir müssen tapfer sein! Es gilt Hindernisse zu überwinden, und wir müssen ihnen entgegentreten und sie niedertreten.«

Ich sprach mit größter Begeisterung mit geballter Faust und höchst enthusiastischer Miene, aber es war ganz unnütz fortzufahren; ich hatte bereits genug gesagt und schon wieder das Schlimmste angerichtet. Dora war außer sich. »Wo ist Julia Mills! Bringe mich zu Julia Mills. Bitte, bitte, geh!« so daß ich ganz von Sinnen kam und im Salon herumraste.

Ich glaubte damals wirklich, ich hätte sie getötet. Ich bespritzte ihr Gesicht mit Wasser, fiel auf die Knie nieder und zerraufte mein Haar. Ich nannte mich einen hartherzigen Barbaren und ein wildes Tier. Ich bat sie um Verzeihung und flehte sie an, mich doch nur anzusehen. Ich wühlte in Miss Mills' Arbeitskästchen nach einem Riechfläschchen herum, erwischte in meiner Verzweiflung anstatt dessen eine elfenbeinerne Nadelbüchse und schüttete alle Nadeln über Dora aus. Jip, der ebenso raste wie ich, drohte ich mit der Faust. Ich verübte jede Tollheit, die sich nur verüben ließ, und hatte längst den Verstand verloren, als Miss Mills hereintrat.

»Wer hat das getan!« rief Miss Mills aus, ihrer Freundin zu Hilfe eilend.

»Ich, Miss Mills! Ich habe es getan!« schrie ich. »Sehen Sie sich den Barbaren an!« – Und ich verbarg mein Gesicht in dem Sofakissen vor dem Lichte.

Anfangs glaubte Miss Mills, wir hätten uns gezankt und näherten uns wieder der Wüste Sahara, aber bald erfuhr sie die Wahrheit, denn meine liebe kleine Dora fiel ihr um den Hals und erklärte ihr weinend, ich sei ein armer Arbeiter, und rief dann mich herbei und fiel mir um den Hals und fragte mich, ob sie mir all ihr Geld zum Aufheben geben sollte, und dann sank sie wieder an Miss Mills' Brust und schluchzte, als ob ihr zärtliches Herzchen brechen sollte.

Miss Mills war ein wahrer Segen für uns. Mit wenigen Worten erfuhr sie von mir, um was es sich handelte, dann tröstete sie Dora und brachte sie allmählich zu der Überzeugung, daß ich kein Arbeiter sei – aus meiner Erzählung schien Dora geschlossen zu haben, daß ich Mörtelträger sei und den ganzen Tag über mit einem Schubkarren auf einem Brett auf- und abführe –, und stiftete wieder Frieden zwischen uns. Als wir uns ein wenig beruhigt hatten und Dora hinausgegangen war, um sich die Augen mit Rosenwasser zu kühlen, klingelte Miss Mills nach dem Tee. In der Zwischenzeit beteuerte ich ihr, daß sie ewig meine Freundin sein würde und mein Herz zu schlagen aufhören müßte, bevor ich ihre Anteilnahme vergessen könnte.

Dann setzte ich ihr auseinander, was ich mich so ohne allen Erfolg Dora klarzumachen bemüht hatte. Sie stellte fest, daß die

Zufriedenheit in der Hütte besser sei als die kalte Pracht des Palastes und daß, wo Liebe wohne, es an nichts fehle.

Ich gab ihr vollkommen recht. Niemand könne das besser wissen als ich, der Dora liebe, wie noch kein Sterblicher geliebt.

Dann fragte ich, ob sie meine Vorschläge hinsichtlich des Haushaltes und des Kochbuchs für praktisch halte oder nicht.

Nach längerer Überlegung erwiderte sie: »Mr. Copperfield, ich will mit Ihnen offen reden. Seelenleiden und Prüfungen ersetzen bei manchen Naturen die Zahl der Jahre, und ich will so aufrichtig gegen Sie sein, als wäre ich eine Äbtissin. Nein, der Rat paßt nicht für Dora! Unsere liebe Dora ist ein Schoßkind der Natur, sie ist wie aus Licht, Luft und Freude gewoben. Ich gestehe recht gern zu, daß der Rat an und für sich gut ist, aber –« Sie schüttelte den Kopf.

Ihre letzten Worte flößten mir den Mut ein, sie zu fragen, ob sie bei Gelegenheit Doras Aufmerksamkeit auf den Ernst des Lebens würde lenken wollen. Sie bejahte so bereitwillig, daß ich weiter fragte, ob sie nicht auch Dora überreden möchte, das Kochbuch anzunehmen. Auch dieses Amt übernahm Miss Mills, machte sich aber nicht allzu große Hoffnungen.

Dora sah so liebreizend aus, als sie zurückkehrte, daß ich mich wirklich mit Zweifel im Herzen fragte, ob man sie mit so etwas Gewöhnlichem belästigen dürfte. Sie liebte mich so sehr und war so entzückend, besonders als sie Jip um Röstschnitten aufwarten ließ und so tat, als ob sie ihm zur Strafe für seinen Ungehorsam seine Nase an die heiße Teekanne hielte, daß ich mir wie eine Art Ungeheuer in einem Feengarten vorkam, wenn ich bedachte, wie ich sie bis zu Tränen erschreckt hatte.

Nach dem Tee nahm sie die Gitarre und sang die hübschen, alten französischen Lieder von der Unmöglichkeit, jemals mit Tanzen aufzuhören, tarala, tarala, bis ich mich noch mehr als Ungeheuer fühlte als vordem.

Nur ein Schatten fiel auf unser Glück und zwar kurz vor meinem Fortgehen, als ich unvorsichtigerweise verlauten ließ, daß ich meiner Arbeiten wegen jetzt um fünf Uhr früh aufstünde. Ob

Dora vielleicht glaubte, ich sei Privatnachtwächter, weiß ich nicht, aber jedenfalls machte es einen tiefen Eindruck auf sie, und sie spielte und sang nicht mehr.

Es lag ihr immer noch auf der Seele, als ich Abschied von ihr nahm, und sie sagte zu mir in ihrer entzückenden, liebkosenden Weise wie zu einer Puppe:

»Also steh nicht um fünf Uhr auf, du nichtsnutziger Junge! Es ist doch ein Unsinn.«

»Schatz«, sagte ich, »ich habe zu arbeiten.«

»So tu es nicht. Warum nur?«

Ihrem hübschen verwunderten Gesichtchen konnte man nur scherzend sagen, daß wir arbeiten müßten, um zu leben.

»Ach Gott, wie lächerlich!« rief Dora.

»Aber wie sollen wir denn leben ohne Arbeit, Dora?«

»Wie? Irgendwie!«

Sie schien zu glauben, daß die Frage damit gänzlich aus der Welt geschafft sei, und gab mir einen so triumphierenden Kuß aus ihrem unschuldigen Herzen heraus, daß ich sie nicht um ein Vermögen hätte berichtigen mögen.

Also gut! Ich liebte sie und liebte sie weiter, hingebend und vollkommen, und nur sie. Aber ich fuhr auch fort recht angestrengt zu arbeiten und geschäftig alle Eisen zu schmieden, die ich im Feuer hatte, und manchmal, wenn ich abends meiner Tante gegenübersaß, mußte ich daran denken, wie sehr ich Dora erschreckt hatte; dann grübelte und grübelte ich, wie ich mir am besten meinen Weg durch die Welt – am liebsten mit einem Gitarrenfutteral – bahnen könnte, bis es mir vorkam, daß mein Kopf grau würde.

38. Kapitel

Eine Trennung

Ich ließ meinen Entschluß hinsichtlich der Parlamentsdebatten nicht in Vergessenheit geraten. Ich erstand ein gutes Lehrbuch über die Mysterien der Stenographie um 10 sh 6 d und stürzte mich in ein Meer von Verworrenheit. Und binnen wenigen Wochen stand ich am Rand der Verzweiflung.

Die mannigfaltigen Bedeutungen, die von Punkten abhingen, die in dieser Stellung das und in einer andern das Gegenteil bedeuteten, die tollen Streiche, die gewisse Kreise anstellten, die unberechenbaren Folgen, die aus Zeichen wie Fliegenbeinen entstanden, die entsetzlichen Wirkungen eines Hakens an falscher Stelle beunruhigten mich nicht nur im Wachen, sondern erschienen mir auch im Schlaf.

Als ich mir endlich Bahn gebrochen und das Alphabet bemeistert hatte, das an sich schon ein ägyptischer Tempel war, tauchte eine Reihe neuer Schrecken, die man »Charaktere« nannte, auf, – die despotischsten Charaktere, die mir jemals vorgekommen sind und die zum Beispiel behaupten, daß ein Ding am Anfang einer Spinnwebe »Erwartung« heißt und daß eine Tintenfleckrakete soviel wie »unvorteilhaft« bedeutet. – Als ich mir diese unglückseligen Zeichen ins Gehirn genagelt, bemerkte ich, daß sie mir alles übrige aus dem Kopf getrieben hatten. Dann fing ich wieder von vorn an und vergaß die Charaktere; wenn ich sie wieder nachholte, kamen mir die andern Fragmente der Kunst abhanden; kurz, es war zum Herzzerbrechen.

Es hätte mir vielleicht auch das Herz gebrochen ohne Dora, die den Anker meines im Sturm treibenden Bootes bildete. Jeder Strich in dem System war eine knorrige Eiche im Walde der Schwierigkeiten, und ich hieb eine nach der andern mit solcher Kraft um, daß ich in drei oder vier Monaten imstande war, mich an einen der Hauptsprecher in den Commons heranzumachen. Nie werde ich vergessen, wie mir der Mann entschlüpfte, ehe ich noch anfing, und wie mein Bleistift auf dem Papier herumstolperte wie besoffen.

So ging es also nicht, das war klar. Ich strebte zu hoch und konnte auf diese Art nichts erreichen. Traddles, den ich um Rat fragte, schlug mir vor, er wolle mir Reden diktieren, meiner Ungeübtheit angepaßt, langsam und mit angemessenen Pausen. Dankbar nahm ich seine freundliche Mithilfe an, und lange Zeit hielten wir, wenn ich von Doktor Strong nach Hause kam, eine Art Privatparlament in der Buckingham Straße ab.

Meine Tante und Mr. Dick stellten, je nachdem, die Regierung oder die Opposition vor, und Traddles richtete mit Hilfe von Enfields Rhetorik oder eines Bandes Parlamentsreden erstaunliche Angriffe gegen sie. Am Tische stehend, den Finger im Buch, um die Stelle zu behalten, und mit der Linken lebhaft gestikulierend, versetzte sich Traddles als Mr. Pitt, Mr. Fox, Mr. Sheridan, Mr. Burke, Lord Castlereagh, Viscount Sidmouth oder Mr. Canning in die entsetzlichste Aufregung und schleuderte die vernichtendsten Anklagen der Bestechlichkeit und Verderbtheit auf meine Tante und Mr. Dick, während ich mit dem Notizbuch auf dem Knie mit größter Anstrengung mitstenographierte.

Die Inkonsequenz und Rücksichtslosigkeit Traddles konnte von keinem Politiker übertroffen werden. Er wechselte jede Woche seine Meinung und hißte alle möglichen Flaggen auf seinem Maste. Meine Tante, die ganz wie ein steinerner Kanzler dasaß, warf gelegentlich eine Bemerkung dazwischen, ein Hört! oder Oho! je nachdem es der Text erforderte, was immer das Signal für Mr. Dick abgab, der ganz auf der Partei der Landedelleute stand, kräftig in denselben Ruf mit einzustimmen. Es wurden ihm im Verlauf seiner parlamentarischen Laufbahn so viel Vorwürfe ins Gesicht geschleudert und er wurde für so viel schreckliche Folgen verantwortlich gemacht, daß ihm zuweilen ganz bange wurde. Ich glaube, er fürchtete manchmal wirklich, an der britischen Verfassung zum Schaden des Landes gerüttelt zu haben.

Oft setzten wir die Debatten fort, bis die Lichter herabgebrannt waren und die Uhr auf Mitternacht zeigte. Die Folge der vielen Übungen war, daß ich allmählich mit Traddles leidlich Schritt halten konnte; nur wäre ich froh gewesen, wenn ich hätte herausbekommen können, was meine stenographischen Notizen eigentlich bedeuteten. Aber ebensowenig hätte ich die chinesischen Inschriften auf einer Teekiste oder die goldnen Zeichen auf den großen roten und grünen Flaschen in den Apothekerläden lesen können.

Da gab es keinen Ausweg, als noch einmal von vorn anzufangen. Das war sehr schlimm, aber ich versuchte es, wenn auch mit schwerem Herzen, und ging die ganze langweilige Arbeit im Schneckentempo noch einmal durch und verglich sorgfältig jede einzelne Stelle. Trotzdem war ich immer pünktlich in der Kanzlei und bei dem Doktor und arbeitete, sozusagen, wie ein Karrengaul.

Eines Tages, als ich wie gewöhnlich nach den Commons ging, sah ich Mr. Spenlow mit sehr ernstem Gesicht und mit sich selbst sprechend in der Türe stehen. Da er manchmal über Kopfschmerzen klagte – er hatte von Natur einen kurzen Hals und meiner Meinung nach viel zu steif gestärkte Kragen –, so kam mir zuerst der Gedanke, es sei etwas in dieser Hinsicht nicht in Ordnung; aber von meinem Irrtum befreite er mich bald.

Anstatt mein »Guten Morgen« mit der gewohnten Leutseligkeit zu erwidern, blickte er mich sehr kalt und zeremoniell an und forderte mich auf, ihm in ein gewisses Kaffeehaus zu folgen, das zu jener Zeit einen Eingang in den kleinen Torweg des St. Pauls-Kirchhofs hatte.

In recht unbehaglicher Stimmung und mit einem Gefühl von Wärme im ganzen Körper, als ob meine Befürchtungen Knospen treiben wollten, folgte ich ihm.

Als ich ihn wegen der Enge des Weges vorausgehen ließ, fiel es mir auf, daß er seinen Kopf in einer Weise, die durchaus nichts Gutes versprach, hoch trug, und eine böse Ahnung sagte mir, daß er meinem Verhältnis mit Dora auf die Spur gekommen sei.

Wenn ich es nicht schon unterwegs erraten hätte, so mußte es mir klar werden, als ich ihm in ein Zimmer eine Treppe hoch folgte und dort Miss Murdstone fand, an einen Seitentisch voll umgekehrter Gläser, Zitronen und zwei altmodische Messerkasten gelehnt.

Miss Murdstone, steif und aufrecht, reichte mir ihre kalten Fingernägel, Mr. Spenlow schloß die Türe, hieß mich auf einem Sessel Platz nehmen und stellte sich vor den Kamin.

»Wollen Sie die Güte haben, Miss Murdstone«, sagte er, »Mr. Copperfield zu zeigen, was sich in Ihrem Strickbeutel befindet.«

Ich glaube, es war der alte Strickbeutel mit dem Stahlbügel, der schon in meiner Kindheit wie ein Gebiß schloß. Mit zusammengepreßten Lippen öffnete ihn Miss Murdstone und zog meinen letzten Brief an Dora, der von Ausdrücken zärtlichster Liebe überfloß, heraus.

»Ich glaube, das ist Ihre Handschrift, Mr. Copperfield«, sagte Mr. Spenlow.

Mir war sehr heiß, und die Stimme, die ich vernahm, als ich sagte, »so ist es, Sir«, klang der meinen sehr unähnlich.

»Wenn ich nicht irre«, fuhr Mr. Spenlow fort, als Miss Murdstone ein ganzes Paket Briefe, zugebunden mit einem allerliebsten blauen Band aus dem Strickbeutel hervorholte, »sind auch diese von Ihrer Hand, Mr. Copperfield.«

Ich nahm sie mit der trostlosesten Empfindung entgegen und meine Anreden wie »Meine ewig teuerste, einzige Dora! Mein bester geliebter Engel! Mein Herzensschatz!« und dergleichen überfliegend, errötete ich tief und neigte bejahend das Haupt.

»Nein, nein, ich danke Ihnen«, sagte Mr. Spenlow kalt, als ich sie ihm mechanisch hinreiche. »Ich will Sie der Briefe nicht berauben. Miss Murdstone, haben Sie die Güte, fortzufahren.«

Dieses liebenswürdige Geschöpf betrachtete eine Weile gedankenvoll den Teppich und begann dann salbungsvoll wie folgt:

»Ich muß gestehen, schon längere Zeit hatte ich Miss Spenlow wegen David Copperfield im Verdacht. Ich beobachtete Miss Spenlow und David Copperfield, als sie sich das erste Mal sahen, und der Eindruck, den ich damals empfing, war durchaus nicht günstig. Die Verderbtheit des menschlichen Herzens ist so groß – «

»Sie würden mich verbinden, Ma'am«, unterbrach Mr. Spenlow, »wenn Sie sich lediglich auf Tatsachen beschränkten.«

Miss Murdstone schlug die Augen nieder, schüttelte wie gegen diese unpassende Bemerkung protestierend den Kopf und fuhr stirnrunzelnd würdevoll fort:

»Da ich mich also auf Tatsachen zu beschränken habe, will ich sie so trocken, wie ich es vermag, vortragen. Vielleicht wird das als das geeignetste Verfahren Gnade finden. Ich habe bereits gesagt, Sir, daß ich schon längere Zeit gegen Miss Spenlow wegen David Copperfield Verdacht hegte. Ich hatte mich des öfteren bemüht, eine entscheidende Bestätigung meiner Vermutung zu finden, jedoch ohne Erfolg. Ich habe mich daher enthalten, etwas davon Miss Spenlows Vater« – sie sah ihn dabei streng an – »zu verraten, wohl wissend, wie wenig Neigung oft in solchen Fällen vorhanden ist, gewissenhafte Pflichterfüllung anzuerkennen.«

Mr. Spenlow, ganz eingeschüchtert von Miss Murdstones männlicher Unbeugsamkeit, suchte ihre Strenge durch eine konziliante Handbewegung zu mildern.

»Als ich nach der Hochzeit meines Bruders zurückkehrte«, fuhr Miss Murdstone mit verachtungsvoller Stimme fort, »und als Miss Spenlow von dem Besuch bei ihrer Freundin, Miss Mills, nach Hause kam, schien mir Doras Benehmen noch mehr Veranlassung zum Argwohn als früher zu geben. Deshalb beobachtete ich sie auf das schärfste.«

Arme, liebe, kleine Dora! So ahnungslos dem Auge dieses Drachen preisgegeben!

»Aber trotzdem«, fuhr Miss Murdstone fort, »fand ich keine Beweise bis gestern abend. Es schien mir, daß Miss Spenlow merkwürdig viel Briefe von ihrer Freundin, Miss Mills, erhielt; da aber Miss Mills ihre Freundin war, und zwar mit ihres Vaters vollständiger Beistimmung« – wieder ein scharfer Hieb auf Mr. Spenlow-, »so durfte ich mich ja nicht weiter einmischen. Wenn es mir schon nicht erlaubt ist, von der Verderbtheit des menschlichen Herzens zu sprechen, so darf ich mir doch vielleicht erlauben, mich hier des Wortes ›übel angebrachtes Vertrauen‹ zu bedienen.«

Mr. Spenlow murmelte eine Zustimmung.

»Gestern abend nach dem Tee«, fuhr Miss Murdstone fort, »bemerkte ich, wie der kleine Hund aufsprang, knurrend im Zimmer hin und her lief und etwas herumzerrte. Ich sagte zu Miss Spenlow: »Dora, was hat der Hund im Maul, – es ist ein Papier.« Miss Spenlow fühlte nach ihrer Tasche, schrie auf und lief zu dem Hunde. Ich trat dazwischen und sagte: »Meine liebe Dora, Sie werden schon erlauben.«

O Jip, elender Schoßhund, das Unglück war also dein Werk!

»Miss Spenlow versuchte, mich mit Küssen, Arbeitskästchen und kleinen Schmucksachen zu bestechen – darüber gehe ich natürlich hinweg –, der Hund flüchtete sich unter das Sofa, als ich mich ihm näherte, und ließ sich nur schwer mit dem Schüreisen wieder hervortreiben. Selbst, als das gelungen war, hielt er immer noch den Brief mit den Zähnen fest, und als ich, auf die Gefahr hin, gebissen zu werden, mich bemühte ihm denselben zu entreißen, hielt er ihn so fest, daß er sich daran emporheben ließ. Endlich gelangte ich in den Besitz des Briefes. Nachdem ich ihn gelesen, sagte ich Miss Spenlow auf den Kopf zu, daß sie noch viele derartige besitzen müsse, und erhielt schließlich von ihr das Paket, das sich jetzt in David Copperfields Hand befindet.«

Dann schloß sie den Mund, ließ den Strickbeutel wieder zuschnappen und sah aus, als ob man sie wohl beugen, nie aber brechen könnte.

»Sie haben Miss Murdstone gehört«, sagte Mr. Spenlow zu mir. »Darf ich fragen, Mr. Copperfield, ob Sie etwas drauf zu erwidern haben?«

Ich sah den lieben kleinen Herzensschatz die ganze Nacht schluchzend und weinend in Angst und Kummer – wie sie das hartherzige Frauenzimmer kläglich gebeten und angefleht, ihm umsonst Küsse, Arbeitskästchen und Schmucksachen aufgedrängt, um mich und nur um mich von tiefstem Schmerz erfüllt

– vor mir, und das tat dem bißchen Würde, das ich hätte auftreiben können, nicht wenig Abbruch. Ich glaube, ich zitterte, obgleich ich mein möglichstes tat, es zu verbergen.

»Ich habe nichts darauf zu erwidern, Sir«, gab ich zur Antwort, »außer, daß mich die ganze Schuld trifft. Dora –«

»Miss Spenlow, wenn ich bitten darf.«

»– wurde durch meine Unüberlegtheit verleitet«, fuhr ich fort, ohne auf die formelle Berichtigung Rücksicht zu nehmen, »die Sache geheim zu halten, und ich beklage es bitter.«

»Sie sind sehr zu tadeln, Sir«, sagte Mr. Spenlow, schritt auf dem Teppich vor dem Herd auf und nieder und verlieh jedem seiner Worte wegen der Steifheit seines Kragens und Rückens statt mit dem Kopf mit seinem ganzen Körper Nachdruck. »Sie haben sich einer hinterlistigen und unschicklichen Handlungsweise schuldig gemacht, Mr. Copperfield. Wenn ich einen Gentleman in mein Haus einführe, mag er neunzehn, neunundzwanzig oder neunzig Jahre alt sein, so setze ich in ihn vollkommenes Vertrauen. Wenn er mich darin hintergeht, so macht er sich einer unehrenhaften Handlung schuldig, Mr. Copperfield.«

»Ich fühle das jetzt selbst, glauben Sie mir«, erwiderte ich. »Aber ich habe es vorher nie bedacht. Aufrichtig und ehrlich kann ich Ihnen sagen, Mr. Spenlow, ich habe es nicht bedacht. Ich liebe Miss Spenlow derart –«

»Pah, Unsinn«, sagte Mr. Spenlow und wurde rot, »ich bitte mir nicht ins Gesicht zu sagen, daß Sie meine Tochter lieben, Mr. Copperfield.«

»Könnte ich denn mein Benehmen rechtfertigen, wenn es nicht der Fall wäre, Sir?« wandte ich in aller Demut ein.

»Und können Sie es rechtfertigen, wenn es der Fall ist, Sir?« fragte Mr. Spenlow, auf dem Teppich stehenbleibend. »Haben Sie an Ihr Alter und das meiner Tochter gedacht, Mr. Copperfield? Haben Sie bedacht, was das heißt, das Vertrauen zu untergraben, das zwischen mir und meiner Tochter bestehen sollte; haben Sie an die Lebensstellung meiner Tochter, an die Pläne, die ich zu ihrem Besten im Sinne habe, an die testamentarischen Bestimmungen, die ich ihretwegen getroffen habe, gedacht? Haben Sie überhaupt irgend etwas gedacht, Mr. Copperfield?«

»Ich fürchte, sehr wenig, Sir«, gestand ich, so ehrerbietig und sorgenvoll, wie mir zumute war, »aber glauben Sie mir, ich habe meine eigne Stellung nicht aus dem Auge verloren. Als ich sie ihnen damals klarlegte, waren wir bereits verlobt –«

»Ich bitte« – sagte Mr. Spenlow, einem Policcinell, als er jetzt energisch die Hände zusammenschlug, ähnlicher sehend, als mir je aufgefallen war – »ich muß Sie sehr bitten, Mr. Copperfield, mir nicht von Verlobungen zu sprechen, Mr. Copperfield.«

Miss Murdstone ließ ein kurzes verächtliches Lachen hören.

»Als ich meine so plötzlich veränderten materiellen Verhältnisse Ihnen auseinandersetzte, Sir, hatte also das heimliche Verhältnis, zu dem ich Miss Spenlow unglücklicherweise verleitet habe, bereits begonnen. Seit ich mich in dieser veränderten Lebenslage befinde, habe ich keine Anstrengung gescheut, sie zu verbessern. Ich bin überzeugt, sie noch mit der Zeit wesentlich verbessern zu können. Wollen Sie mir Zeit lassen – eine Reihe von Jahren, wir sind noch beide jung, Sir –«

»Sie haben recht«, unterbrach mich Mr. Spenlow, immerwährend mit dem Kopf nickend und die Stirn runzelnd, »Sie sind beide noch sehr jung. Es ist der reinste Unsinn. Machen Sie diesem Unsinn ein Ende. Werfen Sie diese Briefe ins Feuer. Geben Sie mir Miss Spenlows Briefe, damit ich sie ebenfalls verbrennen kann. Und da sich in Zukunft unser Verkehr natürlich bloß auf die Commons beschränken wird, wollen wir die Sache nicht mehr weiter erwähnen. Kommen Sie, Mr. Copperfield, Sie sind doch sonst ein einsichtsvoller junger Mann, es ist das Gescheiteste, was Sie tun können.«

Nein. Ich konnte nicht einschlagen. Es tat mir unendlich leid, aber hier galt es mehr als bloße Verständigkeit. Die Liebe ging über alle irdischen Rücksichten hinaus, und ich liebte Dora abgöttisch, und Dora liebte mich. Ich sagte es nicht mit denselben Worten und milderte es, soviel ich konnte; aber ich ließ es durchblicken und blieb fest.

»Nun gut, Mr. Copperfield«, sagte Mr. Spenlow. »Dann muß ich meinen Einfluß bei meiner Tochter geltend zu machen suchen.«

Miss Murdstone gab durch einen ausdrucksvollen hörbaren Atemzug, der wie ein Seufzer und Stöhnen zugleich klang, ihre Meinung dahin ab, daß er das gleich anfangs hätte tun sollen.

»Ich muß meinen Einfluß«, wiederholte Mr. Spenlow, dadurch bestärkt, »also bei meiner Tochter geltend zu machen suchen. Verweigern Sie die Annahme dieser Briefe, Mr. Copperfield?« – ich hatte das Paket nämlich auf den Tisch gelegt.

»Ja.« Ich sagte, ich hoffte, er werde es mir nicht übelnehmen, aber ich könnte sie unmöglich von Miss Murdstone annehmen.

»Auch von mir nicht?«

»Nein«, erwiderte ich mit dem tiefsten Respekt. »Auch nicht von Ihnen.«

»Gut«, sagte Mr. Spenlow.

Es trat eine Pause ein, und ich wußte nicht, ob ich gehen oder bleiben sollte. Endlich ging ich ruhig nach der Türe und wollte gerade sagen, daß ich wohl seine Gefühle am besten berücksichtigen würde, wenn ich mich zurückzöge, da fuhr er fort, die Hände in die Taschen steckend oder wenigstens nach Möglichkeit bemüht, es zu tun, und mit einer Miene, die man eigentlich hätte fromm nennen können:

»Es ist Ihnen wahrscheinlich bekannt, Mr. Copperfield, daß ich nicht ganz ohne Vermögen dastehe und daß meine Tochter meine nächste und mir teuerste Verwandte ist.«

Ich beeilte mich, ihm in dem Sinne zu erwidern, daß ich hoffte, mein Irrtum, zu dem mich die Heftigkeit meiner Liebe verleitet, veranlasse ihn nicht, mich für berechnend zu halten.

»Ich meine es nicht deswegen«, sagte Mr. Spenlow. »Es würde besser für Sie und uns alle sein, wenn Sie berechnender wären, Mr. Copperfield, – ich meine, wenn Sie verständiger wären und sich weniger von solch jugendlichem Unverstand leiten ließen. Nein. Ich frage in ganz anderer Absicht, nämlich ob Sie wissen, daß ich meiner Tochter einiges Vermögen zu vermachen habe?«

Ich sagte, daß ich das annehme.

»Bei den Erfahrungen, die Sie täglich in den Commons hinsichtlich der so häufigen, ganz unverantwortlichen Nachlässigkeit der Menschen betreffs testamentarischer Verfügungen gemacht haben – es ist vielleicht einer der Punkte, wo sich die menschliche Inkonsequenz am seltsamsten offenbart –, können Sie doch kaum glauben, daß ich meine Verfügungen noch nicht getroffen hätte.«

Ich nickte zustimmend.

»Ich würde nicht zugeben«, sagte Mr. Spenlow, sichtlich von einer frommen Empfindung ergriffen, den Kopf schüttelnd und sich abwechselnd auf seinen Zehen und Absätzen wiegend, »daß die passende Versorgung meines Kindes durch eine solche jugendliche Torheit wie die gegenwärtige beeinflußt würde. Es ist nackte Torheit. Reiner Unsinn. In kurzer Zeit wird es leichter wiegen als eine Feder. Aber ich könnte, ich könnte, – wenn sich diese alberne Geschichte nicht von selbst erledigen sollte, mich in einem Augenblick der Besorgnis verleiten lassen, meine Tochter durch gewisse Schutzmaßregeln vor einer törichten Heirat zu bewahren. Ich hoffe nun von Ihnen, Mr. Copperfield, daß Sie mich nicht zwingen werden, auch nur eine Viertelstunde lang eine abgeschloßne Seite im Buche des Lebens wieder zu öffnen und ernste, längst geregelte Bestimmungen umzustoßen.«

Er sprach dies mit einer seelenvollen Ruhe, die sich nur mit einem stillen Sonnenuntergang vergleichen ließ, so daß ich ganz gerührt war. Er sah so friedvoll und ergeben aus, hatte, das stand fest, alle seine Angelegenheiten in so vollständiger Ordnung, daß es ihm wohl anstand, bei solcher Betrachtung Rührung zu empfinden. Wahrhaftig, ich glaube, Tränen glänzten in seinen Augen, so tief ergriff es ihn.

Aber was konnte ich tun?! Ich konnte doch nicht Dora und mein eignes Herz verleugnen. Als er mir eine Woche Bedenkzeit gab, um mir seine Worte zu überlegen, wie durfte ich sie ausschlagen, aber ich mußte auch fühlen, daß überhaupt keine Zahl von Wochen Eindruck auf eine Liebe wie die meinige machen konnte.

»Unterdessen gehen Sie mit Miss Trotwood oder irgend jemand anders von einiger Lebenserfahrung zu Rate«, sagte Mr. Spenlow, indem er seine Halsbinde mit beiden Händen zurechtrückte. »Ich gebe Ihnen eine Woche Bedenkzeit, Mr. Copperfield.«

Ich mußte mich darein ergeben und verließ mit einem Gesicht, in das ich soviel Ausdruck niedergeschlagener und verzweifelnder Beharrlichkeit legte wie nur möglich das Zimmer. Miss Murdstones dräuende Augenbrauen sahen mir nach, ihre Augenbrauen, nicht ihre Augen, weil sie das Wichtigste in ihrem Gesichte waren; sie sah genau so aus wie damals in unserer Stube in Blunderstone, so daß ich eine Sekunde wieder glaubte, meine Lektion verlernt zu haben, und jenes entsetzliche alte ABC-Buch mit den ovalen Holzschnitten, die mir in meiner jugendlichen Phantasie wie Brillengläser vorgekommen waren, vor mir sah.

Als ich in die Kanzlei kam, mich an mein Pult setzte und an dieses so unerwartet hereingebrochene Erdbeben dachte und in der Bitternis meines Herzens Jip verfluchte, verfiel ich in einen Zustand so qualvoller Sorgen um Dora, daß es mich heute noch wundernimmt, wieso ich nicht den Hut nahm und wie ein Wahnsinniger nach Norwood stürmte. Der Gedanke, daß sie sie in Schrecken und Tränen versetzen würden und ich sie nicht trösten könnte, war mir so qualvoll, daß ich mich veranlaßt sah, einen verzweifelten Brief an Mr. Spenlow zu schreiben und ihn zu bitten, die Folgen des Geschehens nicht das Haupt seiner Tochter treffen zu lassen. Ich bat ihn, ihre weiche Natur zu schonen, eine zarte Blume nicht zu zertreten, und sprach zu ihm, als ob er nicht ihr Vater, sondern ein Werwolf oder der Drache von Wantley gewesen wäre. Diesen Brief versiegelte ich und legte ihn auf sein Pult, und als er zurückkam, sah ich durch die halboffne Tür seines Zimmers, wie er ihn erbrach und las.

Er sprach den ganzen Morgen nichts davon. Aber bevor er nachmittags wegging, rief er mich herein und sagte, ich brauchte mir wegen des Glücks seiner Tochter durchaus keine Sorgen zu machen. Er würde sie überzeugen, daß alles Unsinn sei, und weiter habe er ihr nichts zu sagen. Er glaube, ein nachsichtiger Vater zu sein – und das war er allerdings –, und ich könnte mir jede Sorge in dieser Hinsicht ersparen.

»Sie könnten mich vielleicht dazu zwingen, Mr. Copperfield, wenn Sie wirklich töricht oder widerspenstig sind«, bemerkte er, »meine Tochter wiederum ein halbes Jahr ins Ausland zu schikken, aber ich habe eine bessere Meinung von Ihnen. Ich hoffe, Sie werden in wenigen Tagen einsichtsvoller geworden sein. Was Miss Murdstone betrifft« – ich hatte ihrer im Briefe Erwähnung getan – »so hege ich alle Achtung von der Wachsamkeit dieser Dame und fühle mich ihr sehr verbunden, aber sie hat strengsten Befehl, von der Sache nicht mehr zu sprechen. Ich wünsche weiter nichts, Mr. Copperfield, als daß die Angelegenheit einfach in Vergessenheit gerät. Auch Sie haben weiter nichts zu tun, als zu vergessen.«

Weiter nichts! In meinem Briefe an Miss Mills führte ich diese Äußerung mit Bitterkeit an. Ich hätte weiter nichts zu tun, schrieb ich mit düsterem Sarkasmus, als Dora – zu vergessen. Das sei alles!!

Und was sei das?! Ich bat Miss Mills, sie heute abend besuchen zu dürfen. Wenn es nicht mit Mr. Mills' Zustimmung geschehen könnte, so bäte ich um ein heimliches Zusammentreffen in der Waschküche, wo die Mangel stehe. Ich versicherte ihr, daß mein Verstand zu wanken beginne und daß nur sie, Miss Mills, mich vor dem Wahnsinn retten könnte. Ich unterzeichnete: »In tiefster Verzweiflung Ihr usw. usw.« Und als ich den Brief noch einmal überflog, mußte ich mir gestehen, daß sein Stil ein wenig an den Mr. Micawbers erinnerte.

Nichtsdestoweniger sandte ich ihn ab. Abends begab ich mich nach Miss Mills' Wohnung und ging dort auf und ab, bis ihre Zofe mich heimlich hereinholte und die Hintertreppe hinauf in die Waschküche führte. Ich habe heute guten Grund zu glauben, daß nichts hindernd im Wege stand, wenn ich ruhig die Haupttreppe hinaufgegangen und in den Salon getreten wäre, außer höchstens Miss Mills' Hang zum Romantischen und Geheimnisvollen.

In der Waschküche raste ich, wie es sich für mich ziemte. Ich glaube, ich ging hin, um mich wie ein Wahnsinniger zu benehmen, und das gelang mir vollkommen. Miss Mills hatte ein hastig geschriebenes Billett von Dora erhalten, des Inhalts, daß alles entdeckt sei, und mit der Bitte: »Ach komm, Julia, komm, komm!« Aber Miss Mills füchtete, ihre Anwesenheit würde den höheren Mächten mißfallen, und war deshalb noch nicht gegangen. Und uns alle umfing die finstere Nacht der Wüste Sahara.

Miss Mills besaß einen wunderbaren Redefluß und liebte es, ihn sich schrankenlos ergießen zu hören. Es entging mir nicht, daß sie in unserer Trübsal schwelgte, obgleich sie ihre Tränen mit den meinen vermischte. Sie wühlte förmlich in Gram. Ein klaffender Abgrund, sagte sie, habe sich zwischen Dora und mir geöffnet, und nur die Liebe könne ihn mit ihrem Regenbogen überspannen. Die Liebe müsse leiden in dieser finstern Welt, es sei immer so gewesen und werde immer so sein. Aber das tue nichts, bemerkte sie, die mit Spinnennetzen umwobenen Herzen würden schließlich brechen, und dann sei die Liebe gerächt.

Das klang wenig tröstlich, aber Miss Mills wollte nicht trügerische Hoffnungen erweckt sehen. Sie machte mich noch viel unglücklicher, als ich bereits war, aber ich fühlte und sagte es ihr auch mit der größten Dankbarkeit, daß sie eine wahre Freundin sei.

Wir beschlossen, daß sie am nächsten Morgen in aller Frühe zu Dora gehen und auf Mittel sinnen sollte, ihr durch Blick oder Wort Nachricht von meiner unwandelbaren Liebe und meinem Kummer zu geben. Wir schieden überwältigt von Schmerz, und ich glaube, Miss Mills empfand große Genüsse dabei.

Ich vertraute alles meiner Tante an, als ich nach Hause kam, und ging trotz aller ihrer Trostreden voll Verzweiflung zu Bett. Ich stand voll Verzweiflung auf und ging voll Verzweiflung aus. Es war Samstag früh, und ich ging geradewegs nach den Commons. Ich war überrascht, als ich von weitem die Austräger in einer Gruppe vor unserer Kanzleitür stehen sah. Ich beschleunigte meine Schritte, ging an ihnen vorbei, wobei mir ihr Aussehen auffiel, und trat hastig ein.

Die Schreiber waren alle versammelt, arbeiteten aber nicht. Der alte Tiffey saß, ich glaube, zum ersten Mal in seinem Leben, auf einem andern Stuhl und hatte seinen Hut nicht aufgehängt.

»Ein schreckliches Unglück, Mr. Copperfield«, sagte er, als ich eintrat.

»Was ist denn?« rief ich aus. »Was ist vorgefallen?«

»Sie wissen es noch nicht?« riefen Tiffey und alle übrigen, die mich jetzt umdrängten.

»Nein«, sagte ich und blickte von einem zum andern.

»Mr. Spenlow!«

»Was ist mit ihm?«

»Er ist tot.«

Ich glaubte, die Kanzlei schwankte und nicht ich, als einer der Schreiber mich mit seinen Armen auffing. Sie setzten mich auf einen Stuhl, banden mir das Halstuch ab und brachten mir ein Glas Wasser. Ich weiß nicht, wieviel Zeit darüber verging.

»Tot?« sagte ich.

»Er speiste gestern in der Stadt und kutschierte seinen Phaeton allein«, erzählte Tiffey, »denn er hatte den Kutscher vorausgeschickt, wie er es manchmal zu tun pflegte.«

»Nun, und?«

»Der Wagen kam ohne ihn an. Die Pferde blieben vor der Stalltür stehen, der Diener ging mit einer Laterne hinaus. Es saß niemand im Wagen.«

»Waren sie durchgegangen?«

»Sie schwitzten nicht«, sagte Tiffey und setzte die Brille auf. »Sie schwitzten nicht mehr als gewöhnlich. Die Zügel waren wohl zerrissen, aber auf dem Boden geschleift worden. Alle wurden sogleich geweckt, und drei von den Leuten gingen auf die Straße hinaus. Sie fanden ihn eine Meile vom Hause.«

»Mehr als eine Meile, Mr. Tiffey«, unterbrach ein jüngerer Schreiber.

»So? Ja, ich glaube, Sie haben recht – also mehr als eine Meile vom Hause –, nicht weit von der Kirche. Er lag halb auf dem Fahrweg, halb auf dem Fußsteig auf dem Gesicht. Ob er vom Schlag getroffen vom Bock fiel oder ausstieg, weil ihm übel wurde, oder ob er überhaupt schon tot war, als sie ihn fanden, oder nur besinnungslos, scheint niemand zu wissen. Keinesfalls hat er sich wieder erholt. Ärztliche Hilfe wurde so schnell wie möglich geholt, – alles umsonst … «

Ich kann nicht schildern, in welchen Gemütszustand mich diese Nachricht versetzte. Der Schreck über die Plötzlichkeit des Ereignisses, das einen Menschen betraf, mit dem ich in jeder Hinsicht entzweit war, die grausige Leere in seinem Bureau, wo sein Tisch und sein Stuhl auf ihn zu warten schienen, und das, was er gestern noch geschrieben, wie gespensterhaft erschien – die unerklärliche Unmöglichkeit, ihn von dem Orte zu trennen und jeden Augenblick, wenn die Türe aufging, zu glauben, daß er hereintreten müßte, die träge Stille und Ruhe in der Kanzlei, das unersättliche Behagen, mit dem unsere Leute immerwährend von dem Vorfall sprachen und andere den ganzen Tag ein- und ausgingen und sich das Gehirn mit dem Thema vollstopften –, alles das kann sich jeder selbst ausmalen. Ganz sonderbar war, daß ich in den tiefsten Tiefen meines Herzens eine heimliche Eifersucht selbst auf den Tod empfand; wie es mir vorkam, bangte mir, daß mich seine Macht aus Doras Gedanken verdrängen könnte. Ich empfand es wie einen Stich, daß ich auf ihren Schmerz neidisch war. Der Gedanke erfüllte mich mit Unruhe, daß sie vor andern weinte und von andern getröstet wurde. Ein selbstsüchtiger Wunsch erfüllte mich in dieser unpassendsten aller Zeiten, jeden von ihr fernzuhalten außer mich und ihr alles in allem zu sein.

In dieser wirren Stimmung ging ich abends nach Norwood, und da ich von der Dienerschaft erfuhr, daß Miss Mills dort gewesen, veranlaßte ich meine Tante, an diese einen Brief zu adressieren, den ich selbst schrieb. Ich beklagte aufrichtig den unerwarteten Tod Mr. Spenlows und vergoß Tränen dabei. Ich bat

Miss Mills, Dora in einem passenden Moment zu sagen, daß ihr Vater mit mir mit der größten Güte und Rücksicht gesprochen und bei Erwähnung ihres Namens nur Worte der Liebe und nicht des Vorwurfs gebraucht hätte. Ich weiß, ich tat dies aus Selbstsucht, damit mein Name ihr vor Augen komme, aber ich bemühte mich zu glauben, daß ich damit nur seinem Andenken Gerechtigkeit widerfahren ließe. Vielleicht glaubte ich es wirklich.

Meine Tante erhielt am nächsten Morgen ein paar Antwortzeilen; sie waren außen an sie adressiert, inwendig an mich gerichtet. Dora war von Schmerz überwältigt gewesen und als ihre Freundin sie gefragt hatte, ob sie mir Grüße bestellen sollte, habe sie nur unter vielen Tränen gerufen: »Ach mein lieber Papa, ach mein lieber Papa!« Aber sie hatte nicht nein gesagt. Und das nahm ich als sehr viel auf.

Mr. Jorkins, der seit dem Vorfall in Norwood gewesen war, kam ein paar Tage später auf die Kanzlei. Er und Tiffey schlossen sich ein paar Minuten lang ein, dann steckte Tiffey den Kopf heraus und winkte mir einzutreten.

»O«, sagte Mr. Jorkins, »Tiffey und ich, Mr. Copperfield, stehen im Begriff, das Pult, die Schränke und ähnliche Repositorien des Verblichenen zu untersuchen, um seine Privatpapiere zu versiegeln und nach einem Testament zu suchen. Nirgends ist eine Spur davon zu finden. Würden Sie vielleicht so gut sein, uns ein wenig zu helfen?«

Ich war in größter Sorge gewesen, wie sich wohl Doras Verhältnisse gestalteten, unter wessen Vormundschaft sie kommen würde, und so weiter, und hier konnte ich etwas erfahren. Wir begannen sofort zu suchen; Mr. Jorkins schloß die Pulte und Kasten auf, und wir nahmen alle Papiere heraus. Die Akten legten wir auf die eine Seite, die nicht sehr zahlreichen Privatpapiere auf die andere. Wir waren sehr ernst, und wenn wir ein Siegel, einen Bleistift, einen Ring oder irgendeine andere Kleinigkeit fanden, die besonders an ihn erinnerte, sprachen wir besonders leise.

Wir hatten schon verschiedene Pakete gesiegelt und immer noch nichts gefunden, als Mr. Jorkins mit denselben Worten, die sein verstorbener Kompagnon immer auf ihn anzuwenden pflegte, zu uns sagte: »Mr. Spenlow war sehr schwer von seinem gewohnten Wege abzubringen. Sie wissen, wie er war. Ich neige der Ansicht zu, daß er kein Testament gemacht hat.«

»O nein, ich weiß es bestimmt«, sagte ich.

Sie hielten beide inne und sahen mich an.

»An dem Tag, als ich das letzte Mal mit ihm sprach, redete er zu mir davon und sagte, seine Angelegenheiten seien längst geordnet.«

Die beiden schüttelten den Kopf.

»Das sieht schlimm aus«, meinte Tiffey.

»Sehr schlimm«, bestätigte Mr. Jorkins.

»Sie glauben doch nicht etwa –« fing ich an.

»Mein guter Mr. Copperfield«, sagte Tiffey, legte die Hand auf meinen Arm und machte beide Augen zu, während er den Kopf schüttelte, »wenn Sie in den Commons so lang gewesen wären wie ich, so würden Sie wissen, daß es keinen Punkt gibt, hinsichtlich dessen die Menschen so inkonsequent und so wenig verlässig sind.«

»Aber mein Gott, ganz dieselbe Bemerkung ließ er mir gegenüber fallen«, wandte ich mit Beharrlichkeit ein.

»Das möchte ich fast ausschlaggebend nennen«, bemerkte Tiffey. »Meine Meinung ist jetzt: – kein Testament.«

Das erschien mir wunderbar; aber es zeigte sich wirklich, daß es sich so verhielt. Mr. Spenlow hatte niemals daran gedacht, ein Testament aufzusetzen, soweit das aus seinen Papieren hervorgehen konnte; es fand sich keine Notiz, kein Entwurf, kein Wort, das auf ein solches hindeutete. Was mich nicht weniger in Verwunderung setzte, war, daß sich seine Angelegenheiten in der denkbar größten Unordnung befanden. Wie ich hörte, hielt es außerordentlich schwer, herauszubekommen, was er schuldete oder bezahlt hatte oder wie hoch sich bei seinem Tode sein Vermögen belief. Er schien es offenbar seit Jahren selbst nicht gewußt zu haben. Allmählich zeigte sich, daß er in seinem Eifer, in den Commons in Äußerlichkeiten zu glänzen, mehr als sein Einkommen aus der Kanzlei verbraucht und sein nie sehr großes Vermögen stark angegriffen hatte.

Norwood wurde verkauft, und Tiffey sagte mir, ohne zu wissen, wie sehr mich seine Mitteilungen interessierten, daß er nach Bezahlung aller Schulden und nach Abzug der schlechten und zweifelhaften Außenstände nicht tausend Pfund für den Rest geben würde.

So stand die Sachlage nach Ablauf von ungefähr sechs Wochen. Ich hatte die ganze Zeit über unsäglich gelitten und glaubte wirklich, ich müßte Hand an mich legen, wenn Miss Mills mir immer wieder mitteilte, daß meine arme kleine Dora bei Nennung meines Namens nichts als: »Ach armer Papa, ach mein guter Papa!« riefe. Ich erfuhr auch, daß sie keine andern Verwandten hatte als zwei unverheiratete Schwestern Mr. Spenlows, die in Putney wohnten und seit vielen Jahren mit ihrem Bruder nicht mehr in Verkehr standen. Man hatte sie bei Doras Taufe, sagte Miss Mills, bloß zum Tee und nicht zum Mittagessen eingeladen, und daraufhin hätten sie sich schriftlich ausgesprochen, es sei wohl besser für das Wohl aller Beteiligten, wenn sie wegblieben. Seitdem waren sie ihre Wege gegangen und ihr Bruder die seinigen.

Diese beiden Damen tauchten jetzt aus ihrer Zurückgezogenheit auf und schlugen Dora vor, nach Putney zu ziehen. Dora hatte sich in ihre Arme geworfen und weinend ausgerufen: »O ja, liebe Tanten, bitte nehmen Sie Julia Mills und mich und Jip nach Putney!«

So verließ sie denn Norwood kurz nach dem Begräbnis.

Wie ich Zeit fand, mich bis in die Umgebung von Putney herumzutreiben, begreife ich heute wirklich nicht, aber durch irgendwelche Mittel wußte ich es ziemlich häufig zu bewerkstelligen. Um ihre Freundschaftspflichten besser zu erfüllen, führte Miss Mills ein Tagebuch und las es mir vor, wenn sie manchmal mit mir auf der Heide zusammenkam, oder lieh es mir, wenn sie dazu keine Zeit hatte. Einige Stellen lauteten:

Montag. Meine liebe D. immer noch sehr niedergeschlagen. Kopfweh. Machte sie aufmerksam, wie hübsch glatt J. gekämmt sei. D. streichelte ihn. Die Erinnerungen öffneten die Schleusen des Schmerzes. Heftiger Ausbruch von Kummer (sind Tränen Tautropfen des Herzens? J. M.).

Dienstag. D. angegriffen und nervös. Schön in ihrer Blässe (bemerken wir dies nicht zuweilen auch am Monde? J. M.). D., ich und J. fahren aus. J. sieht zum Fenster hinaus und bellt den Straßenverkehr heftig an. Ein Lächeln überzieht D.s Züge. (Aus solch unbedeutenden Gliedern ist die Kette des Lebens geschmiedet! J. M.).

Mittwoch. D. verhältnismäßig heiter. Ich sang ihr als passende Melodie »Die Abendglocken« vor. Wirkung nicht besänftigend, eher das Gegenteil. D. unaussprechlich gerührt. Ich fand sie später in ihrem Zimmer schluchzend. Ich rezitierte einige Verse, die das Ich mit einer jungen Gazelle vergleichen. Wirkungslos. Erwähnte auch »Geduld« auf einem Denkmal (Frage: Warum auf einem Denkmal? J.M.).

Donnerstag. D. offenbar ein wenig getröstet. Besser geschlafen. Ein leichter Hauch von Rot wieder auf den Wangen. Beschloß D. C. zu erwähnen. Sprach von ihm vorsichtig während des Ausfahrens. D. sogleich vom Schmerz überwältigt. »O liebe, liebe Julia! Ich bin ein böses und unfolgsames Kind gewesen!« Beruhigte und liebkoste sie. Entwarf ein ideales Bild von D. C. am Rande des Grabes. D. abermals vom Schmerz überwältigt. »Ach, was soll ich tun! Was soll ich tun! Ach bring mich irgendwohin!« Bin sehr erschrocken. D. fällt in Ohnmacht, und ich hole ein Glas Wasser aus dem Wirtshaus (poetische Verwandtschaft: Buntscheckiges Schild über der Tür – Buntscheckigkeit des menschlichen Lebens. Ach! J. M.).

Freitag. Tag großer Ereignisse. Ein Mensch kommt in die Küche mit einem blauen Sack und will Damenstiefel zum Ausbessern abholen. Die Köchin sagt: Kein Auftrag. Der Mann will es nicht glauben: Die Köchin geht hinaus, um zu fragen, und läßt den Mann mit Jip allein. Wie die Köchin zurückkehrt, will es der

Mann immer noch nicht glauben, aber geht endlich. J. fehlt. – D. außer sich. Nach der Polizei geschickt. Der Mann beschrieben: breite Nase und Beine wie Brückenpfeiler. Nachforschungen in allen Richtungen. Kein J. zu finden. D. weint bitterlich und ist untröstlich. Erwähne abermals die junge Gazelle. Passend, aber nutzlos. Gegen Abend kommt ein fremder Junge. Wird ins Zimmer geführt. Breite Nase, aber keine Brückenpfeiler. Sagt, er wisse von einem Hund, und will ein Pfund haben. Will sich nicht weiter erklären, obgleich wir sehr in ihn dringen. Dora gibt ihm ein Pfund, und er führt die Köchin in ein kleines Haus, wo J. an ein Tischbein gebunden ist. Große Freude, Dora umtanzt J., während er sein Abendbrot verzehrt. Ermutigt durch diesen glücklichen Zufall erwähne ich oben D. C. – D. fängt wieder zu weinen an und zu seufzen: »Ach ich bitte dich, ich bitte dich. Es ist so schlecht, an jemand anders zu denken als an den armen Papa.« Umarmt J. und weint sich in Schlaf. (Muß nicht D. C. den mächtigen Schwingen der Zeit vertrauen? J. M.)

Miss Mills und ihr Tagebuch waren zu jener Zeit mein einziger Trost. Sie, die bei Dora noch vor ein paar Augenblicken geweilt, zu sehen, – den Anfangsbuchstaben von Doras Namen in dem Tagebuch aufzusuchen, sich von ihr immer unglücklicher und unglücklicher machen zu lassen, war meine einzige Erquickung.

39. Kapitel

Wickfield und Heep

Meine Tante, wahrscheinlich über meine fortdauernde Niedergeschlagenheit ernstlich besorgt, stellte sich, als ob ihr sehr viel daran läge, wenn ich nach Dover nachsehen führe, wie es mit der Mietsverlängerung stünde, und um geeigneten Falles mit dem gegenwärtigen Inwohner einen neuen Kontrakt abzuschließen.

Janet stand jetzt in Mr. Strongs Diensten, wo ich sie jeden Tag sah. Als sie von Dover wegzog, schwankte sie, ob sie die Lossagung von der Männerwelt, zu der man sie erzogen hatte, dadurch krönen sollte, daß sie einen Lotsen heiratete; aber sie entschied sich dagegen. Nicht so sehr des Prinzips willen, als weil er ihr nicht gefiel.

Obwohl es mich viel kostete, Miss Mills zu verlassen, ging ich doch ziemlich gern auf den Plan meiner Tante ein, da er mich instand setzte, ein paar ruhige Stunden mit Agnes zu verleben. Ich bat den guten Doktor um einen Urlaub von drei Tagen – er wollte mir viel mehr bewilligen, aber meine Arbeitsenergie sträubte sich dagegen – und entschloß mich, die kleine Reise anzutreten.

Wegen meiner Pflicht in den Commons brauchte ich mir keine großen Skrupel zu machen. Die Wahrheit zu gestehen, wir kamen allmählich in keinen sehr guten Geruch bei den eleganteren Proktoren und sanken rasch zu einer recht zweifelhaften Stellung herab. Das Geschäft war vor Mr. Spenlows Eintritt schon nicht sehr bedeutend gewesen, hatte sich durch den Glanz, den derselbe zur Schau trug, gebessert, besaß jedoch keine genügend solide Grundlage, um ohne Schaden den plötzlichen Verlust seines eigentlichen Leiters zu ertragen. Es sank sehr schnell. Mr. Jorkins, trotz seines Ansehens in der Firma selbst, ein nachlässiger unfähiger Mann nach außen, war bei dem wenigen guten Ruf, den er in der Stadt genoß, nicht imstande, das Geschäft zu heben. Ich kam jetzt unter seine Leitung, und als ich sah, wie er immer zur Tabaksdose griff und das Geschäft ruhig treiben ließ, reuten mich die tausend Pfund meiner Tante mehr als je.

Aber das war nicht das Schlimmste. In den Commons gab es eine Anzahl Mitläufer, die, ohne selbst Proktoren zu sein, doch in Rechtsgeschäften herumpfuschten und sich zu deren Besorgung gegen einen Anteil an der Beute die Namen von wirklichen Proktoren liehen; und es gab eine ziemliche Menge solcher Leute. Da unsere Firma Beschäftigung um jeden Preis brauchte, so verbanden wir uns mit dieser noblen Schar.

Trauscheine und Bestätigungen kleiner Testamente waren das

Rentabelste, und um sie riß man sich am meisten. In allen Eingängen der Commons lauerten Aufpasser und Schlepper, mit der genauen Instruktion, alle Leute in Trauer und Herren, die etwas verschämt aussahen, anzufallen und sie in die Kanzleien zu bringen, für die ihre Auftraggeber Geschäfte betrieben. So gut wurden diese Instruktionen befolgt, daß ich selbst, ehe man mich kannte, zweimal in die Kanzlei unseres Hauptgegners geschleppt wurde. Die einander widerstrebenden Interessen dieser Aufpasser machten Kollisionen nicht selten. Hinsichtlich der Trauscheine war der Wetteifer so groß, daß oft um irgendeinen blöde aussehenden Herrn so lange geboxt wurde, bis er als Beute dem Stärksten zufiel. Einmal stürzte ein höflicher Mann mit einer weißen Schürze unter einem Torweg hervor auf mich los, flüsterte mir das Wort »Trauschein« ins Ohr und war nur sehr schwer abzuhalten, mich auf die Arme zu nehmen und zu einem Proktor zu tragen.

Also, ich fuhr eines Tages nach Dover. Ich fand das Häuschen in bester Ordnung und konnte meine Tante mit der Nachricht erfreuen, daß auch ihr Mieter die Fehde mit den Eseln fortführte.

Nachdem ich das Geschäft abgemacht und eine Nacht dort geblieben war, begab ich mich frühzeitig nach Canterbury. Es war jetzt wieder Winterzeit, und der frische, kalte, windige Tag und die salzige Luft auf den Dünen stärkten meine Hoffnungsfreudigkeit ein wenig.

In Canterbury angekommen, schlenderte ich durch die alten Straßen, was mein Gemüt sehr beruhigte und mir das Herz erleichterte.

Seltsam. Den beschwichtigenden Zauber, der von Agnes ausging, schien selbst die Stadt zu teilen, wo sie wohnte. Die ehrwürdigen Domtürme und die Dohlen und Krähen, deren Stimmen hoch oben in der Luft die Stimmung noch ernster machten, als vollständiges Schweigen vermocht hätte, die verfallenen Portale, einst mit Bildwerken geschmückt, die längst herabgefallen und zu Staub geworden wie die ehrwürdigen Pilger, die zu ihnen emporgeblickt – die stillen Winkel, wo vielhundertjähriger Efeu sich über spitze Giebel und Mauerruinen schlang – die alten Häuser – das ländliche Bild von Feldern und Gärten und Obsthainen –, überall ruhte dieselbe stillheitere Luft, derselbe ruhige, sinnige, besänftigende Geist.

Als ich in Mr. Wickfields Haus trat, fand ich in der kleinen Stube im Erdgeschoß, wo früher Uriah Heep zu sitzen pflegte, Mr. Micawber eifrig mit Schreiben beschäftigt. Seinem jetzigen Stande gemäß schwarz angezogen, thronte er feierlich in der kleinen Kanzlei.

Mr. Micawber freute sich außerordentlich mich zu sehen, schien aber auch ein wenig verlegen. Er wollte mich sogleich zu Uriah führen, aber ich schlug es aus.

»Ich kenne das Haus von früher, Sie wissen doch«, sagte ich, »und werde mich schon hinauffinden. Wie gefällt Ihnen übrigens die Jurisprudenz, Mr. Micawber?«

»Mein lieber Copperfield, auf einen Mann, der ausgestattet ist mit den höheren Gaben der Phantasie, wirkt das Übermaß von Detail, das den juristischen Studien eigentümlich ist, einigermaßen unangenehm. Selbst in unserer Geschäftskorrespondenz«, sagte Mr. Micawber mit einem Blick auf ein paar Briefe, die er eben schrieb, »ist es dem Geiste nicht erlaubt, sich zu einer höhern Form des Ausdrucks aufzuschwingen. Aber dennoch ist es ein großartiges Studium. Ein wundervoller Beruf.«

Er teilte mir dann mit, daß er Uriah Heeps ehemalige Wohnung gemietet habe, und versicherte, daß sich Mrs. Micawber freuen werde, mich wieder einmal unter ihrem eignen Dach zu empfangen.

»Es ist eine niedrige Wohnung«, sagte er, »um einen Lieblingsausdruck meines Freundes Heep zu gebrauchen, aber sie bildet die erste Stufe zu einer anspruchsvolleren häuslichen Einrichtung.«

Ich fragte ihn, ob er bis jetzt mit seinem Freunde Heep zufrieden sei. Er stand auf, um sich zu versichern, daß die Türe gehörig geschlossen sei, ehe er mit leiserer Stimme antwortete:

»Lieber Copperfield, ein Mann, der unter dem Druck pekuniärer Verlegenheiten schmachtet, befindet sich der Mehrzahl der Menschen gegenüber im Nachteil. Diese Situation wird nicht besser, wenn der Druck der Lage die Annahme von pekuniären Akzidenzien nötig macht, ehe diese Akzidenzien eigentlich fällig sind. Ich kann nur sagen, daß mein Freund Heep auf Ansuchen, die ich nicht weiter auszumalen brauche, in einer Weise geantwortet hat, die ebensosehr seinem Kopf wie seinem Herzen zur Ehre gereichen muß.«

»Ich hätte nicht geglaubt, daß er mit seinem Geld so freigebig sein würde«, bemerkte ich.

»Verzeihen Sie«, sagte Mr. Micawber mit gezwungener Miene, »ich spreche von meinem Freunde Heep, wie ich ihn kennengelernt habe.«

»Es freut mich, daß Ihre Erfahrungen in diesem Punkte so günstig ausfielen«, erwiderte ich.

»Sie sind sehr gütig, lieber Copperfield«, sagte Mr. Micawber und summte ein Liedchen vor sich hin.

»Sehen Sie Mr. Wickfield häufig?« fragte ich, um von etwas anderem zu sprechen.

»Nicht oft«, sagte Mr. Micawber leichthin. »Mr. Wickfield ist, darf ich wohl sagen, ein Mann von vortrefflichen Absichten; aber er ist – kurz, er ist invalid.«

»Ich fürchte, sein Kompagnon will ihn dazu machen«, sagte ich.

»Lieber Copperfield«, sagte Mr. Micawber und rutschte unruhig auf seinem Stuhle hin und her, »erlauben Sie mir eine Bemerkung. Ich befinde mich hier in einer Vertrauensstellung. Die Besprechungen mancher Themen, selbst mit Mrs. Micawber, einer Frau von so bemerkenswerter Klarheit des Geistes, ist meiner Überzeugung nach unverträglich mit den Funktionen, die mir jetzt obliegen. Ich möchte mir daher die Freiheit nehmen, Ihnen vorzuschlagen, daß wir in unserm freundschaftlichen Verkehr – der, hoffe ich, niemals gestört werden wird – eine Linie ziehen. Auf der einen Seite dieser Linie«, sagte Mr. Micawber und stellte sie auf dem Pulte mit dem Lineal dar, »ist das ganze Bereich des menschlichen Geistes mit einer einzigen unbedeutenden Ausnahme. Auf der andern liegt diese Ausnahme, nämlich die Angelegenheiten von Messrs. Wickfield & Heep mit allem, was dazu gehört. Ich gebe mich der Hoffnung hin, daß der Gefährte meiner Jugend es mir nicht verübeln wird, wenn ich seiner kühlern Überlegung diesen Vorschlag unterbreite.«

Obgleich ich an Mr. Micawber eine gewisse Unruhe wahrnahm, die ihn in beständiger Spannung zu erhalten schien, wie wenn seine neuen Pflichten ihm nicht recht paßten, fühlte ich mich doch nicht berechtigt beleidigt zu sein. Es schien ihn zu erleichtern, als ich ihm dies versicherte; und er schüttelte mir herzlich die Hand.

»Ich bin geradezu entzückt von Miss Wickfield, lassen Sie mich Ihnen das gestehen, Copperfield. Sie ist eine ausgezeichnete junge Dame von ungewöhnlichen Reizen, Eigenschaften und Tugenden. Auf Ehre!« sagte Mr. Micawber, küßte sich die Hand und verbeugte sich auf seine vornehmste Weise. »Ich liege Miss Wickfield zu Füßen! Hem.«

»Das wenigstens freut mich«, sagte ich.

»Lieber Copperfield, wenn Sie uns nicht an jenem prächtigen Nachmittag, den wir bei Ihnen zuzubringen das Vergnügen genossen, versichert hätten, daß D. Ihr Lieblingsanfangsbuchstabe sei, würde ich fraglos vorausgesetzt haben, es müßte das A. sein.«

Wir alle haben wohl schon das Gefühl kennengelernt, das uns gelegentlich überkommt, als wäre etwas schon lange, lange vorher gesagt und getan worden, als hätten wir in altersgrauer Zeit dieselben Gesichter, Gegenstände und Verhältnisse erlebt und wüßten genau, was im nächsten Augenblick geschehen wird, – ebenfalls aus alter Erinnerung her. Diese geheimnisvolle Empfindung war nie im Leben stärker in mir als bei diesen Worten Mr. Micawbers.

Ich verabschiedete mich von ihm vorläufig und trug ihm die besten Grüße an seine Familie auf.

Als er sich wieder auf seinen Stuhl setzte, die Feder nahm und den Kopf in dem steifen Kragen zurechtrückte, um bequemer schreiben zu können, fühlte ich deutlich, daß sich seit seiner neuen Beschäftigung zwischen ihm und mir eine Schranke erhoben hatte, die unserm Verkehr einen ganz andern Charakter gab.

Es war niemand in dem altertümlichen Besuchszimmer zugegen, obgleich mir Spuren von Mrs. Heeps Anwesenheit nicht entgingen. Ich warf einen Blick in das anstoßende Zimmer und fand Agnes neben dem Kamin an einem hübschen altmodischen Pulte schreibend.

Mein Schatten in der Tür veranlaßte sie aufzublicken.

Welch ein Genuß, die Ursache der freudigen Veränderung auf ihrem aufmerksamen Gesicht und der Gegenstand ihres lieblichen Aufschauens und Willkommengrußes zu sein!

»Ach, Agnes«, sagte ich, als wir nebeneinander saßen; »ich habe dich wieder so sehr vermißt.«

»Wirklich, Trotwood? Wieder und so bald!«

Ich nickte. »Ich weiß es nicht, wie es kommt, Agnes; mir ist, als ob mir eine geistige Eigenschaft fehlte, die ich eigentlich besitzen sollte. Du nahmst mir in der schönen, alten Zeit so das Denken ab, und ich sah in dir meine Beraterin und meine Stütze immerwährend, daß ich wirklich glaube, ich habe mir diese Eigenschaft zu erwerben versäumt.«

»Und was ist das für eine?« fragte Agnes heiter.

»Ich weiß nicht, wie ich sie nennen soll. Ich glaube, ich besitze doch Ausdauer und ernstes Streben?«

»Sicherlich!«

»Und Geduld, Agnes?« fragte ich mit einigem Zögern.

»Ja«, gab Agnes lachend zu, »leidlich.«

»Und doch«, sagte ich, »fühle ich mich manchmal so unglücklich, bin so schwankend und unentschlossen und unfähig, ruhig zu bleiben, daß mir etwas fehlen muß. – Selbstvertrauen möchte ich es vielleicht nennen.«

»Nenn es so, wenn du willst«, sagte Agnes.

»Schau mal her«, fuhr ich fort. »Du kommst nach London, ich vertraue auf dich, und sofort liegen ein Ziel und eine Laufbahn vor mir. Umstände lenken mich von dem Wege ab, und ich komme hierher und bin im Augenblick wie umgewandelt. Die Verhältnisse, die mir Schmerz bereiteten, sind dieselben, aber seit ich im Zimmer bin, hat sich ein Einfluß meiner bemächtigt, der mich sie so viel leichter ertragen läßt. Was ist das? Worin besteht dein Geheimnis, Agnes?«

Ihr Haupt war gesenkt, und sie blickte ins Feuer.

»Es ist die alte Geschichte. Lach nicht, wenn ich sage, es war immer im kleinen so wie jetzt in wichtigen Dingen. Meine alten Sorgen waren Unsinn, und jetzt sind sie Ernst. Aber sooft ich meine Adoptivschwester verlasse –«

Agnes sah mich an – mit einem himmlischen Gesicht – und reichte mir ihre Hand hin.

Ich drückte einen Kuß darauf.

»Sooft du mir gefehlt hast, Agnes, um mir gleich zu Anfang zu raten, mir zur Seite zu stehen, da ging ich stets irr und geriet in allerlei Schwierigkeiten. Und wenn ich schließlich immer wieder zu dir kam, da fand ich Frieden und Glück. Ich komme jetzt heim wie ein müder Wanderer, und wieder erfüllt mich die Seligkeit der Ruhe.«

Ich fühlte so tief, was ich sagte, und es rührte mich so aufrichtig, daß mir die Stimme versagte und ich das Gesicht mit den Händen bedeckte und in Tränen ausbrach.

In ihrer stillen schwesterlichen Weise machte mich Agnes bald meine Schwäche vergessen und ließ sich alles von mir erzählen, was sich seit unserm letzten Zusammentreffen begeben hatte.

»So, das ist alles, Agnes«, sagte ich, als ich fertig war. »Jetzt vertraue ich auf dich.«

»Aber du darfst nicht allein auf mich vertrauen, Trotwood. Du hast auch noch jemand anders.«

»Dora?«

»Gewiß. «

»Ja, ich habe dir noch nicht gesagt, Agnes«, begann ich ein wenig verlegen, »daß man auf Dora eigentlich schwer« – nicht um alles in der Welt hätte ich die Worte ›vertrauen kann‹ herausgebracht – »aber sie ist schwer – ich weiß gar nicht, wie ich es ausdrücken soll, Agnes. Sie ist ein furchtsames kleines Geschöpf, leicht erschreckt und außer Fassung gebracht. Vor einiger Zeit, kurz vor ihres Vaters Tod, wollte ich – aber ich muß es dir ausführlich erzählen, wenn du Geduld hast.«

Ich erzählte Agnes von dem Kochbuch, dem Rechnungsführen, der Eröffnung meiner Armut und alles übrige.

»O Trotwood«, sagte sie mit einem Lächeln, »ganz deine alte überstürzte Weise! Du kannst ganz ernst in der Welt vorwärtsstreben und brauchst doch dabei nicht so mit der Tür ins Haus zu fallen bei einem furchtsamen, liebevollen und unerfahrenen Mädchen. Arme Dora!«

Ich hatte noch nie so liebliche und freundliche Milde in einer Stimme klingen hören. Ich empfand für Agnes so viel Dankbarkeit und bewunderte sie so sehr. Ich sah in einer schönen Zukunft die beiden nebeneinander als Freundinnen, jede der andern ein Schmuck und eine Zierde.

»Meiner Meinung nach wäre der ehrenhafteste Weg, an die zwei alten Damen zu schreiben«, sagte sie auf meine Frage, was wohl das beste sei. »Meinst du nicht auch, daß jedes Geheimnis ein unwürdiges Vorgehen bedeutet?«

»Ja, wenn *du* es meinst.«

»Ich kann solche Dinge nur schlecht beurteilen«, entgegnete Agnes mit bescheidenem Zögern, »aber meinem Gefühl nach ist Heimlichkeit deiner nicht würdig.«

»Meiner nicht würdig, weil du eine so hohe Meinung von mir hast, fürchte ich.«

»Deiner nicht würdig bei der Offenheit deines Charakters, und deshalb würde ich an diese beiden Damen schreiben. Ich würde so einfach und offen wie möglich alles Vorgefallene erzählen und sie um Erlaubnis bitten, manchmal ihr Haus besuchen zu dürfen. Da du jung bist und dir eine Stellung im Leben erst erringen willst, so glaube ich, du sagst am besten, du würdest dich selbstverständlich in alle Bedingungen fügen, die sie dir auferlegten. Ich würde sie bitten, dein Ersuchen nicht abzuschlagen, ohne erst mit Dora zu sprechen, wenn sie die Zeit für passend halten. Ich würde nicht zu leidenschaftlich sein«, sagte Agnes sanft, »oder zu viel versprechen. Ich würde mich auf meine Treue und Ausdauer verlassen – und auf Dora.«

»Aber wenn sie Dora durch Nennung meines Namens wieder erschrecken?« wandte ich ein. »Und wenn sie dann anfängt zu weinen und nichts von mir sagt?«

»Ist das wahrscheinlich?«

»Ach, sie ist so leicht einzuschüchtern wie ein Vögelchen. Es wäre doch möglich. Oder wenn die beiden Misses Spenlow – ältere Damen dieser Art sind manchmal recht wunderlich – nicht Personen sind, an die man sich in dieser Weise wenden könnte?«

»Ich glaube nicht, Trotwood, daß ich das weiter in Betracht ziehen würde. Vielleicht wäre es besser, nur zu bedenken, ob man recht handelt, und wenn man sich darüber klargeworden, es zu tun.«

Ich hatte keine Zweifel mehr. Mit erleichtertem Herzen, obgleich von der hohen Wichtigkeit meiner Arbeit ganz durchdrungen, widmete ich den ganzen Nachmittag dem Entwurf des Briefes, und Agnes überließ mir zu diesem großen Zweck ihr Pult. Aber zuerst ging ich hinunter, um Mr. Wickfield und Uriah Heep aufzusuchen.

Uriah fand ich in einem neuen, nach frischer Tünche riechenden Zimmer, das in den Garten hinausging. Inmitten eines Haufens von Büchern und Papieren sitzend sah er unaussprechlich niederträchtig aus. Er empfing mich mit seiner gewohnten kriecherischen Weise und stellte sich, als ob ihm Mr. Micawber von meiner Ankunft nichts gesagt hätte, – eine Vorspiegelung, die ich mir die Freiheit nahm zu bezweifeln. Er begleitete mich in Mr. Wickfields Zimmer, das ich kaum mehr wiedererkannte, so war es, um das des neuen Kompagnons auszustatten, der meisten Möbel beraubt worden. Hier stellte sich Uriah vor den Kamin, wärmte sich den Rücken und schabte sich mit der knochigen Hand das Kinn, während ich Mr. Wickfield begrüßte.

»Du bleibst bei uns, Trotwood, solange du in Canterbury

bist?« sagte Mr. Wickfield, nicht ohne durch einen Blick Uriah um Erlaubnis zu fragen.

»Ist Platz für mich vorhanden?« fragte ich.

»O gewiß, Master Copperfield – ich wollte Mister sagen, aber es drängt sich mir immer so auf der Zunge«, sagte Uriah. »Ich mecht gern Ihr altes Zimmer räumen, wenns angenehm wäre.«

»Nein, nein«, Mr. Wickfield wehrte ab, »warum sollten Sie sich Unannehmlichkeiten bereiten? Es ist noch ein anderes Zimmer da.«

»Aber Sie wissen ja, ich mecht es von Herzen gerne tun, Sie kennen mich doch«, entgegnete Uriah mit einem Grinsen.

Um ein Ende zu machen, erklärte ich, nur das andere oder gar kein Zimmer annehmen zu wollen. Dabei blieb es, und ich verabschiedete mich bis Mittag und ging wieder hinauf.

Ich hatte gehofft, niemand anders zu finden als Agnes. Aber Mrs. Heep hatte um Erlaubnis gebeten, sich mit dem Strickzeug neben den Kamin in diesem Zimmer setzen zu dürfen. Sie behauptete, es läge bei der augenblicklichen Windrichtung besser für ihren Rheumatismus als das Gesellschafts- oder Speisezimmer. Obgleich ich sie ohne Reuegefühl der Barmherzigkeit des Windes auch auf der obersten Spitze des Doms überlassen haben würde, machte ich doch aus der Not eine Tugend und begrüßte sie freundschaftlich.

»Ich danke Ihnen allerergebenst«, sagte Mrs. Heep auf meine Frage nach ihrem Befinden, »aber ich befind mich nur leidlich wohl. Ich derf nicht sehr groß tun dermit; wenn ich meinen Uriah gut im Leben dastehen sehe, brauch ich nicht viel mehr anderes zu erwarten. Wie finden Sie mein Ury aussehen, Sir?«

Ich fand ihn natürlich genauso konfiziert aussehen wie immer und antwortete, daß ich keine Veränderung an ihm bemerkte.

»O, meinen Sie nicht, daß er sich verändert hat?« fragte Mrs. Heep.

»Da mecht ich mir die Freiheit herausnehmen, anderer Meinung zu sein. Sehen Sie nicht etwas eine Abmagerung an ihm?«

»Keineswegs«, erwiderte ich.

»Wirklich nicht? Aber Sie sehen ihn nicht mit dem Auge einer Mutter an.«

Ihr Mutterauge war ein böses für die übrige Welt, dachte ich mir, als ich ihm begegnete – so lieb sie auch ihren Sohn haben mochte –, und ich glaube, sie und Uriah liebten einander wirklich. – Ihr Blick verließ mich und fiel auf Agnes.

»Bemerken Sie auch nicht, wie er sich abzehrt, Miss Wickfield?« forschte Mrs. Heep.

»Nein«, sagte Agnes und fuhr ruhig fort zu arbeiten. »Sie machen sich zu viel Sorge um ihn. Er ist vollkommen wohl.«

Mit einem kurzen verdrießlichen Schnaufen nahm Mrs. Heep ihren Strickstrumpf wieder vor.

Sie hörte nie auf zu stricken und ließ uns keinen Augenblick allein.

Ich war ziemlich zeitig vormittags gekommen, und wir hatten immer noch drei bis vier Stunden bis zum Essen vor uns, aber sie blieb sitzen und bewegte ihre Stricknadeln so einförmig, wie ein Stundenglas den Sand ablaufen läßt. Sie saß auf der einen Seite des Kamins, Agnes auf der andern und ich an dem Schreibpulte davor. Sooft ich über meinen Brief nachdenkend die Augen erhob, fühlte ich, wie Mrs. Heeps böser Blick an mir vorüberschweifte, dann zu mir zurückkehrte und wieder langsam auf das Strickzeug sank. Was sie strickte, weiß ich nicht, aber es sah aus wie ein Netz; in dem Glanze des Feuers glich sie einer bösen Zauberin, jetzt noch ohnmächtig der strahlenden Güte Agnes' gegenüber, aber in Bälde bereit, ihr Netz auszuwerfen.

Bei Tisch bewahrte sie mit derselben Unermüdlichkeit ihre beobachtende Haltung. Nach dem Essen kam ihr Sohn an die Reihe, der mich anschielte, als Mr. Wickfield, er und ich allein beisammen saßen und sich wand und krümmte, bis ich es kaum mehr aushalten konnte. Im Gesellschaftszimmer strickte und beobachtete die Mutter wieder. Die ganze Zeit über, wo Agnes sang und spielte, saß sie neben dem Piano. Einmal verlangte sie eine besondere Ballade, in die ihr Ury, – der in einem Lehnstuhl gähnte – ganz vernarrt wäre; und zuweilen sah sie sich nach ihm um und berichtete Agnes, daß er ganz ergriffen von der Musik sei. Sie sprach fast niemals, ohne ihn in irgendeiner Weise zu erwähnen; offenbar war das die ihr zugewiesene Pflicht.

Das dauerte bis zum Schlafengehen. Der Anblick von Mutter und Sohn, die wie zwei große Fledermäuse mit ihrem scheußlichen Anblick das Haus verdüsterten, machte mir die Nacht so unbehaglich, daß ich trotz Strickens und allem übrigen lieber unten geblieben wäre. Schlafen konnte ich fast gar nicht.

Am nächsten Tag begann das Stricken und Belauern von neuem und dauerte bis zum Abend.

Ich fand kaum Gelegenheit, zehn Minuten mit Agnes zu sprechen und ihr meinen Brief zu zeigen. Ich schlug ihr einen Spaziergang vor, aber da Mrs. Heep wiederholt über stärkeres Unwohlsein klagte, blieb Agnes aus Mitleid mit ihr zu Hause. In der Dämmerung ging ich selbst aus, um darüber nachzudenken, was ich zunächst tun sollte, und zu überlegen, ob ich Agnes länger verhehlen dürfte, was mir Uriah Heep in London gesagt hatte, denn es begann mich wieder sehr zu beunruhigen.

Ich hatte die letzten Häuser der Stadt auf der Straße nach Ramsgate noch nicht hinter mir, als mir durch die Dämmerung jemand nachlief. Der schleppende Gang und der ausgewachsene Überrock waren nicht zu verkennen. Ich blieb stehen, und Uriah Heep holte mich ein.

»Nun?« fragte ich.

»Wie schnell Sie gehen«, sagte er. »Meine Beine sind ziemlich lang, aber es hat mir wirklich Schweiß gekostet.«

»Wohin gehen Sie?« fragte ich.

»Ich wollte Sie begleiten, Master Copperfield, wenn Sie mir als einem alten Bekannten das Vergnügen eines Spaziergangs gestatten wollen.« Mit diesen Worten und einer schnellenden Bewegung seines Körpers, die ebensogut einschmeichelnd wie verhöhnend sein konnte, schritt er neben mir her.

»Uriah«, sagte ich nach einigem Schweigen so höflich wie möglich.

»Master Copperfield!«

»Die Wahrheit zu gestehen – Sie dürfen sich dadurch nicht verletzt fühlen –, ich wollte allein spazierengehen, weil ich zuviel Gesellschaft gehabt habe.«

Er sah mich von der Seite an und sagte mit seinem unangenehmsten Grinsen: »Sie meinen die Mutter.«

»Nun ja«, gab ich zu.

»Ach, Sie wissen, mir sind so niedrige Leut, und da mir uns unsrer Niedrigkeit bewußt sin, müssen mir wirklich Sorge tragen, daß mir nicht gegen die, was nicht so niedrig sin, zu kurz kommen. In der Liebe gelten alle Listen, Sir.«

Er erhob seine großen Hände bis zum Kinn, rieb sie sanft aneinander und kicherte in sich hinein und sah dabei einem bösartigen Pavian so ähnlich wie nur möglich.

»Schauen Sie«, fuhr er fort in seiner ekelhaften Art und wackelte mit dem Kopf. »Sie sind ein gefährlicher Nebenbuhler, Master Copperfield. Sie waren das immer. Sie begreifen.«

»Belauern Sie Miss Wickfield und vernichten Sie das Behagen ihrer Häuslichkeit also meinetwegen?« fragte ich.

»Ach, Master Copperfield, das sin sehr harte Worte.«

»Nennen Sie sie, wie Sie wollen. Sie wissen so gut wie ich, was ich sagen will, Uriah.«

»Gott, nein! Sie müssen es selbst in Worte bringen«, sagte er. »Wahrhaftig! Ich könnte es nicht.«

»Glauben Sie etwa« – ich gab mir alle Mühe, Agnes' wegen so gemäßigt wie möglich gegen ihn zu sein – »daß ich in Miss Wickfield etwas anderes sehe als eine mir sehr teuere Schwester?«

»Schauen Sie, Master Copperfield«, entgegnete er, »ich bin nicht verpflichtet diese Frage zu beantworten. Vielleicht ist es so, – vielleicht auch nicht.«

Etwas, was der niedrigen Listigkeit in seinem Gesicht und seinen wimperlosen Augen nur annähernd gleichgekommen wäre, habe ich nie gesehen.

»So hören Sie«, sagte ich. »Um Miss Wickfields willen.«

»Meine Agnes!« rief er mit einer verkrampften Windung seines Leibes aus. »Wollen Sie nicht so gut sein, sie Agnes zu nennen, Master Copperfield?!«

»Um Agnes Wickfields willen – der Segen des Himmels sei mit ihr.«

»Dank, Dank für diese Segnung, Master Copperfield!« unterbrach er mich.

»Ich will Ihnen sagen, was ich unter allen andern Umständen ebensogut, ich weiß nicht wem, gesagt hätte, meinetwegen dem Herrn Hans Strick –«

»Wem, Sir?« fragte Uriah mit vorgerecktem Halse und die Hände ans Ohr haltend.

»Dem Henker!« – Die unwahrscheinlichste Person, an die ich denken konnte, – obgleich Uriahs Gesicht dem Gedanken nicht so ganz fremd stand. »Ich bin mit einer andern jungen Dame verlobt. Ich hoffe, das genügt Ihnen.«

»Auf Ihre Seligkeit?« fragte Uriah.

Ich wollte empört meiner Erklärung die verlangte Bekräftigung geben, als er meine Hand ergriff und sie drückte.

»Ach, Master Copperfield. Wenn Sie sich herabgelassen hätten, mein Vertrauen zu erwidern, als ich an jenem Abend mein Herz vor Ihnen ausschüttete, hätte ich nie Zweifel in Sie gesetzt. Da es so steht, will ich Mutter gleich wegschicken und nur zu glücklich sein. Ich weiß, Sie werden die Vorsichtsmaßregeln eines liebenden Herzens entschuldigen, nicht wahr? Wie schade, Master Copperfield, daß Sie sich nicht herabließen, mein Vertrauen zu erwidern. Ich habe Ihnen gewiß jede Gelegenheit gegeben. Aber Sie haben sich nie bis zu mir herabgelassen, sosehr ich es gewünscht hätte. Ich weiß, Sie haben mich nie so gern gehabt wie ich Sie!«

Ununterbrochen drückte er mir mit seinen feuchten fischigen Fingern die Hand, während ich mir alle Mühe gab, sie ihm zu entziehen. Aber es gelang mir nicht. Er zog sie unter den Ärmel seines maulbeerfarbenen Überrockes, und ich ging fast gezwungen Arm in Arm mit ihm.

»Wollen mir nicht umkehren?« fragte er und wendete sich mit

mir nach der Stadt zu, die jetzt der aufgehende Mond, die fernen Fenster versilbernd, beschien.

»Ehe wir von der Sache abbrechen, muß ich Ihnen sagen«, begann ich nach einem ziemlich langen Schweigen wieder, »daß ich der Meinung bin, Agnes Wickfield steht so hoch über Ihnen und ist allen Ihren Bewerbungen so weit entrückt wie der Mond dort oben.«

»Friedvoll! Nicht wahr, sie ist es!« sagte Uriah. »Ja. Jetzt gestehen Sie, Master Copperfield, selbst, daß Sie mich nicht so haben leiden können als ich Sie. Die ganze Zeit über haben Sie mich für zu niedrig gehalten, und das wundert mich nicht.«

»Ich liebe Beteuerungen der Demut nicht«, erwiderte ich, »überhaupt keine Beteuerungen.«

»Was sagt man!« wand sich Uriah, der in dem Mondschein ganz schwammig und bleifarben aussah. »Wußt ichs doch! Aber wie wenig bedenken Sie die Berechtigung der Unterwürfigkeit einer Person in meiner Stellung, Master Copperfield! Vater und ich, mir wurden beide in einer Stiftschule für Knaben erzogen, und Mutter ging in eine Freischule, was so eine Art Wohltätigkeitsanstalt war. Man lehrte uns allerlei Unterwürfigkeit – nicht viel anderes sonst vom Morgen bis Abend. Mir sollten uns demütigen vor dieser und jener Person; unsere Mützen hier abziehen und dort Verbeugungen machen und immer unsere Stellung kennen und denen, die über uns stehen, unterwürfig sein. Und deren waren so viele! Vater bekam die Anstaltmedaille, weil er so unterwürfig war. Ich auch. Vater wurde Küster und Totengräber, weil er demütig war. Er genoß unter den vornehmen Leuten den Ruf, sich so schicklich zu benehmen, daß man ihn anstellte. ›Sei demütig, Uriah!‹ sagte Vater stets zu mir, ›und du wirst es zu was bringen. Das wurde dir und mir immer in der Schule gepredigt. Und das fördert am meisten. Sei demütig‹, sagte Vater, ›und es wird dir gut anschlagen.‹ Und wirklich, es ist nicht schlecht gegangen.«

Mir fiel es heute zum ersten Mal ein, daß diese verabscheuenswürdige Hülle falscher Demut aus anderer Quelle stammen könnte als aus dem Blute der Familie Heep. Ich hatte wohl die Ernte gesehen, aber nie die Saat bedacht.

»Als ich noch ein kleiner Knabe war«, sagte Uriah, »erfuhr ich, was Demut ausrichten kann, und ich gewöhnte sie mir an. Ich aß bescheidne Rationen mit Appetit. Ich hielt bei meinem Lernen an einem bescheidnen Punkte still und sagte: halt ein. Als Sie mir anboten, mir Lateinisch zu lehren, da wußte ichs besser. ›Die Leute sehens gern, wenn sie über einem stehen‹, sagte Vater, ›darum halte dich unten.‹ Ich bin jetzt noch eine sehr demütige Person, Master Copperfield, aber ich habe ein bißchen Macht.«

Er sagte dies, – ich sah es in seinem vom Mondschein erhellten Gesicht – um mir zu verstehen zu geben, daß er diese Macht bis aufs letzte auszunützen entschlossen sei. An seiner Niederträchtigkeit, seiner List und Bosheit hatte ich nie gezweifelt, aber jetzt erkannte ich zum ersten Mal genau, welch niedriger, unbarmherziger und rachsüchtiger Geist in ihm durch die frühzeitige und langjährige Unterdrückung genährt worden war.

Die Auseinandersetzung seiner Erziehung hatte für mich wenigstens die angenehme Folge, daß er die Hand von meinem Arme nahm, um sich abermals das Kinn zu streicheln. Ich beschloß, keine neue Annäherung mehr zu dulden, und wir kehrten nebeneinander nach der Stadt zurück, ohne unterwegs viel Worte zu verlieren.

Ob ihn das von mir Gehörte oder der Rückblick auf seine Jugend aufgeheitert hatte, weiß ich nicht, aber er war aus irgendeinem Grunde gehobener Stimmung. Er sprach bei Tisch mehr als gewöhnlich, fragte seine Mutter, die vom Augenblicke seines Wiedererscheinens im Hause an ihre Wachsamkeit aufgab, ob er nicht zu alt werde für einen Junggesellen, und warf einmal auf Agnes einen solchen Blick, daß ich alles, was ich besaß, für die Erlaubnis hingegeben hätte, ihn zu Boden schlagen zu dürfen.

Als Mr. Wickfield, er und ich nach dem Essen allein waren, hob sich seine Laune noch mehr. Er hatte wenig oder gar keinen Wein getrunken, und ich vermute, es war nur seine Siegesgewißheit, die, vielleicht noch durch die Versuchung, meine Anwesenheit zur Entfaltung seiner Macht zu benutzen, gesteigert, ihn so anregte.

Es war mir schon am Tag vorher aufgefallen, daß er Mr. Wickfield zum Trinken zu verführen suchte, und gehorsam einem Blick von Agnes hatte ich mich selbst auf ein Glas beschränkt und dann vorgeschlagen, zu den Damen zu gehen. Ich wollte heute dasselbe tun, aber Uriah kam mir zuvor.

»Mir sehen nur selten unsern gegenwärtigen Gast, Sir«, begann er zu Mr. Wickfield gewendet, der von ihm in jeder Beziehung abstechend am entferntesten Ende des Tisches saß, »ich möchte vorschlagen, seine Anwesenheit noch mit ein paar Gläsern Wein zu feiern, wenn Sie nichts dagegen haben. – Mr. Copperfield, auf Ihr Wohl und Gesundheit!«

Ich mußte anstandshalber seine mir entgegengestreckte Hand annehmen, und dann ergriff ich mit ganz andern Gefühlen die meines gebrochnen alten Freundes, seines Teilhabers.

»Nun, Freund Partner«, sagte Uriah, »wenn ich mir die Freiheit nehmen derf, – wollen Sie nicht auch noch einen passenden Toast auf Copperfield ausbringen?«

Ich will darüber hinweggehen, wie Mr. Wickfield zuerst meine Tante, dann Mr. Dick, dann die Commons, dann Uriah leben ließ und jeden Toast zweimal trank – wie er, sich seiner Schwäche wohl bewußt, sich vergeblich bemühte, ihrer Herr zu werden, wie seine Scham über Uriahs Benehmen mit der Angst ihn zu reizen in ihm kämpfte, wie Uriah Heep sich mit sichtlichem Frohlocken wand und krümmte und ihn vor mir zur Schau stellte.

»Nun, Freund Partner«, sagte Uriah schließlich, »jetzt will ich noch einen andern Toast ausbringen und erlaube mir, um hohe Gläser zu bitten, denn er soll der Göttlichsten ihres Geschlechtes gelten.«

Mr. Wickfield hielt sein leeres Glas in der Hand. Ich sah, wie er es niedersetzte, wie er einen Blick auf das Bild warf, das Agnes so ähnlich sah, die Hand auf seine Stirne legte und in den Lehnstuhl zurücksank.

»Ich bin eigentlich eine viel zu niedrige Person, um ihre Gesundheit auszubringen«, fuhr Uriah fort, »aber ich bewundere sie – ich bete sie an.«

Kein physischer Schmerz, der Mr. Wickfields graues Haupt hätte treffen können, konnte mir schrecklicher sein als die geistige Qual, die er vergeblich durch Verkrampfen der Hände zu verbergen suchte.

»Agnes«, fuhr Uriah fort, der entweder nicht auf ihn sah oder seine Gebärde nicht verstand, »Agnes Wickfield ist, derf ich wohl sagen, die Göttlichste ihres Geschlechts. Derf ich unter Freunden offenherzig sprechen? Ihr Vater zu sein ist eine stolze Auszeichnung, aber ihr Gatte –«

Möge ich nie wieder einen solchen Schrei hören wie den, den Mr. Wickfield ausstieß, als er vom Tische aufsprang.

»Was ist los?« Uriah fuhr auf und wurde leichenblaß. »Sie sind doch nicht verrückt geworden, Mr. Wickfield, hoffe ich! Wenn ich sage, ich besitze so viel Ehrgeiz, Ihre Agnes zu meiner Agnes machen zu wollen, so habe ich dazu so gut ein Recht wie jeder andere.«

Ich hielt Mr. Wickfield mit meinen Armen umschlungen, beschwor ihn bei allem, was mir einfiel, und bei seiner Liebe zu Agnes, sich ein wenig zu beruhigen. Er gebärdete sich wie wahnsinnig, zerraufte sich das Haar, schlug sich vor die Stirn, versuchte sich von mir loszureißen, sprach kein Wort und starrte ins Leere. Blind gegen etwas Unsichtbares ankämpfend, das Gesicht verzerrt und mit stieren Augen – ein entsetzliches Schauspiel!

Ich beschwor ihn unzusammenhängend, aber in der inbrünstigsten Weise, sich nicht seiner Verzweiflung hinzugeben, sondern mich anzuhören. Ich bat ihn, an Agnes zu denken, mich mit ihr in Verbindung zu bringen, sich daran zu erinnern, wie sie und ich zusammen aufgewachsen waren, wie ich sie verehrte und liebte, sie, seine Freude und seinen Stolz!

Ich versuchte ihm ihr Bild in jeder Gestalt vorzuführen; ich warf ihm sogar vor, daß er nicht Festigkeit genug habe, ihr den Anblick einer solchen Szene zu ersparen. Vielleicht gelang es mir, ihn zu beruhigen, oder ließ seine Leidenschaftlichkeit von selbst nach, allmählich sträubte er sich weniger, sah mich anfangs leer, dann mit dankbarem Ausdruck in den Augen an und murmelte: »Ich weiß, Trotwood, ihr seid meine Lieblinge. Das Kind und du – ich weiß. Aber sieh ihn an.«

Er deutete auf Uriah, der bleich und starr in einer Ecke stand, ganz bestürzt, sich in seinen Berechnungen so getäuscht zu sehen.

»Sieh diesen Folterknecht an! Vor ihm habe ich Schritt um Schritt Namen und Ruf, Friede und Ruhe, Haus und Familie aufgegeben.«

»Ich habe für Sie Namen und Ruf, Friede und Ruhe, Haus und Familie *erhalten*«, sagte Uriah mit einer hastigen, bestürzten Miene, bemüht, einzulenken. »Seien Sie nicht verrückt, Mr. Wickfield! Wenn ich ein bißchen weiter gegangen bin, als Sie vorbereitet waren, kann ich doch einen Schritt zurück tun, dächte ich. Es ist doch noch nichts geschehen!«

»Ich forschte bei allem nach einfachen Beweggründen«, sagte Mr. Wickfield, »und begnügte mich mit dem Bewußtsein, seinen Eigennutz an mich gefesselt zu haben, als ich ihn aufnahm. Aber sieh ihn – sieh ihn an jetzt in seiner wahren Gestalt.«

»Sie täten auch besser, ihn zum Schweigen zu bringen, Copperfield«, rief Uriah und wies zitternd mit seinem langen Zeigefinger auf mich. »Er wird gleich etwas sagen – hören Sie doch zu –, was ihm später leid tun wird, Ihnen verraten zu haben.«

»Ich will alles sagen«, schrie Mr. Wickfield verzweifelt. »Warum sollte ich nicht in der Hand jedes Menschen sein, wenn ich in der Ihrigen bin!«

»Hüten Sie sich! Ich sag es Ihnen!« rief Uriah mir wieder warnend zu. »Wenn Sie ihn nicht zum Schweigen bringen, sind Sie nicht sein Freund. Warum Sie nicht in der Hand jedes Menschen sein dürfen, Mr. Wickfield? Weil Sie eine Tochter haben! Sie und ich wissen, was wir wissen, nicht wahr?! Lassen Sie die Toten ruhen – wer wird es zur Sprache bringen? Ich gewiß nicht! Sehen Sie denn nicht, daß ich so unterwürfig bin, wie es nur sein kann?!

Ich sag Ihnen doch, ich bin zu weit gegangen, und es tut mir leid. Was wollen Sie denn mehr, Sir?!«

»Ach Trotwood, Trotwood!« rief Mr. Wickfield, die Hände ringend. »Was ist aus mir geworden, seitdem ich dich das erste Mal in diesem Hause sah! Es ging schon damals mit mir bergab, aber durch welche Wüsteneien bin ich seitdem gewandert. Schwaches Gewährenlassen hat mich zugrunde gerichtet. Ein Schwelgen in der Erinnerung und ein Schwelgen im Vergessen. Mein Gram um die Mutter meines Kindes wurde zu einer Krankheit. Alles, was ich berührte, habe ich angesteckt. Ich habe elend gemacht, was ich am teuersten liebe, und ich weiß es, und du weißt es. Ich hielt es für möglich, ein Wesen in dieser Welt wahrhaftig lieben zu können und alle übrigen auszuschließen; ich hielt es für möglich, für eine Dahingeschiedne wahrhaft trauern zu können, ohne Anteil an dem Kummer aller andern Trauernden zu nehmen. So haben sich die Lehren, die mir das Leben gab, verzerrt. Ich habe von meinem eignen kranken, feigen Herzen gezehrt, und es hat von mir gezehrt. Geizend mit meinem Gram, geizend mit meiner Liebe, selbstsüchtig in elender Scheu vor der dunkeln Seite der beiden Gefühle zurückschrecken – o, sieh her, welche Ruine ich bin, und hasse mich, verabscheue mich!«

Er sank in seinen Stuhl und schluchzte leise. Seine Aufregung ließ mehr und mehr nach. Uriah kam aus seiner Ecke hervor.

»Ich weiß es ja nicht, was ich alles im Zustande der Unzurechnungsfähigkeit getan habe«, sagte Mr. Wickfield und streckte die Hände gegen mich aus, als wolle er ein Verdammungsurteil bittend abwehren. »Er, er weiß es am besten« – er blickte auf Uriah Heep – »denn er hat immer als Einflüsterer hinter mir gestanden. Da siehst du den Mühlstein um meinen Hals. Du findest ihn in meinem Haus und in meiner Kanzlei. Du hörst, was Heep noch vor wenigen Minuten sprach, was brauche ich noch mehr zu sagen!«

»Sie haben überhaupt nicht nötig, soviel oder nur halb soviel oder überhaupt etwas zu sagen«, sprudelte Uriah, halb tückisch,

halb kriecherisch hervor. »Sie hätten auch gar nicht so viel Aufhebens davon gemacht, wenn nicht der Wein gewesen wäre. Sie
werden morgen klarer drüber denken, Sir. Wenn ich zuviel gesagt
habe oder mehr als ich meinte, was tut das! Ich habe es doch wieder zurückgenommen!«

Die Türe ging auf, und Agnes glitt herein, ohne eine Spur von
Farbe auf ihrem Gesicht, legte den Arm um Mr. Wickfields Hals
und sagte gefaßt: »Papa, du bist nicht wohl. Komm mit mir!«

Er legte seinen Kopf auf ihre Schulter wie in tiefer Scham und
verließ mit ihr das Zimmer. Ihre Blicke begegneten den meinen
nur eine Sekunde lang, aber ich erkannte, wie viel sie von dem
Geschehenen wußte.

»Ich hätte nicht gedacht, daß er es so übel aufnehmen würde,
Master Copperfield«, sagte Uriah. »Schadet nichts. Morgen werden mir wieder gute Freunde sein. Es ist zu seinem Besten. Ich
bin immer demütigst um sein Bestes besorgt.«

Ich gab keine Antwort und ging hinauf in das stille Zimmer,
wo Agnes so oft neben mir, wenn ich studierte, gesessen hatte. Es
wurde spät nachts, doch niemand kam. Ich nahm ein Buch und
versuchte zu lesen. Ich hörte die Uhren zwölf Uhr schlagen und
las immer noch, ohne zu wissen was, als Agnes' Hand mich berührte.

»Du reisest morgen frühzeitig ab, Trotwood. Laß uns jetzt
Abschied nehmen.«

Sie hatte geweint, aber ihr Antlitz war jetzt ruhig und schön.

»Gott segne dich!« sagte sie und gab mir die Hand.

»Liebste Agnes, ich sehe, du wünschest nicht von dem Vorfall
heute abend zu sprechen – aber läßt sich denn gar nichts tun?«

»Wir müssen unser Vertrauen auf Gott setzen«, gab sie zur
Antwort.

»Kann ich nichts tun, ich – der immer mit seinen kleinen
Schmerzen zu dir kommt.«

»Und die meinigen damit um soviel leichter macht«, erwiderte
sie. »Nein, lieber Trotwood.«

»Es klingt anmaßend von mir, liebe Agnes, wo ich so arm an

allem bin und du so reich an Güte, Entschlossenheit und allen edlen Eigenschaften, – an dir zu zweifeln oder dir Ratschläge zu geben, aber du weißt, wie sehr ich dich liebe und wie viel ich dir verdanke. Du wirst dich niemals einem falschen Pflichtgefühl aufopfern, nicht wahr, Agnes?«

Einen Augenblick lang viel aufgeregter als ich sie je gesehen, trat sie einen Schritt zurück.

»Sage, daß du nicht an so etwas denkst, liebe Agnes, die du mir mehr bist als eine Schwester! Denke, was es heißt, ein Herz und eine Liebe wie die deinige hinzugeben!«

Noch viele, viele Jahre später sah ich dieses Gesicht vor mir aufsteigen mit einem schnell verschwindenden Blick, nicht erstaunt, nicht anklagend, nicht bedauernd.

Gleich darauf wurde ihr Ausdruck zu einem lieblichen Lächeln, und sie sagte zu mir, sie habe ihretwegen keine Furcht, noch brauchte ich welche zu haben. Dann nahm sie Abschied von mir, nannte mich Bruder und ging.

Der Tag war noch nicht angebrochen, als ich vor dem Gasthof auf die Landkutsche stieg. Eben wollten wir abfahren, da tauchte in der Dämmerung Uriahs Kopf auf.

»Copperfield«, sagte er mit einem heiseren Flüstern, als er sich an dem eisernen Geländer des Daches festhielt, »ich glaubte, Sie würden es gerne hören vor Ihrer Abreise, daß alles zwischen uns wieder geebnet ist. Ich war heute früh in seinem Zimmer und habe alles in Ordnung gebracht. Obgleich ich nur eine niedrige Person bin, bin ich doch für ihn von Nutzen, und er versteht sich auf sein Interesse, wenn er nicht berauscht ist. Was für ein angenehmer Mann er doch im Grunde ist, Master Copperfield!«

Ich erwiderte bloß, ich freute mich, daß er ihn um Verzeihung gebeten habe.

»O selbstverständlich! Bei einer niedrigen Person, was ist da eine Bitte um Verzeihung! Nichts ist leichter! – Noch eins. Haben Sie schon einmal«, sagte Uriah mit einem Zucken, »eine Birne gepflückt, ehe sie reif war, Master Copperfield?«

»Ich glaube wohl.«

»Das tat ich gestern abend, aber sie wird schon noch reif werden. Nur abwarten muß man es. Ich kann warten!«

Nach einem vor Worten übersprudelnden Abschied stieg er wieder hinunter, als der Kutscher sich auf den Bock setzte. Ich weiß nicht, ob er etwas kaute, um sich gegen die rauhe Morgenluft zu schützen, aber er machte Bewegungen mit seinem Mund, als wäre die Birne schon reif und er schmatze mit den Lippen danach.

40. Kapitel

Der Wanderer

Wir hatten über diese Vorfälle abends ein sehr ernstes Gespräch in der Buckingham Straße. Meine Tante nahm lebhaftesten Anteil daran und ging mehr als zwei Stunden lang mit verschränkten Armen im Zimmer auf und ab. Das tat sie stets, wenn ihre Stimmung besonders aus dem Gleichgewicht geraten war. Jetzt schien sie so beunruhigt, daß sie die Schlafzimmertür öffnete, um mehr Platz zum Auf- und Abgehen zu haben; und während Mr. Dick und ich ruhig am Kamin saßen, ging sie auf ihrer abgesteckten Bahn in immer gleichem Schritt und mit der Regelmäßigkeit eines Pendels auf und ab.

Als Mr. Dick schlafen gegangen war, setzte ich mich hin, um den Brief an die beiden alten Damen zu schreiben. Meine Tante, müde geworden, saß, den Oberrock wie gewöhnlich in die Höhe gesteckt, am Kamin. Anstatt wie sonst das Glas auf den Knien zu halten, ließ sie es unbeachtet auf dem Kaminsims stehen und sah mich gedankenvoll an, das Kinn auf die linke Hand gestützt. Sooft ich ihrem Blicke begegnete, sagte sie: »Ich bin in der allerbesten Stimmung, lieber Trot, aber ich bin unruhig und besorgt.«

In meiner Geschäftigkeit bemerkte ich erst, als sie schon zu Bett gegangen war, daß sie ihren Schlaftrunk unberührt auf dem Kaminsims hatte stehenlassen.

»Ich kann es heute nicht über das Herz bringen, ihn zu trinken, Trot«, erwiderte sie, als ich an die Tür klopfte und sie darauf aufmerksam machte.

Am Morgen las sie meinen Brief an die beiden alten Damen und billigte ihn. Ich brachte ihn zur Post und hatte dann weiter nichts mehr zu tun, als so geduldig wie nur möglich auf eine Antwort zu warten. In einer solchen Wartestimmung befand ich mich schon eine volle Woche, als ich eines Abends bei Schneewetter den Doktor verließ und nach Hause ging.

Es war bitterkalt und ein schneidender Nordost wehte. Gegen Abend legte sich der Sturm und es schneite in großen, schweren, dicken Flocken. Das Geräusch der Räder und Tritte klang so gedämpft, als wären die Straßen mit Federn bestreut.

Mein kürzester Nachhauseweg – den ich natürlich bei solchem Wetter wählte – ging durch die Saint Martin's Lane. Die Kirche, die der Straße ihren Namen gibt, stand damals weniger frei als jetzt. Als ich an den Stufen des Portals vorüberging, begegnete ich einer Frauensperson. Sie sah mich an, ging über die schmale Straße und verschwand. Ich kannte doch das Gesicht! Irgendwo hatte ich es gesehen! Ich konnte mich nur nicht entsinnen, wo. Es knüpften sich an das Gesicht Erinnerungen, die mir tief ans Herz griffen. Aber ich dachte an ganz andere Dinge und war verwirrt.

Auf den Stufen der Kirche stand ein Mann, der, über ein Bündel gebückt, es ordnete, um es besser auf die Schulter nehmen zu können. Wir blickten einander im selben Augenblick ins Gesicht. Ich stand Mr. Peggotty gegenüber.

Jetzt besann ich mich auch auf das Frauenzimmer. Es war Marta Endell gewesen.

Wir schüttelten uns herzlich die Hände. Anfangs konnte keiner von uns ein Wort hervorbringen.

»Masr Davy«, sagte Mr. Peggotty und drückte mir fest die Hand. »Es tut meinem Herzen wohl, Sie zu sehen. Willkommen! Willkommen!«

»Willkommen, mein guter alter Freund!« sagte ich.

»Ich machte mir so meine Gedanken, ob ich Sie heute abend noch aufsuchen könnte, aber ich weiß, daß Sie mit Ihrer Tante zusammenwohnen – denn ich bin unten gewesen in Yarmouth – , und fürchtete, es sei zu spät. Ich wäre morgen früh ganz zeitig gekommen, ehe ich wieder abreiste.«

»Wieder?«

»Ja, Sir.« Er nickte geduldig mit dem Kopf. – »Ich will morgen wieder fort.«

»Wohin gehen Sie Jetzt?«

»Ich wollte mir ein Nachtquartier suchen«, sagte er und schüttelte den Schnee aus seinem langen Haar. »Irgendwo.«

Zu jener Zeit führte ein Nebeneingang in den Hof des »Goldnen Kreuzes«, des Gasthofs, der mir in Verbindung mit Mr. Peggottys Unglück so denkwürdig war und in dessen unmittelbarer Nähe wir uns befanden. Ich wies auf den Torweg, hängte mich in Mr. Peggotty ein und wir gingen hinüber. Zwei oder drei Gastzimmer mündeten auf den Hof hinaus, und da das eine leer war und ein gutes Feuer darin brannte, zog ich ihn mit hinein.

Als ich ihn bei Licht sah, bemerkte ich, daß nicht nur sein Haar lang und wirr, sondern auch sein Gesicht von der Sonne braun gebrannt war. Die Furchen auf Wangen und Stirne schienen tiefer und die Haare grauer geworden zu sein, aber er sah sehr kräftig und wie ein Mann aus, den ein fester Wille aufrecht erhält und nichts ermüden kann. Er schüttelte den Schnee von Hut und Kleidern und Bart, während ich diese Beobachtung machte.

»Ick will Sej vertellen, wo ick wesen bün, Masr Davy, und wat ick erfahren hew. Ick bün wiet wesen und hew wenig erfahren, aber ick will et Sei vertellen.«

Ich schellte, um etwas Warmes zum Trinken zu bestellen. Er wollte nichts nehmen als Ale, und während es geholt und am Feuer gewärmt wurde, saß er in Gedanken da. Es lag ein schöner, tiefer Ernst auf seinem Gesicht, den ich nicht zu stören wagte.

»Als sie noch ein Kind war«, begann er endlich, »sprach sie mir oft von dem Meere und von den Ufern, wo die See dunkelblau wird und glänzend und funkelnd in der Sonne daliegt. Manchmal dachte ich, sie denke soviel daran, weil ihr Vater ertrunken war. Ich weiß nicht, ob sie vielleicht glaubte oder hoffte, er wäre hingetrieben nach jenen Ländern, wo die Blumen immer blühen und der Himmel immer heiter ist.«

»Wohl möglich, daß sie solch kindliche Phantasien gehabt hat.«

»Als sie – mir verlorenging, da wußte ich gleich, daß – er – sie nach jenen Gegenden bringen würde. Ich wußte es gleich, denn er hatte ihr oft Wunderdinge von ihnen erzählt und sich durch solche Geschichten zuerst Gehör bei ihr verschafft. Als wir bei seiner Mutter waren, da merkte ich gleich, daß mich meine Ahnung nicht täuschte. Ich ging über den Kanal nach Frankreich.«

Ich sah die Türe sich bewegen und Schnee hereinwehen. Dann öffnete sie sich noch ein wenig weiter, und eine Hand griff vorsichtig in die Spalte, um sie offenzuhalten.

»Ich machte einen englischen Gentleman ausfindig, der von der Regierung angestellt ist, und sagte ihm, ich wollte meine Nichte aufsuchen. Er verschaffte mir die nötigen Papiere – ich weiß nicht recht, wie sie heißen –, und er wollte mir auch Geld geben, aber ich dankte ihm, denn ich brauchte es nicht. Ich bin ihm dankbar für alles, was er getan hat. ›Ich habe schon an verschiedene Orte, durch die Sie kommen werden, Briefe vorausgeschickt‹, sagte er zu mir, ›und werde viele aufmerksam machen, die denselben Weg reisen, und viele werden Sie erkennen, wenn sie Ihnen begegnen, und Ihnen behilflich sein.‹ Ich sprach ihm, so gut ich konnte, meine Dankbarkeit aus und reiste durch Frankreich weiter.«

»Allein und zu Fuß?«

»Meistens zu Fuß, manchmal im Marktwagen mit den Landleuten, manchmal in leeren Leiterwagen. Manche Meile des Tags zu Fuß und oft mit irgendeinem armen Soldaten, der zu seinen Verwandten nach Hause wanderte. Ich konnte nicht mit ihnen reden«, sagte Mr. Peggotty, »und sie nicht mit mir, aber wir leisteten uns doch Gesellschaft auf der staubigen Straße.«

Ich hätte das schon an der Herzlichkeit seines Tones erraten.

»Wenn ich in eine Stadt kam, wartete ich vor einem Gasthof, bis sich jemand fand, der Englisch verstand, was meistens der Fall war.

Dann sagte ich ihm, daß ich meine Nichte suchte, und ließ mir erzählen, was für Herrschaften im Hause wären, und wenn ich glaubte, daß Emly dabei sein könnte, so wartete ich ab, bis sie heraustraten. Wenn ich später in ein Dorf zu armen Leuten kam, da kannten sie mich schon. Das Gerücht war mir vorausgeeilt. Sie räumten mir einen Platz in ihren Hütten ein und gaben mir das Beste, was sie hatten, zu essen und zu trinken und luden mich ein, bei ihnen zu schlafen. Und manche Frau, Masr Davy, die eine Tochter in Emlys Alter hatte, wartete draußen vor dem Dorf am Wegkreuz, um mir solche Freundschaft zu erweisen. Manchen waren die Töchter gestorben. Nur Gott weiß, wie gut diese Mütter gegen mich waren.«

Marta stand an der Tür. Ich sah ihr abgezehrtes, lauschendes Gesicht ganz deutlich. Ich fürchtete nur, er werde sich umdrehen und sie sehen.

»Oft setzten sie mir ihre Kinder, vornehmlich die Mädchen, auf den Schoß, und manchen Abend hätten Sie mich vor solchen Türen sitzen sehen können, als ob es meines Lieblings Kinder gewesen wären!«

Überwältigt von plötzlichem Schmerz schluchzte er laut. Ich legte meine bebende Hand auf die seinen, mit denen er sein Gesicht verdeckte.

»Ich danke Ihnen, Sir, beachten Sie es nicht weiter!«

Und er fuhr in seiner Erzählung fort. »Oft begleiteten sie mich wohl eine halbe Stunde lang; und wenn ich ihnen beim Abschied sagte: Ich danke euch, Gott segne euch! schienen sie es immer zu verstehen und antworteten freundlich. Endlich erreichte ich das Meer. Für einen Seemann wie ich ist es nicht schwer, sich die Überfahrt nach Italien zu verdienen. Das können Sie sich leicht denken. Dann wanderte ich weiter wie früher. Ich wäre vielleicht von Stadt zu Stadt, vielleicht durch das ganze Land gewandert, wenn ich nicht Nachricht erhalten hätte, man habe sie in den Schweizer Bergen gesehen. Jemand, der seinen Bedienten kannte, hatte sie dort alle drei getroffen und erzählte mir, wie sie reisten und wo sie sich aufhielten. Tag und Nacht wanderte ich, Masr Davy, den Bergen entgegen, Tag und Nacht, aber je weiter ich kam, desto weiter schienen sie vor mir zurückzutreten. Aber endlich kam ich doch hin. In der Nähe des Ortes, wo Emly sein sollte, fing ich an, bei mir zu denken: was soll ich tun, wenn ich sie vor mir sehe?«

Die lauschende Gestalt stand immer noch an der Tür, und ihre Hände flehten mich an, sie nicht zu verraten.

»Ich habe nie an ihr gezweifelt«, fuhr Mr. Peggotty fort. »Nein, nicht ein bißchen! Sie soll nur mein Gesicht sehen, meine Stimme hören, und sie wird sich erinnern an die Häuslichkeit, die sie verlassen hat, und an das Kind, das sie gewesen ist, – und wenn sie eine Königin geworden wäre, sie würde niedergefallen sein zu meinen Füßen. Ich weiß es gewiß. Wie oft in meinen Träumen hatte ich sie rufen hören: Onkel! und sie tot vor mir niederfallen sehen, und immer hatte ich sie aufgehoben und zu ihr gesagt: Liebe Emly, ich komme, um dir Verzeihung zu bringen und dich mit heimzunehmen.«

Er hielt inne, nickte mit dem Kopf und fuhr mit einem Seufzer fort zu erzählen.

»Er sollte mich nichts angehen. Emly war mir alles. Ich würde ein Bauernkleid für sie kaufen, und ich wußte, wenn ich sie einmal fände, würde sie neben mir hergehen auf diesen rauhen Wegen und mich nie, nie mehr verlassen. Ihr dieses Kleid anzuziehen und das, was sie getragen, wegzuwerfen, sie wieder auf meinen Arm zu nehmen und der Heimat entgegenzuwandern, – manchmal auf dem Weg auszuruhen und ihre wunden Füße und ihr noch wunderes Herz zu heilen, an weiter dachte ich nichts. Ich glaube kaum, daß ich ihn auch nur mit einem Blick angesehen hätte. Aber Masr Davy, es sollte nicht sein – noch nicht. Ich kam zu spät, und sie waren schon fort. Wohin, konnte ich nicht erfahren. Einige sagten hierhin, andere dorthin, aber nirgends fand ich Emly und reiste nach Haus.

»Wann war das?« fragte ich.

»Vor ein paar Tagen bekam ich das alte Boot nach Dunkelwerden zu Gesicht, und das Licht schimmerte im Fenster. Als ich herankam und durch die Scheiben blickte, sah ich die alte treue Mrs. Gummidge allein am Feuer sitzen, wie wir es ausgemacht hatten. Ich rief: »Erschrick nicht. Es ist Daniel«, und ging hinein. Ich hätte nie gedacht, daß mir das alte Boot würde so fremd vorkommen können.«

Er zog jetzt aus seiner Brusttasche sehr behutsam ein Paket von zwei oder drei Briefen heraus und legte es auf den Tisch.

»Der erste hier«, sagte er, »kam, ehe ich eine Woche fort war. Eine Fünfzig-Pfundnote in einen Bogen Papier gewickelt lag darin, an mich adressiert und nachts unter die Türe gesteckt. Sie hatte versucht, ihre Handschrift zu verstellen, aber vor mir kann sie nichts verbergen.«

Er faltete den Brief sehr sorgfältig genau in derselben Form wieder zu und legte ihn zur Seite.

»Dieser zweite kam einige Tage später an Mrs. Gummidge.«

Er sah ihn eine Weile an, reichte ihn mir und setzte mit leiser Stimme hinzu:

»Seien Sie so gut und lesen Sie ihn, Sir!«

Ich las folgendes:

O, was wirst Du nur fühlen, wenn Du diese Schrift siehst und weißt, sie kommt von meiner verruchten Hand! Aber versuche – nicht um meinetwillen, sondern um meines Onkels Güte willen – versuche, nur eine kleine, kleine Weile mit mildem Herzen meiner zu gedenken; versuche, bitte, tue es, barmherzig zu sein gegen ein unglückliches Mädchen und auf einen Zettel zu schreiben, ob er gesund ist und was er von mir sagte, bevor Ihr aufhörtet, meinen Namen unter Euch zu nennen, und ob er abends, wenn die alte Stunde meines Nachhausekommens naht, dreinschaut, als ob er an die denkt, die er einst so innig liebte. Mir ist, als wollte mir das Herz brechen, wenn ich daran denke. Ich knie vor Dir nieder und flehe Dich an, nicht so hart gegen mich zu sein, wie ich es verdiene – wie ich sehr wohl weiß, daß ich es verdiene –, sondern so sanft und gut zu sein, etwas über ihn auf einen Zettel zu schreiben und mir zu schicken. Nenn mich nicht Emly, nenne mich nicht bei dem Namen, den ich geschändet habe, aber höre auf mich in meiner Todesangst und habe Erbarmen mit mir und schreibe mir ein Wort von meinem Onkel, den meine Augen nie, nie mehr wiedersehen sollen.

Du Liebe, Gute, wenn Dein Herz hart ist gegen mich – mit Recht hart, das weiß ich wohl –, so bitte ich Dich, frage den, dem ich am wehesten getan habe, dessen Weib ich werden sollte, bevor Du mir meine armselige Bitte abschlägst. Wenn er so barmherzig ist Dir zu sagen, Du mögest eine Zeile an mich schreiben, – ich glaube, er tut es – er tut es, wenn Du ihn nur darum fragst, denn sein Herz war immer voll Güte und Verzeihung – dann sage ihm, daß mir ist, wenn ich des Nachts den Wind brausen höre, als stürme er zornig vorbei, weil er ihn und den Onkel gesehen habe und hinauf ginge zu Gott, um gegen mich zu klagen. Sage ihm, wenn ich morgen sterben müßte – und wie gern würde ich sterben, wenn ich es mit gutem Gewissen könnte –, ich würde ihn und den Onkel mit meinen letzten Worten segnen und mit dem letzten Atemzuge um ein glückliches Heim für ihn beten.

Auch diesem Briefe lag Geld bei. Fünf Pfund. Es war ebensowenig berührt wie das andere, und Mr. Peggotty faltete es ebenso zusammen. Genaue Anweisungen hinsichtlich der Adresse einer Antwort waren hinzugefügt, und, obgleich der Brief durch mehrere Hände gegangen zu sein schien und auf ihren gegenwärtigen Aufenthalt daraus nicht geschlossen werden konnte, so war es doch nicht unwahrscheinlich, daß er von dem Orte ausging, wo sie zuletzt gesehen worden war.

»Was hat man ihr geantwortet«? fragte ich.

»Da Mrs. Gummidge nicht viel davon versteht, so verfaßte Ham den Brief, und sie schrieb ihn ab. Es stand darin, ich sei fort, um sie zu suchen, und meine letzten Worte an sie.«

»Sie haben da noch einen Brief in der Hand.«

»Es ist Geld, Sir«, sagte Mr. Peggotty und öffnete ein wenig den Briefumschlag. »Zehn Pfund, sehen Sie her. Darinnen steht: »Von einem wahren Freunde!« wie in dem ersten, aber der erste wurde unter die Tür gesteckt, und dieser kam vorgestern mit der Post. Ich will sie an dem Orte suchen gehen, den der Stempel anzeigt.«

Er zeigte mir den Brief. Er kam aus einer Stadt des Oberrheins. Mr. Peggotty hatte in Yarmouth ein paar auswärtige Kaufleute aufgefunden, die die Gegend kannten, und sie hatten ihm eine flüchtige Skizze einer Karte entworfen, die er recht gut verstand. Er legte sie auf den Tisch und verfolgte seinen Weg darauf mit dem Finger, das Kinn auf die eine Hand gestützt.

Ich fragte ihn, wie es Ham gehe. Er schüttelte nur den Kopf.

»Er arbeitet, wie es einem Menschen nur irgend möglich ist«, sagte er. »Sein Name ist in der ganzen Gegend so gut angeschrieben wie der keines andern. Jedermann ist bereit, ihm zu helfen, und auch er hilft jedem gern. Klagen hört man ihn nie. Aber unter uns – meine Schwester meint, daß es ihn tief getroffen hat.«

»Der Arme! Ich kann es mir denken!«

»Sein Leben gilt ihm nichts, Masr Davy«, sagte Mr. Peggotty mit feierlichem Flüstern, »wenn man bei bösem Wetter jemand für ein gefährliches Unternehmen braucht, so ist er da. Wenns etwas Anstrengendes und Gefährliches zu tun gibt, ist er bei der Hand. Und doch ist er so sanft wie ein Kind. Jedes Kind in Yarmouth liebt ihn.«

Er nahm die Briefe gedankenvoll zusammen, glättete sie und steckte sie sorgfältig in die Tasche.

Das Gesicht war von der Tür verschwunden. Der Schnee wehte immer noch herein, aber sonst war nichts zu sehen.

»Nun, da ich Sie heute abend gesprochen habe, Masr Davy, – und es hat mir gutgetan«, sagte er und warf einen Blick auf sein Bündel, »so will ich mich morgen früh beizeiten auf den Weg machen. Sie wissen, was ich hier bei mir trage«, fuhr er fort und legte die Hand auf seine Brusttasche. »Ich habe nur die eine Sorge, daß mir etwas zustoßen könnte, ehe ich das Geld zurückgeben kann.

Wenn ich sterben sollte, und es ginge verloren oder würde gestohlen, und – er – wäre im Glauben, ich hätte es angenommen, ich würde es in der andern Welt nicht aushalten können. Ich glaube, ich müßte zurück.«

Wir standen auf und drückten einander noch herzlich die Hand, ehe wir hinausgingen.

»Ich würde zehntausend Meilen wandern«, sagte er, »bis ich tot niederfiele, um ihm das Geld vor die Füße zu werfen. Wenn ich das getan und meine Emly gefunden habe, dann bin ich zufrieden. Wenn ich sie nicht finde, so erfährt sie vielleicht einmal, daß ihr Onkel erst mit seinem Tode aufgehört hat, sie zu suchen; und kenne ich sie recht, wird dieser Gedanke sie nach Hause führen.«

Als wir hinaus in die kalte Nacht traten, sah ich die einsame Gestalt vor uns davoneilen. Unter einem Vorwand bewog ich Mr. Peggotty sich umzudrehen und hielt ihn im Gespräche fest, bis sie fort war.

Er sprach von einer kleinen Schenke auf der Straße nach Dover, wo er ein reinliches und einfaches Nachtquartier suchen wollte. Ich begleitete ihn über die Westminsterbrücke und wir schieden am Surreyufer. Mir war es, als ob alles vor ihm totenstill würde, wie er seine einsame Wanderung durch den Schnee wieder antrat.

Ich kehrte nach dem Gasthof zurück und sah mich, noch unter der Erinnerung an jenes Gesicht stehend, bange nach der Gestalt um. Sie war nicht mehr da. Der Schnee hatte unsere Fußstapfen verweht, und meine neue Spur war die einzig sichtbare, und selbst diese sah ich rasch verschwinden unter den fallenden Flocken, als ich zurückblickte.

41. Kapitel

Doras Tanten

Endlich kam eine Antwort von den beiden alten Damen. Sie empfahlen sich bestens Mr. Copperfield und ließen ihm sagen, daß sie seinen Brief in reiflichste Erwägung gezogen hätten, und zwar mit Rücksicht auf »das Glück beider Teile«.

Der Ausdruck kam mir recht beunruhigend vor, nicht nur, weil sie ihn schon einmal bei ihrer Zwistigkeit mit ihrem Bruder gebraucht, sondern auch, weil bekanntlich herkömmliche Phrasen wie ein Feuerwerk sind, das leicht losgeht und die verschiedensten Gestalten und Formen annimmt, die man seinem ursprünglichen Aussehen nach nie vermutet hätte.

Die beiden Misses Spenlow fügten hinzu, sie müßten sich enthalten, auf »brieflichen Verkehr« hin ein Urteil über den Gegenstand von Mr. Copperfields Mitteilungen auszusprechen, aber daß sie sich glücklich schätzen würden, mit Mr. Copperfield über diesen Punkt persönlich zu sprechen, wenn er ihnen an einem bestimmten Tage, am liebsten in Begleitung eines vertrauenswürdigen Freundes, die Ehre seines Besuches erweisen wollte.

Auf dieses wertgeschätzte Schreiben antwortete Mr. Copperfield sofort mit der größten Ergebenheit, daß er sich die Ehre nehmen werde, an dem bestimmten Tag den Misses Spenlow seine Aufwartung zu machen, und zwar mit ihrer gütigen Erlaubnis in Gesellschaft seines Freundes Mr. Thomas Traddles vom innern Juristenkollegium.

Nach Absendung dieser Botschaft geriet Mr. Copperfield in die größte Gemütserregung und verblieb in derselben, bis der Tag gekommen war.

Meine Bedrängnisse wurden nicht wenig dadurch vermehrt, daß ich in dieser Krisis die unschätzbaren Dienste der Miss Mills entbehren mußte. Mr. Mills, der mir immer etwas zum Tort tat – wenigstens schien es mir so –, hatte seinem Benehmen die Krone aufgesetzt und den Entschluß gefaßt nach Ostindien zu reisen. Was wollte er in Indien! Nur mir zum Verdruß fuhr er nach Indien! Allerdings hatte er mit keinem andern Weltteil so viel zu tun wie mit diesem, denn er ging ganz im indischen Handel auf. Ich wußte weiter nichts vom indischen Handel und machte mir so eine phantastische Vorstellung von goldnen Schals und Elefantenzähnen.

Mr. Mills war in seiner Jugend in Kalkutta gewesen und wollte sich jetzt dort als Teilhaber eines Handelshauses niederlassen. Aber was ging das mich an! Julia sollte mit ihm gehen und war über Land gefahren, um von ihren Verwandten Abschied zu nehmen. Das Haus trug förmlich einen Mantel von Anzeigen, auf denen stand, was alles vermietet, verkauft oder versteigert werden sollte (auch der Hausrat, die Mangel mit eingeschlossen!).

So wurde ich abermals das Opfer eines Erdbebens, ehe ich mich noch von den Erschütterungen des ersten erholt hatte.

Ich schwankte, was ich an diesem wichtigen Tage anziehen sollte. Einesteils wollte ich einen möglichst vorteilhaften Eindruck machen, andererseits befürchtete ich etwas anzuziehen, was das Streng-Praktische meines Aussehens in den Augen der beiden Misses Spenlow hätte beeinträchtigen können. Ich bemühte mich, einen glücklichen Mittelweg ausfindig zu machen. Meine Tante billigte den Anzug, und Mr. Dick warf mir der guten Vorbedeutung wegen einen Schuh nach.

Ich kannte Traddles als vortrefflichen Freund und war ihm herzlich zugeneigt. Dennoch hätte ich bei dieser delikaten Gelegenheit gewünscht, daß er sich nie gewöhnt hätte, sein Haar so unglaublich in die Höhe zu bürsten. Es gab ihm ein so verwundertes Aussehen – ich möchte fast sagen, etwas Besenhaftes –, was, wie ich fürchtete, uns zum Unglück ausschlagen könnte.

Ich nahm mir die Freiheit, Traddles auf dem Wege nach Putney darauf aufmerksam zu machen und ihn zu bitten, ob er es nicht nur ein ganz klein wenig glattstreichen wollte.

»Mein lieber Copperfield«, sagte Traddles, indem er den Hut

abnahm und sein Haar in allen Richtungen rieb, »nichts würde mir mehr Vergnügen bereiten, aber es will nicht.«

»Es will sich nicht glätten lassen?«

»Nein. Es läßt sich durch nichts dazu bewegen. Und wenn ich den ganzen Weg nach Putney einen halben Zentner drauf trüge, so würde es sich in demselben Augenblick wieder aufrichten, in dem man das Gewicht entfernt. Du kannst dir keine Vorstellung machen, wie eigenwillig mein Haar ist, Copperfield! Ich sehe immer aus wie ein gereiztes Stachelschwein.«

Ich muß gestehen, ich war ein wenig verdrießlich, obgleich mich seine Gutherzigkeit versöhnte. Ich sagte ihm, wie sehr ich ihn schätzte, und daß sein Haar offenbar allen Eigensinn aus seinem Charakter an sich gezogen haben müßte, da er so gar keine Spur davon besitze.

»Ja, das ist eine alte Geschichte mit meinem unglückseligen Haar«, lachte Traddles. »Die Frau meines Onkels konnte es schon nicht ausstehen. Sie sagte, es brächte sie zur Verzweiflung. Auch bei meiner Werbung um Sophie war es mir anfangs sehr hinderlich. Sogar außerordentlich.«

»Hatte sie etwas dagegen?«

»Sie nicht, aber ihre älteste Schwester – die Schönheit – machte sich immer darüber lustig. Alle Schwestern lachen darüber.«

»Recht angenehm!« meinte ich.

»Ja«, bestätigte Traddles mit größter Harmlosigkeit. »Es ist für uns alle ein wahrer Spaß. Sie behaupten, Sophie besäße eine Locke davon in ihrem Schreibtisch und habe an dem Buch ein Schloß anbringen müssen, da es sonst nicht zuginge. Wir scherzen immer darüber.«

»Übrigens, lieber Traddles, vielleicht könnte deine Erfahrung mir von Nutzen sein. Als du dich verlobtest, machtest du da in der Familie einen regelrechten Heiratsantrag? Kam so etwas vor, wie wir zum Beispiel heute vorhaben?« fragte ich nervös.

»Die Wahrheit zu gestehen«, entgegnete Traddles, über dessen aufmerksames Gesicht sich jetzt ein Schatten von Nachdenklichkeit verbreitete, »war es bei mir eine ziemlich unangenehme Geschichte, Copperfield. Siehst du, Sophie ist für die Familie so unentbehrlich, daß niemand sich mit dem Gedanken, sie könne jemals heiraten, vertraut machen wollte. Sie hatten es geradezu unter sich abgemacht, daß sie niemals heiraten dürfte, und nannten sie nur die alte Jungfer. Als ich es daher mit der größten Vorsicht gegen Mrs. Crewler zur Sprache brachte – der Vater ist Reverend Horace Crewler –, schrie sie laut auf und fiel in Ohnmacht. Monatelang durfte ich das Thema nicht wieder berühren.«

»Aber endlich brachtest du es doch wieder zur Sprache?«

»Das tat Seine Ehrwürden selbst. Er ist ein ganz vortrefflicher Mann, musterhaft in jeder Hinsicht und er hielt seiner Gattin vor, daß sie sich als Christin mit dem Gedanken an das Opfer versöhnen müsse – um so mehr, als es ungewiß sei – und kein unchristliches Gefühl gegen mich hegen dürfte. Was mich betrifft, Copperfield, ich gebe dir mein Wort, ich kam mir der Familie gegenüber wie ein Raubvogel vor.«

»Aber die Schwestern nahmen doch deine Partei, hoffe ich, Traddles?«

»Nun, das kann ich gerade nicht sagen. Als wir Mrs. Crewler so halb und halb versöhnlich gestimmt hatten, mußten wir es Sara beibringen. Du weißt wohl noch, – Sara, die am Rückenmark leidet.«

»Ja, ich weiß.«

»Sie ballte beide Hände«, sagte Traddles, »sah mich zornig an, schloß die Augen, wurde bleifarben, dann ganz steif und genoß zwei Tage lang nichts als teelöffelweise Toast mit Wasser.«

»Was für ein unliebenswürdiges Mädchen, Traddles.«

»O nein. Ich bitte um Entschuldigung, Copperfield. Sie ist ein ganz entzückendes Mädchen und hat nur zu viel Gefühl. Das haben sie überhaupt alle! Sophie gestand mir später, daß die Selbstvorwürfe, die sie sich gemacht, als sie Sara pflegte, unbeschreiblich gewesen seien. Daß sie schmerzlich gewesen sein mußten, verrieten mir meine eignen Empfindungen, Copperfield, die denen eines Verbrechers glichen. Als Sara von dem Schlag wieder genesen war, hatten wir es noch den andern acht beizubringen, und es brachte auf sie die verschiedenartigsten Wirkungen rührendster Art hervor. Die beiden Kleinen, die Sophie erzieht, haben erst vor kurzem aufgehört mich zu verabscheuen.«

»Hoffentlich haben sie sich jetzt vollständig damit ausgesöhnt?«

»J-ja«, gab Traddles zögernd zu. »Im großen ganzen scheinen sie sich darein ergeben zu haben. Wir sprechen weiter nicht von der Sache, und die Ungewißheit meiner Aussichten ist für sie alle ein großer Trost. Wenn wir einmal heiraten, wird es eine klägliche Szene geben. Sie wird einem Leichenbegängnis eher ähnlicher sehen als einer Hochzeit. Und hassen werden sie mich alle, wenn ich sie mit fortnehme.«

Sein ehrliches Gesicht, wie er halb ernst, halb komisch den Kopf schüttelte, macht jetzt in der Erinnerung einen größern Eindruck auf mich als damals in Wirklichkeit, denn ich war in einen Zustand so übermäßiger Angst und Gedankenflucht geraten, daß ich meine Aufmerksamkeit nicht lange auf ein und denselben Gegenstand richten konnte. Als wir in die Nähe der Wohnung der Misses Spenlow kamen, stand es mit meinem Aussehen und meiner Geistesgegenwart so schlimm, daß Traddles ein Glas Ale als sanftes, mutbildendes Mittel in Vorschlag brachte. Nachdem ich einige Schlücke in einem benachbarten Wirtshaus genossen, ging ich, von ihm geleitet, schwankenden Schrittes zu den Misses Spenlow.

Ich hatte die unbestimmte Empfindung beobachtet zu werden, als das Mädchen die Tür öffnete und ich durch eine Vorhalle mit einem Wetterglas in ein stilles kleines Parterrezimmer mit der Aussicht auf einen niedlichen Garten wankte. Es kam mir so vor, als setzte ich mich auf ein Sofa, glaubte Traddles Haar, wie er seinen Hut abnahm, aufschnellen zu sehen gleich einer der gewissen kleinen Schreckfiguren, die aus Schnupftabakzauberdosen hervorspringen. Ich glaube, ich hörte eine altmodische Uhr auf dem Kaminsims ticken, und versuchte, das Geräusch mit meinem Herzklopfen in Takt zu bringen, aber es gelang nicht. Ich sah mich, glaube ich, im Zimmer nach einem Zeichen von Doras Anwesenheit um und erblickte nichts. Mir scheint, Jip bellte einmal in der Ferne und wurde sofort von jemand beschwichtigt.

Zuletzt fand ich mich in einer Situation wieder, in der ich Traddles rücklings in den Kamin drängte und mich in großer Verwirrung vor zwei vertrockneten ältlichen Damen verbeugte, die, schwarz gekleidet, auch in ihrem übrigen Aussehen lebhaft an den verstorbenen Mr. Spenlow erinnerten.

»Ich bitte«, sagte eine der beiden kleinen Damen, »nehmen Sie Platz.«

Als ich aufgehört hatte, über Traddles zu stolpern, und mich auf etwas gesetzt hatte – es war keine Katze, wie das erste Mal –, hellten sich meine Augen wenigstens so weit auf, um sehen zu können, daß die jüngere der beiden Schwestern, die sechs bis acht Jahre älter als Mr. Spenlow sein mochten, mit der Leitung der Konferenz beauftragt zu sein schien, denn sie hielt meinen Brief in der Hand und betrachtete ihn von Zeit zu Zeit durch ein Augenglas.

Beide waren gleich gekleidet, aber diese Dame trug sich etwas jugendlicher; ein wenig mehr Fransen, eine Brosche oder ein Armband oder andere Kleinigkeiten der Art verliehen ihr ein etwas lebhafteres Aussehen. Beide hielten sich sehr steif, waren zeremoniell, gefaßt und ruhig. Die ältere hatte die Arme verschränkt und saß da wie ein Götzenbild.

»Mr. Copperfield vermute ich«, sagte die Schwester mit dem Brief zu Traddles.

Das war ein schrecklicher Anfang. Traddles mußte auseinandersetzen, daß ich Mr. Copperfield wäre, stellte mich vor, und die Damen hatten sich von ihrer vorgefaßten Meinung, Traddles sei Mr. Copperfield, freizumachen, und alles war in trefflicher Konfusion. Um das Maß vollzumachen, hörte man Jip draußen deutlich bellen und wieder beschwichtigt werden.

»Mr. Copperfield!« wandte sich jetzt die Schwester mit dem Brief an mich.

Ich tat irgend etwas – verbeugte mich vermutlich – und war ganz Ohr, als die andere Dame einfiel:

»Meine Schwester Lavinia, die in Dingen dieser Art bewandert ist, wird klarlegen, was wir zur Förderung des Glückes beider Teile für das Geeignetste erachten.«

Ich entdeckte später, daß Miss Lavinia als Autorität in Herzensangelegenheiten galt, weil früher einmal ein gewisser Mr. Pidger im Hause einen kurzen Whist gespielt und sich angeblich dabei in sie verliebt haben sollte.

Meiner Meinung nach war dies eine willkürliche Annahme gewesen, denn Mr. Pidger hatte niemals ein Wort darüber verlauten lassen. Aber Miss Lavinia und Miss Clarissa lebten in dem Glauben, er sei nur deshalb von einer Liebeserklärung abgehalten worden, weil er durch den Tod in der Blüte seiner Jahre, nämlich im sechzigsten, infolge übermäßigen Trinkens und darauffolgenden massenhaften Genusses der Heilquellen von Bath, der Welt entrissen wurde. Sie hegten den Verdacht, er sei an unterdrückter Liebe gestorben. Sein Porträt im Hause stellte ihn mit einer leuchtendroten Nase dar, und ich vermochte darin nicht das Zeichen heimlicher Liebesleidenschaft zu sehen.

»Wir wollen nicht von der Vergangenheit sprechen«, sagte Miss Lavinia. »Der Tod unseres armen Bruders Francis enthebt uns dessen.«

»Wir standen mit unserm Bruder Francis nicht in häufigem Verkehr«, unterbrach Miss Clarissa, »aber ausgesprochene Uneinigkeit herrschte nie zwischen uns. Francis schlug seinen Weg ein, und wir den unsrigen. Wir erachteten das für das Glück aller Beteiligten als das beste. Und das war es auch.«

Jede der beiden Schwestern bog sich stets ein wenig beim Sprechen vor, nickte dann und saß wieder steif aufrecht, wenn sie schwieg. Miss Clarissa bewegte die Arme nie. Manchmal trommelte sie mit ihren Fingern – Menuette und Märsche, wie es schien.

»Die Lage unserer Nichte oder besser gesagt, ihre vermeintliche Lage, hat sich durch das Ableben unseres Bruders Francis sehr verändert«, sagte Miss Lavinia, »und deshalb erachten wir die Meinung unseres Bruders über ihre Lage ebenfalls für verändert. Wir haben keinen Grund zu bezweifeln, Mr. Copperfield, daß Sie ein junger Gentleman von guten Eigenschaften und ehrenwertem Charakter sind, noch auch, daß Sie eine Neigung – wenigstens Ihrer Überzeugung nach – zu unserer Nichte gefaßt haben.«

Ich erwiderte wie immer, wenn sich Gelegenheit dazu bot, daß noch nie ein Mensch so geliebt habe wie ich. Traddles kam mir mit einem bekräftigenden Gemurmel zu Hilfe.

Miss Lavinia wollte fortfahren, aber Miss Clarissa, immerwährend von dem Verlangen beseelt, über ihren Bruder Francis zu sprechen, fiel ihr ins Wort:

»Wenn Doras Mama gleich bei ihrer Verheiratung mit unserm Bruder Francis festgestellt hätte, daß für die Familie kein Platz am Mittagstisch sei, wäre es für das Glück aller Beteiligten besser gewesen!«

»Schwester Clarissa«, sagte Miss Lavinia. »Vielleicht brauchen wir davon jetzt nicht zu sprechen.«

»Liebe Schwester Lavinia, es gehört zur Sache! In den Teil der Angelegenheit, von dem du allein zu sprechen berechtigt bist, nehme ich mir nicht heraus dreinzureden. Aber in dem eben erwähnten habe ich eine Stimme und eine Meinung. – Es wäre besser gewesen für das Wohl aller Beteiligten, wenn Doras Mama gleich bei ihrer Verheiratung mit unserm Bruder Francis ihre Ansicht offen herausgesagt hätte. Wir wären informiert gewesen und hätten gesagt: Bitte, dann ladet uns überhaupt nicht ein, und jede Möglichkeit eines Mißverständnisses wäre unterblieben.«

Als Miss Clarissa mit Kopfnicken fertig war, fing Miss Lavinia wieder an, nachdem sie meinen Brief abermals durch ihr Augenglas betrachtet hatte.

Sie hatten beide kleine, helle, runde, funkelnde Augen und überhaupt ganz das Wesen von lebhaften, putzigen, federschüttelnden Kanarienvögeln.

Miss Lavinia fuhr also fort:

»Sie bitten meine Schwester und mich um Erlaubnis, Mr. Copperfield, als erklärter Bewerber unserer Nichte hier verkehren zu dürfen.«

»Wenn unser Bruder Francis«, fiel Miss Clarissa ein, »sich schon mit einer Atmosphäre von Doctors' Commons und nur von Doctors' Commons zu umgeben wünschte, wie konnten wir etwas dagegen einwenden? Wir hatten kein Recht dazu und sind immer weit entfernt gewesen, uns jemand aufdrängen zu wollen. Aber warum sagte er es nicht offen heraus? Unser Bruder Francis und seine Gattin sollen sich ihre Gesellschaft ruhig aussuchen. Meine Schwester Lavinia und ich finden unsern Verkehr auch ohne ihn, hoffe ich.«

Da sie sich mit diesen Worten an Traddles und mich zu wenden schien, gaben sowohl er als ich eine Art Antwort. Traddles Worte waren unhörbar. Ich glaube, ich äußerte mich, daß es für alle Teile höchst ehrenvoll sei. Was ich damit sagen wollte, wußte ich selbst nicht.

»Liebe Schwester Lavinia«, sagte Miss Clarissa, die jetzt ihr Herz erleichtert hatte, »bitte weiter.«

Miss Lavinia fuhr fort:

»Mr. Copperfield, meine Schwester Clarissa und ich haben Ihren Brief in sorgfältigste Erwägung gezogen und haben es nicht getan, ohne auch schließlich mit unserer Nichte darüber zu sprechen. Wir bezweifeln nicht, daß Sie sie sehr zu lieben glauben.«

»O, glauben! Maam«, hob ich ganz begeistert an. »O –«

Aber da mir Miss Clarissa einen vogelartigen Blick zuwarf, als wolle sie nicht, daß ich das Orakel unterbräche, so bat ich um Verzeihung.

»Liebe«, sagte Miss Lavinia und ersuchte ihre Schwester mit einem Blick um Beistimmung, die diese auch mit einem Kopfnicken nach jedem Satz erteilte, »Liebe, gereifte Zuneigung, Hingebung, Verehrung sprechen nicht mit lautem Ton! Ihre Stimmen sind leise. Sie sind bescheiden, liegen sozusagen im Hinterhalt und warten und warten. So sind die gereiften Früchte. Manchmal gleitet ein Leben hinweg, und immer noch reifen sie im Schatten.«

Natürlich verstand ich damals noch nicht diese Anspielung auf den unglücklichen Mr. Pidger, aber ich erkannte aus dem

Ernst, mit dem Miss Clarissa mit dem Kopf nickte, daß Großes in diesen Worten verborgen lag.

»Die leichten – denn ich nenne sie im Vergleich mit solchen Empfindungen leicht – die leichten Neigungen der ganz jungen Leute«, fuhr Miss Lavinia fort, »sind dagegen wie Staub, verglichen mit Felsen. Weil es nun so schwer ist zu erkennen, ob sie von Dauer sind oder auf echtem Grunde stehen, waren meine Schwester Clarissa und ich lange unentschlossen, Mr. Copperfield, und Mr. – «

»Traddles«, ergänzte mein Freund, als er den Blick der Dame auf sich ruhen fühlte.

»Ich bitte um Entschuldigung. Vom innern Juristenkollegium, glaube ich?« Sagte Miss Clarissa und sah wieder in den Brief.

»So ist es«, bestätigte Traddles und wurde ziemlich rot.

Obwohl ich bisher noch keinerlei Aufmunterung zu hören bekommen hatte, so glaubte ich doch in den beiden kleinen Schwestern und vornehmlich in Miss Lavinia eine große Neigung zu erkennen, dieses neue vielversprechende Thema häuslichen Interesses zu genießen und nach Möglichkeit auszuspinnen, was mir ziemlich viel Hoffnung erweckte. Mir schien es, als ob Miss Lavinia außerordentliche Lust darin fände, zwei junge Liebende wie Dora und mich am Gängelbande zu führen, und es Miss Clarissa nicht weniger Genuß bereitete, diese Leitung mitanzusehen und sich in ihrer Art einzumischen, je nachdem sie der Geist dazu trieb.

Die Wahrnehmung flößte mir den Mut ein auf das lebhafteste zu beteuern, daß ich Dora mehr liebe, als ich sagen könnte; daß alle meine Freunde wüßten, wie sehr es der Fall sei; daß meine Tante, Agnes, Traddles und jeder, der mich kenne, wüßten, wie sehr ich Dora liebte und wie ernst mich diese Liebe gemacht hätte. Zur Bestätigung wandte ich mich immer an Traddles. Und Traddles wurde so lebhaft, als ob er mitten in einer parlamentarischen Debatte stünde, und benahm sich geradezu großartig. Er bestätigte meine Rede in festen, klaren Worten und mit einer einfachen, verständigen Art, die offenbar einen günstigen Eindruck machte.

»Ich spreche wie jemand, der eine gewisse Erfahrung in solchen Dingen hat«, sagte Traddles, »denn ich selbst bin mit einer jungen Dame verlobt – einer von zehn Schwestern unten in Devonshire – und sehe bis jetzt noch keine Möglichkeit, wann unser Brautstand zu einem Abschluß kommen kann.«

»Sie werden also gewiß bestätigen können, Mr. Traddles, was ich vorhin sagte von der Liebe, die bescheiden und zurückhaltend wartet und wartet«, bemerkte Miss Lavinia, meinen Freund mit erneutem Interesse ansehend.

»Vollkommen, Maam!«

Miss Clarissa warf Miss Lavinia einen Blick zu und nickte ernst mit dem Kopf. Miss Lavinia erwiderte den Blick mit Selbstbewußtsein und seufzte leise.

»Liebe Schwester Lavinia«, sagte Miss Clarissa, »nimm mein Riechfläschchen.«

Miss Lavinia belebte sich mit ein paar Zügen an dem Fläschchen, – während Traddles und ich mit großer Teilnahme zusahen, und fuhr dann mit etwas schwacher Stimme fort:

»Meine Schwester und ich haben lange geschwankt, Mr. Traddles, was wir angesichts der Neigung – der vielleicht bloß eingebildeten Neigung – von zwei so ganz jungen Leuten, wie Ihr Freund Mr. Copperfield und unsere Nichte sind, tun sollten.«

»Unseres Bruders Francis Kind!« fiel Miss Clarissa wieder ein. »Wenn unseres Bruders Francis Gattin es zu ihren Lebzeiten für passend gefunden hätte – sie konnte doch selbstverständlich ganz nach Belieben handeln –, die Familie zu ihrer Mittagstafel einzuladen, so würden wir unseres Bruders Francis Kind gegenwärtig besser kennen. Liebe Schwester Lavinia, bitte weiter.«

Miss Lavinia drehte meinen Brief um und blickte durch ihr Augenglas auf ein paar Notizen, die sie dort aufgeschrieben hatte.

»Ich glaube, wir tun gut, Mr. Traddles, es auf eine Beobachtungsprobe ankommen zu lassen. Deshalb sind wir geneigt, insoweit auf Mr. Copperfields Vorschlag einzugehen, daß wir seine Besuche hier gestatten.«

»Niemals werde ich Ihnen Ihre Güte vergessen, meine verehrten Damen!« rief ich. Es war mir ein Stein vom Herzen gefallen.

»Aber«, fuhr Miss Lavinia fort, »wir wünschen, daß diese Besuche vorderhand so angesehen werden, Mr. Traddles, als ob sie uns gälten. Wir müssen uns hüten, eine formelle Verlobung zwischen Mr. Copperfield und unserer Nichte anzuerkennen, ehe wir nicht Gelegenheit gehabt haben – «

»Ehe du nicht Gelegenheit gehabt hast, liebe Schwester Lavinia!«

»Sei es«, stimmte Miss Lavinia mit einem Seufzer bei. »Ehe ich nicht Gelegenheit gehabt habe sie zu beobachten.«

»Copperfield«, wandte sich Traddles zu mir, »du siehst gewiß ein, daß nichts verständiger oder billiger sein kann.«

»Nichts!« rief ich aus. »Ich bin unendlich dankbar dafür.«

»Bei dieser Sachlage«, fuhr Miss Lavinia fort und zog weiter ihre Notizen zu Rate, »und da wir seine Besuche unter einer andern Bedingung nicht gestatten können, müssen wir von Mr. Copperfield die bestimmte Zusage auf Ehrenwort verlangen, daß er mit unserer Nichte in keiner andern Weise und ohne unser Wissen in Verkehr tritt, – daß kein Plan, wie beschaffen er auch immer sei, in bezug auf unsere Nichte entworfen wird, ohne daß man ihn zuerst uns unterbreitet. «

»Dir, Schwester Lavinia!«

»Sei es so, Clarissa, – « sagte Miss Lavinia mit Resignation, » – also mir! Wir müssen dies zu einer ausdrücklichen und ernstlichen Bedingung machen, die um keinen Preis verletzt werden darf. Wir wünschten Mr. Copperfield heute mit einem vertrauten Freunde bei uns zu sehen« – mit einer Verbeugung gegen Traddles, der sie erwiderte – »damit über diese Sache kein Zweifel oder Mißverständnis entsteht. Wenn Mr. Traddles oder Sie, Mr. Copperfield, den mindesten Anstand nehmen dieses Versprechen zu geben, so bitte ich Sie, sich die Sache erst zu überlegen.«

In höchster Begeisterung rief ich aus, daß keine Sekunde Überlegung nötig sei. Ich legte das verlangte Versprechen in der leidenschaftlichsten Weise ab, rief Traddles zum Zeugen an und nannte mich den verabscheuungswürdigsten Menschen, wenn ich es jemals auch nur im mindesten verletzte.

»Halt!« rief Miss Lavinia und hielt abwehrend die Hand empor. »Ehe wir das Vergnügen hatten die beiden Herren zu empfangen, beschlossen wir, sie zur Erwägung dieses Punktes eine Viertelstunde allein zu lassen. Gestatten Sie, daß wir uns zurückziehen.«

Vergebens beteuerte ich, daß keine Überlegung notwendig sei. Die Damen bestanden darauf, sich auf eine Viertelstunde zu entfernen.

Dann hüpften die beiden kleinen Vögel mit großer Würde hinaus und ließen mich mit Traddles im Zimmer zurück.

Ich nahm die Glückwünsche meines Freundes entgegen und schwebte in einem Gefühl, als wäre ich in die Regionen ewiger Glückseligkeit versetzt. Genau nach Ablauf einer Viertelstunde traten die Damen mit Würde wieder ein. Sie waren fortgerauscht, als ob ihre Kleider aus Herbstblättern bestünden, und rauschten in derselben Weise wieder herein.

Ich verpflichtete mich feierlich von neuem, an den vorgeschriebenen Bedingungen festzuhalten.

»Liebe Schwester Clarissa«, sagte Miss Lavinia, »das Übrige ist deine Sache.«

Miss Clarissa löste jetzt zum ersten Mal ihre verschränkten Arme, ergriff den Brief und warf einen Blick auf die Notizen.

»Wir werden uns glücklich schätzen«, sagte sie, »Mr. Copperfield jeden Sonntag zum Essen bei uns zu sehen, wenn es ihm paßt. Wir speisen um drei Uhr.«

Ich verbeugte mich.

»Im Lauf der Woche«, fuhr Miss Clarissa fort, »werden wir uns glücklich schätzen, Mr. Copperfield beim Tee zu sehen. Unsere Stunde ist halb sieben.«

Ich verbeugte mich abermals.

»Zweimal in der Woche als Regel, nicht öfter.«

Ich verbeugte mich wiederum.

»Miss Trotwood, von der in Mr. Copperfields Briefe Erwähnung geschieht, wird uns vielleicht auch besuchen. Wenn Besuche für das Glück aller Beteiligten angezeigt erscheinen, empfangen wir gern Besuche und erwidern sie auch. Wenn es besser ist für das Glück aller Beteiligten, daß keine stattfinden – wie es bei unserm Bruder Francis und seiner Familie der Fall war –, so ist das etwas ganz anderes.«

Ich beteuerte, daß meine Tante sich stolz und glücklich schätzen würde, die Bekanntschaft der Damen zu machen, – obgleich ich nicht ganz sicher war, daß sie gut zusammenpassen würden. Da die Bedingungen jetzt festgestellt waren, sprach ich meinen Dank in der wärmsten Weise aus und ergriff zuerst Miss Clarissas und hierauf Miss Lavinias Hand und drückte sie an die Lippen.

Miss Lavinia stand dann auf, bat Mr. Traddles, uns einen Augenblick zu entschuldigen, und forderte mich auf, ihr zu folgen. Ich gehorchte zitternd vor Aufregung und trat mit ihr in das anstoßende Zimmer. Dort fand ich meinen kleinen Liebling hinter der Tür, sich die Ohren zuhaltend und das liebliche Gesichtchen der Wand zugekehrt, während Jip im Tellerwärmer saß, den Kopf mit einem Handtuch zugebunden.

O, wie schön war sie in ihrem schwarzen Hauskleid! Wie schluchzte sie anfangs und weinte und wollte nicht hinter der Türe hervor. Und wie lieb wir einander hatten, als sie endlich hervorkam, und wie selig ich war, als wir Jip aus dem Tellerwärmer herausholten und ihn, stark niesend, dem Lichte wieder schenkten und dann alle drei beisammen saßen.

»Liebste Dora! Jetzt bist du für immer mein!«

»O, bitte nicht«, flehte Dora, »bitte.«

»Bist du denn nicht für immer mein, Dora?«

»O ja, natürlich! Aber ich bin so erschrocken.«

»Erschrocken, mein Herz?«

»O ja. Ich kann ihn nicht ausstehn. Warum geht er nicht fort.«

»Wer denn, Herzensschatz?«

»Dein Freund. Es geht ihn doch gar nichts an! Wie dumm er sein muß!«

»Aber liebe Dora« – nichts konnte entzückender sein als ihre kindische Art – »er ist das beste Geschöpf von der Welt.«

»Aber wir brauchen keine besten Geschöpfe«, schmollte Dora.

»Du wirst ihn bald besser kennenlernen, Liebling, und er wird dir gefallen. Und meine Tante kommt auch bald her, und auch an ihr wirst du viel Gefallen finden, sobald du sie näher kennst.«

»O, bitte nein, bringe sie nicht her«, sagte Dora, gab mir schnell und erschrocken einen Kuß und faltete die Hände. »O, bitte nicht! Ich weiß, sie ist eine böse, Unheil stiftende, alte Frau. Bringe sie nicht her –, Doady!« was eine Abkürzung für David sein sollte.

Ich sah wohl, Vorstellungen halfen jetzt nichts. So lachte ich und war sehr verliebt und sehr glücklich. Sie zeigte mir Jips neuestes Kunststück, wie er in einer Ecke auf den Hinterbeinen stehen konnte; – er tat es etwa so lange, wie ein Blitz aufleuchtet, und fiel dann wieder zusammen –, und ich weiß nicht, wie lange ich dageblieben wäre, ohne an Traddles zu denken, wenn Miss Lavinia mich nicht holen gekommen wäre.

Miss Lavinia hatte Dora sehr gern (sie sähe ganz so aus, wie sie selbst einst in diesem Alter – Miss Lavinia mußte sich unglaublich verändert haben) und behandelte sie immer wie ein Spielzeug. Ich wollte Dora überreden sich Traddles vorstellen zu lassen, aber kaum brachte ich es heraus, da lief sie fort in ihr Zimmer und schloß sich ein. So begab ich mich wieder zu Traddles ohne sie und ging mit ihm fort wie auf Wolken wandelnd.

»Befriedigender konnte es nicht ausfallen«, sagte Traddles. »Es sind wirklich ein paar sehr angenehme alte Damen. Es sollte mich gar nicht wundern, wenn du Jahre vor mir heiratest, Copperfield.«

»Spielt deine Sophie ein Instrument, Traddles?« fragte ich, Stolz im Herzen.

»Sie spielt Piano grade gut genug, um es ihren kleinen Schwestern lehren zu können«, sagte Traddles.

»Singt sie auch?«

»Manchmal singt sie Balladen, um die andern etwas aufzuheitern, wenn sie schlechter Laune sind. Aber sie hat keine geschulte Stimme.«

»Begleitet sie sich mit der Gitarre?« fragte ich.

»O Gott, nein.«

»Malt sie?«

»Auch das nicht.«

Ich versprach Traddles, daß er Dora singen hören und ihre Blumenmalerei sehen sollte. Er sagte, es würde ihm viel Freude machen, und wir gingen in der vortrefflichsten Stimmung Arm in Arm nach Haus. Ich ermunterte ihn, mir von Sophie zu erzählen, und sah, mit welcher Liebe er auf sie vertraute. Ich verglich sie innerlich mit Dora und fühlte mich bei dem Vergleich nicht wenig befriedigt. Aber ich begriff auch, was für ein vortreffliches Mädchen sie für Traddles sein mußte.

Natürlich setzte ich meine Tante sofort von dem erfolgreichen Ausgang der Konferenz mit allen Details in Kenntnis. Sie war froh, mich so glücklich zu sehen, und versprach, unverzüglich Doras Tanten einen Besuch abzustatten. Aber sie machte an diesem Abend einen so langen Spaziergang durch unser Zimmer, während ich an Agnes schrieb, daß es schien, als sollte er bis zum Morgen dauern.

Mein Brief an Agnes war innig und dankbar, und ich erzählte ihr, welche gute Wirkungen ihr Rat für mich gehabt hatte. Sie antwortete umgehend, und ihr Brief war hoffnungsvoll, innig und heiter.

Ich hatte jetzt mehr zu tun als je. Mit Rücksicht auf meine täglichen Wanderungen nach Highgate bedeutete Putney einen weiteren Ausflug, und ich wünschte natürlich so oft wie möglich dort zu sein. Da die vorgeschlagnen Teebesuche ganz unausführbar waren, erhielt ich von Miss Lavinia die Erlaubnis, statt dessen jeden Samstagnachmittag einen langen Besuch machen zu dürfen. So wurde mir der Schluß jeder Woche eine köstliche Zeit, und die sehnsüchtige Erwartung half mir über die übrigen Tage hinweg.

Einen großen Trost gewährte es mir, daß meine Tante mit den zwei Damen viel besser auskam, als ich erwartet hatte. Sie stattete ihren versprochenen Besuch wenige Tage nach der Konferenz ab, und nicht lange später besuchten Doras Tanten sie in aller Form. Ähnliche Zusammenkünfte freundschaftlichen Charakters fanden später jedesmal in Zwischenräumen von drei bis vier Wochen statt.

Allerdings entsetzte meine Tante die beiden Damen sehr dadurch, daß sie alle Fiaker verschmähte und zu den ungewöhnlichsten Zeiten nach Putney ging oder ihren Hut so trug, wie es ihr gerade beliebte, ohne sich im geringsten um die Vorurteile der Zivilisation zu bekümmern. Doras Tanten waren sich bald darüber einig, in Miss Trotwood eine exzentrische und etwas männliche, mit einem starken Verstande ausgestattete Dame zu sehen, und wenn sie auch gelegentlich durch ketzerische Meinungsäußerung über verschiedne Punkte der Etikette gekränkt waren, so kam doch immer wieder eine allgemeine Harmonie zustande, da meine Tante aus Liebe zu mir einige ihrer kleinen Eigenheiten aufopferte.

Jip war das einzige Mitglied unserer kleinen Gesellschaft, das sich durchaus den Umständen nicht anpassen wollte. Sooft er meine Tante sah, ließ er sofort jeden Zahn im Maule sehen, zog sich unter einen Stuhl zurück und knurrte rastlos. Nur dann und wann unterbrach er sich mit einem kläglichen Geheul, als ob wirklich seinen Gefühlen zu viel zugemutet würde.

Alles wurde an ihm versucht, Liebkosen, Schelten, Schläge, und einmal brachte man ihn sogar in die Buckingham-Straße, wo er zum Schrecken aller Zusehenden sofort auf die beiden Katzen losfuhr. Aber nie konnte er sich überwinden die Gesellschaft meiner Tante zu ertragen. Manchmal schien es, als habe er seine Abneigung überwunden; dann war er ein paar Minuten ganz liebenswürdig, aber plötzlich schnupperte er mit seinem Stumpfnäschen in die Luft und heulte so jämmerlich, daß nichts übrigblieb, als ihm die Augen zu verbinden und ihn in den Tellerwärmer zu setzen. Später band ihn Dora regelmäßig in ein Tuch ein und steckte ihn in den Tellerwärmer, sooft sie meine Tante von weitem kommen sah.

Etwas machte mir große Sorge, als wir so in stillem Glück dahinlebten. Nämlich, daß Dora, wie auf allgemeinen Beschluß, wie ein hübsches Spielzeug behandelt wurde. Meine Tante, mit der sie nach und nach vertraut wurde, nannte sie immer nur »Blümchen«, und Miss Lavinia fand ihr einziges Vergnügen darin, sie zu verhätscheln, ihr das Haar zu locken, Putz für sie zu nähen und sie wie ein Schoßkind zu behandeln. Und die Schwester folgte natürlich Miss Lavinias Beispiel.

Ich nahm mir vor, mit Dora darüber zu sprechen, als wir einmal zusammen spazierengingen. Wir hatten nämlich nach einiger Zeit die Erlaubnis bekommen, allein auszugehen.

»Mein Liebling«, stellte ich ihr vor, »du bist doch kein kleines Kind!«

»Da haben wirs«, sagte Dora. »Jetzt wirst du wild.«

»Wild, meine Liebe?«

»Sie sind doch so gut gegen mich«, sagte Dora, »und ich fühle mich so glücklich!«

»Das ist herrlich, aber mein Liebling«, sagte ich, »du könntest doch sehr glücklich sein und dabei vernünftig behandelt werden.«

Dora warf mir einen allerliebsten vorwurfsvollen Blick zu, fing dann an zu schluchzen und fragte, warum ich mich denn mit ihr verlobt hätte, wenn ich sie nicht ausstehen könnte.

Was konnte ich anderes tun, als ihr die Tränen wegküssen und ihr beteuern, wie sehr ich sie liebte.

»Ich bin so liebebedürftig«, sagte Dora, »und du solltest nicht so hart gegen mich sein, Doady.«

»Ich hart, Herzensschatz? Als ob ich um eine ganze Welt hart gegen dich sein wollte oder könnte.«

»Dann schilt mich nicht immer aus!« sagte Dora und machte eine Rosenknospe aus ihren Lippen, »und ich will wieder gut sein.«

Es freute mich unendlich, daß sie mich gleich darauf aus freien Stücken bat, ihr das früher erwähnte Kochbuch zu bringen und ihr zu zeigen, wie man Rechnung führte.

Ich brachte bei meinem nächsten Besuch das Buch mit und ließ es vorher hübsch einbinden, damit es einladender aussähe. Und beim Spaziergang zeigte ich ihr ein altes Haushaltungsbuch meiner Tante und schenkte ihr einen Satz Schreibtäfelchen und ein Kästchen Bleistifte, damit sie sich üben könnte.

Aber das Kochbuch machte Dora Kopfweh und die Zahlen brachten sie zum Weinen. Sie gingen nicht zu addieren, sagte sie; deshalb löschte sie sie aus und zeichnete die Täfelchen mit lauter kleinen Sträußchen und Porträts von mir und Jip voll.

Dann versuchte ich wie im Scherz, einen mündlichen Unterricht in Haushaltungssachen zu beginnen. Wenn wir an einem Fleischerladen vorübergingen, fragte ich zum Beispiel: »Denke einmal, Schatz, wir wären verheiratet, und du wolltest zum Mittagessen eine Hammelkeule kaufen. Wie würdest du das wohl machen?« Das Gesicht meiner hübschen, kleinen Dora wurde betrübt, und sie machte wieder eine Rosenknospe aus ihrem Munde.

»Würdest du wissen, wie man sie kauft?« wiederholte ich dann vielleicht, wenn ich besonders unbeugsam gestimmt war.

Dora pflegte in einem solchen Fall ein wenig nachzudenken und triumphierend zu antworten:

»Aber der Fleischer weiß doch, wie er sie zu verkaufen hat, was brauche ich es da zu wissen! O Gott, was bist du für ein närrischer Junge!«

Ein ander Mal, als ich Dora fragte, was sie wohl tun würde, wenn wir verheiratet wären und ich möchte gern ein delikates irisches Ragout, gab sie zur Antwort, sie würde der Köchin auftragen es zu bereiten. Und dann faltete sie ihre kleinen Hände auf meinem Arm und lachte so entzückend, daß sie bezaubernder war als je.

Die Hauptverwendung des Kochbuchs bestand darin, daß Dora es in eine Ecke legte, damit Jip darauf aufwarten könnte. Sie freute sich unendlich, als er das schließlich erlernt hatte und dabei den Bleistift im Maul hielt.

Wir kamen schließlich wieder auf die Gitarre zurück und das Blumenmalen und die Lieder vom unaufhörlichen Tanzen – tarala – und waren so glücklich, wie die Woche lang war. Manchmal wünschte ich, ich könnte mir das Herz fassen, Miss Lavinia zu sagen, sie behandle das Kleinod meines Herzens zu sehr wie ein Spielzeug. Und dann ertappte ich mich immer wieder, daß ich es selber nicht anders gemacht hatte.

42. KAPITEL

Unheil

Es kommt mir fast unziemlich vor, selbst in diesem nur für mich bestimmten Manuskript niederzuschreiben, wie angestrengt ich mich in meinem Pflichtgefühl Dora und ihren Tanten gegenüber mit der Erlernung der schrecklichen Stenographie abquälte, aber ich kann nur sagen, gerade aus der Ausdauer, die ich dadurch noch stärkte, entsprang die Quelle aller meiner Erfolge im Leben. Ich habe viel Glück in irdischen Dingen gehabt, und andere Menschen, die sich viel mehr anstrengten, haben es nicht halb soweit gebracht.

Alle meine Erfolge verdankte ich nur dem Umstand, daß ich Pünktlichkeit, Ordnung und Fleiß bei jeder Gelegenheit übte. Ich schreibe dies nicht nieder, um mich selbst zu loben. Ich meine einfach, daß ich alles, was ich im Leben zu tun versucht habe, bemüht war mit ganzem Herzen zu vollbringen und daß ich in großen wie in kleinen Dingen stets den gleichen Ernst anwandte.

Ich brauche hier nicht zu wiederholen, wie viel ich in dieser Hinsicht Agnes verdankte.

Ich wende mich jetzt mit dankbarer Liebe wieder zu Agnes.

Sie kam auf vierzehn Tage zu Besuch zu Dr. Strong. Mr. Wickfield war ein alter Freund des Doktors, und Dr. Strong hätte gerne mit ihm gesprochen und ihm beigestanden. Agnes und ihr Vater kamen zusammen zu Besuch. Ich war nicht überrascht, als ich von ihr hörte, sie habe in der Nähe eine Wohnung für Mrs. Heep gesucht, deren Rheumatismus eine Luftveränderung erfordere. Ebensowenig wunderte es mich, als schon am nächsten Tage Uriah als liebevoller Sohn seine würdige Mutter begleitete.

»Ja, sehen Sie, Master Copperfield«, sagte er, als er sich mir im Garten des Doktors aufdrängte. »Wenn man liebt, so ist man ein wenig eifersüchtig. Wenigstens hat man gern ein Auge auf der Geliebten.«

»Auf wen sind Sie denn jetzt eifersüchtig?« fragte ich.

»Ihnen zum Dank, Master Copperfield, für jetzt auf niemand Besondern – wenigstens auf keine männliche Person.«

»Vielleicht gar auf eine weibliche?«

Er warf mir aus seinen tückischen roten Augen einen Seitenblick zu und grinste.

»Wahrhaftig, Master Copperfield – wollt ich sagen, Mister – ich weiß, Sie entschuldigen schon die alte Angewohnheit –, aber Sie sind so liebenswürdig, daß Sie mich ausholen können wie ein Korkzieher. Nun, ich will Ihnen nur sagen«, fuhr er fort, indem er seine fischkalte Hand auf meine legte, »ich bin im allgemeinen bei Damen nicht beliebt, Sir, und bin es bei Mrs. Strong nie gewesen.«

Seine Augen hatten einen grünen Schimmer, wie sie mich mit schurkischer List beobachteten.

»Was meinen Sie damit?«

»Nun, obgleich ich ein Jurist bin, Master Copperfield«, gab er mit einem leichten Grinsen zur Antwort, »so meine ich doch jetzt, was ich sage.«

»Und was wollen Sie mit Ihrem Blick sagen?« fragte ich ruhig weiter.

»Mit meinem Blick? Gott, nehmen Sie es aber scharf, Copperfield! Was ich mit meinem Blick meine?«

»Ja. Mit Ihrem Blick.«

Das schien ihm ungemein zu gefallen, und er lachte so herzlich, wie es ihm überhaupt möglich war. Er senkte die Augen zu Boden, schabte sich langsam das Kinn mit dem Daumen und sagte:

»Als ich noch ein niedriger Schreiber war, sah sie immer auf mich herab. Meine Agnes mußte immer um sie herum sein, und auch gegen Sie, Master Copperfield, war sie immer freundlich. Aber ich stand viel zu tief unter ihr, um beachtet zu werden.«

»Nun?« sagte ich. »Angenommen. Und weiter?«

»... Und unter ihm auch«, fuhr Uriah sehr deutlich und in nachdenklichem Tone fort, sich immer noch das Kinn schabend.

»Kennen Sie den Doktor nicht besser«, sagte ich, »daß Sie glauben können, er wisse überhaupt etwas von Ihrem Dasein, wenn Sie nicht dicht vor ihm stehen?«

Er sah mich wieder mit seinem alten Seitenblick an und zog sein Gesicht ganz lang, um sich besser schaben zu können, als er fortfuhr:

»Ach Gott, ich spreche nicht vom Doktor. Der Arme! Ich meine Mr. Maldon.«

Mir stockte das Blut in den Adern. Alle meine alten Zweifel und Befürchtungen standen wieder vor mir. Des Doktors Glück und Frieden, die ganze Reihe von Möglichkeiten von Schuld und Unschuld, die ich nicht enträtseln konnte, sah ich im Handumdrehen diesem Menschen preisgegeben.

»Er kam nie in die Kanzlei, ohne mich herumzukommandieren«, sagte Uriah. »Einer von den feinen Gentlemen! Ich war sehr demütig und niedrig und bin es noch. Aber das gefiel mir nicht, und jetzt kann ichs erst recht nicht leiden.«

Er hörte auf, sich am Kinn zu kratzen, saugte die Wangen ein, bis sie sich innen zu berühren schienen, und sein Seitenblick haftete immer noch auf mir.

»Sie ist eine von den schönen Frauen«, fuhr er fort, als er seinem Gesicht langsam seine natürliche Form wiedergegeben hatte, »die Leuten, wie ich bin, nicht freundlich gesinnt sind. Sie ist gerade die Person danach, die meiner Agnes Rosinen in den Kopf setzen könnte. Ich bin kein Mann für die Damen, Master Copperfield, aber ich habe Augen im Kopf und schon hübsch lange. Mir niedrigen Leute haben meistens Augen und mir können damit sehen.«

Ich bemühte mich unbefangen zu erscheinen, aber, wie ich an seinem Gesicht sah, mit wenig Erfolg.

»Ich laß mich aber nicht unterkriegen, Copperfield«, fuhr er fort und zog mit tückischem Frohlocken seine haarlosen Augenbrauen in die Höhe, »und ich werde mein möglichstes tun, dieser Freundschaft ein Ende zu machen. Ich billige sie nicht. Ich will Ihnen gar nicht verhehlen, daß ich etwas neidisch bin und alle Eindringlinge fernhalten will. Wenn ich mirs leisten kann, setze ich mich nicht der Gefahr aus, Komplotte gegen mich schmieden zu lassen.«

»Sie schmieden eben immer Komplotte und haben andere im selben Verdacht.«

»Vielleicht, Master Copperfield, aber ich habe einen Beweggrund, wie mein Kompagnon immer sagt, und gehe mit Zähnen und Nägeln ans Werk. Wenn ich auch ein niedriger Mensch bin, so lasse ich mir doch nichts gefallen. Es derf mir niemand im Weg stehen. Sie müssen aus dem Wagen raus.«

»Ich verstehe Sie nicht.«

»Wirklich nicht?« sagte Uriah mit einer seiner gewohnten schnellenden Bewegungen. »Das wundert mich, Master Copperfield, da Sie doch sonst so gescheit sind! Das nächste Mal werd ich versuchen, mich deutlicher auszudrücken. Ist das übrigens nicht Mr. Maldon zu Pferd, der dort an der Tür klingelt, Sir?«

»Er sieht beinahe so aus«, entgegnete ich so unbefangen wie möglich.

Uriah blieb stehen, steckte die Hände zwischen seine knorrigen Knie und krümmte sich vor Lachen. Vor ganz lautlosem Lachen. Kein Ton kam aus seinem Munde. Mir war sein Benehmen so zuwider, daß ich mich ohne Umstände von ihm abwandte und ihn in der Mitte des Gartens, halb sitzend wie eine Vogelscheuche, der die Stütze umgefallen ist, zurückließ.

An diesem Abend war es nicht, aber wie ich mich wohl erinnere, an dem zweitnächsten, am Samstag, daß ich Agnes mit zu Dora nahm.

Ich hatte den Besuch vorher mit Miss Lavinia verabredet, und Agnes wurde zum Tee erwartet.

Ich war ganz aufgeregt vor Stolz und Besorgnis; stolz auf meine liebe kleine Braut und besorgt, wie sie Agnes gefallen würde. Auf dem ganzen Weg nach Putney, wo Agnes in der Landkutsche saß und ich außen, malte ich mir Dora immerwährend aus. Einmal wünschte ich mir, sie möchte am liebsten so aussehen wie damals, dann wieder wie ein anderes Mal, und litt durch solche Sorgen ordentlich wie unter einem Fieber.

Ich hatte natürlich keinen Zweifel, daß sie sehr hübsch aussehen würde, aber es traf sich, daß sie gerade damals vielleicht am allerschönsten war.

Als ich Agnes ihren Tanten vorstellte, hielt sie sich schüchtern versteckt. Ich wußte jetzt, wo ich sie zu suchen hatte, und fand sie richtig wieder hinter der Tür mit zugehaltnen Ohren.

Anfangs wollte sie gar nicht kommen, und dann bat sie um fünf Minuten Frist. Als sie mir endlich ihren Arm gab, um sich ins Zimmer führen zu lassen, war ihr liebliches Gesichtchen ganz rot und hatte nie so hübsch ausgesehen. Aber als wir in das Zimmer traten und sie blaß wurde, war sie noch zehntausendmal schöner.

Sie fürchtete sich vor Agnes. Sie hatte mir gesagt, sie wüßte schon, Agnes wäre »viel zu gescheit«. Aber als sie das heitere, dabei so ernste, gedankenvolle und doch so gute Gesicht erblickte, ließ sie einen leisen Schrei fröhlicher Überraschung hören, legte ihre Arme zärtlich um Agnes' Hals und drückte ihre unschuldige Wange an ihr Gesicht.

Ich habe mich noch nie so glücklich gefühlt, noch nie so gefreut wie damals, als ich die beiden so nebeneinander sitzen und meine Geliebte so befreit in diese herzlichen Augen blicken sah. Miss Lavinia und Miss Clarissa teilten in ihrer Weise meine Freude. Es war der angenehmste Teeabend von der Welt. Miss Clarissa führte den Vorsitz. Ich zerschnitt den süßen Aniskuchen und reichte ihn herum – die kleinen Schwestern hatten eine vogelartige Vorliebe für das Picken von Aniskörnern und Zucker –, und Miss Lavinia sah mit wohlwollender Gunst auf uns, als ob alles ihr Werk wäre.

Die sanfte Heiterkeit Agnes' gewann alle Herzen. Ihr ruhiges Interesse an allem, was Dora betraf, ihre Art mit Jip Bekanntschaft zu schließen, der es sofort freundlich aufnahm, ihr geschicktes Benehmen, als Dora sich schämte, sich auf ihren gewohnten Platz neben mich zu setzen, ihre bescheidne Anmut, mit der sie eine Menge schüchterner kleiner Vertrauensbeweise von Dora hervorlockte, schien unsern Kreis erst ganz vollkommen zu machen.

»Es freut mich so sehr«, sagte Dora nach dem Tee, »daß Sie mich gern haben. Ich hielt es nicht für möglich und brauche jetzt, wo Julia Mills fort ist, mehr als je eine Freundin.«

Miss Mills war nämlich abgesegelt, und Dora und ich waren an Bord eines großen Ostindienfahrers im Hafen von Gravesend gegangen, um Abschied zu nehmen. Wir hatten eingemachten Ingwer und Guava und andere Delikatessen dieser Art zum Frühstück genossen und Miss Mills, weinend auf einem Feldstuhl auf dem Quarterdeck sitzend, mit einem großen, neuen Tagebuch unter dem Arm, verlassen, in dem die bei der Betrachtung des Ozeans erwachenden Originalgedanken unter Schloß und Riegel gebracht werden sollten.

Agnes sagte, ich müßte sie wohl zu schwarz geschildert haben, aber Dora berichtigte dies sogleich.

»O nein«, sagte sie mit einem Blick auf mich und schüttelte ihre Locken. »Ich habe nichts als Lob über Sie gehört. Er hält so viel auf Sie, daß ich mich ordentlich vor Ihnen gefürchtet habe.«

»Meine Zuneigung ist aber kaum des Gewinnens wert«, sagte Agnes lächelnd.

»Aber bitte, schenken Sie sie mir«, sagte Dora in ihrer schmeichelnden Art, »wenn es sein kann.«

Wir scherzten über Doras Wunsch, noch mehr geliebt zu werden, und sie sagte, ich sei eine Gans und sie könne mich überhaupt nicht leiden, und der kurze Abend flog dahin auf Schwingen wie aus Sommerfäden.

Die Stunde rückte heran, wo die Kutsche uns abholen sollte. Ich stand allein vor dem Kamin, als Dora leise hereinschlich, um mir den gewohnten allerliebsten Abschiedskuß zu geben.

»Meinst du nicht, Doady, wenn ich sie schon länger zur Freundin gehabt hätte«, sagte sie, die hellen Augen noch heller glänzend und mit ihrer kleinen Hand an dem Knopfe meines Rockes spielend, »daß ich dann hätte gescheiter sein können?«

»Lieber Schatz, was für ein Unsinn!«

»Meinst du, es sei Unsinn?« fragte Dora, ohne mich anzusehen. »Weißt du das gewiß?«

»Natürlich.«

»Ich habe vergessen, wie nahe Agnes mit dir verwandt ist, du nichtsnutziger Junge«, fuhr Dora fort, immer noch mit dem Knopf beschäftigt.

»Sie ist keine Verwandte von mir, wir wurden nur zusammen erzogen wie Bruder und Schwester.«

»Ich möchte nur wissen, wieso du dich eigentlich dann in mich verliebt hast«, sagte Dora und fing mit einem andern Knopfe an.

»Vielleicht weil ich dich nicht sehen konnte, ohne dich zu lieben, Dora.«

»Aber wenn du mich nun gar nicht gesehen hättest«, sagte Dora und nahm wieder einen andern Knopf.

»Aber wenn wir nun gar nicht geboren worden wären?« sagte ich scherzend.

Ich hätte gerne gewußt, worüber sie nachdachte, während ich in stiller Bewunderung die kleine weiche Hand, die an den Knöpfen meines Rockes spielte, das lockige Haar, das an meiner Brust ruhte, und die Wimpern ihrer niedergeschlagenen Augen, die auf die spielenden Finger sahen, betrachtete. Endlich blickte sie auf und stellte sich auf die Zehen, um mich nachdenklicher als gewöhnlich zu küssen – einmal, zweimal, dreimal –, und verließ dann das Zimmer.

Fünf Minuten später traten alle zusammen wieder herein, und Doras ungewöhnliche Nachdenklichkeit war ganz verschwunden. Sie bestand lachend darauf, ehe die Kutsche kam, Jip alle seine Kunststücke vormachen zu lassen. Das beanspruchte einige Zeit; nicht wegen ihrer großen Anzahl, sondern wegen Jips Sträuben, und als wir die Kutsche kommen hörten, waren wir noch lange nicht fertig. Zärtlich nahmen die beiden jungen Damen voneinander Abschied. Dora sollte Agnes schreiben, doch dürfte Agnes es nicht übelnehmen, wenn die Briefe kindisch ausfielen, und sollte jedes Mal antworten. Dann nahmen sie zum zweiten Mal Abschied am Kutschenschlag und zum dritten Mal, als Dora trotz der Vorstellungen Miss Lavinias noch einmal herausgelaufen kam, um Agnes am Kutschenfenster an das Schreiben zu erinnern und gegen mich auf dem Dach die Locken zu schütteln.

Der Wagen sollte uns in der Nähe von Covent Garden absetzen, von wo wir einen andern Weg nach Highgate nehmen wollten.

Ich sehnte mich schon danach, Doras Lob aus Agnes' Munde zu hören. Und, o, wie dieses Lob ausfiel! Wie liebreich und innig empfahl sie das anmutige Wesen meiner zärtlichsten Fürsorge. Wie gedankenvoll prägte sie mir mit ihrer ungekünstelten Anspruchslosigkeit ein, wie sehr ich für das verwaiste Kind zu sorgen habe.

Niemals liebte ich Dora so tief und wahr wie an jenem Abend. Als wir ausstiegen und in der sternenhellen Nacht nach dem Hause des Doktors gingen, sagte ich Agnes, daß alles ihr Werk sei.

»Du bist nicht weniger ihr Schutzengel wie der meinige, Agnes!«

»Ein armer Engel«, antwortete sie, »aber treu.«

Der klare Ton ihrer Stimme ging mir so zu Herzen, daß ich fragen mußte:

»Die heitere Ruhe, die dir so eigen ist, Agnes, wie niemand anders, den ich kenne, ist soweit wiederhergestellt, wie ich sehe, daß ich hoffen kann, du bist glücklicher zu Haus?«

»Ich bin innerlich glücklicher«, sagte sie und war ganz heiter und guten Mutes.

»Es ist keine Veränderung zu Hause eingetreten«, fügte sie nach einer Pause hinzu.

»Keine neue Anspielung auf – ich möchte dich nicht verletzen, Agnes, aber ich muß doch fragen – auf das, wovon wir bei unserm letzten Abschied sprachen?«

»Nein, keine!«

»Ich habe sehr viel darüber nachgedacht.«

»Du mußt nicht soviel daran denken. Vergiß nicht, daß ich mein Vertrauen auf schlichte Liebe und Wahrheit setze.«

»Fürchte nichts um mich, Trotwood«, setzte sie nach einer Pause hinzu, »was du befürchtest, werde ich nie tun.«

Obgleich ich es bei kalter Überlegung niemals für möglich gehalten hatte, so war es doch eine unaussprechliche Beruhigung für mich, die Versicherung von ihren eignen Lippen zu hören. Ich sagte ihr das.

»Und wenn dieser Besuch vorbei ist, denn wir sind jetzt vielleicht zum letzten Mal allein beisammen, wann wirst du dann wieder nach London kommen, liebe Agnes?«

»Wahrscheinlich auf lange nicht. Ich halte es für das beste, um Papas willen zu Hause zu bleiben. In der nächsten Zeit können wir uns wahrscheinlich nicht oft sehen, aber ich will fleißig an Dora schreiben, und auf diesem Wege werden wir viel voneinander hören.«

Wir standen jetzt in dem kleinen Hof vor dem Landhause des Doktors. Es war schon spät. Im Fenster von Mrs. Strongs Zim-

mer schien ein Licht, und Agnes deutete darauf hin und
wünschte mir gute Nacht.

»Mache dir keine Sorgen«, sagte sie und gab mir ihre Hand,
»über unser Unglück und über unsre Trübsal! Ich kann über
nichts froher sein als über dein Glück. Wenn du mir einmal solltest helfen können, so verlaß dich drauf, daß ich dich darum bitten werde. Und Gottes Segen sei mit dir!«

Bei ihrem strahlenden Lächeln und den letzten Tönen ihrer
lieben Stimme war es mir, als sähe und hörte ich wieder meine
kleine Dora in ihrer Gesellschaft. Ich blieb eine Weile stehen, sah
mit einem Herzen voll Liebe und Dankbarkeit zu den Sternen
auf und ging dann langsam fort. Ich hatte ein Bett in einem saubern Wirtshaus in der Nähe bestellt und ging gerade zur Garten-
pforte hinaus, als ich, mich zufällig umdrehend, Licht in des
Doktors Studierzimmer wahrnahm. Der vorwurfsvolle Gedanke kam mir, daß er ohne meine Beihilfe an dem Wörterbuch
arbeiten könnte. Um mich zu überzeugen und jedenfalls um ihm
gute Nacht zu sagen, kehrte ich um, ging durch die Vorhalle, öffnete langsam die Tür und sah hinein.

Die erste Person, die ich zu meinem Erstaunen bei dem gedämpften Lichte der Studierlampe erblickte, war Uriah. Er stand
dicht neben der Lampe auf den Tisch gestützt, seine andre
Totenhand auf den Mund gelegt. Der Doktor saß in seinem
Lehnstuhl und hatte das Gesicht mit den Händen bedeckt. Mr.
Wickfield, in großer schmerzlicher Aufregung, beugte sich unentschlossen über ihn und schüttelte ihn am Arm.

Im ersten Augenblick glaubte ich, der Doktor sei krank. Hastig trat ich einen Schritt vor, als ich Uriahs Blick begegnete und
begriff, was vorgegangen war. Ich wollte mich zurückziehen,
aber der Doktor winkte mir und ich blieb.

»Jedenfalls könnten mir die Tür zumachen«, bemerkte Uriah,
sich krümmend. »Mir brauchen es nicht der ganzen Stadt wissen
zu lassen.«

Damit ging er auf den Zehen nach der Tür, die ich offengelas-
sen hatte, und schloß sie sorgfältig ab. Dann kehrte er zurück
und nahm seine frühere Stellung wieder ein.

Es lag ein aufdringliches Zurschautragen von mitleidigem Eifer in seiner Stimme und seinem Wesen, das mir noch unleidlicher war als sein früheres Benehmen.

»Ich hab es für meine Pflicht gehalten, Master Copperfield«, sagte er, »Dr. Strong auf das aufmerksam zu machen, was mir schon kürzlich zusammen besprochen haben. Sie schienen mich aber nicht recht zu verstehen.«

Ich warf ihm einen Blick zu, gab aber keine Antwort, trat dann zu meinem guten, alten Lehrer und sprach ein paar Worte des Trostes und der Ermutigung zu ihm. Er legte seine Hand auf meine Schulter, wie er es gewohnt gewesen, als ich noch ein kleiner Junge war, erhob aber sein graues Haupt nicht.

»Da Sie mich damals nicht verstanden, Master Copperfield«, fuhr Uriah in derselben zudringlichen Weise fort, »so derf ich mir wohl die Freiheit nehmen, untertänigst zu bemerken, da mir unter Freunden sind, daß ich Dr. Strong auf das Benehmen seiner Gattin aufmerksam gemacht habe. Es ging mir eigentlich sehr gegen den Strich, Copperfield, mich in so eine unangenehme Sache einzumengen, aber mir können es nun einmal nicht lassen und müssen uns immer in Dinge mischen, die was uns nichts angehen.«

Wenn ich an seinen höhnisch schielenden Blick zurückdenke, wundere ich mich jetzt noch, daß ich ihn nicht an der Gurgel packte und ihm den Atem aus dem Leibe schüttelte.

»Ich glaube wohl, ich drückte mich nicht ganz deutlich aus«, fuhr er fort. »Natürlich waren mir beide bestrebt, ein solches Thema möglichst zu vermeiden. Aber endlich hab ich mich doch entschlossen offen herauszureden, und Dr. Strong erzählt, daß … Haben Sie etwas gesagt, Sir?«

Das galt dem Doktor, der aufstöhnte. Der Schmerzenslaut hätte jedes Herz gerührt, aber auf Uriah brachte er keine Wirkung hervor.

»Ich sagte zu Dr. Strong«, fuhr er fort, »daß jeder sehen müßte, wie Mr. Maldon und die liebenswürdige und gewinnende Dame, was Mrs. Strong ist, zu zärtlich miteinander sind. Die Zeit ist jetzt wahrhaftig gekommen, wo es Dr. Strong gesagt werden muß. Es war doch jedermann klar wie die Sonne, ehe noch Mr. Maldon nach Indien ging, warum er Gründe suchte, wiederzukommen. Als Sie hier eintraten, Master Copperfield, schlug ich meinem Kompagnon grade vor, Dr. Strong auf Wort und Ehre zu sagen, ob er dieser Meinung nicht schon längst war. Kommen Sie, Mr. Wickfield, möchten Sie nicht so gut sein, das zu sagen. Ja oder nein, Sir? Kommen Sie, Kompagnon!«

»Um Gottes willen, lieber Doktor«, sagte Mr. Wickfield, »legen Sie nur nicht zuviel Gewicht auf den Verdacht, den ich vielleicht gehegt habe.«

»Da haben wirs«, rief Uriah. »Welch traurige Bestätigung, was? Er – so ein alter Freund! Meiner Seel, als ich bloß ein Schreiber bei ihm war, Copperfield, hab ich es mindestens zwanzigmal gesehen, wie er ganz außer sich darüber war- ganz außer sich, und wie natürlich, ist er doch selbst Vater und konnte er doch nicht zusehen, daß Miss Agnes in die Geschichte noch am Ende verwickelt wird.«

»Mein lieber Strong«, sagte Mr. Wickfield mit bebender Stimme, »mein guter Freund, ich brauche Ihnen nicht erst zu sagen, daß es mein Fehler war, immer und bei jedem nach versteckten Motiven zu suchen. Dieser Irrtum mag mir Veranlassung zu meinem Argwohn gegeben haben.«

»Sie haben geargwöhnt, Wickfield!« sagte der Doktor, ohne das Haupt zu erheben. »Sie haben geargwöhnt!«

»Raus mit der Sprache, Kompagnon«, drängte Uriah.

»Ja, damals habe ich geargwöhnt. Ich – Gott verzeih mir – glaubte, auch Sie hegten einen Argwohn.«

»Nein, nein, nein!« rief der Doktor in einem Ton ergreifendsten Schmerzes.

»Ich glaubte einmal, daß Sie Maldon nach Indien zu schicken wünschten, um eine Trennung herbeizuführen.«

»Nein, nein, nein! Ich wollte Ännie eine Freude machen, indem ich für ihren Jugendgespielen sorgte. Weiter nichts!«

»Das wurde mir später klar. Ich konnte nicht daran zweifeln, als Sie mir es sagten, aber ich glaubte – ich bitte Sie, die Kurzsichtigkeit zu bedenken, die bei meinem engen Horizont mein Hauptfehler gewesen ist –, daß in einem Falle, wo eine so große Verschiedenheit im Alter herrscht – «

»Sehen Sie, das ist die rechte Art, es auseinanderzusetzen, Master Copperfield«, fiel Uriah ein mit kriecherischem, grinsend zur Schau getragnem Mitleid.

»– eine Dame von so jugendlicher Schönheit bei aller aufrichtigen Achtung vor Ihnen sich bei einer Heirat weniger vom Gefühl als vom Verstande hätte bewegen lassen können. Die übrigen unzähligen Umstände und Empfindungen, die in die gegenteilige Waagschale hätten fallen müssen, zog ich leider nicht in Betracht. Um Himmels willen, bedenken Sie das!«

»Wie schonend er es auseinandersetzt«, hob Uriah hervor.

»Bei allem, was Ihnen teuer ist, alter Freund«, fuhr Mr. Wickfield fort, »bitte ich Sie das zu erwägen! Ich muß jetzt gestehen, da ich nicht anders kann – «

»Nein, Sie können nicht anders, Mr. Wickfield«, echote Uriah, »wenn es einmal soweit ist.«

»– daß ich ihr allerdings mißtraute und es mir manchmal, wie ich bekennen muß, unangenehm war, Agnes so vertraut mit ihr zu sehen. Ich habe nie mit jemand davon gesprochen und werde nie gegen irgend jemand darüber ein Wort fallenlassen. Es ist schrecklich für Sie, so etwas zu hören«, sagte Mr. Wickfield tief erschüttert, »aber wenn Sie erst wüßten, wie schrecklich es für mich ist, so etwas über die Lippen zu bringen, so würden Sie Mitleid mit mir haben.«

In der unerschöpflichen Güte seines Herzens streckte der Doktor seine Hand aus, und Mr. Wickfield hielt sie eine Weile mit gebeugtem Haupte fest.

»Gewiß ist das für jeden Menschen ein sehr unangenehmes Thema«, mischte sich Uriah ein, der sich während des Schweigens wie ein Aal wand, »aber da mir einmal soweit sind, muß ich mir die Freiheit nehmen zu erwähnen, daß es Copperfield auch gemerkt hat.«

Ich wandte mich zu ihm und fragte ihn, wie er es wagen könnte, sich auf mich zu beziehen.

»O, es ist sehr schön von Ihnen, Copperfield«, entgegnete Uriah, »und mir wissen alle, was für ein liebenswürdiger Charakter Sie sind. Aber Sie müssen doch zugeben, daß Sie in dem Augenblick, wo ich neulich abends mit ihnen davon sprach, gut verstanden, was ich meinte, Copperfield! Sie können es nicht leugnen. Wenn Sie es leugnen, geschieht es gewiß mit der besten Absicht. Aber tun Sie es nicht, Copperfield!«

Das sanfte, milde Auge des Doktors ruhte einen Augenblick auf mir, und ich fühlte, daß das Geständnis meiner alten bösen Ahnungen klar auf meinem Gesicht geschrieben stand. Leugnen half nichts. Ich konnte nichts mehr ändern. Mochte ich sagen, was ich wollte, ich konnte mich nicht verstellen.

Wir verstummten und sprachen kein Wort mehr. Der Doktor stand auf und ging ein paarmal im Zimmer auf und ab. Dann lehnte er sich an den Rücken seines Stuhls und sprach, von Zeit zu Zeit das Taschentuch an die Augen drückend, mit einer schlichten Offenheit, die ihm mehr Ehre machte, als wenn er seinen Schmerz verheimlicht hätte:

»Ich bin schwer zu tadeln. Ich glaube, ich bin sehr schwer zu tadeln. Ich habe ein Wesen, dessen Bild ich voll Liebe im Herzen bewahre, Versuchungen und Verleumdungen ausgesetzt – denn ich nenne sie Verleumdungen, und selbst wenn sie in dem innersten Denken des Betreffenden geblieben sind –, deren Zielscheibe dieses Wesen ohne mich nie hätte werden können.«

Uriah Heep ließ eine Art Näseln hören.

»... Deren Zielscheibe meine Ännie ohne mich«, fuhr der Doktor fort, »nie hätte werden können. Meine Herren, ich bin jetzt alt, das wissen Sie; ich wüßte heute abend nicht, was mir das Leben noch teurer machen sollte. Aber mein Leben für die Treue und Ehrenhaftigkeit der Dame, die der Gegenstand dieses Gesprächs gewesen ist!«

Ich glaube nicht, daß die edelste Verkörperung von Ritterlichkeit, die Verwirklichung der schönsten und romantischsten Gestalt, die je ein Dichter geschaffen hat, dies in ergreifendere und rührendere Worte hätte fassen können, als der schlichte, alte Doktor es tat.

»Ich fühle mich nicht imstande zu leugnen«, fuhr er fort, »und habe nur nie viel darüber nachgedacht, daß ich diese Dame, ganz unwissentlich, vielleicht zu einer unglücklichen Ehe verleitet habe. Ich bin des Beobachtens gänzlich ungewohnt und muß daher glauben, daß in diesem Punkte die Augen anderer Leute schärfer sahen als die meinigen.«

Ich hatte schon oft des Doktors gütige Art seiner jungen Frau gegenüber bewundert, aber die Hochachtung und Zärtlichkeit, mit der er jetzt von ihr sprach, und die ehrerbietige Weise, mit der er auch den leisesten Zweifel an ihrer Schuldlosigkeit abwies, erhoben ihn in meinen Augen über alle Beschreibung.

»Ich heiratete diese Dame, als sie noch sehr jung war«, fuhr er fort. »Ich nahm sie zur Frau, als ihr Charakter sich kaum gebildet hatte. Soweit er entwickelt war, hatte ich das Glück gehabt, ihn zu formen. Ich kannte ihren Vater gut. Ich kannte sie gut. Ich hatte ihr alles gelehrt, was ich konnte, um ihrer schönen und vortrefflichen Eigenschaften willen. Wenn ich ihr ein Unrecht zugefügt habe – und ich fürchte, es ist der Fall gewesen, indem ich, ohne es zu wissen, ihre Dankbarkeit und freundschaftliche Zuneigung ausnützte –, so bitte ich sie jetzt in meinem Herzen um Verzeihung.«

Er ging im Zimmer einmal auf und nieder und faßte dann den Stuhl wieder mit einer Hand, die wie seine niedergehaltene Stimme vor tiefer Bewegung zitterte.

»Ich betrachtete mich als eine Zuflucht für sie vor den Gefahren und Wechselfällen des Lebens, redete mir die Hoffnung ein, daß sie bei aller Ungleichheit an Jahren ruhig und zufrieden mit mir leben würde. Ich ließ die Zeit, wo sie immer noch jung und schön, aber mit gereifterem Urteil wieder frei sein würde, nicht unerwogen. Nein, meine Herren, bei meiner Ehre!«

Seine schlichte Gestalt schien fast zu strahlen von Treue und Hochherzigkeit, und in jedem seiner Worte lag eine tiefe Kraft.

»Ich habe sehr glücklich mit dieser Dame gelebt. Bis heute abend habe ich ununterbrochen Veranlassung gehabt, den Tag zu segnen, an dem ich ihr, wie ich jetzt sehe, so großes Unrecht zufügte.«

Seine Stimme, die während der letzten Worte immer mehr und mehr gezittert hatte, versagte für einige Augenblicke; dann fuhr er fort: »Einmal aus meinem Traum erwacht – ich bin mein ganzes Leben lang in jeder Hinsicht ein armer Träumer gewesen –, sehe ich jetzt ein, wie natürlich es ist, daß sie nicht ohne Schmerz an ihren alten Gespielen und Altersgenossen denken kann. Daß sie mit einem Bedauern, aber einem schuldlosen, und mit untadeligen Gedanken auf das, was ohne mich hätte werden können, zurücksieht, ist, fürchte ich, nur zu wahr. Manches, was ich wohl bemerkt, aber nicht beachtet habe, ist mir in dieser letzten Prüfungsstunde mit neuer Bedeutung klargeworden. Aber darüber hinaus, meine Herren, darf der Name dieser Dame mit keinem Wort, keinem Hauch eines Zweifels befleckt werden.«

Einen Augenblick flammte sein Auge und seine Stimme war fest. Dann schwieg er wieder eine Weile und fuhr endlich fort:

»Es bleibt mir nur noch übrig, die Erkenntnis des Unglücks, das ich verschuldet habe, so ergeben wie ich kann zu tragen. Sie sollte mir Vorwürfe machen, nicht ich ihr. Sie vor Mißdeutungen, die selbst meine Freunde nicht haben vermeiden können, zu schützen, ist jetzt meine Pflicht. Ich werde sie um so besser erfüllen, je zurückgezogener wir leben. Und wenn die Zeit kommt – möge sie bald kommen – wenn es Seine Barmherzigkeit beschließt –, wo mein Tod sie frei macht, so werden meine brechenden Augen mit unbegrenztem Vertrauen und unwandelbarer Liebe auf ihrem treuen Antlitz ruhen, und sie wird dann ohne Kummer glücklichere und schönere Tage erleben.«

Ich konnte meinen alten Lehrer nicht sehen vor den Tränen, die sein tiefer Ernst und seine Güte und die Schlichtheit seines ganzen Wesens mir in die Augen trieben. Er stand an der Tür, als er hinzusetzte:

»Meine Herren, ich habe Sie in mein Herz blicken lassen. Ich bin überzeugt, Sie werden meinen Schmerz respektieren. Was heute abend gesprochen wurde, muß zwischen uns begraben sein. Wickfield, geben Sie einem alten Freunde den Arm und führen Sie mich hinauf!«

Mr. Wickfield eilte zu ihm. Ohne ein Wort zu wechseln, verließen beide langsam das Zimmer, und Uriah sah ihnen nach.

»Ach Master Copperfield«, sagte er und wendete sich ein wenig bestürzt an mich, »die Sache hat nicht ganz die Wendung genommen, die man hätte erwarten können, denn der alte Gelehrte – so ein vortrefflicher Mann er ist — ist blinder als ein Maulwurf. Aber seine Familie ist wohl, dächte ich, aus dem Wagen draußen.«

Schon der Ton seiner Stimme versetzte mich in eine unbeschreibliche Wut.

»Sie Schuft, Sie!« sagte ich. »Was bezwecken Sie damit, daß Sie mich in Ihre Pläne verwickeln? Wie können Sie sich unterstehen sich auf mich zu berufen, Sie falsche Kanaille, als wenn wir die Sache zusammen besprochen hätten!«

Als wir Auge in Auge einander gegenüberstanden, sah ich nur zu deutlich an seiner Schadenfreude, daß er mir sein Vertrauen aufgedrängt hatte in der Absicht mich zu kränken und mir überhaupt eine Falle zu stellen. Ich konnte es nicht mehr aushalten. Seine lange hagere Wange lag so einladend vor mir, daß ich zuschlug, und mit solcher Kraft, daß mir die Finger brannten.

Er faßte meine Hand, und wir standen so einander gegenüber und sahen uns an. Wir blieben eine lange Weile so, lange genug, daß ich sehen konnte, wie die weißen Zeichen meiner Finger aus dem tiefen Rot seiner Wange verschwanden und ein noch tieferes Rot hinterließen.

»Copperfield«, sagte er endlich mit atemloser Stimme, »haben Sie den Verstand verloren?«

»Lassen Sie mich«, sagte ich und entrang ihm meine Hand. »Sie Hund! Ich will nichts mehr von Ihnen wissen!«

»Wirklich nicht?« sagte er, von den Schmerzen in der Wange

gezwungen, die Hand darauf zu legen. »Vielleicht können Sie doch nicht anders. Das war nicht recht von Ihnen.«

»Ich habe Ihnen oft genug gezeigt, wie ich Sie verabscheue. Ich habe es Ihnen jetzt noch deutlicher gezeigt. Warum sollte ich Sie fürchten, da Sie allen, in deren Nähe Sie kommen, sowieso schon das Schlimmste zufügen.«

Er verstand vollkommen die Anspielung auf die Rücksicht, die mich bisher in Schranken gehalten hatte.

Eine zweite lange Pause folgte. Seine Augen schienen jede Färbung anzunehmen, die überhaupt Augen häßlich machen kann.

»Copperfield«, sagte er und nahm die Hand von der Wange, »Sie sind immer gegen mich gewesen. Ich weiß, bei Mr. Wickfield waren Sie immer gegen mich.«

»Denken Sie sich, was Sie wollen«, sagte ich immer noch in größter Wut, »und wenn es zufällig nicht wahr ist, so ist das nicht Ihr Verdienst.«

»Und doch hab ich Sie immer gern gehabt, Copperfield!«

Ich würdigte ihn keiner Antwort, nahm meinen Hut und wollte fortgehen, aber er stellte sich zwischen mich und die Türe.

»Copperfield«, sagte er, »es gehören zwei Leute zu einem Zank. Ich will nicht dabeisein!«

»Sie können zum Teufel gehen!«

»Sagen Sie das nicht«, erwiderte er. »Ich weiß, es wird Ihnen später leid tun. Wie können Sie sich so unter mich erniedrigen, indem Sie sich so hinreißen lassen? Aber ich verzeihe Ihnen.«

»Sie mir verzeihen!« erwiderte ich voll Verachtung.

»Ich tue es aber, und Sie können sich dagegen nicht wehren. So etwas! Über mich herzufallen, der ich immer Ihr Freund gewesen bin! Aber zu einem Zanke gehören zwei Leute, und ich will nicht dabeisein. Ich will Ihr Freund bleiben! Ihnen zum Trotz!«

Die Notwendigkeit, das Gespräch wegen der späten Stunde sehr leise zu führen, trug nichts zur Verbesserung meiner Stimmung bei, obgleich sich meine Leidenschaftlichkeit abkühlte. Ich verließ das Haus. Aber Uriah schlief ebenfalls außer Hause, und ehe ich einige hundert Schritt weit weg war, holte er mich ein.

»Sie spüren ganz gut, Copperfield«, sagte er an meiner Seite, denn ich wendete ihm mein Gesicht nicht zu, »daß Sie in eine schiefe Stellung geraten sind!«

Ich fühlte die Wahrheit seiner Worte genau und geriet nur noch mehr in Zorn.

»Sie können die Sache zu keiner Heldentat machen und mir nicht verwehren, daß ich Ihnen verzeihe. Ich werde es weder gegen Mutter noch gegen sonst jemand erwähnen. Ich bin fest entschlossen Ihnen zu verzeihen! Ich muß mich nur wundern, daß Sie Ihre Hand gegen eine so demütige Person, wie ich bin, aufgehoben haben.«

Ich kam mir ordentlich gemein vor. Er kannte mich besser als ich mich selbst. Wenn er zurückgeschlagen hätte oder heftig geworden wäre, es wäre mir ein Genuß und eine Rechtfertigung gewesen; aber er legte mich auf ein langsames Feuer, auf dem ich mich die halbe Nacht herumquälte.

Als ich am nächsten Morgen ausging, läutete die Frühglocke, und er ging mit seiner Mutter auf und ab. Er redete mich an, als ob nichts vorgefallen wäre, und ich konnte einer Antwort nicht ausweichen. Ich hatte ihn so stark geschlagen, daß er offenbar Zahnweh hatte. Jedenfalls war sein Gesicht mit einem schwarzen Seidentuch verbunden, was ihn keineswegs verschönte.

Ich hörte, daß er sich am Montag morgens in London einen Zahn reißen ließ. Hoffentlich war es ein doppelter.

Dr. Strong gab vor, nicht ganz wohl zu sein, und blieb während der ganzen Zeit des Besuchs den größten Teil des Tages über allein.

Agnes und ihr Vater waren schon eine Woche fort, ehe wir unsere gewöhnlichen Arbeiten wiederaufnahmen. Am Tag vor ihrer Abreise übergab mir der Doktor einen verschlossenen Brief. Er bat mich darin mit eindringlichen und liebevollen Worten, niemals auf den Vorfall jenes Abends zurückzukommen. Ich hatte bereits meiner Tante davon erzählt, aber sonst niemand. Es war kein Thema, das ich mit Agnes hätte besprechen können, und sie ahnte sicherlich nicht das geringste von dem Vorfall.

Auch Mrs. Strong nicht, wie ich überzeugt bin.

Wochen vergingen, bevor ich die mindeste Veränderung an ihr bemerkte. Aber sie kam langsam wie eine Wolke bei Windstille. Anfangs schien sie sich über das zärtliche Mitleid zu wundern, mit dem der Doktor zu ihr sprach, und über seinen Wunsch, sie möge ihre Mutter zu sich nehmen, um einige Abwechslung in ihr eintöniges Leben zu bringen. Oft, während wir arbeiteten und sie bei uns saß, bemerkte ich, wie sie ihre Arbeit hinlegte und ihn wieder mit dem merkwürdigen Gesichtsausdruck von damals ansah. Manchmal verließ sie, die Augen voll Tränen, das Zimmer. Allmählich verbreitete sich ein Schatten von Trauer über ihre Schönheit, der Tag für Tag tiefer wurde. Mrs. Markleham war jetzt in das Landhaus gezogen, aber sie schwatzte und schwatzte und sah nichts.

Als diese Veränderung über Ännie, die früher im Hause der Sonnenschein gewesen war, kam, wurde auch der Doktor in seinem Äußern gebeugter und ernster. Aber die ruhige Herzlichkeit seines Wesens und seine wohlwollend schonende Art, mit der er seine Gattin behandelte, schien womöglich noch zuzunehmen. Einmal, ganz früh am Morgen ihres Geburtstags, als sie sich an das Fenster setzte, faßte er ihren Kopf mit beiden Händen, küßte sie auf die Stirn und verließ eilig das Zimmer, zu gerührt, um zu bleiben. Sie stand da wie eine Bildsäule, dann senkte sie das Haupt, schlug die Hände zusammen und weinte vor unsäglichem Schmerz.

Nach diesem Vorfall kam es mir zuweilen vor, als wollte sie mich anreden, wenn wir allein waren. Aber sie brachte nie ein Wort heraus. Der Doktor machte immer nur Vorschläge, sie möge sich mit ihrer Mutter außer Haus Zerstreuung verschaffen, und Mrs. Markleham, der das sehr paßte, strömte vor Lob über. Aber Ännie ging stets ganz teilnahmslos mit und schien an nichts Freude zu finden.

Ich wußte nicht, was ich mir denken sollte. Ebensowenig meine Tante, die in ihrer Ungewißheit wohl schon hundert Meilen abmarschiert haben mußte. Das Seltsamste aber war, daß der einzig wirkliche Troststrahl, der in das Geheimnis dieses häuslichen Unglücks fiel, von Mr. Dick ausging.

Welche Gedanken er sich über die Sache machte oder wie viel er davon in Erfahrung gebracht, weiß ich nicht. Aber seine Verehrung für den Doktor war von jeher grenzenlos gewesen, und wahre Zuneigung, selbst wenn sie von einem Tiere dem Menschen gegenüber ausgeht, besitzt eine Feinheit der Beobachtung, hinter der der schärfste Verstand zurückbleibt. In diesen Herzenssinn, wenn ich es so nennen darf, fielen bei Mr. Dick einige helle Strahlen der Wahrheit.

Mit Stolz hatte er wieder von seinem alten Vorrecht, in seinen freien Stunden mit dem Doktor im Garten auf- und abzugehen wie damals in Canterbury, Gebrauch gemacht. Aber kaum war die Krisis eingetreten, widmete er seine ganze freie Zeit vom frühesten Morgen an diesen Spaziergängen. Er hatte immer schon vor Freude gestrahlt, wenn ihm der Doktor aus seinem wunderbaren Werke, dem Wörterbuch, vorlas, jetzt aber war er schwer unglücklich, wenn es nicht geschah. Während der Doktor und ich miteinander arbeiteten, hatte er sich jetzt mit Mrs. Strong auf- und abzugehen und ihr bei der Pflege ihrer Lieblingsblumen oder beim Jäten der Beete zu helfen angewöhnt. Er sprach wohl kaum ein Dutzend Worte in der Stunde. Aber seine stille Teilnahme und sein aufmerksames Gesicht fanden Widerhall im Herzen beider. Und so wurde er ein Bindeglied, ein einigendes Band zwischen ihnen, was niemand sonst hätte werden können.

Wenn ich daran denke, wie er mit unsäglich weisem Gesicht neben dem Doktor herschritt, entzückt, mit den schweren Worten des Wörterbuchs beschossen zu werden, hinter Ännie große Gießkannen hertrug, auf den Beeten niederkniete und geduldig mit wahren Tatzen von Handschuhen seine Arbeit unter den kleinen Blättern verrichtete und in allem, was er tat, ein zartes Bestreben an den Tag legte, Mrs. Strongs Freund zu sein, – wie er niemals in seinem Dienste erlahmte, niemals den unglücklichen König Karl mit in den Garten brachte – immer begreifend, daß etwas nicht in Ordnung sei und wiedergutgemacht werden müßte –, so schäme ich mich fast, ihn für nicht geistig normal gehalten zu haben, wenn ich daran denke, wie wenig ich mit meinem Verstande ausgerichtet habe.

»Niemand als ich kennt diesen Mann, Trot«, sagte meine Tante voll Stolz, wenn wir darüber sprachen. »Dick wird sich noch auszeichnen.«

Ehe ich dieses Kapitel schließe, muß ich noch von einem andern Vorfall sprechen. Während der Besuch noch bei Dr. Strong war, bemerkte ich, daß der Postbote jeden Morgen Uriah Heep, der die ganze Zeit über in Highgate geblieben war, zwei oder drei Briefe brachte. Sie waren von Mr. Micawber, der sich jetzt eine ausgeschriebene Kanzlistenhandschrift angewöhnt hatte, adressiert. Ich nahm aus diesen kleinen Zeichen an, daß Mr. Micawber sich wohl befinde, und war um so mehr erstaunt, als ich folgenden Brief von seiner liebenswürdigen Gattin empfing.

Canterbury, Montag abends.
Sie werden sich wahrscheinlich wundern, lieber Mr. Copperfield, einen Brief von mir zu erhalten. Noch mehr werden Sie über seinen Inhalt erstaunt sein. Und mehr noch darüber, daß ich ihnen unbedingtes Schweigen abverlange. Aber meine Gefühle als Gattin und Mutter bedürfen der Erleichterung, und da ich meine Familie nicht zu Rate ziehen kann, habe ich niemand, den ich darum bitten könnte, als meinen Freund und früheren Mieter.

Sie wissen, lieber Mr. Copperfield, daß zwischen mir und Mr. Micawber, den ich nie verlassen werde, immer gegenseitiges Vertrauen geherrscht hat. Mr. Micawber hat vielleicht manchmal einen Wechsel ausgestellt, ohne mich zu Rate zu ziehen, oder mich hinsichtlich der Verfallzeit getäuscht. Aber im großen ganzen hat er vor dem Altar der Liebe – ich meine damit seine Gattin – keine

Geheimnisse gehabt und hat regelmäßig beim Zubettgehen die Ereignisse des Tages mit mir besprochen.

Sie können sich nun denken, lieber Mr. Copperfield, wie tief mein Schmerz sein muß, wenn ich Ihnen anvertraue, daß Mr. Micawber sich ganz und gar verändert hat. Er ist zurückhaltend. Er ist geheimnisvoll. Sein Leben ist ein Rätsel für die Gefährtin seiner Freuden und seines Kummers – ich meine wieder seine Gattin –, und wenn ich Ihnen sage, daß ich so wenig von ihm weiß – außer daß er sich vom Morgen bis zum späten Abend in der Kanzlei befindet –, so wenig von ihm weiß wie von dem Mann im Märchen vom kalten Pflaumenpudding, so deute ich die wirkliche Tatsache nur entfernt an.

Aber das ist noch nicht alles. Mr. Micawber ist mürrisch. Er ist streng. Er ist seinem ältesten Sohn und seiner Tochter entfremdet. Er sieht in seinen Zwillingen nicht mehr den Stolz der Familie, selbst den unschuldigen Neuling, der als letztes Mitglied in unsern Kreis getreten ist, blickt er mit gleichgültigem Auge an. Selbst die allernötigsten pekuniären Mittel zur Bestreitung unserer Ausgaben sind von ihm nur mit größter Schwierigkeit zu erlangen, und unerbittlich verweigert er jede Aufklärung über seine uns zur Verzweiflung bringende Politik des Schweigens.

Es ist kaum zu ertragen! Es ist herzzerbrechend! Wenn Sie in Anbetracht meiner schwachen Kräfte mir einen Rat geben wollen, was am besten in einem so ungewöhnlichen Dilemma zu tun ist, so würden Sie zu den vielen Freundschaftsbeweisen, die Sie mir schon erbrachten, noch einen neuen hinzufügen. Mit einem herzlichen Gruß von den Kindern und einem Freundeslächeln von dem zum Glück noch nichtsahnenden Neuling

verbleibe ich, lieber Mr. Copperfield, Ihre tiefbetrübte

Emma Micawber.

Ich fühlte mich nicht berechtigt, einer Frau wie Mrs. Micawber einen andern Rat zu geben als den, sie möge versuchen, ihren Gatten durch Geduld und Freundlichkeit wiederzugewinnen. Jedenfalls aber mußte ich über den Brief lange und oft nachdenken.

43. Kapitel

Wieder ein Rückblick

In schemenhaftem Zug wandern die Phantome jener Tage an mir vorüber. Wochen und Monate verrauschen. Sie kommen mir wenig länger vor als ein Sommertag und ein Winterabend. Jetzt ist die Haide, wo ich mit Dora wandle, ein Blumenfeld so hell wie Gold, und dann liegt wieder alles unter einer Decke von Schnee. Im Augenblick wälzt der Fluß, der eben noch in der Sommersonne glänzte, bewegt von Winterstürmen, dicke Eisschollen vor sich her.

Nicht das mindeste ändert sich im Haus der beiden kleinen vogelähnlichen Damen. Die Uhr tickt über dem Kamin, das Wetterglas hängt in der Vorhalle. Weder Uhr noch Wetterglas zeigen jemals richtig, aber sie genießen das allgemeine Vertrauen.

Ich bin mündig geworden. Ich habe die Würde des Einundzwanzigjährigen erlangt. Aber es ist eine Würde, die jeder erlangen kann. Was habe ich also vollbracht?

Ich habe das schreckliche stenographische Geheimnis bemeistert. Ich beziehe ein anständiges Einkommen infolgedessen. Ich stehe bei allen Genossen der Kunst wegen meiner Fertigkeit in hohem Ansehen und bin, neben elf andern, Parlamentberichterstatter für eine Morgenzeitung. Abend für Abend schreibe ich Voraussagungen nieder, die niemals eintreffen, Glaubensbekenntnisse, nach denen nie ein Mensch handelt, und Aufklärungen, die nur irreführen sollen. Ich wate in Worten. Britannia, dieses unglückliche Frauenzimmer, liegt immer vor mir wie ein zugerichtetes Huhn, über und über gespickt mit Bureaufedern und an Händen und Füßen mit rotem Band festgebunden. Ich sehe genügend tief hinter die Kulissen, um den Wert des politischen Lebens zu durchschauen. Ich bin in dieser Hinsicht ein Ketzer durch und durch und werde mich niemals bekehren lassen.

Mein guter alter Traddles hat die Sache auch versucht, aber sie liegt ihm nicht. Er ist trotz des Mißlingens gut aufgelegt und erinnert mich daran, daß er sich von jeher für einen Menschen von langsamen Begriffen gehalten habe. Gelegentlich ist er bei derselben Zeitung damit tätig, Tatsachen über trockene Themen zusammenzustellen, damit fruchtbarere Geister sie weiter ausführen können. Er ist bei Gericht angestellt und hat sich mit bewunderungswürdigem Fleiß und großer Selbstverleugnung wieder hundert Pfund zusammengescharrt, um einen Conveyancer zu bezahlen, in dessen Kanzlei er mitarbeitet. Wir tranken sehr viel Glühwein zur Feier seines Antritts.

Ich habe mich auch in andern Richtungen versucht. Mit Furcht und Zittern bin ich ans Schriftstellern gegangen. Ich schrieb insgeheim eine Kleinigkeit und schickte sie an eine Zeitschrift, und sie wurde angenommen. Seitdem habe ich den Mut gehabt, ziemlich viele derartige Kleinigkeiten zu schreiben. Jetzt werde ich dafür regelmäßig bezahlt. Im ganzen stehe ich mich recht gut dabei. Wenn ich mein Einkommen an den Fingern meiner linken Hand abzähle, komme ich über den dritten Finger hinaus bis zum Mittelglied des vierten.

Wir sind aus der Buckingham Straße weggezogen und wohnen in einem hübschen kleinen Häuschen nicht weit von dem, wo mich die Begeisterung zuerst ergriff. Aber meine Tante, die ihr Haus in Dover mit gutem Gewinn verkauft hat, bleibt nicht und gedenkt in ein noch niedlicheres Häuschen dicht daneben zu ziehen. Was hat das zu bedeuten? Meine Verheiratung? Ja!

Ja! Ich stehe im Begriff, mich mit Dora zu verheiraten. Miss Lavinia und Miss Clarissa haben ihre Einwilligung gegeben, und wenn jemals Kanarienvögel aufgeregt waren, so sind sie es. Miss Lavinia, die die Oberaufsicht über die Garderobe meines Lieblings an sich gerissen hat, schneidet beständig Brustharnische aus braunem Papier aus und streitet sich beständig mit einem hochrespektablen jungen Mann mit einem Ellenmaß unter dem Arm herum. Eine Näherin, in deren Brust stets eine Nadel mit Faden eingestochen ist, wohnt und ißt im Hause und scheint weder beim Essen noch beim Trinken oder Schlafen den Fingerhut abzulegen. Sie machen aus meinem Herzensschatz eine Gliederpuppe. Sie lassen sie immerwährend holen, um ihr etwas anzuprobieren. Des Abends können wir nicht fünf Minuten zusammen glücklich sein, ohne daß nicht irgendein zudringliches Frauenzimmer an die Türe klopft und ruft: »Ach bitte, Miss Dora, möchten Sie nicht einmal heraufkommen?«

Miss Clarissa und meine Tante machen ganz London unsicher, um für Dora und mich Möbel zu besichtigen. Es wäre viel besser, wenn sie blind drauflos kauften; denn als wir uns einmal einen Speiseschrank besichtigen, erblickt Dora ein chinesisches Hundehaus für Jip mit kleinen Glöckchen auf dem Dach und zieht dieses allem andern vor. Wir kaufen es, und es dauert lange Zeit, ehe sich Jip an sein neues Heim gewöhnt. So oft er aus- und eingeht, läuten die kleinen Glocken und er gerät außer sich vor Angst.

Peggotty kommt auch, um sich nützlich zu machen, und stürzt sich sofort kopfüber in die Arbeit. Ihr Departement scheint es zu sein, alles wieder und wieder zu reinigen. Sie reibt alles ab, was sich abreiben läßt, bis es glänzt wie ihr ehrliches Gesicht. Und jetzt sehe ich wieder ihren Bruder, einsam des Nachts durch die dunklen Straßen wandern und die vorüberstreifenden Gesichter mustern. Ich rede ihn nie in solcher Stunde an. Ich weiß zu gut, was er sucht und was er zu finden fürchtet. Warum nimmt Traddles eine so wichtige Miene an, als er mich eines Nachmittags in den Commons abholt, – wohin ich immer noch der Form wegen gehe, wenn ich Zeit habe? Meine knabenhaften Träume werden zur Wirklichkeit. Ich will mir den Trauschein holen. Es ist ein kleiner Zettel trotz seiner Wichtigkeit. Und Traddles betrachtet ihn, wie er auf meinem Pult liegt, voll Bewunderung und Ehrfurcht. Da stehen die Namen in der schönen alten geträumten Verbindung, David Copperfield und Dora Spenlow; und dort in der Ecke sieht das väterliche Institut, das Stempelamt, das an den verschiednen Verhandlungen des menschlichen Lebens so wohlwollend Anteil nimmt, auf unsern Bund herab, und dort bittet der Erzbischof von Canterbury gedruckt um Segen für uns und tut es so preiswert, als man es billigerweise erwarten darf.

Aber dennoch bin ich wie im Traum; in einem hastigen, aufgeregten, glücklichen Traum! Ich kann gar nicht fassen, daß es wirklich sein kann, und doch bilde ich mir ein, jeder Vorübergehende müßte irgendwie gewahr werden, daß ich übermorgen Hochzeit halten will. Der Beamte kennt mich, als ich zum Schwur zu ihm komme, und macht die Sache so schnell und selbstverständlich ab, als ob ein freimaurerisches Einverständnis zwischen uns herrsche. Traddles ist gar nicht notwendig, sondern begleitet mich nur der Form wegen.

»Ich hoffe, das nächste Mal stehst du hier, lieber Freund«, sage ich zu Traddles, »und ich hoffe, es wird recht bald sein.«

»Ich danke dir für deine guten Wünsche, lieber Copperfield. Ich hoffe es auch. Es ist so beruhigend zu wissen, daß sie geduldig auf mich wartet. Sie ist wirklich ein so liebes Mädchen – «

»Wann sollst du sie an der Landkutsche abholen?« frage ich.

»Um sieben«, sagt Traddles und schaut auf seine alte, silberne Uhr – dieselbe Uhr, aus der er in der Schule einmal ein Rad herausnahm, um eine Mühle zu bauen. »Das ist fast dieselbe Zeit, wo Miss Wickfield ankommt, nicht wahr?«

»Ein wenig früher. Sie kommt erst um halb neun.«

»Ich kann dir versichern«, sagt Traddles, »ich freue mich fast ebenso sehr, wie wenn ich selbst zur Hochzeit ginge. Ich empfinde es aufs tiefste, daß du Sophie zu diesem Freudenfest zusammen mit Miss Wickfield als Brautjungfer eingeladen hast.«

Ich höre ihn an und schüttle ihm die Hand. Wir reden und gehen und essen, und doch kann ich nicht begreifen, daß es Wirklichkeit ist. Sophie kommt in die Wohnung von Doras Tanten. Sie hat das angenehmste Gesicht von der Welt, ist nicht gerade schön, aber außerordentlich gewinnend. Sie ist das natürlichste, freundlichste, ungeziertes Wesen, das ich je gesehen habe. Traddles ist sehr stolz, als er sie uns vorstellt, und reibt sich genau nach der Uhr zehn Minuten lang die Hände, und jedes einzelne

Haar auf seinem Kopf steht auf der Zehenspitze, als ich ihn in einer Ecke zu seiner Wahl beglückwünsche.

Ich habe Agnes von der Canterbury-Kutsche abgeholt. Agnes hat eine große Neigung für Traddles gefaßt, und es ist herrlich anzusehen, wie sie sich begrüßen, und mit welch stolzer Freude er ihr seine Braut vorstellt.

Aber immer noch kann ich es nicht glauben. Der Abend ist wundervoll, und wir sind unendlich glücklich. Aber ich kann es noch nicht glauben. Ich kann es nicht fassen. Ich bin wie in einem halben Rausch, als ob ich seit vierzehn Tagen nicht schlafen gegangen wäre. Ich kann nicht herausbringen, wann gestern war. Mir ist, als ob ich den Trauschein schon monatelang in der Tasche herumtrüge.

Und auch, als wir am folgenden Tage alle zusammen das Haus besichtigen gehen, ist es mir ganz unmöglich, mich dort als seinen Herrn zu sehen. Ich erwarte, der wirkliche Eigentümer werde jeden Augenblick nach Haus kommen und über meinen Besuch erfreut sein. Das Häuschen ist wunderschön. Es sieht so glänzend und neu aus mit den Blumen auf den Teppichen, die wie frisch gepflückt sind, und den grünen Blättern auf den Tapeten. Und die fleckenlosen Musselinvorhänge! Die rosafarbenen Möbel sehen aus, als erröteten sie, und Doras Gartenhut mit dem blauen Band, in dem ich sie das erste Mal erblickte, hängt wirklich und wahrhaftig hier an seinem Haken. Das Gitarrenfutteral steht in einer Ecke, und jeder stolpert über Jips Pagode, die viel zu groß für das Haus ist.

Noch ein zweiter glücklicher Abend, ebenso traumhaft wie der erste, und ich trete verstohlen ins Zimmer, ehe ich weggehe. Dora ist nicht da. Ich vermute, sie sind noch nicht mit Anprobieren fertig. Miss Lavinia äugt herein und sagt mir geheimnisvoll, daß sie nicht lang bleiben werde. Aber doch bleibt sie recht lang. Endlich höre ich ein Rauschen vor der Tür und es klopft.

Ich rufe »herein«, aber wieder klopft es. Ich gehe zur Türe und öffne neugierig; dort begegne ich ein paar glänzenden Augen und einem errötenden Gesicht; es ist Dora, und Miss Lavinia hat ihr das Brautkleid angezogen, damit ich es sehe. Ich drücke mein kleines Weibchen ans Herz, und Miss Lavinia schreit vor Schreck auf, weil ich den Hut verderbe; und Dora lacht und weint zu gleicher Zeit, weil ich mich so freue. Alles kommt mir weniger glaubhaft vor als je.

»Sieht es hübsch aus, Doady?« fragt Dora.

»Hübsch! Das will ich meinen.«

»Und weißt du gewiß, daß du mich sehr liebst?«

Die Antwort ist gefahrdrohend für den Hut, so daß Miss Lavinia wieder aufschreit und mir zu verstehen gibt, daß Dora nur zum Ansehen da ist. Dora bleibt in allerliebster Verlegenheit ein paar Minuten, um sich bewundern zu lassen; dann nimmt sie ihren Hut ab, läuft davon und kommt in ihrem gewöhnlichen Kleid in ein paar Minuten wieder heruntergetanzt und fragt Jip, ob die kleine Gattin, die ich bekomme, wirklich hübsch sei und ob er ihr verzeihe, daß sie heiratet. Dann kniet sie nieder, damit er zum letzten Mal in ihrem Mädchenleben auf dem Kochbuch aufwarte.

Ich verfüge mich, immer noch ungläubig, in meine Wohnung in der Nähe und stehe zeitig morgens auf, um nach Highgate zu fahren und meine Tante abzuholen.

In solchem Staat habe ich meine Tante noch nie gesehen. Sie trägt ein lavendelfarbiges Seidenkleid und einen weißen Hut. Es ist zum Erstaunen. Janet hat sie angekleidet und ist noch da, um mich zu sehen. Peggotty hat sich fertig gemacht, um in die Kirche zu gehen, denn sie will die Feierlichkeit von der Galerie aus mitansehen. Mr. Dick, der Brautführer sein soll, hat sich das Haar brennen lassen. Traddles, den ich der Verabredung gemäß am Schlagbaum getroffen habe, stellt eine blendende Zusammenstellung von Creme und Hellblau dar. Er und Mr. Dick sehen aus, als wären sie ganz Handschuh.

Ich sehe das alles, weil ich weiß, es ist so, aber ich bin ganz wirr und mir ist, als sähe ich nichts. Aber doch ist der Traum wirklich genug, um mich, als wir in einem offenen Wagen durch die Straßen fahren, mit verwundertem Mitleid für die unglücklichen Leute zu erfüllen, die keinen Anteil an dieser Feenhochzeit haben, sondern die Läden auskehren und ihrer täglichen Beschäftigung nachgehen.

Während der ganzen Fahrt hält meine Tante meine Hand in der ihrigen. Als wir in der Nähe der Kirche anhalten, um Peggotty, die auf dem Bock mitgefahren ist, abzusetzen, drückt sie mir die Hand und gibt mir einen Kuß.

»Gott segne dich, Trot! Mein eigner Sohn könnte mir nicht lieber sein! Ich muß immerwährend an das arme, liebe Kind, deine Mutter, denken.«

»Ich auch! Und an alles, was ich dir verdanke, liebe Tante!«

»Still, Kind«, sagt meine Tante und gibt ihre Hand in überströmender Herzlichkeit Traddles. Allgemeines Händeschütteln. So kommen wir ans Portal.

Die Kirche ist ruhig genug, aber mir kommt sie vor wie eine Webfabrik in voller Tätigkeit, so aufgeregt bin ich.

Das übrige ist ein mehr oder weniger unzusammenhängender Traum. Sie kommen mit Dora herein, die Beschließerin ordnet uns vor dem Altargeländer wie ein Unteroffizier, und ich frage mich verwundert, warum die Schließerinnen immer die denkbar unangenehmsten Frauenzimmer sein müssen und ob es denn notwendig ist, den Weg zum Himmel mit Essigtöpfen zu flankieren.

Es ist ein Traum, in dem der Geistliche und der Küster erscheinen, ein paar Fährleute und andere hereinkommen, ein alter Seemann, die Kirche mit Rum durchduftend, hinter mir steht. Der Gesang beginnt mit einem Baß, und wir alle sind sehr aufmerksam.

Miss Lavinia, der die Rolle einer Vizeersatzbrautjungfer zugefallen ist, fängt zuerst zu weinen an und bringt, wie ich vermute, dem Gedächtnis Mr. Pidgers in Schluchzen eine Huldigung dar; Miss Clarissa greift zum Riechfläschchen; Agnes nimmt sich Doras schützend an; meine Tante bemüht sich, ein Muster von Ungerührtheit zu sein, während ihr Tränen die Wangen herabrinnen, und meine kleine Dora zittert sehr und flüstert kaum hörbar die Responsen.

Ich träume, daß wir nebeneinander knien. Dora zittert immer weniger und weniger, hält aber immer noch Agnes fest bei der Hand. Die Feierlichkeit ist still und ernst vorübergegangen, und wir alle sehen uns an in einer Aprillaune von Tränen und Lächeln, dann liegt meine junge Frau halb ohnmächtig in der Sakristei und ruft nach ihrem armen, ihrem guten Papa.

Sie ist schnell getröstet, und wir schreiben nacheinander unsere Namen in das Kirchenbuch ein. Ich gehe auf die Galerie hinauf zu Peggotty, damit sie sich ebenfalls einschreibe, und sie umarmt mich in einer Ecke und sagt mir, sie habe auch der Trauung meiner armen Mutter beigewohnt.

Ich gehe im Traum stolz und zärtlich mit meinem geliebten Weib am Arm durch die Kirche, durch einen Nebel von halb unsichtbaren Leuten, Kerzen, Taufsteinen, Grabplatten, Kirchenstühlen, Orgeln und farbigen Fenstern, und eine leise Erinnerung an die alte Kirche meiner Kinderzeit schwebt an mir vorüber.

Ich höre im Traum die Leute flüstern, was für ein junges Paar wir seien und wie hübsch meine kleine Gattin aussähe.

Auf der Rückfahrt sind wir alle sehr lustig und gesprächig. Sophie erzählt uns, daß sie fast in Ohnmacht gefallen sei, als man von Traddles, dem wir den Trauschein anvertraut hatten, dieses Dokument verlangte, denn sie sei überzeugt gewesen, er habe es verloren oder sich die Brieftasche stehlen lassen.

Ich genieße wie im Traum ein Frühstück mit einer Überfülle von Speise und Trank, ohne das mindeste zu schmecken; ich halte eine Rede in derselben traumhaften Weise, ohne den geringsten Begriff von dem zu haben, was ich sagen will. Und Jip wird mit Hochzeitskuchen gefüttert, der ihm nicht gut bekommt.

Ein paar Postpferde stehen bereit, und Dora geht hinauf, sich umzukleiden.

Sie kommt wieder herunter, umhüpft von Miss Lavinia, die so ungern das hübsche Spielzeug verliert, das ihr so viel Freude gemacht hat. Alles drängt sich um Dora nach langem Umherrennen nach vergessenen Kleinigkeiten, und alle sehen in ihren hellen Farben und Bändern wie ein Gartenbeet aus. Mein Liebling wird fast von Blumen erdrückt und kommt endlich, halb lachend, halb weinend in meine eifersüchtigen Arme.

Ich will Jip tragen, doch Dora muß es selbst tun, sonst würde er denken, sie habe ihn nicht mehr gern, seit sie verheiratet ist, und das würde ihm das Herz brechen.

Arm in Arm gehen wir fort, und Dora bleibt noch einmal stehen, sieht sich um und sagt: »Wenn ich je unfreundlich oder undankbar gewesen bin, so laßt es vergessen sein.« Und sie bricht in Tränen aus.

Und noch einmal bleiben wir stehen, sie sieht sich um, eilt zu Agnes und gibt ihr vor allen andern die letzten Küsse und Abschiedsworte. Wir fahren zusammen fort, und ich erwache aus dem Traum. Endlich glaube ich es. Ich habe wirklich meine teure kleine Gattin neben mir, die ich so sehr liebe.

»Bist du jetzt glücklich, du närrischer Junge«, fragt Dora, »und wirst du es auch nicht bereuen?«

44. KAPITEL

Unser Haushalt

Es war so seltsam, als die Flitterwochen vorbei und die Brautjungfern heimgereist waren und ich in meinem eigenen Häuschen allein mit Dora saß, ganz aus der Bahn gebracht, sozusagen, aus der Bahn der alten, herrlichen Beschäftigung der Brautwerbung.

Wie merkwürdig, daß Dora immer da war! Ich konnte es gar nicht fassen, daß ich nicht mehr ausgehen mußte, um sie zu sehen, und mich ihretwegen zu peinigen brauchte oder nur den Kopf zu zermartern, um Gelegenheiten, mit ihr allein sein zu können, auszuhecken. Manchmal abends, wenn ich von meinem Schreibtisch aufblickte und sie mir gegenübersitzen sah, lehnte ich mich in meinem Stuhl zurück und dachte bei mir, wie seltsam es sei, daß wir so ganz selbstverständlich allein beisammen wären, daß die ganze Romantik unseres Verhältnisses weggelegt war, um zu rosten, – daß wir niemand anders mehr zu gefallen hatten als uns selbst fürs ganze Leben.

Wenn Parlamentsdebatten stattfanden und ich erst spät heimkam, war es so sonderbar, daß Dora zu Hause wartete; so wunderlich am Anfang, wenn sie leise herabkam, um mit mir zu plaudern, während ich mein Abendessen verzehrte. Es war so wunderbar zu wissen, daß sie ihr Haar in Papilloten wickelte, und noch wunderbarer, ihr dabei zuzusehen.

Ich weiß nicht, ob zwei junge Vögel weniger vom Haushalten wissen konnten als ich und meine hübsche Dora. Wir hielten natürlich eine Dienstmagd. Sie besorgte für uns das Hauswesen. Ich kann mich immer noch nicht von dem Verdachte losmachen, daß sie eine verkleidete Tochter Mrs. Crupps war, so Schreckliches hatten wir von Mary Anne auszustehen.

Sie hieß Mary Anne Vorbild. Ihr Name wäre, sagte man uns, als wir sie aufnahmen, nur ein schwaches Abbild ihres Charakters. Sie besaß ein Zeugnis so lang wie eine Proklamation und konnte laut diesem Dokument in häuslichen Dingen alles vollbringen, wovon ich jemals gehört hatte, und noch vieles andere, was mir gänzlich unbekannt war. Sie stand in der Blüte der Jahre, war von strengem Gesichtsausdruck und, vorzüglich auf den Armen, einer Art beständiger Masern unterworfen. Sie hatte einen Vetter in der Leibgarde mit so langen Beinen, daß er wie der Nachmittagschatten eines gewöhnlichen Menschen aussah. Sein Uniformrock war ihm um so viel zu klein, wie er zu groß für das Haus war. Da überdies die Wände nicht besonders dick waren, vernahmen wir, wenn er abends immer in der Küche weilte, ein beständiges Brummen.

Da unser Hausgeist verbürgtermaßen nüchtern und ehrlich war, muß sie wohl krank gewesen sein, als wir sie einmal bewußtlos unter dem Herd liegen fanden, und offenbar trug an dem Fehlen der Teelöffel der Kehrichtmann die Schuld.

Unsere Seelenruhe fiel ihr in erschreckender Weise zum Opfer. Wir fühlten unsere Unerfahrenheit und sahen uns außerstande, uns selbst zu helfen. Wir waren ihr völlig preisgegeben, und sie trug die Schuld an unserm ersten kleinen Zwist.

»Herzensschatz«, sagte ich eines Tages zu Dora, »glaubst du, Mary Anne hat einen Begriff von der Zeit?«

»Warum, Doady?« fragte Dora und sah unschuldig von ihrem Zeichenbrett auf.

»Weil es fünf Uhr ist, Liebling, und wir um vier Uhr essen wollten.«

Dora sah betroffen auf die Wanduhr und meinte, sie ginge vor. »Im Gegenteil, Liebling«, sagte ich und zog meine Uhr heraus, »sie geht ein paar Minuten nach.«

Mein kleines Frauchen setzte sich mir auf den Schoß, um mich schmeichelnd zu besänftigen, und zog mit dem Bleistift eine Linie auf der Mitte meiner Nase; aber davon konnte ich nicht zu Mittag essen, so angenehm es auch war.

»Meinst du nicht, Schatz, es wäre besser, wenn du Mary Anne deshalb Vorstellungen machtest?«

»O nein! Das könnte ich nicht, Doady!«

»Warum nicht, Liebling?« fragte ich sanft.

»Ach, weil ich so eine kleine Gans bin«, sagte Dora, »und weil sie das genau weiß.«

Mir erschien diese Ansicht so unvereinbar mit irgendeinem System, Mary Anne zu bändigen, daß ich die Stirn ein wenig kraus zog.

»Was das für häßliche Falten auf der Stirn meines bösen Jungen sind!« sagte Dora und zeichnete sie mit dem Bleistift nach, und ich mußte wider Willen lachen.

»So. Jetzt ist das Kind wieder gut«, sagte Dora. »Das Gesicht sieht viel hübscher aus, wenn es lacht.«

»Aber mein Liebling!«

»Nein, nein, ich bitte dich«, rief Dora und gab mir einen Kuß. »Sei kein böser Blaubart. Sei nicht ernsthaft!«

»Mein Herzensschatz«, sagte ich, »wir müssen manchmal ernsthaft sein. Komm! Setz dich hier neben mich! Gib mir den Bleistift! So! Nun wollen wir einmal vernünftig miteinander reden. Du weißt, liebes Kind, wie hübsch die kleine Hand mit dem allerliebsten Trauring war, du weißt, Schatz, es ist nicht sehr angenehm, ohne Mittagessen fortgehen zu müssen, nicht wahr?«

»N-n-nein«, erwiderte Dora beklommen.

»Aber liebes Kind, wie du zitterst!«

»Weil ich weiß, daß du mich ausschelten willst«, rief Dora mit kläglicher Stimme aus.

»Aber ich will doch bloß vernünftig mit dir sprechen!«

»Vernünftig sprechen ist noch viel schlimmer als ausschelten«, rief Dora voll Verzweiflung. »Ich habe doch nicht geheiratet, um vernünftig zu sprechen. Wenn du mit so einem armen kleinen Geschöpf wie ich vernünftig zu sprechen beabsichtigtest, hättest du es mir vorher sagen sollen, du grausamer Junge.«

Ich versuchte Dora zu beruhigen, aber sie wandte ihr Gesicht weg und schüttelte ihre Locken und sagte: »Du grausamer, grausamer Junge« so oft, daß ich wirklich nicht wußte, was ich tun sollte. Ich ging in meiner Hilflosigkeit ein paar Mal im Zimmer auf und ab und trat wieder vor sie hin.

»Dora, mein Liebling!«

»Nein, ich bin nicht dein Liebling. Denn es muß dir leid tun, mich geheiratet zu haben, sonst würdest du nicht vernünftig mit mir reden.« Ich fühlte mich so verletzt von der Inkonsequenz dieser Beschuldigung, daß ich Mut faßte, ernsthaft zu sein.

»Meine liebste Dora«, sagte ich, »du bist sehr kindisch und redest dummes Zeug. Du wirst dich gewiß erinnern, daß ich gestern schon fort mußte, ehe ich mit dem Mittagessen halb fertig war, und daß es mir am Tag vorher ganz übel wurde, weil ich halbgares Kalbfleisch mit aller Hast herunterschlingen mußte. Heute kann ich gar nichts essen, und wie lange wir auf das Frühstück warten mußten, während das Wasser nicht einmal kochte, will ich gar nicht erwähnen. Ich mache dir gewiß keine Vorwürfe darüber, Liebling, aber angenehm ist es wahrhaftig nicht.«

»O du grausamer, grausamer Junge; zu sagen, ich wäre ein garstiges Weib«, jammerte Dora.

»Aber liebste Dora, das habe ich doch niemals gesagt.«

»Du sagtest, ich sei nicht angenehm.«

»Ich sagte, dieses Wirtschaften sei nicht angenehm.«

»Das ist doch genau dasselbe«, rief Dora aus. Offenbar glaubte sie es auch, denn sie weinte bitterlich.

Ich ging noch einmal im Zimmer auf und ab, erfüllt von Liebe für mein hübsches Frauchen und gequält von Selbstanklagen und dem Wunsch mit dem Kopf an die Tür zu rennen. Ich setzte mich wieder nieder und sagte: »Ich mache dir gewiß keine Vorwürfe, Dora. Wir haben beide noch viel zu lernen. Ich versuche nur, dir klarzumachen, daß du dich gewöhnen mußt – wirklich mußt –, ein wenig hinter Mary Anne herzusein und auch selbst etwas für dich und mich zu tun.«

»Daß du nur so undankbare Reden führen kannst«, schluchzte Dora, »wo du doch weißt, daß ich neulich, als du gern Fisch essen wolltest, selber meilenweit ging, um dich zu überraschen.«

»Und das war sehr lieb von dir, Herzensschatz«, sagte ich; ich fühlte es so innig, daß ich um keinen Preis erwähnt hatte, daß der Lachs viel zu groß für uns beide war und daß ein Pfund und sechs Schillinge, die er kostete, mehr waren, als wir ausgeben konnten.

»Und du freutest dich noch so sehr darüber«, schluchzte Dora, »und nanntest mich eine Maus.«

»Das werde ich noch tausendmal wieder sagen, Liebste!«

Aber ich hatte Doras weiches Herzchen verletzt, und sie ließ sich nicht trösten. Sie sah so rührend in ihrem Schluchzen und Klagen aus, daß ich das Gefühl hatte, sie schwer verletzt zu haben. Ich mußte forteilen, kam erst spät nach Hause und wurde die ganze Zeit von solchen Gewissensbissen gefoltert, daß ich mich ganz elend fühlte. Mir war zumute wie einem Mörder, und ein unbestimmtes Gefühl maßloser Verderbtheit wollte mich nicht verlassen.

Ich kam erst zwei oder drei Stunden nach Mitternacht nach Hause. Meine Tante wartete auf mich.

»Ist etwas vorgefallen, Tante?« fragte ich voll Unruhe.

»Nichts, Trot«, gab sie zur Antwort. »Setz dich doch, setz dich doch! Blümchen ist etwas betrübt gewesen, und ich habe ihr Gesellschaft geleistet. Das ist alles.«

Ich stützte den Kopf in die Hand und fühlte mich bedrückter und niedergeschlagener, wie ich in das Feuer blickte, als ich es so kurz nach der Erfüllung meiner schönsten Hoffnungen für möglich gehalten hätte. Wie ich nachdenklich so dasaß, begegnete ich zufällig den Augen meiner Tante, die auf meinem Gesicht ruhten. Sie hatten einen besorgten Ausdruck, der aber sogleich wieder verschwand.

»Ich versichere dir, Tante«, sagte ich, »der Gedanke, daß Dora betrübt ist, hat mich die ganze Nacht unglücklich gemacht. Aber ich beabsichtigte weiter nichts, als mit ihr in aller Liebe über unsere häuslichen Angelegenheiten zu sprechen.«

Meine Tante nickte mir ermutigend zu.

»Du mußt Geduld haben, Trot«, sagte sie.

»Natürlich. Der Himmel weiß, daß ich nicht unverständig sein wollte, Tante.«

»Nein, nein«, sagte meine Tante, »aber Blümchen ist eine sehr zarte kleine Blüte, und der Wind muß sanft mit ihr umgehen.«

Ich dankte meiner guten Tante im Herzen für ihre Zärtlichkeit gegen meine Gattin, und ich bin überzeugt, sie wußte, was ich fühlte.

»Meinst du nicht, Tante«, sagte ich, nachdem ich eine Weile ins Feuer geblickt hatte, »daß du dann und wann zu unserm gemeinsamen Vorteil Dora einen kleinen Rat geben könntest.«

»Trot«, antwortete meine Tante bewegt, »nein! verlange das nicht von mir!«

Sie sprach in so ernstem Ton, daß ich überrascht aussah.

»Ich blicke auf mein Leben zurück, Kind, und denke an so manche, die in ihren Gräbern liegen, mit denen ich auf freundlicherem Fuße hätte stehen können. Wenn ich die Irrtümer anderer Leute bei ihren Heiraten hart beurteilte, so kam dies vielleicht daher, daß ich selbst leider Grund genug hatte, meine eignen hart zu beurteilen. Schweigen wir davon. Ich bin eine launische, mürrische Frau seit vielen Jahren und werde es immer sein. Aber du und ich haben einander einiges Gute getan, Trot, – jedenfalls hast du mir viel Liebe entgegengebracht, mein Sohn, und es darf keine Uneinigkeit zwischen uns entstehen.«

»Eine Uneinigkeit zwischen uns, Tante?!«

»Kind, Kind«, sagte meine Tante und strich ihr Kleid glatt. »Wie bald sie entsteht, oder wie unglücklich ich unser liebes Blümchen machen würde, wenn ich mich in irgend etwas dreinmischte, vermag nicht einmal ein Prophet voraussagen. Ich will, daß unser Liebling mich gern hat und so sorglos ist wie ein Schmetterling. Denke an dein eignes Vaterhaus nach jener zweiten Heirat und tue niemals mir und dir zum Schaden, was du erwähnt hast.«

Ich begriff sofort, daß meine Tante recht hatte und verstand ihre Fürsorge für meine liebe Gattin in ihrer ganzen Fülle.

»Ihr seid noch nicht lange verheiratet, Trot, und Rom wurde nicht in einem Tag erbaut und auch nicht in einem Jahre. Du hast frei gewählt!« – Mir kam es vor, als ob für einen Augenblick ein Schatten ihr Gesicht überfliege – »Und du hast ein sehr hübsches und dich zärtlich liebendes Mädchen gewählt. Es ist deine Pflicht und wird auch deine Freude sein – das weiß ich natürlich, und ich will dir keine Vorlesung halten –, sie gemäß den Eigenschaften zu schätzen, die sie hat, und nicht nach denen, die ihr fehlen. Die letzteren mußt du in ihr entwickeln, wenn du kannst. Und wenn du es nicht kannst, Kind« – hier rieb sich meine Tante die Nase – »so mußt du dich eben gewöhnen, auch so auszukommen. Niemand kann euch beistehen, und ihr müßt euch eure Zukunft selber schaffen. So ist die Ehe, Trot, und der Himmel segne die eure, ihr beiden armen Kinderchen im Walde.«

Meine Tante sagte dies in einem fast heitern Tone und gab mir einen Kuß, um ihren Segen zu bekräftigen.

»Jetzt zünde mir meine Laterne an und bring mich durch den

Garten in mein Putzkästchen. Grüße unser Blümchen von Betsey Trotwood, wenn du zurückkommst, und was du immer tun magst, Trot, niemals denke daran, Betsey als Vogelscheuche aufzustellen, denn wenn der Spiegel recht hat, sieht sie grimmig und abschreckend genug auch sowieso aus.«

Damit wickelte sie ihren Kopf in ein Taschentuch, machte wie immer bei solchen Gelegenheiten ein Bündel daraus, und ich geleitete sie nach Hause. Als sie in ihrem Garten stand und ihre Laterne, um mir zurückzuleuchten, in die Höhe hielt, glaubte ich wieder jenen bekümmerten Ausdruck in ihrem Auge zu erkennen.

Dora kam in ihren Pantöffelchen heruntergeschlichen, um mich zu begrüßen, und sank weinend an meine Schulter und sagte, ich sei hartherzig und sie nichtsnutzig, und ich glaube, ich sagte dasselbe, und wir söhnten uns aus und kamen überein, daß unser erster kleiner Zwist auch unser letzter sein sollte. Und wenn wir hundert Jahre alt würden.

Unsere nächste häusliche Prüfung war die Feuertaufe der Dienstboten. Mary Annes Vetter desertierte und wurde von einem Piquet seiner Kameraden mit Handschellen aus unserer Kohlenkammer geholt und in einer Prozession, die unsern Hausgarten mit Schmach bedeckte, abgeführt. Das gab mir den Mut, mich von Mary Anne loszumachen, die nach Empfang ihres Lohnes so sanft schied, daß ich mich wunderte, bis ich die Geschichte mit den Teelöffeln entdeckte und dahinterkam, daß sie kleine Summen in meinem Namen bei den Kaufleuten in der Nachbarschaft schuldig geblieben war. Nach einem Interregnum der Mrs. Kidgerbury – der ältesten Einwohnerin von Kentish Town, die sich als Zugeherin vermietete, aber zu schwach war, um diese Kunst auszuüben –, gewannen wir ein anderes Kleinod, ein außerordentlich liebenswürdiges Frauenzimmer, das es sich aber für gewöhnlich zur Aufgabe machte, mit dem Präsentierbrett die Küchentreppe hinauf- oder herunterzufallen, und sich stets mit dem Teeservice in das Zimmer wie in ein Bad stürzte.

Nachdem die Verwüstungen, die diese Unglückliche anrichtete, ihre Entlassung notwendig gemacht hatten, folgte ihr – wieder nach einem Interregnum der Mrs. Kidgerbury – eine lange Reihe gänzlich Unfähiger, deren Schluß ein junges Mädchen von feinem Aussehen bildete, das schließlich mit Doras Hut auf den Jahrmarkt von Greenwich ging. Nach diesem Vorfall weiß ich nur von einer durchschnittlichen Gleichförmigkeit von Mißgriffen zu berichten.

Jedermann, der mit uns in Berührung kam, schien uns zu betrügen. Unser Eintritt in einen Laden gab das Signal, auf das alle verdorbenen Waren sogleich herbeigeschleppt wurden. Wenn wir einen Hummer kauften, war er voll Wasser. Unser Fleisch war immer zäh und auf dem Brot niemals Rinde. Um das Prinzip herauszufinden, nach dem eine Keule gebraten werden mußte, um gerade richtig gar zu sein, sah ich selbst im Kochbuch nach und fand dort eine Viertelstunde für jedes Pfund angegeben. Aber das Prinzip gelangte durch seltsames Mißgeschick niemals in Anwendung, und niemals konnten wir den Mittelweg zwischen rohem Fleisch und Kohle treffen.

Ich glaube, daß wir bei all diesen Fehlschlägen teuerer lebten, als wenn wir jeden Tag ein Siegesgepränge veranstaltet hätten. Wenn ich die Rechnungen durchsah, kam es mir vor, als ob wir das ganze untere Stockwerk mit Butter hätten pflastern können, so entsetzlich viel verbrauchten wir von diesem Artikel. Ich weiß nicht, ob die Steuerberichte dieser Zeit eine vermehrte Nachfrage nach Pfeffer nachgewiesen haben; aber wenn unser Konsum wirklich keinen Einfluß auf den Markt ausübte, so müssen wahrscheinlich zahllose Familien gleichzeitig die Verwendung von Pfeffer ganz aufgegeben haben.

Und das Allerwunderbarste war, daß wir nie etwas im Hause hatten.

Daß die Waschfrau unsere Kleider versetzte und in reuiger Betrunkenheit uns um Verzeihung bitten kam, will ich nicht erwähnen, ebenso nichts über den Schornsteinbrand und die Kirchspielspritze und den Amtsmeineid des Ortsdieners.

Eine unserer ersten Niederlagen bildete ein kleines Mittagessen für Traddles. Ich traf ihn in der Stadt und lud ihn ein, zum Essen mit mir zu kommen. Da er annahm, schrieb ich an Dora, daß ich ihn mitbringen würde. Mein häusliches Glück bildete unterwegs unser Gesprächsthema. Traddles war ganz benommen davon und sagte, er könne sich keine größere Wonne denken, als sich eine solche Häuslichkeit mit Sophie auszumalen.

Ich konnte mir kein hübscheres Frauchen am Tisch wünschen, hätte aber gern mehr Platz gehabt, als wir uns hinsetzten. Ich weiß nicht, wie es kam, selbst wenn wir nur zu zweit aßen, waren wir wie eingezwängt, und doch fehlte es nie an Platz, wenn es galt, etwas zu verlieren. Ich vermute, die Ursache war, daß nie etwas an seinem richtigen Orte stand, außer daß Jips Pagode stets den Eingang versperrte. Diesmal saß Traddles so eingeklemmt zwischen der Pagode, dem Gitarrenfutteral, Doras Staffelei und meinem Schreibtisch, daß ich wirklich zweifelte, ob er Messer und Gabel würde gebrauchen können. Aber er wollte es mit der ihm eigenen guten Laune nicht eingestehen. »Ein Weltmeer von Platz, Copperfield. Ich versichere dir, ein Weltmeer.«

Noch etwas anderes hätte ich gerne gesehen, nämlich daß Jip nicht während des Essens auf dem Tischtuch hätte herumlaufen dürfen. Es kam mir so vor, als ob sich das überhaupt nicht gehörte, selbst wenn er nicht die Gewohnheit gehabt hätte, mit dem Fuß in das Salzfaß oder in die zerlassene Butter zu treten. Diesmal schien er sich ausdrücklich für berufen zu halten, Traddles einzuschüchtern, denn er bellte meinen alten Freund an und machte mit solcher Hartnäckigkeit Ausfälle gegen seinen Teller, daß er die Unterhaltung fast allein in Anspruch nahm.

Da ich aber wußte, wie schmerzlich meine liebe Dora jede Beeinträchtigung ihres Lieblings empfand, wagte ich keinen Einwand. Ich konnte auch nicht umhin mich zu fragen, als ich die Schöpsenkeule tranchierte, warum unsere Fleischstücke immer so seltsam geformt seien; – als ob unser Fleischer alle mißgestalteten Hammel, die auf die Welt kamen, zusammenkaufte. Aber ich behielt meine Gedanken für mich.

»Liebling«, sagte ich zu Dora, »was ist in dieser Schüssel?«

Ich verstand nicht, warum Dora mir immer ein Gesichtchen schnitt, als ob sie mich küssen wollte.

»Austern, Schatz!« sagte Dora schüchtern.

»Bist du auf den Einfall gekommen?« fragte ich ganz erfreut.

»J-ja, Doady.«

»Ein brillanter Einfall!« rief ich aus und legte das Tranchiermesser hin. »Traddles ißt sie außerordentlich gern.«

»J-ja, Doady. Ich habe ein kleines Fäßchen gekauft, und der Mann sagte, sie wären sehr gut. Aber ich – ich fürchte, es ist etwas nicht ganz in der Ordnung damit.« Sie senkte den Kopf, und Diamanten glitzerten in ihren Augen.

»Man muß sie aufmachen«, sagte ich. »Nimm die oberste Schale weg, Liebling.«

»Aber sie geht nicht auf«, sagte Dora, machte mit großer Anstrengung einen Versuch und sah sehr betrübt drein.

»Weißt du was, Copperfield«, lachte Traddles fröhlich, »die Ursache ist – es sind vortreffliche Austern, aber ich glaube die Ursache ist –, sie sind noch nicht aufgebrochen worden.«

So war es. Wir hatten kein Austernmesser und hätten es auch nicht zu gebrauchen verstanden. So sahen wir denn die Austern bloß an und aßen das Schöpsenfleisch. Das heißt den Teil, der nicht roh war, und vervollständigten das Mahl mit Kapern. Wenn ich es gestattet hätte, würde Traddles aus sich einen wahren Wilden gemacht und einen Teller rohen Fleisches gegessen haben, um die Schmackhaftigkeit des Gerichtes zu beweisen; aber ein solches Opfer auf dem Altar der Freundschaft wollte ich nicht dulden, und zum Glück fand sich zufällig Schinken in der Speisekammer.

Mein armes kleines Frauchen war so betrübt, als es glaubte, ich ärgere mich, und so erfreut, als es sah, daß es nicht der Fall war, daß die Mißstimmung bald verschwand und wir einen sehr fröhlichen Abend verlebten. Während Traddles und ich ein Glas Wein tranken, ergriff sie jede Gelegenheit, um mir zuzuflüstern, es sei hübsch von mir, daß ich mich nicht wie ein alter, böser, zänkischer Mann benähme. Später goß sie Tee für uns auf und sah dabei so hübsch aus, daß ich mich um die Beschaffenheit des Getränks nicht sehr kümmerte. Dann spielte ich mit Traddles eine Partie Cribbage, und Dora sang dabei zur Gitarre, und mir war, als ob unser Brautstand und unsere Heirat nur ein schöner Traum seien und ich immer noch wie damals an jenem ersten Abend ihrer Stimme lauschte.

Als Traddles fort war, setzte sie sich dicht neben mich und sagte:

»Ich bin so unglücklich; möchtest du nicht versuchen, Doady, mir etwas beizubringen?«

»Ich muß selbst erst lernen, Dora«, sagte ich. »Ich bin auch nicht klüger als du, Schatz.«

»Aber du kannst lernen und bist ein sehr, sehr gescheiter Mann.«

»Unsinn, meine kleine Maus!«

»Ich wollte«, begann sie nach einem langen Schweigen wieder, »ich hätte einige Jahre aufs Land gehen und mit Agnes zusammenwohnen können.«

Ihre Hände lagen gefaltet auf meiner Schulter, ihr Kinn ruhte darauf, und ihre blauen Augen sahen still in die meinen.

»Warum?« fragte ich.

»Ich glaube, es hätte mir viel nützen können, und ich hätte viel von ihr gelernt.«

»Du mußt bedenken«, sagte ich, »daß Agnes viele Jahre für ihren Vater die Wirtschaft führte. Als Kind schon war sie die Agnes, die wir kennen.«

»Willst du mir einen Namen geben, den ich gerne haben möchte, Doady?«

»Was für einen Namen?« fragte ich lächelnd.

»Es ist ein dummer Name«, sagte sie und schüttelte einen Augenblick die Locken: »kindisches Frauchen.«

Ich fragte sie lachend, was sie sich bei diesem Wunsche denke.

»Ich meine nicht etwa, du närrischer Junge, daß du mich so rufen sollst, anstatt Dora. Ich will nur, daß du so an mich denken sollst. Wenn du mir bös bist, so denk dir: ich wußte schon lange, daß sie auch als Gattin nur ein kindisches Frauchen sein wird. Wenn du an mir vermissest, was ich gern sein möchte und vielleicht nie werden kann, so sag dir nur: mein kindisches Frauchen liebt mich doch.«

Ich hatte nicht ernsthaft mit ihr gesprochen, denn ich ahnte nicht, daß sie selbst in vollem Ernste war. Aber ihr weiches Gemüt war so glücklich über das, was ich ihr jetzt aus vollem Herzen sagte, daß ihr Gesicht vor Freude strahlte, ehe noch ihre Augen trocken wurden. Sie war bald wieder das kindische Frauchen und setzte sich auf den Fußboden neben die Pagode und läutete nacheinander alle die kleinen Glocken, um Jip für eine Unfolgsamkeit zu bestrafen, während er blinzelnd auf dem Boden lag, zu träge, um sich necken zu lassen.

Doras Bitte machte einen großen Eindruck auf mich. Ich blickte auf die Zeit zurück, von der ich schreibe; ich beschwöre die unschuldvolle Gestalt, die ich so innig liebte, herauf aus dem Schatten der Vergangenheit, damit das sanfte Antlitz sich noch einmal mir zuwende, und immer noch leben ihre Worte in meinem Gedächtnis. Ich habe sie mir vielleicht nicht so sehr zu Herzen genommen, wie ich sollte – ich war jung und unerfahren –, aber niemals blieb mein Ohr taub gegen die schlichte Bitte.

Kurz darauf sagte mir Dora, daß sie auf dem besten Wege sei, eine ausgezeichnete Hausfrau zu werden. Wirklich polierte sie die Schreibtäfelchen blank, spitzte den Bleistift, kaufte ein ungeheures Rechenbuch, nähte sorgfältig die Blätter des Kochbuchs, die Jip zerrissen hatte, wieder zusammen und nahm einen geradezu verzweifelten Anlauf »gut zu sein«, wie sie es nannte. Aber die Ziffern blieben störrisch wie früher und »wollten sich nicht addieren lassen«. Wenn sie mit großer Mühe zwei oder drei Posten in das Rechnungsbuch eingetragen hatte, geruhte Jip mit wedelndem Schweif über die Seite zu schreiten und alles zu verwischen. Doras kleiner Mittelfinger war bis zur Wurzel schwarz von Tinte, und ich glaube, das war der einzig bleibende Erfolg des Unternehmens.

Manchmal abends, wenn ich zu Hause war und arbeitete – denn ich schrieb jetzt viel und mein Ruf als Schriftsteller wuchs, – legte ich die Feder hin und sah zu, wie mein kindisches Frauchen versuchte, »gut zu sein«. Zuerst holte sie das große Rechnungsbuch hervor und legte es mit einem tiefen Seufzer auf den Tisch. Dann schlug sie die Stellen auf, die Jip am Abend vorher unleserlich gemacht hatte, und er mußte seine Missetat selbst ansehen. Das verursachte eine Abschweifung zu Jips Gunsten und brachte ihm schlimmstenfalls als Strafe einen Tintenstrich auf die Nase ein. Dann befahl sie ihm, sich sofort auf den Tisch zu legen »wie ein Löwe« – eins seiner Kunststücke, wenn auch die Ähnlichkeit nicht sehr groß war; und wenn er gelaunt war, gehorchte er. Dann nahm sie eine Feder, um anzufangen, und fand ein Haar drin. Dann nahm sie eine andere Feder und fing wieder an zu schreiben und fand, daß sie spritzte. Dann nahm sie eine dritte, fing an zu schreiben und sagte leise: die hört man und das stört Doady. Und dann gab sie es als ein schlechtes Geschäft auf und legte das Rechnungsbuch weg, nachdem sie vorher noch getan hatte, als wollte sie den »Löwen« damit erdrücken.

Einmal, als sie sehr ernst und pflichteifrig gestimmt war, setzte sie sich mit der Schreibtafel und einem kleinen Korb voll Rechnungen und andern Papieren, die mehr wie Lockenwickel als sonst etwas aussahen, hin und bestrebte sich, ein Resultat herauszubekommen. Nachdem sie alles aufmerksam miteinander verglichen, Notizen auf die Täfelchen geschrieben, sie wieder weggewischt und alle Finger ihrer linken Hand vorwärts und rückwärts gezählt hatte, machte sie ein so verdrießliches und entmutigtes Gesicht und sah so unglücklich drein, daß es mich ordentlich schmerzte und ich leise zu ihr ging und sagte: »Was ist denn, Dora?«

Dora blickte mit hoffnungsloser Miene auf und antwortete: »Sie wollen nicht stimmen. Sie machen mir Kopfweh. Sie tun nicht, was ich will.«

»Wir wollen es zusammen versuchen, ich will dirs zeigen, Dora«, tröstete ich sie.

Ich fing einen praktischen Kursus an, dem Dora vielleicht fünf Minuten lang mit tiefster Aufmerksamkeit zuhörte; aber dann wurde es ihr zu langweilig, und sie brachte Abwechslung in das trockne Thema, indem sie mir die Locken drehte oder versuchte, wie mein Gesicht mit umgeschlagnem Hemdkragen aussähe. Wenn ich ihr stillschweigend wehrte und im Rechnen fortfuhr, machte sie ein so erschrockenes und unglückliches Gesicht, daß die Erinnerung an ihre Worte wie ein Vorwurf über mich kam und ich den Bleistift hinlegte und sie um die Gitarre bat.

Ich hatte viel zu tun und manche Sorge, doch dieselben Rücksichten veranlaßten mich, sie für mich zu behalten. Aber es verbitterte mein Leben nicht. Wenn ich bei schönem Wetter allein meine täglichen Wege ging und an die Sommertage dachte, wo die ganze Luft erfüllt gewesen war mit dem Zauber meiner Kinderjahre, da fehlte mir wohl etwas an der Verwirklichung meiner Träume, aber ich glaubte, es sei der mildernde Glanz der Vergangenheit, den nichts in die Gegenwart herüberbringen kann. Manchmal wünschte ich mir fast, meine Gattin wäre meine Beraterin und besäße mehr Selbständigkeit und Charakter, mich aufrechtzuerhalten und mir beizustehen, – besäße die Kraft, die Leere auszufüllen, die, ich weiß nicht wie, in mir zu wohnen schien.

Ich war den Jahren nach ein fast knabenhafter Ehemann. Wenn ich manchmal etwas Unrechtes getan habe, so geschah es aus mißverstandner Liebe und aus Mangel an Einsicht.

So hatte ich denn die Mühen und Sorgen unseres Lebens auf mich allein genommen, und niemand half mir dabei. Wir lebten fast ganz wie zuvor hinsichtlich der Unordnung unseres Haushaltes, aber ich hatte mich daran gewöhnt und es freute mich, jetzt Dora selten betrübt zu sehen. Sie war in ihrer alten, kindischen Art lustig und heiter, liebte mich zärtlich und fühlte sich glücklich bei ihren gewohnten Spielereien.

Wenn die politischen Debatten von Bedeutung waren – nämlich der Länge nach, nicht der Qualität – und ich spät nach Hause kam, schlief Dora nicht, sondern kam stets die Treppe herab, wenn sie meine Schritte hörte. War ich abends frei und arbeitete zu Hause, saß sie ruhig neben mir, wie spät es auch immer werden mochte, und verhielt sich so still, daß ich oft glaubte, sie sei eingeschlafen. Aber fast immer, wenn ich aufblickte, sah ich ihre blauen Augen mit ruhiger Aufmerksamkeit auf mich gerichtet.

»O, wie müde du sein mußt, Liebling«, sagte sie eines Nachts, als ich meine Schreibmappe zumachte und ihren Blicken begegnete.

»O, wie müde mein Herzensschatz sein muß«, sagte ich. »Das paßt besser. Ein anderes Mal mußt du zu Bett gehen. Es ist viel zu spät für dich geworden.«

»Nein, schicke mich nicht zu Bett«, bat Dora und schmiegte sich an mich. »Bitte, tu das nicht!«

»Dora!« Zu meinem Erstaunen schluchzte sie an meiner Schulter. »Bist du nicht wohl, Liebling? nicht glücklich?«

»Ja! Ganz wohl und sehr glücklich. Aber laß mich immer bei dir bleiben und dir zusehen, wenn du schreibst.«

»Aber was ist das für so helle Augen um Mitternacht für ein Anblick!«

»Sind sie wirklich hell?« fragte Dora lächelnd. »Ich bin so froh, wenn sie hell sind.«

»Kleine Eitelkeit!« sagte ich.

Aber es war nicht Eitelkeit, es war bloß harmlose Freude an meiner Bewunderung. Ich wußte das genau, und sie hätte es mir nicht erst versichern brauchen.

»Wenn du meinst, sie sind hübsch, so laß mich doch dableiben und dir beim Schreiben zusehen«, sagte sie. »Meinst du wirklich, sie sind hübsch?«

»Sehr hübsch!«

»Dann laß mich dableiben und dir beim Schreiben zusehen.«

»Ich fürchte sehr, daß das zu ihrem Glanz nicht beiträgt, Dora.«

»Doch! Doch! Weil du mich dann nicht vergessen wirst, du gescheiter Mann, während du von stillen Phantasien erfüllt bist. Wirst du böse sein, wenn ich etwas sehr, sehr Albernes sage?« fragte Dora, mir über die Schulter ins Gesicht blickend.

»Was denn?«

»Bitte laß mich die Federn halten, Doady. Ich möchte etwas zu tun haben während der vielen Stunden, wo du so fleißig bist. Darf ich die Federn halten?«

Die Erinnerung an ihren allerliebsten Freudenausbruch, als ich ja sagte, treibt mir die Tränen in die Augen. Schon beim nächsten Mal und von da an jeden Abend, wenn ich schrieb, saß sie auf ihrem alten Platze mit einem Bündel Federn neben sich. Ihr Triumph, auf diese Art an meiner Arbeit teilzunehmen, und ihre Freude, wenn ich eine neue Feder brauchte, brachte mich auf einen neuen Gedanken. Ich tat, als müßte ich ein paar Seiten Manuskript abschreiben lassen. Und dann strahlte Dora. Die Vorbereitungen, die sie zu solchen großen Arbeiten traf, sind für mich liebe rührende Erinnerungen. Die Schürzen, die sie vornahm, die Lätzchen, die sie aus der Küche borgte, um sich nicht Tintenflecke zu machen, die Zeit, die sie dazu brauchte! Die unzähligen Pausen, die sie einflocht, um Jip anzulachen, als ob er alles verstünde, – wie sie überzeugt war, daß die Arbeit nicht fertig sei, wenn nicht ihr voller Name darunter stünde! Und die Art, mit der sie mir die Schrift überreichte, als wäre es eine Schularbeit, und mir dann, wenn ich sie lobte, um den Hals fiel!

Nicht lange später nahm sie eines Tages die Schlüssel in Besitz und klimperte mit dem ganzen Bund in einem kleinen Körbchen an ihrer schlanken Taille im Hause herum. Nur selten fand ich die Schränke verschlossen und nur selten waren sie zu etwas anderm gut als zu einem Spielzeug für Jip; aber Dora hatte ihre Freude dran, und das machte auch mir Freude. Sie war fest überzeugt, daß durch dieses Spiel viel für die Wirtschaft geschähe, und war so fröhlich, als ob wir zum Spaß haushielten und eine Puppenwirtschaft führten.

So lebten wir fort. Dora war gegen meine Tante kaum weniger zärtlich als gegen mich und erzählte ihr oft, wie sie sich einst vor ihr gefürchtet habe als vor einer mürrischen alten Frau. Noch nie habe ich meine Tante so systematisch milde gegen jemand auftreten sehen wie gegen Dora. Sie hätschelte Jip, obgleich er es ihr nie vergalt, hörte Tag für Tag dem Gitarrenspiel zu, obgleich sie, fürchte ich, keinen Sinn für Musik hatte. Nie fiel sie über unsere unfähigen Dienstboten her, so stark die Versuchung gewesen sein muß. Sie legte erstaunliche Strecken zurück, um Dora mit manchen nötigen Kleinigkeiten zu überraschen, und kam nie, ohne unten an der Treppe mit einer Stimme, die fröhlich durch das ganze Haus klang, zu rufen:

»Wo ist das kleine Blümchen?«

45. Kapitel

Mr. Dick erfüllt die Prophezeiung meiner Tante

Ich hatte meine Stellung bei Doktor Strong schon seit geraumer Zeit aufgegeben. Da ich in seiner Nähe wohnte, sah ich ihn häufig, und wir alle kamen hie und da zum Mittagessen oder zum Tee zu ihm. Der »General« hatte bei dem Doktor seinen beständigen Wohnsitz aufgeschlagen. Sie war noch ganz die alte, und die unsterblichen Schmetterlinge schwebten immer noch über ihrem Hut.

Mrs. Markleham war, wie das oft vorkommt, viel vergnügungssüchtiger als ihre Tochter. Sie beanspruchte viel Zerstreuung und gab als alter, schlauer Soldat vor, sich für ihr Kind aufzuopfern, während sie nur ihren eignen Neigungen frönte. Des Doktors Wunsch, Ännie zu zerstreuen, kam deshalb dieser vortrefflichen Mutter besonders gelegen, und sie stimmte seinen Vorschlägen auf das Entschiedenste bei.

»Lieber Doktor«, sagte sie zu ihm einmal in meiner Gegenwart, »es wäre wirklich etwas langweilig für Ännie, wenn sie immer hier eingesperrt sein müßte.«

Der Doktor nickte wohlwollend mit dem Kopf.

»Wenn sie einmal in den Jahren ist wie ihre Mutter«, sagte Mrs. Markleham mit einem Fächerschlag, »wird es anders sein. Mich könnte man in einen Kerker sperren mit angenehmer Gesellschaft und einer Whistpartie, und ich würde gar nicht daran denken, auszugehen. Aber ich bin nicht Ännie, sehen Sie, und Ännie ist nicht ihre Mutter.«

»Ganz gewiß, ganz gewiß«, stimmte der Doktor bei.

»Sie sind der beste Mensch von der Welt ... Nein, ich bitte um Verzeihung!« – Der Doktor machte eine abwehrende Bewegung. – »Ich muß es Ihnen ins Gesicht sagen, wie ich es immer hinter ihrem Rücken tue: Sie sind der beste Mensch von der Welt, aber naturgemäß können Sie nicht auf die Geschmackrichtung und Neigungen Ännies eingehen.«

»Nein«, sagte der Doktor mit bekümmertem Ton.

»Naturgemäß nicht. Nehmen Sie zum Beispiel Ihr Lexikon! Wie nützlich ist so ein Lexikon! Wie notwendig! Die Bedeutung der Worte! Ohne Doktor Johnson oder sonst jemand der Art würden wir heute noch ein Brenneisen eine Bettstelle nennen. Aber wir können nicht erwarten, daß ein Lexikon, besonders wenn es noch nicht fertig ist, Ännie interessiert, nicht wahr?«

Der Doktor nickte.

»Und deshalb billige ich so sehr Ihre kluge Einsicht«, sagte Mrs. Markleham und schlug Dr. Strong mit dem zugemachten Fächer auf die Schulter. »Es beweist, daß Sie nicht, wie so viele bejahrte Leute, alte Gesichter auf jungen Schultern zu sehen wünschen. Sie haben Ännies Charakter studiert und verstehen ihn. Das finde ich so bewunderungswert.«

Selbst das ruhige und geduldige Gesicht Dr. Strongs zeigte sich, wie mir vorkam, peinlich berührt von derartigen Komplimenten.

»Deshalb, lieber Doktor«, fuhr der »General« liebreich fort, »können Sie zu allen Zeiten und bei allen Gelegenheiten über mich verfügen. Ich stehe ganz zu Ihren Diensten. Ich bin bereit, mit Ännie in die Oper, ins Konzert, in die Ausstellung und überall hinzugehen, und nie sollen Sie sehen, daß ich müde bin. Die Pflicht, lieber Doktor, geht allem in der Welt vor.«

Sie hielt Wort. Sie gehörte zu den Leuten, die sehr viel Zerstreuung vertragen können, und ihre Ausdauer in dieser Hinsicht war nicht zu ermüden. Selten legte sie eine Zeitung aus der Hand, ohne etwas zu finden, was Ännie gewiß sehr gerne sehen würde. Vergebens wendete Ännie in solchen Fällen ein, daß sie derlei Dinge satt habe. Immer wieder kam ihre Mutter mit Vorstellungen wie: »Liebe Ännie, du wirst es wohl besser wissen, aber ich muß dir schon sagen, mein Kind, daß du durchaus nicht die gehörige Dankbarkeit für die Güte Dr. Strongs beweisest.«

Das sagte sie immer in der Anwesenheit des Doktors und schien damit ihre Tochter am ehesten zu bewegen, keine Einwendungen mehr zu machen.

Es kam jetzt nur selten vor, daß Mr. Maldon Ännie begleitete. Manchmal wurden meine Tante und Dora zu den Spaziergängen eingeladen und nahmen immer an. Manchmal Dora allein. In früherer Zeit wäre mir das nicht ganz recht gewesen, aber näheres Nachdenken über jenen Vorfall in des Doktors Studierzimmer hatte meinem Mißtrauen eine andere Richtung gegeben. Ich glaubte, daß der Doktor recht habe, und hegte keinen Argwohn mehr.

Meine Tante rieb sich manchmal die Nase, wenn wir darüber sprachen, und sagte, sie könnte nicht klug daraus werden; sie möchte den beiden wünschen, sie wären glücklicher, und sie glaube nicht, daß unser militärischer Freund – wie sie immer den »General« nannte – die Sache besser mache. Wenn Mrs. Markleham nur wenigstens die Schmetterlinge abschneiden und sie den Rauchfangkehrern zum Maifest schenken wollte, würde sie wenigstens den guten Willen, wieder zur Vernunft zurückzukehren, damit zeigen, meinte sie.

Aber ihre feste Zuversicht war und blieb Mr. Dick. Der Mann habe offenbar eine Idee im Kopf, sagte sie, und wenn er sie erst einmal in einer Ecke festfahren könnte, was die Hauptschwierigkeit bei ihm sei, so werde er sich in ganz außerordentlicher Weise auszeichnen.

Ohne etwas von dieser Prophezeiung zu wissen, schien Mr. Dick in seinem alten Verhältnis zu dem Doktor und seiner Gattin weder einen Schritt vorwärts noch rückwärts zu machen. Wie ein Gebäude verharrte er unbeweglich auf seinem ursprünglichen Grund, und ich muß gestehen, mein Glaube, er werde jemals einen Schritt vorwärts machen, war nicht größer, als wenn er wirklich ein Gebäude gewesen wäre.

Eines Abends nun, als meine Tante mit Dora zu den beiden kleinen Vögeln zum Tee gegangen war und ich allein an meinem Schreibtisch saß, steckte Mr. Dick den Kopf zur Tür herein, hustete bedeutsam und fragte:

»Könnte ich mit dir wohl ein Wort sprechen, ohne dich zu stören, Trotwood?«

»Gewiß, Mr. Dick«, sagte ich, »nur herein.«

»Trotwood«, sagte Mr. Dick und legte den Finger an die Nase, nachdem er mir die Hand geschüttelt. »Ehe ich mich setze, möchte ich eine Bemerkung machen. Du kennst deine Tante?«

»Ein wenig.«

»Sie ist die wunderbarste Frau auf der Welt.«

Nach dieser Mitteilung, mit der er herausplatzte, als ob sie ganz neu wäre, setzte er sich mit größerm Ernst als gewöhnlich hin und sah mich an.

»Jetzt, mein Sohn, will ich dir eine Frage vorlegen.«

»Bitte, nur zu.«

»Wofür hältst du mich?« fragte Mr. Dick und verschränkte die Arme.

»Für einen lieben, alten Freund.«

»Ich danke dir, Trotwood«, gab Mr. Dick lachend zur Antwort und reichte mir fröhlich die Hand hin. »Aber ich meine«, sagte er wieder mit seinem vorigen Ernst, »was hältst du von mir in dieser Hinsicht?« und deutete auf seine Stirn.

Ich war verlegen und suchte nach einer Antwort. Aber er half mir mit einem Wort:

»Schwach?«

»Nun ja«, entgegnete ich zögernd, »ein klein wenig.«

»Ganz richtig«, rief Mr. Dick, den meine Antwort ordentlich zu entzücken schien. »Nämlich, Trotwood, als sie einige von den

Sorgen aus seinem Kopf – du weißt schon wessen – nahmen und in meinen taten, da entstand eine …« Er drehte seine beiden Hände rasch umeinander, um eine Verwirrung auszudrücken. »Da geschah mir das auf irgendeine Weise, nicht wahr?«

Ich bejahte, und er nickte wieder.

»Kurz, mein Sohn«, und er dämpfte seine Stimme bis zum Flüstern, »ich bin schwachsinnig.«

Ich wollte dagegen Einwendungen erheben, aber er verhinderte mich daran.

»Ja, das bin ich. Sie behauptet auch, ich wäre es nicht. Aber ich weiß, daß ichs bin. Wenn sie mir nicht als Freund beigestanden hätte, so wäre ich heute noch eingesperrt und hätte die langen Jahre hindurch ein schreckliches Leben führen müssen. Aber ich werde für sie sorgen. Ich greife nie das Geld für das Abschreiben an. Ich tue es in eine Sparbüchse. Ich habe ein Testament gemacht und will ihr alles hinterlassen. Sie soll reich werden! – Vornehm!«

Mr. Dick zog sein Taschentuch heraus und wischte sich die Augen. Dann legte er es mit großer Sorgfalt zusammen, strich es glatt und steckte es in die Tasche und schien damit auch das Thema weggesteckt zu haben.

»Du bist ein Gelehrter, Trotwood«, fuhr er dann fort. »Ein bedeutender Gelehrter! Du weißt, was für ein großer hervorragender Mann der Doktor ist. Du weißt, wieviel Ehre er mir immer erwiesen hat. Nie ist er stolz in seiner Weisheit! Bescheiden, bescheiden – herablassend selbst gegen den armen Dick, der schwachsinnig ist und nichts weiß! Ich habe seinen Namen auf einem Papierzettel an der Schnur entlang hinauf zu dem Drachen geschickt, als er hoch im Himmel war bei den Lerchen. Der Drache hat ihn entgegengenommen, und der Himmel ist lichter davon geworden.«

Er war entzückt, als ich ihm auf das herzlichste versicherte, daß der Doktor unsere größte Achtung verdiene.

»Und seine schöne Frau ist ein Stern. Ein glänzender Stern. Ich habe ihn leuchten sehen. Aber –« er rückte mit dem Stuhle näher und legte mir die Hand aufs Knie » – Wolken, Trot, – Wolken!«

Ich nickte.

»Was sind das für Wolken?« fragte er.

Er sah mir so besorgt fragend ins Gesicht und sah mich so angestrengt nach Verständnis ringend an, daß ich mir die größte Mühe gab, ihm langsam und deutlich alles zu erklären wie einem Kinde.

»Es ist ein unglücklicher Zwiespalt zwischen ihnen entstanden. Irgend etwas, was sie voneinander fernhält. Ein Geheimnis. Es ist vielleicht unzertrennlich von der Verschiedenheit ihres Alters. Es ist vielleicht aus fast nichts entstanden.«

Mr. Dick, der bei jedem Satz gedankenvoll genickt hatte, schwieg, als ich fertig war, und dachte nach, die Augen auf mein Gesicht geheftet und die Hände auf mein Knie gelegt.

»Der Doktor ist ihr nicht bös, Trotwood?« fragte er nach einer Weile.

»Nein, er liebt sie aufs innigste.«

»Dann habe ichs, mein Sohn!«

Die plötzliche Freude, mit der er mir aufs Knie schlug und sich in den Stuhl zurücklehnte, die Augenbrauen so hoch wie nur irgend möglich in die Höhe gezogen, ließ mich glauben, daß er weniger zurechnungsfähig als je sei. Ebenso schnell wurde er wieder ernst, holte das Taschentuch hervor und sagte wieder, als ob er damit das alte Thema hervorgeholt habe:

»Die wunderbarste Frau auf der Welt, Trotwood! Warum hat sie eigentlich nichts getan, um die Sache in Ordnung zu bringen?«

»Es ist ein zu delikater Gegenstand, um sich hineinzumischen.«

»Großer Gelehrter!« sagte Mr. Dick und tupfte mir mit dem Finger auf die Brust. »Warum hast du nichts getan?«

»Aus demselben Grund.«

»Dann hab ichs«, und Mr. Dick stellte sich vor mich hin, noch erfreuter, nickte mit dem Kopf und schlug sich wiederholte Male so stark auf die Brust, als wolle er sich allen Atem aus dem Leibe hämmern.

»Ein armer, halb verrückter Kerl!« sagte er. »Ein Einfaltspinsel, einer, der den Verstand verloren hat ... Schau mich an!« und er schlug sich wieder auf die Brust – »kann vollbringen, was wundervolle Leute nicht imstande sind. Ich will sie zusammenbringen, mein Sohn! Ich wills versuchen. Mir kann niemand einen Vorwurf machen! Ich kann keinen Schaden anrichten, wenn ich etwas Unrechtes tue. Ich bin nur Mr. Dick! Dick ist niemand! Hui!« Er spitzte den Mund, als ob er etwas wegblasen wollte.

Es traf sich glücklich, daß er mit seiner Enthüllung so weit gekommen war, denn soeben hielt der Wagen mit meiner Tante und Dora an der Gartentüre.

»Kein Wort, mein Junge«, flüsterte er. »Überlasse alles dem Dick – dem schwachsinnigen Dick – dem verrückten Dick. Ich habe schon seit einiger Zeit gehofft, daß ichs finden würde, und jetzt habe ichs gefunden. Nach dem, was du mir gesagt hast, bin ich gewiß, daß ich es gefunden habe.«

Nicht eine Silbe mehr ließ Mr. Dick über die Sache fallen, benahm sich aber während der nächsten halben Stunde zur größten Beunruhigung meiner Tante wie ein lebendiger Telegraphenzeiger, um mir das unverbrüchlichste Schweigen einzuschärfen.

Zu meiner Verwunderung hörte ich die nächsten paar Wochen nichts wieder davon, obgleich mich die Sache höchlichst interessierte. Endlich fing ich an zu glauben, daß Mr. Dick entweder seinen Plan aufgegeben oder ihn vergessen habe.

An einem schönen Abend machten meine Tante und ich, da Dora keine Lust zum Spazierengehen hatte, einen Besuch bei dem Doktor. Es war Herbst, und keine Parlamentsdebatte verdarb die Abendstimmung. Die Blätter dufteten wie einst unser Garten, in Blunderstone, als sie unter unserm Fuße rauschten, und das alte Gefühl der Unbefriedigung lebte wieder in meiner Brust. Es dämmerte, als wir das Landhaus erreichten. Mrs. Strong kam gerade aus dem Garten, und Mr. Dick half dem Gärtner einige Stäbe zuspitzen. Der Doktor war mit jemand in seinem Studierzimmer beschäftigt; aber der Besuch würde gleich gehen, sagte Mrs. Strong und bat uns zu bleiben. Wir traten mit ihr in das Besuchszimmer und setzten uns ans Fenster.

Es waren kaum ein paar Minuten verstrichen, als Mrs. Markleham, die es immer zustande brachte über irgend etwas in Aufregung zu sein, mit der Zeitung in der Hand hastig hereintrat und ganz außer Atem sagte: »Gott im Himmel, Ännie, warum machst du mich nicht darauf aufmerksam, daß jemand im Studierzimmer ist.«

»Liebe Mama«, erwiderte Mrs. Strong ruhig, »wie konnte ich denn wissen, daß du es zu wissen wünschtest.«

»Zu wissen wünschtest!« – Mrs. Markleham sank auf das Sofa. »Ich bin in meinem ganzen Leben noch nie so erschrocken.«

»Du bist in der Studierstube gewesen, Mama?« fragte Ännie.

»In der Studierstube gewesen? Allerdings, ja. Ich bin dort gewesen! Ich überraschte den vortrefflichen Mann – denken Sie sich meine Empfindungen, Miss Trotwood und David – beim Aufsetzen seines Testamentes!«

Ännie blickte schnell auf.

»Beim Aufsetzen seines letzten Willens«, wiederholte Mrs. Markleham, indem sie die Zeitung auf ihren Schoß wie eine Serviette ausbreitete und mit den Händen draufpatschte. »Nein, die Vorsicht und Liebe des Trefflichen! Ich muß Ihnen erzählen, wie es war, um dem wundervollen Mann Gerechtigkeit widerfahren zu lassen. Sie wissen vielleicht, Miss Trotwood, daß in diesem Hause nie ein Licht angezündet wird, ehe einem nicht die Augen buchstäblich aus dem Kopfe fallen, von der Anstrengung des Zeitunglesens, und daß kein Stuhl im Hause ist, in dem man eine Zeitung lesen könnte, was ich lesen nenne, außer einem einzigen im Studierzimmer. Das führte mich dorthin, zumal ich Licht drin sah. Ich öffnete die Tür. Bei dem lieben Doktor waren zwei Herren, offenbar Advokaten, und alle drei standen am Tisch – der gute Doktor mit der Feder in der Hand. ›Damit drücke ich mit einfachen Worten aus‹, sagte er, ›meine Herrn, daß ich das *größte Vertrauen in Mrs. Strong setze* und ihr hiermit alles bedingungslos verschreibe.‹ Und einer der beiden Herren wiederholte: ›bedingungslos verschreibe.‹

Darauf sagte ich, von meinem mütterlichen Gefühl überwältigt: ›Guter Gott, ich bitte um Entschuldigung‹, stolperte über die Türschwelle und kam hierher durch den kleinen Gang an der Speisekammer vorbei.«

Mrs. Strong öffnete die Glastür, ging auf die Veranda hinaus und lehnte sich an eine Säule.

»Sagen Sie, Miss Trotwood, und Sie, David, ist es nicht eine wahre Herzensstärkung, wenn ein Mann in Dr. Strongs Alter noch so viel Geistesstärke hat, so etwas zu tun?« fragte Mrs. Markleham. »Es beweist wieder, wie recht ich hatte. Ich sagte damals schon zu Ännie, als er um sie anhielt: Liebe Tochter, sagte ich, es läßt sich meiner Meinung nach gar nicht daran zweifeln, wenn wir von einer passenden Versorgung für dich sprechen, daß Dr. Strong noch weit mehr tun wird, als er verspricht.«

Man hörte die Klingel gehen und den Besuch sich entfernen.

»Jetzt ist alles vorüber«, sagte der General. »Der Treffliche hat unterschrieben, und sein Gemüt ist beruhigt. Liebe Ännie, ich gehe jetzt mit der Zeitung in das Studierzimmer, denn ohne Neuigkeiten bin ich ein geschlagenes Geschöpf. Miss Trotwood, David, bitte, kommen Sie mit zum Doktor.«

Ich war mir bewußt, daß Mr. Dick im dunklen Hintergrund des Zimmers stand und sein Messer zuklappte, als wir ihr in das Studierzimmer folgten, auch daß meine Tante unterwegs ihre Nase heftig rieb, um ihrem Ärger über unsern militärischen Freund Luft zu machen. Aber wer zuerst eintrat, oder wie Mrs. Markleham in einem Nu es sich im Lehnstuhl bequem gemacht hatte, oder wie es kam, daß meine Tante und ich an der Tür stehenblieben, das habe ich vergessen, wenn ich es jemals gewußt habe. Das eine weiß ich, daß wir den Doktor, ehe er uns bemerkte, an seinem Tisch unter den Folianten sitzen sahen, die ihm so viel Freude machten, und daß er den Kopf auf die Hand gestützt hatte, und daß in demselben Augenblick Mrs. Strong bleich und zitternd hereintrat. Mr. Dick stützte sie, mit der andern Hand berührte er den Arm des Doktors, so daß dieser mit zerstreuter Miene aufblickte.

Im selben Augenblick war Ännie vor ihrem Gatten auf die Knie gesunken, die Hände flehend emporgehoben und wieder mit dem Ausdruck in den Mienen, den ich nie vergessen hatte. Bei diesem Anblick ließ Mrs. Markleham die Zeitung fallen und sah mit aufgerissenen Augen dem Gallionenbild eines Schiffes »Das große Erstaunen« ähnlicher als irgend etwas anderem.

»Doktor«, sagte Mr. Dick, »woran fehlts hier? Sehen Sie her!«

»Ännie«, rief der Doktor, »steh doch auf, liebe Ännie!«

»Ich bitte Sie alle, bleiben Sie hier! Und du, mein Gatte und Vater, brich endlich dies lange Schweigen. Laß uns beide wissen, was zwischen uns getreten ist.«

Mrs. Markleham, die unterdessen die Sprache wiedergefunden hatte und von Familienstolz und mütterlicher Entrüstung überfloß, rief: »Ännie, sogleich stehe auf und verunehre nicht deine ganze Familie, indem du dich so demütigst, wenn du nicht willst, daß ich auf der Stelle den Verstand verliere.«

»Mama«, entgegnete Ännie, »verschwende keine Worte an mich, denn ich richte meine Bitte an meinen Gatten, und selbst du giltst hier nichts.«

»Nichts!« rief Mrs. Markleham aus. »Ich nichts! Das Kind ist verrückt geworden! Ich bitte um ein Glas Wasser!«

Meine Aufmerksamkeit war zu sehr von dem Doktor und Ännie in Anspruch genommen, als daß ich dem Wunsche Beachtung hätte schenken können. Auf die andern machte es ebenfalls keinen Eindruck, und so blieb Mrs. Markleham nichts übrig als zu pusten, große Augen zu machen und sich Luft zuzufächeln.

»Ännie«, sagte der Doktor und ergriff zärtlich die Hände seiner Gattin, »liebe Ännie! Wenn eine unvermeidliche Veränderung im Verlauf der Zeit in unserm Eheleben eingetreten ist, so trägst du nicht die Schuld daran. Es ist mein Fehler und nur meiner. In meiner Liebe und Bewunderung und in meiner Achtung hat sich nichts geändert. Ich wünsche dich glücklich zu machen.

Ich liebe und halte dich hoch von ganzem Herzen. Stehe auf, Ännie, ich bitte dich!«

Aber Mrs. Strong stand nicht auf. Sie blickte ihn eine kleine Weile an, legte ihren Arm auf sein Knie, ließ ihren Kopf darauf sinken und sagte:

»Wenn ich einen Freund hier habe, der ein Wort für mich oder meinen Gatten sprechen oder dem Verdacht, den mir mein Herz zugeflüstert hat, Worte geben kann – einen Freund, der meinen Gatten schätzt oder jemals auf mich etwas gegeben hat, so möge er sprechen – ich flehe ihn an –, wenn er etwas weiß, was immer es sein möge, was zur Vermittlung zwischen uns helfen kann.«

Eine tiefe Stille folgte. Nach einigen Augenblicken peinlichen Zögerns brach ich das Schweigen.

»Mrs. Strong«, sagte ich, »ich weiß von etwas, was zu verbergen Ihr Gatte mich ernstlich ersucht hat und ich bis jetzt verschwiegen habe, aber ich glaube, die Zeit ist da, wo es ein falsches Zartgefühl wäre, es länger zu verheimlichen, zumal Ihr Wunsch mich meines Wortes entbindet.«

Sie wendete mir einen Augenblick das Gesicht zu, und ich erkannte, daß ich recht hatte.

»Unser zukünftiger Frieden«, sagte sie, »liegt vielleicht in Ihren Händen. Und ich bitte Sie, nichts zu verschweigen. Ich weiß im voraus, daß weder Sie, noch irgend jemand anders etwas sagen kann, was meines Gatten Hochherzigkeit in einem andern Lichte als bisher erscheinen lassen könnte. Kümmern Sie sich nicht darum, ob es mich verletzen mag.«

So ernstlich gebeten, glaubte ich mich nicht erst vom Doktor meines Wortes entbinden lassen zu müssen, sondern erzählte ohne Umschweife, nur die Roheiten Uriah Heeps abschwächend, was an jenem Abend geschehen war. Mrs. Marklehams erstaunte Blicke und die schrillen Ausrufe, mit denen sie mich gelegentlich unterbrach, spotten jeder Beschreibung.

Ännie verblieb einige Augenblicke in ihrer Stellung, dann ergriff sie des Doktors Hand, drückte sie an ihre Brust und küßte sie. Mr. Dick hob sie sanft auf, und sie stützte sich auf ihn, als sie zu ihrem Gatten sprach.

»Alles was ich gedacht und gefühlt habe, seit wir verheiratet waren«, sagte sie mit milder und zärtlicher Stimme, »will ich dir ohne Rückhalt offenbaren. Ich könnte nicht leben und einen Gedanken vor dir verbergen, seit ich weiß, was ich soeben erfahren habe.«

»Nein! Ännie«, sagte der Doktor liebevoll, »ich habe nie an dir gezweifelt, mein Kind! Es bedarf dessen nicht. Es bedarf dessen wirklich nicht, meine Liebe.«

»Doch, doch! Es bedarf dessen sehr wohl! Ich muß mein ganzes Herz auftun vor der edlen und treuen Seele, die ich Jahr um Jahr und Tag für Tag mehr geliebt und verehrt habe, Gott weiß es.«

»Wahrhaftig«, unterbrach Mrs. Markleham, »wenn ich überhaupt Taktgefühl habe – «

»Sie haben es eben nicht, Sie Störenfried«, verwies sie meine Tante mit einem entrüsteten Flüstern.

»– so möchte ich mir zu bemerken erlauben, daß es wohl nicht notwendig wäre, auf diese Einzelheiten einzugehen.«

»Das kann nur mein Gatte beurteilen, Mama«, sagte Ännie, ohne ihre Augen von seinem Gesicht abzuwenden, »und ich bitte ihn, mich bis zu Ende anzuhören. Wenn ich etwas sage, was dir Schmerz bereitet, Mama, so verzeihe mir. Ich habe den Gram lange mit mir herumgetragen.«

»O Gott!« ächzte Mrs. Markleham.

»Als ich noch ein kleines Kind war«, begann Ännie wieder, »waren schon die ersten Anfänge meiner Erkenntnisse unzertrennlich mit dem geduldigen Freund und Lehrer, dem Freunde meines verstorbenen Vaters, verbunden. Ich kann an nichts denken, was ich weiß, ohne nicht auch an ihn zu denken. Er gab meinem Geist seinen ersten Inhalt.«

»Sie macht ihre Mutter zu einem Nichts!« rief Mrs. Markleham aus.

»Gewiß nicht, Mama«, sagte Ännie; »aber ich mache ihn zu

dem, was er war. Ich muß das tun. – Als ich aufwuchs, nahm er noch immer dieselbe Stelle ein. Ich war stolz auf ihn und hing zärtlich und dankbar an ihm. Ich blickte zu ihm auf wie zu einem Vater, zu einem Führer, zu einem, der über jedes Lob erhaben ist, zu einem, auf den ich vertraut haben würde, wenn ich an der ganzen Welt hätte zweifeln müssen. Du weißt, Mama, wie jung und unerfahren ich war, als du ihn mir ganz unerwartet als Bewerber vorstelltest.«

»Das habe ich jedem hier schon mindestens fünfzig Mal erzählt«, sagte Mrs. Markleham.

»Dann halten Sie um Himmelswillen schon endlich den Mund und erwähnen Sie es nicht weiter«, brummte meine Tante.

»Das bedeutete für mich eine so große Umwälzung, einen so großen Verlust im Anfang«, fuhr Ännie fort, »daß ich mich erregt und bekümmert fühlte. Ich war fast noch ein Kind, und als ich eine so große Veränderung in seiner Stellung zu mir eintreten sah, tat es mir fast leid. Aber nichts hätte ihn wieder zu dem machen können, was er mir früher gewesen, und ich war stolz darauf, daß er mich seiner für wert hielt, und wir wurden getraut.«

»In der St.-Alphagius-Kirche in Canterbury«, bemerkte Mrs. Markleham.

»Verwünschtes Frauenzimmer!« murrte meine Tante. »Ob sie nicht endlich den Mund halten kann!«

»Ich habe nie«, fuhr Ännie fort, und ihr Gesicht färbte sich röter, »an einen irdischen Vorteil, als ich heiratete, gedacht. Mein junges Herz hatte in seiner Liebe keinen Platz für einen so armseligen Gedanken. Mama, verzeihe mir, wenn ich sage, daß du es warst, die mich zuerst auf die Vermutung brachte, irgend jemand könne ihn und mich in einem so gemeinen Verdacht haben.«

»Ich!« rief Mrs. Markleham.

»Ja, ja! Natürlich!« brummte meine Tante. »Sie können das nicht wegfächeln, mein militärischer Freund!«

»Das war das erste Leid auf meiner neuen Lebensbahn. Es gab die erste Veranlassung zu jedem unglücklichen Augenblick, den ich gekannt habe. Solcher Augenblicke sind in der letzten Zeit mehr geworden, als ich zählen kann; aber nicht, mein hochherziger Gatte, aus dem Grund, den du annehmen magst, denn in meinem Herzen lebt nicht ein Gedanke, nicht eine Erinnerung oder Hoffnung, die irgendeine Macht jemals von deiner Person trennen könnte!«

Sie faltete die Hände und sah so schön und rein aus wie ein Engelsbild. Der Doktor sah ihr von jetzt an so fest in die Augen, wie sie ihm.

»Mama darf man keinen Vorwurf machen«, fuhr Ännie fort, »daß sie jemals für sich selbst etwas erbeten hätte, und sie ist gewiß nicht anzuklagen, irgend etwas mit Berechnung getan zu haben, aber als ich sah, wieviel zudringliche und unberechtigte Ansprüche in meinem Namen gemacht wurden, wie man dich ausnützte, und wie hochherzig und aufopfernd du dich benahmst, und wie Mr. Wickfield, der dich immer so hoch hielt, aufgebracht darüber war, da beschlich mich die Furcht, man könne den Verdacht hegen, meine Liebe sei dir verkauft worden, – ich könnte gezwungen worden sein, an dieser Schmach teilzunehmen. Ich kann dir nicht sagen, was es hieß – und auch Mama kann es sich nicht vorstellen –, immer in dieser Befürchtung und Unruhe zu leben und doch im innersten Herzen zu wissen, daß mein Hochzeitstag der Weihe- und Ehrentag für mein Leben war.«

»Solchen Dank erntet man«, rief Mrs. Markleham weinend aus, »wenn einem die Familie am Herzen liegt! Ich wollte, ich wäre ein Türke!«

»Und zwar weit weg in der Türkei!« sagte meine Tante.

»Das war zu jener Zeit, wo meine Mutter so besorgt war um meinen Vetter Maldon. Ich habe ihn sehr gern gehabt«, sagte Ännie leise, aber ohne jedes Stocken. »Wir waren einst als Kinder ein kleines Liebespaar gewesen. Wenn es nicht anders gekommen wäre, hätte ich mir vielleicht eingeredet, ihn wirklich zu lieben, – hätte ihn geheiratet und würde höchst unglücklich geworden sein, denn es kann kein größeres Unglück in der Ehe geben als Ungleichheit in Gefühlen und Bestrebungen.«

Mir fielen diese Worte aufs Herz wie etwas, was auch auf mich paßte.

»Es kann kein größeres Unglück in der Ehe geben als Ungleichheit in Gefühlen und Bestrebungen!«

»Wir haben nichts gemein miteinander, das habe ich längst erkannt. Wenn ich meinem Gatten weiter nichts als diese Erkenntnis zu verdanken hätte, so würde ich ihm dafür dankbar sein, daß er mich vor der ersten mißverstandenen Regung meines unerfahrenen Herzens gerettet hat.«

Sie stand ruhig vor dem Doktor und sprach mit einer Innigkeit, die mir tief in die Seele drang.

»Als mein Vetter Maldon darauf rechnete, durch deine Freigebigkeit versorgt zu werden, die ihm auch um meinetwillen so reichlich zuteil wurde, und ich mich unglücklich fühlte in der habgierigen Rolle, die mir aufgedrungen wurde, da dachte ich, es stünde ihm besser an, wenn er sich durch eigne Kraft emporarbeitete. Ich glaube, wenn ich an seiner Stelle gewesen wäre, würde ich es versucht haben, und hätte es gekostet, was es wollte. Aber bis zum Abend seiner Abreise nach Indien dachte ich nichts Schlimmes von ihm. An diesem Abend erst erfuhr ich, daß er ein falsches und undankbares Herz hat. Ich las damals in Mr. Wickfields forschendem Blick den Verdacht, der mein Leben verfinstern sollte.«

»Verdacht, Ännie!« sagte der Doktor. »Nein, nein, nein!«

»Du hegtest keinen, das weiß ich! Und als ich an jenem Abend zu dir kam, um meine ganze Last von Scham und Schmerz zu deinen Füßen niederzulegen, und fühlte, ich hätte dir zu beichten, daß unter deinem Dach einer meiner eignen Verwandten, dem du mir zuliebe ein Wohltäter gewesen warst, Worte zu mir gesprochen, die nie hätten fallen dürfen, selbst wenn ich das schwache und selbstsüchtige Geschöpf gewesen wäre, für das er mich hielt, – da schauderte ich vor der Befleckung zurück, die mir schon das bloße Erzählen hätte bringen müssen. Es starb auf meinen Lippen, und bis zu dieser Stunde habe ich es verschwiegen.«

Mit einem kurzen Stöhnen lehnte sich Mrs. Markleham in ihren Sessel zurück und flüchtete sich hinter ihren Fächer, als wollte sie nie wieder dahinter hervorkommen.

»Von jener Zeit an habe ich nie wieder ein Wort mit ihm darüber gesprochen. Jahre sind inzwischen vergangen. Alles, was du insgeheim für seine Beförderung tatest und mir dann erzähltest, um mich damit zu überraschen und zu erfreuen, war, das kannst du mir glauben, nur eine neue, schwere Bürde für mich.«

Sie sank zu den Füßen des Doktors hin, obgleich er alles tat, um sie daran zu verhindern, und sagte mit Augen voll Tränen:

»Unterbrich mich noch nicht. Nur noch ein paar Worte. Mag es Recht oder Unrecht gewesen sein, aber wenn es wieder geschehen würde, ich glaube, ich müßte abermals so handeln. Ich kann dir nicht sagen, was es hieß, dich zu lieben und dabei glauben zu müssen, man habe mich im Verdacht, dir meine Liebe verkauft zu haben. Ich war sehr jung und hatte keinen Berater. Zwischen Mama und mir lag in allem, was dich betraf, eine weite Kluft. Wenn ich mich in mich selbst zurückzog und die Geringschätzung, die mir widerfuhr, verbarg, so geschah es nur, weil ich dich so hoch hielt und so sehr wünschte, daß du mich in Ehren hieltest.«

»Ännie, mein reines, treues Herz!« sagte der Doktor. »Mein liebes Kind!«

»Nur ein paar Worte, ein paar Worte noch! Ich dachte oft, es gäbe so viele, die dir weniger Last und Unruhe gebracht und dein Heim zu einem würdigeren hätten machen können. Ich dachte mir manchmal, es wäre vielleicht besser gewesen, ich wäre deine Schülerin und Tochter geblieben. Ich fürchtete manchmal, ich paßte nicht zu deiner Gelehrtheit und zu deinem Wissen. Wenn ich alles über mich ergehen ließ, so tat ich es nur, weil ich dich so hoch hielt und hoffte, daß auch du mich eines Tages erkennen würdest.«

»Dieser Tag ist längst gekommen, Ännie«, sagte der Doktor.

»Ich wollte mit Standhaftigkeit allein die Last tragen, um die Unwürdigkeit eines Menschen zu verwischen, für den du so viel Gutes getan. Und jetzt ein letztes Wort, liebster und bester aller

Freunde. Die Ursache der Veränderung, die ich mit so viel Schmerz und Kummer an dir bemerkt habe und die ich manchmal meiner alten Befürchtung zuschrieb und dann wieder Gründen, die der Wahrheit näherkamen, ist heute abends aufgeklärt worden, und durch einen Zufall habe ich auch heute die ganze Größe des hochherzigen Vertrauens, das du selbst in dieser Zeit des Mißverständnisses auf mich setztest, kennengelernt. Und mit dieser neuen Erfahrung kann ich zu diesem geliebten Gesicht emporschauen, das ich verehre als das Antlitz eines Vaters, liebe wie das eines Gatten und das mir heilig war in meiner Kindheit wie das eines Freundes, und feierlich erklären, daß ich, auch mit den leisesten Gedanken nicht, in der Liebe und Treue, die ich dir schulde, gewankt habe.«

Sie hatte ihre Arme um den Nacken des Doktors geschlungen, und er beugte sein Haupt über sie, und sein graues Haar vermischte sich mit ihren dunkelbraunen Flechten! »Drücke mich an dein Herz, mein Gatte, meine Liebe ist auf einen Felsen gebaut und sie dauert ewig.«

In dem Schweigen, das hierauf folgte, ging meine Tante ernsthaft und gemessen auf Mr. Dick zu, umarmte ihn und gab ihm einen schallenden Kuß. Es war ein Glück für sein Ansehen, daß sie das tat, denn ich weiß ganz bestimmt, daß er sich in diesem Augenblick gerade anschickte, in seinem Entzücken auf einem Bein zu balancieren.

»Sie sind ein höchst bemerkenswerter Mann, Dick«, sagte meine Tante mit einer Miene unbeschränkter Billigung, »und tun Sie nie, als ob Sie etwas anderes wären, denn ich weiß es besser!«

Damit zupfte sie ihn am Ärmel, nickte mir zu, und wir drei schlichen uns still aus dem Zimmer.

»Das ist jedenfalls eine gesunde Kur für unsern militärischen Freund«, sagte sie auf dem Nachhausewege, »schon deswegen würde ich heute fröhlich schlafen gehen.«

»Ich fürchte, sie war ganz vernichtet und gerührt«, wandte Mr. Dick voll Mitgefühl ein.

»Was! haben Sie jemals ein Krokodil gerührt gesehen?«

»Ich habe überhaupt noch kein Krokodil gesehen«, entschuldigte sich Mr. Dick mit Milde.

»Es wäre überhaupt nie etwas schiefgegangen, wenn nicht dieses alte Biest gewesen wäre«, sagte meine Tante mit starkem Nachdruck. »Es wäre sehr zu wünschen, daß manche Mütter ihre Töchter nach der Heirat in Frieden ließen und nicht so entsetzlich zärtlich gegen sie täten. Sie scheinen zu glauben, sie hätten das Recht, ein unglückliches Mädchen zu Tode peinigen zu dürfen, bloß weil sie es in die Welt gesetzt haben. Woran denkst du, Trot?«

Ich hatte darüber nachgedacht, was alles geschehen war. Die Worte Mrs. Strongs klangen mir noch in den Ohren: »Es kann kein größeres Unglück in der Ehe geben als Ungleichheit in Gefühlen und Bestrebungen und die erste mißverstandne Regung eines unerfahrenen Herzens.«

Wir waren zu Hause, und die welken Blätter lagen unter unsern Füßen, und der Herbstwind wehte.

46. Kapitel

Nachricht

Ich muß etwa ein Jahr verheiratet gewesen sein, als ich an einem Abend, von einem Spaziergang zurückgekehrt, über den Roman, den ich damals schrieb, nachdenkend, an Mrs. Steerforths Haus vorüberkam. Da ich in der Nachbarschaft wohnte, war ich zuweilen diesen Weg, wenn auch nie gerne, gegangen.

Ich hatte nie mehr als einen flüchtigen Blick auf dieses Haus geworfen, und immer war es ziemlich düster und still gewesen. Keines der bessern Zimmer ging auf die Straße hinaus, und die kleinen altmodischen Fenster, immer fest zugemacht und mit zugezogenen Gardinen, machten einen unheimlichen Eindruck. Ich wüßte nicht, daß ich jemals ein Licht dahinter gesehen hätte.

An diesem Abend stiegen die Erinnerungen aus der Kinderzeit und den spätern Jahren, die Gespenster halb geborner Hoffnungen, die flüchtigen Schatten kaum gesehener und verstandner Täuschungen wieder vor mir auf. Ich war in tiefes Träumen versunken, als ich weiterging, da machte eine Stimme neben mir mich aufschrecken.

Es war eine Frauenstimme. Ich erkannte bald Mrs. Steerforths kleines Dienstmädchen wieder, das mich ansprach.

»Würden Sie so gut sein, Sir, hereinzukommen, um mit Miss Dartle zu sprechen?«

»Hat Miss Dartle zu mir geschickt?« fragte ich.

»Heute abend nicht, aber es ist ganz gleich. Miss Dartle sah Sie gestern und vorgestern vorbeigehen, und ich sollte Sie gelegentlich hereinrufen.«

Ich kehrte um und fragte meine Begleiterin unterwegs nach Mrs. Steerforths Befinden. Sie sagte, ihre Herrschaft befände sich nicht besonders wohl und hütete meistens das Zimmer.

Als ich in den Garten kam, sah ich Miss Dartle auf einer Bank am Ende einer Art Terrasse, die auf die große Stadt herabsah, sitzen. Es war ein dunkler Abend, und ein fahles Licht lag am Himmel, und wie ich den düstern Horizont ansah, aus dem hie und da ein größeres Gebäude in den unheimlichen Schimmer emporragte, da kam es mir vor, als sei es eine passende Umgebung für dieses leidenschaftliche Weib.

Sie bemerkte mich, als ich auf sie zukam, und stand einen Augenblick auf, um mich zu empfangen. Sie kam mir noch bleicher und hagerer vor als damals, als ich sie zuletzt gesehen, ihre Augen flackerten noch mehr, und die Narbe war noch deutlicher.

Unsere Begrüßung fiel keineswegs herzlich aus. Wir waren das letzte Mal im Zorn voneinander geschieden, und auf ihrem Gesicht lag ein Ausdruck der Verachtung, den zu verhehlen sie sich keine Mühe gab.

»Ich höre, Sie wünschten mit mir zu sprechen, Miss Dartle«, sagte ich, die Hände auf eine Stuhllehne gestützt, und lehnte ihre Einladung, mich zu setzen, ab.

»Allerdings, Mr. Copperfield. Sagen Sie, ist das Mädchen gefunden worden?«

»Nein.«

»Und doch ist sie weggelaufen!«

Ich sah, wie ihre schmalen Lippen sich zuckend bewegten, als ob sie danach lechzten, Emily mit Vorwürfen zu überhäufen.

»Weggelaufen?«

»Ja! Von ihm«, sagte Rosa Dartle mit einem kurzen Lachen. »Wenn sie noch nicht gefunden ist, wird man sie vielleicht überhaupt nicht finden. Vielleicht ist sie tot.«

Eine herausfordernde Grausamkeit lag in ihren Augen.

»Ihr den Tod zu wünschen«, sagte ich, »ist vielleicht der freundlichste Wunsch, den ein Wesen ihres eignen Geschlechts aussprechen kann. Es freut mich, daß die Zeit Sie so versöhnlich gestimmt hat.«

Miss Dartle ließ sich zu keiner Antwort herab, lächelte wieder höhnisch und sagte:

»Die Freunde dieser vortrefflichen und schwergekränkten jungen Dame sind ja auch Ihre Freunde; Sie verteidigen sie und verfechten ihre Rechte. Wollen Sie erfahren, was man von ihr weiß?«

»Ja.«

Sie stand mit einem bösen Lächeln auf, ging auf eine Hecke von Immergrün zu, die den Garten von den Gemüsebeeten trennte, und rief: »Herkommen!« – wie wenn sie ein unreines Tier riefe.

»Sie werden sich natürlich jeder demonstrativen Äußerung oder Rache enthalten, Mr. Copperfield?!« sagte sie und sah mich mit demselben höhnischen Ausdruck fragend an.

Ich verbeugte mich, ohne zu verstehen, was sie meinte, und wieder rief sie: »Herkommen!« und kehrte dann auf ihren Platz zurück, gefolgt von dem respektablen Mr. Littimer, der mir mit unverminderter Respektabilität eine Verbeugung machte und sich hinter ihr aufstellte. Die Miene dämonischer Grazie und des Triumphs, in dem, so seltsam es klingt, doch etwas Weibliches und Verführerisches lag, während sie ihren Platz zwischen uns einnahm und mich ansah, wäre einer grausamen Märchenprinzessin würdig gewesen.

»Erzählen Sie Mr. Copperfield von der Flucht«, sagte sie gebieterisch und legte den Finger diesmal eher aus Freude als aus Schmerz auf die alte Narbe.

»Mr. James und ich, Madam –«

»Sprechen Sie nicht zu mir«, unterbrach sie Littimer mit gerunzelter Stirn.

»Mr. James und ich, Sir –«

»Auch nicht zu mir gefälligst!« sagte ich.

Ohne im mindesten aus der Fassung zu kommen, gab Mr. Littimer mit einer leichten Verbeugung zu erkennen, daß alles, was uns genehm, auch ihm angenehm wäre, und fing von neuem an.

»Mr. James und ich waren mit dem Mädchen auf Reisen, seit sie unter Mr. James' Schutz Yarmouth verließ. Wir hielten uns an vielen Orten auf und haben vielerlei Länder gesehen. Wir waren in Frankreich, in der Schweiz, in Italien – kurz, fast überall.« Er sah die Stuhllehne an, als ob er zu ihr spräche, und spielte darauf leise mit den Fingern wie auf einem stummen Piano.

»Mr. James hing ganz ungewöhnlich an dem Mädchen und war lange Zeit beständiger, als ich ihn gekannt habe, seit ich in seine Dienste getreten bin. Das Mädchen zeigte sich sehr bildungsfähig und erlernte mehrere Sprachen, und niemand würde in ihr das einfache Fischermädchen wiedererkannt haben. Es fiel mir auf, daß sie überall, wohin wir kamen, sehr bewundert wurde.«

Miss Dartle legte ihre Hand an ihre Seite. Ich sah Littimer einen flüchtigen Blick auf sie werfen und verstohlen lächeln.

»Wirklich, außerordentlich bewundert wurde das Mädchen. War es ihre Toilette oder die sonnige Umgebung oder dies oder das, kurz, ihre Vorzüge erregten die allgemeine Aufmerksamkeit.«

Er machte eine kurze Pause. Miss Dartles Augen wanderten ruhelos über den fernen Horizont, und sie biß sich auf die Unterlippe, als ob sie dadurch die vorlaute Narbe zum Schweigen bringen wollte.

Mr. Littimer wechselte die Hände auf der Stuhllehne und fuhr mit niedergeschlagnen Armen, den respektablen Kopf ein wenig zur Seite geneigt, fort:

»In dieser Weise lebte das Mädchen einige Zeit dahin, wobei sie dann und wann sehr niedergeschlagen war, bis sie Mr. James, wie ich glaube, durch ihre Gedrücktheit und schlechte Laune zu langweilen begann. Wenigstens stand die Sache nicht mehr so gut zwischen ihnen. Mr. James fing wieder an ruhelos zu werden, und je unruhiger er wurde, desto schlimmer wurde es mit ihr, und was mich betrifft, so muß ich sagen, daß ich wirklich zwischen den beiden ein recht schweres Leben hatte. Aber immer wieder kam die Sache ins Geleise, und die Geschichte dauerte länger, als man hätte erwarten sollen.«

Miss Dartle sah mich jetzt wieder mit ihrer frühern Miene an. Mr. Littimer räusperte sich mit vorgehaltner Hand, stützte sich auf das andre Bein und fuhr fort:

»Endlich, als im ganzen großen ziemlich viel Worte und Vorwürfe zwischen beiden gewechselt worden waren, machte sich Mr. James eines Morgens aus der Nähe von Neapel, wo wir eine Villa hatten – das Mädchen liebte das Meer sehr –, auf und überließ es, unter dem Vorwand, in einigen Tagen zurückkehren zu wollen, mir, ihr zu eröffnen, er wäre in Berücksichtigung des Wohlseins aller Beteiligten abgereist. Mr. James benahm sich höchst ehrenhaft, denn er ließ dem Mädchen das Anerbieten machen, daß es eine sehr respektable Person heiraten sollte, die bereit war, das Geschehene zu vergessen, und zum mindesten eine ebenso gute Partie war wie irgendeine andere, die das Mädchen im gewöhnlichen Lauf der Dinge hätte erwarten können, denn sie stammte doch von sehr niederer Herkunft.«

Er stützte sich wieder auf das andere Bein und befeuchtete seine Lippen. Ich war überzeugt, daß der Schuft von sich sprach, und ich sah meine Überzeugung auch auf Miss Dartles Gesicht ausgeprägt.

»Dies also war ich beauftragt ihr mitzuteilen. Ich war bereit, alles zu tun, um Mr. James aus einer peinlichen Verlegenheit zu befreien und die Eintracht zwischen ihm und seiner zärtlichen Mutter, die seinetwegen so viel ausgestanden hatte, wiederherzustellen. Deshalb übernahm ich den Auftrag. Die Leidenschaftlichkeit des Mädchens, als ich ihr seine Abreise mitteilte, überstieg alle Erwartungen. Sie gebärdete sich wie wahnsinnig und mußte mit Gewalt festgehalten werden, sonst hätte sie sich den Kopf an dem Marmorfußboden eingeschlagen oder sich auf eine andere Weise getötet.«

In ihrem Sessel zurückgelehnt, schien Miss Dartle mit einem Glanz des Frohlockens in ihren Mienen fast die Töne zu liebkosen, wie sie aus dem Munde dieses Menschen kamen.

»Als ich zu dem zweiten Teil meines Auftrags kam«, sagte Mr. Littimer und rieb sich unruhig die Hände, »den doch jedermann als gut gemeint aufgefaßt hätte, da zeigte sich das Mädchen in ihrem wahren Licht. Eine heftigere Person ist mir noch nie vorgekommen! Ihr Benehmen war über die Maßen schlecht. Sie bewies nicht mehr Dankbarkeit, Gefühl, Geduld oder Verstand als ein Stock oder ein Stein. Wenn ich nicht auf der Hut gewesen wäre, ich bin überzeugt, es hätte mir das Leben gekostet.«

»Um so besser denke ich von ihr«, rief ich entrüstet.

Mr. Littimer senkte den Kopf, als wollte er sagen: »Meinen Sie wirklich? aber Sie sind wirklich noch sehr jung«, und fuhr in seinem Berichte fort. »Kurz, wir mußten eine Zeitlang alles aus ihrer Nähe entfernen, womit sie sich und andere Leute hätte verletzen können, und sie einsperren. Dennoch befreite sie sich eines Nachts, brach einen Fensterladen auf, den ich selbst zugenagelt hatte, ließ sich an einem Rebengeländer hinab, und seitdem hat man, soviel ich weiß, nichts wieder von ihr gehört.«

»Sie ist vielleicht tot«, sagte Miss Dartle mit einem Lächeln, als ob sie am liebsten die Leiche des armen Mädchens mit Füßen getreten hätte. »Sie hat sich vielleicht ertränkt, Miss«, sagte Mr. Littimer, die Gelegenheit benützend, jemand anzureden. »Das ist sehr leicht möglich. Oder vielleicht haben ihr die Fischer und deren

Frauen und Kinder beigestanden. Sie hatte ordinäre Leute gern und unterhielt sich sehr oft mit ihnen am Strande, Miss Dartle, und saß bei ihren Booten. Ich weiß, daß sie das manchmal, wenn Mr. James abwesend war, ganze Tage getan hat. Mr. James wurde sehr böse, als er einmal erfuhr, sie hätte den Kindern erzählt, sie sei eines Fischers Tochter und wäre vor langer, langer Zeit in ihrem Vaterlande wie sie am Strande umhergelaufen. Als es unzweifelhaft erschien, daß nichts mehr getan werden konnte, Miss Dartle –«

»Sagte ich Ihnen nicht, Sie sollten mich nicht anreden!« sagte Miss Dartle verächtlich.

»Sie sprachen zu mir, Miss«, entgegnete Littimer. »Ich bitte um Entschuldigung, aber es ist meine Schuldigkeit zu gehorchen.«

»So tun Sie Ihre Schuldigkeit, erzählen Sie Ihre Geschichte zu Ende und gehen Sie.«

»Als es unzweifelhaft war«, fuhr Littimer mit unsäglicher Respektabilität und einer gehorsamen Verbeugung fort, »daß man sie nicht mehr auffinden konnte, begab ich mich zu Mr. James an den Ort, wohin ich ihm hätte schreiben sollen, und unterrichtete ihn von dem Vorfall. Infolgedessen kam es zu einem Wortwechsel zwischen uns, und ich glaubte es meinem Charakter schuldig zu sein, ihn zu verlassen. Ich konnte viel von Mr. James ertragen, doch er beleidigte mich zu sehr. Er verletzte mich. Da ich von dem unglücklichen Zwiespalt zwischen ihm und seiner Mutter wußte und mir vorstellen konnte, wie groß Mrs. Steerforths Sorge sein mußte, nahm ich mir die Freiheit, nach England zurückzukehren und zu berichten –«

»Für Geld, das ich ihm bezahlte«, sagte Miss Dartle zu mir.

»Ganz recht, Madam – und zu erzählen, was ich wußte. Ich glaube nicht«, sagte Mr. Littimer nach kurzem Nachdenken, »daß noch etwas zu berichten wäre. Ich bin augenblicklich ohne Beschäftigung und würde mich glücklich schätzen, eine respektable Stellung zu finden.« Miss Dartle blickte mich fragend an, ob ich noch etwas zu wissen wünschte. Da mir eine Frage sehr auf dem Herzen lag, sagte ich:

»Ich möchte von dieser Kreatur« – ich konnte kein milderes Wort finden – »wissen, ob man einen Brief, der von ihrer Heimat aus an sie geschrieben wurde, unterschlagen hat, oder ob er angekommen ist.«

Littimer blieb ruhig und stumm stehen, die Augen auf den Boden geheftet, und paßte sorgfältig die Fingerspitzen der rechten Hand auf die seiner linken.

Miss Dartle drehte sich verächtlich nach ihm um.

»Ich bitte um Verzeihung, Miss«, sagte er, wie aus Nachdenken erwachend, »aber so untertänigst ich zu Ihren Diensten stehe, so habe ich doch eine gewisse Position zu wahren, wenn ich auch nur ein Bedienter bin. Mr. Copperfield und Sie, Miss, sind zwei ganz verschiedene Personen, und wenn Mr. Copperfield etwas von mir zu wissen wünscht, so möchte ich mir erlauben, Mr. Copperfield daran zu erinnern, daß er in diesem Fall eine Frage an mich zu richten hat. Ich muß meine Stellung wahren.«

Nach einiger Überwindung sah ich ihn an und sagte: »Sie haben meine Frage gehört. Nehmen Sie an, sie wäre an Sie gerichtet gewesen. Welche Antwort haben Sie darauf zu geben?«

»Sir«, entgegnete er und spielte wieder mit den Fingerspitzen, »meine Antwort kann keine direkte sein, denn es ist zweierlei, Mr. James an seine Mutter oder an Sie zu verraten. Ich halte es nicht für wahrscheinlich, daß Mr. James den Empfang von Briefen, die leicht Niedergeschlagenheit und schlechte Stimmung erzeugt haben würden, begünstigt hätte; aber mehr als das möchte ich nicht gerne sagen.«

»Ist das alles?« fragte mich Miss Dartle.

Ich gab ihr zu verstehen, daß ich nichts weiter zu sagen hätte. Nur noch das eine setzte ich hinzu, als ich bemerkte, daß Littimer fortgehen wollte, nämlich, daß ich ihm bei der leicht zu durchschauenden Rolle, die er bei diesem Schurkenstreich gespielt habe, raten würde, sich nicht zu viel öffentlich blicken zu lassen, da ich dem Ehrenmann, unter dessen Obhut Emly seit Kindheit an gestanden, alles was ich erfahren, mitteilen würde.

Littimer war bei meinen Worten stehengeblieben und hatte mit seiner gewohnten Ruhe zugehört.

»Ich danke Ihnen, Sir, aber Sie werden entschuldigen, wenn ich Ihnen bemerke, Sir, daß es hierzulande weder Sklaven noch Sklavenaufseher gibt und daß es niemand erlaubt ist, sich auf eigene Faust Recht zu verschaffen. Wer es tut, tut es mehr auf seine als auf anderer Leute Kosten glaube ich. Ich kann daher ruhig sagen, daß ich mich durchaus nicht fürchte überall hinzugehen, wohin es mir beliebt.«

Mit diesen Worten machte er mir eine höfliche Verbeugung und eine zweite Miss Dartle und verschwand durch die Öffnung in der grünen Hecke, durch die er eingetreten war.

Miss Dartle und ich sahen einander eine Weile schweigend an; ihr Gesichtsausdruck war unverändert. »Er erzählte noch«, begann sie leicht ihre Lippen verziehend, »daß sein Herr an der spanischen Küste herumsegelt und dieses Schifferleben weiter führen will, bis er es satt hat. Aber das wird Sie wohl nicht interessieren. Zwischen diesen beiden stolzen Personen, Mutter und Sohn, besteht eine tiefere Kluft als je vorher, und es ist wenig Aussicht, daß sie sich je versöhnen werden, denn ihr Charakter ist im Grunde ein und derselbe und die Zeit macht beide nur hartnäckiger und schroffer. Auch das kann Ihnen gleich sein, aber es dient als Einleitung zu dem, was ich Ihnen noch zu sagen habe. Diese Kreatur, aus der Sie einen Engel machen wollen, ich meine das gemeine Mädchen, das er aus dem Schmutz des Strandes aufgelesen hat« – sie sah mich mit ihren schwarzen Augen fest an – »ist vielleicht noch am Leben, – denn ich glaube, so niedrige Geschöpfe sterben schwer. Wenn sie noch am Leben ist, werden Sie wohl wünschen, diese unschätzbare Perle zu finden und zu beschirmen. Auch wir wünschen das, damit er nicht durch einen Zufall wieder ihre Beute wird. So weit vereinigt uns ein gemeinsames Interesse, und deshalb habe ich nach Ihnen geschickt, um Ihnen zu berichten, was Sie eben gehört haben.«

Ich bemerkte an der veränderten Miene ihres Gesichtes, daß jemand hinter mir stand. Es war Mrs. Steerforth.

Sie reichte mir ihre Hand mit größerer Kälte als früher und mit noch mehr Förmlichkeit, aber immer noch, wie ich zu meiner Rührung merkte, mit einer unauslöschlichen Erinnerung an meine alte Liebe zu ihrem Sohn. Sie hatte sich sehr verändert. Ihre vornehme Gestalt war nicht mehr so aufrecht, in ihrem schönen Gesicht lagen tiefe Furchen, und ihr Haar war fast weiß. Aber als sie Platz genommen hatte, sah sie immer noch schön aus, und ich erkannte das helle Auge mit dem stolzen Blick wieder, das mir schon in meinen Schulträumen ein Licht gewesen war.

»Weiß Mr. Copperfield alles, Rosa?«

»Ja.«

»Und hat er Littimer selbst gehört?«

»Ja, ich habe ihm gesagt, warum du es wünschtest.«

»Das ist schön von dir.«

»Ich habe einige flüchtige Briefe mit Ihrem früheren Freund gewechselt, Sir«, sagte sie jetzt zu mir, »aber er hat sich dadurch nicht bewogen gefühlt, seinen natürlichen Verpflichtungen nachzukommen. Deshalb nehme ich an der Angelegenheit nicht im größeren Maße teil, als Ihnen Rosa bereits gesagt hat. Wenn dadurch mein Sohn vor der Gefahr bewahrt werden kann, wieder in die Schlingen einer schlauen Gegnerin zu fallen, und es gleichzeitig das Herz des rechtschaffenen Mannes, den Sie hierherbrachten und der mir sehr leid tut – mehr kann ich nicht sagen –, erleichtern wird, so ist es gut.«

Sie richtete sich auf und sah gerade vor sich hin in die Ferne.

»Maam«, sagte ich respektvoll, »ich verstehe. Ich versichere Ihnen, daß Sie nicht in Gefahr kommen, Ihre Beweggründe falsch ausgelegt zu sehen. Aber ich, der diese schwergekränkte Familie von Kindheit an gekannt hat, muß hier doch bemerken, wenn Sie glauben, das so grausam betrogene Mädchen sei nicht auf das schmählichste hintergangen worden und würde nicht lieber hundert Mal sterben als jetzt ein Glas Wasser von der Hand Ihres Sohnes annehmen, so täuschen Sie sich entsetzlich.«

»Laß sein, Rosa, laß sein«, wehrte Mrs. Steerforth ab, als sich

Miss Dartle hineinmischen wollte. »Es hat nichts zu sagen. Laß sein.«

»Ich höre, Sie sind verheiratet, Sir?«

Ich bejahte.

»Und Sie befinden sich wohl? Ich höre in meinem einsamen Leben wenig, aber ich habe vernommen, daß Sie auf dem besten Wege sind berühmt zu werden.«

»Ich habe sehr viel Glück gehabt und höre meinen Namen mit einigem Lobe nennen.«

»Sie haben keine Mutter mehr?« fragte sie mit milder Stimme. »Nein.«

»Das ist schade. Sie würde stolz auf Sie sein. Gute Nacht!«

Ich ergriff ihre Hand, die sie mir mit würdevoller, kühler Miene darbot, und sie zitterte so wenig, als ob der stillste Friede in ihrer Brust geherrscht hätte. Die Frau konnte in ihrem Stolze selbst den Schlag ihres Pulses regeln und den Schleier der Ruhe über ihr Antlitz breiten.

Als ich über die Terrasse schritt, fiel mir auf, wie starr die beiden hinaus auf die Aussicht blickten und wie der Horizont immer trüber und dunkler wurde. Hier und da fingen einige Lichter in der fernen Stadt vorzeitig an zu blinken, und am westlichen Himmel erhielt sich immer noch der fahle Schein. Aber aus dem größeren Teil des breiten Tales dazwischen stieg ein Nebel empor gleich einem Meer, der, sich mit der Finsternis vermischend, aussah wie anschwellende Wogen. Ich habe Grund mich daran zu erinnern und denke daran mit Grauen, denn als ich die beiden später wiedersah, hatte sich rings um sie eine stürmische See erhoben.

Ich fühlte bald bei näherem Nachdenken, daß ich Mr. Peggotty von dem Erfahrenen Mitteilung machen müßte.

Am nächsten Abend ging ich nach London, um ihn aufzusuchen. Er wanderte immer noch von Ort zu Ort, um seine Nichte wiederzufinden, aber er hielt sich öfter in London als anderswo auf. Zuweilen hatte ich ihn in stiller Nacht durch die Straßen wandern sehen, wo er unter den wenigen Gesichtern, die in so später Stunde noch unterwegs waren, das suchte, was zu finden er sich fürchtete.

Er hatte noch immer seine Wohnung über dem kleinen Wachszieherladen auf dem Hungerford Market inne.

Als ich dort nach ihm fragte, erfuhr ich von den Hausleuten, daß er noch nicht ausgegangen sei und oben in seinem Zimmer säße.

Ich fand ihn mit Lesen beschäftigt an einem Fenster sitzen, vor dem einige Topfpflanzen standen.

Das Zimmer war sehr sauber und ordentlich gehalten. Ich sah im Augenblick, daß er immer zu Emlys Aufnahme bereit war und wohl nie ohne den Gedanken ausging, sie möglicherweise heimbringen zu können.

Er hatte mein Klopfen überhört und blickte erst auf, als ich die Hand auf seine Schulter legte.

»Masr Davy! Danke Ihnen, Sir. Danke Ihnen herzlich für diesen Besuch. Setzen Sie sich. Sie sind willkommen, Sir!«

»Mr. Peggotty«, sagte ich und nahm den Stuhl an, den er mir anbot, »machen Sie sich nicht auf viel gefaßt, aber ich habe Nachricht.«

»Von Emly!«

Er legte die Hand krampfhaft auf den Mund und wurde blaß.

»Sie gibt uns zwar keinen Anhalt über ihren Aufenthaltsort, aber Emly ist nicht mehr – bei ihm.«

Er setzte sich nieder und hörte im tiefsten Schweigen meine Erzählung an. Ich erinnere mich noch gut des Eindrucks von Würde und sogar von Schönheit, den der geduldige Ernst seines Gesichtes auf mich machte, als er vor sich niedersah, die Stirn auf die Hand gestützt. Er unterbrach mich nicht mit einem Wort. Er schien Emlys Gestalt durch meine Erzählung hindurch zu verfolgen und jede andere achtlos vorbeigehen zu lassen. Als ich fertig war, hielt er die Hände vors Gesicht und blieb stumm. Ich sah eine kurze Weile aus dem Fenster und beschäftigte mich mit den Topfpflanzen.

»Was ist Ihre Meinung darüber, Masr Davy?« fragte er endlich.

»Ich glaube, sie ist am Leben.«

»Das weiß ich nicht. Vielleicht war der erste Schlag zu hart,
und in der Verzweiflung ihres Herzens –! Das blaue Meer,
von dem sie so oft sprach –! Hat es ihr vielleicht so viele
Jahre deswegen im Kopfe gespukt, weil es ihr Grab werden
sollte? –«

Er sagte dies nachdenklich mit leiser erschrockener Stimme
und ging in dem kleinen Zimmer auf und ab.

»Und doch, Masr Davy, habe ich so bestimmt im Wachen und
im Schlaf gewußt, daß ich sie finden werde, und der Gedanke hat
mich so aufrechterhalten und gestärkt, daß ich nicht glauben
kann, ich hätte mich geirrt. Nein! Emly lebt!«

Er legte die Hand fest auf den Tisch, und sein sonnverbrann-
tes Gesicht nahm einen entschlossenen Ausdruck an.

»Meine Nichte Emly lebt, Sir«, sagte er in bestimmtem Tone.
»Ich weiß nicht, woher es kommt oder wie es ist, aber etwas sagt
mir jetzt wieder, sie lebt!«

Er sah fast wie ein Inspirierter aus bei diesen Worten. Ich wartete einige Augenblicke, bis er mir ungeteilte Aufmerksamkeit
schenken konnte, und dann setzte ich ihm auseinander, welche
Vorsichtsmaßregeln wir ergreifen müßten, wenn wir sie aufsuch-
ten. »Zuerst, alter Freund«, fing ich an –

»Ich danke Ihnen so sehr, lieber Herr«, unterbrach er mich
und faßte meine Hand.

»– wenn sie nach London kommen sollte, was sehr wahrscheinlich ist – denn wo könnte sie sich besser verbergen als in
dieser ungeheuern Stadt und was sollte sie anders tun, als sich
verbergen, wenn sie nicht nach Haus geht –«

»Und sie wird nicht nach Hause gehen«, fiel er ein und schüttelte traurig den Kopf. »Wenn sie aus eignem freien Willen
zurückgekommen wäre, ja, vielleicht; aber so nicht!«

»Wenn sie hierher kommt, so glaube ich, daß eine ganz bestimmte Person sie leichter auffinden kann als jede andere in der

Welt. Erinnern Sie sich – hören Sie mich mit Fassung an und denken Sie an Ihr großes Ziel – erinnern Sie sich an Marta?«

»Aus unserer Stadt?«

Ich bedurfte keiner andern Antwort als seines Gesichtsausdruckes. »Wissen Sie, daß sie in London ist, Mr. Peggotty?«

»Ich habe sie auf der Straße gesehen«, antwortete er mit einem Schauer.

»Aber Sie wissen nicht, daß Emly mit Hams Hilfe ihr eine Wohltat erwies. Auch nicht, daß Marta an der Tür lauschte an jenem Abend, als wir im Gasthaus miteinander sprachen!«

»Masr Davy«, entgegnete er erstaunt. »An jenem Abend, als es so stark schneite?«

»An jenem Abend. Ich habe sie seitdem nicht wiedergesehen. Als Sie gegangen waren, wollte ich sie aufsuchen, aber sie war fort. Ich wollte damals Ihnen gegenüber nichts davon erwähnen und tue es auch heute nicht gern, aber ich glaube, wir sollten uns mit ihr in Verbindung setzen. Verstehen Sie, was ich meine?«

»Nur zu gut, Sir!«

Wir hatten unsere Stimmen fast bis zum Flüstern gedämpft und sprachen leise weiter.

»Sie sagen, Mr. Peggotty, Sie hätten sie gesehen. Glauben Sie wohl, Sie könnten sie auffinden?«

»Ich glaube, ich weiß, wo sie zu suchen ist, Masr Davy.«

»Es ist dunkel. Wollen wir nicht, da wir schon einmal beisammen sind, miteinander fortgehen und den Versuch machen, sie zu finden?«

Er stimmte bei und machte sich fertig, mit mir zu gehen. Ohne es merken zu lassen, beobachtete ich, wie sorgfältig er das Zimmer in Ordnung brachte, das Bett glattstrich und zuletzt aus einem Kasten eins von Emlys Kleidern herausnahm und es nebst andern und einem Hut auf einen Stuhl legte. Er sagte nichts weiter darüber und auch ich nicht. Wohl so manchen Abend mochten sie schon auf Emly gewartet haben, diese Kleider!

»Es gab einmal eine Zeit, Masr Davy«, sagte er, als wir die Treppe hinuntergingen, »wo mir diese Marta wie Schlamm unter meiner Emly Füßen vorkam. Gott verzeih mir, wie anders ist das jetzt!«

Als wir die Straße entlanggingen, fragte ich ihn nach Ham, teils, um ihn im Gespräch zu erhalten, teils aus Bedürfnis. Er sagte mir fast mit denselben Worten, wie einstmals, daß Ham immer noch das gleiche Leben führe.

Ich fragte ihn, ob er wisse, wie Ham über die Urheber seines Unglücks denke und was er wohl tun würde, wenn er jemals mit Steerforth zusammentreffen sollte.

»Das weiß ich nicht, Sir. Ick hew manchmal drüwer nachdacht, awer ick weet dat nich.«

»Entsinnen Sie sich noch«, fragte ich, »wie verstört und aufgeregt er damals an jenem Morgen nach Emlys Flucht auf das Meer hinausblickte und von einem Ende sprach?«

»Gewiß, gewiß, Sir.«

»Was meinen Sie wohl, wollte er damit sagen?«

»Masr Davy, ich habe mich das schon viele Male selber gefragt und keine Antwort darauf gefunden. Er hat nie anders zu mir gesprochen, als wie es sich für einen gehorsamen Sohn gehört, aber wo diese Gedanken in seiner Seele liegen, da ist tiefes Wasser, Sir, und ich kann nicht auf den Grund sehen.«

»Sie haben recht«, sagte ich, »und das hat mich manchmal besorgt gemacht.«

»Auch mich, Masr Davy! Mehr noch als die sonstige Veränderung in seinem Wesen. Ich weiß nicht, ob er ihm etwas antun würde, aber ich hoffe, die beiden werden nie mehr zusammenkommen.«

Wir waren in der innern Stadt angelangt. Stumm neben mir herschreitend, gab er sich ganz dem einen Ziel seines Lebens hin und ging seines Wegs mit einer Konzentration seiner Gedanken, die ihn auch mitten im Menschengewühl zum einsamen Wanderer gemacht haben würde. Wir waren nicht weit von der Blackfriars-Brücke entfernt, als er mich ansah und auf eine einsame weibliche Gestalt deutete, die auf der andern Seite langsam die

Straße entlangging. Ich erkannte sie sofort als die Gesuchte. Wir gingen über die Straße hinüber auf sie zu, als mir einfiel, daß ihr es vielleicht lieber wäre, wenn wir sie an einem stillen Ort, wo wir weniger beobachtet sein würden, anredeten. Ich riet daher meinem Gefährten, daß wir sie jetzt nicht ansprechen, sondern ihr nachgehen sollten; dabei bestimmte mich zugleich etwas wie ein unklarer Wunsch, zu erfahren, wohin sie wohl ginge.

Wir folgten ihr in einiger Entfernung und trugen Sorge, sie nie aus den Augen zu verlieren, da wir ihr nicht zu nahe kommen durften und sie sich öfters umsah.

Einmal blieb sie stehen, um einer Musikbande zuzuhören. Dann wanderte sie durch viele viele Straßen, aber unermüdlich folgten wir ihr.

Aus der Art ihres Ganges war leicht zu erkennen, daß sie ein bestimmtes Ziel vor sich hatte. Dies, dann der Umstand, daß sie in den belebten Straßen blieb, und vielleicht auch eine seltsame Freude an der geheimnisvollen Weise, mit der wir ihr folgten, ließen mich auf meinem ersten Vorsatz beharren.

Endlich lenkte sie in eine dunkle stille Straße ein, wo weder Lärm noch Gedränge war, und ich sagte: »Hier können wir sie anreden.«

Wir beschleunigten unsere Schritte.

47. Kapitel

Marta

Wir befanden uns jetzt in Westminster. Wir hatten umkehren müssen, da sie uns entgegengekommen war. Bei der Westminster-Abtei hatte sie das Licht und das Geräusch der Hauptstraßen verlassen. Sie ging so rasch, als sie aus dem Menschenstrom, der von der Brücke kam, heraus war, daß wir sie erst am engen Flußarm bei Millbank erreichten. In diesem Augenblick bog sie über die Straße hinüber, als ob sie vor den Schritten fliehen wollte, die sie so dicht hinter sich hörte, und ging, ohne sich umzusehen, noch schneller.

Durch einen finstern Torweg, in dem einige Frachtwagen standen, konnte ich plötzlich den Fluß sehen, und ich hatte die Empfindung stehenbleiben zu müssen. Ich legte die Hand auf den Arm meines Gefährten, und wir beide hielten uns stumm auf der andern Seite der Straße und im Schatten der Häuser.

Zu jener Zeit stand am Ende dieser tief am Fluß unten liegenden Straße ein halbverfallenes kleines Holzgebäude; wahrscheinlich ein altes Fährhaus. Als sie dort angekommen war, blieb sie stehen, als sei sie am Ziele, und ging langsam am Ufer hin und blickte in die Wellen.

Bis jetzt hatte ich immer geglaubt, sie ginge in eine Wohnung, und die dunkle Hoffnung gehegt, daß das Haus mit der, die wir suchten, in irgendeiner Beziehung stehen könnte. Aber der eine Blick auf den dunkeln Fluß durch den Torweg hindurch hatte mich unwillkürlich darauf vorbereitet, daß Marta nicht weitergehen werde.

Die Umgebung war zu jener Zeit höchst öde, – so unheimlich, traurig und einsam bei Nacht wie irgendeine um London herum. Weder Werften noch Häuser lagen auf dem unheimlich wüsten Weg in der Nähe des großen Gefängnisses. Ein schmutziger Graben lief an der Mauer entlang, schilfartiges Gras und Unkraut überwucherten das sumpfige Land in der Nähe. Auf einer Seite zerfallene Häuserleichen, die, unter ungünstigen Verhältnissen begonnen, nie zu Ende gebaut worden waren, dann wieder der Boden bedeckt mit verrosteten eisernen Ungeheuern von Dampfkesseln, Rädern, Kurbeln, Röhren, Ankern, Taucherglocken. Windmühlflügel und andere fremdartige Gegenstände, von einem Spekulanten hier aufgehäuft, lagen in Schmutz und Staub herum und schienen sich, durch ihr Gewicht halb eingesunken, in dem nassen Boden verstecken zu wollen. Gerassel und die rote Lohe von verschiedenen Schmiedewerken am Ufer störten den nächtlichen Frieden und alles, ausgenommen den schweren dicken Rauch, der sich aus ihren Essen wälzte. Schlüpfrige Gänge und Fußpfade, die sich zwischen alten hölzernen Pfeilern hindurchwanden, an denen widerliche schlammige Gewächse hingen wie grünes Haar, und die Fetzen alter Plakate, die Finderlohn für Ertrunkene aussetzten, führten durch Schlamm und Kot zum Wasserspiegel, wenn Ebbe war. Es ging die Sage, daß eine große Pestgrube sich hier befände, und schon die Nähe derselben schien einen giftigen Hauch über den ganzen Ort zu verbreiten.

Marta ging zögernd hinunter zum Rande des Flusses und stand inmitten dieses Nachtbildes, als wäre sie ein Teil des Auswurfes, den der Strom zu Verfall und Verwesung ans Ufer geschwemmt, einsam und stumm da und schaute auf das Wasser. Einige Boote und Jollen lagen im Schlamm, und ihre Schatten setzten uns instand, ihr auf wenige Schritte nahe zu kommen, ohne gesehen zu werden. Ich gab Peggotty ein Zeichen, stehenzubleiben, und trat hervor, um sie anzureden. Ich näherte mich der einsamen Gestalt nicht ohne ein gewisses Bangen, denn dieses düstere Ziel ihres entschlossenen Ganges und die Art, wie sie dastand, fast eingehüllt in den höhlenartigen Schatten der eisernen Brücke, und auf die in der starken Strömung kraus zitternden Lichter sah, flößten mir Angst ein.

Sie schien mit sich selbst zu sprechen. Der Schal war von ihren Schultern gefallen, und sie rang und knotete ihn in der Hand in einer sonderbaren verstörten Weise, fast wie eine Nachtwandlerin. Es lag etwas in ihrem Wesen, was mir die Furcht einflößte, sie könnte vor meinen Augen versinken, ehe es mir gelingen würde ihren Arm zu fassen.

In diesem Augenblick rief ich: »Marta!«

Sie stieß einen Schrei des Entsetzens aus und rang mit mir mit solcher Kraft, daß ich kaum glaube, ich hätte sie allein bewältigen können. Aber eine stärkere Hand als die meine faßte sie an der Schulter, und als sie erschrocken aufblickte und sah, wer es war, machte sie nur noch einen schwachen Versuch und sank dann zwischen uns zusammen. Sie weinte und stöhnte, und wir trugen sie weg vom Wasser zu einigen trockenen Steinen hin. Nach einer kleinen Weile setzte sie sich aufrecht und bedeckte ihr Gesicht mit beiden Händen.

»Ach der Strom!« rief sie leidenschaftlich. »Ach der Strom!«

»Still, still«, sagte ich, »beruhigen Sie sich!«

Aber sie wiederholte immer wieder und wieder die Worte: »Ach der Strom!«

»Ich weiß wohl, er gleicht mir«, rief sie aus. »Ich weiß, daß ich ihm angehöre. Ich weiß, daß er die natürliche Zuflucht von solchen Geschöpfen ist, wie ich bin. Er kommt vom frischen grünen Lande her, wo nichts Schlechtes in ihm war, und jetzt schleicht er durch die dunklen Straßen, besudelt und elend – und verschwindet wie mein Leben in einem großen Meer, das nie zur Ruhe kommt –, und ich fühle, daß ich mit ihm gehen muß.«

Ich habe nie in Worten eine tiefere Verzweiflung gehört als in diesen. »Ich kann mich nicht fern von ihm halten, ich muß an ihn denken Tag und Nacht. Er ist das einzige auf der Welt, für das ich passe und das für mich paßt. Ach, der schreckliche Strom!« jammerte sie.

Als ich auf das Gesicht meines Begleiters, das stumm und bewegungslos auf sie herabsah, blickte, hätte ich darin die Geschichte seiner Nichte lesen können, auch wenn ich ein Fremder gewesen wäre. Noch niemals habe ich in einem Antlitz Entsetzen und Mitleid so deutlich ausgeprägt gesehen. Er zitterte, als wollte er zusammenbrechen; sein Aussehen beunruhigte mich, ich faßte seine Hand, und sie war totenkalt.

»Sie ist nicht bei sich!« flüsterte ich ihm zu. »In einer kurzen Weile wird sie anders sprechen.«

Ich weiß nicht, was er mir antworten wollte. Seine Lippen bewegten sich, und er schien zu glauben, er habe gesprochen; aber er hatte nur mit seiner ausgestreckten Hand auf sie gedeutet.

Marta fing wieder heftig zu weinen an und verbarg das Gesicht auf den Steinen und lag vor uns, ein Bild der Erniedrigung und des Elends. Wir standen schweigend neben ihr, bis sie ruhiger wurde. Dann schien sie aufstehen und fortgehen zu wollen, und ich half ihr; aber sie war zu schwach und mußte sich an ein Boot lehnen.

»Wissen Sie, wer mein Begleiter ist?« fragte ich.

»Ja«, sagte sie mit matter Stimme.

»Wissen Sie, daß wir Ihnen heute abend schon lange nachgegangen sind?«

Sie schüttelte den Kopf. Sie sah weder ihn noch mich an, sondern stand demütig vor uns, Hut und Schal in der einen Hand, die andere geballt an die Stirn gedrückt.

»Sind Sie gefaßt genug«, fragte ich, »über den Gegenstand zu sprechen, der Sie an jenem Abend, als es so schneite, so interessierte?«

Sie fing von neuem an zu schluchzen und gab mit einigen unartikulierten Tönen ihrem Dank Ausdruck, daß ich sie damals nicht von der Türe gewiesen hatte.

»Ich will nicht für mich sprechen«, sagte sie nach einer kurzen Pause, »ich bin verdorben und verloren. Ich habe keine Hoffnung mehr. Aber sagen Sie ihm, Sir« – sie war scheu vor Mr. Peggotty zurückgewichen – »wenn Sie mich nicht zu sehr verachten, daß ich in keiner Weise die Ursache seines Unglücks gewesen bin.«

»Es ist Ihnen nie zugeschrieben worden«, erwiderte ich mit gleichem Ernst wie sie.

»Sie waren es, wenn ich mich nicht irre«, fuhr sie mit gebrochener Stimme fort, »der an jenem Abend, wo sie sich meiner so erbarmte, in die Küche kam, wo sie so freundlich zu mir war und nicht vor mir zurückschreckte wie die übrigen und mich so voll Liebe unterstützte; waren Sie das nicht, Sir?«

»Ja.«

»Ich hätte mich längst in den Fluß gestürzt«, sagte sie mit einem Blick voll Entsetzen auf die Wellen, »wenn ein Unrecht gegen sie mir auf der Seele gelegen hätte.«

»Die Ursache ihrer Flucht ist nur zu gut bekannt«, sagte ich, »Sie tragen nicht die geringste Schuld, das glauben wir und wissen wir.«

»Sie sprach nie ein Wort zu mir, das nicht gut und recht war. Wie hätte ich je versuchen sollen, sie zu meinesgleichen zu machen, wo ich nur zu gut weiß, was ich selbst bin. Als ich alles verlor, was das Leben kostbar macht, da war der grausamste aller meiner Gedanken der, daß ich jetzt auf ewig von ihr getrennt sein müßte.«

Mr. Peggotty, auf den Bord des Bootes gestützt und die Augen niedergeschlagen, bedeckte sein Gesicht.

»Als ich damals von Leuten aus unserer Stadt von dem Unglück erfuhr, da war mein allerbitterster Gedanke der, man würde sich daran erinnern, daß sie einst mit mir verkehrte, und sagen, ich hätte sie verdorben, während ich doch, der Himmel weiß es, gern gestorben wäre, wenn ich ihr damit ihren guten Namen hätte wiedergeben können.«

Der Ausbruch ihrer Reue und ihres Schmerzes war schrecklich anzusehen.

»Zu sterben hätte für mich nicht viel bedeutet – was sage ich – ich wäre leben geblieben. Ich hätte mein Leben zu Ende gelebt in den schmutzigen Straßen, um, von allen gemieden, in der Nacht umherzustreifen und den Tag anbrechen zu sehen über den grauen Dächern und zu denken, daß dieselbe Sonne einst in mein Zimmer schien und mich einst aufweckte; selbst das hätte ich getan, um sie zu retten.«

Wieder zusammengesunken nahm sie ein paar Steine in jede Hand und quetschte sie zusammen, als wollte sie sie zermalmen. Und immer wieder veränderte sie wie in Krämpfen ihre Stellung: Sie streckte die Arme von sich, rang sie vor dem Gesicht, als wollte sie von ihren Augen die wenigen Lichtstrahlen ausschließen, und senkte den Kopf wie unter der Last unerträglicher Erinnerungen.

»Was soll ich nur anfangen«, rief sie, mit ihrer Verzweiflung kämpfend. »Wie kann ich fortleben, wie ich bin, ein Fluch für mich selbst, eine lebende Schmach für jeden, dem ich zu nahe komme!«

Plötzlich wendete sie sich an Mr. Peggotty: »Zertreten Sie

mich, erschlagen Sie mich! Als sie Ihr Stolz war, hätten Sie geglaubt, ich besudle sie, wenn ich sie auf der Straße mit meinem Kleide gestreift hätte. Sie können ja keine Silbe glauben, die ich spreche! … Sie können es nicht! Selbst jetzt würden Sie es wie eine brennende Schmach empfinden, wenn sie und ich ein Wort miteinander sprächen. Ich beklage mich nicht! Ich sage nicht, daß sie und ich etwas miteinander gemein haben, – ich weiß, daß ein großer, großer Abstand zwischen uns liegt. Ich sage nur mit der ganzen Last meiner Verkommenheit auf dem Herzen, daß ich ihr dankbar bin von ganzer Seele und sie liebe. O, glauben Sie nicht, daß die Kraft, ein Wesen zu lieben, ganz ausgestorben in mir ist. Stoßen Sie mich von sich, wie es die ganze Welt tut. Erschlagen Sie mich, weil ich so verkommen bin und sie jemals gekannt habe, aber denken Sie das nicht von mir!«

Wie sie so flehentlich bat, sah er sie mit wildem, verstörtem Blick an und hob sie sanft auf, als sie schwieg.

»Marta!« sagte er, »Gott verhüte, daß ich mich zu Ihrem Richter aufwerfen sollte, liebes Kind. Sie wissen nicht zur Hälfte, wie ich im Lauf der Zeit anders geworden bin, wenn Sie das für möglich halten.«

Er schwieg eine Weile und fuhr dann fort: »Sie wissen nicht, warum dieser Herr und ich mit Ihnen sprechen möchten. Sie wissen nicht, was wir damit bezwecken. Hören Sie mich an!«

Sein Einfluß bannte sie vollständig. Sie stand demütig vor ihm und fürchtete sich, ihm in die Augen zu sehen, aber ihr leidenschaftlicher Schmerz hatte sich gelegt, und sie schwieg.

»Wenn Sie an jenem Abend, wo es schneite, etwas von dem gehört haben, was ich Master Davy erzählte, so wissen Sie, daß ich weit, weit weggewesen bin, um meine liebe Nichte zu suchen. Meine *liebe Nichte*«, wiederholte er mit fester Stimme. »Denn ich liebe sie jetzt mehr, Marta, als je zuvor!«

Sie bedeckte das Gesicht mit den Händen und sprach kein Wort.

»Ich weiß noch, sie hat von Ihnen erzählt«, sagte Mr. Peggotty, »da Sie von Kindheit an eine Waise gewesen sind und kein

Freund sich Ihrer in rauher Seemannsweise annahm. Vielleicht können Sie fühlen, wenn Sie einen Freund gehabt haben würden, daß Sie ihn im Lauf der Zeit lieb gewonnen hätten, und daß meine Nichte mir wie eine Tochter war.«

Wie Marta stumm und zitternd dastand, hüllte er sie sanft in ihren Schal ein, den er zu diesem Zweck aufgehoben hatte.

»Ich weiß«, sagte er, »daß sie bis ans Ende der Welt mit mir ginge, wenn sie mich wiedersehen würde, aber auch bis ans fernste Ende der Welt fliehen würde, um sich vor mir zu verbergen. Wenn sie auch gewiß nicht an mir zweifelt – nein, das tut sie nicht – « wiederholte er mit einem ruhigen Vertrauen, »so mischt sich doch die Scham hinein und hält uns auseinander.«

Ich sah in jedem Worte seiner einfachen eindrucksvollen Rede einen Beweis, wie gründlich und von jedem Gesichtspunkte aus er alles überdacht und sich überlegt hatte.

»Nach Masr Davys und meinem Dafürhalten muß sie einmal ihr einsamer Weg nach London führen. Wir wissen, Masr Davy, ich und wir alle, daß Sie so unschuldig an ihrem Unglück sind wie ein neugebornes Kind. Sie sagten vorhin, daß sie gut und freundlich und herzlich gegen Sie war. Gott segne sie! So war sie! So war sie immer gegen alle. Sie sind ihr dankbar und lieben sie. Helfen Sie uns, sie zu finden, und der Himmel wird es Ihnen lohnen.«

Marta sah ihn hastig an, als ob sie an der Richtigkeit dessen, was sie hörte, zweifle.

»Sie wollen mir vertrauen?« fragte sie mit leiser erstaunter Stimme.

»Ganz und gar«, sagte Mr. Peggotty.

»Ich soll sie anreden, wenn ich sie finden sollte, sie zu mir nehmen, wenn ich selbst ein Obdach habe, und dann, ohne daß sie es erfährt, zu Ihnen kommen und Sie zu ihr führen?« fragte sie hastig.

»Ja«, antworteten wir beide.

Sie erhob die Augen und erklärte feierlich, daß sie sich mit allem Eifer und getreulichst dieser Aufgabe widmen wolle und darin ausharren, solange noch eine Spur von Hoffnung vorhanden sei. Und wenn sie diesem Vorsatz nicht treu bliebe, so möge alle Hilfe, menschliche und göttliche, sie für alle Zeiten verlassen.

Sie hauchte es so leise, daß man es kaum hören konnte, und sprach nicht zu uns, sondern zu dem Nachthimmel empor; dann blieb sie ruhig und stumm stehen und blickte auf das dunkle Wasser hinaus.

Wir hielten es für angezeigt, ihr alles, was wir wußten, ausführlich zu erzählen. Sie hörte mit größter Aufmerksamkeit zu. Ihre Augen füllten sich manchmal mit Tränen, aber sie beherrschte sich. Es schien, als wäre ihr Geist ganz verändert und voll tiefster Ruhe.

Als wir ihr alles erzählt hatten, fragte sie, wohin sie uns Mitteilungen machen könnte, wenn sich Veranlassung dazu ergeben sollte. Unter einer trüben Laterne am Weg schrieb ich unsere beiden Adressen auf ein Blatt meines Taschenbuchs, riß es heraus, und sie steckte es hinter ihr ärmliches Busentuch. Ich fragte sie, wo sie wohne. Nach einer kurzen Pause sagte sie, an keinem Orte lange. Es sei besser für uns, es nicht zu wissen.

Da Mr. Peggotty mir etwas zuflüsterte, was mir selbst auch schon eingefallen war, zog ich meine Börse heraus; aber ich konnte sie nicht bewegen, Geld anzunehmen und ihr auch kein Versprechen abringen, daß sie es ein andermal tun wollte. Ich stellte ihr vor, daß Mr. Peggotty für einen Mann seines Standes nicht arm genannt werden könnte, und daß der Gedanke, ihr diesen Auftrag zu geben, während sie ganz hinsichtlich ihres Erwerbes auf ihre eignen Kräfte angewiesen sei, uns beide verletzte. Sie blieb unerbittlich. In dieser Hinsicht war Mr. Peggottys Einfluß auf sie nicht größer als meiner. Sie dankte ihm herzlich, blieb aber fest.

»Vielleicht bekomme ich Arbeit«, sagte sie. »Ich will es versuchen.«

»Nehmen Sie wenigstens inzwischen eine Hilfe an«, drängte ich.

»Ich könnte das, was ich versprochen habe, nicht um Geld tun! Ich könnte es nicht annehmen, und wenn ich verhungern müßte! Mir Geld geben, hieße mir Ihr Vertrauen entziehen, das

Ziel wegnehmen, das Sie mir vorgesteckt haben, den einzigen Halt wegnehmen, der mich noch vor dem Flusse rettet.«

»Im Namen des großen Richters«, sagte ich, »vor dem wir alle einst stehen müssen, geben Sie Ihren entsetzlichen Gedanken auf. Wir alle können Gutes tun, wenn wir wollen.«

Sie zitterte und ihre Lippen bebten und ihr Gesicht wurde noch blässer, als sie antwortete: »Ihnen ist es vielleicht ins Herz gelegt worden, ein unglückliches Geschöpf zu retten, aber ich kann den Gedanken nicht fassen; es kann doch gar nicht sein. Wenn ich noch etwas Gutes tun könnte, dürfte ich wieder hoffen. Von meinen Taten ist bis jetzt nur Unheil gekommen. Das erste Mal wird mir jetzt etwas anvertraut. Ich sage weiter nichts und kann weiter nichts sagen.«

Sie unterdrückte ihre Tränen, streckte ihre zitternde Hand aus und berührte Mr. Peggotty, als ob eine heilende Kraft von ihm ausginge. Wahrscheinlich war sie lange krank gewesen. Wie ich sie näher ansah, bemerkte ich, daß sie elend und abgemagert war und ihre tief eingesunkenen Augen von Entbehrung und Mangel Zeugnis ablegten.

Wir folgten ihr eine kleine Strecke, denn unser Weg führte uns in derselben Richtung, bis wir in die helleren und belebten Straßen kamen. Ich setzte so unbedingtes Vertrauen in sie, daß ich jetzt Mr. Peggotty fragte, ob es nicht wie Mißtrauen aussähe, wenn wir ihr länger folgten. Er war derselben Meinung, und so ließen wir sie ihres Weges gehen und schlugen die Straße nach Highgate ein. Er begleitete mich eine Strecke, und als wir mit einem Gebet um den Erfolg dieses neuen Versuchs schieden, lag ein Ausdruck gedankenvoller Teilnahme auf seinem Gesicht, den ich mir wohl zu deuten wußte.

Es war Mitternacht, als ich zu Hause ankam. Ich stand an meiner Gartentür und horchte auf die tiefen Töne der Glocken der St.-Pauls-Kirche, die lauter als die andern dröhnten, als ich zu meiner Überraschung das Gartentor meiner Tante offenstehen und ein schwaches Licht über den Weg scheinen sah.

Ich glaubte, meine Tante sei vielleicht wieder in Angst wegen einer eingebildeten Feuersbrunst und wollte sie beruhigen gehen. Zu meinem großen Erstaunen sah ich aber einen Mann in ihrem kleinen Garten stehen.

Er hatte ein Glas und eine Flasche in der Hand und trank. Ich hielt mich hinter der dichten Hecke, denn der Mond schien jetzt hinter den Wolken hervor, und ich erkannte den Mann, den ich früher für ein Phantasiegebilde Mr. Dicks gehalten und später mit meiner Tante in den Straßen der City gesehen hatte. Er aß und trank und schien hungrig zu sein. Auch das Landhaus schien seine Neugierde rege zu machen, als ob er es zum ersten Mal sähe. Dann blickte er zu den Fenstern hinauf und sah sich um mit einer scheuen und ungeduldigen Miene, unschlüssig, ob er gehen oder bleiben sollte.

Der lichte Schein auf dem Weg verschwand einen Augenblick, und meine Tante trat heraus. Sie war sehr aufgeregt und zählte Geld in seine Hand. Ich hörte es klimpern.

»Was soll ich damit?« fragte er.

»Ich kann nicht mehr entbehren«, entgegnete meine Tante.

»Dann kann ich nicht fort. Hier! Nimm es zurück.«

»Du schlechter Mensch«, antwortete meine Tante in großer Erregung. »Wie kannst du mich so ausnützen! Aber warum frage ich? Weil du weißt, wie schwach ich bin. Brauche ich etwas anderes zu tun, um mich auf immer von deinen Besuchen zu befreien, als dich deinem verdienten Schicksal zu überlassen?«

»Und warum tust du es denn nicht?«

»Du fragst noch, warum? Was für ein Herz du haben mußt!«
Er klimperte unschlüssig und mürrisch mit dem Geld.

»Du willst mir also weiter nichts geben?«

»Es ist alles, was ich dir geben kann. Du weißt, daß mich Verluste betroffen haben und daß ich arm bin. Ich habe es dir bereits gesagt. Warum bereitest du mir den Schmerz, noch einen Augenblick länger ansehen zu müssen, was aus dir geworden ist!«

»Ich sehe genügend herabgekommen aus, wenn du das meinst«, sagte er. »Ich lebe wie eine Eule.«

»Du hast mir den größten Teil alles dessen, was ich besaß, genommen. Du hast für lange Jahre mein Herz gegen die ganze Welt verschlossen. Du hast mich treulos, undankbar und grausam behandelt. Geh und bereue es! Füge nicht noch neues Unrecht zu dem, was du mir bereits angetan hast!«

»Ja«, sagte er, »das ist alles recht schön; – nun, ich muß mich wohl vorderhand einrichten, so gut es geht.«

Gegen seinen Willen schienen ihn die Tränen meiner Tante zu beschämen, und er schlüpfte aus dem Garten. Mit zwei oder drei raschen Schritten, als ob ich eben des Weges käme, begegnete ich ihm in der Türe. Wir sahen uns im Vorbeigehen an und nicht mit freundlichen Blicken.

»Tante«, sagte ich hastig, »schon wieder verfolgt dich dieser Mann? Laß mich mit ihm sprechen.«

Sie faßte mich beim Arm. »Kind, komm herein und rede zehn Minuten lang nicht mit mir.«

Wir setzten uns in dem kleinen Wohnzimmer nieder. Meine Tante zog sich hinter den runden grünen Schirm, der jetzt auf die Lehne eines Stuhls geschraubt war, zurück und wischte sich während einer Viertelstunde von Zeit zu Zeit die Augen. Dann setzte sie sich neben mich.

»Trot«, sagte sie ruhig, »es war mein Mann.«

»Dein Mann, Tante? Ich glaubte, er wäre tot?«

»Für mich ist er tot, aber er lebt.«

Ich saß in stummer Verwunderung da.

»Betsey Trotwood sieht nicht wie der Gegenstand einer zärtlichen Leidenschaft aus«, sagte sie ruhig, »aber es gab eine Zeit, Trot, wo sie an diesen Mann von ganzem Herzen glaubte, Trot. Es gibt keinen Beweis von Zuneigung und Liebe, den sie ihm nicht abgelegt hätte. Dafür dankte er ihr, indem er ihr Vermögen vergeudete und ihr fast das Herz brach. Darum legte sie alle solche Gefühle ein für allemal ins Grab und schüttete es zu.«

»Meine liebe gute Tante!«

»Ich schied großmütig von ihm«, fuhr sie fort und legte ihre Hand in ihrer gewohnten Weise auf die meine. »Nach so langer

Zeit, Trot, darf ich wohl sagen, großmütig. Er hatte so schlecht an mir gehandelt, daß ich mich wohl unter leichteren Bedingungen hätte von ihm scheiden lassen können, aber ich tat es nicht. Er vergeudete bald, was ich ihm gegeben, sank immer tiefer und tiefer, heiratete, glaube ich, noch einmal, – wurde ein Abenteurer, ein Spieler und ein Schwindler. Was er jetzt ist, hast du selbst gesehen. Aber als ich ihn heiratete, war er ein schöner Mann«, sagte sie mit einem Widerhall des Stolzes und der Bewunderung alter Zeiten in ihrer Stimme. »Ich glaubte an ihn und hielt ihn in meiner Blindheit für einen vollkommenen Ehrenmann.«

Sie drückte mir die Hand und schüttelte den Kopf.

»Er gilt mir jetzt nichts mehr, Trot, weniger als nichts. Aber ich gebe ihm lieber mehr Geld, als ich entbehren kann, wenn er von Zeit zu Zeit zu mir kommt, als daß ich ihn wegen seiner Vergehen bestraft sehen möchte, – und das würde geschehen, wenn er sich im Lande herumtreibt. Ich war verblendet, als ich ihn heiratete, und bin selbst heute noch so verblendet, daß ich um dessentwillen, was ich einst in ihm sah, diesen Schatten eines nichtigen Jugendtraums vor Schande schützen möchte. Denn ich fühlte es ehrlich, Trot, wenn jemals ein Weib ehrlich gefühlt hat.«

Meine Tante ließ das Thema mit einem tiefen Seufzer fallen und strich sich das Kleid glatt.

»So, liebes Kind«, sagte sie, »jetzt kennst du den Anfang, die Mitte, das Ende und alles, was damit zusammenhängt. Wir wollen nicht weiter von der Sache sprechen. Natürlich wirst du auch nicht zu andern Leuten davon reden. Das ist meine schlimme dumme Geschichte, und wir wollen sie für uns behalten, Trot.«

48. Kapitel

Häusliches

Ich arbeitete angestrengt an meinem Buche, ohne mich dadurch in der pünktlichen Verrichtung meiner Zeitungspflichten stören zu lassen; und es erschien und brachte mir viel Erfolg. Das Lob, das in meine Ohren tönte, betäubte mich nicht, obgleich ich es wohltuend empfand und gewiß besser von meinem Werke dachte als vielleicht irgendein anderer Mensch. Meine Beobachtungsgabe hat mir gezeigt, daß jemand, der mit gutem Grund an sich glaubt, sich niemals vor andern rühmt, um sie an sich glauben zu machen. Je mehr Lob ich erntete, desto mehr suchte ich es mir zu verdienen. Ich beabsichtige hier nicht, wenn ich auch in allen wesentlichen Punkten meine Lebensgeschichte niederschreibe, auf meine Werke zu sprechen zu kommen. Sie sprechen für sich selbst, und ich überlasse sie sich selbst. Wenn ich ihrer beiläufig erwähne, so tue ich es nur, weil sie Stufen in meinem Leben bedeuten.

Ich hatte in den Zeitungen und auch anderweitig so fleißig geschrieben, daß ich mich für berechtigt hielt, das langweilige Berichterstatten aufzugeben, als mein neues Werk fertig war. Daher schrieb ich an einem fröhlichen Abend die Musik des parlamentarischen Dudelsacks zum letzten Male auf und habe sie seitdem nie wieder gehört, obgleich ich immer noch in den Zeitungen die alte ewige gleiche Melodie die ganze lange Session hindurch wiedererkenne.

Ich erzähle jetzt von der Zeit, wo ich etwa anderthalb Jahre verheiratet war. Nach mehreren Versuchen verschiedener Art hatten wir das Haushalten als ein schlechtes Geschäft aufgegeben. Wir hatten so etwas wie einen Pagen angeschafft. Das Hauptamt dieses dienstbaren Geistes war, sich mit der Köchin herumzuzanken, in welcher Hinsicht er ein vollkommener Whittington war, nur ohne Katze und ohne die entfernteste Aussicht, Lordmayor zu werden.

Er lebte unter einem beständigen Hagel von Topfdeckeln. Sein ganzes Dasein war ein Kampf. Er schrie bei den allerunpassendsten Gelegenheiten um Hilfe – zum Beispiel, wenn wir eine kleine Tischgesellschaft oder ein paar Freunde zum Abendessen hatten – und kam aus der Küche gestürzt, von eisernen Wurfgeschossen verfolgt.

Wir wären ihn gerne losgewesen, aber er hing so sehr an uns und ging nicht. Er weinte immer gleich und brach in so schreckliche Klagen aus, wenn wir ihm kündigen wollten, daß wir ihn behalten mußten. Er hatte keine Mutter – überhaupt keine Verwandte als eine Schwester, die sofort nach Amerika entfloh, als sie ihn losgeworden war, – und er blieb an uns haften wie ein abscheulicher Wechselbalg. Er empfand seine unglückliche Lage sehr tief und rieb sich immer mit dem Ärmel seiner Jacke die Augen und bückte sich, um sich die Nase in dem äußersten Zipfel eines kleinen Taschentuchs zu schneuzen, das er niemals ganz aus der Tasche zog, sondern stets sparte und geheimhielt.

Dieser unglückselige Page, in einer unheilvollen Stunde für 6 £ 10 sh. jährlich gedungen, war für mich eine Quelle ständiger Unruhe. Ich sah ihn aufwachsen – und er wuchs in die Höhe wie Stangenbohnen – mit banger Furcht vor der Zeit, wo er anfangen würde, sich zu rasieren, ja, selbst vor den Tagen, wo er kahl oder grau werden würde. Ich sah keine Hoffnung, ihn je loszuwerden, und dachte manchmal, wenn ich über die Zukunft nachgrübelte, daran, welche Last er für uns erst sein müßte, wenn er ein Greis geworden.

Nichts erwartete ich weniger, als daß er selbst uns aus unserer Verlegenheit befreien würde. Er stahl Doras Uhr, die wie alles, was uns gehörte, keinen besondern Platz hatte, machte sie zu Geld und verbrauchte den Erlös damit, daß er ununterbrochen mit der Landkutsche zwischen London und Uxbridge hin und her fuhr. Bei Vollendung seiner fünfzehnten Fahrt verhafteten sie ihn und brachten ihn nach Bowstreet, wo man vier Schillinge und sechs Pence und eine alte Querpfeife, die er nicht spielen konnte, bei ihm fand.

Die Entdeckung und ihre Folgen würden mich viel weniger unangenehm berührt haben, wenn er sich nicht so reuig gezeigt hätte. Aber er war sehr bußfertig, und zwar auf ganz eigentümliche Weise – nicht auf einmal, sondern sozusagen auf Raten. Zum Beispiel: Am Tag nach meinem ersten Verhör wegen seines Vergehens machte er Enthüllungen über einen Korb in der Küche, den wir voll Weinflaschen wähnten, in dem aber nichts als leere Krüge und Korke waren. Wir glaubten, er hätte jetzt sein Gewissen erleichtert und das Schlimmste, was er von der Köchin wußte, gesagt. Aber einen oder zwei Tage später fühlte er neue Gewissensbisse und verriet, daß sie ein kleines Mädchen habe, die sich jeden Morgen ganz früh im Hause Brot hole, und daß er selbst bestochen worden war, den Milchmann mit Kohlen freizuhalten. Zwei oder drei Tage später benachrichtigte mich die Behörde, daß er Enthüllungen betreffs unter Küchenabfällen versteckter Rindslenden und im Lumpenkasten verborgner Bettücher gemacht hätte. Einige Zeit später bewegten sich seine Geständnisse in anderer Richtung, und er bekannte sich als Mitwisser eines Plans, bei uns einzubrechen. Ich schämte mich derart, in so ausgedehnter Weise als Opferlamm dazustehen, daß ich ihm gerne Geld gegeben haben würde, wenn er geschwiegen hätte oder ausgebrochen wäre. Aber offenbar schien er der Meinung zu sein, er erwerbe sich Verdienste mit jedem neuen Geständnis oder häufe sogar Verpflichtungen auf mein Haupt.

Schließlich riß ich aus, sobald ich einen Polizeibeamten kommen sah, und führte ein Leben in der Verborgenheit, bis ihm der Prozeß gemacht und er zur Deportation verurteilt worden war. Selbst da konnte er sich nicht beruhigen, sondern schrieb uns immer Briefe und bat so dringend, Dora noch vor seiner Abführung sehen zu dürfen, daß sie ihn besuchte und in Ohnmacht fiel, als sie sich selbst hinter den eisernen Gittern sah. Kurz, ich hatte keine ruhige Stunde, bis er über das Meer geschafft und ein Schäfer »dort oben« im Gebirge geworden war. Wo das eigentlich war, weiß ich heute noch nicht.

Das alles veranlaßte mich zu ernsthaftem Nachdenken, zeigte

mir unsere Fehlgriffe in einem neuen Licht, und ich konnte mich nicht enthalten, es eines Abends Dora, trotz meiner zärtlichen Liebe zu ihr, mitzuteilen.

»Mein Liebling«, sagte ich, »es ist wirklich recht schlimm, daß der Mangel an System in unserer Wirtschaft nicht nur uns schadet, sondern auch andern.«

»Du bist lange still gewesen und jetzt fängst du wieder an zu schimpfen«, klagte Dora.

»Gewiß nicht, Schatz. Laß mich dir nur erklären, was ich meine!«

»Ich glaube nicht, daß ichs zu wissen brauche«, meinte Dora.

»Aber du sollst es wissen, Liebling! Tue doch Jip herunter.«

Dora legte seine Nase an meine und sagte: »Buh«, um meine Ernsthaftigkeit zu vertreiben; da das aber keinen Erfolg hatte, befahl sie ihm, sich in seine Pagode zu verfügen, und sah mich mit gefalteten Händen und höchst resignierter Miene an.

»Die Sache ist die, Liebling«, begann ich. »Wir haben etwas Ansteckendes an uns. Wir stecken jeden an, der in unsere Nähe kommt.«

Ich wäre wohl in dieser bildlichen Weise fortgefahren, wenn mir Doras Gesicht nicht gesagt hätte, daß sie vermutete, ich gedächte vielleicht eine neue Art Impfung oder eine Arznei gegen diesen ungesunden Zustand vorzuschlagen. Deshalb versuchte ich mich deutlicher auszudrücken.

»Wir büßen nicht allein«, fing ich von neuem an, »Geld, Wohlbehagen und manchmal sogar unsere gute Laune ein, sondern laden auch die ernste Verantwortung, jeden Menschen, der in unsern Dienst tritt oder geschäftlich mit uns zu tun hat, zu verderben, auf uns. Ich fürchte, daß der Fehler nicht ganz auf einer Seite liegt, sondern daß diese Leute alle schlecht werden, weil wir uns selbst nicht richtig benehmen. «

»Was für eine Beschuldigung!« rief Dora aus und sah ganz entsetzt drein, »zu sagen, daß ich jemals goldene Uhren gestohlen hätte. O!«

»Aber Liebling«, unterbrach ich sie, »sprich doch nicht so

entsetzlichen Unsinn. Wer hat nur im mindesten auf goldene Uhren angespielt?«

»Du. Du weißt es. Du sagtest, ich hätte mich nicht richtig benommen, und vergleichst mich mit ihm.«

»Mit wem?«

»Mit dem Pagen«, schluchzte Dora. »O du grausamer Mensch! Deine liebevolle Gattin mit einem deportierten Pagen zu vergleichen. Warum sagtest du nicht, was du von mir hältst, ehe wir uns heirateten? Warum sagtest du nicht, du hartherziges Geschöpf, daß du mich für schlimmer als einen deportierten Pagen hältst? O, so eine abscheuliche Meinung von mir zu haben! O Gott!«

»Aber liebe Dora«, wendete ich ein und versuchte sanft das Taschentuch, das sie sich vor die Augen hielt, wegzuziehen, »das ist nicht nur lächerlich von dir, sondern auch sehr unrecht. Vor allen Dingen ist es nicht wahr!«

»Du sagtest von jeher, er flunkere beständig«, schluchzte Dora, »und jetzt sagst du dasselbe von mir. Ach, was soll ich tun! Was soll ich nur tun!«

»Liebes Kind, ich muß dich wirklich bitten, vernünftig zu sein und auf das zu hören, was ich dir jetzt sage. Liebste Dora, wenn wir nicht lernen, unsere Pflicht gegen unsere Angestellten zu tun, werden sie nie lernen, ihre Pflicht uns gegenüber zu erfüllen. Ich fürchte, wir geben den Leuten Gelegenheit, Unrecht zu tun, die wir nie geben sollten. Selbst wenn wir mit Vorsatz so nachlässig wären in allen Dingen, wie wir es sind, so hätten wir nicht das Recht dazu, in dieser Weise fortzufahren. Wir verderben geradezu die Leute. Wir sind verpflichtet, das zu bedenken! Es ist ein Gedanke, der nicht von mir weichen will und mich manchmal sehr verstimmt. Schau, Liebling, das ist alles. Aber nun komm und sei nicht närrisch.«

Lange Zeit wollte mir Dora nicht erlauben, ihr das Taschentuch von den Augen wegzuziehen. Schluchzend und hinter dem Tuch murmelnd saß sie da und fragte, warum ich sie denn geheiratet hätte, wenn ich verstimmt sein wollte – warum ich es nicht noch den Tag vor der Hochzeit gesagt hätte, daß ich würde verstimmt sein wollen –, wenn ich sie nicht ausstehen könnte, warum ich sie denn nicht zu ihren Tanten nach Putney oder zu Julia Mills nach Indien schickte; Julia würde sich freuen, sie wiederzusehen, und sie nicht einen deportierten Pagen nennen; Julia hätte ihr nie einen solchen Namen gegeben. Kurz, Dora war so über die Maßen betrübt, und ihr Leid schmerzte mich so sehr, daß ich die Nutzlosigkeit jeder Wiederholung eines solchen Versuchs vollkommen einsah und zur Überzeugung gelangte, daß ich einen andern Weg einschlagen müßte.

Welcher andere Weg blieb mir noch übrig? »Ihren Geist zu bilden?« Das war so eine Phrase, die hübsch und vielversprechend klang, und ich beschloß, Doras Geist zu bilden.

Ich begann sofort. Wenn Dora sehr kindisch war und ich am liebsten mit ihr gescherzt hätte, versuchte ich ernst zu sein – und verstimmte sie und mich dazu. Ich unterhielt mich mit ihr über die Themen, die meine Gedanken beschäftigten; und ich las ihr Shakespeare vor und langweilte sie im höchsten Grade. Ich machte es mir zur Gewohnheit, ihr wie zufällig bruchstückweise in diesem oder jenem Rat Unterricht zu erteilen; – und sie schreckte davor zurück wie vor Knallerbsen. So geschickt und natürlich ich es auch immer anfing, den Geist meiner kleinen Dora zu bilden, immer ahnte sie instinktiv, was ich vorhatte, und wurde eine Beute der ärgsten Befürchtungen. Besonders deutlich merkte ich, daß sie Shakespeare für einen ganz entsetzlichen Menschen hielt. Mit der Bildung ging es also sehr langsam.

Ich verwickelte Traddles, ohne daß er es merkte, in meine Pläne, und wenn er uns besuchte, bombardierte ich ihn mit allen möglichen Behauptungen, in der Absicht, Dora so nebenbei dadurch zu erziehen. Die Masse von Lebensweisheit, die ich in dieser Weise auf Traddles Haupt häufte, war ungeheuer und von bester Qualität. Aber auf Dora brachte es weiter keine Wirkung hervor, als daß sie, dadurch verstimmt, in steter Besorgnis erhalten wurde, die Reihe würde sogleich an sie kommen.

Ich sah mich in einen Schulmeister, in eine Schlinge, eine Falle verwandelt; es kam mir vor, als ob ich mit Dora wie eine Spinne mit einer Fliege spielte und beständig aus einem Versteck auf sie losstürzen wollte, aber ich hielt doch monatelang aus, – für die Unannehmlichkeiten dieser Übergangszeit durch die Aussicht, daß dereinst zwischen uns vollständige Übereinstimmung herrschen würde, entschädigt. Aber schließlich sah ich ein, daß ich doch nichts ausgerichtet hatte, obgleich ich die ganze Zeit über vor Entschlossenheit gestarrt hatte und stachlig gewesen war wie ein Igel. Es fing mir an einzuleuchten, daß Doras Geist schon gebildet sein könnte.

Bei reiferem Nachdenken kam mir das so wahrscheinlich vor, daß ich meinen Plan, der mir im Entwurf viel besser als in der Ausführung gefallen hatte, aufgab und mich in Zukunft entschloß, mit meinem kindischen Frauchen zufrieden zu sein und nicht mehr zu versuchen, sie zu erziehen. Ich hatte es satt, selber so entsetzlich klug und weise zu sein, und so kaufte ich denn Dora ein Paar hübsche Ohrringe und Jip ein Halsband und begab mich eines Tages nach Hause mit der Absicht, mich angenehm zu machen.

Dora freute sich außerordentlich über die kleinen Geschenke und küßte mich dankbar, aber es lag noch ein Schatten zwischen uns, wenn er auch nicht groß war, und ich nahm mir fest vor, ihn zu beseitigen. Wenn schon einmal ein solcher Schatten da sein mußte, so sollte er in Zukunft in meine eigne Brust fallen.

Ich setzte mich neben sie aufs Sofa, hängte ihr die Ohrringe ein und sagte ihr, ich fürchtete, wir wären in der letzten Zeit nicht so gute Kameraden gewesen wie sonst, und daß die Schuld an mir gelegen habe. »Das Wahre an der Sache ist, liebe Dora, ich habe versucht, recht klug zu sein.«

»Und mich auch recht klug zu machen«, fragte Dora furchtsam. »Nicht wahr, Doady?«

Ich nickte beistimmend auf ihre mit emporgezogenen Augenbrauen allerliebst gestellte Frage und küßte sie.

»Es hat nicht den geringsten Zweck«, sagte Dora und schüttelte den Kopf, bis die Ohrringe klingelten. »Du weißt, was ich für ein albernes Ding bin, und daß du mich von Anfang an als solches hast nehmen sollen. Wenn du das nicht tun kannst, so fürchte ich, du wirst mich nie liebgewinnen. Meinst du nicht manchmal, es wäre besser gewesen ...«

»Was denn, Liebling?« Denn sie stockte, ohne fortfahren zu wollen.

»Nichts.«

»Nichts?«

Sie schlang ihren Arm um meinen Hals und lachte und nannte sich bei ihrem Lieblingsnamen ein Gänschen und versteckte auf meiner Schulter ihr Gesicht in einer solchen Fülle von Locken, daß es eine ordentliche Arbeit war, sie wegzustreichen und ihr in die Augen zu sehen.

»Meinst du nicht auch, es wäre besser gewesen, ich hätte lieber nichts getan als versucht, meines lieben Frauchens Geist zu bilden?« fragte ich, über mich selbst lachend. »Willst du das damit sagen?«

»Also das hast du versucht!« rief Dora. »O, was für ein schändlicher Junge!«

»Aber ich werde es nie wieder versuchen«, beteuerte ich. »Ich habe dich am liebsten so, wie du bist.«

»Wirklich – im Ernst?« fragte Dora und schmiegte sich dichter an mich.

»Warum sollte ich das zu verändern suchen, was mir so lange schon so kostbar gewesen ist? Du meine süße Dora; wir wollen keine Experimente mehr machen, sondern leben wie früher und glücklich sein.«

»Glücklich sein«, stimmte Dora ein. »Ja! Den ganzen Tag! Und du wirst nicht bös sein, wenn es manchmal ein ganz klein wenig schiefgeht?«

»Nein, nein. Wir müssen eben unser Bestes tun.«

»Und du wirst mir nicht wieder sagen, daß wir andere Leute verderben«, schmeichelte Dora, »nicht wahr? Es ist so schrecklich widerwärtig, weißt du!«

»Nein, nein.«

»Es ist besser für mich, ich bin einfältig als unglücklich, nicht wahr?«

»Besser natürlich sein, Dora, als alles andere in der Welt!«

»In der Welt! Ach Doady, die Welt ist groß.« Sie schüttelte den Kopf, sah mich mit ihren frohen glänzenden Augen an, küßte mich, brach in heiteres Lachen aus und sprang fort, um Jip sein neues Halsband umzulegen.

So endete mein letzter Versuch, Dora zu erziehen. Ich war so unglücklich dabei gewesen; ich konnte meine einsame Weltklugheit selbst nicht aushalten und sie mit der Bitte Doras, sie als mein kindisches Frauchen zu betrachten, nicht in Einklang bringen. Ich nahm mir im Stillen vor, mein möglichstes zu tun, aber ich sah voraus, daß das nur sehr wenig sein konnte, wollte ich nicht wieder wie eine Spinne auf der Lauer liegen.

Und der Schatten, der nicht mehr zwischen uns sein sollte, wohin fiel der jetzt?

Das alte Gefühl, daß mir etwas fehle, durchdrang mein ganzes Leben. Wenn es sich überhaupt verändert hatte, so war es nur stärker geworden; aber es sprach mich an, so unbestimmt wie eine schwermütige Weise, die in der Nacht leise in der Ferne erklingt. Ich liebte mein Weib innig und war glücklich, aber das Glück, das ich mir einst ausgemalt, das war nicht das, was ich jetzt genoß; und immer fehlte mir etwas. Was mir fehlte, konnte ich mir nicht ergänzen. Das fühlte ich mit einem natürlichen Schmerz, den wohl alle Menschen kennen. Daß es besser für mich gewesen wäre, meine Gattin hätte mir mehr helfen und die vielen Gedanken, die ich für mich behalten mußte, mit mir teilen können, das wußte ich genau.

Wenn ich an die Luftschlösser meiner Jugend dachte, da standen auch die zufriedeneren Tage meines Jünglingalters mit Agnes in dem lieben alten Haus wie die Schemen der Toten vor mir, die ich vielleicht in einer andern Welt wiedersehen könnte, die aber hier nie mehr lebendig werden würden. Manchmal grübelte ich darüber nach, was wohl geworden wäre, wenn Dora und ich einander nie kennengelernt hätten, aber sie war so mit meinem Dasein verwebt, daß dieser Gedanke jedesmal so schnell entschwebte wie Sommerfäden, die durch die Luft treiben.

Ich liebte Dora stets. Was ich jetzt schreibe, schlummerte und wachte halb auf und schlummerte wieder ein in den innersten Tiefen meines Herzens. An mir verriet sich nichts davon. Es hatte keinen Einfluß auf das, was ich sagte oder tat. Ich trug die ganze Last unserer kleinen Sorgen und aller meiner Projekte; Dora hielt die Federn, und wir fühlten beide, daß die Lasten den Verhältnissen richtig angepaßt und verteilt waren. Sie liebte mich innig und war stolz auf mich, und als Agnes ein paar herzliche Worte an Dora schrieb von dem Stolz und der Teilnahme, mit dem meine alten Freunde von meinem wachsenden Ruhm hörten und mein Buch lasen und mich dabei sprechen zu hören glaubten, las sie mir Dora mit Freudentränen in ihren schönen Augen vor und sagte, ich sei ihr lieber, alter, gescheiter und berühmter Junge.

»Die erste mißverstandene Regung eines unerfahrnen Herzens!« Diese Worte Mrs. Strong klangen mir damals beständig in der Seele nach; oft erwachte ich mit ihnen mitten in der Nacht und habe sie im Traume auf den Mauern des Hauses gelesen.

Ich wußte jetzt, daß mein Herz unerfahren gewesen, als ich mich in Dora verliebt hatte, und daß ich niemals nach unserer Verheiratung hätte fühlen können, was ich jetzt insgeheim fühlte, wenn es wissend gewesen wäre.

»Es kann kein größeres Unglück in der Ehe geben als Ungleichheit in den Gefühlen und Bestrebungen!« Auch an diese Worte erinnerte ich mich. Ich hatte mich bestrebt, Dora mir anzupassen, und fand es unausführbar. Jetzt hatte ich mich Dora anzupassen, mit ihr zu teilen, wie ich konnte, und glücklich zu sein, hatte auf meinen Schultern zu tragen, was ich tragen mußte, und dabei immer noch glücklich zu sein. Das war die Schule, der ich mein Herz zu unterwerfen versuchte, als ich anfing zu denken.

Mein zweites Jahr in der Ehe wurde dadurch viel glücklicher als mein erstes, und was noch besser war, es machte das Leben

Doras zu lauter Sonnenschein. Aber wie das Jahr verrann, nahmen Doras Kräfte ab. Ich hatte gehofft, daß zartere Hände als die meinigen mir helfen würden, ihren Charakter zu bilden, und daß das Lächeln eines Kindes an ihrer Brust sie aus einem kindischen Frauchen zu einem Weibe machen würde. Es sollte nicht sein. Eine kleine Seele schwebte zögernd einen Augenblick über der Schwelle des irdischen Kerkers und schwang sich dann, nichts ahnend von der drohenden Gefangenschaft, von dannen.

»Wenn ich wieder herumspringen kann wie früher, Tante«, sagte Dora, »werde ich mit Jip ein Wettlaufen veranstalten. Er ist recht faul geworden.«

»Ich fürchte, liebe Dora«, sagte meine Tante, die ruhevoll an ihrer Seite arbeitete, »er krankt an etwas Schlimmerem. Am Alter, Dora.«

»Meinst du, er wird alt?« fragte Dora ganz erstaunt. »Wie seltsam ist der Gedanke, Jip könnte alt werden!«

»Es ist eine Krankheit, der wir alle unterworfen sind, Kleines«, sagte meine Tante heiter. »Ich fühle mich nicht freier davon als früher, das versichere ich dir.«

»Aber Jip«, sagte Dora und sah mitleidig das Hündchen an. »Sogar der kleine Jip! Armer Bursche!«

»Nun, er wird schon noch eine gute Weile aushalten, Blümchen«, tröstete meine Tante, Dora auf die Wange klopfend, während sie sich von ihrem Lager herabbeugte, um Jip anzusehen, der sich auf die Hinterbeine stellte und verschiedene fruchtlose asthmatische Versuche machte, heraufzuklettern. »Wir müssen ihm ein Stück Flanell diesen Winter in sein Häuschen legen, und dann kommt er gewiß im Frühling so frisch wie die jungen Blumen wieder heraus. Der gute, kleine Hund! Wenn er ein so zähes Leben hätte wie eine Katze und müßte es hingeben, bloß um mich mit seinem letzten Atemzug noch anbellen zu dürfen, so glaube ich, täte ers.«

Dora hatte Jip auf das Sofa heraufgeholfen, wo er wirklich meine Tante wieder so wütend ankläffte, daß er sich gar nicht geradehalten konnte, sondern sich ganz schief bellte. Je mehr ihn meine Tante ansah, desto wütender wurde er, denn sie trug seit einiger Zeit eine Brille, und aus einem unerforschlichen Grunde faßte er das als eine persönliche Beleidigung auf.

Mit vieler Überredung gelang es Dora ihn zur Ruhe zu bringen, dann zog sie spielend eines seiner langen Ohren durch ihre Hand und wiederholte gedankenvoll:

»Sogar der kleine Jip! Armer Bursche!«

»Seine Lungen sind noch recht gut«, lächelte meine Tante heiter, »und seine Abneigungen sind auch ungeschwächt. Er hat gewiß noch viele, viele Jahre vor sich. Aber wenn du einen Hund zum Wettlaufen haben willst, Blümchen, so hat er dazu zu gut gelebt, und ich will dir einen andern schenken.«

»Ich danke dir, Tante«, sagte Dora leise, »aber bitte, tue es nicht!«

»Nicht?« fragte meine Tante und nahm die Brille ab.

»Ich könnte keinen andern Hund haben als Jip. Es wäre so lieblos gegen ihn. Und dann könnte ich auch keinem andern Hund so gut sein als Jip, denn er hätte mich nicht vor meiner Heirat gekannt und Doady nicht angebellt, als er zuerst zu uns kam. Ich könnte keinem andern Hund gut sein als Jip, fürchte ich, Tante.«

»Gewiß, gewiß«, nickte meine Tante und tätschelte wieder Doras Wange.

»Aber du bist doch nicht bös?«

»Gott, was für ein empfindliches Herzblatt!« rief meine Tante und beugte sich liebevoll über sie. »Warum sollte ich denn bös darüber sein?«

»Nein, nein, es ist ja auch nicht mein Ernst, aber ich bin ein klein wenig müde; ich war einen Augenblick kindisch – ich bin es immer, du weißt ja, –, aber es macht mich noch kindischer, wenn ich von Jip spreche. Er hat mich in allem, was ich erlebte, gekannt, nicht wahr, Jip, und ich könnte es nicht ertragen ihn zurückgesetzt zu sehen, weil er ein bißchen anders geworden ist – nicht wahr, Jip!«

Jip drängte sich dichter an seine Herrin und leckte ihr schläfrig die Hand.

»Du bist noch nicht so alt, Jip, daß du mich verlassen mußt. Wir können uns noch ein klein wenig Gesellschaft leisten.«

Meine hübsche Dora! Als sie am nächsten Sonntag herunter zu Tische kam und sich so sehr freute, unsern alten Traddles, der sonntags immer bei uns aß, zu sehen, glaubten wir, sie würde in wenigen Tagen wieder herumspringen wie früher. Aber es hieß immer: wir müssen noch ein paar Tage warten, und dann immer noch ein paar Tage; und immer noch sprang sie nicht herum. Sie sah ganz allerliebst aus und war sehr fröhlich, aber die kleinen Füßchen, die früher so rasch um Jip herumtanzen konnten, waren jetzt schwer und matt.

Ich mußte sie bald jeden Morgen die Treppe herab und jeden Abend wieder hinauf tragen. Sie faßte mich um den Hals und lachte dabei, als geschähe es zum Spaß. Jip bellte und sprang um uns herum, lief voraus und wartete keuchend, ob wir nachkämen. Meine Tante, diese beste aller Pflegerinnen, kam hinter uns her, ein lebender Berg von Schals und Kissen, und Mr. Dick hätte keinem Menschen auf Erden sein Amt als Leuchterträger abgetreten. Traddles stand oft unten an der Treppe und sah zu und ließ sich Neckereien und scherzhafte Botschaften an das »liebste Mädchen auf der Welt« gefallen. Wir machten ein heiteres Spiel daraus, und mein kindisches Frauchen war die fröhlichste von uns allen.

Aber manchmal, wenn ich sie aufhob und sie mir in den Armen leichter vorkam, da beschlich mich ein dunkles Gefühl, als ob ich mich einer noch unsichtbaren Eisregion näherte, die mein Leben zu erstarren drohte. Ich scheute mich, für dieses Gefühl einen Namen zu suchen oder zu jemand davon zu sprechen, bis ich eines Abends, als es stärker als je über mich kam und meine Tante Dora mit dem Abschiedsgruß: »Gute Nacht, liebes Blümchen« verlassen hatte, mich allein an meinen Schreibtisch setzte und weinte bei dem Gedanken an den verhängnisvollen Namen »Blümchen«, das jetzt wirklich in seiner schönsten Blüte dahinwelkte.

49. Kapitel

Ein Geheimnis hält mich in Atem

Eines Morgens brachte mir die Post einen von Canterbury an mich in Doctors' Commons adressierten Brief. Ich las zu meiner Überraschung:

Werter Herr! Verhältnisse, die außerhalb des Bereichs meiner persönlichen Kontrolle liegen, haben seit geraumer Zeit ein Aufhören der Vertrautheit bewirkt, die bei der durch Geschäftsverhältnisse sehr beschränkten Gelegenheit, Ereignisse und Vorfälle der Vergangenheit im Lichte der prismatischen Farben der Erinnerung zu betrachten, in mir immer freudige Gefühle ungewöhnlicher Art erregt hat. Dieser Umstand, werter Herr, zusammengehalten mit der hohen Auszeichnung, die Ihre Talente Ihnen errungen haben, hält mich ab, mir die Freiheit zu nehmen, den Gefährten meiner Jugendzeit mit der altgewohnten Benennung Copperfield anzureden. Es genüge Ihnen, zu wissen, daß der Name, den zu nennen ich mir hier die Ehre nehme, stets unter den Aufzeichnungen unserer Familie und in der Urkundensammlung, die sich auf unsere früheren Mieter beziehen und von Mrs. Micawber aufgehoben werden, mit Gefühlen persönlicher Hochachtung, die sich bis zur Liebe steigern, aufbewahrt ist. Einem, der wie ich durch frühere Fehler und ein verhängnisvolles Zusammentreffen unglücklicher Zufälle einem gestrandeten Schiffe gleicht und der jetzt die Feder ergreift, um an Sie zu schreiben, – jemand, wiederhole ich, der sich in solchen Verhältnissen befindet, geziemt es nicht, die Sprache des Komplimentes oder der Beglückwünschung zu reden. Das sei geschickteren und reineren Händen vorbehalten.

Wenn Ihre soviel wichtigeren Beschäftigungen Ihnen gestatten, diese unvollkommenen Schriftzüge bis hierher zu lesen, so werden Sie natürlich fragen, was mich zu gegenwärtigem Schreiben veranlaßt. Erlauben Sie mir zu betonen, daß ich die Berechtigung dieser Frage vollkommen zugebe, und gestatten Sie mir, mich weiter auszulassen. Ich möchte jedoch vorausschicken, daß der Zweck dieses Briefes keine Geldangelegenheit betrifft.

Ohne deutlicher auf eine in mir schlummernde Fähigkeit, den Donnerkeil zu schleudern oder die rächende Flamme zu entsenden, anspielen zu können, darf ich mir vielleicht die beiläufige Bemerkung gestatten, daß meine strahlendsten Träume für immer zerronnen sind, daß mein Friede gestört ist und die Möglichkeit, mich zu freuen, vernichtet scheint, – daß mein Herz nicht länger mehr auf dem rechten Flecke schlägt und daß ich nicht mehr aufrecht einherschreiten kann vor meinem Nebenmenschen. Der Reif sitzt in der Blüte. Der Kelch ist bitter bis zum Rand. Der Wurm ist tätig und wird bald sein Opfer haben. Je eher, desto besser! Aber ich will nicht abschweifen. In eine geistige Lage von besonderer Peinlichkeit versetzt, die selbst dem besänftigenden Einfluß Mrs. Micawbers trotzt, trotzdem diese ihn in einer dreifachen Eigenschaft, nämlich als Weib, als Gattin und als Mutter, ausübt, beabsichtige ich, auf eine kurze Zeit vor mir selbst zu fliehen und eine Frist von achtundvierzig Stunden dem Besuche einiger großstädtischer Schauplätze entschwundenen Glücks zu widmen. Außer nach andern Häfen innerer Ruhe und Seelenfriedens werden sich meine Füße natürlich dem Kingsbench-Gefängnis zuwenden. Indem ich Ihnen melde, daß ich mich an der Außenseite der südlichen Mauer jenes für die Haft im Zivilprozeß errichteten Gebäudes übermorgen abends um sieben einfinden werde, ist der Zweck dieser brieflichen Mitteilung erreicht.

Ich fühle mich nicht berechtigt, meinen frühern Freund, Mr. Copperfield oder meinen frühern Freund, Mr. Thomas Traddles vom innern Juristenkollegium, wenn dieser Herr noch am Leben ist, zu bitten, mir die große Gefälligkeit zu tun, mit mir zusammenzutreffen und, soweit es die Umstände erlauben, unsere früheren guten Beziehungen zu erneuern. Ich möchte mich nur auf die Bemerkung beschränken, daß zu der angegebenen Stunde und am bezeichneten Orte aufzufinden sein wird, was noch übrig ist von den Trümmern des gefallenen Turmes

Wilkins Micawber

P. S. Es ist vielleicht ratsam, obigem noch hinzuzufügen, daß ich Mrs. Micawber hinsichtlich meines Vorhabens nicht ins Vertrauen gezogen habe.

Ich las den Brief mehrere Male durch. Wenn ich auch Mr. Micawbers phrasenreichen Stil in Abzug brachte, so fühlte ich doch heraus, daß diesem seltsamen Schreiben etwas sehr Ernsthaftes zugrunde liegen mußte. Ich grübelte gerade darüber nach und geriet in immer größere Verwirrung, als Traddles eintrat.

»Alter Freund«, sagte ich, »du kommst mir wie gerufen. Möchtest du mir nicht mit deinem Urteile beistehen? Ich habe einen sehr merkwürdigen Brief von Mr. Micawber bekommen.«

»Nicht möglich!« rief Traddles. »Du auch? Und ich habe einen von Mrs. Micawber.«

Traddles, ganz erhitzt vom Gehen, das Haar vor Aufregung gesträubt, zog einen Brief aus der Tasche und ließ sich den meinigen geben.

Ich beobachtete ihn beim Lesen und sah, wie er bei den Worten »Donnerkeil schleudern, die rächende Flamme entsenden«, erstaunt die Augenbrauen in die Höhe zog. »Gott bewahre, Copperfield«, sagte er und gab mir dann Mrs. Micawbers Brief. Er lautete:

»Mr. Thomas Traddles meine besten Empfehlungen, und für den Fall, als er sich noch an eine Person erinnert, die früher das Glück hatte, gut mit ihm bekannt zu sein, so bitte ich ihn um Erlaubnis, einige Augenblicke seiner freien Zeit in Anspruch nehmen zu dürfen. Ich versichere Mr. T. T., daß ich seine Freundlichkeit nicht in Anspruch nehmen würde, wäre ich nicht an den letzten Grenzen des Wahnsinns angelangt.

Obgleich sich die Feder sträubt, so muß ich es doch erwähnen: Die Entfremdung Mr. Micawbers von seiner Gattin und seiner Familie ist der Grund dieser meiner Bitte an Mr. Traddles, derentwegen ich ihn um Nachsicht ersuchen muß. Mr. T. kann sich nicht annähernd einen Begriff von der Änderung in Mr. Micawbers Benehmen, von seiner Zerfahrenheit und seiner Heftigkeit machen. Sie hat allmählich so zugenommen, daß sie jetzt einer Geistesstörung ähnlich sieht. Kaum ein Tag vergeht, ich versichere Mr. Traddles, an dem nicht irgendein Paroxismus ausbricht. Mr. T. wird nicht verlangen, daß ich meine Gefühle schildere, wo ich täglich zu hören gewohnt bin, daß Mr. Micawber behauptet, er habe sich dem Teufel verkauft. Geheimniskrämerei bildet seit langem schon seinen vornehmsten Charakterzug und ist längst an Stelle altgewohnten Vertrauens getreten. Der geringste Anlaß, auch wenn er nur gefragt wird, ob er etwas Besonderes zu Mittag wünsche, gibt ihm Gelegenheit, Worte über Scheidungen usw. fallenzulassen. Gestern abend, als er in kindlicher Weise von den Zwillingen um zwei Pence für Zitronenbiskuits gebeten wurde, drohte er ihnen mit einem Austernmesser.

Ich bitte Mr. Traddles zu entschuldigen, daß ich auf diese Einzelheiten eingehe, aber ohne dieselben dürfte es Mr. T. sicherlich schwer werden, sich eine Vorstellung von meiner herzzerreißenden Lage zu machen.

Darf ich also wagen, Mr. T. den Zweck meines Briefs anzuvertrauen, – wird er gestatten, daß ich mich ganz auf seine freundschaftliche Nachsicht verlasse? O ja, denn ich kenne sein Herz.

Der Liebe Scharfblick ist nicht leicht zu täuschen, wenn er weiblichen Geschlechtes ist. Mr. Micawber reist nach London! Obgleich er auf das sorgfältigste heute morgen vor dem Frühstück, als er die Adresse auf den kleinen braunen Mantelsack seiner glücklicheren Tage schrieb, seine Hand verdeckte, so erspähte doch der Adlerblick ehelicher Besorgnis auf das deutlichste: »... don.« Das Westendziel der Landkutsche ist das »Goldne Kreuz«. Darf ich wagen, Mr. T. auf das flehentlichste zu bitten, meinen irregeleiteten Gatten dort zu treffen und mit ihm zu sprechen? Darf ich Mr. T. bitten, die Vermittlerrolle zwischen Mr. Micawber und seiner zu Tode geängstigten Familie zu übernehmen? O nein, denn das wäre zuviel.

Wenn Mr. Copperfield sich noch an eine Person erinnern sollte, die nicht wie er berühmt ist, wird es dann Mr. T. übernehmen, meine unveränderte Achtung und eine gleiche Bitte auszusprechen? Jedenfalls wird er die große Güte haben, diese Mitteilung als streng vertraulich zu betrachten und unter keiner Bedingung eine wenn auch noch so entfernte Anspielung darauf in Mr. Micawbers Gegenwart zu machen.

Wenn Mr. T. jemals – was ich nicht erwarten darf – antworten sollte, so würde ein Brief unter der Adresse ›M. E., postlagernd Canterbury‹ von weniger schmerzlichen Folgen begleitet sein, als wenn er direkt adressiert wäre an eine, die sich im tiefsten Schmerz unterzeichnet als Mr. Thomas Traddles hochachtungsvoll ergebene Freundin und Bittstellerin

Emma Micawber

»Nun, was sagst du dazu?« fragte Traddles, als ich den Brief zweimal gelesen hatte.

»Und was sagst du zu dem andern?«

»Ich glaube, beide zusammen, Copperfield, enthalten mehr, als Mr. und Mrs. Micawber meistens in ihren Briefen zu sagen pflegen, aber ich weiß nicht, was. Beide haben in vollem Ernst geschrieben, darüber ist kein Zweifel, und ohne voneinander zu wissen. Armes Ding!«

Wir verglichen beide Briefe.

»Es ist ein Werk christlicher Liebe, an sie zu schreiben, und ich will nicht unterlassen, Mr. Micawber aufzusuchen.«

Ich stimmte um so bereitwilliger bei, als ich mir Vorwürfe machte, auf Mrs. Micawbers früheren Brief so wenig Gewicht gelegt zu haben. Stark von meinen eignen Angelegenheiten in Anspruch genommen, hatte ich allmählich die Sache vergessen, zumal kein zweiter Brief eingelaufen war. Ich hatte oft an die Micawbers gedacht und hätte manchmal gern gewußt, welche »pekuniären Verpflichtungen« sie wohl in Canterbury eingehen würden, oder hatte mir ins Gedächtnis gerufen, wie zurückhaltend Mr. Micawber gegen mich in seiner Eigenschaft als Schreiber bei Uriah Heep gewesen war.

Jetzt aber schrieb ich einen Trostbrief an Mrs. Micawber, und wir beide unterzeichneten ihn. Als wir in die Stadt gingen, um ihn aufzugeben, beriet ich mit Traddles lange hin und her, und als wir nachmittags auch meine Tante zu Rate zogen, war der einzige Entschluß, zu dem wir kamen, der, daß wir das Stelldichein mit Mr. Micawber pünktlich einhalten wollten.

Obgleich wir eine Viertelstunde vor der Zeit auf dem bestimmten Platze ankamen, fanden wir doch Mr. Micawber schon dort. Er stand mit verschränkten Armen vor der Mauer und betrachtete mit sentimentaler Miene die eisernen Spitzen.

Als wir ihn anredeten, war er verlegener und weniger vornehmtuend als früher. Er hatte den schwarzen Juristenrock auf der Reise abgelegt und trug wieder seinen Überzieher und die engen Hosen. Aber nicht mehr mit der frühern großartigen Miene. Allmählich taute er mehr und mehr auf, als wir mit ihm plauderten, aber seine Lorgnette hing nicht mehr so nonchalant herab, und sein Hemdkragen, wenn auch noch von der alten Größe, sah recht welk aus.

»Meine Herren«, sagte Mr. Micawber nach den ersten Begrüßungen, »Sie sind Freunde in Wort und Tat. Erlauben Sie mir, mich nach dem physischen Wohlbefinden der gegenwärtigen Mrs. Copperfield und der zukünftigen Mrs. Traddles zu erkundigen, das heißt, wenn mein Freund Mr. Traddles noch nicht mit dem Gegenstand seiner Neigung fürs Leben vereint ist.«

Wir dankten der höflichen Nachfrage; dann lenkte er unsere Aufmerksamkeit auf die Mauer und fing an:

»Ich versichere ihnen, meine Herren –«

Ich erhob Einwand gegen diese zeremonielle Form der Anrede und bat ihn, doch ganz in seiner alten Weise zu sprechen.

»Mein lieber Copperfield«, erwiderte er und drückte mir die Hand, »Ihre Herzlichkeit überwältigt mich. Diese freundliche Aufnahme eines zerschmetterten Bruchstücks des Tempels, den man voreinst Mensch nannte – wenn ich mir diesen Ausdruck erlauben darf –, verrät ein Herz, das dem ganzen Menschengeschlecht zur Ehre gereicht. Ich wollte eben bemerken, daß ich den fröhlichen Ort wieder vor Augen sehe, wo die glücklichsten Stunden meines Daseins verrannen.«

»Verschönt durch Mrs. Micawber«, ergänzte ich. »Ich hoffe, sie befindet sich doch wohl?«

»Ich danke«, entgegnete Mr. Micawber, dessen Antlitz sich bei dieser Frage trübte. »Sie befindet sich nur soso –. Das also«, fuhr er fort und nickte kummervoll, »ist das Schuldgefängnis! Das Haus, in dem das erste Mal nach so vielen entschwundnen Jahren der überwältigende Druck pekuniärer Verbindlichkeiten sich nicht Tag für Tag durch zudringliche Stimmen, die den Hausflur nicht räumen wollten, lautmachte, – wo kein Klopfer an der Tür für die andrängenden Gläubiger hing und alle Mahner auf den Portier angewiesen waren. Meine Herren, wenn der Schatten der eisernen Spitzen auf jener Ziegelmauer auf dem Sand des Exerzierplatzes lag, habe ich gesehen, wie meine Kinder dem Wirrwarr des labyrinthischen Musters nachgingen, die dunkeln Stellen vermeidend. Ich kenne jeden Stein an diesem Ort. Wenn ich Schwäche zeige, werden Sie es mir gewiß verzeihen!«

»Wir sind seitdem alle im Leben vorwärtsgekommen, Mr. Micawber.«

»Mr. Copperfield«, entgegnete Mr. Micawber mit Bitterkeit, »als ich ein Bewohner dieses Zufluchtsorts war, konnte ich meinem werten Mitmenschen noch ins Gesicht sehen und ihm – eine herunterhauen, wenn er mich beleidigte. Mein Mitmensch und ich stehen nicht mehr auf so glorreichem Fuß miteinander.« Mr. Micawber wendete sich niedergeschlagen von dem Gebäude weg, nahm meinen dargebotnen Arm auf der einen und Traddles Arm auf der andern Seite an und entfernte sich, von uns geleitet.

»Es gibt Stationen auf dem Wege zum Grabe«, bemerkte er und sah sich ergriffen um, »die der Mensch – wäre der Wunsch nicht gottlos – die der Mensch niemals hinter sich haben möchte. Eine solche Station bedeutet in meinem wechselreichen Leben das Schuldgefängnis.«

»Sind Sie aber trübe gestimmt, Mr. Micawber«, sagte Traddles.

»Ja, das bin ich, Sir.«

»Ich will doch nicht hoffen, daß Sie keinen Gefallen mehr an der Jurisprudenz finden! – Ich bin, wie Sie wissen, selbst Jurist«, sagte Traddles.

Mr. Micawber erwiderte kein Wort.

»Was macht unser Freund Heep, Mr. Micawber?« fragte ich nach einer Pause.

»Mr. Copperfield«, Mr. Micawber wurde plötzlich ganz aufgeregt und blaß, »wenn Sie meinen Brotherrn Ihren Freund nennen, so tut es mir leid; halten Sie ihn für den meinen, so muß ich sardonisch lächeln. In welchem Sinne immer Sie nach ihm fragen, muß ich Sie bitten, meine Antwort, ohne Sie beleidigen zu wollen, darauf beschränken zu dürfen, daß, ob er jetzt gesund ist oder nicht, sein Aussehen fuchshaft, um nicht zu sagen teuflisch ist. Als Privatmann werden Sie mir erlauben, einen Gegenstand fallenzulassen, der mich in meiner Eigenschaft als Jurist bis an den äußersten Rand der Verzweiflung gebracht hat.«

Ich sprach mein Bedauern darüber aus, daß ich unbewußt ein Thema berührt hatte, das ihn so aufregte. »Darf ich aber fragen«, sagte ich, »wie sich meine alten Freunde, Mr. und Miss Wickfield, befinden?«

»Miss Wickfield«, Micawber wurde rot, »ist wie immer ein Muster und ein glänzendes Vorbild. Mein lieber Copperfield, sie ist der einzige Stern in meiner elenden Lebensnacht. Meine Hochachtung vor dieser jungen Dame, meine Bewunderung vor ihrem Charakter, die Ergriffenheit, mit der mich ihre Liebe und Treue und Wahrhaftigkeit erfüllt, ihre Güte ... Bitte, führen Sie mich in eine Seitengasse«, sagte Mr. Micawber, »denn auf Ehre, in meinem gegenwärtigen Gemütszustand kann ich das kaum ertragen.«

Wir führten ihn in eine enge Gasse, wo er sein Taschentuch herauszog und sich mit dem Rücken an eine Mauer lehnte. Wenn ich ihn ebenso ernst ansah wie Traddles, so muß unser Anblick nicht sehr aufheiternd auf ihn gewirkt haben.

»Es ist mein Verhängnis«, fuhr Mr. Micawber fort und

schluchzte laut, obgleich er auch dabei eine gewisse Pose nicht lassen konnte, »es ist leider mein Verhängnis, meine Herren, daß die edlern Gefühle des Menschenherzens wie ein Vorwurf auf mich fallen. Die Verehrung, die ich für Miss Wickfield hege, zerreißt mein Herz in tausend Teile. Besser wäre, Sie ließen mich gehen, damit ich als Vagabund die Welt durchstreifte. Der Wurm wird doppelt so rasch sein Werk vollenden.«

Ohne uns dieser Aufforderung zu fügen, blieben wir neben ihm stehen, bis er das Taschentuch einsteckte und, um etwaige unberufene Zuschauer zu täuschen, ein Liedchen vor sich hinsummte und den Hut unternehmend schief aufsetzte.

Ich sagte ihm dann, ich wäre ihm sehr verbunden, wenn er mir das große Vergnügen bereitete, ihn meiner Tante vorstellen zu dürfen, und daß wir zusammen nach Highgate, wo ein Bett zu seiner Verfügung stünde, fahren wollten.

»Sie müssen uns ein Glas von Ihrem Punsche brauen, Mr. Micawber, und Ihre Sorgen in angenehmen Erinnerungen ertränken.«

»Meine Herren, tun Sie mit mir, was Sie wollen«, entgegnete Mr. Micawber. »Ich bin ein Strohhalm über der Tiefe und werde hin und her geworfen von den Elefanten – pardon, ich wollte sagen – von den Elementen.«

Wir setzten unsern Weg Arm in Arm fort, erreichten die Kutsche noch rechtzeitig und langten in Highgate ohne weitere Abenteuer an. Ich war einigermaßen im Zweifel, was zunächst geschehen müßte, und Traddles schien es ebenso zu gehen.

Mr. Micawber war fast die ganze Fahrt in düsteres Nachsinnen versunken. Zuweilen gab er sich Mühe, fröhlich zu erscheinen, und trällerte den Anfang eines Liedchens. Aber seine Rückfälle in den alten Trübsinn wurden durch den schiefgesetzten Hut und den bis an die Augen emporgezogenen Hemdkragen nur noch auffälliger.

Wir gingen wegen Doras Unpäßlichkeit in das Haus meiner Tante. Wir schickten um sie, und sie bewillkommte Mr. Micawber mit großer Herzlichkeit. Mr. Micawber küßte ihr die Hand, zog sich in das Fenster zurück, zog sein Taschentuch heraus und focht offenbar einen schweren innern Kampf durch.

Mr. Dick war zu Hause. Schon von Natur aus außerordentlich mitfühlend, wenn jemand litt, entdeckte er schnell, wo es fehlte, und schüttelte Mr. Micawber alle fünf Minuten mindestens ein dutzendmal die Hand. Mr. Micawber war in seinem Kummer durch diese Wärme von seiten eines ihm ganz Fremden so außerordentlich ergriffen, daß er bei jedem neuen Händeschütteln nur sagen konnte: »Mein lieber Herr, ich bin ganz überwältigt.« Und das freute Mr. Dick so sehr, daß er seine Hände fast gar nicht mehr losließ.

»Die Freundlichkeit dieses Herrn«, sagte Mr. Micawber zu meiner Tante, »streckt mich – wenn Sie mir gestatten wollen, Maam, eine Redewendung aus dem Wortschatz unseres rauhen Nationalsportes zu entlehnen – geradezu zu Boden. Auf das Haupt eines Mannes, der unter einer so komplizierten Last von Sorgen und Unruhe seufzt, häuft ein derartiger Empfang glühende Kohlen, das versichere ich Ihnen.«

»Mein Freund Mr. Dick«, entgegnete meine Tante mit Stolz, »ist kein gewöhnlicher Mensch.«

»Davon bin ich überzeugt«, rief Mr. Micawber. »Mein werter Herr, ich empfinde auf das tiefste die Herzlichkeit Ihres Empfangs.«

»Wie befinden Sie sich?« fragte Mr. Dick mit besorgtem Blick.

»Leider nur mäßig, verehrter Herr.«

»Sie dürfen den Mut nicht sinken lassen«, ermutigte Mr. Dick, »und müssen es sich hier so behaglich wie möglich machen.«

Mr. Micawber war wieder ganz überwältigt von diesen freundlichen Worten und von Mr. Dicks abermaligem Händedruck. »Es ist mein Schicksal gewesen«, sagte er, »in dem vielgestaltigen Panorama des menschlichen Daseins zuweilen auf eine Oase zu stoßen. Aber noch nie fand ich eine so grüne, so erquickende wie diese.«

Zu jeder andern Zeit hätte mich all dies höchlichst amüsiert, aber ich fühlte, daß wir alle in Unruhe waren, und beobachtete

Mr. Micawbers Hin- und Herschwanken zwischen dem Wunsche, etwas zu enthüllen, und dem gegenteiligen Bedürfnis, es zu verschweigen, so gespannt, daß mich förmlich ein Fieber ergriff. Traddles saß auf der Kante seines Stuhls, die Augen aufgerissen und das Haar mehr zu Berg stehend als je, sah bald den Fußboden, bald Mr. Micawber an und sprach kein Wort. Meine Tante war geistesgegenwärtiger als wir alle und betrachtete unsern Gast mit der gespanntesten Aufmerksamkeit. Sie munterte ihn immerwährend zum Reden auf, mochte er wollen oder nicht.

»Sie sind ein langjähriger Freund meines Neffen, Mr. Micawber«, sagte sie, »und ich wollte, ich hätte das Vergnügen Ihrer Bekanntschaft schon früher gehabt.«

»Maam«, antwortete Mr. Micawber, »auch ich wünschte, mir wäre die Ehre, Sie zu einer früheren Zeit kennenzulernen, eher zuteil geworden. Ich war nicht immer das Wrack, das Sie jetzt vor sich sehen.«

»Ich hoffe, Mrs. Micawber und Ihre Familie befinden sich wohl, Sir?«

Mr. Micawber nickte bejahend. »Sie befinden sich so wohl, Maam«, bemerkte er verzweifelt nach einer Pause, »wie Fremdlinge und Ausgestoßene sich nur befinden können.«

»Mein Gott!« rief meine Tante in ihrer kurzen Art aus. »Was soll das heißen?«

»Der Lebensunterhalt meiner Familie, Maam, hängt in der Luft. Mein Brotgeber –«

Hier unterbrach er sich plötzlich und begann die Zitronen zu schälen, die ich ihm nebst andern Erfordernissen zur Punschbereitung hatte vorsetzen lassen.

»Ihr Brotgeber –« erinnerte Mr. Dick und schüttelte ihm aufmunternd seinen Arm.

»Mein bester Herr«, nahm Mr. Micawber seinen Faden wieder auf, »ich danke Ihnen, daß Sie mich wieder daraufbringen«. Sie schüttelten sich abermals die Hände. »Mein Brotgeber, Maam – Mr. Heep – war einmal so liebenswürdig, mir anzudeuten, daß ich ohne seine Honorare für meine Dienste ein herumziehender

Taschenspieler werden müßte, der Degenklingen verschluckt oder Feuer frißt. Wenn ich alles erwäge, so scheint es mir keineswegs unwahrscheinlich, daß meine Kinder dereinst ihr Brot durch Verrenkung ihrer Glieder suchen müssen, wobei Mrs. Micawber wohl diese widernatürlichen Kunststücke mit der Drehorgel unterstützen wird.«

Mit einer ausdrucksvollen Bewegung des Messers deutete Mr. Micawber an, daß diesem Beruf seiner Familie sein eigner Tod vorangehen würde; dann nahm er mit verzweiflungsvoller Miene die Zitronen wieder in Angriff.

Meine Tante lehnte sich mit den Ellbogen auf das runde Tischchen neben ihr und beobachtete ihn aufmerksam. Trotz der Abneigung, die mir der Gedanke einflößte, ihn gegen seinen Willen zu einer Enthüllung zu verlocken, wäre ich doch wahrscheinlich in ihn gedrungen, wenn er sich nicht gar so wunderlich benommen hätte. So warf er z. B. die Zitronenschalen in den Kessel, den Zucker in den Aschbecher und den Spiritus in den leeren Krug und wollte vertrauensvoll heißes Wasser aus einem Leuchter einschenken. Ich sah, daß die Krise herannahte.

Er schob plötzlich alle Punschrequisiten zusammen, stand vom Stuhle auf, zog das Taschentuch heraus und fing an zu weinen.

»Mein lieber Copperfield«, schluchzte er hinter dem Tuch hervor, »Punsch bereiten ist eine Verrichtung, die, mehr als jede andere, Seelenruhe und Selbstachtung erfordert. Ich kann es nicht. Darüber ist kein Zweifel mehr.«

»Mr. Micawber«, beruhigte ich ihn, »was haben Sie denn nur? Bitte, sprechen Sie sich aus! Sie sind doch unter Freunden.«

»Unter Freunden!« wiederholte Mr. Micawber, und alles, was er so lange niedergekämpft hatte, brach jetzt los. »Gott im Himmel, eben weil ich unter Freunden bin, befinde ich mich in diesem Gemütszustand. – Was eigentlich los ist, meine Herren? Schurkerei, Niederträchtigkeit, Heuchelei, Betrug, Verrat, Verschwörung ist los; und der Name der ganzen Niederträchtigkeit ist – Heep!«

Meine Tante schlug die Hände zusammen, und wir alle sprangen überrascht auf.

»Der Kampf ist vorbei«, sagte Mr. Micawber, heftig mit dem Taschentuch gestikulierend. Von Zeit zu Zeit streckte er die Hände aus, als müßte er gegen übermenschliche Hemmnisse anschwimmen. »Ich vermag dieses Leben nicht länger mehr zu tragen. Ich bin ein Elender, abgeschnitten von allem, was das Leben erträglich macht. Ich stehe unter einem bösen Zauber und bin diesem teuflischen Schurken verfallen. Gebt mir meine Frau zurück, meine Familie, setzt den Micawber wieder ein, wo der elende Kerl jetzt in den Schuhen, die ich anhabe, steht! Verlangen Sie von mir, daß ich morgen eine Degenklinge verschlucke, und ich will es tun. Mit Heißhunger!«

Ich sah noch nie im Leben einen Menschen so aufgeregt. Ich versuchte ihn zu beruhigen, aber er wurde immer hitziger und wollte nichts hören.

»Ich gebe niemand meine Hand mehr«, schrie er, nach Luft schnappend wie ein Ertrinkender, »bis ich – in Splitter – gesprengt habe die – ha – scheußliche – Schlange – Heep! Ich will niemandes Gastfreundschaft mehr annehmen, bis ich – den Berg Vesuv – zu einem Ausbruch – beschworen habe –, den gotteslästerlichen Schurken – Heep zu verschütten! Einen Bissen anzunehmen – unter diesem Dach – oder gar Punsch – würde mich ersticken, – ehe ich nicht – diesem grenzenlosen Heuchler und Lügner – die Augen aus dem Kopf – gequetscht habe. Ich will niemand – kennen – und – kein Wort mehr reden – und nirgendwo – mein Haupt niederlegen –, bis ich in unsichtbare Atome – zerschmettert habe – diesen unerhörten – meineidigen Schuft, – diesen Heep!«

Ich fürchtete fast, Mr. Micawber könnte auf der Stelle tot niederfallen. Die Art, mit der er sich durch seine unartikulierten Sätze hindurcharbeitete und mit einer Vehemenz, die ans Wunderbare grenzte, jedes Mal den Namen Heep hervorstieß, war schreckenerregend, und es sah wirklich aus, als läge er in den letzten Zügen. Ich wollte ihm beispringen, aber er wehrte mich ab und wollte nichts hören.

»Nein, Copperfield! – kein Wort – ah – Miss Wickfield – Genugtuung – für das Unheil, das dieser unerhörte Schuft – Heep – auf ihr Haupt geladen hat –, unverletzliches Geheimnis – vor der ganzen Welt – keine Ausnahme –, heute über acht Tage zur Frühstücksstunde –, alle müssen dabeisein – auch Ihre Tante und der liebenswürdige freundliche Gentleman – im Gasthof in Canterbury –, wo – Mrs. Micawber und ich –, o die schönen alten Zeiten und der Chor ›Auld lang Syne‹ –, dort werde ich ihn entlarven, diesen schauderhaften Schurken – Heep! Nichts mehr jetzt – ich lasse mich nicht überreden! – Ich kann die Gesellschaft nicht mehr vertragen, – solange ich auf der Spur dieses verdammten Verräters bin – dieses – dieses – dieses – Heep!«

Mit diesem letzten Zauberwort, das ihm wieder neue Kraft gab, stürzte Mr. Micawber aus dem Haus und ließ uns in einem Zustand von Aufregung, Hoffnung und Verwunderung zurück, die sich nicht viel von seinem unterschied. Aber selbst dann ließ ihm seine Vorliebe für das Briefeschreiben keine Ruhe. Noch während wir im höchsten Grade aufgeregt beisammen saßen, kam folgender elegischer Brief aus einem nahen Wirtshaus, von seiner Hand geschrieben, an uns:

Höchst vertraulich und geheim!
Sehr verehrter Herr!
Ich nehme mir die Freiheit, Sie zu ersuchen, mich bei Ihrer vortrefflichen Tante wegen meiner soeben an den Tag gelegten Aufregung zu entschuldigen. Der Ausbruch eines lange unterdrückten glimmenden Vulkans war die Folge eines innern Kampfes, der jeder Beschreibung spottet.

Ich hoffe, ich habe die Bitte um eine Zusammenkunft auf heute über acht Tage frühmorgens in dem Gasthof in Canterbury, wo Mrs. Micawber und ich einst die Ehre hatten, in dem wohlbekannten Liede des unsterblichen Dichters und Steuerbeamten, der jenseits des Tweed aufwuchs, unsere Stimmen mit der Ihrigen zu vereinen, leidlich verständig gemacht.

Wenn die Pflicht erfüllt und die Sühne vollbracht ist, die mich allein in den Stand setzen kann, meinen Mitmenschen wieder ins Antlitz zu schauen, wird man mich nie mehr wiedersehen. Mein einziger Wunsch wird sein, zur Ruhe zu kommen an jenem Ort, wo

>»Reih an Reih des Dorfes Ahnen
in ewgem Schlummer ruhn in engen Zellen«
unter der einfachen Grabschrift: †

Wilkins Micawber

50. Kapitel

Mr. Peggottys Traum geht in Erfüllung.

Mehrere Monate waren seit unserer Begegnung am Ufer des Flusses verstrichen. Ich hatte Marta seitdem nicht mehr wiedergesehen, aber Mr. Peggotty war verschiedene Male mit ihr zusammengetroffen. Trotz ihres eifrigsten Bemühens hatte sie bisher nichts erreicht. Aus dem, was ich erfuhr, ging nichts über Emlys Schicksal hervor. Ich fing bereits an zu zweifeln, ob es jemals gelingen würde, sie wieder aufzufinden, und machte mich allmählich mit dem Gedanken, sie sei tot, vertraut.

Mr. Peggottys Glaube hingegen blieb unerschütterlich. Soviel ich weiß – und ich glaube, sein ehrliches Herz verbarg mir keinen seiner Gedanken –, wankte er niemals in seiner felsenfesten Überzeugung, daß er sie auffinden werde. Er wurde nie müde auszuharren, und es lag etwas so Religiöses, etwas so Rührendes in seiner Zuversicht, daß ich ihn von Tag zu Tag mehr achten und hochschätzen mußte.

Sein Glaube war kein träges Vertrauen, das nur hofft und nichts tut. Er war sein ganzes Leben lang ein Mann der Arbeit gewesen und wußte, daß er in allem, wo er Hilfe brauchte, selbst Hand anlegen und sich selbst helfen mußte. Ich kann mich erinnern, daß er einmal mitten in der Nacht aufstand, um nach Yarmouth zu wandern, von der Ahnung gequält, das Licht könnte durch einen Zufall nicht im Fenster des alten Bootes stehen. Ein andermal nahm er seinen Wanderstab, als er etwas in den Zeitungen gelesen hatte, was sich auf Emly beziehen konnte, und machte eine Reise von einigen Dutzend Meilen. Er fuhr zur See nach Neapel und zurück, nachdem er meinen Bericht, zu dem mir Miss Dartle verholfen, angehört hatte. Auf allen diesen Reisen gönnte er sich nicht die geringste Bequemlichkeit, denn er wollte Geld sparen um Emlys willen, wenn sie gefunden würde. In dieser ganzen langen Zeit hörte ich ihn niemals unwillig werden, hörte ihn niemals über Ermüdung oder Mutlosigkeit klagen.

Dora hatte ihn oft während unserer Ehe gesehen und recht lieb gewonnen. Ich sehe ihn noch vor mir neben ihrem Sofa stehen, die grobe Mütze in der Hand, während ihre blauen Augen mit schüchterner Verwunderung auf seinem Gesicht ruhten.

Manchmal abends in der Dämmerstunde, wenn er mich besuchte, bewog ich ihn, während wir langsam im Garten auf und ab gingen, seine Pfeife zu rauchen, und dann trat das Bild seines verlassenen Herdes und der trauliche Eindruck, den es auf meine Kinderaugen gemacht hatte, wenn das Feuer brannte und der Wind um die Hütte stöhnte, lebhaft vor meine Seele.

Um eine solche Stunde sagte er mir eines Tages, Marta habe am Abend vorher vor seiner Wohnung gewartet, bis er nach Hause kam, und ihn gebeten, er möge jetzt um keinen Preis London verlassen, ehe sie ihn nicht abermals gesprochen hätte.

»Sagte sie Ihnen, warum?« fragte ich.

»Ich fragte sie, Masr Davy, aber sie sprach nur wenige Worte, ließ sich bloß mein Versprechen geben und ging wieder.«

»Sagte sie nicht, wann sie wiederkommen wollte?«

»Nein, Masr Davy«, entgegnete er und strich sich mit der Hand gedankenvoll über die Stirn. »Ich fragte sie auch das, aber sie antwortete, sie wüßte es nicht.«

Da ich mir längst abgewöhnt hatte, Hoffnungen zu bestärken, die an Spinnfäden hingen, sagte ich weiter nichts, als daß ich hoffte, es werde bald geschehen. Die Vermutungen, die mir durch den Kopf schossen, behielt ich für mich.

Etwa vierzehn Tage später ging ich allein eines Abends in meinem Garten auf und ab. Ich kann mich noch recht auf den Tag besinnen. Es war der zweite in der von Mr. Micawber festgesetzten Woche. Es hatte von früh an geregnet, und die Luft war feucht. Die Blätter auf den Bäumen waren schwer von Tropfen, und der Regen hatte aufgehört, obgleich der Himmel noch voll Wolken hing, und die Vögel zwitscherten fröhlich. Ich ging im Garten auf und ab, die Dämmerung umschloß mich dichter und dichter, und allmählich verstummte das Zwitschern; die eigentümliche Stille, die an solchen Abenden auf dem Lande herrscht, wo kein Geräusch außer dem Fallen der Regentropfen von den Zweigen in der Luft zu hören ist, fing an einzutreten.

An unserm Landhaus entlang führte ein kleiner Laubengang von Efeu, durch den ich aus dem Garten auf die Straße draußen blicken konnte. In Gedanken verloren wandte ich zufällig meine Blicke dorthin und sah eine Gestalt in einem einfachen Mantel draußen stehen. Sie beugte sich zu mir herüber und winkte.

»Marta!« rief ich und eilte auf sie zu.

»Können Sie mitkommen?« fragte sie mit erregtem Flüstern. »Ich war bei ihm, und er ist nicht zu Hause. Ich habe das Haus, wohin er kommen soll, aufgeschrieben und die Adresse selbst auf seinen Tisch gelegt. Es hieß, er könne nicht lang ausbleiben. Ich habe Nachrichten für ihn. Können Sie gleich mitkommen?«

Ich trat augenblicklich durch das Gartentor hinaus. Sie winkte mir hastig mit der Hand, als wollte sie mich um Geduld und Schweigen bitten, und wendete sich London zu, von wo sie, wie ihr Kleid verriet, zu Fuß gekommen sein mußte.

Ich fragte, ob das unser Ziel sei, und da sie mit derselben hastigen Gebärde wie vorhin bejahte, ließ ich einen vorbeifahrenden Fiaker anhalten, und wir stiegen ein. Als ich sie fragte, wohin uns der Kutscher fahren sollte, gab sie zur Antwort: »In die Nähe von Golden Square, und so rasch wie möglich! –« Dann lehnte sie sich in die Ecke, winkte mir ab, als ob sie keine Menschenstimme ertragen könnte, und bedeckte sich mit zitternder Hand das Gesicht.

In größter Spannung, voll Furcht und Hoffnung, sah ich sie fragend an. Aber als ich begriff, wie viel ihr daran lag zu schweigen, gab ich meinen Versuch auf. Wir fuhren weiter, ohne ein Wort zu sprechen. Zuweilen sah sie zum Fenster hinaus, wie in Ungeduld, obgleich wir sehr rasch fuhren.

Wir stiegen endlich in der Nähe des von ihr bezeichneten Platzes aus, und ich ließ den Wagen warten, da ich nicht wußte, ob wir ihn nicht vielleicht später wieder brauchen würden. Sie hatte die Hand auf meinen Arm gelegt und riß mich rasch fort nach einer der dunkeln Straßen, wo damals die Häuser seit langem zu Armenwohnungen herabgesunken waren. Als wir zu der offenen Tür eines dieser Gebäude kamen, ließ sie meinen Arm los und winkte mir, ihr die Treppe hinauf zu folgen.

Das Haus war überfüllt von Bewohnern. Frauen und Kinder, deren Neugierde wir erregt zu haben schienen, spähten in den Fenstern über Blumentöpfen herab, und als wir die Treppe hinaufgingen, kamen uns Leute entgegen; es öffneten sich Zimmertüren, und Gesichter guckten heraus. Die Treppen waren breit – an der einen Seite mit dunklem Getäfel versehen, an der andern mit massiven Ballustraden aus dunklem Holz, über den Türen reich mit Früchten und Blumen verzierte Friese und in den Fenstern breite Sitze. Aber alle diese Zeichen entschwundener Pracht sahen jetzt greulich verfallen und schmutzig aus; Schwamm, Fäulnis und Alter hatten den an vielen Stellen baufälligen und eingebrochnen Flur angegriffen. Wie ich bemerkte, waren Versuche gemacht worden, neues Blut in die verfallenden Körper zu bringen, indem man die kostbare alte Holzarbeit hie und da mit ordinärem Fichtenholz ausgebessert hatte; es sah aus wie die Verbindung eines herabgekommenen alten Adligen mit einem armen Weib aus dem Volke, und jeder Teil dieser Mesalliance zog sich scheu vor dem andern zurück. Mehrere Treppenfenster waren verdunkelt oder ganz zugemauert, und in den vorhandenen saßen nur noch wenige Scheiben in morschen Rahmen. Sie boten die Aussicht auf andre scheibenlose Fenster in Häusern ähnlicher Beschaffenheit gegenüber, und schwindelnd sah ich hinab in den schmutzigen Hof, der den gemeinsamen Kehrichtplatz des ganzen Gebäudes bildete.

Wir stiegen bis ins oberste Stockwerk. Zwei- oder dreimal glaubte ich unterwegs in dem ungewissen Licht die Schleppe eines Frauenkleides vor uns hinaufsteigen gesehen zu haben. Als nur mehr eine Treppe zwischen uns und dem Dach war, bemerkten wir, daß die Gestalt einen Augenblick vor einer Tür stehenblieb und dann eintrat.

»Wer ist das?« flüsterte Marta mir zu. »Sie ist in mein Zimmer gegangen! Ich kenne sie nicht!«

Ich hatte sie sehr wohl erkannt. Es war zu meinem Erstaunen Miss Dartle.

Ich erklärte meiner Führerin mit wenigen Worten, daß es eine mir bekannte Dame sei, und hatte kaum ausgesprochen, als wir die Stimme Miss Dartles im Zimmer drin hörten, wenn wir auch nicht verstehen konnten, was sie sagte. Mit verwundertem Gesichte bedeutete mir Marta zu schweigen und führte mich leise die Treppe hinauf und durch eine kleine Seitentür ohne Schloß, die sie mit der Hand aufstieß, in eine kleine leere Dachkammer.

Aus diesem Raum führte in ihr Zimmer eine kleine Tür, die jetzt halb offenstand. Hier blieben wir stehen, noch außer Atem vom Treppensteigen, und sie legte ihre Hand leise auf meine Lippen. Von dem andern Zimmer konnte ich nur sehen, daß es ziemlich geräumig war, daß ein Bett darin stand und an den Wänden einige kunstlose Abbildungen von Schiffen hingen. Weder ich noch meine Gefährtin konnten Miss Dartle oder die Person, die sie angeredet hatte, sehen.

Marta hielt mir immer noch die Hand auf meine Lippen und horchte. »Es ist mir gleichgültig, ob sie zu Hause ist«, sagte Rosa Dartle hochmütig. »Ich kenne sie gar nicht. Ich komme zu Ihnen!«

»Zu mir?« fragte eine sanfte Stimme.

Bei ihrem Klange durchzuckte es mich. Es war Emlys Stimme.

»Ja«, gab Miss Dartle zur Antwort, »ich komme, um Sie zu sehen. Schämen Sie sich nicht des Gesichtes, das so viel Unheil angestiftet hat?«

Bei dem Tone entschlossen und unbarmherzigen Hasses und der mit Gewalt niedergehaltnen Wut sah ich Miss Dartle so deutlich vor mir, als ob sie leibhaftig vor mir stünde. Ich sah die flackernden schwarzen Augen, die von Leidenschaft verzehrte Gestalt, sah die Narbe mit dem weißen Streif quer über die Lippen zittern und zucken, wie sie sprach:

»Ich wollte James Steerforths Liebste sehen. Die Dirne, die mit ihm davonlief und das Stadtgespräch der gemeinsten Leute ihres Geburtsortes ist, – die freche abgefeimte Gefährtin eines Menschen wie James Steerforth. Ich wollte wissen, wie so ein Geschöpf aussieht!«

Ich hörte ein Geräusch, als ob die Unglückliche nach der Tür eilte und Miss Dartle rasch dazwischenträte. Dann folgte eine kurze Pause. Als Miss Dartle wieder anfing zu reden, sprach sie durch die Zähne und stampfte auf den Fußboden:

»Hierbleiben!« sagte sie, »oder ich will dem ganzen Haus und der ganzen Straße sagen, wer Sie sind! Wenn Sie versuchen, mir davonzulaufen, werde ich Sie festhalten und wenns an den Haaren sein müßte!«

Ein eingeschüchtertes Murmeln war die einzige Antwort, die an mein Ohr drang. Wieder folgte ein Schweigen. Ich wußte nicht, was ich tun sollte. So sehr ich wünschte, dem Gespräch ein Ende zu machen, so fühlte ich doch, daß ich kein Recht hätte, mich hineinzumischen und daß nur Mr. Peggotty dies tun dürfte. Kommt er immer noch nicht? dachte ich voll Ungeduld.

»So!« sagte Rosa Dartle mit einem verächtlichen Lachen. »Sehe ich Sie endlich! Wie erbärmlich er sein muß, daß er sich von einem solchen duckmäuserischen scheinheiligen Geschöpf fangen ließ.«

»Um Gottes willen, seien Sie barmherzig!« rief Emly. »Wer Sie auch sein mögen, Sie kennen meine jammervolle Geschichte. Um Gottes willen, seien Sie barmherzig, wenn Gott gegen Sie dereinst barmherzig sein soll.«

»Wenn Gott gegen mich barmherzig sein soll!« entgegnete die

andere heftig. »Was glauben Sie eigentlich, daß wir miteinander gemein haben!«

»Nichts als unser Geschlecht!« sagte Emly und brach in Tränen aus.

»Und das ist ein derartig starker Anspruch, wenn er von so einer infamen Person erhoben wird«, sagte Miss Dartle, »daß ich Ihnen den Mund verbieten würde, wenn ich ein anderes Gefühl als Verachtung und Abscheu vor Ihnen hätte. Unser Geschlecht! Sie sind mir eine Ehre für unser Geschlecht!«

»Ich habe das verdient«, rief Emly, »aber es ist entsetzlich! O, bedenken Sie, was ich gelitten habe und wie tief ich gefallen bin! Marta, Marta, um Gottes willen, komm, komm zurück!«

Miss Dartle setzte sich auf einen Stuhl der Türe gegenüber und blickte zu Boden, als ob Emly vor ihr läge. Da sie jetzt zwischen mir und dem Lichte saß, konnte ich ihre von Hohn verzognen Lippen und ihre grausamen Augen sehen, die sich in gierigem Triumph auf eine Stelle außer meinem Sehbereich hefteten.

»Hören Sie jetzt, was ich Ihnen sage, und sparen Sie Ihre heuchlerischen Künste für Ihre Dummköpfe auf. Sie werden doch nicht glauben, daß Sie mich durch Ihre Tränen rühren können? sowenig Sie mich durch Ihr Lächeln täuschen könnten, Sie feile Sklavin!«

»Haben Sie Erbarmen!« jammerte Emly. »Haben Sie Erbarmen oder ich werde wahnsinnig!«

»Das wäre keine genügende Strafe für Ihr Verbrechen. Wissen Sie, was Sie getan haben? Denken Sie jemals an das Haus, das Sie verwüstet haben?«

»O, es gibt keinen Tag und keine Nacht, wo ich nicht daran dächte«, rief Emly; und jetzt konnte ich sie sehen, wie sie auf den Knieen lag, den Kopf zurückgeworfen, verzweiflungsvoll die Hände ringend, während ihr das Haar in Unordnung auf die Schultern fiel. »Ist jemals im Wachen oder im Träumen eine einzige Minute vergangen, wo ich das alte Haus nicht vor mir sah, so deutlich wie an jenem unglücklichen Tage, wo ich ihm auf ewig den Rücken kehrte! Mein Heim! mein Heim!«

Sie sank mit dem Kopf nieder auf den Boden vor der hochmütigen Gestalt auf dem Stuhl und machte einen Versuch, flehend deren Kleid zu fassen.

Rosa Dartle blieb sitzen und sah auf sie herab so unbeweglich wie eine Erzfigur. Sie preßte ihre Lippen fest zusammen, als müßte sie sich Zwang antun, die Ärmste nicht mit dem Fuß von sich zu stoßen.

Ich sah sie deutlich, und alles in ihr schien sich in diesem Ausdruck zusammenzudrängen. –

Kommt er denn noch immer nicht!?

»Die jämmerliche Eitelkeit dieses Ungeziefers«, sagte sie, als sie ihre Wut so weit bezwungen hatte, daß sie wieder sprechen konnte. »*Ihre* Familie! Bilden Sie sich ein, daß ich nur einen Moment daran denke, oder glauben Sie wirklich, Sie könnten denen einen Schaden tun, den Geld nicht reichlich ersetzen könnte? *Ihre* Familie! Sie gehörten mit zum Geschäft Ihrer Familie und wurden gehandelt wie jede andere Ware. Nichts weiter!«

»Sagen Sie das nicht!« rief Emly. »Sagen Sie von mir, was Sie wollen, aber lassen Sie meine Schmach und Schande nicht Leuten entgelten, die so ehrenhaft sind wie Sie. Haben sie Achtung vor ihnen, wenn Sie eine Dame sind, wenn Sie schon kein Erbarmen mit mir fühlen.«

»Ich spreche,« entgegnete Rosa Dartle, ohne das geringste Mitgefühl mit der vor ihr knienden Emly und ihr Kleid mit Ekel zurückziehend, »ich spreche von *seiner* Familie, – in der *ich* lebe!«

»Hier«, sagte sie und deutete mit der Hand auf die Kniende herab, »hier sehe ich die wertvolle Veranlassung des Zerwürfnisses zwischen einer vornehmen Dame und ihrem Sohn, – des Jammers in einem Hause, wo man Sie nicht als Dienstmagd angenommen hätte. Dieses Stück Schmutz aufgelesen am Meeresufer, um eine Stunde lang hochgehalten und dann wieder an seinen ursprünglichen Platz geworfen zu werden!«

»Nein, nein!« rief Emly und rang verzweiflungsvoll die Hände. »Als ich ihn das erste Mal sah, war ich so tugendhaft aufgewachsen wie Sie oder jede andere Dame und sollte das Weib eines so vortrefflichen Mannes werden, wie Sie oder irgendeine andere Dame auf der Welt nur heiraten können. Wenn Sie in seiner Familie leben und ihn kennen, so werden Sie vielleicht wissen, welche Gewalt er auf ein eitles schwaches Mädchen auszuüben vermag. Ich will mich nicht verteidigen, aber ich weiß so genau, wie er es weiß oder wissen wird, wenn seine Sterbestunde kommt und sein Gewissen ihm keine Ruhe mehr läßt, daß er alle seine Gewalt über mich dazu mißbrauchte, mich zu täuschen, und daß ich ihm glaubte, ihm vertraute und ihn liebte.«

Rosa Dartle sprang von ihrem Stuhle auf, taumelte zurück und schlug beim Taumeln nach Emly mit einem Gesicht voll solcher Bosheit, so verzerrt und entstellt von Leidenschaft, daß ich mich schon zwischen die beiden werfen wollte. Doch der blind geführte Schlag traf nur die Luft. Wie sie jetzt keuchend dastand und Emly mit dem äußersten Abscheu, dessen sie fähig war, ansah vom Kopf bis zu den Füßen, vor Wut und Verachtung am ganzen Leibe zitternd, da glaubte ich nie etwas Ähnliches gesehen zu haben. »Sie ihn lieben! Sie!« rief sie und ballte die Faust, als fehle ihr nur die Waffe, um die Ärmste niederzustoßen.

Emily war zurückgewichen, so daß ich sie nicht mehr sehen konnte. Ich hörte keine Antwort.

»Und *mir* das zu sagen, mit diesen schmachbedeckten Lippen! Warum peitscht man solche Geschöpfe nicht aus? Wenn ich zu befehlen hätte, würde ich diese Dirne zu Tode peitschen lassen.«

Und sie hätte es getan, das bezweifle ich keinen Augenblick. Ich hätte sie nicht zur Aufseherin über die Folterbank machen mögen, solange sie diesen wütenden Blick behielt.

Langsam, ganz langsam brach sie in ein Gelächter aus und deutete auf Emly wie auf ein Bild der Schmach für Gott und die Menschen.

»Sie lieben«, sagte sie, »dieses Aas! Und er sollte jemals etwas auf sie gegeben haben, möchte sie mir einreden! Haha! Wie diese feilen Dirnen lügen können.« Ihr Hohn war schlimmer gewesen als jetzt ihre schrankenlose Wut. Nur einen Augenblick war sie losgebrochen, dann hatte sie sie wieder festgekettet; und wie sehr es sie innerlich auch zerreißen mochte, sie gestattete ihr keinen neuen Ausbruch.

»Ich kam hierher, Sie reiner Liebesborn, um zu sehen, wie Geschöpfe Ihrer Art aussehen. Ich war neugierig und bin jetzt befriedigt. Ich wollte Ihnen auch sagen, daß Sie am besten tun, Ihre Familie sobald wie möglich aufzusuchen und Ihr Haupt unter den vortrefflichen Leuten zu verbergen, die Sie erwarten und die Ihr Geld trösten wird. Wenn es alle ist, können Sie ja wieder glauben und vertrauen und lieben. Ich hielt Sie für ein zerbrochenes ausgedientes Spielzeug, für einen wertlosen Flitter, der den Glanz verloren hat und weggeworfen wird, aber da Sie treues Gold sind, eine echte Dame und eine verführte Unschuld mit einem Herzen voll Liebe und Vertrauen – Sie sehen ganz danach aus, und es stimmt mit Ihrer Geschichte so gut überein –, so habe ich Ihnen noch etwas zu sagen. Merken Sie wohl auf, denn was ich Ihnen sage, werde ich auch ausführen. Hören Sie, Sie zarte Fee, was ich sage! Ich werde es auch ausführen!«

Ihre Wut gewann wieder einen Augenblick die Oberhand, aber sie ging über ihr Gesicht wie ein Krampf und ließ nur ein Lächeln zurück.

»Verbergen Sie sich irgendwo! Wenn nicht zu Hause, so irgendwo, wo man Sie nicht erreichen kann, in einem obskuren Leben – oder noch besser – im obskuren Tod. Ich möchte überhaupt gern wissen, warum Sie keinen Weg gefunden haben, Ihrem liebenden Herzen Stille zu gebieten, wenn es schon nicht brechen wollte. Ich habe von solchen Mitteln gehört. Ich glaube, sie müßten leicht zu finden sein!«

Ein leises Weinen Emlys unterbrach sie hier. Sie schwieg und horchte darauf, als ob es ihr Musik wäre.

»Ich bin vielleicht seltsam geartet«, fuhr Rosa Dartle fort, »aber ich kann nicht frei atmen in der Luft, die Sie atmen. Sie macht mich krank. Deshalb will ich sie rein haben. Sie soll nicht länger von Ihnen verpestet werden. Wenn Sie morgen noch hier sind, so soll das ganze Haus Ihre Geschichte erfahren und was Sie sind.

Ich höre, es wohnen anständige Frauen im Hause, und es wäre jammerschade, wenn solch ein Geschöpf wie Sie unter ihnen leben dürfte. Wenn Sie hier wegziehen und sich in dieser Stadt unter einer andern Beschäftigung als Ihrer wahren verbergen wollen, so werde ich dasselbe tun, sowie ich Ihren Zufluchtsort erfahre. Da ich von einem Gentleman unterstützt werde, der vor nicht langer Zeit um die Ehre Ihrer Hand warb, werde ich schon dahinterkommen.«

Kommt er denn immer und immer noch nicht?!

»O Gott, o Gott!« rief die Unglückliche in einem Ton aus, der das härteste Herz hätte erweichen müssen; aber in Rosa Dartles Lächeln zeigte sich keine Veränderung.

»Was soll ich tun! Was soll ich tun!«

»Tun? In dem Glück Ihrer Erinnerung leben! Ihr Dasein der Erinnerung an James Steerforths Zärtlichkeit widmen; er wollte Sie doch seinem Bedienten zur Frau geben, nicht wahr –? Oder den trefflichen Menschen, der Sie von ihm übernehmen wollte, heiraten und in seiner Herablassung in Glück schwelgen. Und, wenn Sie keines von beiden tun wollen, so sterben Sie doch! Für solche Todesarten gibt es Hausflure und Kehrichthaufen genug … Suchen Sie einen und schweben Sie hinauf zum Himmel!«

Ich hörte Tritte auf der Treppe. Ich erkannte sie sogleich. Er war es! Gott sei Dank!

Miss Dartle war bei ihren letzten Worten von der Türe weggegangen, und ich sah sie nicht mehr.

»Also vergessen Sie nicht«, hörte ich sie noch sagen, als sie die Ausgangstüre öffnete. »Ich bin entschlossen, bewogen von gewissen Gründen und von Haßgefühl, Sie bis aufs äußerste zu verfolgen, wenn Sie nicht aus meinem Bereiche fliehen oder Ihre Maske fallen lassen. Das wollte ich Ihnen sagen, und was ich sage, führe ich auch aus.«

Die Tritte auf der Treppe kamen näher und näher, schritten an Rosa Dartle vorüber, als sie hinunterging, – traten ins Zimmer.

»Onkel!«

Ein schrecklicher Schrei folgte. Ich wartete einen Augenblick, blickte dann ins Zimmer und sah, wie er sie in seinen Armen hielt. Er sah ihr ein paar Sekunden ins Gesicht, dann küßte er es zärtlich und deckte ein Tuch darüber.

»Masr Davy«, sagte er darauf mit leiser bebender Stimme, »ich danke meinem himmlischen Vater, daß er meinen Traum wahr werden ließ! Ich danke ihm aus vollem Herzen, daß er mich auf seinen eignen Wegen zu meinem Liebling geführt hat.«

Mit diesen Worten hob er Emly in die Höhe und trug die Regungs- und Bewußtlose, das verhüllte Gesicht an seiner Brust geborgen, die Treppe hinunter.

51. KAPITEL

Der Anfang einer langen Reise

Es war noch früh am Morgen des folgenden Tages, und ich ging mit meiner Tante im Garten auf und ab, als man mir Mr. Peggotty meldete. Ich ging ihm entgegen; er trat in den Garten und nahm den Hut ab, wie stets, wenn er meine Tante sah, die er in hoher Achtung hielt.

Ich hatte ihr alles erzählt, was gestern vorgefallen war.

Ohne ein Wort zu sprechen trat sie mit herzlicher Miene auf ihn zu, schüttelte ihm die Hand und klopfte ihn auf den Arm. Das geschah in so ausdrucksvoller Weise, daß sie kein Wort zu sagen brauchte.

»Ich will jetzt hineingehen, Trot, und nach unserm lieben Blümchen sehen, denn es wird gleich aufstehen.«

»Doch nicht, weil ich gekommen bin?« sagte Mr. Peggotty. »Ich fürchte, Sie wollen meinetwegen gehen.«

»Sie haben etwas zu erzählen, mein guter Freund«, entgegnete meine Tante, »und es wird ohne mich besser gehen.«

»Wenn Sie erlauben, Maam, so sähe ich es lieber, wenn Sie hierblieben.«

»Wirklich?« sagte meine Tante gutmütig. »Nun, dann will ich bleiben.«

Damit hängte sie sich in Mr. Peggotty ein und ging mit ihm in die kleine Laube, wo ich neben ihr Platz nahm. Mr. Peggotty wollte lieber stehenbleiben und stützte die Hand auf den Gartentisch. Wie er dastand und seine Mütze ansah, bevor er zu sprechen anfing, konnte mir nicht entgehen, wie viel Willenskraft und Charakterstärke sich in seiner sehnigen Hand ausdrückte, und wie gut sie zu seiner ehrlichen Stirn und dem halbergrauten Haar paßte.

»Ich nahm mein geliebtes Kind gestern abends mit in meine Wohnung«, fing er an und erhob seine Blicke wieder zu uns, »wo ich sie seit langer Zeit erwartet und alles für sie vorbereitet hatte. Stunden vergingen, ehe sie mich ordentlich erkannte; dann kniete sie vor mir nieder und erzählte mir in einem Tone, als ob sie betete, wie alles gekommen war. Sie können mir glauben, als ich ihre liebe Stimme hörte und sah, wie sie sich in den Staub beugte, auf den unser Heiland mit seiner gesegneten Hand geschrieben, da fühlte ich, wie ein Riß durch mein Herz ging inmitten seligster Dankbarkeit.«

Er fuhr sich mit dem Rockärmel über die Augen und räusperte sich.

»Das Gefühl blieb nicht lange, hatte ich sie doch wiedergefunden! – Aber ich weiß wahrhaftig nicht, warum ich jetzt von mir spreche.«

»Sie sind ein Herz voll Selbstverleugnung«, sagte meine Tante, »und werden Ihren Lohn bekommen.«

Mr. Peggotty war einen Augenblick so überrascht über den Lobspruch, daß er sich verwirrt verbeugte. Dann fuhr er in seiner Erzählung fort.

»Als meine Emly«, sagte er, einen Augenblick voll Zorn, »aus dem Hause flüchtete, wo sie die gefleckte Viper, die Masr Davy gesprochen hat, gefangenhielt, da war es Nacht. Es war eine dunkle Nacht, und viele Sterne schienen. Sie war wie wahnsinnig. Sie lief am Ufer hin und her und glaubte, das alte Boot sei dort, und rief uns zu, wir sollten das Gesicht abwenden, denn sie käme. Sie hörte sich selbst rufen wie eine Fremde, verwundete sich an den scharfen Steinen und Klippen und fühlte es nicht. Sie lief immer weiter und weiter, und Feuer stand ihr vor den Augen, und es brauste ihr in den Ohren. Auf einmal, so erinnert sie sich, brach der Tag regnerisch und windig an, und sie lag neben einem Stein am Strande, und eine Frau redete sie an und fragte sie in der Sprache jenes Landes, was ihr fehlte.«

Er schien die Szenen wie eine Vision vor sich zu sehen.

»Als Emly, deren Augen schwer waren vom Weinen, die Frau besser sah, da erkannte sie in ihr eine, mit der sie oft am Strande gesprochen hatte. Die Frau selbst besaß keine Kinder und war noch sehr jung, aber sie erwartete eins. Und wenn Gott meine Bitte erhört, so wird dieses Kind ihr ganzes Leben lang ein Glück und ein Trost und eine Ehre für sie sein.«

»Amen!« sagte meine Tante.

»Die Frau war anfangs sehr schüchtern gewesen und hatte abseits beim Spinnen gesessen, wenn Emly mit den übrigen sprach, aber Emly hatte sie oft angeredet, und da beide Kinder sie gern hatten, wurden sie bald gute Freunde. Und wenn die Frau Emly begegnete, schenkte sie ihr jedesmal Blumen. Das war die Frau, die sie jetzt fragte, was ihr geschehen sei. Emly erzählte ihr alles, und die Frau nahm sie mit nach Hause. Sie nahm sie mit nach Hause«, wiederholte Mr. Peggotty und bedeckte sein Gesicht mit den Händen.

Er war von dieser menschenfreundlichen Handlung mehr ergriffen, als ich ihn seit dem Abend, als Emly entflohen, gesehen hatte. Weder meine Tante noch ich störten ihn.

»Es war ein kleines Häuschen, das können Sie sich wohl denken«, fuhr er gleich darauf fort, »aber sie räumte Emly einen Platz darin ein, denn ihr Mann war auf der See, – hielt sie versteckt und schärfte auch den Nachbarn ein, sie nicht zu verraten. Emly verfiel in ein langes Fieber und, was mir sehr wunderbar vorkommt – vielleicht scheint es gelehrten Leuten nicht wunderbar –, sie vergaß die Sprache jenes Landes und konnte nur ihre Muttersprache reden, die niemand verstand. Sie erinnert sich wie an einen Traum, daß sie dalag und immer in ihrer Muttersprache redete und immer glaubte, das alte Boot stehe in der Bucht, und bat und flehte hinzuschicken und sagen zu lassen, sie läge im Sterben und man möge ihr verzeihen, und wenn es nur mit einem einzigen Worte sei. Fast die ganze Zeit über glaubte sie, daß er, den ich eben genannt habe, unter ihrem Fenster horche, und der andere, der sie so weit gebracht, im Zimmer sei, – und bat die gute junge Frau, sie nicht auszuliefern, und wußte doch auch zu gleicher Zeit, daß sie sich nicht verständlich machen könne, und fürchtete, man wolle sie wieder fortbringen. Feuer stand vor ihren Augen, und es brauste ihr in den Ohren; und es gab für sie kein Heute und kein Gestern und kein Morgen, und alles in ihrem Leben, was jemals vorgefallen war oder vorfallen konnte, und alles, was nie gewesen war und nie kommen konnte, stürmten auf einmal auf sie ein; nichts war ihr klar oder tat ihr wohl, und doch mußte sie singen und dann wieder lachen! Wie lange dies dauerte, weiß ich nicht. Und dann verfiel sie in Schlaf und wurde so schwach wie ein kleines Kind.«

Hier hielt er inne, als wollte er sich von den Schrecken seiner eignen Schilderung erholen. Nach einigen Augenblicken Schweigens fuhr er wieder fort:

»Als sie erwachte an einem wunderschönen Nachmittag, war alles so still, daß man nichts hörte als das leise Rauschen des blauen Meeres am Strande. Anfangs glaubte sie, sie sei zu Hause und es sei Sonntagmorgen. Aber an den Weinreben vor dem Fenster und den Bergen im Hintergrunde erkannte sie, daß es nicht ihre Heimat war. Dann kam ihre Freundin, um an ihrem Bette zu wachen; da wußte sie, daß das alte Boot nicht mehr in der Bucht stehe, sondern weit, weit in der Ferne, und begriff, warum sie hier war. Und sie fing an zu weinen an der Brust der guten jungen

Frau, an der, wie ich hoffe, jetzt ein Säugling liegt und seine Mutter mit hübschen Äugelchen anlächelt.«

Er konnte die Freundin Emlys nicht ohne eine Flut von Tränen erwähnen. Immer wieder fing er an zu schluchzen, wenn er sie zu segnen versuchte. Auch meine Tante weinte aus vollem Herzen.

»Das tat meiner Emly gut«, fing er wieder an, »und es ging besser mit ihr. Aber sie hatte die Sprache jenes Landes vergessen und mußte in Zeichen reden. So ging es fort, und sie wurde gesünder von Tag zu Tag, langsam aber sicher, und versuchte die Namen der häufigsten Gegenstände wieder zu lernen. Es kam ihr vor, als ob sie sie nie in ihrem Leben gehört hätte, bis sie eines Abends am Fenster saß und einem kleinen Mädchen zusah, das am Strande spielte. Und plötzlich hielt ihr das Kind die Hände entgegen und fragte, wie auf englisch hieße: ›Fischerstochter, hier ist eine Muschel.‹ Sie müssen wissen, daß die Leute sie anfangs ›schöne Dame‹ genannt hatten, wie das dort Sitte ist, und daß sie ihnen gelehrt hatte, sie statt dessen Fischerstochter zu nennen. Das Kind sagte plötzlich: ›Fischerstochter, hier ist eine Muschel.‹ Und das verstand Emly und antwortete und brach in Tränen aus, und die Erinnerung kehrte zurück.«

»Als sie wieder genesen war«, sagte Mr. Peggotty abermals nach einer kurzen Pause, »sann sie auf Mittel, in ihr Vaterland zu gelangen. Der Mann der jungen Frau war wieder heimgekehrt, und beide brachten sie auf einen kleinen Kauffahrteifahrer, der nach Livorno fuhr und von da nach Frankreich. Sie besaß ein wenig Geld, aber es war weniger als nichts, was die armen Leute annehmen wollten für ihre vielen guten Taten. Ich bin fast froh darüber, denn was sie getan haben, ist dort aufbewahrt, wo weder Motten noch Rost hinkommen und wo kein Dieb einbrechen und stehlen kann. Masr Davy, es währet länger als alle Schätze der Welt.

Emly erreichte Frankreich und nahm eine Stelle an, in der sie in einem Gasthaus die reisenden Damen bediente. Dorthin kam eines Tages jene Viper. Möge er mir niemals vor Augen kommen!

Ich weiß nicht, was ich ihm antäte! Ehe er sie noch sah, entfloh sie schon voll Furcht und Entsetzen. Sie gelangte nach England und stieg in Dover ans Land.

Ich weiß nicht, wann ihr der Mut sank, aber auf der ganzen Reise hatte sie beabsichtigt, ihr Vaterhaus aufzusuchen.

Kaum hatte sie England betreten, wandte sie sich dorthin. Aber die Furcht, daß wir ihr nicht verzeihen würden, daß man auf sie mit Fingern deuten würde, die Angst, daß von uns einige ihretwegen gestorben sein könnten, die Furcht vor vielen andern Umständen noch machten sie unterwegs fast mit Gewalt andern Sinnes. ›Onkel, Onkel‹, sagte sie zu mir, ›die Furcht, nicht würdig zu sein, das auszuführen, wonach sich mein zerrissenes und blutendes Herz so sehr sehnte, war die Furcht, die mich am meisten bewegte. Ich kehrte um, als mein Herz voll war von Gebeten, ich möchte nachts nach der alten Schwelle schleichen, sie küssen, mein sündiges Gesicht auf sie legen und dort sterben können.‹«

»Sie kam«, sagte Mr. Peggotty und dämpfte seine Stimme zu einem bangen Flüstern, »nach London. Sie – die es nie in ihrem Leben gesehen, – allein – ohne einen Penny, – jung – und so hübsch – kam nach London. Fast in dem Augenblick, wo sie so gänzlich verlassen hier ankam, fand sie eine, wie sie glaubte, freundlich gesinnte anständige Frau, die ihr eine Näherarbeit zu verschaffen versprach, ihr eine Unterkunft für die Nacht suchen und geheime Nachforschungen nach mir und uns allen anstellen wollte. Als mein Kind«, sagte er laut und mit einer Dankbarkeit, die ihn vom Kopf bis zum Fuß durchbebte, »vor einem tiefern Abgrund stand, als ich sagen oder mir ausdenken kann, da rettete Marta sie getreu ihrem Versprechen.«

Ich konnte einen Ausruf der Freude nicht unterdrücken.

»Masr Davy«, sagte er und packte meinen Arm mit seiner starken Hand. »Sie waren es, der mich zuerst auf Marta aufmerksam machte. Ich danke Ihnen, Sir! Sie meinte es ernst! Sie hatte aus eigner bitterer Erfahrung gelernt, wo sie zu wachen und was sie zu tun hatte. Sie hat es getan. Der Herr wacht über allen! Leichenblaß und hastig kam sie zu Emly, als diese schlief. Sie sagte zu ihr: Steh auf, fliehe von etwas Schlimmerem, als der Tod ist, und komm mit mir. Die in dem Hause wollten Marta daran hindern, aber sie hätten ebensowenig das Meer aufhalten können.

Sie erzählte Emly, sie habe mich gesehen, und wisse, daß ich sie liebe und ihr verziehen habe. Sie hüllte sie hastig in ihre Kleider und nahm sie, die zitternd halb in Ohnmacht lag, auf ihren Arm. Sie achtete nicht auf das, was man ihr sagte, als ob sie keine Ohren hätte. Sie schritt durch sie hindurch mit einem Kind und brachte sie in tiefer Nacht sicher aus dieser schwarzen Höhle des Verderbens.«

Mr. Peggotty ließ meinen Arm los und legte seine Hand auf seine keuchende Brust. »Sie wachte bei meiner Emly, die abgemattet und zuweilen phantasierend bis zum nächsten Tage dalag. Dann suchte sie mich auf und dann Sie, Masr Davy. Sie verriet Emly nicht, weshalb sie ausging, damit sie nicht wieder den Mut sinken lassen und sich verstecken könnte. Wieso die grausame Dame erfuhr, daß sie dort war, weiß ich nicht. Ob vielleicht der, von dem ich schon zu viel gesprochen habe, sie zufällig dorthin gehen sah oder, was wahrscheinlicher ist, es von der Frau gehört hat, das kümmert mich wenig. Ich habe meine Nichte wiedergefunden.

Die ganze Nacht sind Emly und ich beisammen gewesen. Sie hat in der langen Zeit weniger mit Worten gesagt als mit herzzerreißenden Tränen. Noch weniger habe ich von ihrem Gesicht gesehen, das unter meinem Dache so schön geworden war. Aber die ganze Nacht lang hielt sie ihre Arme um meinen Nacken geschlungen, und ihr Kopf lag hier; und wir wissen beide genau, daß wir uns auf ewig aufeinander verlassen können.«

Er schwieg, und seine Hand lag ruhevoll auf dem Tische mit einer Entschlossenheit, die Löwen hätte bezwingen können.

»Es war ein Lichtstrahl für mich, Trot«, sagte meine Tante und trocknete sich die Augen, »als ich den Entschluß faßte, bei deiner Schwester Betsey Trotwood, die mich so täuschte, Pate zu stehen; aber nächst diesem würde mir kaum etwas größere Freude machen, als Pate bei einem Kind dieses guten jungen Geschöpfs zu stehen.«

Mr. Peggotty nickte zum Zeichen, daß er die Gefühle meiner Tante verstünde, aber äußerte kein Wort über das, worauf sie anspielte. Wir schwiegen alle drei und hingen unsern Gedanken nach. Meine Tante wischte sich die Augen und schluchzte bald krampfhaft, bald lachte sie wieder und nannte sich albern und töricht, bis ich anfing:

»Haben Sie sich schon, Mr. Peggotty, hinsichtlich der Zukunft einen Plan gemacht? Ich brauche wohl kaum zu fragen?«

»Ich bin mir ganz einig, Masr Davy, und habe es Emly gesagt. Dor sün grote Länner, wiet wech von hier. Uns Zukunft leit üwer dem Meer drüwen.«

»Sie wollen zusammen auswandern, Tante«, erklärte ich.

»Ja«, sagte Mr. Peggotty und lächelte voll froher Hoffnung. »Keiner kann meinem Liebling in Australien etwas vorwerfen. Wi wölt een neues Lewen beginn drüwen.«

Ich fragte ihn, ob er schon eine Zeit für seine Abreise bestimmt habe. »Ich war heute morgen ganz früh in den Docks, Sir, um mich wegen der Schiffe zu erkundigen. In sechs oder acht Wochen sticht eins in See – ich habe es mir heute früh besehen –, und wir werden mit ihm die Überfahrt machen.«

»Ganz allein?«

»Ja, Masr Davy. Sehen Sie, meine Schwester hängt so sehr an Ihnen und ist so gewohnt an ihr Vaterland, daß ich sie nicht gut mitnehmen kann. Und dann, Masr Davy, muß sie um einen sein, der nicht vergessen werden darf.«

»Sie meinen den armen Ham?«

»Meine Schwester besorgt seine Wirtschaft, Maam, und er hat sie so gern und spricht mit ihr ganz ruhig, während er nie einem andern sein Herz ausschütten würde«, erklärte Mr. Peggotty meiner Tante. »Der Arme hat so viel verloren, daß er das Wenige nicht entbehren kann, was ihm noch bleibt.«

»Und Mrs. Gummidge?« fragte ich.

»Die hat mir viel Sorge gemacht, muß ich Ihnen sagen«, entgegnete Mr. Peggotty mit einem verlegnen Blick, der sich aber allmählich aufhellte. »Sehen Sie, wenn Mrs. Gummidge an den Alten zu denken anfängt, ist sie gerade keine gute Gesellschaft. Unter uns gesagt, Masr Davy, wenn Mrs. Gummidge zu flennen anfängt, so kann sie für die, die den ›Alten‹ nicht gekannt haben, ein wenig unangenehm werden. Ja, ich, ich habe den Alten gekannt und verstehe sie daher, aber mit Fremden, sehen Sie, ist es eben etwas anderes.«

Meine Tante und ich gaben ihm vollkommen recht.

»Meiner Schwester könnte Mrs. Gummidge vielleicht auch manchmal ein wenig beschwerlich fallen. Deshalb will ich sie nicht bei ihr lassen, sondern für sie ein Unterkommen suchen, wo sie für sich selbst sorgen kann. Ich werde ihr daher vor meiner Abreise etwas aussetzen, damit sie ein sicheres Auskommen hat. Sie ist das treueste Geschöpf von der Welt, man kann aber in ihrem Alter nicht von ihr verlangen, daß sie das beschwerliche Leben auf dem Meere und im wilden Busch des neuen und fernen Landes mitmacht. Also muß ich sie anderweitig versorgen.«

Er vergaß niemand. Er dachte an jedermann, außer an sich selbst.

»Emly«, fuhr er fort, »bleibt hier bei mir, bis wir unsere Reise antreten. Das arme Kind hat Frieden und Ruhe sehr nötig. Sie näht uns die nötigen Kleider, und ich hoffe, ihr Mißgeschick wird schneller in die Vergangenheit rücken, wenn sie um ihren rauhen Onkel ist, der sie so lieb hat.«

Mr. Peggotty war sehr befriedigt, als ihm meine Tante beistimmend zunickte.

»Noch etwas hab ich zu sagen, Masr Davy –«, er steckte die Hand in die Brusttasche und nahm mit ernster Miene das kleine Paket heraus, das ich schon kannte, und öffnete es auf dem Tisch.

»Hier sind die Banknoten – fünfzig Pfund und zehn –, dazu soll noch das Geld kommen, das sie damals bei sich hatte. Ich habe es zusammenaddiert. Ich bin kein Gelehrter. Möchten Sie nicht so gut sein und nachsehen, ob es richtig ist?«

Er übergab mir einen Zettel und sah mir zu, wie ich nachrechnete. Alles stimmte. »Ich danke, Sir«, sagte er. »Das Geld, Masr Davy, werde ich vor meiner Abreise mit einem Brief an seine Mutter schicken. Ich werde ihr in so wenig Worten, wie ich gegen Sie brauche, sagen, was das Geld gekostet hat, und daß ich fort bin und niemand mehr es mir wieder zustellen kann.

Ich sagte, es bliebe nur noch eins zu tun«, fuhr er mit ernstem Lächeln fort, als er das Päckchen wieder in die Tasche gesteckt hatte, »aber ich habe noch etwas vergessen. Als ich diesen Morgen ausging, war ich mir noch nicht einig, ob ich das glückliche Ereignis Ham persönlich sagen sollte. So schrieb ich ihm denn einen Brief und erzählte ihm alles, was geschehen ist und daß ich morgen dort sein würde, um mein Herz auszuschütten und ein letztes Lebewohl von Yarmouth zu nehmen.«

»Und Sie möchten gern, daß ich Sie begleite?« fragte ich, da ich bemerkte, daß er noch etwas auf dem Herzen hatte.

»Wenn Sie mir die große Gunst erweisen wollten, Masr Davy! Ich weiß, daß Ihr Anblick Ham ein bißchen aufheitern würde.«

Da meine kleine Dora sich leidlich wohl fühlte und selbst wünschte, daß ich ginge, so versprach ich gern, ihn zu begleiten. Und so saßen wir schon am nächsten Morgen in der Postkutsche und reisten wieder den alten Weg.

Als wir abends durch die wohlbekannten Straßen gingen, wobei Mr. Peggotty trotz meines Sträubens meinen Reisesack trug, – warf ich einen Blick in Omer & Jorams Laden und sah meinen alten Freund Mr. Omer drin seine Pfeife rauchen. Ich wollte nicht gern dabeisein, wenn Mr. Peggotty seine Schwester und Ham zum ersten Mal wiedersah, und blieb zurück.

»Wie befindet sich Mr. Omer nach so langer Zeit?« fragte ich, als ich in den Laden trat. Der Alte wehte den Rauch von seiner Pfeife weg, um mich besser sehen zu können, und erkannte mich zu meiner großen Freude auf der Stelle.

»Ich würde zur Ehre Ihres Besuchs aufstehen, Sir, aber meine Beine sind nicht mehr recht in Ordnung, und ich sitze im Rollstuhl. Mit Ausnahme der Beine und des Atems bin ich aber Gott sei Dank so munter und wohlauf, wie man nur verlangen kann.«

Ich gratulierte ihm zu seinem zufriednen Aussehen und seiner guten Laune und warf einen Blick auf die Räder seines Rollstuhls.

»Eine großartige Erfindung, nicht wahr?« fragte er, als er meinen Blicken folgte, und polierte mit dem Ärmel die Seitenlehne.

»Er geht so leicht wie eine Feder und so verläßlich wie eine Postkutsche. Ich versichere ihnen, wenn meine kleine Minnie, meine Enkelin, sich nur mit ihren geringen Kräften an die Rücklehne stemmt und ihr einen Schub gibt, so gehts so frisch und lustig fort, wie Sie so etwas noch nie gesehen haben. Und ich sage Ihnen, es gibt keinen bessern Sessel, um darin eine Pfeife zu rauchen.«

Mr. Omer war so heiter, als ob sein Stuhl, sein Asthma und seine lahmen Beine nur zur Erhöhung seines Genusses dienten.

»Ich lebe jetzt mehr in der Welt, das kann ich Ihnen versichern«, sagte er, »seit ich in diesem Stuhle sitze, als jemals früher. Sie würden sich wundern, wieviel Leute den Tag über hereingucken, um mit mir ein bißchen zu plaudern. Es steht noch zweimal soviel in der Zeitung, seitdem ich mich an den Stuhl gewöhnt habe, und wieviel erst in den Büchern! Sie können sich gar nicht denken, wieviel ich lese. Deshalb werde ich so munter und kräftig, sehen Sie. Was hätte ich tun sollen, wenn es die Augen getroffen hätte oder die Ohren! Da es aber nur meine Beine sind, was schadet das! Als ich sie noch gebrauchen konnte, machten sie mir nur den Atem kürzer. Jetzt, wenn ich auf die Straße oder auf die Dünen will, so brauche ich nur Jorams Lehrburschen zu rufen und fahre in meiner eignen Kutsche wie der Lordmayor von London.«

Hier lachte er fast bis zum Ersticken.

»Mein Gott«, sagte er und tat einen Zug aus der Pfeife. »Man muß das Fette mit dem Magern nehmen. Darauf muß man sich in diesem Leben gefaßt machen. Joram hat ein gutes Geschäft. Ein ganz vortreffliches Geschäft.«

»O, das freut mich«, sagte ich.

»Das wußte ich. Und Joram und Minnie sind wie Brautleute. Was will man mehr? Was sind dagegen die Beine!«

Die gründliche Verachtung, die er seinen Beinen gegenüber an den Tag legte, wie er rauchend dasaß, war eine der liebenswürdigsten Wunderlichkeiten, die mir jemals vorgekommen sind.

»Und seitdem ich mich auf das Bücherlesen geworfen habe, haben Sie sich auf das Bücherschreiben verlegt, nicht wahr, Sir?« sagte er und sah mich bewundernd an. »Was Sie da für ein reizendes Buch geschrieben haben! Was für Ausdrücke drin sind. Ich lese es Wort für Wort und wurde noch niemals schläfrig dabei.«

Ich drückte lächelnd meine Zufriedenheit aus und mußte mir gestehen, daß sein Lob eigentlich recht treffend ausgedrückt war.

»Ich versichere Ihnen auf Ehrenwort, wenn ich das Buch auf den Tisch lege und es so vor mir sehe in seinen drei Bänden, da bin ich so stolz wie ein Kaiser bei dem Gedanken, daß ich einmal die Ehre hatte, mit Ihrer Familie zu tun gehabt zu haben. O Gott, wie lange das schon her ist! Drüben in Blunderstone, nicht wahr? Und ein kleines Persönchen wurde neben die andern Personen gelegt. Und Sie waren damals selbst ein kleines Persönchen. Gott, Gott!«

Ich brachte die Rede auf Emly. Ich versicherte ihm, daß ich nie vergessen habe, wie sehr er immer an ihrem Schicksal teilgenommen und wie freundlich er sie immer behandelt hatte, und erzählte ihm in großen Umrissen von ihrer Wiederauffindung durch Martas Hilfe, denn ich wußte, daß er sich darüber freuen würde. Er hörte mit der größten Aufmerksamkeit zu und sagte, als ich fertig war, mit tiefem Mitgefühl:

»Das freut mich sehr, Sir! Es ist die beste Nachricht, die ich seit langer Zeit gehört habe. Gott, Gott! Und was soll mit dem unglücklichen Mädchen, der Marta, geschehen?«

»Sie berühren da einen Punkt, über den ich schon gestern den ganzen Tag nachgedacht habe, Mr. Omer«, sagte ich, »aber ich weiß selbst noch nichts, denn Mr. Peggotty hat nichts davon erwähnt, und ich möchte nicht gern mit ihm darüber sprechen. Ich bin überzeugt, er hat es nicht vergessen. Er vergißt nichts, was uneigennützig und gut ist.«

»Sehen Sie«, nahm Mr. Omer seine Rede wieder auf, »wenn etwas für sie getan wird, so möchte ich auch dabeisein. Zeichnen Sie für mich den Betrag, den Sie für gut finden, und lassen Sie es mich wissen. Ich habe nie das Mädchen für ganz verdorben gehalten, und es freut mich, daß ich recht hatte. Und meine Tochter Minnie wird sich ebenfalls freuen. Junge Frauen widersprechen nur manchmal gern – ihre Mutter war ebenso –, aber innerlich sind sie sanft und gut. Was Minnie über Marta sagt, ist alles Schein. Warum sie es für notwendig erachtet, den Schein aufrechtzuerhalten, weiß ich nicht. Aber es ist alles Schein, darauf können Sie sich verlassen! Insgeheim würde sie ihr alles mögliche Gute erweisen. Also seien Sie so gut und zeichnen Sie für mich, was Sie für angemessen finden, und schreiben Sie mir die Adresse, wohin es zu schicken ist. Mein Gott! Wenn der Mensch ein Alter erreicht hat, wo die beiden Enden des Lebens sich begegnen und er, so munter er auch sein mag, zum zweiten Male in einer Art Kinderstuhl herumgefahren wird, sollte er überfroh sein, irgend jemand eine Freundlichkeit erweisen zu können, denn er selbst hat deren nur allzuviel nötig. Ich spreche nicht von mir im besondern, Sir. Ich sehe es auch sowieso ein. Wir alle gehen bergab ins Tal hinab, in welchem Alter wir auch stehen, denn die Zeit hält keinen Augenblick still. Darum sollen wir immer Wohltaten erweisen, wo wir können, und überfroh darüber sein. Gewiß, Gewiß!« Er klopfte seine Pfeife aus und legte sie auf ein Brettchen an der Lehne des Stuhls, das eigens zu diesem Zwecke angebracht war.

»Sehen Sie Emlys Vetter an«, sagte er und rieb sich nachdenklich die Hände, »ein so prächtiger Kerl, wie nur einer in Yarmouth zu finden ist. Er besucht mich abends und plaudert mit mir oder liest mir vor, manchmal eine Stunde lang. Das ist freundlich von ihm. Sein ganzes Leben ist Freundlichkeit.«

»Ich will ihn gerade besuchen gehen«, sagte ich.

»Wirklich? Dann richten Sie ihm aus, ich lasse ihn herzlich grüßen. Minnie und Joram sind auf dem Ball. Sie würden so stolz sein wie ich, Sie zu sehen, wenn sie zu Hause wären. Minnie möchte am liebsten immer daheim sein, von wegen des Vaters, wie sie sagt. So schwor ich ihr denn heute abend zu, wenn sie nicht ginge, würde ich mich um sechs ins Bett legen. Und deswegen« – Mr. Omer schüttelte sich in seinem Stuhl vor Lachen über den Erfolg seiner List – »sind sie und Joram auf den Ball gegangen.«

Ich schüttelte ihm die Hand und wünschte ihm gute Nacht.

»Noch eine halbe Minute, Sir! Wenn Sie gingen, ohne meinen kleinen Elefanten gesehen zu haben, so würden Sie das Beste versäumen. So etwas sehen Sie in Ihrem Leben nicht wieder! – Minnie, Minnie!« Eine helle Kinderstimme antwortete von oben: »Ich komme schon, Großvater!« und ein hübsches kleines Mädchen mit langem lockigen Flachshaar kam gleich darauf in den Laden gesprungen.

»Das ist mein kleiner Elefant«, erklärte Mr. Omer und liebkoste das Kind. »Siamesische Rasse, kleiner Elefant!«

Der kleine Elefant öffnete die Tür des Hinterstübchens, so daß ich hineinsehen konnte – es war in ein Schlafzimmer für Mr. Omer verwandelt worden, denn er konnte nicht ohne Beschwerde die Treppe hinaufsteigen –, und drückte dann sein hübsches Köpfchen, von dem lockigen Haar umflossen, gegen die Rücklehne von Mr. Omers Stuhl.

»Sie wissen ja, Sir, der Elefant stößt«, sagte Mr. Omer mit Augenzwinkern, »wenn er auf etwas losgeht. Eins! Elefant. Zwei! drei!« Auf dieses Zeichen drehte der kleine Elefant mit einer Schnelligkeit, die bei dem winzigen Geschöpf wunderbar war, den Stuhl um und rollte ihn im Galopp in das Hinterstübchen, ohne an die Türpfosten anzustoßen, – ein Kunststück, das Mr. Omer ganz unbeschreiblich ergötzte, und währenddessen er mich mit rückwärts gewandtem Kopf anlachte, als wäre es der Triumph einer ganzen Lebensmühe.

Nach einem Rundgang in der Stadt ging ich zu Ham. Peggotty war jetzt zu ihm gezogen und hatte ihr Haus dem Nachfolger von Mr. Barkis' Fuhrmannsgeschäft vermietet, der ihr die Kundschaft, den Wagen und den Gaul sehr gut bezahlt hatte. Ich glaube, dasselbe faule Pferd, das Mr. Barkis einst fuhr, stand immer noch in Diensten.

Ich fand sie in der saubern Küche und bei ihnen Mrs. Gummidge, die Mr. Peggotty selbst aus dem alten Boot abgeholt hatte. Jemand anders hätte sie wohl schwerlich bewegen können, ihren Posten zu verlassen. Er hatte ihnen offenbar bereits alles erzählt. Denn Peggotty und Mrs. Gummidge trockneten sich mit ihren Schürzen die Augen und Ham war eben hinausgegangen, – »um sich ein bißchen auf dem Strande umzusehen«. Er kehrte in Bälde zurück und freute sich sehr, mich zu sehen, und ich hoffe, mein Dortsein tat ihnen allen wohl. In einem Ton, den man fast hätte heiter nennen können, sprachen wir davon, wie Mr. Peggotty in dem neuen Lande reich werden und von was für Wundern er in seinen Briefen schreiben würde. Emly nannten wir nicht, aber spielten mehr als einmal auf sie an. Ham war der ruhigste von uns allen.

Aber als Peggotty mir nach der kleinen Kammer hinaufleuchtete, wo das Krokodilbuch noch immer auf dem Tische lag, sagte sie mir, daß er stets so sei. Sie glaube, sagte sie unter Tränen, daß sein Herz gebrochen sei, obgleich er soviel Mut wie Freundlichkeit zeige und angestrengter und besser arbeite als irgendein anderer Schiffszimmermann im Ort. Manchmal des Abends spräche er mit ihr von dem alten Leben und dann erwähne er Emly als Kind. Aber als erwachsenes Mädchen erwähne er sie nie.

Ich glaubte in seinem Gesicht gelesen zu haben, daß er mich allein zu sprechen wünschte. Ich beschloß daher, es am nächsten Abend so einzurichten, daß er mir auf dem Heimweg von seiner Arbeit begegnete. Als ich mir darüber einig geworden war, schlief ich ein. Zum ersten Mal seit so langer Zeit wurde diesmal das Licht aus dem Fenster genommen, Mr. Peggotty legte sich in seine alte Hängematte in dem Boot, und der Wind stöhnte wieder wie in früheren Zeiten über die Dünen.

Den ganzen Vormittag beschäftigte sich Mr. Peggotty damit, sein Fischerboot und was dazu gehörte zu verkaufen, alles, was er von seinem Hausgerät mitnehmen und mit dem Wagen nach

London schicken wollte, wegzuschaffen und das Übrige loszuschlagen oder Mrs. Gummidge zu schenken. Da mich ein schmerzlicher Wunsch erfüllte, das alte Haus noch ein letztes Mal zu sehen, wollte ich abends hinkommen, aber ich richtete es so ein, daß ich Ham zuerst sprechen konnte.

Ihm zu begegnen, war nicht schwer, denn ich wußte, wo er arbeitete. Ich traf ihn an einer einsamen Stelle auf den Dünen und kehrte mit ihm um, damit er mit mir in aller Ruhe sprechen könnte, falls er es wirklich wünschen sollte.

Ich hatte den Ausdruck seines Gesichtes nicht mißverstanden. Wir gingen eine Zeitlang nebeneinander her, ohne daß er mich anblickte, und dann sagte er:

»Masr Davy, haben Sie sie gesehen?«

»Nur einen Augenblick, denn sie lag in Ohnmacht«, sagte ich leise. Wir gingen wieder schweigend ein Stück weiter.

»Masr Davy, glauben Sie wohl, daß Sie sie noch einmal sehen werden?«

»Es wäre ihr vielleicht zu schmerzlich«, sagte ich.

»Ich habe auch daran gedacht. Es müßte ihr gewiß sehr schmerzlich sein.«

»Aber Ham, wenn Sie etwas haben, was ich ihr schreiben könnte, falls ich nicht Gelegenheit hätte, es ihr persönlich zu sagen, oder wenn Sie ihr durch mich etwas wissen lassen wollten, so würde ich es als einen geheiligten Auftrag betrachten.«

»Ich danke Ihnen von Herzen dafür, Sir. Ich möchte ihr wohl etwas wissen lassen.«

»Was ist es?«

Wir gingen wieder stillschweigend nebeneinander her, und dann fing er an.

»Nicht, daß ich ihr nicht verziehen hätte! Dat will ick nich seggen. Eher sollte ich sie um Verzeihung bitten, daß ich ihr meine Liebe aufgedrängt habe. Manchmal heww ick drüver nachdacht; wenn sie mir nicht versprochen haben würde, mich zu heiraten, so hätte sie mir gewiß als Freund anvertraut, was ihr auf dem Herzen lag, und ich hätte sie vielleicht retten können.«

Ich drückte ihm die Hand: »Ist das alles?«

»Noch etwas, Masr Davy, wenn es mir gelingt, es auszudrükken!« Wir gingen ein langes, langes Stück, ehe er wieder zu sprechen begann. Er redete in Absätzen und versank in den Zwischenpausen in Nachdenken, um sich so deutlich wie möglich verständlich zu machen.

»Ich liebte sie zu tief – und liebe die Erinnerung an sie –, als daß ich imstande sein sollte, ihr glauben zu machen, – ich sei glücklich. Ich könnte nur glücklich sein, – wenn ich sie vergäße, – und ich glaube, – ich könnte es nicht ertragen, wenn man – ihr sagte, es sei – mir gelungen. Aber wenn Sie, Masr Davy, der Sie so ein gelehrter Mann sind, einmal etwas – erfinden könnten, was sie glauben machen würde, ich sei des Lebens nicht müde – und hoffe darauf, sie dereinst untadelig zu sehen, wo der Böse nicht mehr schadet und die Müden zur Ruhe gehen, – etwas, was ihr das Herz erleichtern könnte – und sie dabei doch nicht glauben machen würde, – ich könnte – jemals – heiraten oder in einer andern das finden, was sie mir war, – so möchte ich Sie bitten, ihr das zu sagen.«

Ich drückte ihm kräftig die Hand und versprach, ich wollte es ausrichten, so gut ich könnte.

»Ich danke Ihnen, Sir. Es war freundlich von Ihnen, daß Sie den Onkel nach Yarmouth begleiteten; es war freundlich von Ihnen, hier mit mir zu sprechen. Masr Davy, ich weiß genau, daß ich ihn nicht wiedersehen werde, obgleich meine Tante erst nach London kommt, ehe das Schiff in See geht. Ich bin davon überzeugt! Es wird so sein, und es ist besser so. Im letzten Augenblick – im allerletzten –, wo Sie ihn sehen, wollen Sie ihm sagen, daß ich, dem er immer mehr als ein Vater war, ihm noch einmal meinen tiefsten Dank ausspreche?«

Auch das versprach ich treulich auszurichten.

»Ich danke Ihnen nochmals, Sir«, er schüttelte mir herzlich die Hand. »Ich weiß, wohin Sie gehen. Leben Sie wohl!«

Mit einer leichten Handbewegung, wie um mir anzudeuten, daß er das alte Haus nicht betreten könnte, ging er fort; ich blickte ihm nach, wie er im Mondschein über die öden Dünen schritt, und sah, daß er sein Gesicht auf einen Streifen silbernen Lichts in der Ferne über dem Meer gewendet hielt. Dann verschwand er in der Dunkelheit.

Die Tür des Bootshauses stand offen, als ich es erreichte, und beim Eintreten bemerkte ich, daß alles Hausgerät fortgeschafft war mit Ausnahme einer alten Schiffskiste, auf der Mrs. Gummidge mit einem Korbe auf dem Knie saß und Mr. Peggotty ansah. Er hatte den Ellbogen auf das Kaminsims gestützt und blickte auf die glimmende Asche im Rost, aber er erhob hoffnungsvoll das Haupt, als ich eintrat, und sprach in heiterem Tone:

»Na, Sie halten Wort und kommen, um Abschied von dem alten Hause zu nehmen, Masr Davy?« Er hielt das Licht in die Höhe. »Kahl genug jetzt, nicht wahr?«

»Sie haben wirklich die Zeit gut genützt«, sagte ich.

»Nun ja, wir sind nicht faul gewesen, Sir. Mrs. Gummidge hat gearbeitet wie – ich weiß nicht, wie Mrs Gummidge gearbeitet hat.« Und er sah sie an, da er ein genügend lobendes Beispiel nicht finden konnte.

Mrs. Gummidge, auf ihren Korb gestützt, antwortete nichts.

»Da ist noch dieselbe Kiste, auf der Sie immer mit Emly saßen«, flüsterte Mr. Peggotty. »Ich will sie als letztes Stück mit mir fortnehmen. Und da ist Ihr ehemaliges kleines Schlafzimmer, Masr Davy, so kahl und öde, wie sich das Herz nur wünschen kann.«

Der Wind wehte wie mit einer leisen traurigen Klage um das verlassene Haus. Alles war fort, selbst der kleine Spiegel mit dem Rahmen von Austernschalen. Ich mußte daran denken, wie ich an jenem Abend hier geruht. Ich dachte an das Kind mit den blauen Augen, das mich einst bezaubert hatte. Ich dachte an Steerforth, und eine törichte schreckliche Einbildung kam über mich, daß er nicht weit von uns sei und uns jeden Augenblick begegnen könnte.

»Es wird lange dauern, ehe das Boot neue Mieter findet«, sagte

Mr. Peggotty leise. »Die Leute halten es jetzt für ein unglückliches Haus.«

»Gehört es jemand in der Nachbarschaft?«

»Einem Mastenmacher in der Stadt drin. Ich will ihm heute die Schlüssel übergeben.«

Mr. Peggotty warf einen Blick in das anstoßende kleine Zimmer und kam zu Mrs. Gummidge zurück, die noch immer auf der Schiffskiste saß. Er stellte das Licht auf den Ofen und bat sie aufzustehen, damit er die Kiste, bevor er das Licht auslöschte, hinaustragen könnte.

»Danl«, sagte Mrs. Gummidge, setzte ihren Korb hin und hängte sich an seinen Arm, »lieber Daniel, die letzten Worte, die ich in diesem Hause spreche, sind: Du darfst mich hier nicht zurücklassen! Denk nicht an so etwas, Danl! Tue mir das nicht an.«

Ganz überrascht sah Mr. Peggotty Mrs. Gummidge und mich an, als ob er aus einem Traum erwache.

»Tu es nicht, liebster Daniel, tu es nicht«, flehte Mrs. Gummidge. »Nehmt mich mit, Danl, du und Emly! Ich will euch fleißig und treu dienen. Wenn es in dem Lande, wo ihr hingeht, Sklaven gibt, so will ich euer Sklave sein und gern, aber laßt mich nicht hier. Daniel! mein lieber Daniel!«

»Gute Seele«, sagte Mr. Peggotty und schüttelte den Kopf. »Du weißt nicht, was eine lange Seereise und ein hartes Farmerleben sind.«

»O ja, Danl, ich kann es mir vorstellen. Aber meine letzten Worte unter diesem Dache sind: Ich gehe in das Haus zurück und sterbe, wenn du mich nicht mitnimmst. Ich kann graben, ich kann arbeiten, Danl. Ich kann unter Entbehrungen leben. Ich kann jetzt gut und geduldig sein, mehr, als du vielleicht denkst, Danl, und mir zutraust. Das Geld, das du mir hierlassen willst, würde ich nicht anrühren und sollte ich Hungers sterben, Daniel Peggotty; aber mit dir und Emly ginge ich bis ans Ende der Welt, wenn du mich ließest. Ich weiß, was du denkst; ich weiß, du glaubst, ich fühle mich einsam und untröstlich; aber lieber guter Daniel, das ist nicht mehr so. Ich habe zu lange hier gesessen und deine Prüfungen mit angesehen und darüber nachgedacht, als daß es mich nicht besser gemacht hätte. Masr Davy, legen Sie ein Wort ein für mich! Ich kenne seine Art und Emlys Art und kenne ihre Sorgen und Schmerzen und kann sie manchmal beide trösten und für sie arbeiten. Danl, lieber guter Danl, nimm mich mit.«

Und Mrs. Gummidge ergriff Mr. Peggottys Hand und küßte sie mit einer schlichten Rührung, einer Hingebung und Dankbarkeit, die er wohl verdiente.

Wir trugen die Kiste hinaus, löschten das Licht aus, verschlossen die Tür und ließen das alte Boot hinter uns, einen dunkeln Fleck in der wolkigen Nacht. Am nächsten Morgen, als wir mit der Landkutsche nach London zurückkehrten, saß Mrs. Gummidge mit ihrem Korb auf dem Rücksitz.

Und Mrs. Gummidge war glücklich.

52. KAPITEL

Ich wohne einer Explosion bei

Als zu der von Mr. Micawber so geheimnisvoll bestimmten Zeit noch vierundzwanzig Stunden fehlten, berieten meine Tante und ich, was wir zunächst zu tun hätten, denn sie wollte nur ungern Dora allein lassen.

Ach wie leicht ich jetzt Dora die Treppe hinauf und hinunter tragen konnte!

Mr. Micawber hatte zwar die Anwesenheit meiner Tante zur Bedingung gemacht, doch wollten wir es so einrichten, daß Mr. Dick und ich an ihrer Statt gingen. Das war bereits beschlossene Sache, als Dora alles wieder umstürzte, indem sie erklärte, daß sie es sich und ebensowenig ihrem bösen Mann verzeihen würde, wenn die Tante unter irgendeinem Vorwand bei ihr bliebe.

»Ich spreche nicht mehr mit dir«, sagte sie und schüttelte energisch ihre Locken. »Ich werde sehr böse sein. Jip muß dich den ganzen Tag anbellen. Und ich werde im Ernst glauben, du bist eine mürrische alte Frau, wenn du nicht gehst!«

»Aber Blümchen«, lachte meine Tante, »du weißt doch, du kannst mich nicht entbehren.«

»O doch«, sagte Dora, »du bist mir zu gar nichts nütze. Du läufst nicht den ganzen Tag für mich herum, treppauf, treppab. Du sitzest niemals an meinem Bett und erzählst mir Geschichten von Doady, als seine Schuhe durchgelaufen und er mit Staub bedeckt war – der arme kleine Junge –, du tust mir überhaupt nie etwas zu Gefallen, nicht wahr, Tante!« Sie beeilte sich, meine Tante zu küssen und zu sagen: »Ich scherze ja nur.«

»Aber Tante«, fuhr sie schmeichelnd fort, »hör mich an. Du mußt gehen! Ich will dich quälen, bis ich meinen Willen habe. Ich will dem nichtsnutzigen Jungen das Leben so schwer machen, wie ich nur kann, wenn er dir nicht auch zuredet. Ich würde sehr böse sein und auch Jip. Übrigens«, sagte sie, strich sich das Haar zurück und sah meine Tante und mich verwundert an, »warum wollt ihr denn eigentlich nicht beide gehen? Ich bin doch wirklich nicht sehr krank. Oder doch?«

»Mein Gott, was für eine Frage!« rief meine Tante.

»Was für ein Einfall!« sagte ich.

»Ja, ja, ich weiß wohl, ich bin ein albernes Ding«, sagte Dora, blickte von einem zum andern und spitzte ihre Lippen, um uns zu küssen, während sie in ihren Kissen liegenblieb. »Also ihr müßt beide gehen, oder ich glaube euch nicht und müßte dann weinen.«

An dem Gesicht meiner Tante merkte ich, daß sie anfing nachzugeben, und Dora wurde wieder heiter, da sie es ebenfalls sah.

»Ihr werdet mir bei eurer Rückkehr so viel zu erzählen haben, daß ihr wenigstens eine Woche brauchen werdet, um es mir verständlich zu machen, denn ich weiß, es wird lange dauern, ehe ich es begreife, wenn es Geschäftsangelegenheiten sind. Und es sind sicher Geschäftsangelegenheiten. Aber jetzt geht ihr, nicht wahr? Ihr bleibt ja bloß eine Nacht weg, und Jip nimmt mich unterdessen unter seinen Schutz. Doady trägt mich jetzt hinauf, und ich komme erst nach eurer Rückkehr wieder herunter, und du nimmst Agnes einen Brief mit, in dem ich sie fürchterlich ausschelte, weil sie uns noch nicht besucht hat.«

So beschlossen wir beide zu gehen und erklärten, daß Dora eine kleine Heuchlerin sei, die sich nur krank stelle, um sich verhätscheln zu lassen; sie freute sich sehr darüber und war sehr lustig, und wir vier, nämlich meine Tante, Mr. Dick, Traddles und ich, fuhren abends mit der Post nach Canterbury.

In dem Gasthause, wohin uns Mr. Micawber bestellt hatte und bei dem wir um Mitternacht ankamen, fand ich einen Brief des Inhalts vor, daß Mr. Micawber sich pünktlich um zehn Uhr früh hier einstellen werde. Hierauf begaben wir uns in dieser vorgerückten Stunde fröstelnd nach unseren Betten durch verschiedene Gänge, die rochen, als ob sie seit Jahrhunderten in eine Lösung von Suppe und Stalljauche getaucht worden wären.

Früh am nächsten Morgen schlenderte ich durch die alten lieben stillen Straßen und betrachtete die schattigen Winkel der ehrwürdigen Torwege und Kirchen. Die Krähen segelten um die Spitzen des Doms, und die Türme, die auf das fruchtbare Land und die schönen Ströme hinaussahen, ragten in die helle Morgenluft empor, als ob es kein Heute und Morgen auf Erden gäbe. Die Glocken fingen an zu läuten und erzählten mir sorgenvoll von der Wandelbarkeit der irdischen Dinge, von ihrem eignen hohen Alter und von meiner hübschen Dora Jugend und von den vielen, die nie alt gewesen, gelebt und geliebt hatten und gestorben waren, während der Hall der Glocken Tag für Tag den rostigen Harnisch des schwarzen Prinzen, der drinnen in der Kirche hing, durchsummte und die Sonnenstäubchen über dem Abgrund der Zeit sich in der Luft verloren wie Kreise im Wasser.

Ich betrachtete von weitem das alte Haus an der Ecke der Straße, ging aber nicht näher, um nicht gesehen zu werden und vielleicht unwissentlich dem Plane zu schaden, den zu unterstützen ich hierher gekommen war. Die Morgensonne schien mit ihren schrägen Strahlen auf die Giebel und Gitterfenster und faßte sie mit Gold ein, und Strahlen alten Friedens schienen in mein Herz zu fallen.

Ich machte einen Spaziergang ins Freie und kehrte nach ungefähr einer Stunde durch die Hauptstraße zurück, die unterdessen den Schlaf der vergangenen Nacht abgeschüttelt hatte. Unter den Leuten, die in den Läden tätig waren, sah ich meinen alten Feind, den Fleischer, der es jetzt zu Stulpenstiefeln, einem kleinen Kind und einem eignen Geschäft gebracht hatte. Er wiegte das Kleine auf den Knien und schien ein wohlwollendes Mitglied der menschlichen Gesellschaft geworden zu sein.

Wir waren alle sehr unruhig und ungeduldig, als wir uns zum Frühstück setzten. Je näher die Stunde rückte, desto mehr steigerte sich unsere Aufregung. Endlich gaben wir uns nicht mehr den Anschein, als äßen wir, denn für uns alle, mit Mr. Dicks Ausnahme, war das Frühstück von Anfang an eine bloße Form gewesen. Meine Tante ging im Zimmer auf und ab, Traddles setzte sich aufs Sofa und tat, die Augen auf die Decke gerichtet, als ob er die Zeitung läse, und ich sah von Zeit zu Zeit zum Fenster hinaus, um als erster Mr. Micawbers Ankunft melden zu können. Ich brauchte nicht lange zu warten, denn mit dem Glockenschlag erschien er auf der Straße.

»Jetzt kommt er«, rief ich, »und zwar nicht in Amtskleidung.« Meine Tante band sich die Hutbänder zu; den Hut hatte sie schon vor dem Frühstück aufgesetzt und nahm ihren Schal mit einer Miene um, als sei sie jetzt bereit, nicht in einem einzigen Punkte nachzugeben. Traddles knöpfte sich den Rock mit entschlossenem Gesichte zu. Beunruhigt durch solche unheilverkündende Anzeichen, aber erfüllt von der Überzeugung, daß er sie nachahmen müsse, zog Mr. Dick mit beiden Händen den Hut so fest über die Ohren wie nur möglich, nahm ihn aber sofort wieder ab, um Mr. Micawber zu bewillkommnen.

»Gentlemen und Maam, guten Morgen! Mein verehrter Herr,

Sie sind außerordentlich gütig!« – Mr. Micawber und Mr. Dick schüttelten sich heftig die Hände.

»Haben Sie schon gefrühstückt?« fragte Mr. Dick. »Essen Sie ein Kotelett!«

»Nicht um alles in der Welt, mein bester Herr«, rief Mr. Micawber und hielt Mr. Dick ab, der eben klingeln wollte. »Appetit und ich, Mr. Dixon, sind einander seit langem fremd.«

Mr. Dixon fand so viel Gefallen an seinem neuen Namen und schien die Erfindung desselben Mr. Micawber so hoch anzurechnen, daß er ihm wieder die Hand schüttelte und recht kindisch lachte.

»Dick«, mahnte meine Tante, »achtgeben!«

Mr. Dick sammelte sich errötend.

»Also, mein Herr«, sagte meine Tante zu Mr. Micawber und zog sich ihre Handschuhe an, »wir sind fertig für den Berg Vesuv und das, was dazu gehört, wenn es Ihnen gefällig ist.«

»Maam«, entgegnete Mr. Micawber, »ich hoffe, Sie werden in Kürze Zeuge seines Ausbruchs sein. Sie werden mir erlauben, Mr. Traddles, jetzt zu sagen, daß wir bereits alle Vorkehrungen getroffen haben.«

»Ja, das ist der Fall, Copperfield«, bestätigte Traddles, als ich ihn überrascht anblickte. »Mr. Micawber hat mich hinsichtlich dessen, was er beabsichtigt, eingeweiht, und ich habe ihm nach meinem besten Wissen Ratschläge erteilt.«

»Wenn ich mich nicht täusche, Mr. Traddles«, fuhr Mr. Micawber fort, »so handelt es sich um eine Enthüllung wichtigster Art.«

»Allerdings, höchst wichtiger Art«, stimmte Traddles bei.

»Unter diesen Umständen, meine Herrschaften«, fuhr Mr. Micawber fort, »werden Sie mir vielleicht die Gunst erweisen, sich für den Augenblick der Anordnung einer Person zu unterwerfen, die, wenn auch unwürdig, in anderm Lichte als ein gestrandetes Wrack an der Küste der Menschheit betrachtet zu werden, dennoch immerhin Ihr Nebenmensch ist, wenn auch individuelle Irrtümer und das Zusammenwirken von Umständen sie ihres ursprünglichen Ansehens beraubt haben.«

»Wir setzen volles Vertrauen in Sie, Mr. Micawber«, versicherte ich, »und werden uns ganz nach Ihnen richten.«

»Mr. Copperfield, unter den gegebenen Umständen schenken Sie Ihr Vertrauen keinem Unwürdigen. Ich wollte Sie bitten, mir zu erlauben, fünf Minuten vor Ihnen weggehen zu dürfen, um Sie dann alle mit Einschluß Miss Wickfields in der Kanzlei von Wickfield & Heep, deren Söldling ich zur Zeit bin, zu empfangen.«

Meine Tante und ich blickten fragend auf Traddles, der mit einem Nicken seine Zustimmung gab.

»Vorderhand habe ich weiter nichts zu sagen«, bemerkte Mr. Micawber.

Damit machte er uns eine allgemeine Verbeugung und verschwand; sein Benehmen war außerordentlich gemessen und sein Gesicht totenblaß. Ich wußte mir vor Staunen gar nicht zu helfen.

Traddles lachte und schüttelte den Kopf, und jedes Haar stand ihm einzeln zu Berge, als ich ihn fragend ansah; so nahm ich denn die Uhr heraus und zählte als letzte Zuflucht die fünf Minuten ab. Meine Tante folgte genau meinem Beispiel. Als die Zeit verstrichen war, reichte ihr Traddles den Arm, und wir begaben uns alle miteinander in das alte Haus, ohne ein Wort unterwegs zu wechseln.

Wir fanden Mr. Micawber an seinem Pult in dem Parterrezimmer, anscheinend eifrigst arbeitend. Das große Lineal steckte in seinem Busen und guckte ein Stück hervor wie eine neue Art Jabot.

Da es mir vorkam, als lüde er mich ein, zu reden anzufangen, sagte ich laut:

»Wie geht es Ihnen, Mr. Micawber?«

»Mr. Copperfield«, antwortete er mit großem Ernst, »ich hoffe, Sie befinden sich wohl.«

»Ist Miss Wickfield zu Hause?«

»Mr. Wickfield liegt an einem rheumatischen Fieber zu Bett, aber Miss Wickfield wird sich jedenfalls glücklich schätzen, alte Freunde zu empfangen. Wollen Sie eintreten, Sir!«

Er führte uns in das Speisezimmer, öffnete die Tür von Mr. Wickfields früherer Kanzlei und meldete mit sonorer Stimme: »Miss Trotwood! Mr. David Copperfield! Mr. Thomas Traddles! und Mr. Dixon!«

Ich hatte Uriah Heep seit der Ohrfeige nicht gesehen. Unser Besuch überraschte ihn sichtlich. Die Augenbrauen konnte er nicht zusammenziehen, denn er hatte keine, aber er runzelte die Stirn so sehr, daß die kleinen Augen fast verschwanden, während das schnelle Emporfahren seiner Knochenhand an das Kinn Bangen oder Überraschung verriet. Das war nur eine Sekunde; einen Augenblick später zeigte er sich so kriecherisch und demütig wie immer.

»Wahrhaftig«, sagte er, »das ist in der Tat ein unerwartetes Vergnügen. Alle seine Freunde aus London auf einmal bei sich zu sehen, ist wirklich eine ungeahnte Freude. Mr. Copperfield, ich hoffe, sie befinden sich wohl und sind, wenn ich meine bescheidnen Hoffnungen in Worte fassen darf, freundlich gesinnt gegen die, mögen Sie es wollen oder nicht, die immer Ihre Freunde geblieben sind. Mrs. Copperfield ist hoffentlich auf dem Wege der Besserung begriffen? Was wir in letzter Zeit über ihr Befinden hörten, hat uns sehr besorgt gemacht, das kann ich Ihnen versichern.«

Ich schämte mich, daß ich ihm meine Hand lassen mußte, aber ich wußte nicht, wie ich mich benehmen sollte.

»Die Dinge haben sich hier sehr verändert seit der Zeit, Miss Trotwood, als ich noch ein niedriger Schreiber war und Ihnen das Pony hielt, nicht wahr?« sagte Uriah mit seinem tückischsten Lächeln, »aber ich habe mich nicht verändert, Miss Trotwood.«

»Nun, um Ihnen nur die Wahrheit zu sagen«, gab meine Tante zur Antwort, »ich glaube, Sie haben gehalten, was Sie in Ihrer Jugend versprochen haben, wenn Ihnen das vielleicht Freude macht.«

»Ich danke Ihnen, Miss Trotwood«, sagte Uriah und krümmte sich in seiner widerwärtigen Weise, »für Ihre gute Meinung! – Micawber, melden Sie Miss Agnes den Besuch – und Mutter!

Mutter wird ganz außer sich sein, wenn sie die Herrschaften sieht«, fügte er hinzu und stellte die Stühle zurecht.

»Haben Sie nichts zu tun, Mr. Heep?« fragte Traddles, den listigen roten Augen Uriahs, die uns forschend ansahen, wie zufällig begegnend.

»Nein, Mr. Traddles!« gab Uriah Heep zur Antwort und setzte sich wieder auf seinen Schreibstuhl, seine magern Hände zwischen den knochigen Knien quetschend. »Nicht so viel, wie ich wünschen möchte. Sie wissen doch, Advokaten, Haifische und Blutegel sind nicht so leicht zu befriedigen. Nicht etwa, daß ich und Micawber nicht alle Hände voll zu tun hätten, denn Mr. Wickfield ist kaum noch zu irgend etwas fähig, aber es ist ein Vergnügen und eine Pflicht, für ihn zu arbeiten. Sie haben Mr. Wickfield nicht genauer gekannt, Mr. Traddles, glaube ich. Wenn ich nicht irre, hatte ich nur einmal die Ehre, Sie hier zu sehen?«

»Nein, ich bin nicht mit Mr. Wickfield intim«, entgegnete Traddles, »sonst hätte ich Sie wohl schon längst einmal aufgesucht, Mr. Heep.«

Es lag etwas in dem Ton dieser Antwort, was Uriah veranlaßte, mit finsterm und argwöhnischem Ausdruck aufzusehen. Aber da er Traddles mit seinem gutmütigen Gesicht, dem schlichten Benehmen und dem zu Berge stehenden Haar gelassen dastehen sah, fuhr er beruhigt und mit einem Schnellen seines Körpers fort:

»Das ist schade, Mr. Traddles! Sie hätten ihn so sehr bewundert wie wir alle. Seine kleinen Fehler hätten ihn Ihnen nur noch teurer gemacht. Aber wenn Sie beredt über meinen Kompagnon sprechen hören wollen, so muß ich Sie an Copperfield weisen. In dem Thema ›Familie‹ ist er groß, wenn Sie ihn noch nicht davon haben sprechen hören.«

In diesem Augenblick trat Agnes ein. Mir kam sie nicht ganz so ruhig wie gewöhnlich vor, und offenbar hatte sie viel Leid und Sorgen ausgestanden. Aber ihre ernste Herzlichkeit und ihre stille Schönheit traten nur in um so sanfterem Glanz hervor.

Ich sah, wie Uriah sie beobachtete, während sie uns begrüßte, und er kam mir wie ein scheußlicher rebellischer Dämon aus Tausendundeiner Nacht vor, der einen Schatz bewacht. Mittlerweile wechselten Mr. Micawber und Traddles heimlich ein Zeichen, und Traddles ging, ohne daß es jemand außer mir merkte, hinaus.

»Sie brauchen nicht zu warten, Micawber«, sagte Uriah. Mr. Micawber, die Hand an das große Lineal in seinem Busen gelegt, stand aufgerichtet vor der Tür und musterte ungeniert seinen Prinzipal.

»Worauf warten Sie?« fragte Uriah. »Micawber! Hören Sie nicht, daß Sie nicht warten sollen?«

»Ja«, entgegnete Mr. Micawber unbeweglich.

»Also, warum warten Sie dann?«

»Weil – kurz, weil es mir beliebt«, platzte Mr. Micawber heraus. Aus Uriahs Wangen wich die Farbe, und eine ungesunde Blässe, aus der rote Flecken schwach hervorschimmerten, verbreitete sich über sein Gesicht. Er sah Mr. Micawber lauernd an, und sein ganzes Gesicht arbeitete in jeder Fiber.

»Sie sind ein liederlicher Mensch, das weiß alle Welt«, sagte er mit einem krampfhaften Lächeln, »und ich fürchte, ich werde Sie entlassen müssen. Gehen Sie! Ich will gleich nachher mit Ihnen sprechen.«

»Wenn es einen Schurken auf dieser Erde gibt«, donnerte Mr. Micawber plötzlich mit größter Heftigkeit los, »mit dem ich schon viel zu viel gesprochen habe, so heißt dieser Schurke – Heep!«

Uriah sank zurück, als ob ihn ein Schlag oder Stich getroffen hätte. Dann sah er uns alle langsam der Reihe nach mit dem tückischsten Ausdruck, den sein Gesicht nur annehmen konnte, an und sagte mit gepreßter Stimme:

»Oho! Eine Verschwörung! Sie haben sich hier bestellt! Sie stecken mit meinem Schreiber unter einer Decke, Copperfield? Hüten Sie sich! Das wird zu nichts führen. Wir verstehen einander, Sie und ich! Es herrscht Haß zwischen uns. Sie waren von jeher ein hochfahrender Geck und neiden mir mein Emporkommen, was? Gegen mich werden Sie keine Komplotte schmieden. Ich bin Ihnen über. Und Sie, Micawber, schauen Sie, daß Sie hinauskommen! ... Ich werde gleich mit Ihnen draußen sprechen.«

»Mr. Micawber«, sagte ich, »schon die Veränderung in diesem Kerl, und daß er plötzlich die Wahrheit spricht, verrät, daß wir ihn gefaßt haben. Behandeln Sie ihn, wie er es verdient!«

»Das sind mir ja nette Leute«, sagte Uriah mit derselben gepreßten Stimme, während der kalte Schweiß ihm auf die Stirne trat, die er mit seiner Skeletthand abwischte, »nette Leute! Meinen Schreiber, der zum Abschaum der Gesellschaft zählt, zu dem Sie selbst einmal gehörten, Copperfield, ehe sich Ihrer jemand erbarmte, zu bestechen, damit er Lügen gegen mich erfinde! – Miss Trotwood, für Sie wäre es auch besser, Sie machten der Sache ein Ende, wenn Sie nicht wollen, daß ich Ihrem Gatten zu einem schnellern Ende verhelfe, als Ihnen angenehm sein wird. Ich habe Ihre Geschichte nicht umsonst in unsern Akten genau studiert! Und Sie, Miss Wickfield, wenn Sie Ihren Vater lieben, täten auch besser, Ihre Finger davon zu lassen. Wenn Sies nicht tun, richte ich ihn zugrunde. Nur heran! Ich habe einige von euch unter dem Daumen. Überlegen Sie sichs zweimal, ehe Sie mit mir anbinden! Und Sie, Micawber, überlegen Sie sichs auch zweimal, sonst vernichte ich Sie. Verstehen Sie? Ich rate Ihnen, gehen Sie hinaus, Sie Narr, und lassen Sie mit sich reden, solange es noch Zeit ist. – Wo ist Mutter?« fuhr er plötzlich auf, die Abwesenheit Traddles mit einem Mal mit Schrecken gewahr werdend; und heftig riß er an der Klingel. »Schöne Freiheiten nimmt man sich in meinem Haus heraus!«

»Mrs. Heep ist hier, Sir«, antwortete Traddles, mit der würdigen Dame zurückkehrend. »Ich habe mir nur die Freiheit genommen, mich ihr vorzustellen.«

»Was soll das bedeuten«, herrschte ihn Uriah an, »und was wollen Sie überhaupt hier?«

»Ich bin der Vertreter und Freund von Mr. Wickfield, Sir«, sagte Traddles in kühlem, geschäftsmäßigem Ton. »Ich habe eine von ihm ausgestellte Vollmacht in der Tasche, an seiner Statt in allen Angelegenheiten zu verhandeln.«

»Der alte Esel hat sich blödsinnig getrunken«, fauchte Uriah und verzerrte sein scheußliches Gesicht, »und sich etwas abschwindeln lassen.«

»Mr. Wickfield hat sich allerdings etwas abschwindeln lassen, das weiß ich«, entgegnete Traddles gelassen, »und Sie wissens auch, Mr. Heep. Wir wollen uns diesbezüglich an Mr. Micawber wenden, wenn es Ihnen angenehm ist.«

»Ury –!« begann Mrs. Heep mit flehender Gebärde.

»Halte den Mund, Mutter! Je weniger Worte, desto weniger Schaden!«

»Aber mein Ury –!«

»Willst du nicht den Mund halten, Mutter, und die Sache mir überlassen!«

Obgleich ich längst wußte, daß sein demütiges Wesen und all sein Tun und Lassen falsch und heuchlerisch war, so hatte ich doch keinen Begriff von dem Übermaß seiner Heuchelei, bis er jetzt die Maske abwarf. Die Plötzlichkeit, wie er jetzt sein wahres Gesicht zeigte, einsehend, daß Verstellung nichts mehr half – die Bosheit und Unverschämtheit und der Haß, den er an den Tag legte, der Hohn, mit dem er sich selbst jetzt noch des Übels freute, das er angerichtet, während er zu gleicher Zeit in wilder Verzweiflung nach Mitteln suchte, unsern Sieg zu vereiteln –, waren zwar ganz so, wie ich sie von ihm erwarten konnte, überraschten mich aber anfangs nichtsdestoweniger.

Von dem Blick, den er auf mich warf, will ich nichts sagen, denn ich wußte, daß er mich von jeher haßte, und mußte an die Ohrfeige denken, die ich ihm versetzt; aber als sein Blick auf Agnes fiel und ich die Wut sah, mit der er fühlte, daß ihm seine Macht über sie entschlüpfte, und als sich in seinen Mienen die häßlichen Leidenschaften verrieten, die ihn nach dem Besitz eines Wesens hatten streben lassen, dessen Wert er weder würdigen noch erkennen konnte, empörte mich schon der bloße Gedanke, daß Agnes auch nur eine Stunde lang im Augenbereich eines solchen Menschen hatte leben müssen.

Nachdem Uriah sich das Kinn gerieben und uns über seine Totenfinger hinweg tückisch und unsicher angesehen hatte, wendete er sich noch einmal halb kriecherisch, halb keifend an mich.

»Daß Sie sich nicht scheuen, Copperfield, wo Sie soviel auf Ihre Ehre und alles das halten, in meinem Haus zu spionieren, und mit meinem Schreiber gemeinschaftliche Sache machen! Wenn ich das getan hätte, wäre es kein Wunder, denn ich nenne mich keinen Gentleman, wenn ich auch nie ein Vagabund gewesen bin wie Sie, nach dem, was mir Micawber erzählt hat. Aber daß Sie das tun konnten! Und haben Sie gar keine Furcht vor den Folgen? Bedenken Sie nicht, wie ich mich rächen kann? Oder daß Sie in Ungelegenheiten kommen werden wegen Aufreizungen und Anzettlungen? Wir werden ja sehen, Mr. Dingsda, was dabei herauskommt, wenn Sie sich auf Micawber verlassen! Soll er doch reden! Er hat seine Lektion auswendig gelernt, wie ich sehe.«

Als er merkte, daß seine Worte auf keinen von uns auch nur den geringsten Eindruck machten, setzte er sich auf den Rand des Tisches, die Hände in die Taschen gesteckt und einen seiner Plattfüße um das andere Bein geschlungen, und wartete verbissen auf das, was da kommen sollte.

Mr. Micawber, dessen Ungestüm ich bis dahin mit der größten Schwierigkeit im Zaume gehalten hatte und der wiederholt die erste Silbe von Schur-ke dazwischengerufen hatte, ohne bis zur zweiten zu gelangen, brach jetzt los. Er zog das Lineal aus dem Busen, offenbar um es als Verteidigungswaffe zu benützen, und aus der Tasche ein Dokument auf Aktenpapier, das wie ein großer Brief zusammengelegt war. Er entfaltete das Schreiben mit seiner gewohnten Wichtigkeit, überflog es mit Künstlerstolz und fing dann an zu lesen wie folgt:

»Verehrte Miss Trotwood und meine Herren!«

»Gott erbarme sich des Mannes!« flüsterte mir meine Tante

zu. »Ich glaube, er schriebe schockweise Briefe und wenn es gesetzlich verboten wäre.«

Mr. Micawber, ohne sie zu hören, fuhr fort:

»Indem ich vor Ihnen erscheine, um den vollendetsten Schurken, der jemals gelebt hat« – er deutete, ohne von dem Brief aufzusehen, wie mit einem Feldherrnstabe auf Uriah Heep – »anzuklagen, so verlange ich keinen Lohn für mich. Von der Wiege an das Opfer pekuniärer Verpflichtungen, denen ich niemals habe nachkommen können, war ich stets der Spielball erniedrigender Verhältnisse. Schmach, Not, Verzweiflung und Wahnsinn sind zusammen oder einzeln die Begleiter meiner Laufbahn gewesen.«

Der Genuß, mit dem Mr. Micawber sich als Beute schrecklichster Unglücksfälle hinstellte, kam nur der Emphase gleich, mit der er den Brief vorlas, und der Befriedigung, mit der er den Kopf wiegte, wenn er einen ganz besonders verschnörkelten Satz herausgebracht hatte.

»Schmach, Not, Verzweiflung und Wahnsinn stürmten mit vereinten Kräften auf mich ein, als ich in die Kanzlei oder wie es unsere lebhaften Nachbarn, das Volk der Gallier, nennen würden, »Bureau« der Rechtsfirma eintrat, die unter der Bezeichnung Wickfield & Heep bekannt ist, in Wirklichkeit jedoch nur von – Heep allein geleitet wird. Heep allein ist die Triebfeder dieser Maschine. Heep, und nur Heep allein, ist der Fälscher und Schwindler.«

Uriah, mehr blau als weiß bei diesen Worten, fuhr mit der Hand nach dem Brief, als wollte er ihn zerreißen. Mit beispielloser Geschicklichkeit oder vielleicht aus Zufall traf Mr. Micawber die Hand mit dem schweren Lineal, daß sie wie gelähmt herabfiel. Es klang, als ob er auf Holz geschlagen hätte.

»Der Teufel soll Sie holen!« schrie Uriah und krümmte sich vor Schmerz. »Das will ich Ihnen heimzahlen!«

»Kommen Sie mir nur noch einmal zu nahe, – Sie – Sie – Heep – Sie! Und wenn Ihr Schädel wirklich aus Fleisch und Knochen ist, so will ich ihn Ihnen blutig schlagen. Nur heran, nur heran!«

Es konnte nichts Lächerlicheres geben als den Anblick, wie Mr. Micawber sich mit dem Lineal wie mit einem Schläger auslegte und rief: »Nur heran!« während Traddles und ich ihn in die Ecke zurückdrängten, wo er immer wieder hervor wollte, kaum daß es uns gelungen war.

Vor sich hinmurmelnd rieb sich Uriah die verletzte Hand und verband sie langsam mit seinem Halstuch. Dann setzte er sich wieder auf den Tisch und blickte verbissen vor sich hin.

Als Mr. Micawber sich ein wenig beruhigt hatte, fuhr er fort:

»Das Honorar, gegen das ich in die Dienste – Heeps trat, war nicht genau bemessen mit Ausnahme einer Kleinigkeit von zweiundzwanzig Schilling sechs Pence die Woche. Das übrige sollte von dem Wert meiner geschäftlichen Tätigkeit abhängen. Mit andern und deutlicheren Worten ausgedrückt, von der Niedrigkeit meines Charakters, meiner Habsucht, den gedrückten Verhältnissen meiner Familie, der sittlichen oder vielmehr unsittlichen Ähnlichkeit zwischen mir und – dem Heep da. Brauche ich erst zu erzählen, daß ich mich genötigt sah, von – diesem Heep da pekuniäre Vorschüsse zur Unterstützung Mrs. Micawbers und unserer unglücklichen, aber immer größer werdenden Familie zu verlangen? Brauche ich erst zu sagen, daß diese Umstände von diesem – Heep da vorausgesehen worden waren und daß diese Vorschüsse durch Schuldverschreibungen und ähnliche Dokumente, die den gesetzlichen Institutionen des Landes entsprechen, sichergestellt werden mußten, auf daß ich in das Netz, das er für mich vorbereitet hielt, verstrickt würde?«

Mr. Micawbers Freude über seinen Briefstil schien jeden Schmerz oder jede Besorgnis, die die Wirklichkeit ihm hätte verursachen können, aufzuwiegen. Er las weiter:

»Jetzt fing dieser – Heep da – an, mich soweit ins Vertrauen zu ziehen, als er es für nötig hielt, um seine teuflischen Geschäftsgebarungen auf mich abzuladen. Jetzt fing ich an, um in der Sprache Shakespeares zu reden, zu ›schwinden, zu kranken und zu siechen‹. Ich fand heraus, daß meine Unterstützung stets zur Täuschung und Hintergehung einer Person, die ich kurz als Mr. W. bezeichnen will, herangezogen wurde. Mr. W. wurde in jeder Weise betrogen, hintergangen und getäuscht, während der Schurke – Heep – immerwährend unbegrenzte Dankbarkeit und Freundschaft gegen diesen Gentleman heuchelte. Das war schlimm genug, aber wie der philosophische Däne, der die berühmte Zier des Elisabethschen Zeitalters bildet, sagt: Schlimmeres kommt noch!«

Der schöne Satzschluß mit einem Zitat gefiel Mr. Micawber derart, daß er sich den Genuß nicht versagen konnte, unter dem Vorwand, aus dem Zusammenhang gekommen zu sein, den ganzen Satz noch einmal vorzulesen.

»Es liegt nicht in meiner Absicht, hier in diesem Brief in die Einzelheiten, zumal sie anderweitig schriftlich niedergelegt sind, der verschiednen Niederträchtigkeiten nebensächlicherer Art einzugehen, die die von mir Mr. W. benannte Person benachteiligen sollten und denen ich stillschweigend zugesehen habe. Als der Kampf in mir zwischen Gehalt und keinem Gehalt, zwischen Bäcker und keinem Bäcker, zwischen Existenz und Nichtexistenz zum Stillstande kam, beschloß ich, die sich mir bietenden Gelegenheiten zu benützen und die hauptsächlichsten Niederträchtigkeiten, die dieser – Heep da zum größten Schaden und Nachteil des genannten Gentleman begangen, aufzudecken. Angestachelt von dem stummen Mahner in der Brust und von dem Anblick einer nicht weniger rührenden und eindringlichen Mahnerin in der Außenwelt – die ich kurz als Miss W. bezeichnen will –, begann ich eine nicht mühelose Arbeit heimlicher Nachforschung, die ich nach bestem Wissen und Gewissen auf die Dauer von zwölf Kalendermonaten veranschlage.«

Er las diese Stelle, als ob sie aus einem Parlamentsakte stammte, und schien sich am Klang der Worte förmlich zu laben.

»Meine Anklagen gegen diesen – Heep da«, las er weiter und zog das Lineal mit einem Blick auf Uriah ein wenig unter dem linken Arm hervor, um es nötigenfalls gleich bei der Hand zu haben, »sind folgende:«

Ich glaube, wir hielten alle den Atem an. Uriah wenigstens tat es bestimmt.

»Erstens verwirrte – dieser Heep da absichtlich alle Geschäfte, als Mr. W.s Fähigkeiten und Gedächtnis durch Ursachen, die hier nebensächlich sind, nachließen. Immer zu der Zeit, wenn Mr. W. am wenigsten imstande war, sich mit Geschäften abzugeben, da war dieser – Heep da immer bei der Hand, ihn zu Entschlüssen zu nötigen. Er überredete Mr. W. in solchen Zeitpunkten zur Unterschrift wichtiger Dokumente, wenn er ihn durch Unterschiebung einer Reihe nebensächlicher Geschäfte entsprechend verwirrt hatte. Er verleitete Mr. W. auf diese Weise, ein gewisses Depositum von zwölftausend sechshundertvierzehn Pfund zwei Schilling neun Pence anzugreifen und es zur Bezahlung angeblicher Geschäftskosten und Mankos zu verwenden, die entweder schon bezahlt oder niemals vorhanden gewesen waren. Er unterschob diesem Verfahren den Anschein, als habe es in einer unehrlichen Absicht Mr. W.s seinen Ursprung, und hat seitdem diese Angelegenheit unausgesetzt dazu mißbraucht, Mr. W. zu peinigen und in seiner Gewalt zu behalten.«

»Das sollen Sie mir beweisen, Copperfield«, rief Uriah und schüttelte drohend den Kopf. »Aber alles zu seiner Zeit!«

»Fragen Sie diesen – Heep da, Mr. Traddles, wer in seinem Haus nach ihm gewohnt hat«, sagte Mr. Micawber, von seinem Schreiben aufblickend; »wollen Sie so gut sein?«

»Niemand als der Narr selber, der jetzt noch dort wohnt«, fiel Uriah verächtlich ein.

»Fragen Sie diesen – Heep da, ob er in dieser Wohnung Privatnotizen geführt hat; wollen Sie so gut sein?«

Ich sah, wie Uriahs Knochenhand plötzlich aufhörte, das Kinn zu reiben.

»Oder fragen Sie ihn, Mr. Traddles, ob er sein Buch dort einmal verbrannt hat. Und wenn er ja sagt und fragt, wie die Asche aussieht, so kann er sich an Wilkins Micawber wenden, wenn er etwas, was nicht zu seinem Vorteil gereicht, zu hören bekommen will.«

Der triumphierende Ton, in dem Mr. Micawber in diesen Worten schwelgte, versetzte die Mutter Heeps in größte Unruhe, und sie rief in größter Erregung:

»Ury, Ury, demütige dich und gib nach!«

»Mutter, willst du ruhig sein!« schrie Uriah. »Du weißt nicht, was du sagst. Demütigen!« wiederholte er und sah mich giftig an. »Ich habe mich Ihresgleichen lange genug demütigen müssen.«

Mr. Micawber schob mit vornehmer Miene sein Kinn in seine Halsbinde und fuhr fort:

»Zweitens. Heep hat bei verschiednen Gelegenheiten, soviel ich weiß und glaube – «

»Damit kommt er nicht durch«, murmelte Uriah erleichtert. »Mutter, sprich kein Wort!«

»Wir werden uns schon bemühen, dafür zu sorgen, daß wir mit Ihnen sehr bald fertig sein werden, werter Herr«, antwortete Mr. Micawber.

»Zweitens. – Heep hat bei verschiednen Gelegenheiten, soviel ich weiß und glaube, zu verschiednen Eintragungen, Buchauszügen und Dokumenten systematisch die Unterschrift Mr. W.s gefälscht und hat dies ganz bestimmt bei einer Gelegenheit getan, wie ich nachweisen kann. Nämlich in folgender Weise: Da Mr. W. kränklich war und es im Bereich der Wahrscheinlichkeit lag, daß sein Tod zu gewissen Entdeckungen und zum Sturze der Macht

Heeps über die Familie W. führen konnte, wenn es nicht gelingen sollte, die Kindesliebe der Tochter Mr. W.s dahin auszunützen, daß von einer Prüfung der mit Associeangelegenheiten in Verbindung stehenden Papiere abgesehen werden sollte, so hielt es dieser – Heep da für angezeigt, sich eine scheinbar von Mr. W. ausgestellte Schuldverschreibung über 12 614 £ 2 sh und 9 d nebst Zinsen zu verschaffen, welche Summe angeblich dieser Heep da Mr. W., um diesen vor Schande zu retten, vorgeschossen haben wollte, obgleich eigentlich gerade umgekehrt diese Summe Heep vorgeschossen worden und längst ersetzt war. Die Unterschriften zu diesem Dokument, angeblich geschrieben von Mr. W. und bezeugt von Wilkins Micawber, sind *Fälschungen* – Heeps. In meinem Besitze befinden sich verschiedne ähnliche Nachahmungsproben von Mr. W.s Unterschrift von Heeps Hand in dessen Notizbuch. Teilweise verkohlt, aber deutlich für jedermann lesbar. Ich habe nie ein solches Dokument als Zeuge unterschrieben, und das Dokument selbst befindet sich in meinem Besitz.«

Uriah Heep sprang auf, nahm einen Bund Schlüssel aus der Tasche und zog eine Schublade auf; besann sich aber plötzlich eines Bessern und wendete sich wieder gegen uns, ohne hineinzusehen.

»Und das Dokument ist in meinem Besitz«, las Mr. Micawber wieder und sah sich um wie ein Prediger; »oder richtiger gesagt, es war noch heute morgen in meinem Besitz, denn ich habe es inzwischen Mr. Traddles ausgehändigt.«

»Sehr richtig«, bestätigte Traddles.

»Ury, Ury!« rief die Mutter. »Demütige dich und gib nach! Ich weiß gewiß, mein Sohn wird sich demütigen, wenn Sie ihm Zeit zum Nachdenken lassen, meine Herrschaften! Mr. Copperfield, Sie wissen doch, wie demütig er immer war.«

Es war ein merkwürdiger Anblick, wie die Mutter immer noch an dem alten Trick festhielt, während der Sohn die Nutzlosigkeit längst eingesehen hatte.

»Mutter«, sagte er und biß ungeduldig in das Tuch, mit dem er seine Hand verbunden hatte, »eher kannst du eine geladene Flinte auf mich abfeuern.«

»Aber ich liebe dich, Ury!« rief Mrs. Heep. Ich zweifle gar nicht, daß sie ihn wirklich liebte, so seltsam das auch war. Sie glichen einander eben vollständig.

»Ich kann es nicht mit anhören, Ury, wenn du den Herrn reizest und deine Sache nur noch schlimmer machst. Als der Herr mir oben sagte, es sei alles an den Tag gekommen, da beteuerte ich ihm, du würdest dich demütigen und alles wiedergutmachen. Ach, sehen Sie doch, meine Herren, wie demütig ich bin, und hören Sie nicht auf meinen Sohn!«

»Sieh dort Copperfield, Mutter!« rief Uriah wütend und wies haßerfüllt mit dem Finger auf mich. »Copperfield dort hätte dir 100 £ gegeben für weniger, als du ausgeplaudert hast.«

»Ich kann nichts dafür, Ury«, jammerte die Mutter. »Ich kann es nicht mitansehen, daß du ins Verderben rennst, indem du den Kopf so hoch trägst! Sei demütig, wie du es immer warst!«

Uriah schwieg eine Weile, nagte an dem Taschentuch und sagte dann zu mir mit finsterem Gesicht:

»Was haben Sie sonst noch gegen mich vorzubringen? Nur weiter. Was glotzen Sie mich so an?«

Mr. Micawber, überglücklich, wieder fortfahren zu dürfen, las weiter.

»Drittens und letztens. Ich bin nun in der Lage, zu beweisen, und zwar durch Heeps *wirkliche,* das heißt natürlich *gefälschte* Bücher, die mit dem zum Teil verbrannten Notizbuch anfingen – das ich früher zur Zeit seiner zufälligen Entdeckung durch Mrs. Micawber anläßlich unseres Einzugs in unsere gegenwärtige Wohnung in dem zur Aufnahme der auf unserm häuslichen Herde verbrannten Asche bestimmten Kasten nicht verstehen konnte –, ich bin also in der Lage, zu beweisen, daß die Schwächen, die Fehler, ja sogar die väterliche Liebe des unglücklichen Mr. W. jahrelang zu den Infamien dieses Heep mißbraucht worden sind. Jahrelang wurde Mr. W. in jeder nur möglichen Weise von dem heuchlerischen und habsüchtigen – Heep da hintergangen und ausgeplündert. Das Hauptziel dieses – Heep war, Mr. und Miss W. – von seinen letzten Absichten in bezug auf diese Dame ganz zu schweigen – völlig in seine Gewalt zu bekommen. Seine letzte erst vor wenigen Monaten vollbrachte Tat bestand darin, daß er Mr. W. zur Ausstellung einer Verzichtleistung auf seinen Anteil im Geschäft und sogar eines Verkaufskontraktes des Meublements des ganzen Hauses gegen ein gewisses Jahresgeld bewog, das – Heep – an den gesetzlichen Pauschaltagen richtig und getreulich auszuzahlen versprach. Dieses Netz, – das mit verfälschten Alarmnachrichten anfing über einen Landbesitz, den Mr. W. zu verwalten hatte, zu einer Zeit, wo Mr. W. sich in unvorsichtige und schlecht überlegte Spekulationen eingelassen und vielleicht wirklich das Geld, für das er moralisch und juristisch verantwortlich war, nicht mehr in der Kasse hatte, – wurde weiter gestrickt, indem angeblich Geld gegen ungeheure Zinsen aufgenommen wurde, während in Wirklichkeit die Summen von Heep kamen und von ihm Mr. W. betrügerischerweise entlockt oder vorenthalten worden waren. Das Netz wurde immer dichter und dichter, bis der unglückliche Mr. W. vollständig umstrickt war. Seinem Glauben nach bankrott an Vermögen und an Ehre, setzte er seine einzige Hoffnung auf dieses Ungeheur da in der Gestalt eines Menschen. Alles dies verpflichte ich mich zu beweisen. Und voraussichtlich noch mehr.«

Ich flüsterte Agnes, die halb vor Freude, halb vor Kummer weinte, ein paar Worte zu, und die ganze Gruppe kam in Bewegung, annehmend, daß Mr. Micawber fertig sei. Er aber sagte mit tiefstem Ernst: »Verzeihen Sie« und fuhr mit einem Gemisch von Niedergeschlagenheit und Triumphgefühl über seinen Brief fort:

»Ich komme jetzt zum Schluß. Es bleibt mir nur noch übrig, meine Anklagen zu beweisen und dann mit meiner vom Verhängnis verfolgten Familie im Dunkel zu verschwinden. Das wird bald geschehen sein. Es dürfte kein Trugschluß sein, wenn ich sage, daß unser Säugling als erster seine Seele aushauchen wird, da er das schwächste Mitglied unseres Familienkreises ist, und daß die Zwillinge ihm zunächst folgen werden. Sei es an dem! An mir hat diese Pilgerfahrt nach Canterbury bereits genagt. Schuldgefängnis und die Not werden alles bald vollenden, und ich hoffe, daß die aufreibende Mühe und Gefahr einer Untersuchung – deren kleinstes Ergebnis langsam zusammengestellt wurde unter dem Druck angestrengtester Tätigkeit und der Geldverlegenheiten am frühen Morgen, am tauigen Abend, im Schatten der Nacht, unter dem wachsamen Auge eines Geschöpfs, das man nicht erst Dämon zu nennen braucht, – in Verbindung mit den Bemühungen, sie nach ihrer Beendigung in richtiger Weise anzuwenden, wie das Besprengen des zur Aufnahme eines Leichnams bestimmten Holzstoßes mit einigen Tropfen wohlriechenden Wassers sein wird. Mehr verlange ich nicht. Möge man von mir sagen wie von dem tapfern Seehelden, mit dem ich mich zu vergleichen mir nicht anmaßen darf, daß ich das, was ich getan habe, allen selbstischen und geldsüchtigen Motiven zum Trotz nur tat für ›Schönheit, Reich und Vaterland‹.

Ich verbleibe immer usw. usw.

Wilkins Micawber«

Tief ergriffen, aber immer noch in seinem Triumphe schwelgend, faltete Mr. Micawber seinen Brief zusammen und überreichte ihn mit einer Verbeugung meiner Tante.

Wie ich schon bei meinem ersten Besuch als Kind bemerkt hatte, stand ein eiserner Geldschrank im Zimmer. Der Schlüssel stak im Schlosse.

Ein plötzlicher Verdacht durchzuckte Uriah, und mit einem raschen Blick auf Micawber riß er die Schranktür so heftig auf, daß sie klirrte. Die Kassa war leer.

»Wo sind die Bücher?« rief er mit entsetzter Miene. »Jemand hat die Bücher gestohlen!«

Mr. Micawber spielte mit dem Lineal:

»Ich war so frei! Als ich von Ihnen wie gewöhnlich die Schlüssel holte – nur ein wenig früher – und den Schrank heute morgen aufmachte, habe ich sie herausgenommen.«

»Seien Sie unbesorgt, Mr. Heep«, sagte Traddles. »Ich habe sie in Besitz genommen. Ich werde sie kraft der erwähnten Vollmacht aufbewahren.«

»Sie sind also ein Hehler gestohlenen Gutes?« schrie Uriah.

»Unter solchen Umständen ja«, gab ihm Traddles zur Antwort.

Wie groß war mein Erstaunen, als auf einmal meine Tante, die bis jetzt ganz ruhig und aufmerksam dagesessen hatte, auf Uriah Heep losstürzte und ihn mit beiden Händen am Kragen packte.

»Sie wissen, was ich will«, rief sie.

»Eine Zwangsjacke«, gurgelte Heep.

»Nein, mein Vermögen! Liebe Agnes, solang ich glaubte, dein Vater wäre an dem Verlust schuld, wollte ich auch nicht eine Silbe davon sagen, daß ich es hier deponiert hatte; nicht einmal Trot wußte davon. Aber jetzt, wo ich weiß, daß dieser Kerl dafür verantwortlich ist, will ich es wiederhaben! Trot, komm und nimm es ihm ab!«

Ob meine Tante in diesem Augenblick glaubte, daß er ihr Vermögen an seinem Leibe verborgen trüge, weiß ich nicht, aber jedenfalls zerrte sie ihn so derb am Kragen, daß es so aussah.

Ich beeilte mich die beiden zu trennen und ihr zu versichern, wir würden schon Sorge tragen, daß alles wieder rechtmäßig zurückerstattet werden sollte. Diese Versicherung und ein paar Minuten Nachdenken beruhigten sie, obschon sie ihren Angriff auf Uriah nicht im geringsten zu bereuen schien.

Die letzten paar Minuten hatte Mrs. Heep ununterbrochen ihren Sohn angefleht, sich zu demütigen, war vor uns allen der Reihe nach auf die Knie gefallen und hatte die ausschweifendsten Versprechungen gemacht. Uriah drückte sie in ihren Stuhl zurück und stand mit verbissenem Gesicht neben ihr und hielt sie am Arme fest. Mit einem haßerfüllten Blick sagte er zu mir:

»Was soll also geschehen?«

»Ich will Ihnen sagen, was geschehen muß«, mischte sich Traddles ein.

»Hat dieser Copperfield keine Zunge?« knirschte Uriah. »Ich würde viel darum geben, wenn mir einer sagen könnte, er hätte sie ihm ausgerissen.«

»Mein Ury wird sich demütigen!« beteuerte die Mutter. »Bitte, bitte, achten Sie nicht auf seine Worte, meine Herren!«

»Was zu geschehen hat«, fuhr Traddles fort, »ist folgendes. Erstens muß die eben erwähnte Verzichtleistungsurkunde mir augenblicklich übergeben werden.«

»Gesetzt den Fall, ich hätte keine bekommen«, unterbrach Uriah.

»Da Sie aber eine bekommen haben«, sagte Traddles, »brauchen wir nicht erst das Gegenteil anzunehmen.«

Ich ließ innerlich, vielleicht zum ersten Mal, dem klaren, gesunden Menschenverstande meines alten Schulkameraden wirklich Gerechtigkeit widerfahren.

»Ferner haben Sie alles herauszugeben, was Sie sich in Ihrer Habsucht bisher angeeignet haben, und zwar bis zum letzten Heller. Alle Bücher und Belege der Firma, sowie auch Ihre Privatbücher und Papiere, Rechnungen, Sicherstellungen, kurz alles, was hier ist, bleibt in unserm Gewahrsam.«

»So, muß ich das? Das weiß ich noch nicht«, sagte Uriah. »Ich muß erst Zeit haben, mir das zu überlegen.«

»Gewiß«, erwiderte Traddles, »aber unterdessen und bis alles zu unserer Zufriedenheit geordnet ist, bleiben wir im Besitz, und Sie – kurz und gut, Sie haben in Ihrem Zimmer zu bleiben und mit keinem Menschen zu verkehren.«

»Das will ich nicht!« schrie Uriah mit einem Fluch.

»Das Maidstone-Gefängnis ist allerdings sicherer«, bemerkte Traddles, »und wenn auch das gerichtliche Verfahren länger dauern und uns nicht so vollständig zu unserm Recht verhelfen kann, wie es wünschenswert wäre, so steht es doch außer Zweifel, daß Sie Zuchthaus bekommen. Mein Gott, Sie wissen das so gut wie ich! Copperfield, möchtest du nicht nach der Guildhall gehen und ein paar Polizeidiener holen?«

Mrs. Heep riß sich wieder von ihrem Sohne los, warf sich weinend vor Agnes auf die Knie und flehte sie an, sich für sie zu verwenden, beteuerte, daß ihr Sohn sich demütigen werde und daß alles wahr sei, und wenn er nicht täte, was wir wollten, so wollte sie es tun und noch viel mehr; kurz, sie war halb wahnsinnig vor Besorgnis um ihren Liebling.

Die Frage, was er hätte tun können, wenn er Mut besessen haben würde, ist überflüssig. Ebensogut hätte man fragen können, was wohl ein elender Köter getan hätte, wenn er die Seele eines Tigers gehabt haben würde.

Uriah war eine Memme von Kopf bis Fuß und verriet seine feige Natur durch Ingrimm und Verbissenheit wie nur je in seinem erbärmlichen Leben.

»Halt!« knurrte er mir zu und wischte sich den Schweiß von der Stirn. »Und du, Mutter, schweig still. Also gut! Sie sollen das Dokument haben. Hol es herunter!«

»Bitte, helfen Sie ihr, Mr. Dick«, sagte Traddles, »wenn Sie so freundlich sein wollen.«

Stolz auf seinen Antrag, den er vollkommen begriff, ging Mr. Dick neben Mrs. Heep her wie ein Schäferhund neben einem Schaf. Sie gab ihm übrigens nicht die geringste Gelegenheit, sich einmengen zu müssen, und kehrte nicht nur mit dem Dokument, sondern auch mit dem Koffer zurück, in dem es gelegen, und worin wir außerdem noch ein Bankbuch und andere Papiere, die uns später gute Dienste leisteten, fanden.

»Gut«, sagte Traddles, als die Sachen in unserm Besitz waren. »Jetzt, Mr. Heep, können Sie in Ihr Zimmer gehen, um sich alles zu überlegen. Ich mache Sie aber darauf aufmerksam, daß es nur einen Weg für Sie gibt, und zwar den, den ich Ihnen vorgezeichnet habe, und der muß ohne Verzug eingeschlagen werden.«

Ohne die Augen zu erheben, schlich Uriah, die Hand am Kinn, nach der Tür, blieb dort einen Augenblick stehen und sagte:

»Copperfield, ich habe Sie immer gehaßt. Sie waren von jeher ein Glückspilz und immer mein Feind.«

»Ich glaube, ich habe Ihnen schon einmal gesagt«, gab ich zur Antwort, »daß Sie in Ihrer Gier und Verschlagenheit aller Welt entgegen gewesen sind. Vielleicht ist es gut für Sie, wenn Sie in Zukunft einsehen lernen, daß Gier und niedrige List in der Welt noch nicht mehr zuwege gebracht haben, als übers Ziel hinauszuschießen und sich selbst ein Bein zu stellen. Das ist sicher wie der Tod.«

»Oder so sicher, wie man uns in der Schule von neun bis elf lehrte, die Arbeit sei ein Fluch, und von elf bis eins, daß sie ein Segen, eine Freude und eine Ehre sei, und ich weiß nicht, was sonst noch, was?« sagte er mit einem höhnischen Grinsen. »Ihre Predigten sind gerade so konsequent wie diese. Mit Unterwürfigkeit kommt man nicht durch, sagen Sie? Anders hätte ich bei meinem Associe gewiß nichts durchgesetzt! Micawber, Sie alter Renommist, Ihnen werd ichs noch heimzahlen.«

Mr. Micawber sah ihn mit größter Verachtung an und blähte sich gewaltig auf, während Uriah zur Tür hinausschlich. Dann wendete er sich an mich, mit der Bitte, Zeuge seiner Aussöhnung mit Mrs. Micawber zu sein, und lud auch die übrige Gesellschaft ein, diesem rührenden Schauspiel beizuwohnen.

»Der Schleier, der lange zwischen mir und Mrs. Micawber gehangen hat, ist nun weggezogen«, sagte er, »und meine Kinder und der Urheber ihres Daseins können wieder auf gleicher Stufe miteinander verkehren.«

Da wir ihm alle sehr dankbar waren und es ihm zu zeigen wünschten, so gut unsere aufgeregte Stimmung dies erlauben wollte, wären wir gewiß alle gegangen, wenn nicht Agnes zu ihrem Vater hätte zurückkehren müssen, dessen Gesundheit zu zerrüttet war, als daß er mehr als das Aufdämmern neuer Hoffnung hätte ertragen können; außerdem mußte noch jemand zurückbleiben, um Uriah in sicherm Gewahrsam zu halten. So blieb denn Traddles ebenfalls, um später durch Mr. Dick abgelöst zu werden. Inzwischen gingen meine Tante, Mr. Dick und ich mit Mr. Micawber nach dessen Hause.

Als ich einen eiligen Abschied von Agnes nahm und an den Abgrund dachte, aus dem sie diesen Morgen gerettet worden, so mußte ich Gott preisen für die Not meiner Jugendjahre, die mich mit Mr. Micawber bekannt gemacht hatte.

Die Wohnung war nicht weit entfernt, und da die Haupttür unmittelbar in das Wohnzimmer führte und er mit der ihm eigentümlichen Hast hineinstürzte, befanden wir uns im Augenblick mitten im Kreis der Familie.

Mr. Micawber stürzte mit dem Ausruf: »Emma, mein Leben!« in die Arme seiner Gattin. Mrs. Micawber schrie auf und drückte ihn an ihre Brust. Miss Micawber, die den in Mrs. Micawbers letztem Brief erwähnten »bewußtlosen Neuling« auf den Armen wiegte, war sichtlich gerührt. Der Neuling begann zu strampeln. Die Zwillinge legten ihre Freude durch verschiedne unpassende, aber gutgemeinte Demonstrationen an den Tag. Master Micawber, durch frühzeitige Enttäuschungen offenbar verbittert und sehr mürrisch dreinsehend, gab seinen besseren Gefühlen nach und heulte.

»Emma!« sagte Mr. Micawber. »Die Wolke ist von meiner Seele genommen! Das alte Vertrauen zwischen uns ist wiederhergestellt und soll nie wieder aufhören. Jetzt willkommen, Armut!« rief er unter Tränen. »Willkommen, Not! Willkommen, Obdachlosigkeit! Willkommen, Lumpen, Hunger, Sturm und Betteln! Gegenseitiges Vertrauen wird uns bis zu Ende aufrechterhalten.«

Mit diesen Worten drückte er seine Frau in einen Stuhl und umarmte seine Sprößlinge der Reihe nach, wobei er eine Unzahl trostloser Zukunftsbilder willkommen hieß, die – meinem Urteil nach – ihnen nichts weniger als erwünscht zu sein schienen, und forderte sie auf, auf den Hauptplatz von Canterbury zu gehen und einen Chor anzustimmen, da dies von jetzt an ihre einzige Erwerbsquelle sein werde.

Aber da Mrs. Micawber, von ihren Gefühlen überwältigt, in Ohnmacht gefallen war, galt es, ehe der Chor als vollzählig betrachtet werden konnte, sie wieder zum Bewußtsein zu bringen.

Dies bewerkstelligten meine Tante und Mr. Micawber, und dann ließ sich meine Tante ihr vorstellen, und Mrs. Micawber erkannte mich.

»Entschuldigen Sie, lieber Mr. Copperfield«, sagte die arme Frau und reichte mir die Hand, »aber ich bin nicht stark, und die Beseitigung des Mißverständnisses zwischen Micawber und mir war im ersten Augenblick zu viel für mich.«

»Ist das Ihre ganze Familie, Maam?« fragte meine Tante.

»Vorderhand habe ich nicht mehr«, entschuldigte sich Mrs. Micawber.

»Gütiger Himmel, das meinte ich nicht«, sagte meine Tante. »Ich wollte fragen, ob das alles Ihre Kinder sind?«

»Maam«, nahm Mr. Micawber das Wort, »so ist es.«

»Und der älteste junge Gentleman da«, fragte meine Tante nachdrücklich,, »was will er werden?«

»Ich trug mich bei meiner Hierherkunft mit der Hoffnung«, antwortete Mr. Micawber, »Wilkins in der Kirche unterzubringen, oder besser ausgedrückt, im Chor. Aber es war keine Stelle für einen Tenor in dem ehrwürdigen Baudenkmal, dessentwegen diese Stadt mit Recht so berühmt ist, vakant, und er hat – kurz, er singt lieber in Wirtshäusern als in Kirchen.«

»Aber er meint es gut!« sagte Mrs. Micawber zärtlich.

»Allerdings meint er es im allgemeinen gut«, entgegnete Mr. Micawber, »aber ich habe noch nicht gefunden, daß er seine gute Meinung in irgendeiner bestimmten Richtung betätigt hätte.«

Master Micawbers mürrische Miene kehrte sofort zurück, und er fragte temperamentvoll, was er denn eigentlich tun sollte. Ob er vielleicht als Zimmermann oder Rosselenker auf die Welt gekommen sei, ob er etwa in die nächste Straße gehen und eine Apotheke eröffnen könnte oder zum nächsten Gerichtshof laufen und sich als Advokat vorstellen? Ob er vielleicht durch einen Gewaltstreich zur Oper kommen und sich dort einen Erfolg sichern könnte? Ob er denn überhaupt irgend etwas tun könnte, ohne für das Geringste erzogen zu sein?

Meine Tante sann eine Weile nach und sagte dann:

»Mr. Micawber, es wundert mich, daß Sie nie ans Auswandern gedacht haben.«

»Maam«, gab Mr. Micawber zur Antwort, »es war der Traum meiner Jugend und der gescheiterte Plan meiner reifern Jahre.« (Nebenbei gesagt, ich meinesteils bin fest überzeugt, daß er niemals im Leben daran gedacht hatte.)

»So?« sagte meine Tante und warf mir einen Blick zu. »Nun, wie wäre es, wenn Sie, Mr. und Mrs. Micawber, samt Familie jetzt auswanderten?«

»Kapital, Kapital!« seufzte Mr. Micawber düster.

»Das ist die hauptsächlichste, ich möchte wohl sagen, einzige Schwierigkeit, mein lieber Mr. Copperfield«, stimmte seine Gattin bei.

»Kapital?« fragte meine Tante. »Sie haben uns doch einen so großen Dienst geleistet, denn zweifellos wird vieles wieder zum Vorschein kommen. Und was könnten wir Besseres für Sie tun, als Ihnen das Kapital verschaffen?«

»Ich würde es nicht als Geschenk annehmen«, rief Mr. Micawber, ganz Feuer und Flamme, »aber wenn ich eine genügende Summe, sagen wir zu fünf Prozent jährlich, geliehen bekommen könnte gegen persönliche Sicherheit, etwa meine Unterschrift, auf zwölf, achtzehn oder vierundzwanzig Monate, damit ich Zeit habe zu warten, bis sich etwas findet «

»Bekommen könnte? Sie sollen und werden sie bekommen«, entgegnete meine Tante. »Sie brauchen nur ein Wort zu sagen. Überlegen Sie sich jetzt beide die Sache. Ein paar Leute, die David kennt, schiffen sich in wenigen Tagen nach Australien ein. Wenn Sie sich zum Auswandern entschließen wollten, könnten Sie ja mit demselben Schiff fahren und einander beistehen. Überlegen Sie sich das jetzt, Mr. und Mrs. Micawber! Lassen Sie sich Zeit und erwägen Sie es reiflich.«

»Nur eine einzige Frage, meine liebe Maam, gestatten Sie mir«, fiel Mrs. Micawber ein. »Ist das Klima gesund?«

»Das beste Klima der Welt.«

»Sehr gut. Also meine Frage ist, sind die Zustände des Landes

872

derart, daß ein Mann von Mr. Micawbers Fähigkeiten Aussicht hat, auf der Leiter der Gesellschaft eine höhere Stufe einzunehmen? Ich meine zurzeit damit nicht, daß er nach einer Gouverneurstelle oder nach etwas Ähnlichem streben würde, – aber ist seinen Talenten Gelegenheit geboten, sich zu entwickeln?«

»Nirgends bieten sich bessere Gelegenheiten für einen Mann, der sich gut aufführt und fleißig ist«, versicherte ihr meine Tante.

»Für einen Mann, der sich gut aufführt und fleißig ist«, wiederholte Mrs. Micawber mit ihrer überlegensten Geschäftsmiene. »Ausgezeichnet! Es liegt auf der Hand, daß Australien der richtige Boden für Mr. Micawbers Tätigkeit ist.«

»Ich bin der Überzeugung, verehrteste Maam«, sagte Mr. Micawber, »daß es unter den gegebenen Verhältnissen das Land, ja, das einzige Land für mich und meine Familie ist, und daß sich an jenen fernen Küsten etwas ganz Außerordentliches finden wird. Es gibt keine Entfernung, abstrakt gesprochen, und obgleich wir Ihrem Vorschlage, uns die Sache zu überlegen, Rücksicht schulden, versichere ich ihnen, daß wir das bloß als Formalität betrachten.«

Nie werde ich vergessen, wie er im Handumdrehen wieder der alte Sanguiniker war und voll Selbstvertrauen in die Zukunft blickte, und wie Mrs. Micawber sofort von den Gewohnheiten des Känguruhs zu erzählen begann! Nie wieder kann ich mir vorstellen, wie die Straße von Canterbury an einem Markttage aussieht, ohne daß mir Mr. Micawber nicht vor das Auge tritt, wie er uns begleitet und mit der Fremdlingsmiene eines nur für kurze Zeit nach England zurückgekehrten australischen Farmers die vorüberziehenden Ochsen mit Kennerblick mißt!

53. Kapitel

Wieder ein Rückblick

Ich muß wieder eine Pause machen. In dem Gedränge der Gestalten in meiner Erinnerung steht ruhig und still mein kindisches Frauchen und sagt in ihrer lieblichen unschuldsvollen Schönheit: »Bleib stehen und denk an mich! – Sieh herab auf die kleine Blüte, wie sie zu Boden flattert.«

Alles andere verblaßt und verschwindet. Ich bin wieder mit Dora in unserm Landhäuschen. Ich weiß nicht, wie lange sie krank gewesen ist. Ich bin so daran gewöhnt, daß ich die Tage nicht mehr zählen kann. Nach Wochen und Monaten ist es nicht lang, aber in meinem Leben steht es da wie eine lange trübe Zeit.

Sie sagen mir nicht mehr, ich sollte mich nur einige Tage gedulden. Ich trage mich bereits mit der bestimmten Furcht, daß der Tag nie kommen wird, wo mein kindisches Frauchen wieder im Sonnenschein mit ihrem alten Freund Jip herumspringen wird.

Er ist wie mit einem Schlage sehr alt geworden. Vielleicht vermißt er in seiner Herrin das, was ihn belebte und verjüngte; aber er ist träge, sieht schlecht und ist schwach. Und meiner Tante tut es leid, daß er sie nicht mehr anbellt, sondern an sie herankriecht und liebkosend ihr die Hand leckt, wenn er bei Dora liegt und sie neben dem Bette sitzt.

Dora liegt still und lächelt uns an; sie ist so schön und spricht nie ein heftiges oder ungeduldiges Wort. Sie sagt, wir wären alle so gut gegen sie, – ihr lieber, alter, sorgsamer Junge plage sich ihretwegen halb zu Tode, sie wisse es wohl, und meine Tante schlafe gar nicht, sondern wache immer, sei tätig und gütig. Manchmal kommen die beiden kleinen vogelartigen Damen zu Besuch, und wir sprechen von unserm Hochzeitstag und der ganzen glücklichen Zeit.

Was für eine seltsame Pause scheint in meinem innern und äußern Leben einzutreten, wenn ich in dem ruhigen verdunkelten

Zimmer sitze, während die blauen Augen meines kindischen Frauchens auf mir ruhen und ihre zarten Finger meine Hände erfassen! Manche Stunde sitze ich so, aber von allen Zeitpunkten leben drei am frischesten in meiner Seele.

Es ist früh am Morgen, und Dora, von meiner Tante frisiert, zeigt mir, wie ihr schönes Haar sich immer noch auf dem Kissen kräuseln will und wie lang und glänzend es ist.

»Nicht, daß ich jetzt eitel darauf bin, du mokanter Junge«, sagt sie, als ich lächle, »sondern weil du immer sagtest, du fändest es so schön, und weil ich immer in den Spiegel schauen mußte, als ich anfing, an dich zu denken, und gerne gewußt hätte, ob du wohl eine Locke davon haben möchtest. O, wie närrisch du dich gebärdetest, Doady, als ich dir eine gab.«

»Das war an dem Tag, als du die Blumen maltest, die ich dir mitgebracht hatte, und ich dir sagte, wie sehr ich dich liebte.«

»Ach, aber ich wollte dir damals nicht sagen, wie sehr ich über ihnen geweint hatte, weil ich dir glaubte. Wenn ich wieder herumspringen kann wie früher, Doady, wollen wir wieder einmal die Orte besuchen, wo wir so närrisch verliebt waren, und manche von den alten Spaziergängen wieder aufsuchen, nicht wahr? Und des armen Papas Grab nicht vergessen.«

»Ja, das wollen wir tun und so viel glückliche Tage noch erleben! Darum mußt du schnell gesund werden, liebes Herz.«

»O, das werde ich bald sein. Es geht mir viel besser.«

Es ist Abend, und ich sitze auf demselben Stuhl an demselben Bette, und dasselbe Gesicht blickt mich an. Wir haben längere Zeit geschwiegen, und ein Lächeln liegt auf ihrem Antlitz. Ich trage nicht mehr die leichte Last die Treppe auf und ab. Dora liegt den ganzen Tag hier.

»Doady!«

»Liebste Dora?«

»Du wirst doch nicht etwa das, was ich sagen will, für unverständig halten, nach dem, was du mir vor kurzem von Mr. Wickfields Krankheit gesagt hast? Ich möchte mit Agnes sprechen. Ich möchte sie sehr gerne sehen.«

»Ich will ihr schreiben, liebes Herz.«

»Willst du?«

»Sogleich.«

»Was du für ein lieber guter junge bist. Doady, nimm mich in deine Arme. Es ist keine bloße Laune von mir. Kein törichter Einfall. Es liegt mir wirklich sehr, sehr viel daran, sie zu sprechen.«

»Davon bin ich überzeugt. Ich brauche ihr nur zu schreiben, und sie kommt gewiß.«

»Du fühlst dich sehr einsam, wenn du unten bist, nicht wahr?« flüstert mir Dora zu, den Arm um meinen Hals geschlungen.

»Wie kann es anders sein, mein liebes Herz, wenn ich deinen leeren Sessel sehe.«

»Meinen leeren Sessel!« Sie ruht eine kleine Weile stumm an meiner Brust. »Und du vermissest mich wirklich, Doady?« Und sie blickt auf und lächelt mich freundlich an. »Mich armes, leichtsinniges, dummes Ding?«

»Mein lieber Mann! Ich bin so froh und doch so traurig«, und sie drängt sich dichter an mich und umschlingt mich mit ihren Armen. Sie lacht und schluchzt und ist dann ruhig und ganz glücklich.

»Ganz glücklich!« sagt sie. »Ich lasse Agnes zärtlichst grüßen und ihr sagen, daß mir sehr viel daran liegt, sie zu sprechen, und weiter will ich nichts mehr.«

»Außer wieder gesund werden, Dora.«

»Ach Doady! Manchmal glaube ich – du weißt, ich war von jeher ein einfältiges Ding –, daß das nie geschehen wird.«

»Sag das nicht, Dora, denke nicht an so etwas, Herzensschatz.«

»Gewiß nicht, wenn ich kann, Doady! Aber ich bin sehr glücklich, wenn du dich auch so einsam fühlst vor dem leeren Sessel deines kindischen Frauchens.«

Es ist Nacht, und ich bin noch bei ihr. Agnes ist angekommen und einen ganzen Tag und einen Abend bei uns gewesen. Sie, meine Tante und ich haben Dora seit dem Morgen Gesellschaft geleistet. Wir haben nicht viel geredet, aber Dora war immer zufrieden und heiter. Wir sind jetzt allein.

Weiß ich jetzt, daß mein kindisches Frauchen mich verlassen wird? Man hat mir gesagt, was meinen Gedanken nicht neu war, aber ich bin im Herzen nicht von der Wahrheit überzeugt. Ich kann es nicht glauben. Ich bin viele Male des Tages still weggegangen und habe allein geweint. Ich habe an Ihn gedacht, der darüber weinte, daß der Tod die Menschen scheidet. Ich habe an die ganze schöne und barmherzige Legende gedacht. Ich habe versucht, mich in das Schicksal zu fügen und mich zu trösten, und es ist mir, wenn auch unvollkommen, gelungen; aber immer noch will die Überzeugung in mir nicht festen Fuß fassen, daß das Ende da ist. Ich halte ihre Hand in meiner, ich halte ihr Herz in meinem. Ich sehe ihre Liebe zu mir in aller ihrer Kraft. Ich kann einen letzten schwachen Schimmer vom Glauben, sie sei noch zu retten, nicht ausschließen.

»Ich will dir etwas sagen, Doady, ich will dir etwas sagen, woran ich in der letzten Zeit gedacht habe. Wirst du nicht böse darüber sein?« fragt sie mit einem bittenden Blick.

»Böse sein? Liebling!«

»Weil ich nicht weiß, was du davon denken wirst oder was du manchmal gedacht haben magst. Vielleicht hast du oft dasselbe gedacht. – Doady, ich fürchte, ich war zu jung.«

Ich lege mein Gesicht auf das Kissen neben sie, und sie blickt mir in die Augen und spricht sehr leise. Allmählich, wie sie weiterredet, fühle ich mit blutendem Herzen, daß sie von sich wie von einer Verstorbenen spricht.

»Ich fürchte, Liebling, ich war zu jung. Ich meine nicht bloß an Jahren, sondern auch an Erfahrung und an allem. Ich war ein junges kindisches Geschöpf. Ich fürchte, es wäre besser gewesen, wenn wir uns nur wie Kinder geliebt und einander wieder vergessen hätten. Ich kann mich nicht von dem Gedanken trennen, daß ich noch nicht reif war, deine Gattin zu werden.«

Ich versuche meine Tränen zurückzudrängen und antworte:

»Ach, liebe Dora, so reif wie ich war, ein Ehemann zu werden.«

»Das weiß ich nicht«, sagt sie mit ihrer alten Gewohnheit, die Locken zu schütteln. »Vielleicht! Aber wenn ich besser gepaßt hätte zum Heiraten, so hätte ich dich auch geeigneter dazu machen können. Dann bist du auch sehr gescheit, und ich war es nie.«

»Wir waren sehr glücklich miteinander, meine süße Dora.«

»Sehr, sehr glücklich. Aber im Lauf der Jahre würde mein lieber Junge seines kindischen Frauchens überdrüssig geworden sein. Sie hätte immer weniger und weniger zu seiner Lebensgefährtin gepaßt. Er hätte immer mehr und mehr empfunden, was ihm zu Hause fehlte. Sie würde nie anders geworden sein. Es ist besser so, wie es ist.«

»Ach liebste, liebste Dora, sprich nicht so zu mir. Jedes Wort klingt wie ein Vorwurf.«

»Nein, keine Silbe«, gibt sie zur Antwort und küßt mich. »Ach mein Liebling, du verdientest nie einen Vorwurf, und ich liebte dich zu sehr, als daß ich dir je im Ernst hätte einen machen können. Das war mein einziges Verdienst außer, daß ich hübsch war; wenigstens hieltest du mich dafür. Ist es einsam unten?«

»Sehr, sehr.«

»Weine nicht! Steht noch mein Sessel dort?«

»Auf seiner alten Stelle.«

»O, wie mein armer Junge weint! Still, still! Nun versprich mir noch eins. Ich möchte mit Agnes reden. Wenn du hinuntergehst, schicke sie zu mir herauf und, während ich mit ihr spreche, laß niemand herein – nicht einmal die Tante. Ich will mit Agnes allein reden.«

Ich verspreche ihr, es sofort zu tun, aber ich kann mich in meinem Schmerz nicht von ihr losreißen.

»Ich sagte, es ist besser, wie es ist«, flüstert sie in meinen Armen. »Ach Doady, in einigen Jahren hättest du dein kindisches

Frauchen nicht mehr so lieb haben können wie jetzt, und sie hätte deine Geduld und Liebe so hart auf die Probe gestellt, daß du sie nicht mehr hättest halb so lieben können. Ich weiß, ich war zu jung und kindisch. Es ist viel besser so, wie es ist.«

Agnes ist unten, als ich in die Wohnstube trete, und ich richte den Auftrag aus. Sie geht hinauf und läßt mich allein mit Jip. Seine chinesische Pagode steht neben dem Kamin, und er liegt auf seiner Flanelldecke und sucht winselnd einzuschlafen. Der Vollmond scheint hell und klar. Wie ich in die Nacht hinausblicke, da fließen meine Tränen, und mein ungeschultes Herz wird schwer, schwer geprüft.

Ich setze mich ans Feuer und denke mit Reue an alle jene heimlichen Gefühle, die ich während meiner Ehe empfunden habe. Ich denke an jede Kleinigkeit, die zwischen mir und Dora vorgefallen ist, und fühle die Wahrheit, daß Kleinigkeiten die Summe des Lebens ausmachen. Und immer steigt aus dem Meer meiner Erinnerungen das Bild des lieblichen Kindes auf, wie ich sie zuerst kennenlernte; verschönt durch unsere jugendliche Liebe, – mit all den Reizen geschmückt, an denen eine solche Liebe so reich ist. Würde es in der Tat nicht besser gewesen sein, wenn wir wie Kinder einander geliebt und wieder vergessen hätten?

Wie die Zeit dahingeht, weiß ich nicht, bis mich der alte Gefährte meines kindischen Frauchens aus meinen Gedanken aufschreckt. Ruheloser noch als vorhin kriecht er aus seiner Hütte heraus und schleppt sich nach der Tür und winselt und will hinaufgelassen werden.

»Heute Nacht nicht, Jip. Heute nicht.«

Er schleicht langsam zu mir zurück, leckt mir die Hand und sieht mich mit seinen glanzlosen Augen an. »O Jip! Vielleicht nie, nie wieder.«

Er legt sich zu meinen Füßen nieder, streckt sich aus wie zum Schlafen und ist mit einem Winseln – tot.

»Ach Agnes! Sieh, sieh hier!«

Und ihr Gesicht! So voll Mitleid und Gram, von Tränen überströmt, der stumme schreckliche Blick und die feierlich nach oben deutende Hand!

»Agnes?«

»Es ist vorbei!«

Es wird Nacht vor meinen Augen, und für eine Zeitlang ist alles aus meinem Gedächtnis ausgelöscht.

54. Kapitel

Mr. Micawbers Geschäfte

Ich will nicht auf die Schilderung meines Gemütszustandes während der Last meines Kummers eingehen. Ich kam zu einem Punkt, wo ich glaubte, jedes künftige Glück sei mir verschlossen, die Energie und Tätigkeit meines Lebens seien zu Ende und mir bliebe kein anderer Zufluchtsort mehr übrig als das Grab. So dachte ich freilich nicht in den ersten erschütternden Augenblicken meines Schmerzes. Diese Gedanken wuchsen erst allmählich heran. Wenn die Ereignisse, die ich jetzt erzählen will, sich nicht in der Weise verdichtet hätten, daß sie zuerst meinen Schmerz verwirrten, um ihn dann noch zu steigern, so hätte ich möglicherweise sofort in diesen Zustand verfallen können. Aber so trat eine Zwischenzeit ein, ehe ich mir meines Schmerzes vollständig bewußt wurde; eine Zwischenzeit, in der ich sogar glaubte, das schlimmste Weh sei vorüber, und wo es für mich ein Trost war, in Gedanken bei all dem Unschuldigen und Schönen in der zärtlichen Geschichte, die jetzt für immer zu Ende war, zu verweilen.

Wann zuerst der Vorschlag auftauchte, ich sollte Wiederherstellung meines Seelenfriedens in Ortsveränderung und Abwechslung suchen oder eine große Reise machen, weiß ich nicht mehr genau. Agnes' Geist durchdrang so sehr alles, was wir dachten, sagten, taten, in jener Zeit des Kummers, daß ich wohl recht haben werde, wenn ich den Plan ihrem Einflusse zuschreibe.

In der ganzen Schmerzenszeit waltete sie wie eine Heilige in dem verödeten Haus. Als der Engel des Todes damals herniederstieg, da schlummerte mein kindisches Frauchen lächelnd an ihrer Brust ein. Aus meiner Ohnmacht erwachte ich zu einem Bewußtsein ihrer teilnehmenden Tränen, ihrer Worte der Hoffnung und des Friedens, ihres sanften Antlitzes, das sich wie aus einer reinern und dem Himmel nähern Region über mein ungeschultes Herz beugte und seinen Schmerz linderte.

Ich sollte auf den Kontinent reisen. Das schien allgemeiner Beschluß zu sein. Nachdem die Erde die sterblichen Überreste meiner hingegangenen Gattin bedeckte, wartete ich nur noch auf das, was Mr. Micawber die endliche »Pulverisierung Heeps« nannte, und auf die Abfahrt der Auswanderer.

Auf Traddles Ersuchen, der sich in dieser Zeit als der beste und aufopferndste Freund bewährte, kehrten wir nach Canterbury zurück: nämlich meine Tante, Agnes und ich. Wie vorher festgesetzt, begaben wir uns unmittelbar nach Mr. Micawbers Wohnung, denn dort und in Mr. Wickfields Haus hatte mein Freund seit der großen Explosion ununterbrochen gearbeitet. Als Mrs. Micawber mich in Trauerkleidern eintreten sah, war sie sichtlich ergriffen.

»Nun, Mr. und Mrs. Micawber«, nahm meine Tante sogleich das Wort, als wir uns gesetzt hatten, »haben Sie sich meinen Vorschlag wegen des Auswanderns überlegt?«

»Verehrteste Maam«, entgegnete Mr. Micawber, »ich kann den Beschluß, zu dem Mrs. Micawber, Ihr ergebenster Diener und unsere Kinder, alle für einen und einer für alle, gekommen sind, nicht besser ausdrücken als mit den Worten eines berühmten Dichters: Es harret das Boot am Strande, und das Schiff schwankt auf dem Meer.«

»Das ist recht«, sagte meine Tante. »Ich verspreche mir das denkbar Beste von Ihrem vernünftigen Entschluß.«

»Maam, Sie erweisen uns außerordentlich viel Ehre.« Er nahm ein Blatt Papier zur Hand. »Was den pekuniären Beistand betrifft, der uns instand setzen soll, unsern gebrechlichen Nachen in die See der Unternehmung stechen zu lassen, so habe ich diesen wichtigen Geschäftspunkt in reichliche Erwägung gezogen und möchte Solawechsel mit achtzehn, vierundzwanzig und dreißig Monaten Ziel vorschlagen. Meine ursprüngliche Proposition war zwölf, achtzehn und vierundzwanzig Monate Ziel, aber ich bin nicht ohne Besorgnis, ob ein solches Arrangement genügend Zeit gibt, bis zum Augenblick, wo – sich etwas findet. Es wäre wohl möglich«, sagte Mr. Micawber mit einem Blick, als habe er einige hundert Äcker trefflich angebauten Landes um sich, »daß zur Verfallzeit des ersten Papieres die Ernte noch nicht gut ausgefallen oder unter Dach und Fach ist. Wenn ich nicht irre, sind Arbeiter in dem Teil unserer Kolonien, den das Geschick uns vorschreibt, dem üppigen Boden die Frucht zu entwinden, manchmal schwierig zu erlangen.«

»Richten Sie es sich ganz ein, wie Sie wollen, Sir«, sagte meine Tante.

»Maam! Mrs. Micawber und ich empfinden aufs tiefste die außerordentliche Güte unserer Freunde und Gönner. Ich wünsche vor allen Dingen als Geschäftsmann hinsichtlich Pünktlichkeit makellos dazustehen. Da wir jetzt ein ganz neues Blatt im Leben umzuwenden im Begriffe stehen und zurückgetreten sind, um einen Anlauf von nicht unbedeutender Länge zu nehmen, so gebieten mir das Gefühl der Selbstachtung und außerdem das Bestreben, meinem Sohne ein Beispiel zu geben, daß dieses Arrangement getroffen werde, wie es Männern geziemt.«

Ich weiß nicht, ob Mr. Micawber eine besondere Bedeutung auf diese letzte Phrase legte, aber sie schien ihm außerordentlich zu gefallen, und er wiederholte mit bedeutungsvollem Räuspern: »wie es Männern geziemt.«

»Ich schlage also Wechsel vor – eine Einrichtung der merkantilen Welt, die wir, wenn ich nicht irre, ursprünglich den Juden verdanken, die seitdem verteufelt viel mit diesen Dingen zu tun gehabt zu haben scheinen, – weil Wechsel begehbar sind. Aber wenn ein Dokument anderer Art vorgezogen werden sollte, so würde ich mich glücklich schätzen, ein solches auszustellen. Wie es Männern geziemt.«

Meine Tante bemerkte, daß in einem Falle, wo beide Parteien sich so gut verstünden, ein Punkt wie dieser keine Schwierigkeiten machen könnte. Mr. Micawber war ganz ihrer Meinung.

»Was unsere häuslichen Vorbereitungen, Maam, betrifft«, sagte er mit einigem Stolz, »so bitte ich dieselben auseinanderzusetzen zu dürfen. Meine älteste Tochter besucht um fünf Uhr jeden Morgen ein benachbartes Etablissement, um die Kunst des Melkens zu erlernen. Meine Jüngern Kinder haben den Umständen angemessen die Lebensgewohnheiten der in den ärmern Teilen der Stadt gehaltenen Schweine und Hühner zu beobachten, eine Beschäftigung, von der sie zu zwei verschiedenen Malen nach Hause gelangten, indem sie nur mit knapper Not dem Tode durch Überfahrenwerden entrannen.

Ich selbst habe seit voriger Woche meine Aufmerksamkeit der Bäckerei zugewendet, und mein Sohn Wilkins ist mit einem Knüppel ausgezogen, um Vieh zu treiben, soweit seine freiwilligen Dienste von den wettergebräunten Mietlingen, unter deren Aufsicht das Vieh steht, angenommen wurden, was, wie ich leider nicht zum Lobe der menschlichen Natur sagen kann, nicht oft geschah – kurz, sie gaben ihm unter Flüchen zu verstehen, er solle sich packen.«

»Das ist ja alles vortrefflich«, sagte meine Tante ermutigend, »und Mrs. Micawber ist gewiß auch tätig gewesen?«

»Verehrteste Maam«, entgegnete Mrs. Micawber mit ihrer Geschäftsmiene, »ich erlaube mir, zu gestehen, daß ich mich nicht mit den Fächern beschäftigt habe, die mit Ackerbau und Viehzucht unmittelbar in Verbindung stehen, obgleich ich recht gut weiß, daß sie meine Kräfte an dem fernen Strande in Anspruch nehmen werden. Die Zeit, die ich von meinen häuslichen Verpflichtungen erübrigen konnte, habe ich benützt, um mit meiner Familie in ausgedehntesten Briefverkehr zu treten. Denn ich muß gestehen, daß die Zeit gekommen ist, wo das Geschehene begraben werden muß, wo meine Familie Mr. Micawber und er ihr die Hand reichen sollte; wo der Löwe sich friedlich niederlegt neben das Lamm.«

Ich stimmte ihr bei.

»In diesem Lichte wenigstens sehe ich die Sache, mein lieber Mr. Copperfield«, fuhr sie fort. »Als ich noch zu Hause bei Papa und Mama war, fragte Papa stets, wenn im häuslichen Kreise irgend etwas besprochen wurde: In welchem Lichte betrachtet Emma die Sache?

Daß mein Papa zu parteiisch war, weiß ich, aber doch mußte ich mir über einen Punkt, der die eingetretene Schroffheit zwischen Mr. Micawber und meiner Familie betrifft, notwendigerweise eine Meinung, und mag sie auch falsch sein, bilden.«

»Sicherlich. Das setze ich voraus«, sagte meine Tante.

»So verhält es sich auch«, stimmte Mrs. Micawber bei. »Mögen nun auch meine Schlußfolgerungen falsch sein, meine persönliche Meinung geht dahin, daß die Kluft sich aus der Besorgnis meiner Familie herleitet, Mr. Micawber könne pekuniäre Unterstützung verlangen. Ich kann nicht umhin, zu befürchten«, fuhr Mrs. Micawber mit einer Miene tiefer Weisheit fort, »daß gewisse Mitglieder meiner Familie immerwährend in der Besorgnis schweben, Mr. Micawber könnte sie um ihren Namen angehen. Ich meine nicht zu dem Zwecke, sie unsern Kindern bei der Taufe mitzugeben, sondern vielmehr, um sie unter Schuldverschreibungen zu setzen.«

Der außerordentlich scharfsinnige Blick, mit dem Mrs. Micawber diese Entdeckung hervorbrachte, als ob noch kein Mensch je an dergleichen gedacht hätte, schien meine Tante einigermaßen in Erstaunen zu setzen, und sie antwortete kurz: »Freilich, Maam, im Grunde genommen sollte es mich nicht wundern, wenn Ihre Vermutung richtig wäre.«

»Da Mr. Micawber nun am Vorabend seiner Befreiung von pekuniären Verbindlichkeiten steht, die ihn so lange gefesselt haben, und im Begriffe ist, einen neuen Lebensweg in einem Lande einzuschlagen, wo für seine Fähigkeiten die Bahn frei ist, so scheint es mir, daß meine Familie die Gelegenheit benutzen sollte, den ersten Schritt zu tun. Mein Wunsch wäre, eine Zusammenkunft zwischen Mr. Micawber und meiner Familie, bei einem Festmahl auf Kosten meiner Familie, zu bewerkstelligen. Es wäre ihm hierbei Gelegenheit geboten, nach einem Toaste, den ein angesehenes Mitglied meiner Familie auf seine Gesundheit und Wohlfahrt auszubringen hätte, seine Ansichten zu entwickeln.«

»Meine Liebe«, unterbrach Mr. Micawber ein wenig hitzig, »es dürfte besser sein, wenn ich mich sofort deutlich dahin erkläre, daß meine Ansichten, wenn ich sie der versammelten Familie verkünden sollte, wahrscheinlich beleidigender Natur sein würden; denn meiner Meinung nach besteht deine Familie im allgemeinen aus impertinenten Snobs und im einzelnen aus unverschämten Flegeln.«

»Micawber! Nein! Du hast sie und sie haben dich nie verstanden.«

Mr. Micawber hustete.

»Sie haben dich nie verstanden, Micawber! Sie mögen dessen nicht fähig sein. Dann ist das aber ein Unglück für sie, und ich kann ihr Unglück nur beklagen.«

»Es tut mir von Herzen leid, meine liebe Emma«, bekannte Mr. Micawber reuig, »daß ich mich zu Äußerungen habe hinreißen lassen, die den Anschein starker Ausdrücke tragen mögen. Ich wollte weiter nichts sagen, als daß ich England verlassen kann ohne von der Gunst deiner Familie beglückt zu werden, – kurz, daß ich vorziehe, auf eigne Kraft meine Wege zu gehen. Sollten sie sich dennoch herablassen, auf unsere Zuschriften zu antworten, was unsere gemeinschaftliche Erfahrung sehr unwahrscheinlich macht, so sei es ferne von mir, deinen Wünschen irgendwie Hemmnisse in den Weg zu legen.«

Da diese Angelegenheit damit in Frieden beigelegt war, reichte er seiner Gattin den Arm und äußerte mit einem Blick auf einen Berg von Papieren, der vor Traddles auf dem Tische lag, daß sie uns jetzt verlassen wollten.

»Lieber Copperfield«, begann Traddles, als sie fort waren, und lehnte sich in seinem Stuhl zurück und sah mich mit einem Mitgefühl an, das seine Augenlider rötete und sein Haar nach allen Richtungen zu Berge stehen machte, »ich entschuldige mich nicht bei dir, wenn ich dir mit Geschäftsangelegenheiten komme, da ich weiß, wie sehr die Sache zu deiner Zerstreuung dienen wird. Lieber Freund, ich hoffe, du bist nicht zu abgespannt?«

»Nein«, sagte ich nach einer Pause. »Wir haben mehr Ursache, an meine Tante zu denken als an jeden andern. Du weißt, wieviel sie getan hat. «

»Gewiß, gewiß! Wer könnte das vergessen.«

»Aber das ist noch nicht alles. Während der letzten vierzehn Tage hat irgendein neuer Kummer sie heimgesucht, und täglich war sie in London und manchmal ging sie sehr früh aus und kam erst abends wieder. Gestern, Traddles, kam sie trotz der bevorstehenden Reise hierher erst kurz vor Mitternacht nach Hause. Du weißt, wieviel Rücksichten sie immer auf andere nimmt. Sie will mir die Ursache ihres Kummers nicht sagen.«

Meine Tante, sehr blaß und mit tiefen Gramesfurchen im Gesicht, saß unbeweglich da, bis ich fertig war. Dann rollten Tränen über ihre Wangen, und sie legte ihre Hand auf meine.

»Es ist nichts, Trot, es ist nichts. Es ist vorbei. Ich werde dir bald alles erzählen. Jetzt, liebe Agnes, wollen wir uns an die Geschäfte machen.«

»Ich muß Mr. Micawber die Gerechtigkeit widerfahren lassen«, fing Traddles an, »daß er der unermüdlichste Arbeiter ist, wenn es gilt, für andere tätig zu sein. Ein solcher Mensch ist mir noch nie vorgekommen. Wenn er es immer so getrieben hat, müßte er, nach dem Maße der geleisteten Arbeit zu schließen, gegen zweihundert Jahre alt sein. Die Aufregung, in die er sich immer versetzt hat, die alles andere vergessende und leidenschaftliche Weise, mit der er Tag und Nacht Akten und Bücher durchstöberte, die Unzahl Briefe, die er mir aus Mr. Wickfields Expedition geschickt oder über den Tisch gereicht hat, während er mir viel leichter alles hätte mündlich sagen können, sind wunderbar.«

»Ja, die Briefe!« rief meine Tante. »Ich glaube, er träumt sogar in Briefen!«

»Auch Mr. Dick hat Wunderbares geleistet«, fuhr Traddles fort. »Von dem Augenblicke an, wo er Uriah Heep, den er in einer so scharfen Aufsicht hielt, wie wohl noch nie ein Mensch jemanden, nicht mehr zu bewachen brauchte, widmete er sich ganz Mr. Wickfield, und sein rastloses Streben, uns bei unsern Nachforschungen von Nutzen zu sein, die großen Dienste, die er uns mit Auszügemachen, Abschreiben, Herbeiholen und Forttragen von Akten geleistet hat, waren für uns ein wahrer Sporn.«

»Dick ist ein höchst bemerkenswerter Mensch!« rief meine Tante aus. »Ich habe das immer gesagt, Trot, du weißt es.«

»Und Ihnen, Miss Wickfield, freut es mich sagen zu können«, fuhr Traddles mit größtem Taktgefühl und Ernst fort, »daß sich das Befinden Mr. Wickfields in Ihrer Abwesenheit bedeutend gebessert hat. Befreit von dem Alpdruck und den schrecklichen Besorgnissen, die ihn nicht verlassen wollten, ist er kaum mehr zu erkennen. Zuweilen stellt sich sogar seine sehr geschwächte Gedächtniskraft wieder ein, sowie die Fähigkeit, seine Aufmerksamkeit auf gewisse Punkte in geschäftlichen Angelegenheiten konzentrieren zu können. So sah er sich in Stand gesetzt, bei der Aufklärung einer Sache mitzuwirken, die wir ohne seinen Beistand wohl kaum hätten ins reine bringen können. Doch genug von alledem, sonst werde ich nie fertig. Wir wollen einmal sehen«, sagte er und kramte in den Papieren auf dem Tisch. »Nachdem wir die vorhandenen Kapitalien und eine Unmasse unabsichtlicher Verwirrungen und ebensoviel absichtlicher Irrtümer und Verfälschungen in Ordnung gebracht haben, können wir als ausgemacht annehmen, daß Mr. Wickfield sein Geschäft ohne Defizit zu liquidieren imstande ist.«

»Gott sei gepriesen!« rief Agnes voll Innigkeit aus.

»Aber«, fuhr Traddles fort, »der zu seinem Lebensunterhalt unentbehrliche Überschuß, selbst den Erlös aus dem Hausbesitz mit eingerechnet, wäre so unbedeutend, wahrscheinlich kaum ein paar hundert Pfund, daß man bedenken muß, Miss Wickfield, ob er nicht lieber die Verwaltung der Grundstücke, die er so lange innehatte, behalten sollte. Seine Freunde könnten ihm jetzt, wo er frei ist, mit Rat zur Seite stehen. Sie selbst, Miss Wickfield, – Copperfield, – ich – «

»Ich habe es mir überlegt, Trotwood«, sagte Agnes und sah mich an, »und fühle, daß es besser nicht sein sollte, ja, nicht sein darf, selbst nicht auf die Empfehlung eines Freundes hin, dem ich soviel verdanke.«

»Ich will nicht sagen, daß ich es empfehle«, bemerkte Traddles. »Ich hielt es nur für meine Pflicht, es zu erwähnen. Weiter nichts.«

»Es freut mich, daß das auch Ihre Ansicht ist«, entgegnete Agnes ruhig, »denn es gibt mir die Hoffnung, ja, fast die Versicherung, daß wir ganz gleich über die Sache denken. Lieber Mr. Traddles und lieber Trotwood, da mein Papa jetzt in Ehren frei ist, was könnte ich noch weiter wünschen. Meine Sehnsucht war, ihm, wenn er nur erst einmal aus der Verstrickung befreit sein würde, einen kleinen Teil der Liebe und Sorgfalt, die ich ihm schulde, abstatten zu können und ihm mein Leben zu weihen. Viele Jahre lang war das das Ziel meiner Hoffnungen. Unsere Zukunft ganz auf mich zu nehmen, wird mein höchstes Glück sein.«

»Hast du schon darüber nachgedacht, wie du es anfangen willst, Agnes?«

»Oft! Ich habe deswegen keine Sorge, lieber Trotwood. Ich bin meines Erfolges sicher. So viel Leute kennen mich hier und sind mir freundlich gesinnt, daß mir darum nicht bangt. Vertraue mir ruhig. Unsere Bedürfnisse sind nicht groß. Wenn ich das liebe alte Haus als Schule einrichte, werde ich beschäftigt und glücklich sein.«

Die ruhige Innigkeit ihrer klaren Stimme erinnerte mich so lebhaft an das alte liebe Haus und meine einsam gewordene Wohnung, daß ich kein Wort sprechen konnte. Traddles tat, als ob er unter den Papieren herumkrame:

»Jetzt, Miss Trotwood, kommt Ihr Vermögen an die Reihe.«

»Gut, gut«, seufzte meine Tante. »Ich habe weiter nichts darüber zu sagen, als, daß ich es ertragen kann, wenn es verloren ist, und mich freuen würde, wenn es nicht so ist.«

»Ursprünglich waren es achttausend Pfund, glaube ich?«

»Stimmt.«

»Ich kann nicht mehr als fünf finden.« Traddles machte eine nachdenkliche Miene.

» – tausend?« fragte meine Tante mit ungewöhlichem Gleichmut, »oder nur Pfund?«

»Fünftausend Pfund.«

»Mehr waren es auch nicht. Dreitausend Pfund Konsols verkaufte ich nämlich selbst. Eintausend, um deinen Lehrbrief zu bezahlen, Trot, die beiden andern habe ich noch. Als ich den Rest verlor, hielt ich es für klug, von dieser Summe nichts zu sagen und sie insgeheim, falls böse Zeiten kommen sollten, aufzusparen. Ich wollte sehen, wie du die Prüfung bestehen würdest, Trot; und du hast sie wacker bestanden, voll Ausdauer und Selbstverleugnung! Auch Dick! Sprecht nicht mit mir, denn meine Nerven sind etwas angegriffen.«

Niemand würde ihr das geglaubt haben, wer sie in so aufrechter Haltung und die Arme verschränkt dasitzen gesehen hätte; sie besaß eine wunderbare Selbstbeherrschung.

»Dann haben wir also das ganze Geld beisammen«, rief Traddles mit strahlendem Gesicht.

»Ich will nicht, daß mir jemand gratuliert«, rief meine Tante.

»Sie glaubten wohl, Mr. Wickfield hätte es unrechtmäßigerweise für sich verwendet?« fragte Traddles.

»Natürlich. Deswegen schwieg ich doch. Agnes! sprich kein Wort!«

»Tatsächlich wurden die Papiere kraft Ihrer Vollmacht verkauft, aber ich brauche nicht zu sagen, von wem und wer dazu die Unterschrift hergab. Der Schurke spiegelte Mr. Wickfield später vor, er habe mit dem Geld alle möglichen Ausfälle abgedeckt. Da Mr. Wickfield in seinen Händen schwach und hilflos war und Ihnen später die Zinsen von dem angeblichen Kapital, das nach seiner Ansicht nicht mehr vorhanden war, bezahlte, machte er sich insofern leider zum Mitschuldigen.«

»Und nahm zuletzt alle Schuld auf sich allein«, setzte meine Tante hinzu, »schrieb mir einen verrückten Brief, in dem er sich des Diebstahls und unerhörtesten Unrechts zieh. Hierdurch veranlaßt, besuchte ich ihn eines Morgens zeitig früh, ließ eine Kerze kommen, verbrannte den Brief und sagte ihm, er solle die Sache gefälligst schon seiner Tochter wegen geheimhalten. – Wenn irgend jemand von euch ein Wort zu mir spricht, gehe ich auf der Stelle fort.«

Wir alle schwiegen, und Agnes bedeckte ihr Gesicht mit den Händen.

»Also, lieber Freund Traddles«, fuhr meine Tante nach einer Pause fort, »haben Sie dem Heep wirklich das Geld entwunden?«

»Die Sache ist die: Mr. Micawber hatte ihn so vollständig an die Wand gedrückt und war immer mit so viel neuen Beweisstücken bei der Hand, wenn ein schon vorhandenes nicht ausreichte, daß er uns nicht entrinnen konnte. Einen merkwürdigen Umstand muß ich übrigens erwähnen. Er hatte sich nämlich der Summe nicht nur aus Habsucht sondern auch aus Haß gegen Copperfield bemächtigt. Er sagte es mir geradeheraus. Er äußerte, er hätte ebensoviel zum Fenster herausgeworfen, wenn er damit Copperfield einen Schaden hätte zufügen können.«

»Ha!« sagte meine Tante, gedankenvoll die Stirn runzelnd und einen Blick auf Agnes werfend. »Und was ist aus ihm geworden?«

»Ich weiß es nicht. Er hat mit seiner Mutter, die die ganze Zeit über winselte, flehte und alles mögliche verriet, die Stadt verlassen. Sie sind mit der Londoner Nachtkutsche abgereist. Und weiter weiß ich nichts von ihnen; höchstens, daß seine Bösartigkeit gegen mich beim Abschied alles Maß überstieg. Er schien der Meinung zu sein, daß er mir kaum weniger Rache schulde als Mr. Micawber, – was ich für ein wahres Kompliment halte, wie ich ihm auch sagte.«

»Nimmst du an, daß er noch Geld hat?« fragte ich.

»Mein Gott, ja, wahrscheinlich«, entgegnete Traddles und wiegte mit ernster Miene den Kopf. »Auf eine oder die andere Art muß er wohl manches in die Tasche gesteckt haben. Aber ich glaube, du würdest finden, Copperfield, wenn du Gelegenheit hättest, seinen Lebenslauf zu verfolgen, daß diesen Menschen Geld nicht vor Mißgeschick schützen wird. Er ist ein so eingefleischter Heuchler, daß er alles, was er verfolgt, auf krummen Wegen verfolgen muß. Das ist sein Lohn für den Zwang, den er sich auferlegte. Da er immer auf dem Boden kriecht, wenn er das eine oder andere kleine Ziel verfolgt, so muß ihm unterwegs alles vergrößert erscheinen, und er wird daher jeden hassen und im Verdacht haben, der in der unschuldigsten Weise zwischen ihn und sein Ziel tritt. So werden notwendigerweise seine Wege immer krummer und krummer werden beim geringsten Anlaß.«

»Er ist ein Ungeheuer an Niederträchtigkeit«, bemerkte meine Tante.

»Das weiß ich nicht so genau«, meinte Traddles gedankenvoll. »Viele Leute können sehr niederträchtig sein, wenn sie sich solchen Angewohnheiten einmal hingegeben haben.«

»Und was wird mit Mr. Micawber geschehen?« fragte meine Tante.

»Ich muß wirklich Mr. Micawber mit hohem Lobe bedenken«, sagte Traddles heiter. »Ohne seine große Geduld und Ausdauer hätten wir nichts Nennenswertes erreichen können. Ich glaube, wir sollten nicht außer acht lassen, daß Mr. Micawber Gutes um des Guten willen tat, denn wir müssen bedenken, wie teuer er sich sein Schweigen von Uriah Heep hätte erkaufen lassen können.«

»Das ist auch meine Meinung«, sagte ich.

»Wieviel wollen wir ihm also geben?« fragte meine Tante.

»O, ehe wir dazu kommen«, sagte Traddles, ein wenig aus der Fassung gebracht, »dürfen leider bei der Schlichtung dieser schwierigen Angelegenheit zwei Punkte nicht außer acht gelassen werden. Die Schuldverschreibungen, die Mr. Micawber für erhaltene Vorschüsse ausgestellt hat – «

»Müssen natürlich bezahlt werden«, fiel meine Tante ein.

»Ich weiß nun aber nicht, wann sie fällig sind oder wer sie in der Hand hat, und ich fürchte, Mr. Micawber wird bis zu seiner Abreise beständig in Wechselhaft genommen werden.«

»Dann müssen wir ihn eben in einem fort wieder auslösen. Wieviel macht der ganze Betrag?«

»Mr. Micawber hat die Geschäfte – er nennt sie nämlich Geschäfte – sorgfältig in ein Buch eingetragen«, gab Traddles lächelnd zur Antwort, »und sie machen zusammen hundertdrei Pfund drei Schilling aus.«

»Nun, was wollen wir ihm mit Einschluß dieser Summe geben?« fragte meine Tante. »Liebe Agnes, wir können später ja besprechen, wie wir die Summe unter uns teilen wollen. Wieviel also? Fünfhundert Pfund?«

Traddles und ich stimmten diesem Vorschlage sofort bei. Die Familie sollte demgemäß, schlugen wir vor, Überfahrt und Ausrüstung frei und außerdem noch hundert Pfund bar erhalten. Mr. Micawbers Vorschläge hinsichtlich der Rückzahlung sollten ganz ernst genommen werden, da es wahrscheinlich für ihn gut sei, wenn er an das Vorhandensein dieser Verpflichtungen glaubte. Außerdem schlug ich vor, Mr. Peggotty, auf den man sich vollständig verlassen könnte, über Mr. Micawbers Charaktereigentümlichkeit einige Winke zu geben und ihm Vollmacht zu erteilen, unter Umständen Mr. Micawber nochmals hundert Pfund vorzuschießen. Mr. Micawber wollten wir von Mr. Peggottys Geschichte nur soviel erzählen, als uns angezeigt zu sein schien.

Da Traddles jetzt wieder einen besorgten Blick auf meine Tante warf, erinnerte ich ihn an den zweiten und letzten der von ihm erwähnten Punkte.

»Deine Tante und du müssen mich entschuldigen, Copperfield, wenn ich jetzt ein voraussichtlich peinliches Thema berühre«, sagte er mit Zögern, »aber ich muß es wohl tun. Wie du dich erinnern wirst, ließ Uriah eine drohende Anspielung auf den Gatten deiner Tante fallen.«

Meine Tante, die ihre steife Haltung und ihre Fassung vollkommen beibehielt, nickte beistimmend.

»Vielleicht war es nur eine bedeutungslose Impertinenz, Miss Trotwood?«

»Nein.«

»Sie verzeihen, – es gibt also wirklich eine solche Person und sie ist in seiner Macht?«

»Ja, mein Freund.«

Traddles machte ein langes Gesicht und setzte uns auseinander, daß er nicht in der Lage gewesen sei, diese Angelegenheit ins Auge zu fassen, und Uriah Heep, über den wir keine Gewalt mehr hätten, würde uns wo er könnte natürlich schaden.

Meine Tante schwieg, und wieder liefen Tränen über ihre Wangen.

»Sie haben ganz recht«, sagte sie. »Es war sehr umsichtig von Ihnen gehandelt, daß Sie es zur Sprache brachten.«

»Kann ich – oder Copperfield etwas tun?«

»Nichts. Ich danke Ihnen vielmals. Lieber Trot, es ist eine ungefährliche Drohung. Lassen Sie Mrs. und Mr. Micawber wieder herein. Und es soll jetzt niemand mit mir sprechen.«

Damit strich sie ihr Kleid glatt und saß in aufrechter Haltung in ihrem Stuhl, die Augen auf die Türe geheftet.

»Nun, Mr. und Mrs. Micawber«, begann sie, »wir haben Ihre Auswanderung besprochen und müssen Sie vielmals um Verzeihung bitten, daß wir Sie so lange haben warten lassen. Wir wollen Ihnen jetzt eröffnen, welche Arrangements wir Ihnen vorschlagen.«

In Gegenwart der vollzählig anwesenden Familie setzte sie ihm zu deren unbegrenzter Befriedigung alles auseinander und trug damit soviel zur Erweckung seines Pünktlichkeitsgefühls, was das Anfangsstadium seiner Wechselgeschäfte betraf, bei, daß er sich nicht abhalten ließ, sofort in fröhlichster Erregung hinauszustürzen, um für seine Solawechsel die Stempel zu kaufen.

Aber seine Freude erfuhr eine rasche Niederlage, denn ehe fünf Minuten vergangen waren, kehrte er in Gewahrsam eines Sheriffbeamten zurück und erklärte uns mit einer Flut von Tränen, daß alles verloren sei. Da wir auf dieses Ereignis, das wir natürlich Uriah Heep verdankten, vollkommen gefaßt waren, bezahlten wir das Geld und, ehe noch weitere fünf Minuten vergingen, saß Mr. Micawber am Tisch und füllte die Stempelbogen mit einem Ausdruck unbeeinträchtigter Freude aus, den von allen Beschäftigungen nur noch das Punschbrauen hätte hervorbringen können. Es war ordentlich ein Genuß, zu sehen, wie er mit der Befriedigung eines Künstlers die Formulare ausfüllte, sie wie ein Gemälde kritisch vor sich hinhielt und mit ernstem Gesicht Notizen über Datum und Betrag in sein Taschenbuch schrieb.

»Wenn es erlaubt ist, so möchte ich Ihnen den Rat geben, Sir«, sagte meine Tante, die ihm stillschweigend zugesehen hatte, »einer Beschäftigung wie diese für ewig abzuschwören.«

»Maam, meine Absicht ist bereits, ein solches Gelübde auf die jungfräuliche Anfangsseite des Buchs der Zukunft einzutragen. Mrs. Micawber wird desgleichen tun. Ich hoffe zuversichtlich«, sagte er feierlich, »daß mein Sohn Wilkins nie vergessen wird, wie unendlich viel besser es ist, die Hände ins Feuer zu halten als die Schlangen anzugreifen, die das Herzblut seines unglücklichen Vaters vergiftet haben.« Tief ergriffen und im Handumdrehen in ein Bild der Verzweiflung verwandelt, betrachtete Mr. Micawber die soeben fertig gewordenen Schlangen mit einem Blick düstern Grauens, faltete sie zusammen und steckte sie in die Tasche.

So schloß der Abend. Ermüdet von Sorge und Aufregung gedachten meine Tante und ich am andern Morgen nach London zurückzukehren. Wir hatten besprochen, daß die Micawbers nach Verkauf ihrer Sachen nachkommen und Mr. Wickfields Geschäfte so schnell wie möglich unter Traddles Leitung abgewikkelt werden sollten, während Agnes bis zur Liquidation mit uns nach London ginge.

Wir brachten die Nacht in dem alten Hause zu, das von der

Anwesenheit Heeps befreit wie von der Pest gereinigt erschien; und ich schlief in meinem alten Zimmer gleich einem schiffbrüchigen Wanderer, der glücklich heimgekehrt ist.

Den Tag darauf begaben wir uns nach dem Landhäuschen meiner Tante, und als sie und ich vor dem Schlafengehen wie früher allein beisammensaßen, sagte sie:

»Trot, willst du wirklich wissen, was mich in der letzten Zeit so bedrückt hat?«

»Gewiß, Tante! Wenn es jemals eine Zeit gab, wo du Kummer und Sorgen mit mir hättest teilen sollen, so ist es jetzt der Fall.«

»Du hast genug Kummer gehabt«, sagte meine Tante liebreich, »und brauchtest nicht auch noch meine kleinen Schmerzen mitzutragen. Das waren die Gründe, Trot, weshalb ich sie dir geheimhielt.«

»Das weiß ich wohl! Aber sage es mir jetzt.«

»Willst du morgen früh ein kleines Stück mit mir fahren?«

»Natürlich.«

»Um neun Uhr also! Dann sollst du alles erfahren, Trot.«

Um neun Uhr stiegen wir also in eine Droschke und fuhren durch London, bis wir an eins der größeren Hospitäler gelangten. Vor der Tür stand ein einfacher Leichenwagen. Der Kutscher erkannte meine Tante und fuhr, ihrem Winke aus dem Droschkenfenster gehorsam, im Schritt voraus; wir folgten.

»Errätst du es jetzt, Trot? Er ist tot!«

»Im Hospital gestorben?«

»Ja.«

Sie saß unbeweglich neben mir, und wieder sah ich Tränen ihr über die Wangen laufen.

»Er war schon einmal dort. Er kränkelte seit langer Zeit und war schon seit vielen Jahren ein gebrochener Mann. Als er erfuhr, daß keine Hoffnung mehr wäre, verlangte er nach mir. Er bereute sein früheres Leben. Und sehr.«

»Du gingst, Tante, ich weiß.«

»Ich ging. Ich war seit der Zeit viel bei ihm.«

»Er starb am Abend vor unserer Reise nach Canterbury?«

Meine Tante nickte. »Niemand kann ihm mehr schaden. Es war eine leere Drohung.«

Wir ließen die Stadt hinter uns und fuhren nach dem Kirchhof Hornsey.

»Besser hier als mitten in den Straßen«, sagte meine Tante. »Er ist hier geboren.«

Wir stiegen aus und folgten dem einfachen Sarg in eine Ecke, wo er eingesegnet und in die Gruft gesenkt wurde.

»Heute sinds sechsunddreißig Jahre, lieber Trot«, sagte meine Tante auf dem Rückweg nach dem Wagen, »daß ich getraut wurde.«

Wir nahmen schweigend unsere Sitze wieder ein und saßen so lange Zeit nebeneinander, und sie hielt meine Hand in der ihrigen. Plötzlich brach sie in Tränen aus und sagte:

»Er war ein schöner Mann, als ich ihn heiratete, – und hat sich sehr, sehr verändert.«

Ihre Ergriffenheit dauerte nicht lange. Die Tränen schienen sie erleichtert und fast heiter gemacht zu haben. Ihre Nerven seien etwas angegriffen, sagte sie, sonst hätte sie sich nicht so schwach gezeigt.

So kehrten wir zurück in ihr Häuschen in Highgate, wo wir folgenden kurzen Brief vorfanden, der mit der Morgenpost von Mr. Micawber eingetroffen war.

Canterbury, Freitag

Verehrteste Maam und lieber Copperfield!

Das schöne Land der Verheißung, das sich noch vor kurzem am Horizonte zeigte, ist wieder in undurchdringliche Nebel eingehüllt und für immer den Augen eines schiffbrüchigen Unglücklichen entrückt, dessen Schicksal besiegelt ist.

Ein neuer Haftbefehl ist in Sr. Majestät hohem Gerichtshof zu Kingsbench in Westminster in einer zweiten Sache Heep kontra Micawber erlassen worden, und der Beklagte in dieser Sache ist die Beute des in diesem Gerichtsbezirk amtierenden Sheriffs.

»Gekommen die Stunde, gekommen der Tag«,
»Wo des Feindes Massen dräun«,
»Edwards stolzer Streiter Reihn«
»Und der Knechtschaft Schmach.«

Dieser Haft anheimgefallen und einem raschen Ende entgegensehend, kann ich sagen, meine Uhr ist abgelaufen. Der Herr segne, segne Sie. Wenn in spätern Jahren dereinst der neugierige Wanderer das den Schuldnern dieser Stadt zugewiesene Gefängnis durchstreift, so werden vielleicht seine Augen nachdenklich ruhen auf dem mit einem verrosteten Nagel in die Wand gekratzten bescheidenen Anfangsbuchstaben.   W. M.

P. S. Ich mache den Brief wieder auf, um Ihnen mitzuteilen, daß unser gemeinsamer Freund Mr. Thomas Traddles, der uns noch nicht verlassen hat und sich dem Anscheine nach außerordentlich wohl befindet, die Schuld samt Kosten im Namen der edlen Miss Trotwood bezahlt hat, und daß ich und meine Familie auf dem Gipfel irdischer Seligkeit schweben.   W. M.

55. Kapitel

Sturm

Ich komme jetzt zu einem Ereignis in meinem Leben, das so unauslöschlich, so erschütternd und auf so vielerlei Weise mit all dem verbunden ist, was diesen Seiten vorangegangen, daß ich es vom Anfang meiner Erzählung größer und größer werden und seinen Schatten schon in meinen Kinderjahren auf die Ereignisse fallen sah.

Jahre nach seinem Geschehen habe ich noch oft davon geträumt. Oft bin ich aus dem Schlaf aufgefahren, so lebhaft beherrscht von seinem Eindruck, daß ich die Wut des Sturms in der stillen Nacht noch in meinem Ohr brausen zu hören glaubte.

Als die Zeit der Abfahrt des Auswandererschiffs nahte, kam meine gute alte Kindsfrau, die bei unserm ersten Zusammentreffen wegen meines Unglücks fast vor Schmerz aufgelöst war, nach London.

Ich war beständig mit ihr, ihrem Bruder und den Micawbers, die ihnen sehr anhingen, beisammen. Aber Emly bekam ich niemals zu Gesicht.

Eines Abends war ich mit Peggotty und ihrem Bruder allein. Wir sprachen von Ham. Sie erzählte, wie liebevoll er von ihr Abschied genommen und wie ruhig und männlich er alles ertragen hätte, und besonders in der letzten Zeit, wo er nach ihrer Meinung am härtesten geprüft worden sei. Es war dies ein Thema, von dem die gute Seele nie müde wurde zu erzählen.

Meine Tante und ich räumten damals die beiden Landhäuser in Highgate, denn ich wollte ins Ausland reisen und sie ihr Haus in Dover wieder beziehen. Vorläufig logierten wir in einer Wohnung in Covent Garden. Als ich nach dem Gespräch an diesem Abend nach Hause ging und an Hams letzte Worte in Yarmouth dachte, wurde ich irr an meinem ursprünglichen Vorsatz, einen Brief für Emly zurückzulassen, wenn ich auf dem Schiffe Abschied von ihrem Onkel nehmen würde, und entschloß mich, lieber gleich an sie zu schreiben. Vielleicht, überlegte ich, wünscht sie nach Empfang meines Briefes ihrem unglücklichen ehemaligen Bräutigam ein Wort des Abschieds durch mich zuzuschicken. Diese Gelegenheit wollte ich ihr geben.

Ich setzte mich daher vor dem Schlafengehen hin und wiederholte getreulich, wozu Ham mich beauftragt hatte.

Ich legte den Brief auf den Tisch, damit er am nächsten Morgen abgeschickt werde, fügte ein paar Zeilen an Mr. Peggotty hinzu und ging mit Tagesanbruch zu Bett.

Ich war angegriffener, als ich glaubte, und wachte nach einem unruhigen Schlummer erst spät am Vormittag auf.

Die schweigende Anwesenheit meiner Tante am Bett weckte mich. Ich fühlte sie im Schlaf.

»Lieber Trot«, sagte sie, als ich die Augen aufschlug, »ich konnte es nicht über mich bringen, dich zu stören. Mr. Peggotty ist da. Kann er heraufkommen?«

Ich bejahte, und bald darauf trat er ein.

»Masr Davy«, sagte er, als wir uns die Hände geschüttelt, »ich habe Emly Ihren Brief übergeben, und sie hat das hier geschrieben und mich gebeten, Sie möchten es lesen und, wenn nichts Verletzendes drin stünde, so gut sein und es überbringen.«

»Haben Sie es gelesen?« fragte ich.

Er nickte mit bekümmerter Miene.

Ich öffnete den Brief.

»Ich habe Deine Botschaft erhalten. Ach, was kann ich schreiben, um Dir für Deine unendliche Güte zu danken!

Ich habe die Worte fest in mein Herz geprägt und werde sie dort bewahren bis zu meinem Tod. Es sind scharfe Dornen für mich, aber sie bringen mir auch Trost. Ich habe über ihnen gebetet, ach, so viel gebetet.

Wenn ich sehe, wie Du bist, und wie der Onkel ist, kann ich mir denken, was Gott sein muß, und kann zu ihm rufen.

Leb wohl auf immer, mein geliebter Freund. Leb wohl für immer in dieser Welt. In einer andern, wenn mir vergeben wird, wache ich vielleicht auf als Kind und komme zu Dir. Dank, tausendmal Dank und Segen! Leb wohl auf ewig.«

Diese Worte, halb von Tränen verwischt, standen in dem Brief.

»Kann ich sagen, daß Sie nichts Verletzendes darin finden und so gut sein wollen, die Besorgung zu übernehmen, Masr Davy?«

»Ganz gewiß! Aber ich denke eben – «

»Nun, Masr Davy?«

»Ich denke eben, daß ich mich selbst nach Yarmouth begeben sollte. Es ist noch Zeit genug, bis Ihr Schiff abfährt. Meine Gedanken sind so oft bei Ham in seiner Einsamkeit, und wenn ich Ihnen sagen kann im Augenblick des Scheidens, daß ich ihm den Brief übergeben habe, wird das für sie beide eine Wohltat sein. Eine Reise ist wenig mehr als eine Kleinigkeit für mich. Ich bin ruhelos, und es ist besser für mich, wenn ich äußerlich beschäftigt bin. Ich fahre noch heute abend.«

Obgleich er sich eifrig bemühte, mir meine Absicht auszureden, so sah ich doch, daß er meiner Meinung war, und wenn noch etwas mich hätte in meinem Vorhaben bestärken können, so würde diese Wahrnehmung genügt haben. Er ging auf meine Bitte nach dem Bureau und bestellte für mich einen Vordersitz. Abends fuhr ich in der Postkutsche den Weg entlang, den ich schon unter so vielen Schicksalswechseln gereist war.

»Kommt Ihnen der Himmel nicht sonderbar vor?« fragte ich den Kutscher auf der ersten Station hinter London. »Ich kann mich nicht entsinnen, ihn je so merkwürdig gesehen zu haben.«

»Ich auch nicht, Sir. Das bedeutet Sturm, Sir. Es wird Unglück auf See geben, ehe viel Zeit vergeht.«

Ein trübes, hie und da von Flecken, die wie der Rauch von feuchtem Holz aussahen, unterbrochenes Wirrwarr dahineilender Wolken war in den seltsamsten Formen übereinandergetürmt, so daß man sich in dem Gewölk größere Höhen vorstellen mußte, als die Tiefe zwischen der Erde und den niedrigsten Wolken betrug. Kopfüber schien sich der Mond herabstürzen zu wollen, als ob er in diesem greulichen Wirrwarr der Naturgesetze angsterfüllt den Weg verloren hätte. Es hatte den ganzen Tag über Wind geherrscht, und jetzt schwoll er immer mehr und mehr mit ungewöhnlich starkem Brausen an. Nach Verlauf einer weitern Stunde war er noch bedeutend angewachsen, der Himmel sah noch trüber aus, und es wehte scharf.

Wie die Nacht weiter vorrückte und die Wolken allmählich ganz dicht den dunkeln Himmel verhüllten, wurde der Sturm immer heftiger. Er nahm so zu, daß unsere Pferde sich kaum gegen ihn behaupten konnten. Manchmal in der Finsternis kehrten die Vorderpferde um oder hielten plötzlich an, und oft schwebte die Kutsche in der größten Gefahr, umgeweht zu werden. Der Sturm trieb Wassergüsse vor sich her, die uns so schneidend trafen wie ein Regen von Stahl, und zuweilen mußten wir hinter

Bäumen oder Mauern Schutz suchen, weil es rein unmöglich war, ununterbrochen gegen das Unwetter anzukämpfen.

Als der Tag anbrach, schien der Sturm immer noch im Wachsen zu sein. Ich war in Yarmouth gewesen, als die Schiffer sagten, es wehe Kanonenkugeln. Aber ich hatte nie so etwas Ähnliches erlebt. Wir erreichten Ipswich – es war schon sehr spät, denn wir mußten jeden Zoll Straße dem Sturme abringen – und fanden auf dem Marktplatz einen Haufen Leute stehen, die aus Besorgnis, die Schornsteine könnten einstürzen, mitten in der Nacht aufgestanden waren. Einige erzählten uns, während auf dem Hofe die Pferde gewechselt wurden, ein Teil des bleiernen Dachs sei von dem hohen Kirchturm herabgerissen und in eine Nebenstraße geworfen worden, die er jetzt versperrte. Andere hatten von Bauern aus benachbarten Dörfern gehört, er habe große Bäume aus der Erde gerissen und ganze Schober von Getreide über Straßen und Felder gestreut. Und immer noch war der Sturm im Wachsen.

Als wir dem Meere, von dem aus gewaltige Böen direkt auf die Küste wehten, näher kamen, wurde seine Gewalt immer schrecklicher. Lange, ehe wir die See erblickten, schmeckten wir den Schaum auf unsern Lippen wie einen gesalzenen Regen. Das Wasser war viele Meilen weit über die Dünen Yarmouths getreten, und jeder Teich und jede Pfütze trieben uns kleine brandende Wellen entgegen. Als wir das Meer zu Gesicht bekamen, erschienen uns die Wellen am Horizont, von dem wir zuweilen über dem wogenden Abgrund einen flüchtigen Blick erhaschen konnten, wie eine jenseitige Küste mit Türmen und Gebäuden. Wie wir endlich in die Stadt einfuhren, traten die Leute an ihre Türen mit flatterndem Haar, gegen den Wind gestemmt und verwundert, daß die Post in einer solchen Unwetternacht gekommen war.

Ich stieg in dem alten Gasthaus ab und wollte zur Küste eilen. Wankend kämpfte ich mich durch die mit Sand und Tang und Schaumflocken übersäte Straße, immer in Besorgnis, von niederstürzenden Ziegeln und Schieferplatten getroffen zu werden, und war genötigt, mich bei besonders stürmischen Ecken an entgegenkommenden Leuten festzuhalten. Als ich mich dem Strande näherte, sah ich, daß nicht nur die Seeleute, sondern vielleicht die Hälfte aller Bewohner der Stadt hinter Häusern lauerten; manche, die sich das Meer ansehen wollten, wurden aus ihrer Bahn geworfen, wenn sie den Versuch machten, im Zickzack das schützende Versteck wieder zu gewinnen.

Unter diesen Gruppen fand ich jammernde Frauen, deren Männer in Herings- und Austernbooten auf dem Meere waren und nur zu leicht untergegangen sein mochten, ehe sie einen sichern Hafen hatten anlaufen können. Ergraute alte Schiffer standen unter ihnen und schüttelten den Kopf, wie sie von dem Wasser nach den Wolken blickten, und sprachen leise miteinander; aufgeregte und besorgte Schiffseigner, Kinder, sich angstvoll zusammendrängend und gespannt in die Gesichter der Erwachsenen blickend, – selbst handfeste Seeleute waren unruhig und voller Sorge und lugten aus ihren Verstecken mit ihren Fernrohren hervor, als ob sie einen Feind beobachteten.

Als ich mich von der Verwirrung, in die mich der die Augen blendende Wind, der herumfliegende Sand und die Steine und das schreckliche Getöse versetzt hatten, soweit erholen konnte, daß ich einen Blick auf das Meer werfen konnte, da entsetzte mich seine Wut. Wenn die hohen Wasserwände herankamen und auf ihrem höchsten Punkte angelangt in Schaum zerschellten, da sah es aus, als vermöchte die kleinste der Wogen die ganze Stadt zu verschlingen. Wenn eine zurückweichende Welle mit dumpfem Brüllen wieder meerwärts rollte, grub sie am Strande tiefe Höhlen, als wollte sie die Erde unterwühlen.

Wogen mit weißen Mähnen kamen herangedonnert und zerschellten, ehe sie den Strand erreichten, und jeder Teil des zerstückten Ganzen schien dessen volle gewaltige Wucht anzunehmen und eilte dahin, um der Teil eines neuen Ungeheuers zu werden. Wogende Hügel wurden zu Tälern, durch die zuweilen ein einsamer Sturmvogel strich. Wogende Täler bäumten sich zu Hügeln auf; Wassermassen erschütterten das Ufer mit dumpfem

Getöse; jede Gestalt rollte, kaum gebildet, in wildem Tumulte weiter, Form und Platz verändernd und andere verdrängend. Das phantastische Ufer am Horizont mit seinen Türmen und Gebäuden stieg und sank, und dicht und schnell flog das Gewühl der Wolken dahin. Es kam mir vor, als bäume sich die ganze Natur auf.

Da ich Ham nicht unter den Leuten an der Küste fand, ging ich nach seinem Hause. Es war verschlossen, und da niemand auf mein Klopfen antwortete, suchte ich die Werft auf, wo er arbeitete. Es hieß, er wäre nach Lowestoft gegangen, um eine plötzlich notwendig gewordne Arbeit zu übernehmen, und werde morgen beizeiten zurück sein.

Ich verfügte mich wieder in das Gasthaus und versuchte zu schlafen, aber vergebens. Dann wusch ich mich und zog mich an, und es wurde fünf Uhr nachmittags. Ich hatte kaum einige Minuten im Kaffeezimmer am Kamin gesessen, als der Kellner hereintrat und mit der Ausrede, er wolle das Feuer schüren, mir erzählte, zwei Kohlenschiffe wären mit voller Bemannung wenige Meilen vom Ufer untergegangen, und einige andere Schiffe seien in ihrem Fahrwasser zu sehen und kämpften hart und in großer Not, sich von den Klippen fernzuhalten. »Gnade Gott ihnen und den armen Schiffern«, sagte er, »wenn noch eine Nacht kommt wie die letzte.«

Ich war in sehr gedrückter Stimmung, fühlte mich sehr vereinsamt und wurde wegen Hams Abwesenheit von einer Sorge gequält, die recht grundlos schien. Die letzten Ereignisse hatten mich mehr, als ich glauben wollte, angegriffen, und ich war von dem langen Kampf mit dem heftigen Sturm ganz verwirrt. In meinen Gedanken und Erinnerungen herrschte ein Durcheinander, das mich den klaren Überblick über Zeit und Distanz verlieren ließ. Ich würde mich kaum gewundert haben, wenn ich auf einem Gange durch die Stadt jemand getroffen hätte, von dem ich gewiß wußte, daß er in London sein mußte. Trotz aller Erinnerungen, die die Ortschaft in meinem Geist erweckte, war ich sozusagen mit einer merkwürdigen Unaufmerksamkeit behaftet.

In diesem Gemütszustand verknüpften sich die schlimmen Nachrichten von den Schiffen ganz unwillkürlich mit meinen Besorgnissen um Ham. Ich bildete mir ein, er würde zu Wasser von Lowestoft zurückkehren und dabei ertrinken. So lebhaft war diese Einbildung in mir, daß ich noch vor dem Essen nach der Werft zu gehen beschloß, um den Werkmeister zu fragen, ob er Hams Rückkehr zu Wasser für wahrscheinlich halte. Wenn er mir den mindesten Grund dafür gäbe, wollte ich sofort nach Lowestoft fahren und Ham mit mir zurückbringen.

Ich bestellte hastig das Essen und ging nach der Werft. Ich kam gerade noch zurecht, denn der Bootsbauer, eine Laterne in der Hand, schloß eben die Türe zu. Er lachte mir fast ins Gesicht, als ich ihm die Frage vorlegte, und sagte, kein Mann bei Sinnen werde bei solchem Sturm in See gehen, am wenigsten Ham Peggotty, der von Kindheit an Schiffer gewesen. Die Richtigkeit dieser Bemerkung, die ich schon vorher so vollkommen gefühlt, einsehend, schämte ich mich ordentlich gefragt zu haben und ging nach dem Gasthof zurück. Fast schien es, als ob der Sturm noch stärker würde. Das Geheul und Gebrüll, das Klappern und Rasseln der Türen und Fenster, das Rumoren in den Schornsteinen, das Gefühl, als wanke das Haus, dessen Dach mich schützte, und das fürchterliche Tosen des Meeres waren noch schreckenerregender als am Morgen. Außerdem hing große Dunkelheit ringsum, und das verlieh dem Sturm neue wirkliche und eingebildete Schrecken.

Ich konnte nicht essen, ich konnte nicht still sitzen und nicht ruhig bei irgendeiner Beschäftigung bleiben. Ein Etwas in mir, das leise dem Sturme draußen entsprach, stieg aus dem Abgrund meiner Erinnerung empor und machte mich unruhig.

Aber bei all dem Wirrwarr meiner Gedanken stand meine Sorge um Ham immer im Vordergrund.

Ich ließ das Essen fast unberührt und versuchte mich mit ein paar Gläsern Wein zu stärken. Vergebens. Ich verfiel vor dem Feuer in einen Halbschlummer, in dem ich weder das Bewußtsein des Aufruhrs draußen noch des Ortes, an dem ich mich befand, verlor. Über all dem lag ein unbestimmter fremdartiger Schrecken, und als ich den Starrkrampf abschüttelte, der mich auf meinem Stuhle festhielt, da zitterte mein ganzer Körper vor gegenstandsloser, unerklärlicher Furcht.

Ich ging auf und ab, versuchte einen Band alter Zeitschriften zu lesen, lauschte dem schrecklichen Tosen draußen und sah Gesichter, Landschaften und Gestalten im Feuer. Das regelmäßige Ticken der unbeirrbar gehenden Uhr an der Wand quälte mich dermaßen, daß ich beschloß, zu Bett zu gehen.

Es war ein beruhigendes Gefühl, zu wissen, daß einige Leute von der Bedienung im Gasthaus beschlossen hatten, bis zum Morgen aufzubleiben. Außerordentlich müde und abgespannt legte ich mich nieder, und sofort war dieser Zustand verschwunden; ich war vollkommen wach, und jeder Sinn schien doppelt empfänglich geworden.

Zwei Stunden lang lag ich da und hörte dem Brausen des Sturmes und des Meeres zu. Jetzt bildete ich mir ein, ich hörte auf der See draußen Jammergeschrei, dann wieder, ich vernähme deutlich das Donnern der Signalkanonen und dann wieder das Zusammenstürzen von Häusern in der Stadt. Ich stand mehrere Male auf und schaute hinaus und konnte nichts sehen als in den Fensterscheiben das Spiegelbild der matten Kerze, die ich brennen gelassen, und meines eignen erschrockenen Gesichts, das mir aus der schwarzen Nacht heraus entgegenstarrte.

Endlich wuchs meine Ruhelosigkeit dermaßen, daß ich mich hastig in die Kleider warf und hinunterging. In der großen Küche, wo ich an der dunkeln Decke Speckseiten und Zwiebelzöpfe von den Balken herabhängen sah, hatten sich die Wachgebliebenen um einen Tisch gedrängt, den man aus Furcht, der Kamin könne herunterkommen, in die Nähe der Türe gerückt hatte. Ein hübsches Mädchen, das sich mit der Schürze die Ohren zugestopft und die Augen auf den Eingang gerichtet hielt, schrie laut auf, als sie mich erblickte, weil sie mich für einen Geist hielt. Die andern hatten mehr Geistesgegenwart und waren froh, daß ihre Gesellschaft Zuwachs erhielt. Einer fragte mich in bezug auf das

Gespräch, das sie eben gehabt hatten, ob ich glaube, daß die Seelen der Besatzung der untergegangenen Kohlenschiffe im Sturme umgingen.

Ich blieb wohl zwei Stunden unten. Der Sand, das Seegras und die Schaumflocken flogen vorbei, und ich mußte Beistand rufen, um das Tor gegen den Wind wieder schließen zu können.

Ein finsteres Düster herrschte in meinem einsamen Zimmer, als ich wieder zurückkehrte, aber ich war jetzt so müde, daß ich, als ich im Bette lag, wie von einem Turm in einen Abgrund hinunter in den tiefsten Schlaf fiel.

Mir ist, als ob auch in meinem Traum, trotzdem ich von ganz andern Orten und Umgebungen träumte, Sturm gewesen wäre. Endlich ging mir auch diese letzte schwache Verbindung mit der Wirklichkeit verloren, und ich stand mit zwei geliebten Freunden – wer sie waren, wußte ich nicht – bei der Belagerung einer Stadt mitten im Brüllen der Geschütze.

Der Kanonendonner dauerte so lang und ununterbrochen fort, daß ich etwas nicht hören konnte, was mir jemand zurief, bis ich eine große Anstrengung machte und aufwachte. Es war hellichter Tag – acht oder neun Uhr –, der Sturm brüllte anstatt der Batterien, und jemand klopfte an meine Tür und rief etwas.

»Was gibt es?« fuhr ich auf.

»Ein Schiff scheitert, dicht bei unserer Küste.«

Ich sprang aus dem Bett und fragte: »Was für ein Schiff?«

»Ein Schoner aus Spanien oder Portugal mit Früchten und Wein. Schnell, Sir, wenn Sies noch sehen wollen. Unten am Strande glauben sie, es werde jeden Augenblick in Trümmer gehen.«

Die aufgeregte Stimme eilte schreiend den Gang entlang, ich warf mich so rasch wie möglich in die Kleider und lief auf die Straße.

Eine Menge Leute rannten in allen Richtungen nach dem Strande. Ich folgte ihnen, überholte viele und bekam bald die rasende See zu Gesicht. Der Wind hatte ein ganz klein wenig nachgelassen, obgleich man es kaum merkte. Das Meer, von dem

Sturm der ganzen vorigen Nacht aufgewühlt, war noch unendlich viel schrecklicher, als ich es zuletzt gesehen.

Alles, was von Wasser zu sehen war, machte den Eindruck, als ob es geschwollen sei. Und die turmhohen Brandungswellen in endlosen Scharen einherjagen, sich überstürzen und auf den Strand losstürmen zu sehen, war grauenerregend.

Die Anstrengung, etwas anderes als das Tosen des Sturmes und der Wellen zu vernehmen, das Menschengewühl und die unsägliche Verwirrung und mein erster, den Atem benehmender Versuch, mich gegen den Sturm zu behaupten, machten, daß ich im Anfang das Wrack nicht erblicken konnte und nur die schaumgekrönten Gipfel der großen Wogen sah. Ein halb angekleideter Schiffer neben mir deutete mit seinem nackten Arm, auf dem ein Pfeil tätowiert war, der in derselben Richtung wies, nach links. Da sah ich es, Gott im Himmel, dicht vor uns.

Der Großmast war sechs oder acht Fuß über Deck glatt abgebrochen und hing über Bord, umstrickt von einem Labyrinth von Segeln und Rahen, und die ganze Masse schlug, wie sich der Schoner mit unbeschreiblicher Heftigkeit in den Wogen wälzte, mit der Seite auf die Wellen, als ob sie sich zerschmettern wollte. Die Besatzung war offenbar bemüht, den gebrochenen Mast zu kappen, denn wie das Schiff, das mit der Breitseite zum Lande zu lag, auf uns zutrieb, erkannte ich deutlich, wie die Mannschaft mit Äxten arbeitete. Besonders ein Mann mit langem Lockenhaar, der sich vor allen hervortat. Dann ertönte ein lauter Schrei durch den Sturm hindurch vom Strande her; eine gewaltige Sturzwelle schoß über das Schiff hinweg und riß Menschen, Spieren, Fässer, Planken, Schanzverkleidungen wie Spreu in die schäumenden Wogen.

Der zweite Mast stand noch unter den Fetzen eines Segels und einem vom Sturm hin und her geworfenen Gewirr zerrissenen Tauwerks. Der Schoner war einmal auf den Grund gestoßen, wie mir der halbnackte Schiffer heiser ins Ohr rief, dann hatten ihn die Wellen wieder gehoben und noch einmal aufgestoßen. Soviel ich den Mann verstand, sagte er, das Wrack müßte in der Mitte auseinanderbrechen, und ich konnte mir das leicht denken, denn es kämpfte und schlingerte so fürchterlich, daß kein Werk von Menschenhand es lange aushalten konnte. Wie er sprach, ertönte wieder ein lauter Schrei des Mitleids vom Strande her, und vier Männer sah man mit dem Wrack aus der Tiefe emportauchen. Sie hatten sich an das Tauwerk des noch übrigen Mastes geklammert; zuoberst erblickten wir die erbittert kämpfende Gestalt mit dem Lockenhaar.

Es war eine Glocke auf dem Schiff, und wie es sich auf den Wogen wälzte wie ein von der Verzweiflung des Wahnsinns gehetztes Geschöpf, bald das Deck in seiner ganzen Länge zeigend, wenn es sich der Küste zuneigte, dann wieder nur den Kiel, wenn es sich überstürzte, da läutete die Glocke, und der Wind trug ihren Schall wie das Totengeläute dieser Unglücklichen zu uns herüber. Wieder verloren wir das Schiff aus den Augen und wieder stieg es empor. Zwei Leute waren verschwunden. Die Aufregung am Strande nahm zu. Männer stöhnten und rangen die Hände; Frauen schrien vor Jammer und wandten ihr Gesicht ab. Einige rannten verzweifelt am Strande auf und ab und riefen um Hilfe, wo es keine gab. Ich war unter ihnen und flehte wie wahnsinnig eine Gruppe mir bekannter Seeleute an, diese zwei Unglücklichen doch nicht vor unsern Augen untergehen zu lassen.

Sie gaben mir in einer aufgeregten Weise zu verstehen – ich weiß nicht wie, aber das Wenige, was ich hören konnte, war unzusammenhängend und kaum verständlich –, daß das Rettungsboot schon vor einer Stunde ausgesetzt worden sei, daß man aber nichts tun könne, da es Wahnsinn wäre, den Versuch zu machen, mit einem Tau auf das Schiff zu gelangen, um eine Verbindung mit der Küste dadurch zu bewerkstelligen. Da bemerkte ich, daß ein neues Bild die Leute am Strande in Bewegung setzte, sah sie Platz machen und Ham hervorstürzen.

Ich lief zu ihm mit der ersten Absicht, meine Bitte um Hilfe zu wiederholen.

So verstört ich aber auch über den mir neuen und schrecklichen Anblick des scheiternden Schiffes war, so erweckten mich doch die Entschlossenheit in seinem Gesicht und sein eigentümlicher Blick auf das Meer hinaus – genau derselbe Blick wie damals am Morgen nach Emlys Flucht – zur Erkenntnis der Gefahr, in die er sich begeben zu wollen schien. Ich hielt ihn mit beiden Armen zurück und bat die Seeleute, mit denen ich eben gesprochen, flehentlich, nicht auf ihn zu hören, keinen Mord zu begehen und ihn nicht vom Strande fortzulassen.

Wieder lief ein Schrei das Ufer entlang, und als wir nach dem Wrack blickten, sahen wir, wie die Rahe den untern der beiden Männer Schlag für Schlag von seinem Halte wegriß und dann wie frohlockend die gewandte erbittert kämpfende Gestalt, die noch allein am Maste festhielt, umflog.

Gegen einen solchen Anblick und eine Entschlossenheit wie die des ruhigen, todesmutigen Menschen, der gewohnt war, in solchen Fällen der Hälfte der Anwesenden zu befehlen, hätte ich mit ebensowenig Hoffnung kämpfen können wie gegen den Sturm. »Masr Davy«, sagte er und ergriff lebhaft meine beiden Hände, »wenn mien Tied kamen, hew ick nix dawider. Der Herr droben segne Sie und alle. Fertig! Stüerlüt! Ick gau.«

Ich wurde freundlich aber energisch beiseite geschoben, und die Leute hielten mich fest und stellten mir vor, soweit ich in meiner Verwirrung begreifen konnte, daß er entschlossen sei, mit oder ohne Unterstützung das Wrack zu erreichen, und daß ich die Sicherheitsmaßregeln gefährden könnte, wenn ich mich jetzt störend einmischte. Ich weiß nicht, was ich antwortete und was sie wieder darauf sagten, aber ich sah, wie die Leute am Strande eilig hin und her liefen und mit starken Tauen von einer dort befindlichen Ankerwinde herbeieilten und in den Kreis der Männer traten, der Ham vor mir verbarg. Und dann sah ich ihn allein stehen in Seemannsjacke und -hosen, ein Tau in der Hand oder um den Arm geschlungen, ein zweites um den Leib befestigt, während verschiedne der besten Leute in geringen Entfernungen es festhielten und er es selbst auf dem Strande an dem Ufer entlang legte.

Das Wrack zerschellte. Das konnte selbst mein ungeschultes

Auge deutlich erkennen. Ich sah, wie es in der Mitte auseinanderbarst, und daß das Leben des einzig Übriggebliebenen an einem Faden hing. Immer noch hielt der Mann sich fest. Er hatte eine merkwürdige rote Mütze auf dem Kopf – nicht wie eine Matrosenmütze, sondern von schönerer Farbe –, und wie die wenigen Planken, die noch zwischen ihm und dem Tode aushielten, vor der Gewalt der Wogen erzitterten und sein Totengeläute im voraus erscholl, da sahen wir alle, wie er uns mit der Mütze winkte. Ich sah es und glaubte wahnsinnig zu werden, als seine Bewegung die Erinnerung an einen einst geliebten Freund deutlich in meiner Seele wachrief.

Ham stand allein am Strand. Die Menge hinter ihm hielt den Atem an und er beobachtete die Brandung, bis sich eine große Woge vom Strand zurückwälzte. Dann warf er einen Blick über die Schulter auf die, die das Tau hielten, das um seinen Leib befestigt war, und stürzte der Welle nach. Und einen Augenblick später sah man ihn mit den empörten Wogen ringen; er stieg mit den Kämmen empor und sank in die Täler herab; dann war er im Schaum verschwunden, und sie zogen hastig das Tau an. Er hatte sich verletzt. Ich konnte Blut auf seinem Gesicht sehen, aber er achtete nicht darauf. Er schien den Männern zu sagen, wieviel Spielraum sie lassen müßten, aus den Bewegungen seines Arms zu schließen, und stürzte sich wieder ins Meer.

Und jetzt schwamm er nach dem Wrack, hob sich mit den Hügeln, sank hinunter mit den Tälern, verlor sich im tosenden Schaum, wurde nach dem Strand zurückgeworfen und wieder zum Schiffe zugetrieben und kämpfte angestrengt und erbittert. Die Entfernung war unbedeutend, aber die Gewalt der Wogen und des Sturmes machten es zu einem Todeskampf. Endlich war er dem Wrack ganz nahe gekommen, so nahe, daß er es mit einer kräftigen Armbewegung mehr hätte erreichen können, – da wälzte sich eine hohe grüne Mauer küstenwärts über das Wrack hinweg. Er schien hineinzutauchen mit einer gewaltigen Anstrengung, und alles war verschwunden.

Ein paar einzelne Trümmer sah ich im Meere wirbeln, wie

wenn bloß ein Faß zerschellt wäre, als ich nach der Stelle eilte, wo sie das Tau einholten. Bestürzung lag auf jedem Gesicht. Sie zogen ihn vor meinen Füßen heraus – bewußtlos. – Tot.

Sie trugen ihn nach dem nächsten Haus, und da mich jetzt niemand mehr fernhielt, blieb ich bei ihm, bis jedes Mittel, ihn wieder ins Leben zu rufen, versucht war. Aber die große Welle hatte ihn an eine Klippe geschleudert, und sein edles Herz stand still für immer.

Als jede Hoffnung geschwunden und alles versucht war, da rief ein Fischer, der mich schon gekannt hatte, als Emly und ich noch Kinder waren, an der Türe flüsternd meinen Namen.

»Sir«, sagte er, während Tränen über sein wetterhartes Gesicht liefen, das bis in die Lippen leichenblaß war, »wollen Sie einmal herauskommen.«

Die alte Erinnerung, die mir vorhin eingefallen, lag auch in seinem Blick. Entsetzt fragte ich ihn, auf seinen hingehaltenen Arm gestützt:

»Ist eine Leiche angeschwemmt worden?«

»Ja, Sir.«

»Kenne ich sie?«

Er gab keine Antwort und führte mich zum Strande. Auf der Stelle, wo Emly und ich als Kinder Muscheln gesucht hatten, – auf der Stelle, wo ein paar kleine Trümmer des in der vorigen Nacht vom Sturm zerstörten alten Boothauses zerstreut lagen, – unter den Trümmern des Herdes, den er geschändet, sah ich *ihn* mit dem Kopf auf dem Arme ruhend liegen, wie ich ihn so oft hatte in der Schule schlummern sehen.

56. Kapitel

Die neue Wunde und die alte

O Steerforth, du hättest bei unserm letzten Zusammensein nicht zu sagen brauchen: Denke an mich immer in der besten Weise. Ich hatte es immer getan, und konnte es jetzt bei diesem Anblick anders werden?!

Sie holten eine Bahre und legten ihn darauf, deckten ihn mit einer Flagge zu und trugen ihn zu den Häusern hin. Die Männer, die ihn trugen, hatten ihn alle als heitern und verwegenen Jüngling gekannt und waren oft mit ihm auf dem Meere gewesen. Sie trugen ihn durch das wilde Getöse, den einzig totenstillen Fleck inmitten des Tumultes, und brachten ihn zu der Hütte, wo der Tote lag.

Aber als sie die Bahre auf der Schwelle niedersetzten, sahen sie einander an und dann mich und flüsterten untereinander. Ich wußte warum. Es war ihnen, als sei es nicht recht, ihn in demselben stillen Zimmer ruhen zu lassen.

Wir gingen in die Stadt und trugen die Leiche nach dem Gasthaus.

Sobald ich meine Gedanken nur einigermaßen sammeln konnte, schickte ich nach Joram und bat ihn, einen Wagen zu bestellen, in dem ich die Leiche noch in der Nacht nach London schaffen könnte. Ich fühlte, daß die schwere Pflicht, seine Mutter auf die Schreckensbotschaft vorzubereiten, mir oblag, und ich wollte sie so getreulich wie möglich erfüllen.

Ich wählte die Nacht zu meiner Reise, um weniger Aufsehen in der Stadt zu erregen. Obgleich es fast Mitternacht war, als ich mit dem Wagen den Hof des Gasthauses verließ, warteten noch viele Leute davor. An einzelnen Stellen, selbst eine Strecke weit auf die Landstraße hinaus, warteten noch andere, aber endlich war ich allein mit der öden Nacht, das offene Land um mich her, und der Asche meiner Jugendfreundschaft.

Es war ein warmer Herbsttag gegen Mittag, und welke Blätter bedeckten den Erdboden, – rot, gelb und braun gefärbt standen die Bäume, von der Sonne durchglänzt, da kam ich in Highgate an. Ich ging die letzte Viertelstunde zu Fuß, in Gedanken mit dem beschäftigt, was ich vorhatte, und ließ den Wagen mit der Leiche bis auf weitere Befehle haltmachen.

Als ich das Haus erreichte, sah es aus wie immer. Kein Vorhang war aufgezogen, und nichts regte sich auf dem stillen gepflasterten Hof, von dem aus der gedeckte Gang zur Türe führte. Der Wind hatte sich ganz gelegt und alles war still.

Ich hatte kaum den Mut zu läuten, und als ich es endlich wagte, da war mir, als ob der Ton der Glocke schon meine Botschaft verriete. Das kleine Dienstmädchen kam mit dem Schlüssel in der Hand heraus, sah mich aufmerksam an, während sie aufschloß, und sagte:

»Ich bitte um Verzeihung, Sir, sind Sie unwohl?«

»Ich bin in großer Aufregung gewesen und sehr ermüdet.«

»Ist etwas vorgefallen, Sir? – Mr. James –?«

»Still!« sagte ich. »Ja, es ist etwas vorgefallen, auf das ich Mrs. Steerforth vorzubereiten habe. Ist sie zu Hause?«

Das Mädchen gab erschrocken zur Antwort, daß ihre Herrin sehr selten das Haus verlasse, selbst nicht im Wagen, daß sie keine Gesellschaft empfange, mich aber gewiß vorlassen würde. Sie wäre bereits aufgestanden, und Miss Dartle sei bei ihr. Was sie oben ausrichten sollte?

Ich schärfte ihr aufs strengste ein, sich nichts anmerken zu lassen, nur meine Karte abzugeben und zu sagen, ich wartete unten; dann setzte ich mich im Empfangszimmer nieder.

Der frühere angenehme Anstrich von Bewohntsein war aus dem Zimmer verschwunden, und die Laden standen halb zu. Die Harfe war wohl lange, lange nicht berührt worden. Sein Bild als Knabe hing noch da. Der Schrank, in dem seine Mutter seine Briefe aufbewahrte, stand noch in der Ecke. Ich fragte mich, ob sie sie jetzt wohl noch läse, – ob sie sie jemals wieder lesen würde.

So still war es im Haus, daß ich des Mädchens leichten Schritt auf der Treppe hörte. Mrs. Steerforth ließ mir sagen, sie wäre nicht wohl und könnte nicht herunterkommen. Wenn ich mich jedoch in ihr Zimmer bemühen wollte, würde sie sich freuen mich zu sehen. In wenigen Augenblicken stand ich vor ihr.

Sie war in seinem Zimmer und nicht in ihrem. Ich ahnte natürlich, daß sie es wegen der Erinnerung an ihn bezogen hatte, und daß die vielen Zeichen seiner alten Beschäftigungen und Sports, die sie umgaben, aus dem gleichen Grunde unberührt geblieben waren. Aber selbst, als sie mich empfing, murmelte sie die Ausflucht, daß ihr eignes Zimmer für ihren jetzigen Zustand nicht geeignet sei, und wies mit ihrem stolzen Blick auch die leiseste Ahnung der Wahrheit zurück.

Neben ihrem Stuhl stand wie gewöhnlich Rosa Dartle. In der ersten Sekunde, wo ihre dunkeln Augen auf mir ruhten, erkannte ich, daß sie erriet, ich sei der Überbringer schlimmer Nachrichten. Die Narbe wurde sogleich sichtbar.

Sie trat einen Schritt hinter den Stuhl, um Mrs. Steerforth ihr Gesicht nicht sehen zu lassen, und musterte mich mit einem durchbohrenden Blick, ohne mit den Wimpern zu zucken.

»Ich bedaure sehr, Sie in Trauer zu sehen, Sir«, sagte Mrs. Steerforth.

»Ich bin leider Witwer geworden.«

»Sie sind sehr jung für einen so großen Verlust. Es tut mir von Herzen leid, es zu hören. Wirklich von Herzen leid. Ich hoffe, die Zeit wird ihre Wunde heilen.«

»Ich hoffe, die Zeit«, sagte ich und sah sie an, »wird unser aller Wunden heilen. Liebe Mrs. Steerforth, wir müssen in unserm schwersten Mißgeschick alle darauf vertrauen!«

Der Ernst meines Wesens und die Tränen in meinen Augen versetzten sie in Unruhe. Der Lauf ihrer Gedanken schien innezuhalten und eine andere Richtung zu nehmen.

Ich versuchte, meine Stimme zu beherrschen, als ich leise seinen Namen aussprach, aber sie zitterte. Sie wiederholte ihn zwei- oder dreimal leise, dann wendete sie sich mit erzwungener Fassung an mich und fragte:

»Mein Sohn ist krank?«

»Sehr krank!«

»Sie haben ihn gesehen?«

»Ja.«

»Haben Sie sich mit ihm ausgesöhnt?«

Ich konnte nicht Ja, ich konnte nicht Nein sagen. Sie wendete den Kopf zur Seite, wo Rosa Dartle noch eben gestanden, und in diesem Augenblick sagte ich mit einer Bewegung meiner Lippen zu Rosa:

»Tot.«

Damit Mrs. Steerforth sich nicht umsähe und alles erriete, suchte ich rasch wieder ihren Blick.

Aber ich hatte gesehen, wie Rosa Dartle die Hände voll Verzweiflung und Entsetzen empor zum Himmel streckte und sich dann das Gesicht damit bedeckte.

Die schöne, alte Dame – o, wie glichen ihre Züge ihm! – sah mich mit einem starren Blick an und legte die Hand an ihre Stirn. Ich bat sie, sich zu fassen und Kraft zu sammeln, um das, was ich ihr zu sagen hätte, anhören zu können; aber ich hätte sie lieber bitten sollen zu weinen, denn sie saß da wie ein Bild von Stein.

»Als ich das letzte Mal hier war«, begann ich mit bebender Stimme, »erzählte mir Miss Dartle, er segle auf dem Meer herum. Vorgestern nachts war ein schreckliches Unwetter. Wenn er in dieser Nacht auf dem Meer war und in der Nähe einer gefährlichen Küste, wie es der Fall gewesen sein soll, und wenn das Schiff, das man gesehen hat, wirklich das Schiff sein sollte, das – «

»Rosa!« sagte Mrs. Steerforth, »komm zu mir!«

Sie kam, aber ohne Teilnahme und Zärtlichkeit. Sie trat vor die Mutter, und ihre Augen flackerten wie Feuer, und sie brach in ein gräßliches Lachen aus.

»Jetzt ist dein Stolz befriedigt, du Wahnsinnige«, schrie sie. »Jetzt hat er es dir gebüßt – mit seinem Leben, hörst du? Mit seinem Leben!«

Mrs. Steerforth fiel regungslos in ihren Stuhl zurück; nur ein leises Stöhnen kam aus ihrem Munde, und sie starrte Miss Dartle mit aufgerißnen Augen an.

»Ja!« rief Rosa und schlug sich leidenschaftlich auf die Brust. »Sieh mich an! Ächze und stöhne und sieh mich an! Sieh her!« Sie berührte die Narbe. »Sieh deines toten Kindes Kunststück!«

Das Stöhnen der Mutter zerriß mir das Herz. Es blieb sich immer gleich. Unartikuliert und dumpf. Es war immer von einer zuckenden Bewegung des Kopfes begleitet, und keine Veränderung zeigte sich in ihrem Gesicht. Es tönte aus einem starren Munde durch die zusammengepreßten Zähne hindurch, als ob die Kinnladen den Krampf hätten und das Gesicht in Schmerz erstarrt wäre.

»Weißt du noch, wann er das tat? Weißt du noch, wie er, auch in seinem Charakter dein Sohn, verzogen von dir in seinem Stolz und seinen Leidenschaften, das tat und mich fürs ganze Leben entstellte? Sieh mich an, gezeichnet bis zu meinem Tode durch seine hohe Ungnade, und ächze und stöhne nur, daß du ihn dazu gemacht hast.«

»Miss Dartle«, bat ich. »Um Gottes willen –«

»Ich *will* sprechen«, sagte sie und sah mich mit ihren flackernden Augen an. »Schweigen Sie!«

»Sieh mich an, sage ich, du stolze Mutter eines stolzen falschherzigen Sohnes! Stöhne, daß du ihn verdorben hast. Stöhne um deinen Verlust und um den meinen.«

Sie ballte die Faust, und ihre hagere abgezehrte Gestalt zitterte, als ob die Leidenschaft sie zollweise töten wollte.

»Du warst gekränkt über seinen Eigenwillen, du warst durch seinen Stolz verletzt! Du warfst ihm die beiden Eigenschaften vor, die du ihm mitgabst, als er geboren wurde. Du selbst hast bereits in der Wiege verkrüppelt, was er hätte werden können. Bist du jetzt belohnt für die vielen Jahre der Sorge?«

»Miss Dartle, schämen Sie sich! Welche Grausamkeit!«

»Und ich sage Ihnen, ich *will* zu ihr sprechen! Keine Macht auf Erden soll mich davon abhalten, solange ich hier stehe. Habe ich die ganzen Jahre hindurch geschwiegen und soll jetzt nicht sprechen?« Sie wendete sich leidenschaftlich wieder gegen die Mutter.

»Ich habe ihn heißer geliebt, als du je fähig gewesen bist. Ich hätte ihn lieben können ohne Gegenliebe zu verlangen. Wäre ich seine Frau gewesen, ich hätte für ein Wort der Liebe das ganze Jahr die Sklavin seiner Launen sein können. Ja, ich hätte es können! Wer weiß das besser als ich! Du warst tyrannisch, stolz, pedantisch und selbstsüchtig. Meine Liebe wäre aufopfernd gewesen, – sie hätte den weinerlichen Jammer deiner Liebe mit Füßen getreten.«

Ihre Augen flammten, und sie stampfte auf den Fußboden.

»Sieh her«, schrie sie und schlug sich wild auf die Narbe. »Als er einsehen gelernt, was er getan hatte, da bereute er es. Ich durfte ihm vorsingen und ihn unterhalten; und Teilnahme für alles, was er tat, an den Tag legen und alles das lernen, was ihn am meisten interessierte; – ich zog ihn an. Als er am frischesten und wahrhaftigsten war, da liebte er mich. Ja, er liebte mich! Oft, wenn er dich mit einem leichten Wort abfertigte, hat er dann mich an sein Herz geschlossen.«

Sie sagte es mit höhnischem Stolz inmitten ihres Wahnsinns, aber mit einer leidenschaftlichen Erinnerung, in der sich die glimmenden Funken eines zärtlichen Gefühls für den Augenblick entzündeten.

»Ich sank zuletzt – wie ich wohl hätte wissen können, wäre ich nicht von seiner fast noch knabenhaften Liebe berückt gewesen – zu einer Puppe herab, zu einem Spielzeug in müßigen Stunden, das er fallenließ und wieder hernahm, wie die Laune es ihm eingab. Und wie er meiner müde wurde, so wurde auch ich seiner müde. Als die Laune seiner Liebe gestorben war, hätte ich sowenig versucht, die Macht, die ich über ihn besessen, wiederzugewinnen, als ich ihn geheiratet hätte, und wenn man mich dazu gezwungen haben würde. Wir trennten uns, ohne ein Wort zu verlieren. Vielleicht hast du es gesehen, und es tat dir nicht leid. Seit jener Zeit war ich euch beiden ein beschädigtes Stück Hausgerät geworden ohne Augen, Ohren, Empfindungen und Erinnerungen.

Du stöhnst? Stöhne nur, weil du ihn dazu gemacht hast. Und nicht aus Schmerz um seinen Tod! Ich sage dir, es gab eine Zeit, wo ich ihn heißer liebte, als du jemals imstande gewesen wärest.«

Ihre zornfunkelnden Augen begegneten dem verstörten Blick und dem starren Gesicht der Mutter und wurden bei ihrem Stöhnen nicht sanfter, als ob ihr Antlitz ein Bild gewesen wäre.

»Miss Dartle«, sagte ich, »wie können Sie nur so unbarmherzig sein, daß Sie nicht für diese trauernde Mutter fühlen!«

»Wer fühlt für mich?« entgegnete sie heftig. »Sie hat die Saat gepflanzt. Soll sie klagen und jammern über die Ernte!«

»Und wenn seine Fehler –« fing ich an.

»Fehler!« rief sie aus und brach in leidenschaftliche Tränen aus. »Wer wagt ihn zu verleumden. Er hatte eine Seele, die Millionen der Freunde wert war, zu denen er sich herabließ.«

»Niemand kann ihn mehr geliebt haben als ich. Niemand ist er eine teurere Erinnerung als mir«, entgegnete ich. »Ich wollte sagen, wenn Sie kein Mitleid mit seiner Mutter haben, oder wenn seine Fehler – Sie selbst haben sich bitter darüber ausgesprochen –«

»Das ist nicht wahr«, schrie sie und raufte sich das schwarze Haar. »Ich habe ihn geliebt.«

»– sich in einer solchen Stunde nicht aus Ihrem Gedächtnis verwischen lassen, so sehen Sie doch diese gebrochene Gestalt hier an und leisten Sie ihr Hilfe.«

Die ganze Zeit über war Mrs. Steerforth starr geblieben, und kein Zug in ihrem Gesicht hatte sich verändert. Regungslos, mit weit offenem verstörtem Blick wie vorhin, dann und wann mit einer hilflosen Bewegung des Kopfes, einen unartikulierten Ton ausstoßend, ohne sonst ein Lebenszeichen von sich zu geben!

Miss Dartle kniete plötzlich vor ihr nieder und fing an, ihr das Kleid zu öffnen.

»Seien Sie verflucht«, sagte sie und sah sich, mit einem Ausdruck von Wut und Schmerz zugleich, nach mir um. »Sie sind in einer bösen Stunde hierher gekommen. Seien Sie verflucht! Gehen Sie!«

Ich wollte das Zimmer verlassen, dann eilte ich zurück, um zu klingeln und die Dienerschaft so rasch wie möglich herbeizurufen. Sie hatte die regungslose Gestalt in ihre Arme geschlossen, weinte vor ihr auf den Knien, küßte sie, rief sie beim Namen und wiegte sie an ihrer Brust wie ein Kind und versuchte jedes zärtliche Mittel, die schlummernden Sinne der Bewußtlosen wieder zu erwecken.

Ich sah, daß ich keine Furcht mehr haben mußte, und kehrte leisen Schrittes wieder um.

Zu einer späteren Stunde kehrte ich zurück, und wir legten den Leichnam in das Zimmer der Mutter. Ihr Zustand war noch immer derselbe, sagte man mir. Miss Dartle verließ sie keinen Augenblick. Ärzte waren herbeigerufen und viele Mittel versucht worden, aber sie lag da wie eine Statue und ließ nur dann und wann einen leisen Klagelaut hören.

Ich schritt durch das Haus der Trauer und zog die Vorhänge vor den Fenstern zu. Die, wo er lag, verhüllte ich zuletzt.

Ich hob die starre Hand empor und drückte sie an mein Herz, und die ganze Welt schien tot und voll von Schweigen zu sein, das nur von dem Stöhnen der Mutter unterbrochen wurde.

57. Kapitel

Die Auswanderer

Noch eins blieb mir zu tun. Ich mußte das Geschehen den Abreisenden verheimlichen und sie in glücklicher Unwissenheit scheiden lassen. Es galt keine Zeit zu verlieren.

Ich nahm Mr. Micawber noch am selben Abend beiseite und betraute ihn mit dem Auftrag, von Mr. Peggotty jede Nachricht von dem neuen Unglück fernzuhalten. Er übernahm das Amt mit großem Eifer und versprach jede Zeitung zu beseitigen, die unsere Maßnahme hätte vereiteln können.

»Wenn er eine in die Hand bekommt, Sir«, sagte Mr. Micawber und schlug sich auf die Brust, »so muß sie erst durch diesen Leib gehen.«

Mr. Micawber hatte sich in seiner Sucht, sich den neuen gesellschaftlichen Zuständen anzupassen, eine Art kühne Seeräubermiene angewöhnt, die, wenn auch nicht gerade aggressiv, so doch bereit aussah, jeden Angriff auf der Stelle zurückzuweisen. Man hätte ihn für einen Sohn der Wildnis halten können, der, seit langem gewohnt, sich jenseits der Grenzen der Zivilisation aufzuhalten, jetzt im Begriffe stand, in die heimatliche Steppe zurückzukehren. Er hatte sich unter anderm einen vollständigen Ölzeuganzug angeschafft und einen Strohhut mit sehr niedrigem Kopf, der außen mit Pech gedichtet oder kalfatert war. In dieser Tracht, ein Seemannsfernrohr unter dem Arm und mit einer gewissen gewiegten Miene häufig nach Sturm in den Wolken spähend, sah er in seiner Weise viel nautischer aus als Mr. Peggotty. Die ganze Familie stand sozusagen in Schlachtordnung. Mrs. Micawber trug einen unglaublich engen und unbequemen Hut unter dem Kinn zugebunden und einen auf dem Rücken zugeknoteten Schal, der sie wie ein Bündel einhüllte. Miss Micawber hatte sich in ähnlicher Weise gegen stürmisches Wetter wohl verwahrt, und nichts Unzweckmäßiges war an ihr zu sehen. Master Micawber in seinem wollenen Matrosenhemd und den zottigsten Matrosenhosen, die es geben konnte, war kaum erkenntlich, und die Kinder waren wie Konserven in luftdichte Gehäuse eingeschlossen. Sowohl Mr. Micawber wie sein ältester Sohn trugen die Ärmel aufgestreift, zum Zeichen, daß sie bereit seien, überall Hand anzulegen und bei der geringsten Aufforderung aufzuspringen oder zu singen: Hoo, Jüh, Hoo.

So fanden Traddles und ich sie beim Anbruch der Nacht an der hölzernen Treppe, die damals Hungerford Stairs hieß, wo sie der Abfahrt eines Bootes mit einigen ihrer Sachen zusahen. Die Familie wohnte in einem kleinen schmutzigen baufälligen Wirtshaus, das dicht an der Treppe lag und dessen hölzerne Stockwerke über den Fluß hingen. Sie hatten als Auswanderer einiges Interesse in und um Hungerford erregt, und so viel Zuschauer waren herbeigeströmt, daß wir froh waren, uns in ihr Zimmer flüchten zu können. Es lag eine Treppe hoch, und unten strömte die Flut dahin.

Meine Tante und Agnes, emsig beschäftigt für die Kinder noch einige bequeme Kleidungsstücke zu verfertigen, saßen bereits dort. Peggotty half ruhig mit, das alte Arbeitskästchen, das Ellenmaß und den Wachsstumpf neben sich, die schon so viel mitgemacht hatten.

»Wann segelt das Schiff ab, Mr. Micawber?« fragte meine Tante.

Er glaubte wahrscheinlich, meine Tante oder seine Frau nur nach und nach vorbereiten zu dürfen, und antwortete: Früher, als er gestern geglaubt hätte.

»Das Boot hat Ihnen wohl die Nachricht gebracht?«

»Ja, Maam.«

»Nun, und wann geht das Schiff?«

»Maam, ich habe Nachricht erhalten, daß wir morgen früh Punkt sieben Uhr an Bord sein müssen.«

»Der Tausend«, sagte meine Tante. »Das ist früh. Ist es wirklich so, Mr. Peggotty?«

»Freilich, Maam. Es geht mit der Flut den Fluß hinunter. Wenn Masr Davy un mien Swester morgen nachmiddag in Gravesend an Burd kamen, warden Sei uns dat letzte Mal seihn.«

»Und wir kommen natürlich bestimmt.«

Es war nicht leicht, Peggotty und ihrem Bruder, ohne etwas von dem Unglücksfall zu verraten, zuzuflüstern, daß ich den Brief abgegeben, und daß alles in Ordnung sei. Aber ich tat beides und machte sie glücklich.

»Bis dahin und bis wir auf offnem Meere sind«, bemerkte Mr. Micawber und warf mir einen Blick des Einverständnisses zu, »werden Mr. Peggotty und ich beständig die schärfste Aufsicht über unsere Sachen führen. Meine liebe Emma«, sagte er und räusperte sich in seiner großartigen Weise, »mein Freund Mr. Thomas Traddles ist so gütig, mir ins Ohr zu flüstern, ob er die zur Anfertigung einer mäßigen Portion des Getränkes, dessen Name in unserm Geiste so unauflösbar mit dem bekannten Roastbeef Altenglands verknüpft ist, notwendigen Ingredenzien verschaffen solle. Ich meine – kurz Punsch. Unter normalen Umständen würde ich nicht wagen, Miss Trotwood und Miss Wickfield einzuladen, aber – «

»Was mich betrifft«, sagte meine Tante, »so werde ich mit dem größten Vergnügen auf Ihr Wohl und zukünftiges Glück trinken.«

»Und ich auch«, sagte Agnes mit einem Lächeln.

Mr. Micawber eilte unverzüglich in die Schenkstube hinunter, wo er ganz zu Hause zu sein schien, und kehrte bald darauf mit einem dampfenden Krug zurück. Ich bemerkte, daß er die Zitronen mit seinem eignen Klappmesser schälte, das wie ein echtes Trappermesser fast einen Fuß lang war und das er ostentativ an seinem Rockärmel abwischte. Mrs. Micawber und die beiden ältern Mitglieder der Familie waren, wie ich jetzt entdeckte, im Besitz derselben ansehnlichen Waffen, während jedes Kind an einer starken Schnur seinen eignen hölzernen Löffel um den Leib trug. Als eine ähnliche Vorbereitung auf das Leben zur See und im australischen Busch schenkte Mr. Micawber den Punsch statt in die Weingläser, von denen ein ganzer Tisch voll im Zimmer stand, in abscheuliche kleine Zinntöpfe ein, und niemals habe ich ihn mit so großer Lust trinken sehen als jetzt aus seinem eignen Zinntopf, den er am Schluß des Abends in die Tasche steckte.

»Die Üppigkeiten des alten Landes«, sagte er mit außerordentlichem Genuß in Entsagung schwelgend, »werden jetzt aufgegeben. Die Bewohner des Urwaldes dürfen nicht an den Verfeinerungen des Landes der Freiheit teilnehmen.«

In diesem Augenblick trat ein Bursche herein und meldete, daß jemand Mr. Micawber zu sprechen wünschte.

»Eine Ahnung sagt mir«, rief Mrs. Micawber und setzte ihr Blechkännchen aus der Hand, »daß es ein Mitglied meiner Familie ist.«

»Sollte das der Fall sein, meine Liebe«, bemerkte Mr. Micawber mit seinem gewohnten Aufbrausen, »so kann das Mitglied deiner Familie – wer er, sie oder es auch immer sein mag – so lange warten, bis es mir gefällig ist. Sie haben lange genug nichts von sich hören lassen.«

»Micawber – in einem Augenblick wie diesem – «

»Emma, du hast recht«, lenkte Mr. Micawber ein und stand auf. »Es ist nicht billig, daß jede kleine Schuld sogleich ihren Tadel findet.«

»Der Verlust«, bemerkte Mrs. Micawber, »trifft meine Familie und nicht dich. Wenn sie endlich fühlen, um wieviel sie sich durch ihre eigne Schuld gebracht haben, und jetzt in Freundschaft die Hand ausstrecken, so stoße sie nicht zurück!«

»Liebe Frau, so sei es.«

»Wenn nicht ihretwegen, dann meinetwegen, Micawber!«

»Emma«, entgegnete er, »ich vermag dir nicht zu widerstehen. Kann ich mich auch in diesem Augenblick noch nicht bestimmt verpflichten, deiner Familie um den Hals zu fallen, so soll doch dem jetzt wartenden Mitglied die Wärme des Herzens durch meine Schuld nicht erstarren. «

Er entfernte sich und blieb geraume Zeit aus. Mrs. Micawber konnte sich der Befürchtung nicht erwehren, es möchte zwischen ihm und dem betreffenden Familienmitglied ein Streit entstanden sein. Endlich erschien derselbe Bursche wieder und übergab mir einen mit Bleistift geschriebenen Zettel, auf dem in juridischer Weise »Heep kontra Micawber« stand. Ich las, daß Mr. Micawber, abermals in Haft, sich im letzten Stadium der Verzweiflung befände und mich bäte, ihm durch den Überbringer sein Messer und seine zinnerne Kanne zu schicken, da sie ihm in dem noch übrigen kurzen Rest seiner Tage im Gefängnis vielleicht von Nutzen sein könnten. Er bat mich auch, als einen letzten Freundschaftsbeweis seine Familie in das Armenhaus der Gemeinde zu begleiten und zu vergessen, daß ein solches Geschöpf wie er jemals gelebt habe.

Natürlich beantwortete ich den Zettel damit, daß ich mit dem

Burschen hinunterging und das Geld bezahlte. Ich fand hier Mr. Micawber in einer Ecke sitzen und den Sheriffbeamten, der ihn in Haft genommen, mit finsterer Miene betrachten.

Nach seiner Freilassung umarmte er mich mit unbeschreiblicher Innigkeit und trug die Summe in sein Taschenbuch ein, wobei er sehr viel Gewicht auf den halben Penny legte, den ich versehentlich nicht angegeben hatte.

Dieses wichtige Taschenbuch erinnerte ihn gleichzeitig an ein anderes Geschäft. Bei unserer Rückkehr in das obere Zimmer zog er einen großen Bogen Papier heraus, der klein zusammengelegt über und über mit langen Zahlenreihen bedeckt war. Ich warf einen flüchtigen Blick darauf und kann sagen, nie, außer in einem Schulrechenbuch, sind mir solche Summen zu Gesicht gekommen. Es waren offenbar Zinseszinsberechnungen für ein Kapital von 41 £ 10 sh 11½ für verschiedene Perioden. Nach sorgfältiger Prüfung und einer detaillierten Abschätzung seiner Einkünfte hatte er die Summe herausgefunden, die den Betrag mit Zinseszinsen für zwei Jahre fünfzehn Monate und vierzehn Tage a dato repräsentierte. Über diesen Gesamtbetrag stellte er eine sauber geschriebene Schuldverschreibung aus und händigte sie unter vielen Dankesbeteuerungen Traddles als vollständige Tilgung seiner Schuld –, »wie es Männern geziemt«, aus.

»Ich habe immer noch die Ahnung«, sagte Mrs. Micawber und schüttelte gedankenvoll den Kopf, »daß meine Familie vor unserer Abreise an Bord erscheinen wird.«

Offenbar hatte Mr. Micawber über diese Ahnung seine besondere Meinung, aber er verschluckte sie mit einem Mund voll Punsch.

»Wenn Sie unterwegs Gelegenheit haben, Briefe abzuschikken, Mrs. Micawber«, sagte meine Tante, »müssen Sie uns natürlich Nachricht von sich geben.«

»Meine teuere Miss Trotwood, ich werde mich nur zu glücklich zu schätzen wissen, daß jemand von uns Nachricht erwartet. Ich werde gewiß nicht unterlassen zu schreiben. Ich hoffe, auch Mr. Copperfield wird als alter vertrauter Freund nichts dagegen haben, von Zeit zu Zeit Nachricht von jemand zu empfangen, der ihn kannte, als noch der Geist der Zwillinge schlummerte.«

Ich sagte, daß ich von ihr zu hören hoffte, sobald sie zum Schreiben Gelegenheit fände.

»Wenn es dem Himmel gefällt, wird sich oft derartige Gelegenheit ergeben«, mischte sich Mr. Micawber ein. »In dieser Jahreszeit ist der Ozean von einer Flotte von Schiffen bedeckt, und wir werden bei der Überfahrt zweifelsohne viele treffen. Es ist eine kurze Überfahrt«, sagte er und spielte mit seinem Augenglas. »Eine kurze Überfahrt. Entfernung ist etwas rein Imaginäres.« Es war sehr komisch, wie Mr. Micawber, der einstmals von einer Reise von London nach Canterbury gesprochen hatte, als ob er ans fernste Ende der Erde ginge, jetzt am Vorabend einer Fahrt von England nach Australien wie von einem kleinen Ausflug über den Kanal sprach.

»Auf der Fahrt werde ich den Leuten gelegentlich ein Seemannsgarn spinnen, und die melodiöse Stimme meines Sohnes Wilkins wird gewiß am Gallionenfeuer gerne gehört werden. Wenn Mrs. Micawber erst ihre Seebeine hat – ein Ausdruck, in dem, wie ich hoffe, keine konventionelle Ungehörigkeit liegt –, wird sie der Mannschaft voraussichtlich das Lied von ›Little Tafflin‹ vorsingen. Schweinsfische und Delphine werden häufig vor dem Bug unseres Schiffes auftauchen, und beständig wird auf Steuerbord oder Backbord irgendein interessanter Gegenstand zu bemerken sein. Kurz –«, sagte Mr. Micawber mit seiner alten großartigen Miene, »der Wahrscheinlichkeit nach werden wir alles in Luft und Wasser derart fesselnd finden, daß wir, wenn der Auslug vom Großmastkorb herab Land, ho! ruft, höchlichst überrascht sein werden.«

Damit schleuderte er die letzten Tropfen aus seinem Zinntöpfchen mit einem Gesicht fort, als ob er soeben die Reise vollendet und ein Examen ersten Ranges vor den höchsten Marineautoritäten abgelegt hätte.

»Was ich hauptsächlich hoffe, mein lieber Mr. Copperfield,

ist, daß wir dereinst in einigen Zweigen unserer Familie wieder in dem alten Lande fortleben werden. Runzle nicht die Stirn, Micawber. Ich spreche nicht von meiner eignen Familie, sondern von unsern Kindeskindern. So kräftig auch der Schößling ist«, sagte Mrs. Micawber, »so kann ich doch den Mutterstamm nicht vergessen, und wenn unser Geschlecht Ehre und Reichtum erlangt, so möchte ich wünschen, daß dieser Reichtum in Britannias Schoß fällt.«

»Meine Liebe«, sagte Mr. Micawber. »Britannia muß sich schon bescheiden. Ich muß gestehen, daß sie niemals viel für mich getan hat und daß ich in dieser Hinsicht keinen besonders brennenden Wunsch hege.«

»Micawber, hierin hast du unrecht. Du ziehst hinaus ins ferne Land, Micawber, um das Band zwischen dir und Albion zu stärken, nicht, um es zu schwächen.«

»Das fragliche Band, meine Liebe, hat mir so oft Lasten persönlicher Verpflichtung auferlegt, daß ich vor der Anknüpfung neuer Verbindungen zurückschrecke.«

»Micawber, auch hierin bist du im Unrecht. Du kennst deine Kraft nicht, Micawber, und diese grade wird die Bande zwischen dir und Albion stets befestigen, selbst bei dem Schritt, den du jetzt vorhast.«

Mr. Micawber saß mit emporgezognen Augenbrauen in seinem Lehnstuhl, den Ansichten seiner Gattin halb anerkennend, halb ablehnend zuhörend.

»Lieber Mr. Copperfield«, fuhr Mrs. Micawber fort, »ich wünschte, daß mein Gatte seine Lage überschaue. Es scheint mir von höchster Wichtigkeit zu sein, daß er es von der Stunde seiner Einschiffung an tue. Ihre alte Bekanntschaft mit mir, lieber Mr. Copperfield, wird Ihnen bestätigen, daß ich nicht den sanguinischen Charakter Micawbers teile. Ich bin sozusagen eminent praktisch veranlagt. Ich weiß, daß eine lange Reise vor uns liegt. Ich weiß, daß sie viele Entbehrungen und Unbequemlichkeiten mit sich bringen wird. Ich kann mich diesen Tatsachen nicht verschließen, aber ich weiß auch, was Mr. Micawber ist. Ich kenne

Mr. Micawbers schlummernde Kräfte, und darum halte ich es für unendlich wichtig, daß er seine Lage überschaue.«

»Liebe Frau, vielleicht wirst du mir die Bemerkung gestatten, es könne immerhin möglich sein, daß ich bereits im gegenwärtigen Augenblick meine Lage genau erkenne.«

»Ich glaube nicht, Micawber. Nicht so ganz! Lieber Mr. Copperfield, es liegt kein gewöhnlicher Fall vor. Mr. Micawber geht in ein fernes Land ausdrücklich deshalb, daß er dort zum ersten Mal vollkommen verstanden und gewürdigt werde. Ich wünsche, daß Mr. Micawber sich auf die Gallion des Schiffes stellt und mit fester Stimme sagt: ›Dieses Land will ich erobern, habt ihr Ehren, habt ihr Reichtümer? Habt ihr Ämter mit hoher Besoldung? Bringt sie mir dar, sie sind Mein.‹«

Mr. Micawber sah uns der Reihe nach mit einem Blick an, als ob viel Gutes in diesen Worten läge.

»Ich wünsche, daß Mr. Micawber, wenn ich mich so ausdrükken darf«, fuhr Mrs. Micawber in belehrendem Tone fort, »der Cäsar seines eignen Glückes wird. So, mein lieber Mr. Copperfield, scheinen mir die Dinge zu liegen. Vom ersten Augenblick der Reise an sollte sich Mr. Micawber auf die Gallion des Schiffes stellen und rufen: ›Genug des Harrens, genug der Enttäuschung, genug der ärmlichen Verhältnisse. Das war in dem alten Vaterlande. Hier liegt das neue. Sorgt für Entschädigung. Bringet sie dar!‹«

Mr. Micawber verschränkte mit entschlossenem Gesicht die Arme, als stünde er bereits auf dem Gallionenbilde.

»Und indem er das tut«, fuhr Mrs. Micawber fort, »und seine Stellung erfaßt, – habe ich nicht recht, wenn ich sage, er wird das Band mit Britannien kräftigen und nicht schwächen? Wenn er in jener Hemisphäre als einflußreicher Mann der Öffentlichkeit hervortritt, wird dann sein Einfluß nicht auch hier fühlbar sein? Wenn er den Zauberstab des Talentes und der Macht in Australien schwingt, dann sollte er in England nichts gelten? Das soll ich glauben? Ich bin nur ein Weib, aber ich würde Papas und meiner selbst unwürdig sein, wollte ich etwas Derartiges annehmen.«

Mrs. Micawbers feste Überzeugung, ihre Argumente seien unwiderleglich, verlieh ihrem Ton einen Schwung, wie ich ihn bei ihr noch nie gehört hatte.

»Und deshalb wünsche ich vor allem, daß wir in einer spätern Zukunft wieder den Boden des Vaterlandes betreten. Mr. Micawber kann gar leicht eine neue Seite im Buch der Geschichte bedeuten, und in dem Lande, das ihn geboren und ihn übersehen hat, muß er repräsentieren.«

»Liebe Frau«, fiel Mr. Micawber ein, »ich kann nicht anders, ich muß von deiner Liebe gerührt sein. Ich bin stets bereit, mich deiner größern Einsicht zu fügen. Was geschehen soll, wird geschehen. Der Himmel verhüte, daß ich meinem Vaterlande einen Teil der Schätze mißgönnen sollte, die vielleicht unsere Nachkommen anhäufen.«

»So ists recht«, bestätigte meine Tante und nickte Mr. Peggotty zu. »Und ich trinke euch allen meine Liebe zu, und mögen Segen und Erfolg euch begleiten.«

Mr. Peggotty setzte die beiden Kinder, die er auf den Knien geschaukelt hatte, nieder, um mit den Micawbers auf unser aller Wohl zu trinken; und als beim allgemeinen Händeschütteln ein Lächeln sein gebräuntes Gesicht erhellte, da wußte ich, er werde sich durchschlagen, einen guten Namen erringen und geliebt werden, mochte er hingehen, wohin er wollte. Selbst die Kinder mußten die hölzernen Löffel in Mr. Micawbers Blechtopf tauchen und uns damit zutrinken.

Dann standen meine Tante und Agnes auf und nahmen Abschied von den Auswanderern. Es war ein schmerzliches Lebewohl. Alle weinten; die Kinder hängten sich bis zum letzten Augenblick an Agnes, und wir verließen die arme Mrs. Micawber in sehr betrübter Gemütsverfassung, schluchzend und weinend bei dem trüben Licht, bei dem die Stube vom Flusse aus wie ein jämmerlicher kleiner Leuchtturm ausgesehen haben muß.

Ich ging am nächsten Morgen wieder nach dem Wirtshaus, um zu fragen, ob sie schon fort seien. Sie wären mit einem Boote schon früh um fünf Uhr abgefahren, hieß es. Es war für mich ein wunderbares Beispiel, welche Lücken ein Abschied reißen kann, als mir das baufällige Wirtshaus und die hölzerne Treppe zum Fluß, die ich doch erst seit gestern abend kannte, jetzt so öde und verlassen vorkamen.

Am nächsten Nachmittag fuhr ich mit meiner alten Kindsfrau hinaus nach Gravesend. Das Schiff lag im Flußhafen, umgeben von einer Flottille von Booten; ein günstiger Wind wehte, und das Signal zur Abfahrt flatterte an der Mastspitze. Ich mietete sogleich eine Jolle und fuhr nach dem Schiff, und wir stiegen an Bord.

Mr. Peggotty erwartete uns auf Deck. Er sagte mir, Mr. Micawber sei soeben wieder verhaftet worden, auf Betreiben Heeps, und er habe meiner Weisung gemäß das Geld ausgelegt. Dann nahm er uns hinunter ins Zwischendeck, und meine letzte Angst, daß er etwas von dem Unglück in Yarmouth gehört haben könnte, wurde von Mr. Micawber zerstreut, der aus dem Dunkel hervortrat, seinen Arm mit freundschaftlicher Gönnermiene nahm und mir erzählte, daß sie seit vorgestern abend kaum einen Augenblick voneinander getrennt gewesen wären. Alles war so fremdartig und in Dunkelheit gehüllt, daß ich anfangs kaum etwas erkennen konnte; erst allmählich gewöhnten sich meine Augen an die Finsternis, und mir war, als ob ich mitten in einem Gemälde von Ostade stünde. Zwischen den großen Balken, Ladungsstücken, Kisten, Fässern und bunten Haufen von Gepäck, hie und da von schwankenden Laternen an der Decke erleuchtet, während das gelbe Tageslicht sich da und dort durch die Luken hereinverirrte, standen dicht gedrängt Gruppen von Menschen, schlossen neue Freundschaften, nahmen Abschied voneinander, sprachen, lachten, weinten, aßen und tranken. Einige hatten sich bereits in dem ihnen zugewiesenen paar Fuß Raum häuslich eingerichtet, und kleine Kinder saßen auf Stühlchen oder Fußbänken; andere irrten trostlos umher, nach einem Zufluchtsort suchend. Vom Säugling an bis zu gebeugten Greisen und Greisinnen, die kaum mehr ein paar Wochen Leben vor sich hatten, von Ackerknechten, die buchstäblich Erde des alten England an ihren Stiefeln mit fortnahmen, bis zu den Schmieden, die Proben seines Rußes und Rauchs auf der Haut trugen, schienen jedes Alter und jeder Beruf in dem engen Raum des Zwischendecks eingepfercht zu sein.

Als ich umherblickte, glaubte ich an einer offenen Luke neben den kleinen Kindern eine Gestalt wie die Emlys sitzen gesehen zu haben. Sie zog zuerst meine Aufmerksamkeit durch eine andere Gestalt auf sich, die mit einem Kusse von ihr schied und, wie sie ruhig durch das Gewühl glitt, mich an – Agnes erinnerte. Aber in dem Getümmel verlor ich sie wieder, und ich wußte nur bei der Verwirrung meiner eignen Gedanken, daß die Zeit gekommen war, wo alle Besucher das Schiff verlassen sollten, daß meine Kindsfrau auf einer Kiste neben mir weinte und Mrs. Gummidge mit Hilfe einer jüngern Frauensperson in schwarzen Kleidern sich, über ihr Gepäck gebeugt, viel damit zu schaffen machte.

»Noch ein letztes Wort, Masr Davy. Haben wir noch etwas vergessen? Ehe wir Abschied nehmen.«

»Noch eins, Mr. Peggotty!« sagte ich, »nämlich Marta!«

Er legte die Hand auf die Schulter des schwarzgekleideten Mädchens neben Mrs. Gummidge, und Marta stand vor mir.

»Der Himmel segne Sie, Sie gutes Herz!« rief ich. »Sie nehmen Sie mit sich!«

Marta antwortete für ihn mit einem Tränenstrom. Ich konnte nicht reden, drückte ihm aber kräftig die Hand, und wenn ich jemals einen Menschen geliebt und hochgeschätzt habe aus tiefster Seele, so war es dieser.

Das Schiff wurde schnell von den Fremden geräumt. Noch blieb mir die größte Prüfung übrig. Ich richtete aus, was der Edle, der dahingegangen, mir zum Abschied aufgetragen hatte. Es rührte Mr. Peggotty tief. Und als er mir viele Worte der Liebe und Teilnahme für die Ohren, die jetzt tot und taub waren, auftrug, zerriß es mir das Herz.

Die Zeit des Abschieds war gekommen. Ich umarmte ihn, nahm die Hand meiner weinenden Kindsfrau und eilte fort. Auf dem Deck nahm ich Abschied von der armen Mrs. Micawber. Selbst jetzt noch wartete sie höchst beunruhigt auf ihre Familienmitglieder, und ihre letzten Worte waren, daß sie Mr. Micawber niemals verlassen werde.

Wir stiegen in unser Boot hinab und lagen in kleiner Entfernung still, um das Schiff abfahren zu sehen. Es lag zwischen uns und dem schönen stillen Abendrot, und jedes Tau und jede Spiere zeichneten sich scharf ab von der purpurnen Glut. Einen zugleich so schönen, so traurigen und hoffnungsreichen Anblick wie dieses herrliche Schiff, das ruhig auf dem bewegten Wasser lag, mit all seinem Leben an Bord, den Menschen, die sich hier an die Schanzverkleidungen drängten und dort zusammenstanden, schweigend und mit entblößtem Haupt, habe ich nie mehr gesehen. Wie die Brise die Segel schwellte und das Schiff sich zu regen begann, da erschollen aus all den Booten drei donnernde Hurras, die vom Schiffe her erwidert wurden. Mein Herz wollte zerspringen, als ich es hörte und die Hüte und Taschentücher schwenken sah. – Und dann erblickte ich – sie.

Dann sah ich sie an ihres Onkels Seite auf ihn gestützt. Er wies eifrig auf uns, und sie erblickte uns und winkte mir ein letztes Lebewohl zu. Umgeben von dem rosigen Licht und hoch auf dem Verdecke stehend, sie an ihn gelehnt, er sie festhaltend, schwanden sie mir aus den Augen, ein feierliches Bild.

Die Nacht war auf die kentischen Hügel gesunken, als wir ans Ufer ruderten, und umfing mich dunkel und düster.

58. Kapitel

Unterwegs

Eine lange finstere Nacht hüllte mich ein, von den Gespenstern teuerer Erinnerungen, vieler Irrtümer, mancher Sorge und Reue belebt.

Ich verließ England und erfaßte selbst da noch nicht, wie groß der Verlust war, den ich zu tragen hatte. Ich verließ alle, die mir lieb waren, und ging fort und glaubte, daß ich es überstanden hätte. Wie ein Soldat auf dem Schlachtfelde die Todeswunde empfängt und kaum weiß, daß er getroffen ist, so hatte ich, mit meinem ungeschulten Herzen jetzt allein gelassen, keinen Begriff von dem Schmerz, den es zu bekämpfen galt.

Die Erkenntnis kam über mich nicht schnell, sondern ganz langsam und allmählich. Das Gefühl der Öde, mit dem ich ins Ausland ging, wurde von Stunde zu Stunde weiter und tiefer. Zuerst war es der unbestimmte Druck von Gram und erlittenem Verlust, dann wurde es unmerklich ein hoffnungsloses Bewußtsein alles dessen, was ich verloren – Liebe, Freundschaft, Lust am Leben –, alles dessen, was zertrümmert war, – meines ersten Vertrauens, meiner ersten Liebe, des ganzen Luftschlosses meines Lebens, alles dessen, was mir blieb: – ein ödes, leeres Dasein, das mich umfing wie eine Wüste, soweit der dunkle Horizont reichte.

Wenn mein Gram egoistisch war, so wußte ich es wenigstens nicht. Ich trauerte um mein kindisches Frauchen, das so jung die blühende Welt hatte verlassen müssen. Ich trauerte um den, der sich die Liebe und Bewunderung von Tausenden hätte erwerben können, wie er sich die meine gewonnen vor langer Zeit. Ich trauerte auf meiner Wanderung um das gebrochene Herz, das Ruhe gefunden im stürmischen Meer, und die zertrümmerte Familie, in deren Mitte ich als Kind den Nachtwind hatte klagen hören.

Ich hatte keine Hoffnung mehr, mich aus diesem Trübsinn je

wieder herausreißen zu können. Ich schweifte von Ort zu Ort und trug meinen Schmerz wie eine Bürde mit mir überall hin. Ich fühlte seine ganze Last und härmte mich ab unter ihr und sagte mir in meinem Herzen, daß sie nie leichter werden könnte.

Als meine Schwermut ihren Höhepunkt erreicht hatte, glaubte ich, ich würde sterben, und kehrte zuweilen um auf meinem Wege, um in meine Heimat zu reisen. Dann wieder fuhr ich weiter von Stadt zu Stadt und suchte, ich weiß nicht was.

Meine Träume lassen sich nur unvollkommen und unbestimmt beschreiben. Ich sehe mich gleich einem Träumer dahinwandeln durch die Sehenswürdigkeiten fremder Städte – Paläste, Kirchen, Tempel, Gemälde, Schlösser, Gräber, phantastische Straßen – alte Wohnstätten der Geschichte und der Sage –, die Last meines Grams überall mit mir herumtragend und kaum wissend, wie die Dinge vor mir kamen und gingen. Gleichgültigkeit gegen alles außer jenen brütenden Schmerz war die Nacht, die sich auf mein ungeschultes Herz senkte.

Monatelang reiste ich mit dieser immer dunkler werdenden Wolke über meiner Seele. Irgendwelche Gründe, nicht nach Hause zurückzukehren, die ich mir vergeblich klarzumachen suchte, ließen mich meine Pilgerfahrt fortsetzen. Ruhelos von Ort zu Ort wandernd, verweilte ich nie lange an ein und derselben Stelle. Nirgends hatte ich ein Ziel oder einen Gedanken, der mich aufrechthielt.

Ich war in der Schweiz. Ich kam aus Italien über einen der großen Alpenpässe und wanderte mit einem Führer in den Seitentälern der Gebirge umher. Was diese furchtbare Einsamkeit zu meinem Herzen gesprochen hat, weiß ich nicht. Ich habe Wunder und Erhabenheit gesehen in den schauerlichen Höhen und Abgründen, in den tosenden Wasserfällen, Eis- und Schneewüsten, aber weiter lehrten sie mich nichts.

Ich kam eines Abends vor Sonnenuntergang in ein Tal, wo ich die Nacht über bleiben wollte. Während ich auf dem vielgewundnen Pfad hinabstieg, überkam mich langentwöhntes Gefühl für Schönheit und Ruhe, und ein durch den Frieden der Umgebung erweckter, Milderung bringender Einfluß regte sich leise in meiner Brust. Ich weiß noch, daß ich einmal stehenblieb, erfüllt von einer Art Schmerz, die gar nicht erdrückend und nicht verzweifelt war. Fast hoffte ich, es könnte sich noch mit mir zum Bessern wenden.

Ich erreichte das Tal, als die Abendsonne auf die fernen, schneebedeckten Gipfel schien. Der Fuß der Berge war üppig grün, und hoch darüber wuchsen Wälder schwarzer Tannen, wie Keile in die winterliche Schneefläche eindringend und den Lawinen entgegengestemmt. Steile Wände, grauer Fels, schimmerndes Eis und samtene Rasenflächen erhoben sich Reihe um Reihe darüber, bis sie allmählich in den die Gipfel krönenden Schnee übergingen. Hie und da an den Berglehnen zerstreut, jeder winzige Fleck ein Heim, lagen vereinzelte hölzerne Hütten, durch den Anblick der ragenden Gipfel so zwerghaft verkleinert, daß sie zu winzig für ein Spielzeug erschienen. So auch das Dörfchen im Tal mit der Holzbrücke, unter der der Gebirgsbach über Felsentrümmer sprang und tosend weiter unter den Bäumen dahineilte. Durch die stille Luft ertönte ferner Gesang – Hirtenstimmen –, und mitten an der Berglehne hin schwebte eine einzelne lichte Abendwolke, daß ich fast hätte glauben können, das Singen käme von dort und sei keine irdische Musik … Ganz plötzlich aus diesem Frieden sprach die Natur zu mir, mein müdes Haupt auf den Rasen zu legen und zu weinen, wie ich seit Doras Tod noch nicht geweint hatte.

Ich fand ein Paket Briefe für mich vor und ging außerhalb des Dorfs spazieren, um sie zu lesen, während man das Abendessen fertig machte. Andere Briefsendungen hatten mich verfehlt, und lange hatte ich keine Nachricht aus der Heimat bekommen.

Ich hielt das Paket in der Hand; ich öffnete es und erblickte Agnes' Handschrift.

Sie fühlte sich glücklich, war vollauf beschäftigt und hatte den Erfolg, auf den sie gehofft. Das war alles, was sie von sich schrieb. Das Übrige bezog sich auf mich.

Sie gab mir keinen Rat, stellte mir keine Pflicht vor Augen, sie sagte mir nur in der ihr eignen innigen Weise, welche Hoffnungen sie auf mich setzte. Sie wüßte, sagte sie, Prüfungen und Kummer würden meinen Charakter nur stärken, – sie sei sicher, daß der Schmerz, den ich hatte ertragen müssen, meinem ganzen Streben nur eine festere und höhere Richtung geben würde. Sie sei so stolz auf meinen Ruhm und so überzeugt, daß er noch wachsen würde, und wisse bestimmt, ich werde weiter arbeiten.

Wie die schweren Tage meiner Kinderjahre mich zu dem gemacht, was ich war, so müßten mich die größern Leiden jetzt befähigen noch emporzusteigen. Sie wies mich an Gott, der meinen Liebling in sein Reich genommen, gedachte in schwesterlicher Liebe immer meiner, stolz auf das, was ich bereits vollbracht, aber noch unendlich stolzer darauf, was mir zu tun noch vorbehalten wäre.

Ich steckte den Brief in meine Brusttasche und dachte: was warst du vor einer Stunde noch! Als ich die Stimmen verklingen hörte, die goldne Abendwolke grau werden und alle Farben im Tal verbleichen und den schimmernden Schnee auf dem Gipfel zu einem Teil des Nachthimmels werden sah, da fühlte ich die Nacht von meiner Seele weichen und alle Schatten sich klären und fand keinen Namen für die Liebe, die mir von da an teurer war als je zuvor.

Ich las ihren Brief viele Male. Ich schrieb an sie noch vor dem Schlafengehen. Ich sagte ihr, wie nötig ich ihren Beistand gehabt und ohne sie nie das geworden wäre, für das sie mich halte. Und daß ich versuchen wollte, mich aufzuraffen.

Und ich versuchte es. In drei Monaten jährte sich der Tag meines Leides. Ich beschloß vor Ablauf dieser Zeit keinen festen Entschluß zu fassen, aber den Versuch zu machen. Ich blieb die ganze Zeit über in diesem Tal und seiner Nachbarschaft.

Als die drei Monate um waren, beschloß ich noch einige Zeit von Hause wegzubleiben und mich vorderhand in der Schweiz, die mir durch die Erinnerung an jenen Abend wert geworden war, niederzulassen, um die Feder zur Hand zu nehmen und zu arbeiten.

Ich suchte die Natur auf und suchte nie vergebens; ich ließ in meine Brust die menschlichen Interessen, die ich in letzter Zeit zurückgedrängt hatte, wieder einziehen. Es dauerte nicht lange, so hatte ich fast so viele Freunde im Tal wie in Yarmouth, und als ich es vor Anbruch des Winters verließ, um nach Genf zu ziehen, und im Frühling zurückkehrte, hatten ihre herzlichen Begrüßungen einen heimischen Klang für mich.

Ich arbeitete früh und spät, geduldig und angestrengt. Ich schrieb einen Roman, dessen Inhalt nahezu meinen eignen Erlebnissen entsprang, und schickte ihn an Traddles, der seine Veröffentlichung unter sehr vorteilhaften Bedingungen für mich besorgte; und Nachrichten vom Wachsen meines Rufs begannen mich durch Reisende, die ich zufällig traf, zu erreichen. Nach einiger Rast und Zerstreuung machte ich mich wieder in meiner alten eifrigen Weise an ein neues Werk, das mich auf das lebhafteste beschäftigte. Je weiter ich damit vorrückte, desto mehr wuchs mein Interesse daran, und ich strengte meinen Geist aufs äußerste an, um es so gut wie möglich zu vollenden. Das war mein dritter Roman, und in einer Ruhepause dachte ich ans Nachhausereisen.

Seit langer Zeit hatte ich mich trotz eifrigen Studierens und Arbeitens an kräftige Leibesübung gewöhnt. Meine bei der Abreise aus England ernstlich angegriffene Gesundheit war wieder ganz hergestellt. Ich war in vielen Ländern gewesen, hatte viel gesehen und meine Kenntnisse vervollkommnet.

Ich habe von dieser Reisezeit alles, was ich für notwendig hielt, erzählt – mit *einem* Vorbehalt. Ich habe es nicht mit der Absicht getan, irgend etwas von meinen Gedanken zu verheimlichen, denn wie ich bereits sagte, ist diese Erzählung meine niedergeschriebene Erinnerung. Ich wünschte nur die geheime Seite meines Innern bis zuletzt aufzusparen. Ich gehe nun darauf ein.

Ich kann das Geheimnis meines Herzens nicht so vollständig durchdringen, als daß ich wissen könnte, wann ich zu denken begann, ich hätte meine frühesten und herrlichsten Hoffnungen auf Agnes stützen können. Ich weiß nicht, in welchem Zeitabschnitt meines Schmerzes mir zuerst der Gedanke kam, daß ich in jugendlicher Gedankenlosigkeit das Kleinod ihrer Liebe achtlos weggeworfen.

Ich glaube, eine Ahnung davon dämmerte in mir auf vor Jahren, als ich so etwas wie einen schmerzlichen Mangel oder eine Leere in meinem Innern fühlte. Aber der Gedanke trat wie ein neuer Vorwurf und ein neues Bedauern in meine Seele, als ich so bekümmert und einsam in der Welt dastand.

Wenn ich zu jener Zeit viel mit ihr beisammen gewesen wäre, würde ich es ihr in meiner Haltlosigkeit verraten haben. Eine solche Befürchtung veranlaßte mich im Anfange, von England fortzubleiben. Ich hätte es nicht ertragen können, auch nur den geringsten Teil ihrer schwesterlichen Liebe zu verlieren, und doch würde ich, wenn ich mich verraten hätte, eine Schranke zwischen uns aufgerichtet haben. Ich begriff, daß das Gefühl, das sie jetzt für mich empfand, durch meine eigne freie Wahl und Handlungsweise entstanden war. Wenn sie mich jemals mit einer andern Liebe geliebt, so hatte ich mir das selbst verscherzt. Die Glut meines Herzens hatte ich einer andern geschenkt, – was ich hätte tun können, hatte ich unterlassen, und zu dem, was Agnes jetzt für mich war, hatte ich sie selbst gemacht. Im Anfang der Veränderung, die allmählich in mir Platz griff, dachte ich daran, nach einer unbestimmten Prüfungsdauer sie um ihre Hand zu bitten. Aber im Verlauf der Zeit verblich diese schattenhafte Absicht und verließ mich zuletzt ganz. Ich sagte mir, wenn sie mich jemals geliebt, müßte ich sie jetzt um so heiliger halten, um des Sieges willen, den sie über sich selbst errungen. Und wenn sie mich früher nicht geliebt hätte, wie könnte ich dann glauben, daß sie mich jetzt lieben werde.

Ich wurde mir meines Fehlers immer mehr und mehr bewußt. Was wir einander hätten sein können, war jetzt vorüber. Ich hatte die Zeit verstreichen lassen und Agnes verloren.

Ich machte mir kein Hehl daraus, daß ich sie auf das innigste liebte, aber ich fühlte, daß es zu spät war, und daß ich unser so lange bestehendes Freundschaftsverhältnis nicht verrücken dürfte. So kam ich zu der Überzeugung, daß nie werden konnte, was ich wünschte.

Diese Gedanken mit ihren Wandlungen und Widersprüchen waren der wehende Triebsand meines Innern von der Zeit meiner Abreise bis zu der meiner Rückkehr, drei Jahre später.

Drei Jahre! Eine lange Zeit, wenn auch kurz und schnell vergangen. Und die Heimat war mir teuer, und Agnes, wenn sie auch nicht mein war und nie werden sollte. –

Das war vorbei.

59. Kapitel

Rückkehr

Ich langte an einem winterlichen Herbstabend in London an. Es war dunkel und regnerisch, und ich bekam in einer Minute mehr Nebel und Schmutz zu Gesicht, als ich in einem Jahr gesehen. Ich mußte vom Zollhaus bis zum Monument zu Fuß gehen, ehe ich einen Wagen fand, und obgleich mich die Häuser, die auf die überlaufenden Gossen herabblickten, wie alte Freunde anmuteten, mußte ich mir doch gestehen, daß es recht schmutzige Freunde waren. Ich habe oft bemerkt, daß das Verlassen eines lang bewohnten Wohnorts ein Signal zu einer allgemeinen Veränderung zu geben scheint. Ich bemerkte aus dem Wagenfenster heraus, daß ein altes Haus in Fishstreet Hill, das ein Jahrhundert lang unberührt von Maler, Zimmermann und Maurer gestanden, während meiner Abwesenheit eingerissen und eine Straße von historischer Unsauberkeit und Enge kanalisiert und verbreitert worden war; halb und halb erwartete ich die St.-Pauls-Kathedrale älter aussehen zu finden.

Auf mancherlei Veränderungen in den Verhältnissen meiner Freunde war ich vorbereitet. Meine Tante war längst nach Dover gezogen, und Traddles hatte sich schon im ersten Halbjahr nach meiner Abreise eine Praxis als Advokat erworben. Er besaß jetzt eine Kanzlei in Grays Inn und hatte mir in seinen letzten Briefen geschrieben, er trage sich mit der Hoffnung, bald mit dem »besten Mädchen der Welt« verbunden zu sein.

Man erwartete meine Heimkehr erst kurz vor Weihnachten, und niemand ahnte, daß ich sobald zurückkehren würde. Absichtlich hatte ich ihnen nichts geschrieben, um das Vergnügen zu haben, sie zu überraschen, und dennoch war ich töricht genug, mich enttäuscht und verstimmt zu fühlen, als mir kein Willkommen zuteil wurde und ich allein und schweigend durch die neblichten Straßen fahren mußte. Die alten bekannten Läden mit ihrem heitern Lichterglanz heiterten mich jedoch bald auf, und als ich vor der Tür des Hotels in Grays Inn ausstieg, war ich wieder guter Laune.

»Wissen Sie, wo Mr. Traddles wohnt?« fragte ich den Kellner, als ich mich am Kamin wärmte.

»Holborn Court, Nummer zwei.«

»Mr. Traddles ist als Anwalt ziemlich bekannt, glaube ich?«

»Wohl möglich, Sir, aber ich weiß es nicht.«

Der Kellner, ein hagerer Mann in mittleren Jahren, sah sich hilfesuchend nach einem andern von mehr Autorität um, – einem großen, kräftigen, alten Mann von wichtigem Aussehen, einem Doppelkinn, schwarzen Kniehosen und Strümpfen, der sogleich aus einer Ecke wie aus dem Stuhl eines Kirchendieners im Hintergrunde des Kaffeezimmers hervorkam, wo er einer Geldkasse, einem Adreßbuch, einem Advokatenverzeichnis und andern Büchern und Papieren Gesellschaft geleistet hatte.

»Mr. Traddles«, sagte der magere Kellner zu ihm. »Nummer zwei im Hof.« Der wichtig aussehende Kellner winkte ihn weg und wandte sich würdevoll an mich.

»Ich fragte vorhin, ob Mr. Traddles als Advokat einen Ruf genießt?«

»Nie seinen Namen gehört«, sagte der Kellner mit kräftiger, etwas heiserer Stimme.

Ich fühlte mich für Traddles ein wenig gedemütigt.

»Er ist wohl noch ein junger Mann?« fragte der Kellner und musterte mich mit strengem Blick, »Wie lange ist er Advokat?«

»Ungefähr drei Jahre.«

Der Kellner, der in seinem Kirchenstuhl wahrscheinlich vierzig Jahre gelebt hatte, konnte doch einen so unbedeutenden Gegenstand nicht weiter verfolgen. Er fragte mich, was ich zu Mittag essen wollte.

Ich fühlte mich wieder ganz in England und war wegen Traddles wirklich recht niedergedrückt. Es schien so gar keine Hoffnung für ihn vorhanden zu sein.

Bescheiden bestellte ich Fisch und einige Schnitten Fleisch und lehnte mich an den Kamin, über meines Freundes Unberühmtheit nachsinnend. Als ich dem Oberkellner mit den Augen folgte, konnte ich mich des Gedankens nicht erwehren, daß der Garten, in dem der Mann zur Blume erblüht war, ein für das Wachstum recht unfruchtbarer Boden sei. Der ganze Ort hatte ein verjährtes, steifleinenes, herkömmliches, ältliches Aussehen. Ich sah mich im Zimmer um, dessen Fußboden, mit Sand bestreut, wahrscheinlich genau so ausgesehen hatte, als der Oberkellner noch ein Knabe war, wenn das überhaupt je der Fall gewesen – betrachtete die glänzenden Tische, wo ich mich in den ungetrübten Tiefen alten Mahagoniholzes widerspiegelte –, die tadellos geputzten Lampen, die grünen Vorhänge an den schlanken Messingstäben über den Logen, – die zwei hellbrennenden Kohlenfeuer und die in Reihen aufgestellten Weinkaraffen, die sich aufblähten, wie erfüllt von dem stolzen Bewußtsein, daß noch ganze Oxhofte feinsten alten Portweins unten im Keller stünden; und sowohl England wie die Rechtswissenschaften erschienen mir sehr schwer im Sturmschritt zu nehmen.

Ich ging in mein Schlafzimmer hinauf, um mich umzuziehen, und die große Ausdehnung des alten Eichengetäfels, die würdevolle Unermeßlichkeit des Himmelbetts, der unerschütterliche Ernst der Kommode, alles schien sich in strengem Stirnrunzeln bei einem Hinblick auf die Zukunft Traddles' und anderer solcher kühner Jünglinge zu vereinigen. Ich kam zum Mittagessen wieder herunter, und selbst die langsame Behäbigkeit des Mahles und das gesetzte Schweigen des Ortes bildeten einen Kommentar zu Traddles' Verwegenheit und der Geringfügigkeit seiner Hoffnungen auf einen Lebensunterhalt innerhalb der nächsten zwanzig Jahre.

Seit ich aus dem Lande fortgewesen, hatte ich nichts dergleichen gesehen, und der bloße Anblick vernichtete vollständig meine Hoffnungen für meinen Freund. Der Oberkellner schien von mir vorläufig genug zu haben. Er kam mir nicht mehr nahe, sondern widmete sich einem alten Herrn in langen Gamaschen, für den eine ganz besondere Flasche Portwein freiwillig aus dem Keller heraufgekommen sein mußte, denn er hatte nichts bestellt. Der zweite Kellner erzählte mir flüsternd, daß dieser alte Herr ein in der Nähe wohnender, im Ruhestand lebender steinreicher Advokat sei, der wahrscheinlich sein Vermögen der Tochter seiner Wäscherin hinterlassen werde; es gehe das Gerücht, ein vollständiges silbernes Service, ganz blind geworden vom langen Liegen, stehe in seinem Schranke, aber kein sterbliches Auge habe bisher mehr als einen silbernen Löffel und eine Gabel in seiner Wohnung erblickt. Da gab ich Traddles ganz verloren und sah ein, daß für ihn keine Hoffnung mehr war.

Da ich jedoch meinen lieben alten Freund gar zu gern sehen wollte, erledigte ich mein Mittagessen in einer Weise, die durchaus nicht geeignet war, mich in der Achtung des Oberkellners zu heben, und enteilte aus einer Hintertür.

Nummer zwei im Hof war bald erreicht, und da mir ein Schild an der Tür verriet, Mr. Traddles' Kanzlei befinde sich im obersten Stockwerk, stieg ich hinauf. Es war eine alte gebrechliche Treppe, auf jedem Absatz schwach erleuchtet von einem kleinen dickköpfigen Öldocht, der in einem kleinen Kerker von schmutzigem Glas hinstarb.

Während meines Hinaufstolperns glaubte ich ein fröhliches Lachen zu hören; es war nicht das Lachen eines Notars, eines Advokaten oder Schreibers, sondern mußte von zwei oder drei lustigen Mädchen kommen. Als ich stillstand, um zu lauschen, geriet ich mit dem Fuße in ein Loch, das die ehrenwerten Bewohner von Grays Inn auszubessern unterlassen hatten, fiel geräuschvoll hin, und als ich aufstand, war alles still.

Ich tappte mich vorsichtig weiter, und mein Herz schlug laut, als ich die Außentür, auf die »Mr. Traddles« gemalt war, offenstehen sah. Ich klopfte. Ein Tumult entstand drinnen, sonst geschah weiter nichts. Ich klopfte daher noch einmal.

Ein kleiner Bursche mit pfiffigem Gesicht, halb Laufbursche, halb Schreiber, der sehr außer Atem war, aber mich ansah, als wollte er sagen, ich könne ihm nichts beweisen, erschien.

»Ist Mr. Traddles zu Hause?«

»Ja, Sir. Aber er ist beschäftigt.«

»Ich möchte ihn gerne sprechen.«

Nachdem mich der Bursche mit dem pfiffigen Gesicht eine Weile gemustert, entschloß er sich mich einzulassen, machte die Tür zu diesem Zweck ein wenig weiter auf und ließ mich durch einen winkeligen Vorraum in ein kleines Zimmer treten, wo ich meinen alten Freund, ebenfalls außer Atem, über Akten gebeugt an einem Tisch sitzend fand.

»Mein Gott«, rief Traddles, als er aufblickte, »Copperfield!« Und er stürzte mir in meine Arme.

»Alles wohl, lieber Traddles?«

»Alles wohl, mein lieber, lieber Copperfield, und nichts als gute Nachrichten.«

Wir weinten beide vor Freude.

»Mein lieber Junge«, sagte Traddles und fuhr sich mit den Fingern überflüssigerweise in die Haare, »lieber Copperfield, mein lang verlorner und höchst willkommner Freund, wie froh bin ich, dich zu sehen!

Und wie braun du bist! Wie ich mich freue! Bei meinem Leben und bei meiner Ehre, ich habe mich noch nie so gefreut, mein lieber Copperfield; noch nie.«

Ich konnte vor Rührung kein Wort sprechen.

»Mein lieber, lieber Freund! Und so bekannt geworden!

Mein berühmter Copperfield! Mein Gott, wann bist du denn angekommen? Woher bist du gekommen? Was hast du getrieben?«

Ohne auf eine Antwort zu warten, drückte er mich in einen Lehnstuhl am Kamin, schürte das Feuer und zerrte an meinem Halstuch, beherrscht von dem Glauben, es sei ein Überrock. Ohne das Schüreisen wegzulegen, umarmte er mich wieder, und wir beide, lachend und uns die Augen trocknend, setzten uns hin und schüttelten einander in einem fort die Hände.

»Mein Gott, daß du sobald nach Hause gekommen bist, lieber alter Freund, und nicht einmal bei der Feierlichkeit warst.«

»Bei welcher Feierlichkeit, lieber Traddles?«

»Mein Gott!« rief Traddles und riß in seiner alten gewohnten Art die Augen auf, »hast du denn meinen letzten Brief nicht erhalten?«

»Gewiß nicht, wenn von einer Feierlichkeit etwas darin stand.«

»Lieber Copperfield«, sagte Traddles und strich sich das Haar mit beiden Händen gerade in die Höhe und legte dann seine Hand auf mein Knie, »ich bin verheiratet.«

»Verheiratet!« rief ich erfreut.

»Jawohl. Getraut von Seiner Hochwürden Horace Crewler mit Sophie, – unten in Devonshire. Bester Freund, sie steht doch dort hinter dem Fenstervorhang! Sieh nur hin!«

Zu meinem Erstaunen trat das »beste Mädchen der Welt« in diesem Augenblick lachend und errötend aus ihrem Versteck hervor. Ein mundreres, liebenswürdigeres, glücklicher strahlendes Gesicht einer jung verheirateten Frau, glaube ich, konnte es nicht geben, und ich mußte das auch auf der Stelle aussprechen. Ich küßte sie in meinem Recht als alter Bekannter und wünschte ihnen von ganzem Herzen Glück.

»Mein Gott«, sagte Traddles, »was für ein fröhliches Wiedersehen das ist. Du siehst unglaublich braun gebrannt aus, lieber Copperfield. Mein Gott, wie glücklich ich bin!«

»Und ich auch«, sagte ich.

»Und ich gewiß auch«, stimmte Sophie errötend und lachend ein.

»Wir sind alle so glücklich wie nur möglich«, bekräftigte Traddles. »Selbst die Mädchen sind glücklich. – Himmel, ich habe ganz auf sie vergessen.«

»Vergessen? Worauf?«

»Auf die Mädchen! Sophies Schwestern. Sie sind bei uns zu Besuch in London. Übrigens, warst du es, der die Treppe herauf-stolperte, Copperfield?«

»Jawohl«, sagte ich lachend.

»Nun, als wir es hörten, spielten wir gerade Plumpsack. Aber da sich das nicht in Westminster Hall schickt und auch nicht sehr berufsmäßig ausgesehen hätte, wenn ein Klient gekommen wäre, sind sie ausgerissen. Sie horchen jetzt bestimmt«, und Traddles warf einen Blick nach einer Verbindungstür.

»Es tut mir wirklich leid, eine solche Störung verursacht zu haben«, entschuldigte ich mich lachend.

»Auf mein Wort«, entgegnete Traddles entzückt, »wenn du gesehen hättest, wie sie ausrissen und wieder zurückliefen, als du klopftest, um die Kämme zu holen, die ihnen aus den Haaren ge-fallen waren, würdest du das nicht sagen. Mein Schatz, möchtest du nicht die Mädchen hereinholen?«

Sophie lief fort, und wir hörten gleich darauf, wie sie im an-stoßenden Zimmer mit fröhlichem Gelächter empfangen wurde.

»Wahre Musik, lieber Copperfield, nicht wahr? Es macht diese alten Stuben ordentlich hell. Für so einen unglücklichen Junggesellen, der sein ganzes Leben lang allein gewohnt hat, weißt du, ist es geradezu etwas Köstliches. Die armen Dinger ha-ben viel verloren an Sophie, die, ich versichere dir, Copperfield, das beste Mädchen von der Welt ist und immer war. Es tut mir über alle Maßen wohl, sie jetzt in so guter Laune zu sehen. Mäd-chengesellschaft ist etwas sehr Angenehmes, Copperfield. Es schickt sich nicht recht für eine Advokatenkanzlei, ist aber sehr angenehm.«

Da ich bemerkte, daß seine Stimme etwas unsicher wurde, und

wohl begriff, daß er in seiner Herzensgüte fürchtete, alte Wunden in mir aufzureißen, stimmte ich ihm mit einer Herzlichkeit bei, die ihn sichtlich tröstete und freute.

»Unsere häuslichen Einrichtungen, um die Wahrheit zu sagen, sind allerdings für eine Advokatenkanzlei recht unberufsmäßig, Copperfield, und selbst, daß Sophie hier ist, schickt sich nicht recht. Aber wir haben keine andere Wohnung. Wir haben uns in einer Nußschale auf das Meer gewagt, sind aber auf alles gefaßt. Sophie ist eine ausgezeichnete Hausfrau. Du würdest dich wundern, wie sie die Mädchen untergebracht hat, ich weiß wahrhaftig selber kaum, wie es möglich war.«

»Sind viele der jungen Damen bei euch zu Besuch?«

»Die älteste ist hier, die Schönheit«, sagte Traddles leise und vertraulich, »und Karoline und Sarah, von der ich dir erzählte, daß sie mit dem Rückenmark zu tun habe. Es geht ihr jetzt bedeutend besser! Und die beiden jüngsten, die Sophie erzogen hat, sind auch hier. Und Luise.«

»Was du sagst!«

»Ja. Nun besteht die ganze Wohnung nur aus drei Zimmern, aber Sophie hat alles auf das Wunderbarste eingerichtet, und die Mädchen schlafen so bequem wie möglich. Drei in diesem Zimmer«, erklärte Traddles und wies mit dem Finger auf die Tür. »zwei in jenem.«

Ich konnte nicht umhin, mich nach dem Platze umzusehen, der für Mr. und Mrs. Traddles übrigblieb. Traddles verstand mich.

»Nun, wir sind auf alles vorbereitet, wie ich schon sagte, und versuchten es vorige Woche mit einem Bett auf dem Fußboden hier. Aber oben unter dem Dach ist noch ein Zimmerchen, das Sophie, um mich zu überraschen, selbst tapeziert hat, und das bildet gegenwärtig unser Schlafzimmer. Es ist eine ganz famose Zigeunerwirtschaft. Man hat sogar eine Aussicht aus dem Fenster.«

»Also du bist endlich glücklich verheiratet, mein lieber Traddles. Wie mich das freut!«

Wir schüttelten uns wieder die Hände.

»Ja, ich bin so glücklich, wie es nur möglich ist. Erinnerst du dich des alten Bekannten dort?« Er nickte frohlockend nach dem Blumentopf mit dem Untergestell hin, »und das ist der Tisch mit der Marmorplatte. Die ganze übrige Einrichtung ist einfach und bequem, wie du siehst. Und von Silber, mein Gott, haben wir nicht einmal einen Teelöffel.«

»Alles will erst verdient werden«, sagte ich heiter.

»Sehr richtig. Alles will erst verdient werden. Natürlich besitzen wir so etwas wie Teelöffel, womit wir unsern Tee umrühren. Aber sie sind aus Britannia-Metall.«

»Das Silber wird um so glänzender sein, wenn es kommt.«

»Das sagen wir auch immer! Du mußt wissen, lieber Copperfield«, vertraute er mir mit leisem vertraulichem Ton an, »nachdem ich in Sachen Jipes kontra Wigzell plädierte, wodurch ich bei meinen Kollegen viel Ehre einlegte, fuhr ich nach Devonshire hinunter und hatte dort mit seiner Ehrwürden eine ernste Privatunterredung. Ich verweilte bei der Tatsache, daß Sophie – sie ist das beste Mädchen von der Welt, ich versichere dir, Copperfield –«

»Davon bin ich überzeugt.«

»Du kannst es mir glauben«, beteuerte Traddles. »Aber ich fürchte, ich schweife ab. War ich nicht bei Seiner Ehrwürden?«

»Du sagtest, daß du bei der Tatsache verweiltest –«

»Richtig! Bei der Tatsache, daß Sophie und ich nun schon seit langem verlobt wären, und daß sie mit Erlaubnis ihrer Eltern willens sei, mich zu nehmen – kurz«, sagte Traddles mit seinem alten offenherzigen Lächeln, »auf unsere Britannia-Metall-Ausstattung hin. Ich schlug Seiner Ehrwürden vor, wenn ich in einem Jahr zweihundertfünfzig Pfund verdiente und eine kleine Wohnung wie diese hier einfach ausstatten könnte, wollte ich Sophie heiraten. Ich nahm mir die Freiheit, ihm vorzustellen, daß wir nun schon viele Jahre lang Geduld gehabt und Sophies außerordentliche Nützlichkeit im Elternhause doch kein Grund sein dürfte, sie vom Heiraten abzuhalten. Ist das nicht auch deine Meinung?«

»Gewiß.«

»Das freut mich. Ohne Seiner Ehrwürden etwas nachsagen zu wollen, bin ich nämlich der Ansicht, daß Eltern, Brüder usw. manchmal recht egoistisch sind. Nun weiter! Ich erklärte ihm, daß es mein ernstlichster Wunsch wäre, der Familie nützlich zu sein, und falls ich mein Fortkommen fände und ihm etwas zustoßen sollte – ich meine Seiner Ehrwürden –«

»Ich verstehe.«

»Oder Mrs. Crewler, so würde es mir zur größten Befriedigung gereichen, den Mädchen ein väterlicher Beschützer sein zu dürfen. Er gab mir eine vortreffliche Antwort, die außerordentlich schmeichelhaft für mich war, und übernahm es, Mrs. Crewlers Einwilligung zu erwirken. – Sie hatten eine schreckliche Zeit mit ihr. Es stieg ihr von den Beinen in die Brust und dann in den Kopf –«

»Was stieg denn?«

»Der Schmerz«, erklärte Traddles mit ernstem Blick. »Ihre Gefühle im allgemeinen. Wie ich schon früher einmal erwähnte, ist sie eine ausgezeichnete Frau, aber sie hat den Gebrauch ihrer Glieder eingebüßt. Alles, was sie angreift und aufregt, setzt sich meistens bei ihr in den Beinen fest, aber diesmal stieg es ihr in die Brust und dann in den Kopf, kurz, es durchdrang sie auf die allerbeunruhigendste Weise. Dennoch brachten sie sie durch unermüdliche liebreiche Pflege durch, und wir wurden gestern vor sechs Wochen getraut. Du kannst dir keine Vorstellung machen, Copperfield, wie ich mir als Ungeheuer vorkam, als ich die ganze Familie nach allen Richtungen ausbrechen und ohnmächtig werden sah.

Mrs. Crewler konnte mich nicht ansehen vor meiner Abreise und mir nicht vergeben, daß ich sie ihres Kindes beraubte. Aber sie hat ein gutes Herz und hat es inzwischen getan. Heute morgen noch erhielt ich einen prächtigen Brief von ihr.«

»Mit einem Wort, lieber Freund, du bist so glücklich, wie du es verdienst.«

»Du bist parteiisch«, lachte Traddles. »Aber in der Tat, ich bin ein höchst beneidenswerter Mensch. Ich arbeite viel und studiere unermüdlich. Ich stehe jeden Morgen um fünf Uhr auf, und es schadet mir gar nicht. Bei Tage verstecke ich die Mädchen, und abends sind wir fröhlich miteinander. Ich versichere dir, es tut mir sehr leid, daß sie Dienstag, wo die Gerichtsferien aufhören, wieder abreisen. Aber da sind ja die Mädchen«, Traddles brach seine vertrauliche Rede ab. »Mr. Copperfield – Miss Crewler – Miss Sarah, Miss Luise, – Margarete und Lucie.«

Die Mädchen glichen einem Rosenstrauß, so gesund und frisch sahen sie aus. Sie waren alle hübsch, und Miss Karoline sehr schön, aber in Sophies leuchtenden Blicken lag etwas so Gemütvolles, Zärtliches und Häusliches, das noch viel besser war und mir die Versicherung gab, daß mein Freund gut gewählt hatte.

Wir nahmen alle um den Kamin Platz, während der Bursche mit dem pfiffigen Gesicht, der, wie ich nun erriet, außer Atem gekommen war, weil er so schnell die Papiere auf dem Tisch ausgebreitet hatte, alles jetzt wieder wegräumte und das Teeservice brachte. Sodann entfernte er sich für den Abend. Mrs. Traddles, aus deren gemütvollen Augen eitel Freude und stille Ruhe strahlten, bereitete den Tee und röstete dann ruhevoll in ihrer Ecke am Feuer den Toast. Sie hätte Agnes besucht, erzählte sie mir dabei. Tom und sie hätten eine Hochzeitsreise nach Kent gemacht und bei dieser Gelegenheit auch meine Tante besucht, die sich, wie auch Agnes, wohl befände, und sie hätten von nichts als von mir gesprochen. Tom hätte überhaupt an nichts anderes als an mich gedacht während meiner ganzen Abwesenheit. Tom war die Autorität für alles. Tom war offenbar der Abgott ihres Lebens, der durch nichts von seinem Throne gestürzt werden konnte; sie hing an ihm mit dem ganzen Glauben ihres Herzens, komme, was da wolle.

Die Ehrerbietung, die sowohl sie wie Traddles vor der »Schönheit« an den Tag legten, machte mir viel Spaß. Es kam mir zwar nicht sehr verständig vor, aber erfreulich, und paßte sehr gut zu ihnen. Gewisse Anzeichen von Launenhaftigkeit, die ich an der »Schönheit« bemerkte, betrachteten er und seine Gattin offenbar als ein angestammtes Recht und eine Gabe der Natur. Wären sie selbst als Arbeiterbienen geboren worden und die »Schönheit« als Bienenkönigin, so hätten sie nicht zufriedener sein können.

Und diese Selbstlosigkeit freute mich an ihnen.

Ihr Stolz auf die Mädchen und ihre Nachgiebigkeit allen ihren Launen gegenüber waren das hübscheste Zeugnis ihres eignen Wertes, das man sich nur wünschen konnte.

Wenigstens zwölfmal in jeder Stunde wurde der »gute, liebste Traddles« von einer oder der andern seiner Schwägerinnen gebeten, das oder jenes zu reichen, wegzustellen oder aufzuheben, etwas zu holen oder zu suchen. Ebensowenig konnte etwas ohne Sophie geschehen. Der einen fiel der Zopf herunter, und bloß Sophie konnte ihn wieder aufstecken. Die eine konnte sich nicht auf eine bestimmte Melodie erinnern, und nur Sophie konnte sie richtig summen. Es war etwas nach Hause zu berichten, und nur Sophie konnte es übernehmen, nächsten Morgen vor dem Frühstück zu schreiben. Sie waren vollständig Herrinnen im Hause, und Sophie und Traddles warteten ihnen auf. Wieviel Kinder Sophie auf einmal hätte unter ihre Obhut nehmen können, kann ich mir nicht vorstellen, aber sie schien jedes Lied zu kennen, das einem Kinde in englischer Sprache je vorgesungen worden war, und sie sang auf Wunsch Dutzende hintereinander mit der hellsten, lieblichsten Stimme der Welt – jede Schwester bestellte ein anderes, und die »Schönheit« kam meistens zuletzt –, so daß ich ganz entzückt war.

Das beste von allem war, daß sämtliche Schwestern bei all ihren Ansprüchen Sophie und Traddles ungemein liebten und schätzten.

Als ich mich verabschiedete und Traddles mit mir fortging, um mich ins Kaffeehaus zu begleiten, regnete auf seinen struppigen Kopf eine Flut von Küssen nieder. Es war ein Anblick, an den ich lange noch, nachdem ich Traddles gute Nacht gesagt, mit Vergnügen denken mußte. Wenn ich tausend Rosen in einer

Kanzlei im obersten Stockwerk dieses verwitterten Grays Inn hätte blühen sehen, sie würden es nicht halb so heiter haben machen können. Der Gedanke an diese Mädchen ans Devonshire, mitten unter den vertrockneten Federfuchsern und Advokatenbureaus, an die Kinderlieder in der gestrengen Atmosphäre von Radierpulver und Pergament, rotem Band, staubigen Oblaten, Tintenkrügen, Aktenpapier und Gerichtsschreiben, erschien mir so märchenhaft, als ob die berühmte Familie des Sultans von Tausendundeiner Nacht samt dem singenden Baum, dem redenden Vogel und dem goldnen Wasser mit nach Grays Inn übergesiedelt wäre.

Wie es kam, weiß ich nicht, aber als Traddles mir gute Nacht gesagt und ich wieder in mein Hotel getreten war, hegte ich keine Befürchtungen wegen seiner Zukunft mehr. Ich fühlte, er werde vorwärtskommen, allen Oberkellnern in England zum Trotz.

Ich zog im Kaffeehauszimmer einen Stuhl an den Kamin, um mit Muße an ihn zu denken, aber allmählich lenkte sich meine Aufmerksamkeit von der Betrachtung seines Glückes ab, und wie ich brütend in die Kohlen blickte und sie in der Glut zusammenfallen und ihre Gestalt verändern sah, fielen mir die Schicksalsfälle und Kümmernisse in meinem Leben wieder ein. Ich hatte an keinem Kohlenfeuer gesessen seit den drei Jahren meiner Abwesenheit. Ich konnte jetzt ernst, aber ohne Bitterkeit an die Vergangenheit denken und der Zukunft mutig ins Auge blicken. Ein Familienleben im eigentlichen Sinne gab es für mich nicht mehr. Sie, der ich eine innigere Liebe hätte einflößen können, hatte ich gelehrt, mir eine Schwester zu sein. Sie würde dereinst heiraten und ihre Liebe einem andern schenken und nie von der Liebe erfahren, die in meinem Herzen aufgekeimt. Was ich erntete, hatte ich selbst gesät.

Ich brütete noch darüber, als ich mich dabei ertappte, daß meine Augen auf einem Gesichte ruhten, das sich geradesogut aus der Glut hätte erhoben haben können, so eng verbunden war es mit meinen Jugenderinnerungen.

Der kleine Mr. Chillip, der Arzt, dessen Geschicklichkeit ich so viel von meiner Existenz verdankte, saß bei einer Zeitung in dem Schatten einer Ecke. Er mußte ziemlich alt sein, aber da er von jeher ein sanftes, ruhiges, stilles Männchen gewesen war, hatte es ihn wenig mitgenommen. Ich stellte mir vor, daß er damals, als er in unserm Wohnzimmer auf meine Geburt wartete, auch nicht viel anders ausgesehen haben konnte.

Mr. Chillip hatte Blunderstone vor sechs oder sieben Jahren verlassen und mich seitdem nicht mehr gesehen.

Er las ruhevoll seine Zeitung, den Kopf auf eine Seite geneigt und ein Glas Glühwein neben sich. Er war so bescheiden in seinem ganzen Wesen, daß er selbst die Zeitung um Verzeihung zu bitten schien, als er sie las.

Ich ging zu ihm hin und sagte:

»Wie geht es Ihnen, Mr. Chillip?«

Er machte ein sehr bestürztes Gesicht bei dieser unerwarteten Anrede seitens eines Fremden und antwortete in seiner alten langsamen Weise: »Ich danke Ihnen, Sir, Sie sind sehr gütig. Ich danke Ihnen, Sir. Ich hoffe, Sie befinden sich ebenfalls wohl.«

»Sie erinnern sich meiner nicht?«

»O gewiß, Sir«, antwortete Mr. Chillip mit sanftem Lächeln den Kopf schüttelnd: »Allerdings kommt es mir fast so vor, als ob mir Ihr Gesicht vertraut wäre, aber auf Ihren Namen kann ich mich wirklich nicht besinnen.«

»Und doch wußten sie ihn viel früher als ich selbst.«

»Wirklich, Sir? Wäre es möglich, daß ich die Ehre hatte, Sir, beizustehen, als –?«

»Ja.«

»Mein Gott!« rief Mr. Chillip. »Aber ohne Zweifel haben Sie sich seitdem sehr verändert, Sir?«

»Wahrscheinlich.«

»Ich hoffe, Sie werden entschuldigen, Sir, wenn ich Sie doch um Ihren Namen bitten muß.«

Als ich mich vorstellte, war er sehr bewegt. Er schüttelte mir regelrecht die Hand, – was für ihn einen Leidenschaftsausbruch bedeutete, denn gewöhnlich ließ er nur seine kleine Hand ein paar Zoll an seiner Hüfte sehen, wie ein Fisch seine Flosse, und kam ganz aus der Fassung, wenn sie jemand herzhaft erfaßte. Selbst jetzt steckte er sie sogleich in die Rocktasche, als ich sie wieder losließ, und schien sehr erleichtert, sie wieder in Sicherheit gebracht zu haben.

»Mein Gott«, sagte er und betrachtete mich, den Kopf auf die Seite geneigt, von oben bis unten. »Also Mr. Copperfield, wirklich? Ich glaube jetzt, ich hätte Sie bestimmt erkannt, wenn ich mir die Freiheit genommen haben würde, Sie schärfer anzusehen. Die Ähnlichkeit zwischen Ihnen und Ihrem seligen Vater ist außerordentlich, Sir.«

»Ich hatte nie das Glück, meinen Vater zu sehen.«

»Sehr wahr, Sir«, sagte Mr. Chillip in begütigendem Ton. »Es war in jeder Hinsicht sehr zu bedauern. Dort unten in unserer Gegend ist Ihr Ruhm nicht unbekannt geblieben. Große Aufregung muß hier herrschen, Sir«, sagte er und tupfte sich mit dem Zeigefinger auf die Stirn. »Eine anstrengende Beschäftigung, nicht wahr, Sir?«

»Wo wohnen Sie jetzt?« fragte ich ihn und setzte mich neben ihn.

»Ich habe mich einige Meilen von Bury St. Edmunds niedergelassen, Sir. Meine Frau erbte dort von ihrem Vater ein kleines Besitztum, und ich kaufte mir eine kleine Praxis dazu, in der es mir recht gut geht. Meine Tochter ist schon recht groß geworden. Erst vorige Woche hat meine Frau zwei Säume aus ihren Röcken auslassen müssen. Ja, ja, so vergeht die Zeit, Sir.« Da der kleine Doktor bei dieser Bemerkung in der Zerstreutheit sein leeres Glas an den Mund setzte, schlug ich ihm vor, es sich wieder füllen zu lassen, wobei ich ihm mit einem andern Gesellschaft leisten wollte.

»Es ist eigentlich mehr, als ich gewohnt bin, aber ich kann mir das Vergnügen, mich mit Ihnen zu unterhalten, nicht versagen. Es ist, als wäre es gestern gewesen, daß ich die Ehre hatte, Sie während der Masern zu behandeln. Sie haben sie prächtig überstanden, Sir.«

Ich dankte für das Kompliment und ließ mir ein Glas Glühwein kommen.

»Eine etwas ungewöhnliche Abschweifung«, bemerkte Mr. Chillip und rührte sein Getränk um, »aber ich kann einer so außerordentlichen Gelegenheit nicht widerstehen. Sie haben keine Familie, Sir?«

Ich schüttelte den Kopf.

»Ich erfuhr, daß Sie vor einiger Zeit einen Verlust erlitten haben, Sir. Ich erfuhr es von Ihres Stiefvaters Schwester. Ein sehr entschiedner Charakter, diese Dame, Sir!«

»Nun ja«, sagte ich, »entschieden genug; wo haben Sie sie gesehen, Mr. Chillip?«

»Sie wissen nicht, mein Herr, daß Ihr Stiefvater wieder ein Nachbar von mir geworden ist?«

»Nein.«

»Ja, er ist wieder mein Nachbar, Sir. Er heiratete eine junge Dame aus jener Gegend mit einer sehr schönen kleinen Besitzung – armes Ding! Und diese Anstrengung Ihres Gehirns, Sir, ermüdet Sie nicht?« fragte er und sah mich an wie ein erstauntes Rotkehlchen.

Ich wich seiner Frage aus und fing wieder von den Murdstones an.

»Es ist mir nur bekannt, daß er sich wieder verheiratet hat. Behandeln Sie die Familie?«

»So gelegentlich. Starke phrenologische Entwicklung des Organs der Entschiedenheit bei Mr. Murdstone und seiner Schwester, Sir!«

Ich antwortete mit einem so ausdrucksvollen Blick, daß Mr. Chillip dadurch und durch den Glühwein ermutigt den Kopf wiegte und gedankenvoll ausrief: »Lieber Himmel, wie sehr erinnert uns alles an die alten Zeiten, Mr. Copperfield!«

»Bruder und Schwester gehen immer noch ihren alten Weg, nicht wahr?« fragte ich.

»Ja, sehen Sie, mein Herr, ein Arzt, der so viel bei Familien herumkommt, sollte eigentlich nur für seinen Beruf Augen und Ohren haben. Ich muß jedoch sagen, sie sind sehr streng, sowohl was dieses als was das künftige Leben anbetrifft.«

»Das künftige wird wohl wenig rücksichtsvoll mit ihnen verfahren, darf man wohl sagen«, erwiderte ich, »aber was machen sie in diesem?«

Mr. Chillip wiegte den Kopf, rührte seinen Glühwein um und nippte daran.

»Sie war eine reizende junge Frau«, bemerkte er in klagendem Ton.

»Die jetzige Mrs. Murdstone?«

»Eine reizende junge Frau. So liebenswürdig wie nur möglich! Mrs. Chillip meint, sie sei seit ihrer Heirat vollständig gebrochen und so gut wie trübsinnig. Und Frauen«, setzte Mr. Chillip schüchtern hinzu, »sind gute Beobachter, Sir.«

»Ich vermute, sie wollten sie auch in derselben abscheulichen Weise umformen, die Ärmste«, sagte ich, »und das scheinen sie erreicht zu haben.«

»Im Anfang gab es heftige Streitigkeiten, aber jetzt ist sie nur mehr ihr eigener Schatten. Ich weiß nicht, ob ich mir herausnehmen darf, Ihnen im Vertrauen zu verraten, daß, seit die Schwester mit dazukam, beide die Arme fast bis zur Geistesschwäche herabgebracht haben.«

Ich sagte ihm, daß ich mir das leicht vorstellen könnte.

»Ich zögere nicht zu konstatieren« – Mr. Chillip stärkte sich wieder mit einem Schluck Glühwein – »daß Ihre Mutter, Sir, daran gestorben ist. Diese Tyrannei, das finstere Wesen und die Quälereien haben die jetzige Mrs. Murdstone fast blödsinnig gemacht. Sie war ein lebhaftes junges Mädchen vor der Heirat, und diese finstere Strenge hat sie gebrochen. Sie gehen mit ihr wie Gefängniswärter, nicht wie Gatte und Schwägerin um. Das äußerte erst vorige Woche Mrs. Chillip gegen mich. Und ich versichere Ihnen, Sir, Frauen sind gute Beobachter. Mrs. Chillip selbst beobachtet sehr scharf.«

»Spielt er immer noch den Frommen? Ich schäme mich fast, das Wort in Verbindung mit ihm zu gebrauchen.«

»Sie gebrauchen fast dieselben Worte wie meine Gattin, Sir. Es gab mir ordentlich einen elektrischen Schlag, als mir Mrs. Chillip sagte, daß Mr. Murdstone sich selbst als Götzenbild hinstelle, um sich anbeten zu lassen. Sie hätten mich mit einem Federkiel zu Boden strecken können, versichere ich Ihnen, Sir, als Mrs. Chillip das aussprach. Ja, ja, die Damen sind scharfe Beobachter, Sir.«

»Intuition!« sagte ich, was Mr. Chillip in größtes Entzücken versetzte.

»Ich schätze mich glücklich, meine Meinung von Ihnen bestätigt zu sehen, Sir. Es geschieht nicht oft, ich versichere Ihnen, daß ich ein nichtärztliches Urteil abgebe. Mr. Murdstone hält manchmal Vorträge, und man sagt – kurz Mrs. Chillip sagt –, daß seine Lehren immer fanatischer werden, je tyrannischer er sich selbst zu Hause benimmt.«

»Ich glaube, Mrs. Chillip hat vollkommen recht.«

»Mrs. Chillip geht sogar so weit, zu behaupten«, fuhr der sanfteste aller kleinen Männer ermutigt fort, »daß das, was solche Leute fälschlich Religion nennen, nichts als ein Ventil für ihre bösen Launen und ihre Anmaßung ist. Und wissen Sie, Sir, daß ich keine Begründung für Mr. und Miss Murdstones Lehren im Neuen Testament finden kann?«

»Ich auch nicht.«

»Übrigens kann sie kein Mensch leiden. Und da sie sehr freigebig jedermann, der sie nicht leiden kann, der ewigen Verdammnis empfehlen, so haben wir wahrhaftig das reinste Fegefeuer in unserer Nachbarschaft. Doch wie Mrs. Chillip sagt, Sir, leiden sie selbst eine beständige Strafe, denn immer in sich gekehrt, müssen sie von ihrem eignen Herzen zehren. Und das ist ein mäßiges Futter. Aber um wieder auf Ihr Gehirn zu sprechen zu kommen, wenn Sie gestatten, strengen Sie sich geistig nicht zu sehr an, Sir?«

Es wurde mir bei der Aufregung Mr. Chillips infolge des ungewohnten Glühweins nicht schwer, seine Aufmerksamkeit von diesem Punkte auf seine eignen Angelegenheiten zu lenken, und er wurde in der nächsten halben Stunde sehr gesprächig. Unter anderm erzählte er mir, er befände sich jetzt hier, um vor einer Untersuchungskommission sein ärztliches Gutachten über den Geisteszustand eines Säuferwahnsinnigen abzugeben.

»Ich versichere Ihnen, Sir«, sagte er, »ich bin bei solchen Gelegenheiten sehr nervös. Ich vertrage es nicht, angefahren zu werden. Es raubt mir alle Fassung. Wissen Sie, daß ich mich erst nach einiger Zeit von dem beunruhigenden Benehmen jener strengen Dame an dem Abend Ihrer Geburt erholen konnte, Mr. Copperfield?«

Ich erzählte ihm, daß ich am nächsten Morgen früh zu der Tante, die sich in jener Nacht so drachenhaft benommen, reisen wollte, und daß sie eine der weichherzigsten und vortrefflichsten Frauen sei, wie er selbst einsehen würde, wenn er sie näher kennenlernte. Die bloße Andeutung der Möglichkeit, sie jemals wiedersehen zu müssen, schien ihn in Schrecken zu versetzen. Mit einem gezwungenen Lächeln erwiderte er: »Wirklich – in der Tat – ist sie das?« und fast unmittelbar darauf ließ er sich eine Kerze geben und ging zu Bett, als ob er nirgends anderswo mehr sicher wäre. Er schwankte nicht gerade von dem Glühwein, aber ich glaube, sein ruhiger kleiner Puls muß zwei oder dreimal mehr Schläge in der Minute gehabt haben als gewöhnlich seit der großen Nacht, wo meine Tante in ihrer Enttäuschung mit ihrem Hute nach ihm schlug.

Sehr ermüdet ging ich auch um Mitternacht schlafen, fuhr am nächsten Tag mit der Post nach Dover, stürmte frisch und munter in die alte Wohnstube meiner Tante, als sie gerade beim Tee saß, und wurde von ihr und Mr. Dick und der guten alten Peggotty, die die Wirtschaft führte, mit offenen Armen und Freudentränen aufgenommen. Als wir uns erst wieder ruhig unterhalten konnten, machte meiner Tante, die jetzt eine Brille trug, meine Erzählung von dem Zusammentreffen mit Mr. Chillip, und daß er immer noch soviel Angst vor ihr habe, vielen Spaß, und sie sowohl wie Peggotty konnten sich nicht genug über meiner verstorbnen Mutter zweiten Gatten und die »Mordschwester« auslassen.

60. Kapitel

Agnes

Meine Tante und ich unterhielten uns bis spät in die Nacht. Die Auswanderer schrieben, erfuhr ich, nur hoffnungsvolle und gute Dinge nach Hause, Mr. Micawber hatte wirklich bei verschiedenen Gelegenheiten kleine Summen zur Tilgung seiner pekuniären Verpflichtungen, »wie es Männern geziemt«, abgezahlt, und Janet, die wieder bei meiner Tante bei deren Rückkehr nach Dover in Dienst getreten war, hatte ihrer Lossagung vom Männergeschlecht damit die Krone aufgesetzt, daß sie einem aufstrebenden Gastwirt ihre Hand reichte. Meine Tante hatte sie in ihrem Vorhaben bestärkt und die Trauung mit ihrer Anwesenheit beehrt. Dies und vieles andere, was mir zum Teil schon durch Briefe bekannt war, bildete unsere Gesprächsthemen. Mr. Dick wurde natürlich nicht vergessen. Meine Tante erzählte mir, er sei unablässig bemüht, alles mögliche abzuschreiben, um durch den Anschein von Beschäftigung König Karl I. in respektvoller Entfernung zu halten, und es sei eine der Hauptfreuden ihres Lebens, ihn in Freiheit und glücklich zu sehen, und nur sie allein könne wissen, was an diesem Manne sei.

»Und wann, Trot«, sagte sie und streichelte meine Hand wie früher, wenn wir vor dem Feuer saßen, »wann wirst du nach Canterbury gehen?«

»Ich werde mir morgen früh ein Pferd mieten und hinüber reiten. Außer, du wolltest mitfahren.«

»Nein«, sagte meine Tante in ihrer kurz angebundnen Weise. »Ich bleibe, wo ich bin.«

»Dann reite ich also. Wenn ich zu jemand anders als zu dir gereist wäre, hätte ich heute nicht ohne Aufenthalt durch Canterbury fahren können.«

Das freute meine Tante. Sie streichelte wieder sanft meine Hand und antwortete: »Ach was, Trot, meine alten Knochen würden auch noch bis morgen zusammengehalten haben«, während ich gedankenvoll ins Feuer sah.

Gedankenvoll! Konnte ich doch nicht hier so unmittelbar in Agnes' Nähe sein, ohne daß nicht die schmerzlichen Gedanken in mir wieder auflebten, die mich so lange beschäftigt hatten. Gemildert mochte der Schmerz sein, der mich lehrte, was ich in früheren Tagen zu lernen versäumt, aber es war trotz alledem Schmerz. »Trot«, hörte ich im Geiste meine Tante wieder sagen und verstand sie jetzt besser, – »blind, blind, blind!«

Wir schwiegen beide einige Minuten lang. Als ich wieder aufsah, bemerkte ich, daß sie mich unausgesetzt beobachtete. Vielleicht hatte sie meinen Gedankengang verfolgt; war es doch jetzt leicht, ihm nachzugehen, so kraus er früher gewesen sein mochte.

»Du wirst ihren Vater als weißköpfigen Greis wiederfinden«, sagte sie, »obgleich er in anderer Hinsicht ein besserer, ein wiedergewonnener Mensch ist. Du wirst auch nicht mehr hören, daß er alle menschlichen Interessen, Freuden und Schmerzen mit seinem armseligen kleinen Zollstab mißt. Glaube mir, Kind, derlei Dinge müssen sehr einschrumpfen, ehe man sie in dieser Weise messen kann.«

»Sehr richtig«, sagte ich.

»Und Agnes wirst du so gut, so schön, so ernst und selbstlos finden wie immer. Wenn ich ein größeres Lob wüßte, Trot, würde ich es ihr erteilen.«

Es gab kein größeres Lob für sie, keinen größern Vorwurf für mich. O, wie weit hatte ich mich verirrt!

»Wenn es ihr gelingt, die jungen Mädchen, die sie um sich hat, nach ihrem Vorbild zu erziehen«, sagte meine Tante, und Tränen traten ihr in die Augen, »so hat sie ihr Leben gut angewendet, weiß der Himmel. Nützlich und glücklich, wie sie damals sagte.«

»Hat Agnes einen –« dachte ich mehr laut, als ich sagte.

»Was? He? Einen – was?« fragte meine Tante scharf.

»Einen Bewerber?«

»Ein Schock!« rief meine Tante mit einer Art von entrüstetem Stolz. »Sie hätte zwanzigmal heiraten können, mein Lieber, während du fort warst.«

»Ohne Zweifel«, sagte ich. »Ohne Zweifel. Aber hat sie einen Bewerber, der ihrer würdig ist? Um einen andern würde sie sich nicht kümmern.«

Meine Tante saß eine Weile nachdenklich da, das Kinn auf die Hand gestützt, dann blickte sie langsam auf, sah mich fest an und sagte:

»Ich vermute, sie liebt, Trot.«

»Glücklich?«

»Trot«, erwiderte meine Tante mit großem Ernst, »das kann ich dir nicht sagen. Selbst nur soviel zu sagen, habe ich kein Recht. Sie hat es mir nie anvertraut, aber ich vermute es.«

Sie sah mich so aufmerksam und ängstlich an; sie zitterte sogar dabei, und ich fühlte jetzt genau, daß sie vorhin meine Gedanken verfolgt hatte.

Ich nahm alle meine Entschlossenheit, die ich mir in diesen vielen Tagen und Nächten erkämpft, zusammen.

»Wenn es sich so verhält, und ich hoffe, es ist so – «

»Ich weiß es nicht«, unterbrach mich meine Tante kurz. »Du darfst dich nicht durch meine Vermutungen bestimmen lassen. Du mußt sie geheimhalten. Sie sind vielleicht ganz unbegründet. Ich habe kein Recht, darüber zu sprechen.«

»Sollte es der Fall sein«, wiederholte ich, »so wird es mir Agnes mitteilen, wenn die Zeit gekommen ist. Eine Schwester, der ich so viel anvertraut habe, wird gewiß in ihrem Vertrauen zu mir nicht kargen.«

Meine Tante wendete ihre Augen langsam und gedankenvoll von mir ab. Dann legte sie mir die Hand auf die Schulter, und so saßen wir beide schweigend da und blickten in die Vergangenheit zurück, bis die späte Stunde uns trennte.

Früh am Morgen ritt ich nach dem Schauplatz meiner Schulzeit. Ich kann nicht sagen, daß ich mich in der Hoffnung, einen großen Sieg über mich zu gewinnen, selbst bei der Aussicht, Agnes in einigen Stunden wiederzusehen, sehr glücklich fühlte.

Die wohlbekannte Gegend war schnell durchritten, und ich kam in die stillen Straßen, wo jeder Stein ein Kinderbuch für mich war. Ich ging zu Fuß nach dem alten Hause und kehrte wieder um, das Herz zu voll, um einzutreten. Ich kam wieder, und als ich im Vorbeigehen durch die niedrigen Fenster des Turmstübchens blickte, wo zuerst Uriah Heep und dann später Mr. Micawber gesessen, bemerkte ich, daß es jetzt ein kleines Wohnzimmer war und keine Kanzlei mehr. Sonst sah das stille alte Haus in seiner Reinlichkeit und Ordnung unverändert aus.

Ich ließ durch das neue Mädchen, das mir öffnete, Miss Wickfield sagen, ein Herr sei im Auftrage eines Freundes im Ausland hier, und sie führte mich die dunkle alte Treppe hinauf und warnte mich vor den mir doch so wohlbekannten Stufen. Die Bücher, die Agnes und ich zusammen gelesen, lagen auf ihren Regalen, und das Pult, an dem ich manchen Abend meine Schularbeiten gemacht, stand noch auf derselben Ecke des Tischs. Alle die kleinen Veränderungen, die sich mit den Heeps eingeschlichen hatten, waren beseitigt. Alles sah so aus wie in den alten glücklichen Zeiten.

Ich blickte über die alte Straße auf die gegenüberliegenden Häuser und mußte an die regnerischen Nachmittage in meiner Jugendzeit denken, wo ich mancherlei Betrachtungen über die Leute, die hinter den Fenstern auftauchten, angestellt und ihnen mit meinen Blicken treppauf, treppab, gefolgt war, während Frauen in Holzschuhen das Pflaster entlangklapperten und in schrägen Strichen der Regen fiel und aus der Wassertraufe in den Rinnstein schoß. Die Empfindungen, mit denen ich die Landstreicher betrachtet hatte, wie sie an solchen Regentagen in der Dämmerung durch die Stadt hinkten, triefende Bündel an Stöcken über der Schulter, kamen wieder über mich wie damals – , unzertrennlich verknüpft mit dem Geruch feuchter Erde, nasser Blätter und Dornsträucher und der Kühle des Windes, der mich auf meiner mühseligen Wanderung angeweht hatte.

Das Aufgehen der kleinen Tür in der getäfelten Wand schreckte mich aus meinem Brüten, und ich wandte mich um. Agnes' schöne klare Augen begegneten den meinen. Sie blieb stehen und legte die Hand aufs Herz, und ich schloß sie in meine Arme.

»Agnes, meine liebe Agnes, ich habe dich allzu unvorbereitet überrascht.«

»Nein, nein! Ich bin so froh, dich wiederzusehen, Trotwood.«

»Liebe Agnes, was für ein Glück für mich, dich wieder einmal zu sehen.«

Ich drückte sie an meine Brust, und eine Weile lang schwiegen wir beide. Dann setzten wir uns nebeneinander hin, und ihr Engelsgesicht blickte mich an mit dem Willkommen, von dem ich Jahre wachend und schlafend geträumt.

Sie war so schön, so gut, so offen, – ich schuldete ihr so viel Dank, daß ich keine Worte für meine Empfindungen zu finden vermochte. Ich versuchte ihr zu sagen und zu danken, wie schon so oft in meinen Briefen, welchen Einfluß sie auf mich gehabt habe; aber vergebens. Meine Liebe und meine Freude waren stumm.

Mit der ihr eignen lieblichen Ruhe besänftigte sie meine Aufregung, führte mich zurück zu der Zeit unseres Abschieds, erzählte mir von Emly, die sie vor der Auswanderung im geheimen viele Male besucht hatte, sprach mit zartsinnigem Mitleid von Doras Grab. Mit dem niemals irrenden Instinkt ihres Herzens berührte sie die Saiten in meiner Erinnerung so sanft und harmonisch, daß auch nicht eine einzige verstimmt erklang. Ich konnte der trauervollen fernen Musik zuhören, ohne Schmerz zu empfinden. Wie hätte es auch anders sein können, wo alles von ihr, dem guten Engel meines Lebens, durchdrungen war.

»Und du, Agnes?« fragte ich endlich, »erzähl mir von dir! Du hast mir noch kein Wort gesagt, wie es dir die ganze Zeit über ergangen ist.«

»Was soll ich dir erzählen!« gab sie mit ihrem strahlenden Lächeln zur Antwort. »Papa ist wohl. Du findest uns hier still und friedlich in unserm eignen Hause; unsere Sorgen sind zu Ende, unsere alte Umgebung ist wieder, wie sie war, und wenn du das weißt, lieber Trotwood, dann weißt du alles.«

»Alles Agnes?«

Sie sah mich an mit einer gewissen unruhigen Verwunderung.

»Weiter nichts, Schwester?«

Das Rot in ihren Wangen, das einen Augenblick verschwunden war, kehrte zurück und schwand wieder. Sie lächelte stilltraurig, wie mir schien, und schüttelte den Kopf.

Ich hatte sie auf das bringen wollen, was meine Tante angedeutet; so tief schmerzlich es auch für mich sein mußte, das Geheimnis zu erfahren, so mußte ich doch mein Herz bezwingen und meine Pflicht gegen sie erfüllen. Doch als ich sah, daß sie unruhig wurde, gab ich es auf.

»Du bist sehr beschäftigt, liebe Agnes?«

»Mit meiner Schule?« fragte sie und blickte mich wieder mit ihrer alten heiteren Fassung an.

»Ja. Es ist eine anstrengende Arbeit, nicht wahr?«

»Die Arbeit ist so angenehm, daß es fast undankbar ist, sie eine solche zu nennen.«

»Nichts Gutes ist schwer für dich«, sagte ich.

Abermals wechselte sie die Farbe, und wieder sah ich dasselbe trübe Lächeln, als sie den Kopf neigte.

»Du bleibst jetzt doch hier und wartest auf Papa?« fragte sie heiter, »und wirst den ganzen Tag mit uns verleben; vielleicht in deinem alten Zimmer schlafen. Wir nennen es immer noch dein Zimmer.«

Das ging nicht an, denn ich hatte meiner Tante versprochen, noch abends zurückzukehren. Aber mit Freuden wollte ich den Tag über dableiben.

»Ich habe noch eine kleine Weile zu tun«, sagte sie, »aber hier sind die alten Bücher, Trotwood, und die alten Musikalien.«

»Selbst dieselben Blumen sind noch da, wenn auch nicht die alten.«

»Ich habe während deiner Abwesenheit ein Vergnügen darin

gefunden«, gab Agnes lächelnd zur Antwort, »alles so zu erhalten wie in unserer Kinderzeit. Damals waren wir sehr glücklich, nicht wahr?«

»Das weiß Gdtt.«

»Und jede Kleinigkeit, die mich an meinen Bruder erinnerte«, und ihre herzlichen Augen ruhten fröhlich auf mir, »war mir ein willkommener Gefährte. Selbst dieses«, – sie zeigte auf das Schlüsselkörbchen an ihrer Seite, – »scheint mir eine Art vertraute Melodie zu klimpern.« Sie lächelte wieder und verließ durch die kleine Tür das Zimmer.

Ich empfand es als Pflicht, ihre schwesterliche Liebe mit frommer Sorgfalt zu hüten. Sie war alles, was mir noch blieb, und ein Schatz. Wenn ich ihr ein einziges Mal die Grundlage des geheiligten Vertrauens und der Gewohnheit, kraft deren sie mir geschenkt worden, entzog, so war sie verloren und für immer dahin. Ich stellte mir das klar vor Augen. Je mehr ich Agnes liebte, desto weniger durfte ich das vergessen.

Ich schlenderte durch die Straßen, und als ich meinen alten Gegner, den Metzger, sah, der jetzt Konstabler, wie der Amtsstab in seinem Laden verriet, war, ging ich auch nach dem Platz, wo ich mit ihm geboxt hatte, und dachte dort an Miss Shepherd und die älteste Miss Larkins und all die kindischen Liebeleien und Freundschaften von damals. Nichts schien diese Zeit überlebt zu haben, nur Agnes, und sie, die immer wie ein Stern gewesen war, strahlte heller und höher.

Als ich zurückkam, traf ich Mr. Wickfield zu Hause. Er beschäftigte sich fast täglich in einem Garten außerhalb der Stadt. Ich fand ihn ganz so, wie ihn meine Tante beschrieben hatte. Wir setzten uns mit einem halben Dutzend kleiner Mädchen zu Tisch, und er war wie der Schatten seines schönen Bildes an der Wand.

Der stille Frieden, der von alters her mit diesem Ort in meinem Gedächtnis verbunden ist, lag wieder auf allem. Da Mr. Wickfield nach dem Essen keinen Wein trank, gingen wir sogleich hinauf, wo Agnes und ihre kleinen Schülerinnen sangen, spielten und arbeiteten. Nach dem Tee gingen die Kinder, und wir drei setzten uns zusammen und plauderten von vergangenen Tagen.

»Wenn ich zurückdenke«, sagte Mr. Wickfield und schüttelte das weiße Haupt, »überkommt es mich wie tiefe Reue, lieber Trotwood, aber ich möchte nichts ausstreichen; wenn es auch in meiner Macht stünde.«

Ich glaubte ihm das gerne, wenn ich das Gesicht neben ihm erblickte.

»Ich würde damit so viel Geduld, Hingebung, so viel Treue und Kindesliebe ausstreichen, die ich nicht vergessen darf. Nein, nicht einmal, um mich selbst zu vergessen.«

»Ich verstehe«, sagte ich leise. »Ich verehre sie, – ich habe sie immer verehrt.«

»Aber niemand weiß, wieviel sie getan, wieviel sie gelitten, wie sehr sie gekämpft hat. Gute Agnes!«

Sie legte bittend die Hand auf seinen Arm, damit er schweige, und war ganz blaß geworden.

»Nun, sei es«, sagte er mit einem Seufzer und, wie ich wohl merkte, über etwas hinweggehend, was mit dem von meiner Tante Geäußerten in Verbindung stehen mußte. »Ich habe wohl noch nie etwas von ihrer Mutter erzählt?«

»Niemals, Mr. Wickfield.«

»Es ist nicht viel zu erzählen, – obgleich sie viel zu leiden hatte; sie heiratete mich gegen ihres Vaters Willen, und er verstieß sie. Sie bat ihn, ihr zu verzeihen, ehe Agnes auf die Welt kam. Er war ein sehr harter Mann, und ihre Mutter lag schon lange im Grabe. Er wies sie zurück. Er brach ihr das Herz.«

Agnes lehnte den Kopf an ihres Vaters Schulter und schlang sanft den Arm um seinen Hals.

»Sie hatte ein liebevolles und weiches Herz«, fuhr er fort, »und es brach. Ich wußte wohl, wie zart es war. Niemand konnte es so gut wissen wie ich. Sie liebte mich innig, fühlte sich aber nie ganz glücklich. Sie litt immer im geheimen unter diesem Kum-

mer, und da sie zart war und schwermütig zur Zeit dieser letzten
Abweisung – denn es war nicht das erste Mal –, siechte sie hin
und starb. Sie hinterließ mir Agnes, zwei Wochen alt, und graues
Haar – «

Er küßte Agnes auf die Wange.

»Meine Liebe zu dem teuern Kind war eine krankhafte Liebe,
aber mein ganzes Innere war damals krank. Ich will nicht davon
sprechen. Ich spreche nicht von mir, Trotwood, sondern von ihrer
Mutter und ihr. Wie Agnes ist, brauche ich nicht zu sagen. Ich habe
in ihrem Charakter etwas von der Geschichte ihrer armen Mutter
gelesen und erzähle es heute abend, wo wir alle drei nach so viel
Wechselfällen wieder beisammensitzen. Ich habe alles gesagt.«

Sein gebeugtes Haupt und Agnes' Engelsgesicht und ihre Kindesliebe erhielten dadurch für mich eine noch viel rührendere
Bedeutung. Nach einer kurzen Pause stand Agnes auf, ging von
ihres Vaters Seite leise zum Klavier und spielte ein paar Melodien, denen wir so oft in diesem Zimmer gelauscht hatten.

»Beabsichtigst du England wieder zu verlassen?« fragte sie
mich, als ich dann neben ihr stand.

»Was meinst du darüber?«

»Ich hoffe nicht.«

»Dann beabsichtige ich es auch nicht, Agnes.«

»Ich denke, du solltest es nicht tun, wenn du mich schon
fragst«, sagte sie sanft. »Dein wachsender Ruf erschließt dir die
Möglichkeit Gutes zu wirken, und wenn ich auch meinen Bruder
entbehren könnte«, – ihre Augen ruhten still auf mir – »so
könnte es vielleicht unsere jetzige Zeit nicht.«

»Nur du hast mich zu dem gemacht, was ich bin, Agnes. Das
weißt du am besten.«

»Ich dich dazu gemacht, Trotwood?«

»Ja, meine liebe Agnes!« sagte ich und beugte mich über sie.
»Als wir heute beisammensaßen, versuchte ich, dir etwas zu sagen, was mir im Kopf herumging seit Doras Tod. Weißt du noch,
als du zu mir in unser kleines Zimmer tratest, wie du aufwärts
wiesest, Agnes?«

Ihre Augen füllten sich mit Tränen. »Ach, Trotwood, so liebevoll, vertrauend und so jung war sie! Wie könnte ich das jemals vergessen!«

»So, wie du damals vor mir standest, Schwester, habe ich deiner oft gedenken müssen. Du zeigtest mir immer nach oben, Agnes, und führtest mich zu immer Besserem und Höherem.«

Sie schüttelte nur den Kopf; durch ihre Tränen sah ich wieder das alte trübe Lächeln.

»Und ich bin dir so dankbar dafür, Agnes, daß ich keinen Ausdruck dafür finde. Wenn ich es dir auch nicht sagen kann, wie ich möchte, so will ich, daß du weißt, wie ich mein ganzes Leben lang zu dir aufblicken und mich von dir leiten lassen möchte, wie damals durch die Dunkelheit, die jetzt vorüber ist. Was auch geschehen mag, welche neue Bande du knüpfen wirst, welche Veränderungen zwischen uns treten mögen, immer werde ich zu dir aufblicken und dich lieben wie von jeher. Bis ich sterbe, meine liebe Schwester, werde ich dich immer so vor mir sehen, emporzeigend.«

Sie reichte mir ihre Hand und sagte mir, sie sei stolz auf mich und auf das, was ich eben gesagt, obgleich ich sie weit über ihr Verdienst lobe. Dann spielte sie leise weiter, ohne ihre Augen von mir abzuwenden.

»Weißt du, Agnes, daß das, was ich eben von deinem Vater hörte, seltsamerweise ein Teil des Gefühls zu sein scheint, mit dem ich dich schon betrachtete, als ich dich das erste Mal sah und dann neben dir saß in meinen ungestümen Schuljahren?«

»Du wußtest, daß ich keine Mutter hatte, und fühltest dich zu mir hingezogen.«

»Mehr als das, Agnes. Ich wußte fast, als ob ich diese Geschichte gekannt hätte, daß etwas unerklärlich Mildes dich umgibt, etwas, was bei einer andern traurig gewirkt hätte, nur an dir nicht.«

Sie spielte leise weiter und sah mich immer noch an dabei.

»Du lächelst vielleicht darüber, daß ich solchen Phantasien nachhänge, Agnes?«

»Nein.«

»Oder wenn ich dir sage, daß ich damals schon fühlte, du werdest trotz aller Entmutigungen getreulich ausharren in deiner Liebe und nie damit aufhören bis zum Tod?«

»O nein, o nein!«

Einen Augenblick flog ein kummervoller Schatten über ihr Gesicht, aber noch während des Schreckens, den ich darüber empfand, war er bereits verschwunden.

Als ich in der einsamen Nacht nach Hause ritt und der Wind an mir vorüberstrich wie ein Zug ruheloser Erinnerungen, mußte ich immerwährend daran denken und konnte die Befürchtung nicht loswerden, daß sie sich nicht glücklich fühle. Ich war sicher unglücklich. Aber soweit hatte ich getreulich mit der Vergangenheit abgeschlossen, und wenn ich sie im Geiste aufwärts deuten sah, da war mir, als wiese sie empor wie in eine unenträtselbare Zukunft, wo ich sie doch vielleicht dereinst mit einer auf Erden unbekannten Liebe umfangen und ihr sagen könnte, welchen Kampf ich hier unten durchgerungen.

61. Kapitel

Zwei interessante Reuige werden vorgeführt

Eine Zeitlang wohnte ich bei meiner Tante in Dover und schrieb dort ungestört und eifrig an meinem Roman an demselben Fenster, von dem aus ich einst auf den Mondschein auf dem Meere draußen geblickt hatte, als dieses Haus mir das erste Mal Obdach gewährte.

Zuweilen besuchte ich London, um mich in dem Gewühl des Lebens ein wenig zu verlieren oder mit Traddles über eine Geschäftsangelegenheit zu beraten. Er hatte meine Angelegenheiten während meiner Abwesenheit mit größter Umsicht verwaltet, und meine Vermögensverhältnisse standen sehr gut. Als mir mein Bekanntwerden als Schriftsteller eine ungeheure

Menge Briefe von mir unbekannten Leuten ins Haus brachte, die meist von nichts handelten und sehr schwer zu beantworten waren, – einigte ich mich mit Traddles, an seine Tür auch meinen Namen anschlagen zu lassen.

Dort lieferten die unglücklichen Briefträger dieses Bezirkes ganze Scheffel von Briefen an mich ab, und ich arbeitete mich von Zeit zu Zeit durch die Papiermassen durch wie ein Staatssekretär. Nur ohne Gehalt. Unter diesen Briefen fand sich dann und wann ein Angebot von einem der zahllosen Outsiders, die sich immer in den Commons herumtreiben, mit Benützung meines Namens, da ich jetzt Proktor geworden, zu praktizieren und mit mir den Gewinn zu teilen. Aber ich lehnte jedes Mal ab, da ich die Commons für schlecht genug hielt, um noch etwas dazu beitragen zu müssen.

Die Mädchen waren nach Hause gereist, und der Bursche mit dem pfiffigen Gesicht sah den ganzen Tag aus, als ob er nicht das mindeste von Sophie wüßte, die bei ihrer Arbeit in ihrem Hofzimmer mit der Aussicht auf ein rauchgeschwärztes Streifchen Garten mit einem Ziehbrunnen darin zu sitzen pflegte. Immer fand ich sie dort, immer dieselbe muntere Hausfrau, und oft summte sie ihre Devonshirer Balladen und erquickte damit das Ohr des pfiffigen Burschen.

Im Anfang wunderte ich mich, warum ich sie so oft mit Schreiben beschäftigt fand und warum sie immer, wenn ich kam, ihr Buch zuklappte und es schnell in die Schublade legte. Aber das Geheimnis löste sich bald. Eines Tages nämlich nahm Traddles, als er bei regnerischem Wetter vom Gericht nach Hause kam, ein Papier aus seinem Pult und fragte mich, was ich von der Handschrift hielte.

»Aber laß doch, Tom«, rief Sophie, die seine Hausschuhe am Kamin wärmte.

»Warum nicht, liebe Sophie?« erwiderte Tom ganz entzückt. »Was hältst du von dieser Handschrift, Copperfield?«

»Eine ausgeschriebne Advokatenhand. Ich habe kaum je eine festere gesehen.«

»Keine Damenhand?«

»Eine Damenhand!« wiederholte ich. »Mauersteine und Kalk sehen einer Damenhand ähnlicher.«

Traddles brach in ein entzücktes Lächeln aus und sagte mir, es sei Sophies Schrift. Sie habe sie sich, damit sie einen Schreiber sparen könnten, nach Vorlagen angeeignet. Ich weiß nicht mehr, wieviel Folioseiten in der Stunde sie schreiben konnte. Sie wurde sehr verlegen und meinte, wenn Tom erst einmal Richter wäre, werde er es nicht mehr so bereitwillig ausplaudern. Das leugnete Tom und behauptete, er werde unter allen Verhältnissen gleich stolz darauf sein.

»Wie gut und liebenswürdig deine Frau ist, Traddles«, sagte ich, als sie lachend fortgegangen war.

»Lieber Copperfield, sie ist ohne Ausnahme das beste Mädchen von der Welt! Und wie sie wirtschaftet! Ihre Pünktlichkeit, Häuslichkeit, Sparsamkeit und ihr heiterer Sinn, Copperfield!«

»Du hast alle Ursache, sie zu loben«, stimmte ich ein. »Du bist ein glücklicher Mensch. Ich glaube, ihr beide macht euch gegenseitig zu den glücklichsten Menschen auf Erden.«

»Ich bin überzeugt, daß wir es sind. Ich gebe das in jeder Hinsicht zu. Mein Gott, wenn ich sie früh bei Tagesanbruch aufstehen sehe, wie sie alles vorbereitet, auf den Markt geht bei jedem Wetter, ehe die Schreiber in die Inn kommen, die prächtigsten kleinen Mittagessen aus den einfachsten Sachen herstellt, Puddings und Pasteten bereitet, jedes Ding an seinem rechten Platz erhält, auf mich abends wartet, wenn es noch so spät wird, und immer fröhlich und guten Mutes ist und dabei schmuck und hübsch aussieht, kann ich es manchmal kaum glauben, Copperfield.«

Er war selbst gegen die Pantoffel, die sie gewärmt hatte, zärtlich, als er sie anzog und seine Füße vergnügt an das Kamingitter stellte.

»Und dann erst unsere Vergnügungen! Mein Gott, kostspielig sind sie nicht, aber ganz wundervoll. Wenn wir abends zu Hause sitzen, die Außentür zuschließen und die Vorhänge hier, die sie selbst gemacht hat, zuziehen, wo kann es da gemütlicher sein! Wenn wir bei schönem Wetter spazierengehen, bieten sich uns in den Straßen tausenderlei Freuden. Wir schauen in die blitzenden Juwelierläden, und ich zeige Sophie die Schlangen mit den Diamantaugen auf den kleinen Hügeln aus weißem Atlas, die ich ihr schenken würde, wenn ich das Geld dazu hätte, und sie zeigt mir, welche von den goldnen, mit Steinen besetzten Uhren sie mir kaufen möchte, wenn es langte. Wir suchen uns die Löffel und Gabeln, Fischkellen, Buttermesser und Zuckerzangen aus und gehen mit einem Gefühl fort, als ob wir sie schon hätten. Dann, wenn wir auf die freien Plätze und in die breiten Straßen kommen, besprechen wir, wie das oder jenes Haus sich machen würde, wenn ich erst Richter wäre, und teilen es ein: – soviel Zimmer für uns, soviel für die Mädchen und so weiter, bis wir zu unserer Zufriedenheit festgestellt haben, ob es passen würde oder nicht. Manchmal gehen wir bei halben Preisen ins Theater ins Parterre – dessen Geruch schon meiner Meinung nach für das Geld billig ist – und genießen das Stück, von dem Sophie jedes Wort glaubt und ich auch.

Auf dem Nachhausewege kaufen wir vielleicht eine kleine Delikatesse in einer Garküche oder einen kleinen Hummer bei einem Fischhändler und bereiten uns zu Hause ein glänzendes Abendessen, bei dem wir über alles, was wir gesehen, plaudern. Siehst du, wenn ich Lordkanzler wäre, Copperfield, könnte ich das alles nicht tun.«

Du würdest in jeder Stellung etwas Hübsches, Liebenswürdiges tun, Traddles, dachte ich bei mir.

»Übrigens«, sagte ich, »du zeichnest jetzt gewiß keine Gerippe mehr.«

»O doch«, entgegnete Traddles mit Lachen und ein wenig errötend, »ich kann es nicht leugnen, lieber Copperfield. Als ich neulich mit der Feder in der Hand in einer der rückwärtigen Reihen in Kingsbench saß, fiel mir ein, ob ich es noch könnte. Und ich fürchte, es ist jetzt ein Gerippe mit einer Perücke auf dem Rande des Pultes zu sehen.«

Nachdem wir beide herzlich gelacht hatten, schloß Traddles, ins Feuer blickend, in seiner milden, verzeihenden Weise:

»Der alte Creakle!«

»Ich habe einen Brief hier von diesem alten – Halunken«, sagte ich, denn ich dachte weniger versöhnlich.

»Von Creakle, unserm Lehrer?!« rief Traddles. »Nicht möglich!«

»Unter den Personen, die mein Ruf als Schriftsteller anzieht«, sagte ich und blätterte in meinen Briefen, »und die jetzt mit einem Mal entdecken, daß sie mich von jeher geliebt haben, ist dieser selbige Creakle. Er ist jetzt nicht mehr Schuldirektor, Traddles. Er hat sich zurückgezogen. Er ist Gefängnisdirektor in Middlessex.«

Traddles war gar nicht so erstaunt, wie ich erwartet hatte.

»Wie mag er es wohl dazu gebracht haben?« fragte ich.

»Mein Gott, das ist wohl schwer zu beantworten. Vielleicht hat er für jemand seine Stimme abgegeben, jemand Geld geliehen oder auf andere Weise verpflichtet; eine schmutzige Geschichte für jemand auf sich genommen, der dann den Grafschaftsgouverneur veranlaßte, ihn zu ernennen.«

»Im Amt ist er jedenfalls«, sagte ich. »Er schreibt mir hier, er würde sich freuen, mir das einzig wahre System der Gefangenenbehandlung vorführen zu dürfen; die einzig richtige Methode, aufrichtige, dauernde Bekehrung und Reue zu erwecken. Du weißt, durch Einzelhaft. Was meinst du dazu?«

»Zu der Methode?«

»Nein. Ob ich das Anerbieten annehmen soll und ob du mitkommen willst?«

»Ich habe nichts dagegen.«

»Dann will ich ihm schreiben. Du weißt doch noch, wie dieser Creakle seinen Sohn verstieß und seine Frau und Tochter behandelte, von unserer Behandlung gar nicht zu sprechen.«

»Vollkommen.«

»Wenn du jetzt seinen Brief liest, wirst du finden, daß er der allerzärtlichste Mensch gegen Verbrecher ist, die sämtlicher

Paragraphen des Kriminalgesetzes überführt sind. Auf keine andere Klasse von Geschöpfen scheint sich seine Liebe zu erstrecken.«

Traddles zuckte nur mit den Schultern und war gar nicht verwundert. Ich selbst war eigentlich auch nicht darüber erstaunt, hatte ich doch nicht selten ähnliche praktische Satiren in Wirklichkeit mitangesehen.

An dem bestimmten Tag begaben wir uns nach dem Gefängnis, wo Mr. Creakle allmächtig war. Es war ein riesiges solides Gebäude, das unendlich viel Geld gekostet hatte. Ich konnte mich des Gedankens nicht erwehren, wieviel Geschrei wohl im Lande gewesen wäre, würde jemand vorgeschlagen haben, auch nur halb soviel zur Errichtung einer Industrieschule für die Jugend oder einer Stiftung für alte verdiente Bedürftige auszugeben.

In einem Amtszimmer, das geradesogut für das Erdgeschoß des Turms zu Babel gepaßt hätte, so fest war es, wurden wir unserm alten Schulmeister vorgestellt. Inmitten einer Gruppe von zwei oder drei geschäftseifrigen Beamten und einigen Gästen empfing mich Mr. Creakle wie ein Mann, der meinen Geist in früheren Zeiten gebildet und mich immer zärtlich geliebt hätte. Als ich ihm Traddles vorstellte, sprach er sich in ähnlicher Weise, wenn auch gemäßigter aus, daß er immer Traddles' Führer und Freund gewesen sei. Er sah viel älter aus als damals, aber keineswegs angenehmer. Sein Gesicht war noch so rot wie früher, die Augen, ebenso klein, schienen noch tiefer zu liegen. Das dünne, feucht aussehende graue Haar war fast ganz verschwunden, und die dicken Adern auf dem kahlen Kopf machten ihn durchaus nicht anziehender.

Nach längerer Unterhaltung mit den verschiednen Herren, nach der ich hätte annehmen müssen, es könne auf der Welt nichts Wichtigeres geben als die höchstmögliche Bequemlichkeit der Gefangenen und koste sie, was sie wolle, begannen wir unsere Besichtigung. Da gerade Essenszeit war, gingen wir zuerst in die große Küche, wo das Essen, für jeden einzelnen Gefangenen besonders, mit der Genauigkeit einer Maschine abgeteilt wurde. Ich sagte halblaut zu Traddles, ob denn niemand der Unterschied zwischen diesen reichlichen Speisen von auserlesener Güte und dem Mittagessen- nicht etwa der Armenhausbewohner –, nein, auch der Soldaten, Matrosen, der großen Masse ehrenwerter Arbeiter, von denen auch nicht einer von fünfhundert nur ein einziges Mal halb so gut speisen könnte, zu denken gäbe. Aber ich erfuhr, daß das »System« gute Kost erfordere, und fand, daß in dieser Hinsicht wie in jeder andern ein »System« allem Zweifel ein Ende macht und alle Anomalien erklärt. Niemand schien die geringste Ahnung zu haben, daß es noch ein anderes »System« geben könnte als dieses hier.

Als wir durch die prächtig gewölbten Gänge schritten, fragte ich Mr. Creakle und seine Freunde, worin denn eigentlich die Hauptvorzüge dieses alles überragenden »Systems« beständen. Die Vorzüge waren: vollständige Isolierung der Gefangenen, so daß keiner das geringste von den andern wüßte, und allmähliche Erziehung zu einem gesunden Gemützustand, der schließlich zu aufrichtiger Reue führen sollte.

Aber, als wir einzelne Zellen besichtigten und uns erklären ließen, wie die Gefangenen dem Gottesdienst beiwohnten, da kam es mir sehr wahrscheinlich vor, daß sie ziemlich viel voneinander wüßten und ein recht vollständiges System des Gedankenaustausches besäßen.

Inzwischen ist das, galube ich, nachgewiesen worden. Doch da es plumpe Lästerung des Erziehungssystems bedeutet hätte, wenn ich einen Zweifel auch nur angedeutet haben würde, beschränkte ich mich darauf, mich so fleißig wie möglich nach den Resultaten hinsichtlich der erzielten Reue umzusehen.

Auch hier konnte ich mich des Mißtrauens nicht erwehren. Ich fand in der Form der Buße eine Mode so vorherrschend wie in den Schneiderläden an den Röcken und Westen. Ich sah sehr viel zur Schau getragen von einer Reue, die sich überall verdächtig gleich blieb und sich kaum in den Worten unterschied. Ich fand sehr viel Füchse, denen die Trauben zu sauer waren, und daß diejenigen, die ihre Reue am meisten zur Schau trugen, sich der allergrößten Teilnahme erfreuten.

Ich hörte so oft einen Numero 27 als Mustergefangenen erwähnen, daß ich mein Urteil verschob, bis ich ihn zu Gesicht bekäme. Numero 28 sei ebenfalls ein besonders heller Stern, hieß es, aber er hatte das Unglück, daß sein Glanz durch Numero 27 verdunkelt wurde. Ich hörte so viel von Nummer 27, seinen frommen Ermahnungen an alle, die in seine Nähe kämen, und von den schönen Briefen, die er rastlos an seine Mutter, die er auf sehr schlechtem Wege zu glauben schien, schriebe, daß ich darauf brannte, ihn kennenzulernen.

Ich mußte meine Ungeduld einige Zeit zügeln, da sein Anblick als Schlußeffekt aufbewahrt war, aber endlich standen wir vor der Tür seiner Zelle, und Mr. Creakle blickte durch ein kleines Loch hinein und berichtete uns in höchster Bewunderung, daß der Gefangene in seinem Gesangbuch läse. So viel Köpfe drängten sich sofort vor, um Numero 27 im Gesangbuch lesen zu sehen, daß das kleine Loch von mindestens sechs Köpfen auf einmal besetzt war. Um diesem Übelstand abzuhelfen und uns Gelegenheit zu geben, mit Numero 27 in seiner ganzen Reinheit sprechen zu können, ließ Mr. Creakle die Zelle aufsperren und den Gefangenen herauskommen. Wen anders erkannten Traddles und ich zu unserm größten Erstaunen in dem bekehrten Numero 27 als – Uriah Heep.

Er bemerkte uns sofort und sagte schon beim Heraustreten mit seiner alten kriecherischen Verrenkung:

»Wie geht es Ihnen, Mr. Copperfield, und Ihnen, Mr. Traddles?« Die Erkennungsszene erregte die Bewunderung aller Anwesenden. Mir schien es, als seien alle tief ergriffen darüber, daß er nicht stolz war und uns beachtete.

»Nun 27«, sagte Mr. Creakle mit schwermütiger Teilnahme, »wie befinden Sie sich zur Zeit?«

»Ich bin sehr demütig, Sir.«

»Das sind Sie immer, 27«, bestätigte Mr. Creakle.

Ein Herr fragte angelegentlichst: »Befinden Sie sich wirklich recht wohl hier?«

»Ja, ich danke Ihnen, Sir«, gab Uriah Heep zur Antwort und blickte den Fragenden an. »Ich fühle mich hier viel wohler als jemals draußen. Ich erkenne jetzt meine Fehler, Sir, und das ist so tröstlich.«

Viele der Herren waren tief ergriffen, einer drängte sich vor und forschte gefühlvoll: »Wie finden Sie das Rindfleisch?«

»Ich danke Ihnen, Sir! Es war gestern zäher als wünschenswert, aber es ist meine Pflicht, zu dulden. Ich habe Torheiten begangen, meine Herrn«, sagte Uriah und blickte mit demütigem Lächeln umher, »und muß jetzt die Folgen ohne Murren tragen.«

Mitten in dem Gemurmel, das halb wie Befriedigung klang über 27s engelreinen Seelenzustand, halb wie Entrüstung über den Lieferanten, der Anlaß zur Klage gab – was Mr. Creakle sofort notierte, – stand Numero 27 da, als fühle er sich als schönstes Stück in einem reichhaltigen Museum.

Damit auf uns Laien ein Übermaß von Licht herabstrahle, wurde auch 28 herausgelassen.

Ich war schon so erstaunt, daß ich es nur noch zu einer Art resignierter Verwunderung bringen konnte, als Mr. Littimer heraustrat, in der Hand ein gutes Buch.

»28«, sagte ein Herr mit Brille, »Sie klagten vorige Woche über den Kakao, mein Bester. Wie ist er seitdem gewesen?«

»Ich danke Ihnen, Sir«, entgegnete Mr. Littimer. »Er war besser zubereitet. Wenn ich mir die Freiheit nehmen darf, es zu erwähnen, Sir, so glaube ich nicht, daß die Milch, mit der er gekocht wird, ganz echt ist, aber ich weiß recht gut, Sir, daß man sie in London sehr verfälscht und daß dieser Artikel in reinem Zustand nur schwierig zu erlangen ist.«

Der Herr mit der Brille schien seine Nummer 28 gegen Mr. Creakles 27 ausspielen zu wollen, und er wie Creakle wetteiferte darin, seinen Mann vorzureiten.

»Wie ist Ihr Seelenzustand, 28?«

»Ich danke Ihnen, Sir«, entgegnete Mr. Littimer, »ich sehe jetzt meine Torheiten ein, Sir. Es bereitet mir sehr viel Kummer, wenn ich an die Sündhaftigkeit meiner früheren Genossen denke; aber ich hoffe, daß sie Vergebung finden werden.«

»Sie selbst sind ganz glücklich?« fragte der Herr und nickte ermutigend.

»Ich danke Ihnen sehr, Sir. Vollkommen glücklich.«

»Haben Sie irgend etwas auf dem Herzen? Dann sprechen Sie es aus, 28.«

»Sir«, sagte Mr. Littimer, ohne aufzublicken, »wenn mich meine Augen nicht täuschen, so ist ein Gentleman hier, der in meinem früheren Leben mit mir bekannt war. Es kann diesem Herrn vielleicht von Nutzen sein, wenn er erfährt, Sir, daß ich meine früheren Torheiten lediglich dem Umstand zuschreibe, daß ich ein gedankenloses Leben im Dienste junger Leute geführt habe und mich von ihnen zu Schwächen habe hinreißen lassen, denen zu widerstehen ich nicht stark genug war. Ich hoffe, der Gentleman wird das als Warnung annehmen und es mir nicht als Anmaßung auslegen. Es geschieht zu seinem Besten. Ich bin mir meiner früheren Torheit bewußt. Ich hoffe, er wird all die Schlechtigkeit und Sünde bereuen, an der er teilgenommen hat.« Ich sah, daß mehrere der Herren sich die Hand vor die Augen hielten, als ob sie eben in eine Kirche getreten wären.

»Das macht Ihnen Ehre, 28«, sprach der Herr mit der Brille, »Ich habe es von Ihnen erwartet. Haben Sie sonst noch etwas auf dem Herzen?«

»Sir«, gab Mr. Littimer zur Antwort, ohne aufzusehen, nur die Brauen ein wenig in die Höhe ziehend, »ich kannte ein Mädchen, das auf schlechte Wege geriet und das ich vergeblich zu retten versuchte. Ich bitte diesen Herrn, wenn es in seiner Macht steht, dem Mädchen von mir zu sagen, daß ich ihr ihr schlechtes Betragen gegen mich verzeihe und sie zur Reue ermahne – wenn er so gut sein will.«

»Ich bezweifle nicht, 28«, sagte der Herr mit der Brille, »daß der Gentleman, den Sie meinen, so tief wie wir alle fühlt, was Sie so angemessen ausgedrückt haben. Wir wollen Sie nicht länger aufhalten.«

»Ich danke Ihnen, Sir«, sagte Mr. Littimer. »Ich wünsche Ihnen Guten Tag und hoffe, daß Sie und Ihre Familien ebenfalls Ihre Sündhaftigkeit einsehen und sich bessern werden.«

Damit entfernte er sich, nachdem er noch einen Blick mit Uriah gewechselt, als ob sie durchaus nicht so unbekannt miteinander wären; und ein Murmeln ging durch die Gruppe, als die Zellentür sich schloß, daß Numero 28 ein höchst respektabler Mann und ein schöner Fall sei.

»Nun 27?« sagte Mr. Creakle, jetzt mit seinem Prachtexemplar in die Arena tretend. »Kann jemand etwas für Sie tun? Sagen Sie es nur!«

»Ich möchte demütigst um Erlaubnis bitten, Sir«, antwortete Uriah mit einem Zucken in seinem tückischen Gesicht, »Mutter schreiben zu derfen.«

»Das soll Ihnen gewiß gestattet werden«, sagte Mr. Creakle.

»O, ich danke Ihnen, Sir. Ich bin in großer Sorge um Mutter. Ich fürchte, sie ist nicht sicher.«

»Wovor?« fragte jemand unvorsichtigerweise. Ein allgemeines entrüstetes »Still!« verwies den Vorwitzigen zur Ruhe.

»Der ewigen Seligkeit nicht sicher, Sir«, gab Uriah zur Antwort und krümmte sich in der Richtung des Fragers hin. »Ich wollte, Mutter befände sich in meinem Seelenzustand. Ich würde nie so geworden sein, wie ich jetzt bin, wenn ich nicht hierhergekommen wäre. Ich wollte, Mutter wäre hier. Es wäre besser für alle, wenn sie verhaftet und hierher gebracht würde.«

Diese Äußerung erregte unbegrenzte Befriedigung – größere als jede andere bisher.

»Ehe ich hierher kam«, sagte Uriah und warf uns einen Seitenblick zu, als hätte er am liebsten die ganze Außenwelt, zu der wir gehörten, vergiftet, »beging ich Torheiten. Aber jetzt sehe ich sie ein. Es herrscht viel Sünde draußen. Es ist viel Sünde in Mutter. Es ist nichts als Sünde überall außer hier.«

»Sie sind also ganz verändert?« fragte Mr. Creakle.

»Der Himmel weiß es, Sir«, rief der hoffnungsvolle Büßer.

»Sie würden nicht rückfällig werden, wenn Sie hinauskämen?« fragte jemand.

»O Gott im Himmel nein, Sir.«

»Das ist hocherfreulich«, triumphierte Mr. Creakle. »Sie haben vorhin Mr. Copperfield angesprochen, 27. Wünschen Sie ihm noch etwas zu sagen?«

»Sie kannten mich lange Zeit, bevor ich hierher kam und mich änderte, Mr. Copperfield«, sagte Uriah mit seinem allerniederträchtigsten Blick, dessen er fähig war. »Sie kannten mich, als ich demütig war unter denen, die da stolz sind, und sanft unter den Gewalttätigen. Sie selbst waren einmal gewalttätig gegen mich, Mr. Copperfield. Einmal schlugen Sie mich ins Gesicht. Sie wissen doch.«

Allgemeines Mitleid. – Verschiedne unwillige Blicke richteten sich auf mich.

»Aber ich verzeihe Ihnen, Mr. Copperfield. Ich vergebe Ihnen allen. Es würde mir schlecht anstehen, Groll im Herzen zu hegen. Ich vergebe Ihnen aus eignem Antrieb und hoffe, Sie werden in Zukunft Ihre Leidenschaften bezähmen. Ich hoffe, Mr. W. wird bereuen und Miss W. und die ganze sündhafte Rotte. Sie sind von großem Leid heimgesucht worden, und ich hoffe, daß es Ihnen zum Guten gereicht. Aber besser wäre es dennoch, Sie kämen hierher. Und für Mr. W. wäre es ebenfalls besser und auch für Miss W. – Nichts kann ich Ihnen mehr wünschen, Mr. Copperfield, und allen diesen Herren, als daß man Sie hierher brächte. Wenn ich an meine früheren Torheiten zurückdenke und mir meinen gegenwärtigen Zustand vor Augen halte, fühle ich, daß es das Beste für Sie wäre. Ich bemitleide alle, die nicht hierher gebracht werden.«

Unter allgemeinem Beifallsgemurmel schlängelte er sich in seine Zelle zurück, und Traddles und ich fühlten uns sehr erleichtert, als sich die Türe hinter ihm wieder schloß.

Es war ein charakteristischer Zug in dieser Besserungsanstalt, daß ich erst nach der Ursache der Gefängnisstrafe der beiden Verbrecher fragen mußte. Wie es schien, war das ein nebensächlicher Punkt, und ich wendete mich an einen der beiden Gefangenenwärter, die, wie ich nach gewissen leisen Andeutungen in ihren Gesichtern merkte, sehr wohl wußten, wie sie mit den Sträflingen dran waren.

»Wissen Sie vielleicht?« fragte ich, als wir den Gang entlangschritten, »aus welchem Verbrechen Numero 27s ›letzte Torheit‹ bestand?« Die Antwort war, es sei eine Banksache gewesen.

»Ein Betrug gegen die Bank von England?«

»Ja, Sir! Betrug, Fälschung, Komplott. Er und noch ein paar andere. Er war der Anstifter. Es war ein groß angelegter Plan, und es handelte sich um eine bedeutende Summe. Das Urteil lautet auf lebenslängliche Deportation. 27 war der schlauste Vogel von der ganzen Bande und log sich beinah heraus; aber nicht ganz. Die Bank war gerade noch imstande, ihn bei einem Fittich zu erwischen. – Aber nur mit knapper Not.«

»Wissen Sie, was 28 verbrochen hat?«

»28«, sagte der Mann in leisem Ton und mit einem vorsichtigen Blick über die Schulter, um nicht bei so statutenwidrigen Äußerungen von Creakle und den Übrigen belauscht zu werden: »28 – ebenfalls Deportation – stand bei einem jungen Herrn in Diensten und stahl ihm am Tag vor einer Reise ins Ausland zweihundertfünfzig Pfund in Geld und Pretiosen. Ich erinnere mich deshalb des Falles noch so genau, weil der Verbrecher von einer Zwergin gefaßt wurde.«

»Von wem?«

»Von einer Zwergin. Ich habe den Namen vergessen.«

»Doch nicht Mowcher?«

»Ja, ja, so hieß sie. Er war allen Nachforschungen entgangen und eben im Begriff, sich mit falscher Perücke und Bart und geschickt verkleidet nach Amerika einzuschiffen, als die Zwergin, die sich gerade in Southampton aufhielt, ihn zufällig auf der Straße traf und erkannte, ihm vor die Beine lief, ihn zu Fall brachte und festhielt wie der leibhaftige Tod.«

»Prächtige Miss Mowcher!« rief ich.

»Das hätten Sie erst recht gesagt, Sir, wenn Sie die Zwergin bei der Verhandlung in der Zeugenloge hätten stehen sehen. Er schlug ihr das Gesicht blutig und hämmerte ihr in der gräßlichsten Weise auf dem Kopf herum, als sie ihn gepackt hielt, aber sie ließ nicht einen Augenblick los, bis er die Handschellen bekam. Man konnte sie gar nicht von ihm losreißen, so daß die Polizisten beide zusammen festnehmen mußten. Sie gab ihre Zeugenaussagen in der klarsten und bestimmtesten Weise ab und wurde vom Gerichtshof aufs höchste bekomplimentiert und auf der Straße mit lautem Hurra empfangen. Sie sagte vor Gericht, sie hätte ihn ganz allein festgenommen – wegen irgend etwas, was sie von ihm wußte –, und wenn er der Simson gewesen wäre. Und ich glaube das wirklich.«

Ich glaubte das auch und zollte Miss Mowcher die größte Anerkennung.

Wir hatten jetzt alles gesehen. Es wäre vergebliche Mühe gewesen, einem Mann wie dem ehrenwerten Mr. Creakle vorzustellen, daß 27 und 28 noch ganz dasselbe wären wie früher und das ganze »System« nichts als eine faule, hohle Rederei sei.

»Vielleicht ist es gut, Traddles«, sagte ich, als wir nach Hause gingen, »wenn schlechte Steckenpferde gleich zu Anfang scharf geritten werden. Um so eher gehen sie entzwei.«

»Das ist auch meine Hoffnung«, nickte Traddles.

62. Kapitel

Ein Lichtstrahl fällt auf meinen Weg

Weihnachten kam heran, und ich war bereits über zwei Monate in England. Ich hatte Agnes oft gesehen. So laut mich auch die Stimme der Öffentlichkeit in der Schriftstellerei ermutigte und zu immer eifrigeren Anstrengungen anstachelte, das leiseste Wort ihres Lobes ging mir doch über alles.

Wenigstens einmal in der Woche ritt ich nach Canterbury und brachte den Abend bei ihr zu. Meistens kehrte ich nachts zurück und war froh, mir körperliche Bewegung verschaffen zu können, denn das alte Leidgefühl überkam mich noch stärker, wenn ich lange mit Agnes beisammen gewesen war. Mit diesen Ritten verbrachte ich den längsten Teil manch trüber, trauriger Nacht, und die Gedanken, die mich während meines langen Aufenthalts im Auslande beschäftigt hatten, lebten dabei wieder in mir auf.

Sie sprachen zu mir wie aus weiter Ferne, und ich hatte mich in mein Schicksal ergeben. Wenn ich Agnes meinen Roman vorlas, ihre aufmerksame Miene sah, sie zu Lächeln oder Tränen bewegte und ihre liebe Stimme so ernst sprechen hörte über die schemenhaften Ereignisse der phantastischen Welt, in der ich lebte, da dachte ich manchmal, welches Los mir hätte werden können.

Ich wußte, ich hatte kein Recht zu murren, und mußte ruhig tragen, was ich mir selbst geschaffen. Aber ich liebte sie. Es war mir fast wie Trost, mir eine ferne Zukunft auszumalen, wo ich ihr eines Tages ruhig gestehen dürfte: Agnes, so war es, als ich damals heimkam, und jetzt bin ich alt und habe seitdem nie wieder geliebt.

An ihr war nicht die geringste Veränderung zu bemerken. Wie sie von jeher zu mir gewesen, so war sie noch.

Zwischen meiner Tante und mir war seit dem ersten Abend meiner Rückkehr in bezug auf diese Herzensangelegenheit etwas entstanden, was ich nicht ein Vermeiden dieses Themas, sondern eher ein stillschweigendes Einverständnis nennen möchte. Wenn wir nach alter Gewohnheit abends am Kamin saßen, beschäftigten uns diese Gedanken so lebhaft und deutlich, als ob wir uns mit Worten verständigt hätten. Aber wir wahrten beide unser Schweigen. Ich glaubte, daß sie an jenem Abend mir meine Gedanken wenigstens zum Teil von der Stirne gelesen hätte und vollständig begriffe, warum ich sie nicht offen ausspräche.

Als die Weihnachtszeit gekommen war und Agnes mich noch immer nicht ins Vertrauen zog, begannen mich Zweifel zu quälen, ob nicht eine Erkenntnis des wahren Zustandes meines Herzens sie aus Furcht, mir Schmerz zu bereiten, vielleicht davon abhielte. In einem solchen Fall wäre meine einfachste Pflicht unerfüllt geblieben, und alles, was ich hatte vermeiden wollen, beging ich stündlich. Ich beschloß Klarheit zu schaffen, und wenn eine solche Schranke wirklich noch zwischen uns stünde, sie mit entschlossener Hand niederzureißen.

Es war ein kalter, strenger Wintertag. Der Schnee, erst vor einigen Stunden gefallen, bedeckte nicht tief, aber hart gefroren den Boden. Draußen auf der See vor meinem Fenster blies der Wind rauh aus Norden.

»Reitest du heute aus, Trot?« fragte meine Tante, den Kopf zur Türe hereinstreckend.

»Ja. Ich will hinüber nach Canterbury. Es ist ein guter Tag für einen Ritt.«

»Hoffentlich wird dein Pferd auch so denken; vorderhand läßt es den Kopf und die Ohren hängen vor der Tür draußen und scheint den Stall vorzuziehen.«

Meine Tante, muß ich bemerken, gestattete wohl meinem Pferd das Betreten des verbotnen Rasenstücks, war aber den Eseln gegenüber durchaus nicht milder geworden.

»Es wird schon munter werden«, sagte ich.

»Jedenfalls wird der Ritt dir guttun«, sagte meine Tante mit einem Blick auf die Papiere auf dem Tisch. »Ach Kind, du bringst viele, viele Stunden hier zu. Ich hätte niemals beim Bücherlesen gedacht, was für eine Mühe es kostet, sie zu schreiben.«

»Manchmal macht es Arbeit genug, sie zu lesen, Tante, und was das Schreiben anbetrifft, so hat das seine eignen Reize.«

»Ach ich verstehe«, sagte meine Tante. »Ehrgeiz, Freude an Beifall, Sympathie und dergleichen, wie? Aber jetzt mache, daß du fortkommst.«

»Weißt du etwas Näheres«, fragte ich und stand gefaßt vor ihr – sie hatte mir auf die Schulter geklopft und sich dann in meinen Stuhl gesetzt – »von Agnes' Herzensangelegenheit?«

Sie sah mich eine Weile an, ehe sie antwortete:

»Ich glaube wohl, Trot.«

»Bist du in deiner Meinung noch bestärkt worden?«

»Ich denke ja, Trot.«

Sie sah mich fest an, wie zweifelnd, bedauernd oder ungewiß, so daß ich nur um so fester entschlossen war, ihr eine heitere Miene zu zeigen.

»Und was noch mehr ist, Trot – «

»Nun?«

»Ich glaube, Agnes wird bald heiraten.«

»Gott segne sie«, sagte ich heiter.

»Gott segne sie«, sagte meine Tante, »und auch ihren Gatten.« Ich ging rasch die Treppe hinab und ritt davon. Ich hatte jetzt um so mehr Grund, meinen Entschluß auszuführen.

Kleine Eisstäubchen riß der Wind von den Grashalmen und trieb sie mir ins Gesicht. Der helle Schall der Hufe meines Pferdes klang wie eine Melodie auf dem Boden; die weiß überzognen sanften Täler und Hügel hoben sich von dem dunklen Himmel ab, wie auf eine Schiefertafel gezeichnet. Ein dampfendes Gespann vor einem Wagen voll Heu hielt Rast auf der Spitze einer Straßenerhebung und schüttelte melodisch die Schellen.

Ich fand Agnes allein. Die kleinen Mädchen waren nach Hause gereist, und sie saß am Kamin und las. Sie legte das Buch hin, als sie mich eintreten sah, und nachdem sie mich wie gewöhnlich begrüßt hatte, nahm sie ihr Arbeitskörbchen, und wir setzten uns in eins der altmodischen Fenster.

Wir sprachen von meinem jetzigen Roman, wann er fertig würde, und von den Fortschritten, die er seit meinem letzten Besuch gemacht. Agnes war sehr heiter und prophezeite mir lachend, ich würde bald viel zu berühmt werden, als daß man über solche Sachen werde sprechen dürfen.

»So benutze ich denn die Gegenwart aufs beste, wie du siehst«, sagte sie, »und rede mit dir davon, solange ich noch darf.«

Sie blickte von ihrer Arbeit auf und bemerkte, daß ich sie forschend ansah.

»Du bist heute sehr nachdenklich, Trotwood.«

»Agnes, soll ich dir sagen, warum? Ich kam mit der Absicht her, es zu tun.«

Sie legte ihre Arbeit weg wie gewöhnlich, wenn wir etwas ernstlich besprachen, und schenkte mir ihre volle Aufmerksamkeit.

»Liebe Agnes, zweifelst du an meiner Aufrichtigkeit gegen dich?«

»Nein«, erwiderte sie mit einem erstaunten Blick.

»Glaubst du, ich sei anders gegen dich als früher?« »Nein«, antwortete sie wie zuvor.

»Erinnerst du dich, daß ich dir gleich nach meiner Heimkehr auszudrücken versuchte, in welcher Schuld ich bei dir stehe, liebste Agnes, und wie tief ich das fühle?«

»Ich erinnere mich dessen noch recht gut.«

»Du hast ein Geheimnis«, sagte ich. »Laß es mich mit dir teilen, Agnes!«

Sie schlug die Augen nieder und zitterte.

»Es würde mir kaum entgangen sein«, sagte ich, »auch wenn ich es nicht gehört hätte – von andern Lippen als den deinen, Agnes, befremdlicherweise –, daß du jemand dein Herz geschenkt hast. Schließ mich nicht aus von dem, was dein Glück so nahe angeht! Wenn du mir so vertraust, wie ich weiß und wie du sagst, so laß mich dein Freund und Bruder in dieser Sache vor allen andern sein!«

Mit einem flehentlichen, fast vorwurfsvollen Blick stand sie vom Fenster auf, eilte verwirrt in den Hintergrund des Zimmers, bedeckte ihr Gesicht mit den Händen und brach in Tränen aus, daß es mir das Herz zerriß.

Und doch erweckten diese Tränen etwas in mir wie leise Hoffnung. Ohne daß ich mir darüber klarwerden konnte, warum, brachte ich sie mit jenem stillen, trüben Lächeln, das ich so gar nicht vergessen konnte, in Verbindung, und mehr Hoffnung als Besorgnis oder Schmerz druchbebte mich.

»Agnes! Schwester! Liebste Schwester! Was habe ich getan!«

»Laß mich fort, Trotwood. Mir ist nicht wohl. Ich kann nicht klar denken. Ich will später mit dir davon sprechen – ein ander Mal. Ich will dir schreiben. Sprich jetzt nicht mit mir. Bitte, bitte!«

Ich suchte mich ihrer Worte zu entsinnen, als ich mit ihr eines Abends davon gesprochen, daß ihre Liebe keiner Erwiderung bedürfe. Mir war, als müßte ich in einem Augenblick eine ganze Welt durchsuchen.

»Agnes, ich kann es nicht ertragen, dich so zu sehen und zu denken, daß ich die Ursache davon bin. Meine liebste Agnes, du bist mir teurer als irgend etwas im Leben, und wenn du unglücklich bist, so laß mich dein Unglück teilen. Wenn du Hilfe oder Rat bedarfst, so will ich versuchen, dir beizustehen. Wenn du wirklich eine Last auf dem Herzen hast, so laß mich versuchen, sie dir leichter zu machen. Für wen lebe ich jetzt, Agnes, wenn nicht für dich!«

»O, schone mich! Ich kann nicht klar denken. Ein ander Mal –«, weiter konnte ich nichts verstehen.

War es Selbstbetrug, der mich irreführte, oder tat sich eine Hoffnung vor mir auf, an die zu denken ich nicht gewagt hatte?

»Ich muß dir alles sagen, so darfst du mich nicht verlassen!« rief ich. »Um Himmels willen, Agnes, laß kein Mißverständnis zwischen uns treten nach so vielen Jahren. Ich muß offen sprechen. Wenn du noch einen Gedanken hast, daß ich jemand das Glück, das du ihm gibst, neiden, daß ich nicht einem andern, den du liebst, weichen und aus der Ferne Zeuge deines Glücks sein könnte, so vergiß diesen Gedanken, denn ich verdiene ihn nicht. Ich habe nicht umsonst Leid ertragen. Es ist nichts Selbstsüchtiges in dem, was ich für dich fühle.«

Sie war jetzt ruhiger geworden. Nach einer kleinen Pause wandte sie mir ihr blasses Gesicht zu und sagte mit leiser, deutlicher, wenn auch stockender Stimme:

»Ich schulde es deiner reinen Freundschaft, Trotwood, in die ich nicht den geringsten Zweifel setze, – dir zu sagen, daß du dich irrst. Mehr kann ich nicht tun. Wenn ich manchmal im Lauf der Jahre Hilfe und Rat gebraucht habe, so sind sie mir immer zuteil geworden. Wenn ich manchmal unglücklich gewesen bin, so ist es vorübergegangen. Habe ich jemals eine Last auf dem Herzen gehabt, so ist sie leichter geworden. Wenn ich ein Geheimnis habe, so ist es – kein neues, und ist nicht – was du vermutest. Ich kann es nicht offenbaren oder mit dir teilen. Es ist lange mein gewesen und muß mein bleiben.«

»Agnes! Bleib! Einen Augenblick!«

Sie wollte weggehen, aber ich hielt sie zurück. Ich legte meinen Arm um sie. »Im Lauf der Jahre? – Es ist kein neues?«

Neue Gedanken und Hoffnungen stürmten mir durch die Seele, und alle Farben meines Lebens veränderten sich.

»Liebste Agnes! Die ich dich so verehre und achte, – so innig liebe! Als ich heute hierherkam, glaubte ich, daß mir nichts dieses Bekenntnis entreißen würde. Ich glaubte, ich könnte es in meiner Brust verschlossen halten, bis wir alt sein würden. Aber Agnes, wenn ich wirklich noch zu einer Hoffnung berechtigt bin, dich jemals anders nennen zu dürfen als Schwester! ...«

Sie weinte wieder, aber nicht mehr wie vorhin, und ich sah meine Hoffnung heller werden.

»Agnes, du warst stets meine Stütze und mein Halt. Hättest du mehr an dich und weniger an mich gedacht, als wir hier zusammen aufwuchsen, ich glaube, mein achtlos blindes Herz hätte sich nie weg von dir verirrt. Aber du warst soviel besser als ich, mir so unentbehrlich in meinen knabenhaften Hoffnungen und Irrtümern, daß es mir zur zweiten Natur wurde, in allen Dingen dir zu vertrauen und meinen Halt an dir zu finden. Und so wurde die Liebe für jene Zeit in den Hintergrund gedrängt.«

Sie weinte immer noch, aber nicht aus Schmerz, – sondern vor Freude. Ich hielt sie in meinen Armen, wie ich nie gedacht hätte, daß es sein könnte.

»Als ich Dora liebte – herzlich und aufrichtig, wie du weißt –«

»Ja«, sagte Agnes ernst. »Und ich freue mich, es zu wissen.«

»Als ich sie liebte, selbst da wäre meine Liebe unvollständig gewesen – ohne deine Teilnahme. Und als ich Dora verlor, was wäre ich da ohne dich gewesen, Agnes!«

Sie ruhte an meinem Herzen, die zitternden Hände auf meine Schulter gelegt, und ihre lieben Augen glänzten durch Tränen den meinen entgegen.

»Ich verließ die Heimat, Agnes, und liebte dich. Ich war in der Fremde und liebte dich. Ich kehrte zurück und liebte dich.«

Und jetzt versuchte ich ihr den Kampf, den ich ausgestanden, und den Entschluß, mit dem ich zu ihr gekommen war, begreiflich zu machen. Ich versuchte mein Herz offen vor sie hinzulegen.

»Ich bin so glücklich, Trotwood. Mein Herz ist so voll. – Eines muß ich dir noch sagen.«

»Was, Geliebteste?«

Sie legte mir ihre Hand auf die Schulter und sah mir ruhevoll ins Gesicht: »Weißt du, was es ist?«

»Ich scheue mich, darüber nachzugrübeln. Sag es mir lieber.«

»Ich habe dich geliebt mein ganzes Leben lang –«

Wie waren wir glücklich! Unsere Tränen galten nicht den Prüfungen – wieviel größer waren die ihren als die meinigen gewesen –, durch die wir hindurchgegangen, sondern dem Entzücken, nie mehr getrennt zu werden.

Wir gingen in den Winterabend hinaus durch die Felder, und die selige Ruhe in uns schien sich der frostigen Luft mitzuteilen. Die Sterne fingen an zu scheinen, und als wir zu ihnen aufsahen, dankten wir Gott, daß er uns zu diesem Frieden geführt.

Wir standen abends beisammen in demselben altmodischen Fenster, und der Mond schien über der Stadt. Lange Meilen Wegs taten sich auf vor meinem Geist, und ich sah einen zerlumpten, vernachlässigten, müden Knaben die Straße wandern.

Es war fast Mittagszeit, als wir vor meiner Tante erschienen. Sie sei in meinem Studierzimmer, sagte Peggotty. – Es war nämlich ihr Stolz, es für mich stets selbst in Ordnung zu halten. Sie saß, die Brille auf der Nase, am Kamin.

»Du meine Güte«, rief sie, durch das Dämmerlicht im Zimmer spähend, »wen bringst du da mit nach Hause?«

»Agnes«, sagte ich.

Da wir verabredet hatten, uns anfangs nicht zu verraten, war meine Tante nicht wenig enttäuscht. Sie warf mir einen freudig überraschten Blick zu, als ich sagte: »Agnes«, aber als sie fand, daß ich aussah wie gewöhnlich, nahm sie verzweifelt die Brille ab und rieb sich die Nase damit.

Dennoch begrüßte sie Agnes aufs herzlichste, und wir saßen bald unten in dem erleuchteten Wohnzimmer beim Essen. Meine Tante setzte zwei oder dreimal die Brille auf, um mich forschend anzusehen, nahm sie aber ebenso oft enttäuscht wieder ab und rieb sich die Nase damit; sehr zu Mr. Dicks Unbehagen, der darin ein schlechtes Zeichen sah.

»Übrigens, Tante«, sagte ich nach dem Essen, »ich habe mit Agnes über das gesprochen, was du mir gesagt hast.«

»Da hast du Unrecht getan, Trot«, sagte meine Tante und wurde blutrot, »und hast dein Versprechen nicht gehalten.«

»Du bist doch nicht böse, Tante? Du wirst es gewiß nicht sein, wenn du erfährst, daß Agnes keine unglückliche Liebe hat.«

»Dummes Zeug«, sagte meine Tante.

Da sie sehr verstimmt schien, hielt ich es fürs beste, die Sache abzukürzen. Ich führte Agnes hinter ihren Stuhl, und wir beide beugten uns über sie herab. Die Hände zusammenschlagend und nach einem einzigen Blick durch die Brille bekam sie augenblicklich Lach- und Weinkrämpfe, das erste und einzige Mal in ihrem Leben, soviel ich weiß. Bestürzt kam Peggotty herein. Kaum war meine Tante wieder zu sich gekommen, stürzte sie auf Peggotty los, nannte sie ein einfältiges altes Geschöpf und umarmte sie mit aller Kraft. Dann schloß sie Mr. Dick in die Arme, der sich hochgeehrt fühlte, aber sehr überrascht war, und erklärte ihm den Zusammenhang. Dann waren wir alle sehr glücklich. Ich konnte nicht herausbekommen, ob meine Tante bei unserer letzten kurzen Unterredung einen frommen Betrug begangen oder meinen Herzenszustand wirklich mißverstanden hatte. Es wäre vollständig hinreichend, meinte sie, daß sie mir gesagt habe, Agnes würde bald heiraten. Ich selbst wisse jetzt besser als jeder andere, wie wahr es gewesen sei.

In vierzehn Tagen wurden wir getraut. Traddles, Sophie, Doktor und Mrs. Strong waren die einzigen Gäste bei unserer stillen Hochzeit. Wir ließen sie in freudigster Stimmung zurück und fuhren zusammen nach London. In meinen Armen hielt ich den Mittelpunkt meines Selbst, die Triebfeder meines Lebens, mein teures Weib, zu der meine Liebe auf Felsen gebaut war.

»Mein lieber, lieber Gatte«, sagte Agnes, »jetzt, wo ich dir diesen Namen geben darf, habe ich dir noch etwas zu sagen.«

»Was ist es, mein Lieb?«

»Es hängt mit dem Abend zusammen, wo Dora starb. Sie ließ mich durch dich rufen.«

»Ja.«

»Sie sagte, sie hinterlasse mir etwas. Errätst du, was es war?«

Ich zog das Wesen, das mich so lange geliebt, dichter an mich.

»Sie sagte, sie habe eine letzte Bitte an mich und hinterlasse mir einen letzten Auftrag.«

»Und der war?«

»Daß ich ihre Stelle einnehmen möchte.«

Und Agnes legte ihr Haupt auf meine Brust und weinte, und ich mit ihr, obgleich wir so glücklich waren.

63. KAPITEL

Ein Besuch

Mein Ruf und Wohlstand waren gewachsen, mein häusliches Glück vollständig. Zehn glückliche Jahre waren wir verheiratet. Agnes und ich saßen an einem Frühlingsabend in unserm Haus in London am Kamin, und unsere drei Kinder spielten im Zimmer, als ein Fremder, der mich zu sprechen wünschte, gemeldet wurde.

Man hatte ihn gefragt, ob er in Geschäften komme, und er hatte geantwortet, er wollte nur das Vergnügen haben mich zu sehen und wäre weit hergekommen. Es sei ein alter Mann, sagte das Dienstmädchen, und sähe aus wie ein Farmer.

Da das den Kindern geheimnisvoll klang und dem Anfang einer Liebesgeschichte ähnlich war, die ihnen Agnes zu erzählen pflegte, in der eine böse alte Fee in einem schwarzen Mantel, die jedermann haßte, vorkam, rief es einige Aufregung hervor. Einer unserer Knaben legte den Kopf in den Schoß der Mutter, um außer Gefahr zu sein, und die kleine Agnes, unser ältestes, setzte ihre Puppe an ihrer Statt in den Stuhl und guckte mit dem goldgelockten Köpfchen zwischen den Gardinen hervor, um zu sehen, was geschehen würde.

»Lassen Sie ihn eintreten«, sagte ich.

Gleich darauf erschien ein sonnverbrannter grauköpfiger alter Mann in der Tür. Es war Mr. Peggotty; ein Greis jetzt, aber rüstig und kräftig. Als sich unsere erste Ergriffenheit gelegt hatte, und er vor dem Feuer saß, ein Kind auf jedem Knie, und die Glut auf sein Gesicht schien, sah er mir so stark und rüstig aus, wie ich nur je einen alten Mann gesehen.

»Masr Davy«, sagte er, – wie mir der alte Name so vertraut klang! – »Masr Dary, das ist eine frohe Stunde für mich, wo ich Sie nochmals wiedersehe an der Seite Ihrer guten Frau.«

»Eine frohe Stunde, wirklich wahr, alter Freund!« rief ich aus.

»Und die hübschen Kinderchen! Die frischen Gesichter zu sehen! Ach, Masr Davy, Sie selbst waren nicht größer als das kleinste von diesen, wie ich Sie zuerst sah, und Emly war auch nicht größer, und unser armer Ham war noch ein Junge.«

»Die Zeit hat mich seitdem mehr verändert als Sie«, sagte ich. »Aber lassen wir die kleinen Schlingel erst zu Bett gehen, und da kein Haus in England als dieses Sie beherbergen darf, so sagen Sie mir, wo ich Ihr Gepäck holen lassen kann? Und dann wollen wir bei einem Glas Yarmouth-Grog von den letzten zehn Jahren reden.«

»Sind Sie allein gekommen?« fragte Agnes.

»Ja, Maam«, sagte er und küßte ihr die Hand. »Ganz allein.«
Wir setzten ihn zwischen uns und wußten nicht, wie wir ihn genug bewillkommnen könnten.

»Es ist eine sehr große Strecke Wasser für eine Reise«, sagte Mr. Peggotty, »zumal, wenn man nur ein paar Wochen bleiben will. Aber Wasser, besonders, wenn es salzig ist, ist mir eine vertraute Sache, und Freunde sind viel wert, und so bin ich hier.«

»Wollen Sie sobald schon diese vielen tausend Meilen wieder zurückreisen?« fragte Agnes.

»Ja, Maam. Ich hab es Emly versprochen, ehe ich abfuhr. Ich werde auch nicht jünger mit den Jahren, sehen Sie, und wenn ich jetzt die Reise nicht machte, so würde es wahrscheinlich nie geschehen. Und es hat mir immer auf der Seele gelegen, daß ich Masr Davys und Ihr liebes Gesicht glücklich vereint sehen müßte, ehe ich zu alt dazu würde.«

Er betrachtete uns, als könnten seine Augen nicht satt an uns werden.

Scherzend strich ihm Agnes ein paar seiner grauen Locken aus der Stirn, damit er uns besser sehen könnte.

»Und jetzt erzählen Sie uns, wie es Ihnen gegangen ist, Mr. Peggotty!«

»Unsere Geschichte ist bald erzählt, Masr Davy. Es ist uns nicht gerade glänzend gegangen, aber wir sind immer durchgekommen. Im Anfang haben wir uns vielleicht ein bißchen sehr einschränken müssen, aber wir sind immer gut durchgekommen. Bald mit Schafzucht und Feldbau, bald mit diesem und jenem haben wir uns fortgeholfen, und es geht uns jetzt so gut, wie wir nur wünschen können. Gottes Segen hat uns nicht gefehlt, und es ist uns bis zuletzt gutgegangen. Das heißt so im ganzen; wenn nicht gestern, dann heute, wenn nicht heute, dann morgen.«

»Und Emly?« fragten Agnes und ich wie aus einem Munde.

»Als Sie sie verlassen hatten, Maam, und Masr Davy unsern Blicken entschwand, da war sie so niedergedrückt, daß es sicherlich ihr Tod gewesen wäre, wenn sie gewußt hätte, was Masr Davy uns so gütig und vorsichtig geheimgehalten hatte. Aber es waren ein paar arme Kranke an Bord, und die pflegte sie und auch die Kinder, und so hatte sie zu tun, und das richtete sie auf.«

»Wann erfuhren Sie es zuerst?« fragte ich.

»Ich hielt es ihr wohl noch ein Jahr lang geheim, nachdem ich es selbst erfahren hatte. Wir lebten damals an einem einsamen Fleck mitten unter den schönsten Blumen, und die Rosen bedeckten unsere Hütte bis zum Dach. Da kam eines Tages, als ich draußen auf dem Felde arbeitete, ein Landsmann aus Norfolk oder Suffolk durch, und wir nahmen ihn natürlich auf als Gast, wie das in den Kolonien dort Sitte ist. Er hatte eine alte Zeitung mitgebracht, in der etwas über den Sturm stand. So erfuhr sie es. Als ich abends nach Hause kam, sah ich, daß sie es wußte.«

Seine Stimme wurde leiser, als er diese Worte sprach, und der Ernst, den ich an ihm kannte, lag wieder über seinem Gesicht.

»Hat die Kunde sie sehr verändert?« fragten wir.

»Jawohl, für eine lange Zeit. Wenn nicht bis zu dieser Stunde. Aber ich glaube, die Einsamkeit hat ihr gutgetan. Es gab viel Arbeit mit dem Federvieh und der Wirtschaft, und so kam sie darüber weg. Ich möchte gern wissen«, sagte er nachdenklich, »ob Sie meine Emly noch erkennen würden, Masr Davy.«

»Hat sie sich sehr verändert?«

»Ick weet dat nich – Ich sehe sie jeden Tag und weiß es nicht. Aber oft hab ich es gedacht. Eine zarte Gestalt«, sagte Mr. Peggotty und sah ins Feuer. »Etwas angegriffen; sanfte, traurige, blaue Augen; ein schmales Gesicht, den hübschen Kopf ein wenig geneigt; ein stilles Wesen und eine sanfte Stimme – fast schüchtern. So ist Emly.«

Wir betrachteten ihn stillschweigend, wie er dasaß und ins Feuer blickte.

»Manche glauben, sie habe eine unglückliche Liebe gehabt«, fuhr er fort; »andere, ihre Verheiratung sei durch den Tod ihres Bräutigams verhindert worden. Niemand kennt ihre wahre Geschichte. Sie hätte sich viele, viele Male gut verheiraten können, aber, ›Onkel‹, sagt sie stets zu mir, ›damit ist es vorbei für immer.‹ Heiter, wenn ich bei ihr bin; verschlossen, wenn andere da sind;

immer bereit, meilenweit zu gehen, wenn es gilt, ein Kind zu unterrichten oder einen Kranken zu pflegen oder bei der Hochzeit eines jungen Mädchens zu helfen; voll zärtlicher Liebe zu ihrem Onkel, beliebt bei jung und alt, so ist Emly. Alle, die einen Kummer auf dem Herzen haben, kommen zu ihr.«

Er strich sich mit der Hand übers Gesicht und blickte mit einem Seufzer vom Feuer auf.

»Ist Marta noch bei Ihnen?« fragte ich.

»Marta heiratete im zweiten Jahr, Masr Davy. Ein junger Bursche, ein Farmarbeiter, der mit Waren an uns vorüber zum Markte fuhr – eine Reise von über hundert Meilen hin und zurück –, wollte sie zur Frau haben und sich dann selbst Land kaufen. Sie bat mich, ihm ihre Geschichte zu erzählen, und ich tat es. Sie heirateten sich und wohnen ein paar hundert Meilen entfernt von jeder Menschenstimme im wilden Busch.«

»Und Mrs. Gummidge?«

Damit berührte ich eine angenehme Seite bei Mr. Peggotty, denn er brach plötzlich in lautes Gelächter aus und rieb sich mit den Händen die Knie, wie er es immer zu tun pflegte, wenn er in dem alten untergegangnen Boothause sich so recht von Herzen freute.

»Werden Sie glauben, daß sogar der jemand einen Heiratsantrag gemacht hat? Wenn nicht ein Schiffskoch, der sich ansiedeln wollte, Masr Davy, Mrs. Gummidge einen Heiratsantrag gemacht hat, so will ick – gormet sien und mehr kann ick nich seggen.«

Ich habe Agnes nie so lachen sehen. Der plötzliche Freudenausbruch Mr. Peggottys machte ihr so viel Spaß, daß sie gar nicht aufhören konnte; je mehr sie und ich lachen mußten, desto lauter wurde Mr. Peggottys Freude und desto mehr rieb er sich die Knie.

»Und was sagte Mrs. Gummidge dazu?«

»Anstatt zu sagen, ich danke Ihnen, ick bün Ihnen sehr verbunnen, Sir, aber ich will mich in meinen Jahren nicht mehr verändern, nimmt sie einen Wassereimer, der neben ihr steht, und bearbeitet damit den Kopf des Schiffskochs, bis er nach Hilfe ruft und ich hinzukomme und ihn befreie.«

Mr. Peggotty brach wieder in ein schallendes Gelächter aus, und Agnes und ich stimmten mit ein.

»Was ich aber der guten Alten nachsagen muß«, fing er wieder an, »ist, daß sie uns alles gewesen ist, was sie versprochen hat, und mehr noch. Sie ist die willigste und treueste Gehilfin, Masr Davy, die jemals gelebt hat. Ich habe sie keinen Augenblick traurig und niedergeschlagen gesehen, selbst, als die Kolonie noch ganz neu für uns war. Und an den ›Alten‹ hat sie nicht ein einziges Mal gedacht, versichere ich Ihnen, seitdem sie England verließ.«

»Und nun das Letzte, wenn auch nicht das Nebensächlichste! Wie geht es denn Mr. Micawber? Er hat hier alle seine Schulden bezahlt – selbst Traddles Wechsel, du weißt, liebe Agnes –, und deshalb können wir wohl als gewiß annehmen, daß es ihm gutgeht. Aber was gibt es Neues von ihm?«

Mr. Peggotty zog lächelnd ein zusammengefaltetes Papier aus der Brusttasche und wickelte sorgfältig eine kleine wunderlich aussehende Zeitung heraus.

»Sie müssen wissen, Masr Davy, daß wir jetzt nicht mehr im wilden Busch sind, und in Port Middlebay-Harbour, was eine Stadt ist – wir nennen sie wenigstens so –, wohnen.«

»Mr. Micawber war im Busch Ihr Nachbar?«

»Das will ich meinen. Er ist tüchtig drangegangen. Ich konnte mir keinen Tüchtigeren denken. Ich habe seinen kahlen Kopf in der Sonne schwitzen sehen, daß ich schon dachte, er würde ihm wegschmelzen, Masr Davy; und jetzt ist er Friedensrichter.«

»Was? Friedensrichter ist er?«

Mr. Peggotty wies auf eine Stelle in der Zeitung, wo ich laut aus der Port Middlebay-Times vorlas:

»Das Gastmahl zu Ehren unseres ausgezeichneten Mitkolonisten und Mitbürgers Wilkins Micawber Esquire, Distriktrichters von Port Middlebay, fand gestern im großen Saale des Hotels, der zum Ersticken voll war, statt. Es waren nicht weniger als siebenundvierzig Personen, außer der Gesellschaft auf dem Gang und auf der Treppe, zugegen. Die ganze schöne und vornehme Welt von Port Middlebay drängte sich herbei, um einen so hochverdienten, begabten und allgemein beliebten Mann zu ehren. Dr. Mell vom Salemhaus-Gymnasium, Port Middlebay, führte den Vorsitz, und ihm zur Rechten saß der Held des Abends.

Nach der Entfernung der Gedecke und dem Absingen des Liedes ›Non Nobis‹, aus dem man leicht die glockenreinen Töne des begabten Dilettanten Wilkins Micawber Esquire junior heraushören konnte, wurden die gebräuchlichen patriotischen Toaste ausgebracht und begeistert aufgenommen. In einer sehr gefühlvollen Rede brachte Dr. Mell ein Hoch aus auf den ausgezeichneten Gast, diese Zierde unserer Stadt. ›Möge er uns nie verlassen, außer, um seine Stellung zu verbessern, und möge sein Erfolg unter uns derart sein, daß eine Verbesserung seiner Stellung überhaupt ausgeschlossen erscheint!‹ Das Hurra, mit dem dieser Toast aufgenommen wurde, spottet jeder Beschreibung, und immer wieder rauschte es empor wie die Wellen des Ozeans.

Dann stand Wilkins Micawber Esquire auf, um zu danken.

Fern sei es von uns, in dem gegenwärtig verhältnismäßig unvollkommenen Zustande der Hilfsmittel unseres Etablissements uns bemühen zu wollen, unserm ausgezeichneten Mitbürger durch die wohllautenden Perioden seiner klassisch gerundeten bilderreichen Rede zu folgen. Es genüge zu bemerken, daß sie ein Meisterwerk der Beredsamkeit war und daß die Stelle, in der er die Erfolge seines Lebens bis an seine Quelle zurückverfolgte und den jüngern Teil der Anwesenden vor der Gefahr warnte, pekuniäre Verpflichtungen einzugehen, denen sie nicht nachkommen könnten, auch den männlichsten Augen Tränen entlockte. Die übrigen Toaste galten Dr. Mell, Mrs. Micawber, die sich zum Danke in der Tür eines Seitenzimmers anmutsvoll verneigte, wo ein Blütenkranz von Schönheit auf erhöhten Stühlen thronte, um Zeugen und Zierden des erhebenden Schauspiels zu sein, – Mrs. Ridger Begs, geborne Miss Micawber, Mrs. Mell,

Wilkins Micawber jun. Esquire – der mit großem Humor die Heiterkeit der Versammlung durch die Bemerkung erregte, er sei außerstande, seinen Dank in einer Rede auszusprechen, wolle aber mit Erlaubnis der hochansehnlichen Versammlung mit einem Liede danken –, dann Mrs. Micawbers Familie, die, wie wohl nicht erst erwähnt werden muß, im alten Vaterlande wohlbekannt und angesehen ist, und vielen andern. Nach dem Essen wurden die Tische wie durch Zauberschlag beseitigt, um den Saal zum Tanze zu räumen.

Unter den Jüngern Terpsichores, die sich ergötzten, bis Helios das Zeichen zum Aufbruch gab, zeichneten sich vor allem Wilkins Micawber junior Esquire und die liebenswürdige und feingebildete Miss Helena, Dr. Mells vierte Tochter, aus.«

Voller Freude dachte ich an Dr. Mell, in dem ich den armen tyrannisierten Unterlehrer des jetzigen Gefängnisdirektors von Middlessex erkannte. Dann wies Mr. Peggotty auf eine andere Stelle in der Zeitung, wo meine Blicke auf meinen eignen Namen fielen, und ich folgenden öffentlichen Brief las:

An den ausgezeichneten und hervorragenden Dichter David Copperfield Esquire.

Verehrter Herr! Jahre sind vergangen, seit ich das letzte Mal Gelegenheit hatte, mit eignen Augen die Züge zu schauen, die jetzt einem beträchtlichen Teil der zivilisierten Welt so wohl vertraut sind. Aber, verehrter Herr, obgleich mich die Macht der Verhältnisse der persönlichen Gesellschaft des Freundes und Gefährten meiner Jugend entfremdet hat, so bin ich doch von seinem hohen Fluge gar wohl unterrichtet. Auch ich bin nicht ausgeschlossen gewesen ›ob Meere wild auch zwischen uns gebraust‹ die geistigen Genüsse zu teilen, die Sie uns geschenkt haben.

Ich kann daher die Abreise einer Persönlichkeit, die wir beide ehren und achten, nicht ungenützt vorübergehen lassen, verehrter Herr, ohne öffentlich die Gelegenheit zu ergreifen, in meinem Namen und, wie ich wohl hinzusetzen darf, im Namen sämtlicher Bewohner von Port Middlebay Ihnen für die hohen Genüsse zu danken, die uns Ihre Geistesgaben bereiteten.

Fahren Sie so fort, verehrter Herr. Sie sind hier nicht unbekannt in diesem fernen Lande. Fahren Sie fort, verehrter Meister, in Ihrem Adlerflug. Die Bewohner von Port Middlebay werden sich bestreben, Ihnen mit Blicken voll Entzücken und zu ihrer Belehrung zu folgen.

Unter den von diesem Teil des Erdballs zu Ihnen erhobenen Augen wird sich, solange es Licht und Leben hat, immer befinden das Auge

Ihres Jugendfreundes Wilkins Micawber,
Friedensrichter.

Als ich den übrigen Inhalt der Zeitung überflog, entdeckte ich, daß Mr. Micawber ein fleißiger und geschätzter Mitarbeiter des Blattes war. In derselben Nummer stand noch ein anderer Brief von ihm, der von einer Brücke handelte, und eine Anzeige einer Sammlung ähnlicher Briefe, die demnächst »mit beträchtlichen Zusätzen, in einem zierlichen Bande vereinigt«, erscheinen sollten. Wenn ich mich nicht sehr irrte, stammte auch der Leitartikel aus seiner Feder.

Wir sprachen an den vielen Abenden, wo Mr. Peggotty bei uns blieb, viel von Mr. Micawber.

Mr. Peggotty wohnte bei uns fast einen ganzen Monat, und seine Schwester und meine Tante kamen nach London, um ihn zu besuchen. Agnes und ich schieden erst an Bord des Schiffes von ihm, als er wieder abreiste, und wir werden uns auf Erden wohl kaum mehr wiedersehen.

Vorher fuhr er mit mir nach Yarmouth, um den kleinen Grabstein zu besuchen, den ich Ham zu Gedächtnis hatte setzen lassen. Während ich die einfache Inschrift auf seine Bitte für ihn abschrieb, sah ich, wie er sich bückte und einen Büschel Gras und eine Handvoll Erde von dem Grabe nahm.

»Für Emly«, sagte er und steckte es ein. »Ich hab es ihr versprochen, Masr Davy.«

64. Kapitel

Ein letzter Rückblick

Ich wandere mit Agnes auf der Straße des Lebens dahin. Ich sehe unsere Kinder und Freunde um uns her und höre das Rauschen vieler alter vertrauter Stimmen.

Welche Gesichter sind mir die deutlichsten in dem flutenden Gewühl? Alle wenden sich mir zu, wie ich meine Gedanken so frage. Meine Tante mit einer scharfen Brille, – eine Greisin von achtzig Jahren und mehr, aber noch kerzengerade und aufrecht. Sie kann ihre sechs englischen Meilen bei Wind und Wetter gehen, ohne sich niedersetzen zu müssen.

Unzertrennlich von ihr Peggotty, meine gute alte Kindsfrau. Auch sie trägt eine Brille und näht abends sehr dicht bei der Lampe. Aber nie ohne einen Wachsstumpf, das Ellenmaß in dem kleinen Häuschen und den Arbeitskasten mit dem Bilde der St.-Pauls-Kirche auf dem Deckel neben sich.

Ihre Wangen, so hart und rot gewesen in meinen Kindertagen, daß ich mich wunderte, warum die Vögel nicht lieber an ihnen anstatt an Äpfeln pickten, sind ganz runzlig geworden, und ihre Augen, die ihr ganzes Gesicht weithin dunkel machten, sind jetzt nicht mehr so glänzend; aber ihr grauer Zeigefinger, der mir früher wie ein Muskatnußreibeisen vorkam, ist immer noch der alte, und wie ich mein Kleinstes danach haschen sehe, wenn es zwischen mir und meiner Tante zu ihr hinschwankt, da muß ich an unser kleines Wohnzimmer in Blunderstone denken, damals, als ich selbst kaum laufen konnte.

Meine Tante ist jetzt endlich befriedigt. Sie ist Patin einer wirklichen lebendigen Betsey Trotwood, und Dora, die nächste, meint, sie werde von ihr verzogen.

Peggottys Tasche ist hoch aufgebauscht. Es steckt nichts Geringeres darin als das Krokodilbuch, zurzeit in recht altersschwachem Zustand, einzelne Blätter zerrissen und zusammengenäht; – aber immer zeigt es Peggotty den Kindern als eine kostbare Reliquie. Es ist so seltsam, wenn meine eignen Züge als Kindergesicht von den Krokodilgeschichten zu mir aufblicken und mich an meinen alten Bekannten Brooks von Sheffield erinnern.

Mitten unter meinen Jungen sehe ich in den Sommerferien einen alten Mann, der riesige Papierdrachen macht und in die Luft aufblickt mit einer Wonne, für die es keine Worte gibt. Er begrüßt mich begeistert und flüstert mir mit vielem Nicken und Winken zu: »Trotwood, es wird dich freuen zu hören, daß ich demnächst meine Denkschrift beendigen werde, wenn ich weiter nichts zu tun habe, und daß deine Tante die wunderbarste Frau von der Welt ist.«

Wer ist diese tiefgebeugte Dame, die sich auf einen Stock stützt und mir ein Gesicht zeigt, in dem Spuren alten Stolzes und alter Schönheit schwach ankämpfen gegen ein verdrießliches, schwachsinniges, launisches Irrsein? Sie sitzt in ihrem Garten, und neben ihr steht ein hageres dunkles verwelktes Weib mit einer weißen Narbe auf der Lippe.

»Rosa, ich habe den Namen des Herrn vergessen.«

Rosa beugt sich über sie und ruft ihr in die Ohren: »Mr. Copperfield.«

»Es freut mich, Sie zu sehen, Sir. Ich bemerke zu meinem Bedauern, daß Sie Trauer tragen. Ich hoffe, die Zeit wird Ihnen Linderung bringen.«

Ihre ungeduldige Gesellschafterin schilt sie aus und sagt ihr, ich sei doch gar nicht in Trauer, – heißt sie mich wieder ansehen und versucht ihre Aufmerksamkeit zu wecken.

»Sie haben meinen Sohn gesehen, Sir? Sind Sie mit ihm ausgesöhnt?«

Sie sieht mich starr an, legt die Hand an die Stirn und stöhnt. Plötzlich schreit sie mit schrecklicher Stimme auf: »Rosa, komm zu mir. Er ist tot.« Rosa kniet vor ihr nieder, liebkost sie, schilt sie aus und sagt leidenschaftlich zu ihr: »Ich liebte ihn mehr als du.« Dann lullt sie die Alte an ihrer Brust ein wie ein krankes Kind. So

verlasse ich sie. So finde ich sie immer, so schleppen sie sich hin
Jahr um Jahr.

Ein Schiff kommt von Indien her, und wer ist die englische
Dame, die Gattin eines wortkargen alten schottischen Krösus
mit großen flappigen Ohren? Julia Mills?

Es ist Julia Mills, nervös und vornehm, mit einem schwarzen
Diener, der ihr Briefe und Karten auf einem goldnen Teller über-
reicht, und einer kupferfarbigen Dienerin in Leinenkleid mit einem bunten Tuch auf dem Kopf, die ihr das Tiffin (indisches
Frühstück) im Ankleidezimmer serviert. Julia hält kein Tagebuch mehr, singt nicht mehr der »Liebe Sterbelied« und streitet
ewig mit dem alten schottischen Krösus, der eine Art gelber Bär
mit gegerbter Haut ist. Sie steckt im Geld bis an den Hals und
spricht und denkt an weiter nichts. Sie gefiel mir besser in der
Wüste Sahara.

Oder ist vielleicht das die Wüste Sahara? Denn, obgleich Julia
ein Schloß hat und vornehme Gesellschaft und prächtige Diners
Tag für Tag, nichts Grünes sehe ich in ihrer Nähe wachsen.
Nichts, das jemals Frucht oder Blüte trägt.

Was Julia Gesellschaft nennt, sehe ich; darunter Mr. Jack Maldon in seiner Sinekure, der die Hand verspottet, die sie ihm verschafft hat, und den Doktor einen liebenswürdigen altmodischen Kauz nennt.

Ich sehe den Doktor, unsern guten treuen Freund immer noch
mit dem Wörterbuch beschäftigt. Er hält beim Buchstaben D
und ist glücklich in seinem Familienleben und mit seiner Gattin.
Der »General« ist nicht mehr so einflußreich wie ehemals.

In seiner Kanzlei arbeitet mein lieber alter Traddles mit ge-
schäftiger Miene, und sein Haar, soweit sein Kopf noch nicht
kahl ist, ist womöglich noch rebellischer geworden durch den
beständigen Druck der Advokatenperücke. Auf seinem Tisch
liegen hohe Stöße von Akten, ich sehe mich um und sage:

»Wenn Sophie jetzt dein Schreiber wäre, Traddles, hätte sie
viel zu tun. «

»Das stimmt, lieber Copperfield! Aber es waren doch herrliche Tage in Holborn Court! Nicht wahr?«

»Wo sie zu dir sagte, du würdest Richter werden? Aber damals war es noch nicht Stadtgespräch, Traddles.«

»Jedenfalls, lieber Copperfield, wenn ich es erst einmal bin, werde ich erzählen, daß sie die Akten abschrieb.«

Wir gehen fort, Arm in Arm. Ich bin zu einem Familiendinner bei Traddles eingeladen. Es ist Sophies Geburtstag, und unterwegs erzählt mir Traddles von dem Glück, das ihm zuteil geworden ist.

»Ich bin wirklich imstande gewesen, lieber Copperfield, alles zu tun, was mir am meisten am Herzen lag. Seine Ehrwürden hat jetzt die Pfründe von vierhundertfünfzig Pfund jährlich. Unsere beiden Jungen werden aufs beste erzogen und zeichnen sich durch Fleiß aus; drei der Mädchen sind recht gut verheiratet, drei leben bei uns; die drei übrigen führen seit Mrs. Crewlers Tod dem Vater die Wirtschaft; und alle sind glücklich. – Mit Ausnahme der ›Schönheit‹«, fügt er hinzu. »Ja. Es war ein großes Unglück, daß sie so einen Vagabunden heiratete. Aber er hatte etwas Blendendes an sich, was sie bestach. Wo wir sie jetzt wieder sicher zu Hause haben und ihn los sind, müssen wir sie zu trösten suchen.«

Traddles Haus ist wahrscheinlich eins von denen, die er und Sophie bei ihren Abendspaziergängen im Geiste für sich eingerichtet haben. Es ist ein großes Haus, aber Traddles hebt seine Akten im Ankleidezimmer auf und seine Stiefel dabei, und er und Sophie quetschen sich in die obersten Zimmer, um die besten der »Schönheit« und den Mädchen zu überlassen. Es ist kein Platz im Hause sonst, denn immer sind mehr der Mädchen hier, als ich zählen kann. Tritt man ein, kommt eine ganze Schar an die Türe gerannt und reicht Traddles zum Küssen herum, bis er außer Atem ist. Hier wohnt für Lebenszeit die unglückliche »Schönheit« mit einem Kind; hier sehe ich zu Sophies Geburtstag die drei verheirateten Schwestern mit ihren drei Gatten, einem Schwager, einem Vetter und einer Schwägerin, die mit diesem verlobt zu sein scheint. Traddles, genau derselbe einfache, ungezierte, gute Bursche, der er immer war, sitzt am untern Ende der langen Tafel und blickt über den gedeckten Tisch, auf dem jetzt wirkliches Silber blitzt.

Dann verschwimmen diese Gesichter. Nur eins, das auf mich niederscheint wie ein himmlisches Licht, das mir alles erleuchtet, steht über ihnen. Und das bleibt.

Ich wende meinen Kopf und sehe es in seiner schönen, heitern Ruhe neben mir. Meine Lampe brennt herunter, und ich habe tief bis in die Nacht hinein geschrieben, aber das teure Wesen, ohne das ich nichts wäre, leistet mir immer Gesellschaft.

ANHANG

Editorische Notiz

Der Österreicher Gustav Meyrink (1868–1932) war Schriftsteller und hat das Dickens'sche Werk fast vollständig ins Deutsche übertragen.

Die vorliegende, ungekürzte Übersetzung ist folgender Ausgabe entnommen: ›Ausgewählte Romane und Geschichten‹ von Charles Dickens in 16 Bänden. Herausgegeben und übersetzt von Gustav Meyrink. München 1910–12.

Daten zu Leben und Werk

1812

7. Februar: Charles Dickens wird als zweites der insgesamt acht Kinder von John und Elizabeth Dickens in Landport bei Portsmouth geboren.

1817–1822

Kindheitsjahre, in Chatham (Kent). Besuch der privaten William Giles' School. 1822: Umzug der Familie nach London.

1824–1827

Ende der Zeit des relativen Wohlstands durch Schuldhaft des Vaters. Unterbrechung der schulischen Ausbildung an der Wellington House Academy, da der zwölfjährige Charles gezwungen ist, die verarmte Familie durch Hilfsarbeiten in einer Firma für Schuhcreme zu unterstützen. 1824–1827: Fortsetzung des Schulbesuchs.

1827–1833

1827: Anstellung als Rechtsanwaltsgehilfe. 1829: Gerichtsstenograph. Ab 1831 Tätigkeit als Parlamentsberichterstatter und journalistische Tätigkeit für die Zeitschriften *True Sun*, *Mirror of Parliament* und *The Morning Chronicle*. Unter dem Pseudonym »Boz« publiziert er im *Monthly Magazine* ab 1833 erste literarische Texte (später zusammengefasst unter dem Titel *Sketches by Boz*, 2 Bde., 1836–1837).

1836

Heirat mit Catherine Hogarth. Durchbruch als Schriftsteller mit dem in 20 Teilen erscheinenden Fortsetzungsroman *The Posthumous Papers of the Pickwick Club* (bekannter unter dem Kurztitel *The Pickwick Papers*, 1836–1837). Übernahme der Herausgeberschaft von *Bentley's Miscellany*. Begegnung mit John Forster, seinem künftig wichtigsten Freund und ersten Biographen.

1837–1839

1837: Geburt des ersten von insgesamt zehn Kindern. Herausgabe des Romans *Oliver Twist*, der von 1837 bis 1839 in monatlichen Einzellieferungen in *Bentley's Miscellany* erscheint. Bereits im folgenden Jahr beginnt Dickens in der für ihn typischen parallelen Arbeitsweise mit der Produktion von *The Life and Adventures of Nicholas Nickelby* (Fortsetzungsroman, 1838–1839). 1839: Umzug nach Devonshire Terrace (London).

1840–1841

Dickens gründet die Wochenzeitschrift *Master Humphrey's Clock*, in der die nächsten beiden Fortsetzungsromane erscheinen: *The Old Curiosity Shop* (1840–1841) und *Barnaby Rudge* (1841).

1842–1844

Im Anschluss an eine Reise durch Kanada und die Vereinigten Staaten (1842) entstehen die *American Notes*, die noch im gleichen Jahr erscheinen (begleitet von heftigen Protesten der Amerikaner) sowie der Roman *The Life and Adventures of Martin Chuzzlewit* (1843–1844). 1843 erscheint mit *A Christmas Carol in Prose* das erste der insgesamt fünf »Weihnachtsbücher« (es folgen *The Chimes*, 1844; *The Cricket on the Hearth*, 1845; *The Battle of Life*, 1846; und *The Haunted Man and the Ghost's Bargain*, 1848).

1844–1848

1844–1847: Ausgedehnte Aufenthalte in Italien (daraus resultierend das Reisebuch *Pictures from Italy*, 1846), Frankreich und der Schweiz. 1846–1848 erscheint der Fortsetzungsroman *Dombey and Son*.

1849–1863

Mit *David Copperfield* (1849–1850) eröffnet Dickens die ertragreichste Phase seiner Romanproduktion. Bis 1861 erscheinen *Bleak House* (1852–1853), *Hard Times* (1854), *Little Dorrit* (1857), *A Tale of Two Cities* (1859) und *Great Expectations* (1860–1861). 1850–1859: Herausgabe der Wochenzeitschriften *Household Words* (1850–1859) und *All The Year Round* (1859–1870). 1851: Umzug nach Tavistock House (London), wo Dickens 1857 zusammen mit Wilkie Collins das Theaterstück *The Frozen Deep* zur Aufführung bringt. 1858: Trennung von Catherine Hogarth und Zusammenleben mit der Schauspielerin Ellen Ternan. 1858–1863: Öffentliche Lesungen gegen Honorar in London und Paris. 1860: Verwirklichung eines Kindheitswunsches durch Übersiedlung nach Gad's Hill Place in Rochester (Kent).

1864–1870

1864–1865 erscheint der letzte vollständige Roman, *Our Mutual Friend*. 1865: Dauerhafte seelische Erschütterung durch das Erlebnis eines schweren Eisenbahnunglücks. 1866–1870: Fortsetzung der öffentlichen Lesungen (u. a. auch in Amerika), zuletzt gegen ärztlichen Rat. Am 9. Juni 1870 erliegt Dickens den Folgen eines Schlaganfalls. Seine Beisetzung findet am 14. Juni in der Westminster Abbey statt. Noch im gleichen Jahres erscheint der unvollendete Roman *The Mystery of Edwin Drood*.

Aus Kindlers Literatur Lexikon:
Charles Dickens, ›David Copperfield‹

In dem von Mai 1849 bis November 1850 in Fortsetzungen erschienenen Roman erzählt der Protagonist seine eigene Geschichte in Form einer fiktiven Autobiographie, die Parallelen zum Leben des Autors aufweist. Der Roman beginnt mit Davids Geburt im Dorf Blunderstone in Suffolk kurz nach dem Tod seines Vaters und endet, als der etwa 37-Jährige als erfolgreicher Schriftsteller auf seine Entwicklung zurückschaut.

David wird von seiner Mutter Clara und dem Dienstmädchen Peggotty liebevoll aufgezogen. Bei Besuchen in Yarmouth im Hausboot von Peggottys Bruder lernt er dessen Neffen Ham und die Nichte Emily, für die er später schwärmt, kennen. Seine glückliche Kindheit endet, als die Mutter Mr. Murdstone heiratet, der zusammen mit seiner puritanisch strengen Schwester ein hartes Regiment führt, unter dem auch Davids Mutter leidet. David kommt in die Schule des gewalttätigen Mr. Creakle, wo er sich mit dem aristokratischen James Steerforth anfreundet, den er kritiklos bewundert. Nach dem Tod der Mutter und seines wenige Wochen alten Bruders endet Davids Schulbesuch; der Zehnjährige wird zur Arbeit in die Weinhandlung von Murdstone und Grinby nach London geschickt.

In die Beschreibung der Leiden des kleinen David gehen Dickens' eigene Erfahrungen mit der Kinderarbeit ein. In London findet David eine Unterkunft bei Mr. Micawber und seiner vielköpfigen Familie. Micawber, der immer wieder in Finanzschwierigkeiten gerät, aber dennoch die Hoffnung auf bessere Zeiten nie verliert, wird sein Freund. Als die Micawbers aus London wegziehen, macht sich David allein auf den Weg zu seiner Großtante Betsey Trotwood nach Dover, wo er abgerissen und halb verhungert ankommt. Die exzentrische Tante übernimmt zusammen mit dem geistig behinderten Mr. Dick, der bei ihr lebt, die Vormundschaft über David, den sie ›Trotwood‹ nennt. Sie lässt ihn die Schule des gütigen Dr. Strong in Canterbury besuchen, wo er bei ihrem Anwalt, Mr. Wickfield und dessen Tochter Agnes wohnt, die er wie eine Schwester liebt. David verbringt fünf glückliche Jahre in Canterbury.

Nach dem Ende der Schulzeit macht er zusammen mit seinem Freund Steerforth einen Besuch bei Peggottys Familie in Yarmouth, wo sich Emily und Ham gerade verlobt haben. Anschließend beginnt er in London in der Anwaltskanzlei von Mr. Spenlow seine Lehrzeit, die von seiner Tante finanziell großzügig unterstützt wird. In London trifft er alte Bekannte wieder: Mr. Micawber, bei dem Davids Schulfreund Traddles wohnt, der hart arbeitet, um bald seine geliebte Sophy heiraten zu können. Bei einem neuen Besuch in Yarmouth erfährt David, dass Steerforth am Vorabend ihrer Hochzeit mit Ham Emily entführt hat, die sich erhoffte, an seiner Seite eine ›große Dame‹ zu werden. Mr. Peggotty begibt sich auf die Suche nach ihr und will nicht ruhen, bis er sie gefunden hat.

Auch das idyllische Leben im Haus der Tante wird gestört: Sie verliert ihr Vermögen und zieht zusammen mit Mr. Dick zu David nach London, der seinen Plan, Anwalt zu werden, aufgeben und Geld verdienen muss. Er lernt Stenographie, arbeitet als Sekretär von Dr. Strong und hat erste Erfolge als Schriftsteller. Bald verdient er genug, um Dora, die Tochter seines ehemaligen Arbeitgebers Mr. Spenlow, mit der er sich heimlich verlobt hatte, zu heiraten. Bei den Wickfields sind ebenfalls Veränderungen eingetreten: Der kriecherische Uriah Heep, der sich zum Partner von Mr. Wickfield hochgearbeitet hat, stellt Agnes nach und übt einen unheilvollen Einfluss auf den Anwalt aus. Mr. Micawber, den Heep als Schreiber eingestellt hat, gelingt es jedoch, Heeps Intrigen und Betrügereien nachzuweisen und in einer dramatischen Szene zu enthüllen. So kann er Betsey Trotwood und Mr. Wickfield wieder zu ihrem Vermögen verhelfen. Tante Betsey schlägt Mr. Micawber vor, nach Australien auszuwandern, und stellt ihm das nötige Kapital zur Verfügung. Heep wird später wegen Betrugs verurteilt und inhaftiert.

David hat erfahren, dass Steerforth Emily verlassen hat und sie wieder in England ist. Mr. Peggotty findet sie in London und wandert mit ihr nach Australien aus – in demselben Schiff wie die Micawbers. David übernimmt es, Emilys Abschiedsbrief an Ham nach Yarmouth zu bringen. Dort ist nach einem heftigen Sturm ein Schiff auf Grund gelaufen. Ham versucht – vergeblich – einen letzten Passagier von Bord zu retten: Es ist Steerforth, der zusammen mit Ham tot an den Strand gespült wird.

Im zweiten Ehejahr erkrankt die verspielte Dora, eine Kindfrau ähnlich Davids Mutter, die unfähig war, einen Haushalt zu führen und David eine adäquate Partnerin zu sein, und stirbt. In seiner Trauer über den Tod von Dora, Steerforth und Ham verlässt David England. Erst nach drei Jahren kehrt er als inzwischen erfolgreicher Autor zurück. Am Ende seines Reifeprozesses hat er zudem erkannt, dass Agnes der ›gute Engel‹ in seinem Leben ist, und heiratet sie, wie Dora es sich auf dem Sterbebett gewünscht hatte. Zehn Jahre später berichtet David im Rückblick vom glücklichen Leben im Kreis seiner Kinder mit der Tante, Mr. Dick und dem alten Dienstmädchen Peggotty sowie vom Erfolg der Auswanderer in Australien; Mr. Micawber, der utilitaristische Maximen propagierte, aber ihnen stets zuwider handelte, wurde dort sogar zum ›Magistrat‹.

Dickens selbst bezeichnete den Roman, den wohl wichtigsten Bildungsroman der viktorianischen Zeit, in dem er autobiographische Erfahrungen verarbeitete, als sein ›Lieblingskind‹. Obwohl er ein breites Panorama von Ereignissen mit einer Fülle von Figuren darstellt, gelingt es ihm, jede einzelne durch eine Redewendung, eine Gewohnheit oder ein physisches Merkmal eindeutig zu charakterisieren. Sein Ich-Erzähler muss seinen entscheidenden Fehler – mangelnde Selbsteinschätzung und die Fehleinschätzung anderer – erkennen, allmählich den wahren Wert der Menschen in seiner Umgebung entdecken und seinen Entwicklungsprozess als Erziehung seines ›undisziplinierten Herzens‹ verstehen. Dabei werden die verschiedenen Stufen seines Reifeprozesses jeweils aus der dem Alter des Erlebenden angemessenen Sicht dargestellt. David zeigt nicht auf, wie er zum Schriftsteller wird. Sein Erfolg beruht, wie er selbst ausführt, auf viktorianischen bürgerlichen Tugenden wie Geduld, Pünktlichkeit, Sparsamkeit, Standhaftigkeit, Ernst und der Achtung des Werts der Arbeit. Wie er sind viele Figuren Waisen oder Halbwaisen. Ehen mit ungleichen Partnern, die Gefährdung der Familie und die Suche nach Geborgenheit und einem glücklichen Heim gehören zu den wiederkehrenden Themen des Romans, der im 20. Jh. mehrfach verfilmt wurde.

Jerôme von Gebsattel / Annefret Maack

Aus: Kindlers Literatur Lexikon. 3., völlig neu bearbeitete Auflage. Herausgegeben von Heinz Ludwig Arnold (ISBN 978-3-476-04000-8). – © der deutschsprachigen Originalausgabe 2009 J. B. Metzler'sche Verlagsbuchhandlung und Carl Ernst Poeschel Verlag, Stuttgart (in Lizenz der Kindler Verlag GmbH).

Ausführliches Inhaltsverzeichnis

Charles Dickens
Oliver Twist
Band 90042

Schurken, schmieriges Elend, ein hilfloses, unterdrücktes
Waisenkind. Dutzende Film- und Fernsehadaptationen hat
Dickens' Roman inspiriert. Einst wühlte das krasse Porträt
des jüdischen Schurken Fagin die Gemüter auf. Heute stört
sich Roman Polanski an der Hoffnung, dass das Gute im
Menschen über die Ungerechtigkeit triumphieren kann.
Dickens' ›Oliver Twist‹ lebt weiter, weil er eine existentielle
Spannung gestaltet: der Einzelne gegen die Gesellschaft.

Das gesamte Programm von Fischer Klassik
finden Sie unter:
www.fischer-klassik.de

Fischer Taschenbuch Verlag

Charles Dickens
Weihnachtsgeschichten
Band 90113

Allein zu Hause, an Weihnachten? Der knallharte Geschäftsmann Ebenezer Scrooge bekommt Besuch. Allerdings aus
der Geisterwelt: Weihnachtsgeister aus Vergangenheit, Gegenwart und Zukunft sorgen dafür, dass der fiese Geizhals
sich nicht mehr wohl fühlt in seiner Haut. Aber kann Weihnachten einen besseren Menschen aus uns machen?

Inhalt: ›Weihnachtslied‹, ›Der Behexte und der Pakt mit dem
Geiste‹, ›Die Silvesterglocken‹, ›Auf der Walstatt des Lebens‹

Das gesamte Programm von Fischer Klassik
finden Sie unter:
www.fischer-klassik.de

Fischer Taschenbuch Verlag

Fischer Klassik

Mein Klassiker
Autoren erzählen
vom Lesen
Band 90001

Jane Austen
Stolz und Vorurteil
Band 90004

Giovanni Boccaccio
Das Dekameron
Band 90006

Karl Marx
Das große Lesebuch
Herausgegeben von
Iring Fetscher
Band 90002

**Phantastisch zwecklos
ist mein Lied**
Deutsche Gedichte
vom Mittelalter bis zur
Klassischen Moderne
Band 90003

Honoré de Balzac
Die Frau von dreißig Jahren
Band 90005

Miguel de Cervantes Saavedra
**Don Quixote von
la Mancha**
Übersetzt von Ludwig Tieck
Band 90007

Choderlos de Laclos
Schlimme Liebschaften
Übersetzt von Heinrich Mann
Band 90025

Dante Alighieri
Die Göttliche Komödie
Band 90008

Charles Dickens
David Copperfield
Band 90009

Fjodor Dostojewskij
Verbrechen und Strafe
Neu übersetzt von S. Geier
Band 90010

Das ausführliche Programm von Fischer Klassik
finden Sie unter:
www.fischer-klassik.de

Fischer Taschenbuch Verlag

fi 666 040 / 1 / a

Fischer Klassik

Das ausführliche Programm von Fischer Klassik
finden Sie unter:
www.fischer-klassik.de

Fischer Taschenbuch Verlag

fi 666 040 / 1 / b

Fischer Klassik

Das ausführliche Programm von Fischer Klassik
finden Sie unter:
www.fischer-klassik.de

Fischer Taschenbuch Verlag

fi 666 040 / 1 / c

Fischer Klassik

Das Nibelungenlied
Mittelhochdeutscher Text
und Übertragung. Band 2
Band 90132

Edgar Allan Poe
**Der Untergang des
Hauses Usher und
andere Erzählungen**
Band 90031

Friedrich Schiller
**Die Räuber /
Kabale und Liebe**
Band 90032

Gustav Schwab
**Die schönsten Sagen des
klassischen Altertums**
Band 90033

William Shakespeare
Hamlet
Übertragen von
August Wilhelm Schlegel
Band 90034

Sophokles
Antigone / König Ödipus
Band 90035

Theodor Storm
**Der Schimmelreiter /
Immensee**
Band 90036

Mark Twain
**Die Abenteuer
von Tom Sawyer**
Band 90037

Virginia Woolf
Mrs Dalloway
Übersetzt von
Walter Boehlich
Band 90038

Carl Zuckmayer
**Der Hauptmann
von Köpenick**
Band 90039

Das ausführliche Programm von Fischer Klassik
finden Sie unter:
www.fischer-klassik.de

Fischer Taschenbuch Verlag

fi 666 040 / 1 / d